脳とホルモンの行動学

第2版

わかりやすい行動神経内分泌学

編
近藤保彦　小川園子　菊水健史　山田一夫　富原一哉　塚原伸治

西村書店

序　文

　本書の初版は2010年に出版された。初版が出版される以前にもホルモンと行動を扱った本はいくつかあったものの，それらの多くは狭い意味での生物学の一分野としたものであり，したがってその対象も無脊椎動物から魚類，両生類，爬虫類，鳥類と広い生物種をカバーする一方，逆に内容的には浅いものとなってしまっている場合が多かった。そのような中，ヒトを含めた哺乳類の行動に焦点を当て，ホルモンによる行動調節を総括して解説した本書の初版は本邦初と自負しており，多くの先生方からお褒めや励ましのお言葉をいただいた。また，学会などで出会う若い研究者の方々から，学生のときに本書で勉強したと聞くたびにたいへん嬉しく誇らしくも感じられた。

　本書のもう一つの特色は，ホルモンによる行動調節を概説するだけでなく，そこにさらなるキーワード「脳」が加わっていることにある。これはホルモンの行動に対する影響に脳が介在するためというばかりでなく，脳はホルモンの分泌自体にも影響しているからである。脳は，動物が対峙する外部刺激に対して即時的な反応（行動）を引き起こすだけでなく，例えば環境変化など持続的な外部情報をホルモン分泌によって体内情報として維持する。これによって，動物が特定の行動を引き起こすためのレディネス（準備状態）を作り出していると考えることができる。このようにホルモンの作用は，脳と一体であり，行動の制御系として分離して考えることができないからである。

　初版の序文でも書いたように，ホルモンといえばまずは「性ホルモン」という一般的イメージは今も変わっていないし，あながち的外れな理解ともいえない。我々ヒトを含めた動物にとって性ホルモンによって支配される生殖は，種の維持のために最も重要であるばかりでなく，性ホルモンは生殖行動以外にもきわめて広範な行動に大きな影響を与えているからである。さらに性ホルモンの効果は，他のホルモンと同様，単一ホルモンの効果ではない。あるホルモンは別のホルモンの分泌を直接，促進または抑制するばかりでなく，ホルモンによって変化した生体情報によって間接的に他のホルモンの分泌を調節することもありうるのである。また，ホルモンが代謝されて別のホルモンに変換されたり，あるいは類似のホルモンの受容体に直接作用（クロストーク）することすら報告されている。本書によって，行動を制御する様々なホルモンの生体内ダイナミックスを学んでもらえたらと考えている。

　初版が出版された2010年以降，神経科学の世界では大きな研究技法の発展があったと感じている。それまで分子生物学者の十八番であった遺伝子操作が，一般の神経科学者の研究室で普通に行えるようになったのである。これらの新技術により，行動神経内分泌学に関する我々の知識は急激に増大しつつある。これが本書の第2版の改訂を推し進める大きな力となったことは否めない。したがって第2版では，できうる限り最新の情報も含めるよう心がけた。本書が，生物学，農学，獣医学，薬学，そして医学や心理学を学ぶ学徒のみなさんのみならず，最先端の研究者の先生方にもお役に立てるのではないかと期待している。

編集者を代表して
近藤保彦

執筆者一覧

編集者

近藤　保彦	帝京科学大学生命環境学部アニマルサイエンス学科	教授
小川　園子	筑波大学人間系行動神経内分泌学研究室	名誉教授
菊水　健史	麻布大学獣医学部応用動物科学科介在動物学研究室	教授
山田　一夫	筑波大学人間系	教授
富原　一哉	鹿児島大学法文学部人文学科	教授
塚原　伸治	埼玉大学大学院理工学研究科生命科学部門	教授

執筆者

近藤　保彦	帝京科学大学生命環境学部アニマルサイエンス学科　教授 1, 7章		菊水　健史	麻布大学獣医学部応用動物科学科介在動物学研究室　教授 5, 9章
佐久間康夫	日本医科大学　名誉教授 1章		横須賀　誠	日本獣医生命科学大学獣医学部獣医学科比較動物医学教室　教授 6章
前嶋　翔	近畿大学医学部解剖学教室　助教 1章(1.4.13〜1.4.15)		清川　泰志	東京大学大学院農学生命科学研究科獣医動物行動学研究室　准教授 6章
折笠千登世	日本医科大学形態解析研究室　准教授 2章(2.1〜2.4)		坂本　浩隆	岡山大学理学部付属臨海実験所　教授 7章(7.10)
西森　克彦	福島県立医科大学　特任教授 2章(2.5〜2.6)		富原　一哉	鹿児島大学法文学部人文学科　教授 8章
朴　民根	東京大学大学院理学系研究科生物科学専攻　准教授 3章		天野　大樹	北海道大学大学院薬学研究院薬理学研究室　准教授 9章
遠藤　大輔	長崎大学生命医科学域肉眼解剖学／CSTセンター　助教 3章		小川　園子	筑波大学人間系行動神経内分泌学研究室　名誉教授 10章
塚原　伸治	埼玉大学大学院理工学研究科生命科学部門　教授 4章			

高橋　阿貴	筑波大学大学院人間総合科学研究科 感性認知脳科学　准教授 10章	木村昌由美	筑波大学国際統合睡眠医科学 研究機構　教授 15章
竹内　秀明	東北大学大学院生命科学研究科 分子行動分野　教授 11章	井樋　慶一	東北福祉大学健康科学部 保健看護学科　教授 弘前大学　招へい教授 東北大学　名誉教授 16章
小山　幸子	Anatomy and Cell Biology, Medical Sciences Program Indiana University Assistant Research Professor 11章	山田　一夫	筑波大学人間系　教授 17章
尾仲　達史	自治医科大学医学部生理学講座 神経脳生理学部門　教授 12章	飯郷　雅之	宇都宮大学農学部応用生命化学科 教授 18章(18.1)
横山　徹	自治医科大学医学部麻酔科学・集中治療医学講座　助教 13章(13.1)	中田　友明	日本獣医生命科学大学獣医学部 比較動物医学教室　講師 18章(18.2)
藤原　広明	産業医科大学産業生態科学研究所 人間工学研究室　准教授 13章(13.2)	宮川　信一	東京理科大学先進工学部生命 システム工学科　准教授 18章(18.3)
上田　陽一	産業医科大学医学部第1生理学 教授 13章(13.3〜13.6)	産賀　崇由	株式会社国際がん研究所 研究開発推進機構　研究開発部長 18章(18.4)
千葉　篤彦	上智大学理工学部物質生命理工学科 教授 14章(14.1〜14.4)	坂口　菊恵	独立行政法人 大学改革支援・学位授与機構 研究開発部　教授 19章
坂本　信介	宮崎大学農学部畜産草地科学科 教授 14章(14.5)		

目 次

序 文 iii
執筆者一覧 iv

1章　ホルモンと行動研究　1

1.1　ホルモンとは何か　2
1.2　ホルモンと行動の研究史　3
1.3　行動内分泌学から行動神経内分泌学へ　4
1.4　行動神経内分泌学の研究手法　5
1.4.1　摘除と代償療法　5
1.4.2　ホルモン測定　6
1.4.3　脳外科手術法　6
1.4.4　微小透析（マイクロダイアリシス）法　7
1.4.5　脳内活動記録と電気刺激　7
1.4.6　免疫組織化学　8
1.4.7　Fos タンパク質の免疫組織化学　8
1.4.8　in situ ハイブリダイゼーション　9
1.4.9　オートラジオグラフィー　9
1.4.10　電気泳動法　9
1.4.11　PCR を用いた分子計測　9
1.4.12　リアルタイム PCR　10
1.4.13　遺伝子改変動物の利用　11
1.4.14　アデノ随伴ウイルスベクターによる遺伝子改変動物への外来遺伝子導入　12
1.4.15　外来遺伝子導入による機能解析法　13

2章　ホルモン分泌の神経調節　14

2.1　内分泌器官　15
2.1.1　視床下部　15
2.1.2　下垂体　16
2.1.3　甲状腺　17
2.1.4　副腎　17
2.1.5　性腺　18

2.2　標的器官　20
2.2.1　タンパクおよびペプチドホルモン受容体　20
2.2.2　ステロイドホルモン受容体　21

2.3　自律神経系と内分泌　21
2.4　分泌器官としての脳，標的器官としての脳　23
2.5　行動を制御する代表的なホルモン　24
2.5.1　ステロイドホルモン　24
2.5.2　副腎髄質ホルモン　26
2.5.3　下垂体前葉ホルモン　26
2.5.4　下垂体後葉ホルモン　27

2.6　神経伝達物質としてのホルモン　27

3章　性の決定　29

3.1　性染色体による性決定　29
3.1.1　哺乳類の性染色体　29
3.1.2　脊椎動物の性染色体　30
3.1.3　性決定遺伝子　31

3.2　環境による性決定　32
3.2.1　温度依存性性決定　32
3.2.2　社会性性決定　33
3.2.3　その他の性決定　34

3.3　性決定と行動の性差　35
3.3.1　鳥類の行動の性差　35
3.3.2　性染色体と行動の性差　37
3.3.3　環境による性決定と行動の性差　38

3.4　エピジェネティック因子による性決定と性行動の制御　39

4章　哺乳類の性分化　41

- 4.1 生殖器の分化 ... 41
  - 4.1.1 生殖腺　41
  - 4.1.2 内生殖器　41
  - 4.1.3 外生殖器　43
- 4.2 脳の性分化 ... 43
  - 4.2.1 脳の性分化機構の種差（げっ歯類と霊長類の違い）　44
- 4.3 げっ歯類の脳の性分化における性ステロイドホルモンのはたらき ... 46
  - 4.3.1 周生期における精巣由来テストステロンの形成作用　46
  - 4.3.2 春機発動期における性ステロイドホルモンの形成作用　47
- 4.4 性染色体遺伝子の役割 ... 48
- 4.5 中枢神経系の構造の性差と形成 ... 49
  - 4.5.1 中枢神経系における構造の性差（性的二型核）　49
  - 4.5.2 性的二型核の形成　54
  - 4.5.3 ヒトの脳の性差　56

5章　生育環境と行動　59

- 5.1 胎児の子宮内順位と性分化 ... 59
- 5.2 妊娠期ストレス ... 60
  - 5.2.1 妊娠期ストレスと視床下部-下垂体-副腎軸の発達　60
  - 5.2.2 妊娠期ストレスと行動発達　61
  - 5.2.3 母体から胎仔への作用物質　61
- 5.3 母仔分離と幼少期ストレス ... 62
  - 5.3.1 アカゲザルを用いた研究　63
  - 5.3.2 遺伝と環境の相互作用　65
  - 5.3.3 げっ歯類での研究—1　65
  - 5.3.4 げっ歯類での研究—2　67
  - 5.3.5 ヒトでの臨床的知見　68
- 5.4 思春期ストレス ... 69
  - 5.4.1 ヒトでの臨床的知見　69
  - 5.4.2 げっ歯類での研究　69
- 5.5 生育環境とエピジェネティクス ... 70
- 5.6 豊かな環境と脳の発達 ... 71
- 5.7 腸内細菌叢と脳の発達 ... 73
  - 5.7.1 腸内細菌叢とオキシトシン　74
  - 5.7.2 離乳後の発達と腸内細菌叢　74
- 5.8 内分泌攪乱物質 ... 75

6章　種内コミュニケーション　77

- 6.1 はじめに ... 77
- 6.2 種内コミュニケーションと感覚 ... 77
  - 6.2.1 視覚　77
  - 6.2.2 聴覚　79
  - 6.2.3 嗅覚　81
- 6.3 嗅覚系の構造 ... 84
- 6.4 哺乳類における嗅覚コミュニケーションの例 ... 87

7章　雄性行動　93

- 7.1 雄性行動の観察 ... 93
- 7.2 性的動機づけと完了行動 ... 94
- 7.3 嗅覚選好性 ... 95
- 7.4 勃起機能の評価 ... 97
  - 7.4.1 反射勃起テスト　97
  - 7.4.2 非接触性勃起　98
  - 7.4.3 坐骨海綿体筋および球海綿体筋の筋電図　98
  - 7.4.4 交合反射　99
- 7.5 性ホルモンによる雄性行動の活性化 ... 99
- 7.6 性経験の影響 ... 100
- 7.7 鋤鼻神経系と雄性行動 ... 101
- 7.8 内側視索前野 ... 103
- 7.9 その他の脳領域と雄性行動 ... 104
  - 7.9.1 外側中隔野　104
  - 7.9.2 大脳皮質　104
  - 7.9.3 海馬　105
  - 7.9.4 乳頭体　105
  - 7.9.5 視床下部腹内側核　105
  - 7.9.6 視床下部室傍核　105
  - 7.9.7 中脳　105
- 7.10 脊髄および末梢における陰茎機能の調節 ... 106
- 7.11 神経伝達物質による雄性行動の調節 ... 108

7.11.1　ドーパミン　108
　　　7.11.2　ノルアドレナリン　108
　　　7.11.3　セロトニン　108
　　　7.11.4　神経ペプチド　109
7.12　おわりに　110

8章　雌性行動　111

8.1　性周期と行動　111
　　　8.1.1　雌の発情パターンの分類　111
　　　8.1.2　げっ歯類の性周期に伴う行動変化　113
　　　8.1.3　ヒトの性周期に伴う行動変化　113
8.2　雌の性行動の分類　114
　　　8.2.1　誘引性　115
　　　8.2.2　前進性　115
　　　8.2.3　受容性　116
8.3　ロードーシスの神経調節　116
　　　8.3.1　ロードーシスの反射機構　116
　　　8.3.2　上位中枢における促進系と抑制系　117
　　　8.3.3　ロードーシス反射にみられる雌雄差　118
8.4　ロードーシスの神経内分泌　119
　　　8.4.1　エストロゲンとロードーシス　119
　　　8.4.2　プロゲステロンによる2面的効果　120
　　　8.4.3　その他の神経伝達物質と神経ペプチド　121
　　　8.4.4　フェロモンによるロードーシスの調節　122
8.5　雌の性的欲求行動　123
　　　8.5.1　誘惑行動　123
　　　8.5.2　交尾のペース配分行動　124
　　　8.5.3　雌における性的動機づけの測定　125

9章　子育て行動　128

9.1　様々な子育て行動　128
9.2　妊娠時のホルモン変動と行動　129
9.3　分娩　129
9.4　授乳期の生理　130
9.5　子育て行動の惹起　130
　　　9.5.1　経産動物　130
　　　9.5.2　未経産動物　131
　　　9.5.3　雄　131

9.6　母仔間のコミュニケーション　132
　　　9.6.1　仔のきずな形成の神経機構　132
　　　9.6.2　母仔間のにおいを介したコミュニケーション　133
　　　9.6.3　母仔間の音を介したコミュニケーション　133
　　　9.6.4　輸送行動と輸送反応　134
9.7　離　乳　135
9.8　子育て行動とホルモン　136
　　　9.8.1　エストロゲンとプロゲステロン　136
　　　9.8.2　アンドロゲンとバソプレシン　137
　　　9.8.3　プロラクチン　137
　　　9.8.4　オキシトシン　138
9.9　子育て行動を調節する神経系　139
　　　9.9.1　内側視索前野　139
　　　9.9.2　鋤鼻系，嗅覚系　140
　　　9.9.3　辺縁系　140
　　　9.9.4　その他の感覚神経系と脳領域　140
9.10　繁殖システムと子育て　141
　　　9.10.1　仔殺し　141
　　　9.10.2　繁殖戦略　142
　　　9.10.3　子育ての特異性　142
9.11　おわりに　142

10章　攻撃行動　143

10.1　様々な種類の攻撃行動　143
　　　10.1.1　攻撃行動の分類　143
　　　10.1.2　実験室場面での攻撃行動の観察　144
10.2　ステロイドホルモンによる攻撃行動の制御　145
　　　10.2.1　テストステロンによる雄の攻撃行動の亢進　145
　　　10.2.2　性ステロイドホルモンの形成作用と攻撃行動　146
10.3　攻撃行動の発現制御に関わる神経回路と性ステロイドホルモン　146
　　　10.3.1　攻撃行動の発現制御に関わる神経回路　146
　　　10.3.2　攻撃行動に関わる神経回路と性ステロイドホルモン　147
10.4　攻撃行動の発現制御に関わる脳内分子機構　148

	10.4.1 オキシトシン，バソプレシンによる攻撃行動の調節　148
	10.4.2 セロトニンと攻撃行動　148
	10.4.3 ドーパミンと攻撃行動　149
	10.4.4 その他の脳内物質と攻撃行動　149
10.5	母親攻撃行動の神経内分泌基盤　149
	10.5.1 母親攻撃行動のホルモン基盤　149
	10.5.2 母親攻撃行動の脳内分子機構　150
10.6	おわりに　150

11章　個体間のきずなの形成と維持　151

11.1	つがいのきずな形成と維持　151
	11.1.1 個体間関係の分類　151
	11.1.2 つがい形成システム　151
	11.1.3 雌雄のきずなの形成と維持　152
	11.1.4 つがいのきずな形成研究の自閉症研究への臨床応用　157
11.2	仲間関係の形成と維持　158
	11.2.1 社会的集団の形成と機能　158
	11.2.2 社会的順位に関わる神経機構　160
	11.2.3 遊び行動と社会行動の発達　162
	11.2.4 遊びの進化と性差　163
	11.2.5 遊びの行動神経内分泌学　164
	11.2.6 かくれんぼの神経科学　166
11.3	今後の展望　166

12章　情　動　168

12.1	情動とは何か　168
12.2	情動の意義　169
12.3	情動の脳機構——歴史的経緯　171
	12.3.1 ジェームズ-ランゲ説　171
	12.3.2 キャノンの批判　171
	12.3.3 キャノン-バード説　172
	12.3.4 キャノンの反証への再反論　173
	12.3.5 基本情動仮説と認知評価説と心理的構成論説　173
12.4	パペッツ回路　175
12.5	クリューバー-ビューシー症候群　175
12.6	大脳辺縁系　175
	12.6.1 扁桃体　176
	12.6.2 海馬体　177
	12.6.3 分界条床核　178
	12.6.4 大脳辺縁系に属する大脳皮質　178
12.7	条件情動反応　180
	12.7.1 条件情動反応の脳機構　180
	12.7.2 条件情動反応の消去学習　182
12.8	快の情動とストレス反応系　183
12.9	情動に関与する神経伝達物質　183
12.10	卵巣ホルモンと不安・うつ　184
12.11	おわりに　185

13章　ホメオスタシスと行動　186

13.1	体液バランス　186
	13.1.1 浸透圧・血圧調節　186
	13.1.2 飲水行動　190
13.2	エネルギーバランスと摂食行動　190
	13.2.1 エネルギーの貯蔵と消費　190
	13.2.2 エネルギーの欠乏信号　191
	13.2.3 基礎代謝と性差　191
	13.2.4 視床下部と摂食行動　191
13.3	体温調節行動　195
	13.3.1 体温調節中枢　195
	13.3.2 行動性体温調節　196
13.4	特殊飢餓—ナトリウム欠乏とナトリウム飢餓　196
13.5	性ステロイドホルモンとエネルギーバランス　197
	13.5.1 アンドロゲンのタンパク同化作用　197
	13.5.2 エストロゲンによる摂食抑制　197
13.6	摂食障害とホルモン　197

14章　行動の周期性　199

14.1	行動の周期性と生物時計　199
	14.1.1 生物リズムの種類　199
	14.1.2 概日リズムの基本的性質　200
	14.1.3 脊椎動物の概日時計　201
14.2	概日時計とメラトニン　204
14.3	時計遺伝子　207
	14.3.1 中枢時計と末梢時計　209

14.3.2　中枢時計からの出力系　210
14.4　性周期のメカニズム　211
　　　14.4.1　性周期と行動　211
　　　14.4.2　GnRHのパルス状分泌　212
　　　14.4.3　視床下部による調節　213
14.5　行動の季節変動　214
　　　14.5.1　季節繁殖　214
　　　14.5.2　季節繁殖の神経内分泌基盤　216
　　　14.5.3　休　眠　218
　　　14.5.4　冬眠の神経機序　219
　　　14.5.5　冬眠のホルモン機構　220
　　　14.5.6　行動の季節変動の多様性　221

15章　ホルモンと睡眠　223

15.1　行動としての睡眠　223
15.2　レム睡眠とノンレム睡眠　223
15.3　眠る脳と眠らせる脳　224
　　　15.3.1　睡眠の神経機構　224
　　　15.3.2　睡眠の液性機構—睡眠物質による調節　226
15.4　睡眠と同調する下垂体ホルモン　227
　　　15.4.1　成長ホルモン　227
　　　15.4.2　プロラクチン　228
　　　15.4.3　副腎皮質刺激ホルモン　228
　　　15.4.4　甲状腺刺激ホルモン　229
　　　15.4.5　性腺刺激ホルモン（黄体形成ホルモン）　229
15.5　ストレス（HPA軸）と睡眠　230
　　　15.5.1　副腎皮質ホルモンとノルアドレナリン　230
　　　15.5.2　コルチコトロピン放出ホルモンと睡眠障害　230
15.6　免疫反応と睡眠　231
　　　15.6.1　感染時の眠気　231
　　　15.6.2　サイトカイン　231
15.7　睡眠と性差　232
　　　15.7.1　性ホルモン（排卵周期）と睡眠　232
　　　15.7.2　妊娠中の睡眠変動　233
　　　15.7.3　睡眠の性差　234
　　　15.7.4　雄性ステロイドと睡眠　235
15.8　メラトニンと時差ぼけ　235

15.9　ナルコレプシーとオレキシン（ヒポクレチン）　236

16章　ストレス応答と行動　237

16.1　ストレスとは何か　237
16.2　個体としてのストレス応答　239
　　　16.2.1　実験室におけるストレス負荷モデル　239
　　　16.2.2　脳内応答　240
　　　16.2.3　自律神経系　241
　　　16.2.4　ホルモン　241
　　　16.2.5　免疫系　244
　　　16.2.6　生殖機能　244
16.3　細胞性ストレス応答　245
　　　16.3.1　細胞性ストレス応答とは　245
　　　16.3.2　活性酸素ストレス　245
　　　16.3.3　小胞体ストレス　246
16.4　社会的ストレスと依存症　247
　　　16.4.1　ストレス耐性　247
　　　16.4.2　職業的ストレス　248
　　　16.4.3　依存症　248

17章　高次神経機能とホルモン　249

17.1　2種類の学習　249
17.2　記憶の分類　250
17.3　ストレスホルモンと学習・記憶　252
　　　17.3.1　副腎皮質刺激ホルモン　252
　　　17.3.2　グルココルチコイド　253
17.4　認知機能の性差と性ステロイドホルモン　255
　　　17.4.1　ヒトの研究　255
　　　17.4.2　ラットの研究　257
17.5　バソプレシンと学習・記憶　258
　　　17.5.1　社会的記憶・認知　258
　　　17.5.2　非空間学習と空間学習　259
17.6　オキシトシンと学習・記憶　260

18章　行動の比較神経内分泌学　261

18.1　魚　類　261

- 18.1.1 魚類の分類　261
- 18.1.2 魚類の神経内分泌系　261
- 18.1.3 季節繁殖を制御する神経内分泌機構　262
- 18.1.4 今後の魚類研究　263

18.2 両生類　263
- 18.2.1 両生類の分類と特徴　263
- 18.2.2 変態の内分泌的メカニズムと"ネオテニー"　263
- 18.2.3 繁殖に伴う生息域の移動と嗅覚機能の変化　264
- 18.2.4 性行動と種内コミュニケーション　265
- 18.2.5 これからの両生類研究　268

18.3 爬虫類　268
- 18.3.1 爬虫類の生殖とホルモン　268
- 18.3.2 爬虫類の生殖様式　268
- 18.3.3 親の養育行動　269
- 18.3.4 繁殖行動　270
- 18.3.5 繁殖とホルモンの季節変動　271

18.4 鳥類　271
- 18.4.1 はじめに　271
- 18.4.2 鳥類の神経内分泌機構　271
- 18.4.3 鳥類の性決定と脳の性分化　274
- 18.4.4 季節繁殖を制御する神経内分泌機構　275
- 18.4.5 攻撃行動，性行動の制御　275
- 18.4.6 子育ての行動の制御　276

18.5 おわりに　276

19章　人間の性行動における生物学的基盤　278

19.1 行動の性差の現れに生物学的基盤は実在するか？―「マネーの双子」の悲劇　278

19.2 性的指向とジェンダー・アイデンティティ　279
- 19.2.1 行動生物学および人類学的な観点―「性的指向」の出現　279
- 19.2.2 個人の特性としての同性愛概念の確立　279
- 19.2.3 性自認と性別違和，トランスジェンダー　281
- 19.2.4 多様な性分化―神経核　281
- 19.2.5 出生順位効果と遺伝子　282
- 19.2.6 胎児期のアンドロゲンの影響　283
- 19.2.7 性的多様性の進化　285

19.3 男性の性行動　285
- 19.3.1 性行動の制御　285
- 19.3.2 配偶努力から養育努力へ―セックスレスと性機能の低下　288
- 19.3.3 加齢と性行動　290

19.4 女性の性行動　291
- 19.4.1 性的欲求と興奮の円環モデル　291
- 19.4.2 性的関心・興奮障害とその要因　292
- 19.4.3 女性の性欲変動　293
- 19.4.4 加齢と性ホルモン補充療法　293
- 19.4.5 パラフィリア障害・強迫的性行動症―診断基準改訂に関する議論　295
- 19.4.6 認知行動療法と被養育経験　296

19.5 フェロモン　297
- 19.5.1 ヒトに性フェロモンは存在するか　297
- 19.5.2 配偶者選択とその他の化学コミュニケーション　298

文　献　299
和文索引　343
欧文索引　349

1 ホルモンと行動研究

　本書は，"動物行動学"のテキストブックである．動物行動学と聞くと，もちろん真っ先に思い浮かんでくるのは，動物行動学の祖，Konrad Lorenz, Niko Tinbergen, Karl von Frisch であろう．Lorenz は，鳥の雛が孵化した直後に見た動くものに対してステレオタイプな追従反応が生じるという"刷り込み"を発見した．Tinbergen はイトヨの求愛行動であるジグザグダンスの発見に始まり，生得的な反応を引き起こす鍵刺激を体系的に研究した．そして von Frisch は，ミツバチの餌場を知らせるコミュニケーション手段である"8の字ダンス"を発見し，そこに含まれる意味を解明した．動物行動学，あるいはエソロジー（ethology）という学問領域を確立した功績で，1973年，彼ら3名にノーベル生理学・医学賞が授与されたことはあまりに有名である．

　ところが，本書においてエソロジーに関わる記載はかなり部分的である．エソロジーが比較行動学と訳されることがあることからもわかるように，エソロジー研究の大きな流れは生物の比較研究（進化系統樹にしたがって動物種間の比較を行い，そこに共通する基盤と特殊性を研究する分野）であり，本書でむしろ重点がおかれているのは，哺乳類を中心とした行動の生物学的，生理学的な制御メカニズムである．その意味では，本書で扱われている内容は，エソロジーの一分野と考えることもできる．しかし，紹介される研究の多くは実験室の中で行われており，ジャングルやサバンナに出ていって，生態系の中で行動のダイナミズムを研究するエソロジストたちとはやはり違っているかもしれない．

　実験室における哺乳類の行動研究となると，やはり主役は実験動物として確立されたラット，マウス，モルモットであり，ペットとして確立された小型哺乳類，ハムスター，ウサギ，フェレットである．近年では，一夫一婦制の社会形態からつがい形成の実験モデルとして確立された北米に棲息する野生ハタネズミの一種，プレーリーハタネズミもよく登場する．そしてこれらの小型げっ歯類を中心として得られた研究結果をもとに，ヒトの行動を理解しようとする試みまで含む．すると，研究の流れとしては，基礎医学や生理学，あるいは心理学の動物実験に近いかもしれない．20世紀後半から脳神経生理学が急速に発展し，21世紀は"脳の世紀"とまでいわれるようになった．もちろん，本書で扱われる内容もそこに含まれるわけだが，脳神経生理学の主たる研究は，ヒトのヒトたる所以となる高次脳機能に最大の焦点が当てられている．いわゆる，学習や認知機能の生理学である．ヒトの脳は膨大な量の感覚情報を並行処理して貯蔵し，さらにそれらを脳内の神経回路で統合・加工（思考）・記憶し，まったく新しい情報を生み出すという能力を持つ．本書で扱われているサイエンスという精神活動も，まさしくその一例であろう．現在，多くの研究者が記憶や学習の神経メカニズムを解明しようとしのぎを削っている．これらの領域においてもラットやマウスがモデルとして最先端研究にさかんに使われているが，そこではラットやマウスはヒトの単純化したモデルとして位置づけられている．むしろラットやマウスに興味があるわけではない研究者もいるかもしれない．彼らの研究の究極の目標は，ヒトの脳を知ることにある．

　ところが本書で扱われている内容は，これらのメジャーな神経生理学や心理学の研究とも一線を画する点がある．それは，本書のもう一つのキーワードである"ホルモン"が関わっていることである．ホルモンは，概説書などでは神経系による情報処理に比べて緩慢で長期的な情報処理系であるといわれているが，むしろ神経系による情報処理系に対して修飾を行うもう一つの情報処理系と考えたほうがいいだろう．そして，行動に関わるホルモンを調節している器官は，やはり脳である．脳は，環境からのたくさんの情報を取り入れ，それをホルモン分泌に反映させる．動物が海から陸に上がる進化の過程で海の環境を体内に体液と

して閉じ込めたと説明されることがあるが，実際には体液環境は脳を介して外界とつながっている．その役目を担っているものがホルモンであり，ある意味では外界環境を抽象して神経系の活動を調節しているといえるのである．それと同時にホルモンは，その動物が生理的にどのような状態にあるのか，体内の情報も保持している．エネルギーが不足してくれば，インスリンやレプチンを介して脳に情報が伝わる．バソプレシンは，体液浸透圧の上昇によって脳が生み出すホルモン（下垂体後葉ホルモン）であるが，いったん血中に放出されたホルモンは逆に脳に指令を与えて飲み水を探すという行動を引き起こす．また，性ホルモンは，その個体の成熟の度合いを知らせる．成熟が十分とあれば，性ホルモンが分泌され，脳に働きかけて性的動機づけ（性欲）を引き起こす．

今，ここでいくつか例を挙げただけでもわかるように，ホルモンが関わる行動は，ヒトの動物たる所以に関わっているのかもしれない．それは，摂食・飲水行動であり，生殖行動や社会行動である．それゆえホルモンが関わると，たとえそれがラットやマウスであっても，あるいはヒトの研究であっても"動物行動学"なのであろう．現在，このようなクロスオーバーな分野"行動神経内分泌学"は，世界の中で非常に大きな研究グループに発展し，活発に交流しながら特色ある研究が進められている．

1.1 ホルモンとは何か

体液が体の機能を調節しているという考え方は非常に古く，古代ギリシャのアリストテレスまでさかのぼることができる．しかし，それは経験則に基づくものであって科学的・実験的に証明されたものではない．19世紀になって近代科学の基礎が整ってくると，いくつかの特殊な病気が内分泌器官の疾患であることが報告されるようになる．1835年にGravesによって報告された眼球突出や頻脈などを特徴とする病気が甲状腺肥大と関係あることを，1840年，von Basedowが報告している（日本語ではバセドウ病，英語ではGraves' diseaseと呼ばれる）．また，1855年，Addisonは，体重減少，脱水，低血圧などの症状を伴う，いわゆるアジソン病が副腎の機能障害によることを明らかにした．そして，1889年にはフランスのSéquardは，イヌの精巣から抽出したエキスを当時72歳だった自分自身に注射したところ，精力が戻り，身体が若返ったと発表して世間の注目を浴びた．

内分泌（endocrine）という言葉が初めて現れたのもこの時期で，最初に使ったのはフランスの生理学者，Claude Bernard（1855年）とされている．彼は，肝臓が貯蔵した糖を血中に放出していることを発見し，胆汁を十二指腸へ分泌する外分泌と区別するために内分泌と呼んだ．しかし，ホルモンは特定の内分泌器官（組織）から血中に分泌され，体内の他の組織にある受容体に作用することによって生理的効果を得るという定義からは外れるため，現在の内分泌学では，Bernardの発見した肝臓の糖放出は内分泌現象としては扱われない．

1902年，イギリスの生理学者，William Baylissと Ernest Starlingは，胃で消化された食物が小腸の一部に触れるや否や，化学物質が分泌され，血流を介して胆汁の分泌を促すことを発見した．これが最初のホルモン，セクレチンの発見である．彼らは，このような化学物質を総称して，ギリシャ語の"刺激する"とか"興奮させる"を意味する"ormao"という語をもとにホルモン（hormone）と命名した．中国語では"激素"と呼ぶが，なかなか的確な訳である．しかしながら彼らもBernardと同様，血液中の炭酸ガスなども呼吸を刺激することからホルモンであると考えていたため，現在のホルモンの概念とは異なるようである．

OliverとSchäferは，1895年，副腎髄質からの抽出物に顕著な血圧上昇作用があることを見出したが，その数年後の1901年，日本でも高峰がこの副腎髄質の血圧上昇因子を単離し，アドレナリンと名づけた．その後も，甲状腺ホルモン（Kendall, 1919），インスリン（Banting & Best, 1921）とホルモンの単離が相次ぎ，1950年以降になるとインスリン，バソプレシン，セクレチン，ガストリンなど，ペプチドホルモンの構造決定がなされるようになってきた．

このように19世紀後半以降，"体液中に存在する生理学的調節因子"としてのホルモンが次々と同定されるようになってきた．それではホルモンとはどのように定義されるのであろうか．ホルモンを単に"体液中に存在する生理学的調節因子"であるとか，神経性の連絡によらない情報伝達系であると定義してしまうと，ホルモンの定義がかなり広くなって一般に理解されているホルモンよりも多くのものが含まれてしまう．ホルモンは排出管構造を持たない腺から分泌されるという定義も一時的にはあったが，これにも例外が見つかっている．そこで最も一般的な定義を用いれば，"腺を形成する組織あるいは分散した細胞によって微量に産生される物質で，標的細胞の受容体を介して特定の生理活性作用を持つもの"と定義できるかもしれない．

しかしながら，この定義も厳密に適用されないケースもある．例えば，腎臓の傍糸球体細胞が流入血圧の低下に反応して分泌するレニンは，ホルモンとして扱われることもあるようだ．実際には，レニンはアンジオテンシノーゲンからアンジオテンシンIをつくる合成酵素として作用するのであって，前述した定義からするとホルモンではない．ちなみに，アンジオテンシンIは血流中で強い血管収縮作用があるアンジオテン

シンⅡに変換され，このアンジオテンシンⅡが副腎皮質球状層からアルドステロンというホルモンを分泌させる。

ホルモンを分泌様式から定義しようとする考えもある。一般に細胞外に放出される生理活性物質はその分泌形態によって，"血中に放出され，遠隔の細胞に影響する内分泌"，"近傍の細胞のみに影響する傍分泌"，"細胞外に放出された物質が自身の持つ受容体に作用する自己分泌"，"ニューロンがシナプス間隙に放出する神経伝達物質"の4つに分類されるが（詳しくは2章を参照），副腎髄質から分泌されるノルアドレナリンは，ホルモンであると同時に神経伝達物質でもあり，このような分類による定義もうまくいかなくなってきている。これからも研究はますます進み，新しい事実がわかってくるとともに，これらのホルモンの定義からも外れる例が見つかってくるであろう。したがって最終的には，その物質がホルモンであるかどうかは，どのような分泌形態を持つのか，どのような生理活性作用を持つのかを総合的にみたうえでしか判断できないのが現状かもしれない。

1.2 ホルモンと行動の研究史

William Bayliss と Ernest Starling によってホルモンが発見されてから，120年を経ただけだが，ホルモンと行動に関わる人類の知識は驚くほど古い。

2万年前までは，人類はほとんどが狩猟採集生活に頼っていたと考えられている。そして一部の集団では，有蹄類の群れに追従して移動するような生活様式であったろう。しかし，約1万年ほど前の西アジアでは，次第に狩猟対象である動物の行動パターンについて理解が深まったようで，群れごと管理するようになった。これが遊牧民の始まりとされている。遊牧を成立させるための技術として最も重要であったのは，搾乳と去勢だと考えられている。搾乳は食物の確保のためであるが，去勢は群れの行動を管理するために非常に有効な方法だった。現在，ヨーロッパ諸国で行われている放牧では，雄動物のほとんどを肉として売却処分してしまうが，遊牧民たちには外部との接触機会がほとんどないため，ある割合で雄の動物も維持しなければならなかった。そこで雄を去勢することによって行動を管理しやすくしたのである。すなわち，この時代より人類はすでに睾丸の有無が動物の行動に密接に関係していることを見出していたと考えられる（図1-1）（松原，2005）。

中国では，男性が皇帝に仕えるために宦官というシステムがあったことはよく知られている（図18-1を参照）。もともとは，刑罰として陰茎と睾丸を取り除いていたものを奴隷として使ったり，あるいは異民族を去勢して献上していたものが，次第に出世のために自ら

図1-1　モンゴルの遊牧民　人類のホルモンコントロールは，遊牧民たちによる家畜の去勢から始まった。

去勢するようになったという。去勢が自発的に行われるようになると，多くは思春期前に行うため，宦官は身長が低く，腕が長く，そして声が高いといった特徴を呈していた。宦官は，中国から東は朝鮮に，西は古代エジプト，ペルシャ帝国，ローマ帝国まで広まった。これはもちろん，宦官によって攻撃性や性欲が低下することによって，皇帝のそばにおいても扱いやすかったという行動学的な理由が大きかったと思われる。

現在では宦官制度はなくなったものの，インド地方にヒジュラーと呼ばれる同様の集団が残っている。ヒジュラーとは，ヒンドゥー語で"両性具有"や"半陰陽"を意味しており，実際，半陰陽者も含まれているが，多くは自ら陰茎と睾丸を取り除いた男性からなっている。そのため，男性にも女性にも属さず，第三の性として扱われている。彼らは，男児が生まれたときに歌や踊りでセレモニーを行ったり，ヒンドゥー教寺院で宗教的な仕事を行ったりしているが，一部は男性と性的な関係を持っている。おそらく，同性愛者や性同一性障害を持つ男性の社会的受け皿としても機能しているようである（ナンダ，1999）。

一方，ヨーロッパでは，17～18世紀，イタリアのオペラ界において，現在はソプラノやメゾソプラノと呼ばれている音域をカストラートと呼ばれる男性歌手が担当していた。これは，もちろん英語の去勢（castrate）という単語と語源を同じくする。カストラートを作るためには，少年を声変わり前，すなわち思春期前に去勢する必要がある。歴史書によるとだいたい8～10歳で行われていたようである。

このような精巣と雄の行動の関係に関する生物学的な研究は，19世紀後半まで待たなければならなかった。それまでにも鶏の雄雛を去勢すると肉が柔らかくなることが知られていたが（フランス料理ではシャポン〈chapon〉と呼ばれている），これをドイツのゲッチンゲン大学の生理学者，Arnold Berthold（1849）は，科

学的な実験パラダイムを用いて研究したのである。雄雛の精巣を両方とも摘除して成熟させると，脂質が蓄えられ肉が柔らかくなるだけでなく，とさかが小さくなり，雄の立派な羽毛は現れない。また，行動学的にも雄特有の鳴き声がなくなり，他の雄と闘争しなくなり，そして交尾行動が消失する。そこでBertholdは2番目の実験群として，同じように雄雛を去勢し，その取り出した精巣を再びその雛の腹腔内に戻したところ，その雄は正常な雄と何ら変わらず成熟した。3番目の実験群では，雄雛を去勢した後，別の雄雛から取り出した精巣を移植したが，この場合も雄鶏は正常に発達した（図1-2）。

　Bertholdはこの実験から，精巣が移植可能な組織であり，神経系の支配をなくしても正常に機能すること，そしてそれは液性のコントロール，すなわち分泌によって血中に放出された"何か"によって正常な雄鶏の発育が維持されていると結論したのである。そしてこれが，行動の内分泌制御に関する最初の発見となった（Berthold, 1849）。

　1930年半ば，アメリカの心理学者，Frank Beachはホルモンと行動に関する先駆的な研究を行い，1948年には"Hormones and Behavior"を著した。彼は，その著書の中で次のような結論を導いている（Beach, 1948；大西と川島, 1983）。

1) 1種類のホルモンのみに依存している行動はない
2) 1種類の効果しか持たないホルモンはない
3) ホルモンによる行動の制御は単一ではなく，複数の機序が関わっている
4) 行動が異なれば，ホルモンに対する依存度も異なる
5) 行動は，内的・外的刺激に対する効果器の応答として捉えることができる。これらの応答は，神経-筋，神経-内分泌の関連を基盤とし，遺伝，経験，体液中の物質環境などすべてによって決定される。

　Beachのもう一つの偉大な功績は，たいへん多くの後進の研究者を育てたことである。彼のもとを巣立った研究者たちは，アメリカ全土に散り，そしてそこでさらに多くの研究者を輩出した。現在の行動神経内分泌学研究の流れは，彼から始まったといっても過言ではない。現在でも，アメリカ行動神経内分泌学会（Society for Behavioral Neuroendocrinology）では，Frank Beachの名を冠した学会賞を設け，アメリカ神経科学会（Society for Neuroscience）開催時に若手研究者に対して授与している。

1.3　行動内分泌学から行動神経内分泌学へ

　Beachはホルモンと行動に興味を持つと同時に脳による行動調節にも興味を持っていた。彼は，脳定位固

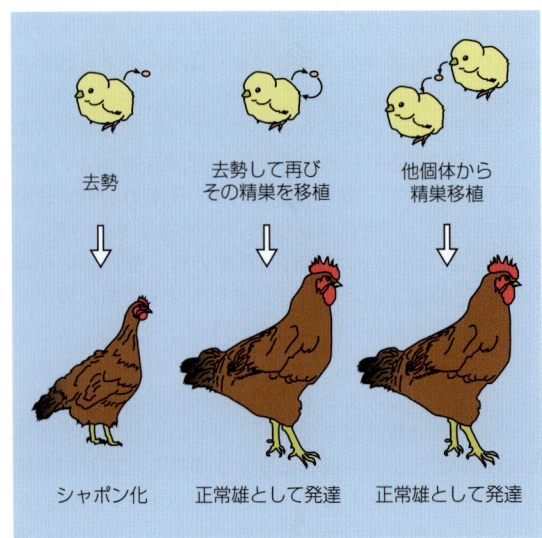

図1-2　Bertholdによる去勢実験の概要
(Nelson, 2005より改変)

定装置（後述）の技術が確立される前から，雄ラットの大脳皮質を吸引除去して性行動に与える影響を調べた（Beach, 1940）。当時の技術からして除去できる皮質は，頭頂から頭蓋を開きそこから吸引できる領域に限られていたが，彼は大脳皮質のほとんどを除去しても雄性行動は損なわれなかったと報告している。したがって，雄ラットの性行動は皮質下組織である視床や視床下部によって制御されていると結論した。この研究では，ホルモンと脳がどのように関わっているかは何も証明していないが，すでに彼はホルモンが脳を介して行動を調節していることを念頭に置いて研究していることがうかがわれる。

　1959年，Goyらは妊娠中のモルモットにテストステロンを投与すると，生まれてきた雌モルモットの成熟後の性行動が雄化してしまうことを示した（Phoenix et al, 1959）。これを契機に，行動の性分化，脳の性分化の研究が開始されるわけだが，これはそれまでの性ホルモンと行動の関係を大きく変化させた。それまでの考え方では，ホルモンは体液中に含まれる調節因子であり，分泌器官を取り除くと行動は消失し，体液中にホルモンを戻すと（代償療法）行動は再び現れるようになるというものであった。したがってホルモンは直接脳に作用し，行動を制御していると考えられる。しかしGoyらの発見は，発生初期のホルモン投与がずっと後の成熟後の行動に影響を与えるというもので，実際に動物が行動しているときには当のホルモンはすでに代謝されてしまって体液中には存在しない（観察している動物は雌なので投与したテストステロンはほとんど持っていない）。ホルモンが脳のハードウェア自体を変化させ，後々の行動にまで影響を及ぼすことが示されたのである。

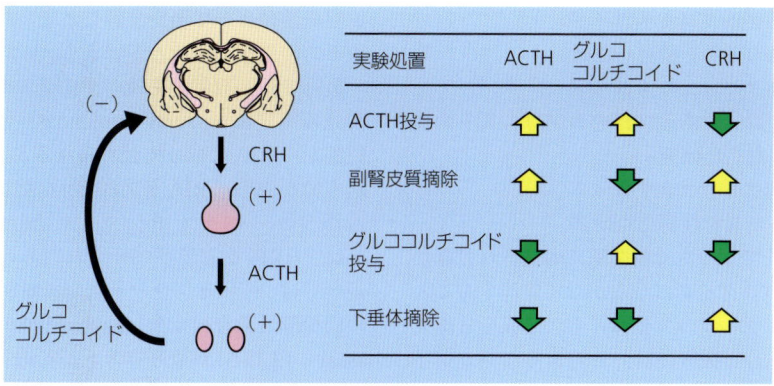

図 1-3　副腎皮質ホルモンに関わる研究を整理するためのパラダイム　DiGiustoは，恐怖条件づけの研究を整理するために，副腎皮質刺激ホルモン（ACTH）とグルココルチコイドのレベルをもとに過去の研究を4つに分類した。彼らはコルチコトロピン放出ホルモン（CRH）に関しては考察していないが，参考までに表に付け加えた。(DiGiusto et al, 1971)

　1960年代に入ると脳定位固定装置の技術が確立し，脳の深部における実験が可能となった。これにより，性行動研究はホルモンとの関わりだけでなく，脳における調節系の研究が大きく進むことになる。ホルモンが関わる多くの行動を制御している部位が，扁桃体や視床下部など脳の基底部に集中しているためである。これらの領域に対して破壊や神経線維切断，あるいはホルモンの局所投与などが可能になり，それによって行動がどのように変容するかをテストすることができるようになった。また，1959年，BersonとYalowによって開発された放射線免疫測定法（radioimmunoassay：RIA）は，血中の微量なホルモンの測定を可能とし，様々な刺激や環境要因がホルモンに与える影響がわかるようになった。

　そして，1980年代より免疫組織化学法や in situ ハイブリダイゼーション，さらに1990年代になると分子生物学的手法の発展により，遺伝子発現を直接的に制御することが可能となった。これらの技法を駆使することにより，これまでは考えられなかったようなことまで研究が可能となった。このように動物行動の生物学的機序の研究は，内分泌学，神経科学，そして分子生物学が融合しつつ，時代とともに変化する研究手法を用いて発展してきた。現在の"行動神経内分泌学"もまさにその変化の最中にあり，これからも進化し続けるであろう。これは本書の目的でもあるが，日本においてもこの"行動神経内分泌学"が多くの学生たちを引きつける研究分野として根づくようにしていかなければならない。

1.4　行動神経内分泌学の研究手法

　本書では，たいへん多くの研究成果を紹介している。ここでは，それらをよりよく理解していただくために，頻繁に使われる研究手法について簡単に紹介する。詳しくは各専門書を参照してほしい。ここで一つ注意しなければならないことは，行動神経内分泌学研究といっても必ずしも直接行動に関わる研究ばかりとは限らないという点である。特に行動のメカニズムを理解するためには広範な知識が必要であり，行動研究のみから得られる洞察は表面的なものとなってしまうであろう。そのためにも，様々な生物学研究の手法を知り，広い分野から知識を収集する必要がある。

1.4.1　摘除と代償療法

　ホルモン研究の最も基本的な手技は，ホルモンの源を断つことである。すなわち，ホルモンの産生器官，性ホルモンであれば性腺の摘除（去勢）がこれにあたる。摘除後に現れた行動変容がホルモン除去の影響であると考えられるわけだが，組織の摘除はホルモン除去以外にも効果を生む可能性が大きい。そこで摘除によって除去されたと考えられるホルモンを再び補充して実験する必要がある。このように器官摘除後に再びホルモンを補充することを代償療法（replacement therapy）と呼んでいる。

　特に副腎や下垂体など，複数のホルモンを分泌する器官では，どのホルモンの減少が行動変化の原因となっているか，それだけでは判断できない。また下垂体は，副腎や精巣，甲状腺とフィードバックループを形成しているため，いずれかを摘除するともう一方のホルモン分泌をも変化させることになってしまう（2章を参照）。DiGiustoら（1971）は，ラットの回避学習と副腎皮質刺激ホルモン（ACTH），グルココルチコイドの関係を調べた研究を整理するのに次のようなパラダイムを用いた（図1-3）。

A）高ACTH—高グルココルチコイド
　　ACTH投与の効果を検討した研究

B) 高 ACTH—低グルココルチコイド
　副腎皮質摘除の効果を検討した研究
C) 低 ACTH—高グルココルチコイド
　グルココルチコイドあるいはそのアゴニストの投与の効果を検討した研究
D) 低 ACTH—低グルココルチコイド
　下垂体摘除の効果を検討した研究

彼らは，それまでまったく無関係に研究されてきた研究論文をこのパラダイムにしたがって整理することでACTHの効果，グルココルチコイドの効果を分離できるとした（図1-3）。厳密には，このようなパラダイムを考えるのであれば，ACTHとグルココルチコイドの分泌制御にはコルチコトロピン放出ホルモン（CRH）（コルチコトロピン放出因子〈CRF〉）をも考えるべきかもしれないが，当時，CRHがまだ単離されていなかった状況を考えるといたしかたないであろう。しかし，現在でもなお，ACTHやグルココルチコイドの行動に対する影響を考えるのであれば，このようなパラダイムを用いて検証する価値は十分にある。

1.4.2 ホルモン測定

体液中に含まれる物質がある生理活性を持つ場合，そこにホルモンが含まれていると考えられるわけだが，そのホルモンが同定されなければ，もちろんホルモンの測定は成り立たない。しかしながら，その体液をそのホルモンの感受性を持つ器官に適用することによってその濃度が予想できる。この方法はバイオアッセイと呼ばれるが，現在のようにホルモン測定が容易に行えるようになる前まではホルモンが同定されている場合でも利用されてきた。例えば，オキシトシン濃度を測定する場合，麻酔したネコの乳頭に圧トランスデューサー（物理的圧力を電圧に変換するセンサー）を挿入し，乳房小動脈中に何種類かの既知量のオキシトシン標準液を注入し，濃度−圧曲線を描く（検量線）。続いてオキシトシンが未知量含まれている試料を同様に注入するとある圧力が得られるが，それを検量線上に当てはめるとオキシトシン濃度を推定することができるというものである。

前述したようにBersonとYalowによってインスリンの測定方法として開発された放射線免疫測定法（RIA）は，動物を用いず，しかも非常に感度が高いことからバイオアッセイに取って代わられることになった。ここでは一般的に多く用いられている競合法について簡単に説明する。まず，測定するホルモンに対する抗体と放射線でラベルした既知量のホルモンを混合しておく。その中に未知量の非ラベルホルモンを含む試料を入れるとラベルしたホルモンとの間で抗体結合の専有の競合が起こり，後から投入した非ラベルホルモン量が多いほど非ラベルホルモンが抗体に結合する。したがって，遊離しているラベルホルモンをその放射線量によって測定することで，試料に含まれるホルモンの量を知ることができる。

最近では，放射線を使わずにホルモンを測定する酵素免疫測定法（enzyme immunoassay：EIA）がその簡便性からRIAに取って代わられるようになってきた。基本的な原理はRIAと同様で，ただし放射線ではなく西洋ワサビペルオキシダーゼ（horseradish peroxidase：HRP）などでラベルされたもので行う。さらに近年では，抗体をプレート底面に固定したEIA改良型の固相酵素免疫検定法（enzyme-linked immunosorbent assay：ELISA）が最もコストが安価であるためによく利用されるようになってきている。

一方，質量分析器の発達により，ホルモンを化学特性から同定，定量する方法も広がってきている。質量分析器には大量のサンプルを注入する必要があったため，上記のRIAやELISAに劣るとされてきた。しかし，最近の質量分析器の高度な発達は，近年のホルモン研究をさらに変革させた。このようにして，例えばアンドロゲン合成に関わる"Backdoor経路"が見出されてきた（Miller & Auchus, 2019）。内分泌研究において，現在，抗原抗体反応を用いた測定系よりも質量分析器による方法に移行しつつあるのはこれらの理由による。

1.4.3 脳外科手術法

脳定位固定装置（stereotaxic apparatus）は，動物の頭部を固定することによって脳の深部領域に相対的な座標を用いてアプローチする技術である（図1-4）。げっ歯類の脳定位固定装置では，外耳道と門歯の付け根の3点を決めることによって3次元座標を決定する。外耳道に対して門歯の付け根の高さをどのくらいに設定するかによっていくつかの脳地図（brain atlas）が用意されている。最近では，門歯を外耳道より3.3 mm低くして頭頂表面を水平に近づけたPaxinosとWatsonのものが最も多く利用されているようである。

実際の手術では，動物を装置に固定してから頭蓋を露出して十字縫合（bregma）を同定する。十字縫合を起点として，目的とする脳構造（神経核）に十字縫合からの相対座標をもとに電極やカニューレを脳内に挿入することになる。挿入は，あくまでも座標によるため，視認することはできない。したがって，すべてのテストを終え，最終的には組織標本を作って手術の是非を確認する必要がある。

脳に局所的な損傷を与える方法には，電流による方法（電気凝固法），熱による方法（熱凝固法），化学物質による方法がある。電流による破壊は簡便であるが，適用領域に神経線維が走っている場合，その線維に沿って損傷が拡大してしまうという欠点がある。熱による破壊は，電極先端から高周波（マイクロ波）を加えて加熱するため，高周波破壊（radiofrequency lesion）

1.4 行動神経内分泌学の研究手法

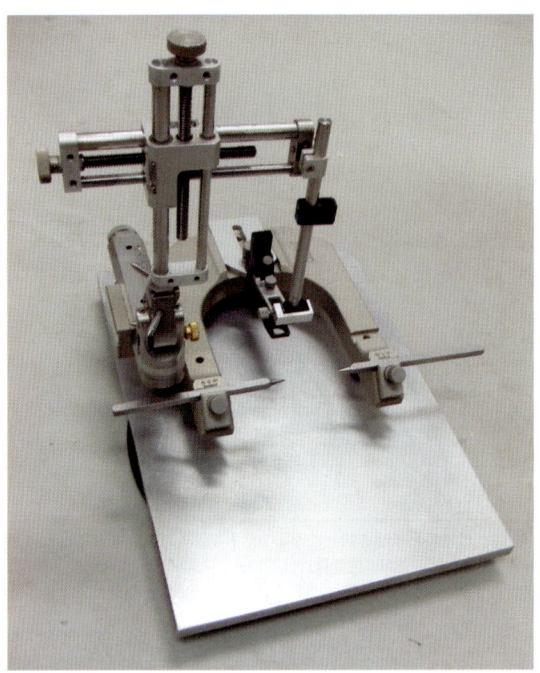

図1-4 脳定位固定装置（David Kopf 製）　左右のイヤーバーによって外耳道を固定し、さらに門歯をバーに引っ掛けて鼻を上部から圧迫すると、脳はそれら3点によって3次元で固定される。この技術によって脳深部の手術が可能となった。

と呼ばれることもある。温度をモニターしながら加熱することによって比較的安定した損傷が得られる。化学破壊は、カイニン酸やイボテン酸のような興奮性アミノ酸を局所に投与することによってその周りのニューロンを破壊するというものである。多くのニューロンは、樹状突起スパイン（棘）に対してグルタミン酸作動性の入力を受けているが、これらのアミノ酸はグルタミン酸受容体を過剰に興奮させるため、急激なカルシウムイオンの流入が生じて細胞が破壊される。また、受容体を介した破壊であるため、グリア細胞や通過線維には影響を与えないというメリットがある。

1.4.4 微小透析（マイクロダイアリシス）法

　従来、脳内の神経伝達物質の動態を調べるためには、行動直後に動物を屠殺し、脳部位を小さく切り出したり、あるいはスライスを作製してステンレス管などでパンチアウトする方法が用いられてきた。しかしながら、この方法では行動直後の結果しか知ることができず、行動中の神経伝達物質の変化を追うことができない。

　行動中の神経伝達物質を測定する試みとしては、初期においては push-pull 法が一般的であった（相川、2001）。これは、脳内に2本のチューブを挿入し、一方から溶媒を注入し、それをもう1本のチューブで回収するというものであるが、注入によって生じる圧力変化が細胞に与える影響をコントロールすることが難しく、また、管外に出された溶媒を効率よく回収するのもたいへん困難であった。1980年前後になると、この2本のチューブの先端を透析膜で覆うという工夫がなされるようになった（これをプローブと呼ぶ）。これを微小透析（マイクロダイアリシス〈microdialysis〉）法と呼んでいる。

　透析膜は半透膜であり、分子量の小さい物質は膜を透過できる。そのため透過可能な物質は、膜の内と外で濃度が高いほうから低いほうへと、濃度勾配に従って移動することになる。透析膜の中、すなわちプローブ内は持続的に溶媒が灌流されているため、回収したい神経伝達物質は常にプローブ内が低濃度となり、プローブ近傍の細胞外に放出された神経伝達物質は膜を介して灌流液中に移行することになる（図1-5）。回収された灌流液を一定時間で集め、高速液体クロマトグラフィーなどで測定すれば、目的とする神経伝達物質の濃度変化を知ることができる。また、あらかじめ灌流液中に薬物を混ぜておけば、膜を通して脳内に拡散されるため、局所的な投与が可能である。

　前述した脳スライスのパンチアウトによる方法は、組織をすりつぶして細胞内外のすべての物質を測定するのに対して、微小透析法では細胞外液中の物質のみを回収するという違いがある。

1.4.5 脳内活動記録と電気刺激

　脳内に電極を挿入してニューロンの電気活動を直接記録することができる。このとき、動物が麻酔下である場合、急性実験と呼び、無麻酔下である場合を慢性実験と呼ぶことがあるが、行動中の動物から記録する場合はもちろん慢性実験である。挿入された電極がニューロンの極近傍に位置しなければ単一の細胞の活動を記録することはできないが、動物を麻酔して脳定位固定装置に据えてから電極を挿入する際には電極先端がどこに位置するかはまったく知ることができない。そこでその確率を高めるため、複数の電極を同時に挿入し、さらに挿入後も電極を一軸方向に可変動にすることによって測定の効率を高めている。

　脳内のニューロンは、同じ神経核（細胞の集まり）内であっても単一な集団ではなく、様々な性質の細胞が集まっており、個々の細胞の性質を知ることは非常に有用な方法であるが、実験スキルの獲得に時間を要し、また、実験自体も大変な労力が必要であるため、残念ながら近年、行動中の小動物から単細胞電気活動を記録する実験報告は減少している。

　脳に挿入した電極を通して特定の神経核の細胞を電気的に刺激することも可能である。ただし、行動に影響を与えるためには、単細胞では不十分なようで一定の領域に刺激を与えて効果を観察する。この場合も、

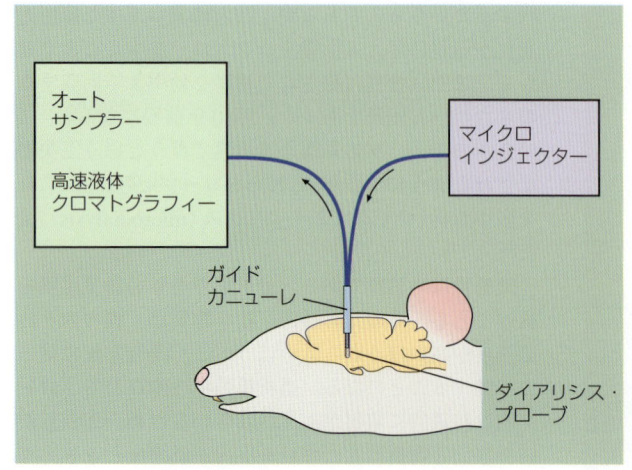
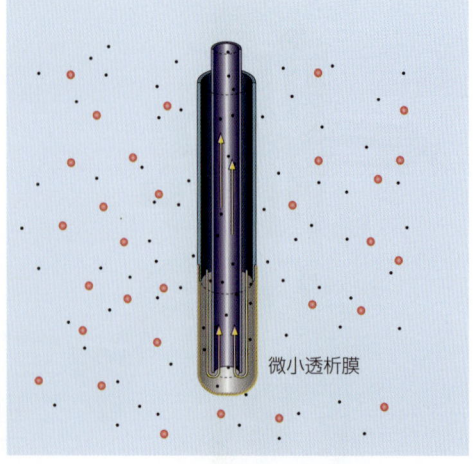

図 1-5 マイクロダイアリシス・システム ダイアリシス・プローブは，二重の管から構成され，この管中に人工脳脊髄液を灌流させる。プローブ先端には，半透膜でできているため，この膜を透過できる低分子の物質は，濃度勾配に従って生体側からプローブ内の灌流液に移行する（灌流液中に膜を透過できる薬物を加えることによって，薬物の局所投与も可能）。これをオートサンプラーによって回収し，高速液体クロマトグラフィーによって定量する。

刺激される細胞は刺激電極近傍に細胞体を持つニューロンのみならず，電極近傍を通過する線維をも刺激していることを考慮しなければならない。

1.4.6 免疫組織化学

免疫組織化学（immunohistochemistry：IHC）は，抗原・抗体反応を用いて組織中の物質の所在を明らかにしようとする方法である。いくつかの変法が開発されているが，その中で代表的な方法としては，PAP（peroxidase-antiperoxidase）法や ABC（avidin-biotin complex）法などがある。どちらの方法も一次抗体に実際に発色させたい物質を認識する抗体 IgG を用い，その抗体に対する抗体（例えば，一次抗体として抗 A・ウサギ抗体を使ったのであれば，二次抗体は抗ウサギ・ヤギ抗体など）を二次抗体として用いる。発色は，その安定性から西洋ワサビペルオキシダーゼ（HRP）を過酸化水素に反応させジアミノベンジジン（3,3′-diaminobenzidine：DAB）を沈着させるのが一般的であるが（退色しにくい），近年では共焦点レーザー顕微鏡を利用するために蛍光色素を用いた研究も増えている。

おおまかな方法としては，まず組織切片に一次抗体を反応させ，目的とする物質に一次抗体を結合させる。次にその一次抗体を認識する二次抗体を反応させる。PAP 法では二次抗体に特別な細工は必要ない。二次抗体が過剰に存在する場合，二価の抗体結合部位の一方が結合していない空いた状態になる。そこで，二次抗体を反応させた組織切片に一次抗体と同じ動物の抗 HRP 抗体と HRP をあらかじめ反応させて結合しておいたものを反応させる。すると HRP を結合した抗 HRP 抗体が二次抗体の空いた結合部位に結合し，結果として目的とする物質のところに HRP が位置することになる。

ABC 法は，アビジンとビオチンの特異性の高い非常に強固な結合能を利用したもので，あらかじめ二次抗体にビオチンを付けておいたもの（ビオチン化抗体）を組織に反応させる。そこに，ビオチン化 HRP とアビジンを反応させた複合体（avidin-biotin complex）を反応させる。アビジンとビオチンは複数個同士が結合して大きな分子を形成するが，その分子の空いた結合部位と二次抗体のビオチンが結合し，目的物質に HRP と結合したビオチンを多く含んだ大きな複合体が吸着することになり，目的物質を高感度に検出できる。これらの染色に用いる試薬は，現在ではキットとして販売されており，誰でも手軽に染色が行えるようになった（図 1-6）。

1.4.7 Fos タンパク質の免疫組織化学

これまで述べてきた行動学的な手法は，脳定位固定装置などの手がかりを使うにしても，いずれも盲目的に処置を加えて行動との関係を調べるものであるため，脳部位の詳細な検討が非常に難しい。そのため，実際の行動中に活動が高まっていたニューロンを，屠殺後の標本上で同定する手法は，行動の調節系を解析するのに非常に有効な手段となる。

この目的で最初に行われたものは，2-デオキシグルコース（2-deoxy-D-glucose：2-DG）法であろう。ニューロンが活動するにはエネルギーが必要となる。脳はエネルギーを蓄えることができないため，血中のグルコースが取り込まれて消費される。2-DG は，グルコースと同様に細胞内に取り込まれるが，代謝され

1.4 行動神経内分泌学の研究手法

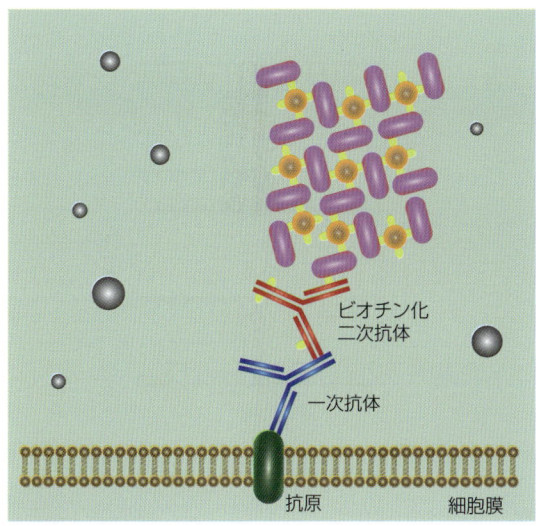

- アビジン
- ビオチン
- ペルオキシダーゼ

図 1-6　免疫組織化学の原理（ABC 法）　一次抗体は，局在を知りたい抗原を認識するものを用い，さらにその一次抗体を抗原とするビオチン化二次抗体を用いることによって，ビオチン化 HRP とアビジンの複合体（ABC）の巨大分子を付着することができる．ABC には多くの HRP が含まれるため，PAP 法などに比べると高い感度が得られる．

ずに細胞内に残る．そこであらかじめ 2-DG を放射線でラベルしておいて行動を行わせる前に投与すれば，活動量が高まった細胞はそれだけ多くの 2-DG を取り込み，放射線を発することになる．これを後述するオートラジオグラフィーによって測定することで，脳のどの部位の活動が行動中に高まっていたかを知ることができる．

1990 年頃からこれに取って代わられるようになった手法が，Fos タンパク質の免疫組織化学である．c-fos 遺伝子はもともと癌の最初期遺伝子として発見されたものだが，その後，癌とは直接関わりなく神経活動の持続的な高まりに伴って発現することがわかった．そこで c-fos の転写産物である Fos タンパク質を免疫組織化学によって検出すれば，そのときに活動が高まっていたニューロンが同定できることになる．この手法は現在でもなお，頻繁に利用されている．

刺激を与えてから 10〜15 分で c-fos mRNA の発現が，2 時間ほどで Fos タンパク質の発現がピークになるといわれている．したがって，Fos タンパク質を染色する場合には，行動を行わせて 2 時間後に灌流固定によって屠殺するのが一般的である．

1.4.8　in situ ハイブリダイゼーション

一本鎖核酸である mRNA に対して相補的塩基配列による特異的結合をハイブリダイゼーション（hybridization）というが，mRNA を組織から取り出さずに組織切片上で行うことを in situ ハイブリダイゼーションと呼んでいる．組織中では，必要とされるタンパク質の遺伝子が絶え間なく DNA から mRNA へと転写され，mRNA がタンパク質に翻訳されているが，転写された mRNA 発現を切片上で可視化するため，プローブと呼ばれる相補的塩基配列を放射線またはジゴキシゲニン（digoxigenin：DIG）によってラベルし，組織切片に滴下してハイブリダイゼーションする．DIG は，さらに免疫組織化学によって検出する．

1.4.9　オートラジオグラフィー

オートラジオグラフィー（autoradiography）は，薄切した組織中に残留する放射能を検出する方法で，組織切片をフィルムに貼り付けたり，感光剤を直接かぶせて放射能による感光を行う．前述した 2-DG 法や放射線ラベルしたプローブを用いた in situ ハイブリダイゼーションにおいて用いられている．

また，いくつかのホルモン受容体では，免疫組織化学で有効な抗体が入手困難な場合があるが，その場合，放射線ラベルしたホルモンを動物に投与して受容体の分布を知ることができる．投与された標識ホルモンは，受容体に結合して脳の組織標本上で残留放射能を発する．これを同様に感光することで受容体の分布を推定することができる．

1.4.10　電気泳動法

荷電粒子は電場中に置かれると，その荷電と反対の極に向かって移動するため，この性質を利用してタンパク質や核酸の分離・定量に利用されている．サンプルをポリアクリルアミドゲルやアガロースゲル中に添加し，そこに電流を流すと小さな分子は大きな分子よりも速く移動する（タンパク質の場合には，酸性アミノ酸と塩基性アミノ酸の数と構造によってタンパク質全体の電荷状態と荷電数が異なるため，分子量によって選別を行う場合にはドデシル硫酸ナトリウム SDS によって変性させる必要がある）．電気泳動によって分離されたものは，ニトロセルロースなどの膜に転写（ブロット）し，アルカリ処理をして一本鎖にした DNA や RNA では，標識した相補的配列の核酸プローブとハイブリダイズすることによって定量する．また，タンパク質では，抗体を用いた免疫反応によって染色して検出する．

DNA の電気泳動法を開発した Edwin M. Southern の名をとって DNA の分析をサザンブロット法と呼び，RNA やタンパク質の電気泳動法もその延長線上であることから，洒落でそれぞれノーザンブロット法，ウェスタンブロット法と呼ばれるようになった．

1.4.11　PCR を用いた分子計測

二本鎖構造を持つ DNA は，水溶液中において高温

にさらすと一本鎖に分離し，再び温度を下げると相補的配列のDNAと結合してもとの二本鎖に戻ろうとする。しかし，長い配列よりは短い配列のほうが結合が速いため，水溶液中にプライマーと呼ばれる短い相補的配列を十分量混ぜておくと，分離したDNA同士よりもプライマーとまず結合する。この状態でDNAポリメラーゼと核酸(A，G，C，T)を加えると，プライマーを足掛かりとしてDNAの配列が伸長し，複製される。アメリカ・シータス社のKary Banks Mullisは，高温の温泉に生息するバクテリアから採ったDNAポリメラーゼを用いれば，高温においても酵素が変性することがないため，DNAの複製の繰り返しを自動化できると考えた(この装置をサーマルサイクラーという)。これがポリメラーゼ連鎖反応(polymerase chain reaction：PCR)である。Mullisは，PCRの開発によって，1993年，ノーベル化学賞を授与された。

このようにPCRは，微量のDNA(テンプレートと呼ぶ)から過熱による変性(denaturation)，冷却によるプライマーとの再結合(annealing)，そしてDNAポリメラーゼによる伸長(elongation)を繰り返すことによってDNAを増幅させる技術である。これによってサンプル中の微量なDNAの存在も確認することができるようになった(図1-7)。

これを組織中のmRNAの検出に応用したのが逆転写ポリメラーゼ連鎖反応(Reverse Transcription-PCR：RT-PCR)である。RNAしか持たないレトロウイルスから逆転写酵素(reverse transcriptase)が発見され，この酵素を用いることによってRNAからDNA(cDNA)を生成することが可能となった。これによって，組織中の微量なmRNAについても，cDNAにすることでPCRに適用され，その検出が可能となったのである。

1.4.12 リアルタイムPCR

PCRによって微量なDNAやmRNAが検出できるようになったが，PCRによる遺伝子の増幅には上限がある。1回増幅するたびに増幅産物の量をプロットしていくと，最終的には頭打ちとなるS字曲線となる。したがって，PCRを遺伝子発現量の測定に用いようとする場合，あらかじめ頭打ちになる繰り返し回数を調べたのち，それ以前のサイクルで比較を行わなければならない(GAPDHやβアクチンといったどの細胞も等しく発現するようなハウスキーピング遺伝子との相対値を用いる)。そしてPCRの後に，電気泳動によって増産産物を確認する必要がある。

これに対して，サーマルサイクラーと分光蛍光光度計を一体化させることにより，各増幅サイクルごとに増幅された核酸をリアルタイムに定量する方法が考案された。核酸の定量方法には，代表的なものとしてSYBR greenを使ったインターカレート法とTaqMan

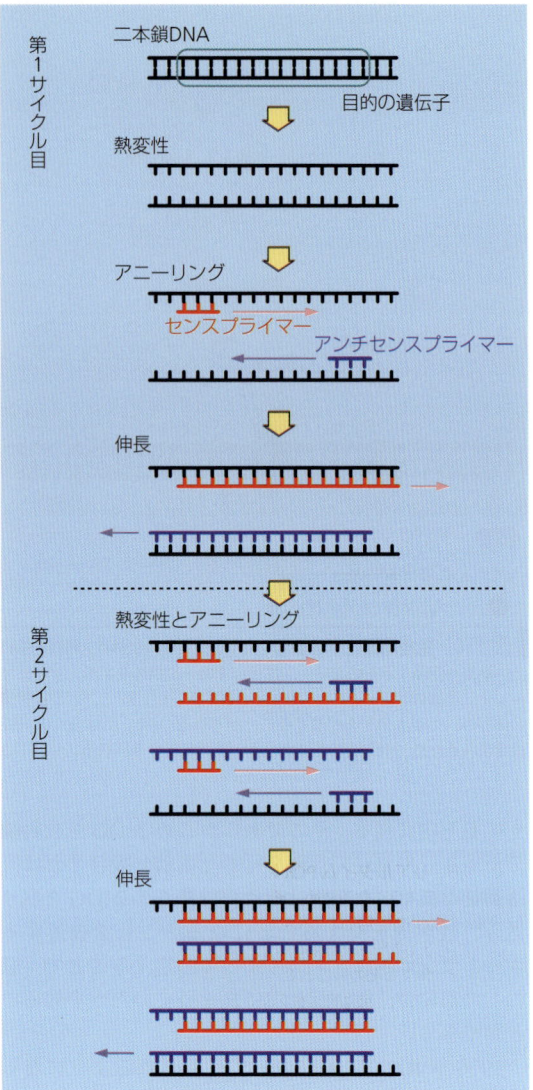

図1-7 DNAポリメラーゼ連鎖反応(PCR)の原理 PCRでは，熱変性とアニーリング，伸長を繰り返すが，特定の遺伝子を増幅するためには，目的遺伝子の最初と最後の配列を用いてセンスプライマーとアンチセンスプライマーを用意する必要がある。これによって，第2サイクル目以降に目的とする遺伝子が増えていくことになる。全長のゲノムが残っているため，毎回，目的遺伝子より長いものが2本ずつ作られることになるが，全体が100万倍に増えれば無視しうる数となる。

プローブを使った方法の2種類が挙げられる(図1-8)。SYBR greenは二本鎖DNAに結合し蛍光を発する色素で，DNAが複製されるたびに結合する色素が増え，蛍光を多く発するようになる。これを分光蛍光光度計によって自動的に検出する。また，TaqManプローブには，2つのプライマーの間の特定配列に蛍光物質とクエンチャーと呼ばれる蛍光物質のエネルギーを吸収してしまう物質が付いていて，そのままの形ではTaqManプローブは蛍光を発しない。TaqManプローブは，アニーリングによってプライマーと同様に

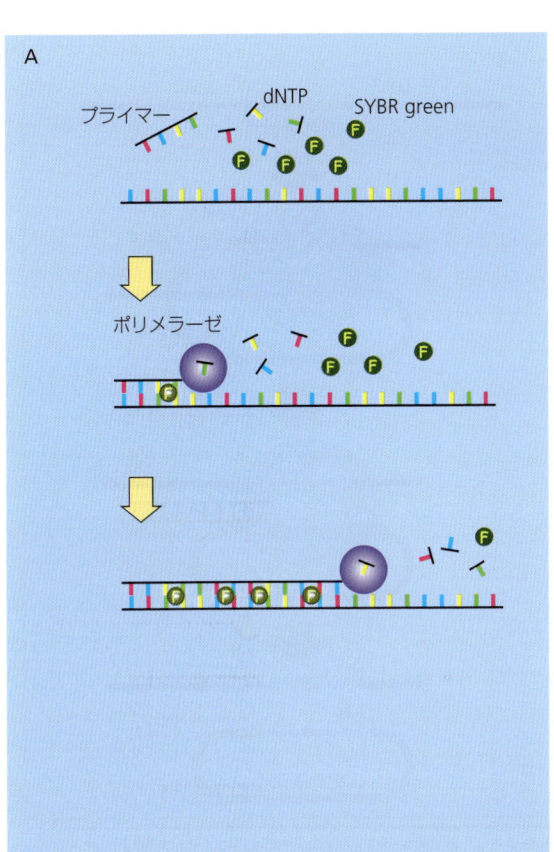 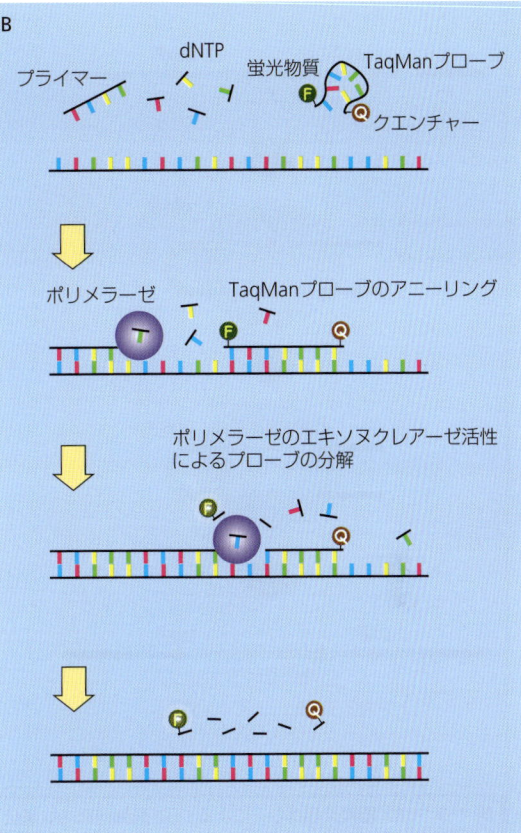

図 1-8 リアルタイム PCR による DNA 量の検出方法 A：SYBR green によるインターカレート法。SYBR green は二本鎖 DNA に結合して蛍光を発するようになるため，その蛍光量を測定することによって DNA 量を知ることができる。B：目的の配列の中央部分にハイブリダイズする TaqMan プローブを用いて DNA を定量する方法。TaqMan プローブでは，蛍光物質の近傍にクエンチャーが存在することにより，蛍光物質が励起光によって得るエネルギーを吸収してしまうため，傾向が抑制されている。DNA にハイブリダイズした後，ポリメラーゼが持つエキソヌクレアーゼ活性（核酸を分解する能力のことで，ポリメラーゼは DNA 複製の際に誤った結合を取り除きながら二本鎖を作っていく性質を持つ）により，TaqMan プローブが分解され，蛍光物質とクエンチャーが離れるために蛍光を発するようになる。

DNA テンプレートにハイブリダイズするが，その後の Taq DNA ポリメラーゼによる伸長反応の際に分解されてしまう。すると，蛍光物質とクエンチャーが物理的に離れることからクエンチャーによるエネルギー吸収がなくなり，励起光によって蛍光物質が蛍光を発するようになる。これを同様に分光蛍光光度計によって検出する。SYBR green を用いたほうが原理的にも単純であるが，TaqMan プローブは蛍光物質とクエンチャーを選ぶことによって複数の遺伝子を同時に測定できるメリットがある。現在は，非常に微量な RNA の検出を可能とするデジタル PCR 法も開発された。デジタル PCR とは，従来の PCR 法を改良したもので，DNA，cDNA，RNA などの核酸鎖を直接定量し，クローン的に増幅することが可能な手法である。デジタル PCR と従来の PCR の主な違いは核酸量の測定方法にあり，前者は PCR よりも精密であるが，経験の浅いユーザーの手にかかるとエラーを起こしやすい。デジタル PCR も 1 つのサンプルに対して 1 回の反応を行うが，サンプルを多数のパーティションに分割し，各パーティションで個別に反応を行う。この分離により，より確実な核酸量の収集と高感度な測定が可能となる。この方法は，コピー数変異や点変異など，遺伝子配列の変異の研究に有用であることが実証されており，次世代シーケンサー用のサンプルのクローン増幅に日常的に使用されている。

1.4.13 遺伝子改変動物の利用

分子生物学の技術の進歩によって様々な遺伝子改変動物が作られるようになり，また，分子生物学者でない行動研究者にとっても比較的容易に手に入るようになってきた。ここでは，遺伝子改変動物の作製方法に関しては触れず，その取り扱いの注意点についてのみ触れることにする。

特定のホルモンや受容体の遺伝子を欠損させた（ノックアウト〈knock-out：KO〉という）動物の行動について考察する際，本書でもいたるところで議論され

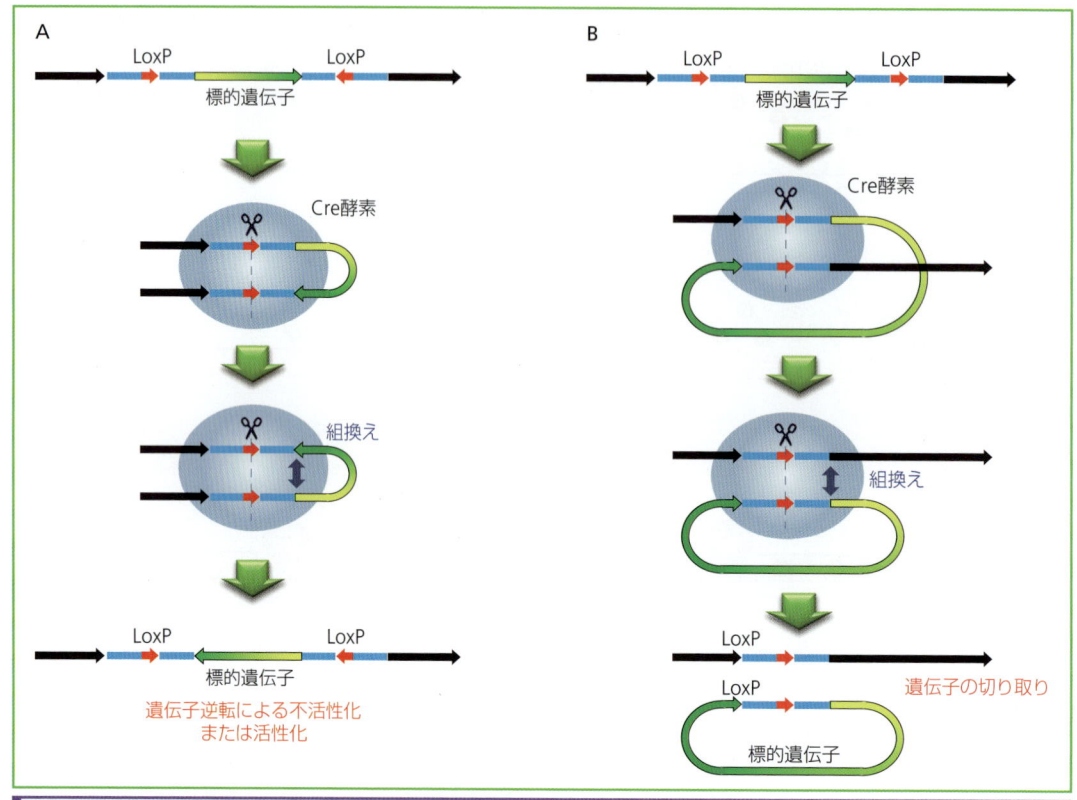

図1-9 DNA組換え酵素CreによるLoxP配列特異的な遺伝子組換え　A：標的配列をLoxP配列で向き合うように配置することでCreタンパクは標的配列を反転させる（機能的配列→非機能的配列または非機能的配列→機能的配列に組換える）。B：標的配列を同じ向きのLoxP配列で挟むことによってCreタンパクは標的配列をゲノムから切り離す。

ているようにホルモンの形成作用（organizational effect）と活性作用（activational effect）の両方の可能性を考慮しなければならない（Goyらの研究を参照）。すなわち，遺伝子を完全に欠損させてしまった場合には，発生初期の組織形成段階でもそれが影響している可能性がある。また，ある特定の遺伝子が欠損することによって生じる正常動物では考えられない代償作用が起こる可能性も否定できない。すなわち，単一の遺伝子を欠損させるという実験処置が単一遺伝子欠損の効果でない可能性についても考える必要があるということである。

このような問題点を解決するために近年では，条件性遺伝子欠損動物の作製も試みられている。すなわち，発生の段階では正常な遺伝子のままにしておき，ある段階（あるいは実験直前）に達した後，特定の物質をトリガーとして遺伝子を欠損させる技術である。この方法によれば，発生段階の組織形成に対する影響を除外することができる。また，RNA干渉（RNA interference）という無脊椎動物でみられる遺伝子発現の抑制作用を利用したものも見受けられるようになってきた。これは発現を抑制したい遺伝子のmRNAを含む二本鎖RNA（dsRNA）（標的配列と相補的配列の両方を含む）を細胞内に導入すると，標的mRNAの翻訳が阻害されるというものである。遺伝子欠損やRNA干渉法に続いて台頭したのがTALEN（transcription activator-like effector nuclease）やCRISPR/Cas（Clustered regularly interspaced short palindromic repeats, CRISPR/CRISPR associated proteins）に代表されるゲノム編集技術であり，これらの開発により機能欠損だけでなく欠損矯正や遺伝子ノックイン，標的遺伝子へのタグ付けなど様々な解析が，より簡便に行えるようになってきている。

1.4.14 アデノ随伴ウイルスベクターによる遺伝子改変動物への外来遺伝子導入

近年では，技術革新により遺伝子改変動物が安価にかつ短期間で利用できるようになったこともあり，外来遺伝子を導入した遺伝子改変動物の行動解析を行うことが一般化しつつある。その中でも現在主流となっているのは，遺伝子改変動物とアデノ随伴ウイルス（adeno-associated virus：AAV）を組み合わせた方法であろう。AAVは，病原性がなく，分裂・非分裂を問わず様々な細胞に感染することから，ウイルスゲノムを

任意の遺伝子に組換えたrecombinant AAVが遺伝子導入ベクターとして広く用いられている。AAVには多様な血清型(セロタイプ)が存在し，それぞれが細胞種や組織種に対して異なる指向性を有するため，目的に応じて使い分けることができるのも強みである。AAVベクターと組織・細胞特異的あるいは標的遺伝子のプロモーターの制御下でDNA組換え酵素Cre(Cre recombinase)を発現する遺伝子改変動物とを組み合わせることで，Cre/loxP組換え系により狙った組織あるいは狙った細胞のみに任意の遺伝子を導入することが可能となった(図1-9)。通常loxP配列で挟まれた(flox〈flanked by LoxP〉されたともいう)配列はCreのはたらきにより遺伝子上から取り除かれるが，逆方向のloxP配列で向き合うように挟んだ配列は向きが入れ替わる「反転」が生じる。つまり，向き合ったloxP配列の間に導入したい遺伝子を逆向きに挿入することでCre存在下でのみ発現を誘導することができる。このシステムはDIO(double-floxed inverted open reading frame)あるいはFLEX(flip excision)などと呼ばれる。

1.4.15 外来遺伝子導入による機能解析法

最後に，遺伝子導入による機能解析法のうち最も代表的であり，現在神経科学分野で最も活用されている手法である光遺伝学(optogenetics)と遺伝薬理学的手法について紹介する。

光遺伝学は，光応答性タンパク質であるオプシンを用いて神経細胞の活動を光刺激によって制御する手法として2005年に最初に報告され(Boyden et al, 2005)，2006年には光学を意味するopticsと遺伝学を意味するgeneticsを融合させた言葉として命名された。光遺伝学で用いられるオプシンにはチャネルロドプシン(ChR)，ハロロドプシン(HaloR)，そしてアーキロドプシン(ArchR)があり，いずれも光に応答して開口するイオンチャネルである。チャネルロドプシンは細胞の脱分極を誘導することで興奮性に，ハロロドプシンとアーキロドプシンは過分極を誘導することで抑制性に細胞活性を制御する。それらを導入した動物の脳へファイバープローブを挿入し，光照射により目的の神経細胞を活性化あるいは抑制して行動を観察することで細胞や神経核レベルでの機能を解析する。

さらに光遺伝学を応用して神経細胞の活動を可視化するファイバーフォトメトリー(fiberphotometry)という研究手法も開発されている。これは下村脩博士によってオワンクラゲから発見されたGFP(green fluorescent protein)(2008年のノーベル化学賞)1分子とカルモジュリン(CaM)およびミオシン軽鎖キナーゼ(M13)からなるカルシウムセンサータンパク(GCaMP)を特定細胞(特定遺伝子のプロモーター制御下)に発現させることによって，細胞内カルシウム依存的に変化する蛍光強度を測定する技術である。GCaMPを目的とする神経細胞に発現させ，光ファイバーを通してそれらに励起光(GCaMPの場合には470 nm)を照射すれば，その神経細胞の活動に伴ってGCaMPにカルシウムイオンが結合し，蛍光(525 nm)を発することになる(現在では，何種類ものGCaMPがつくられている)。これを特定の行動場面において検出することによって，その細胞の活動が行動のどのような要素と相関するかを検討することができる。ファイバフォトメトリーでは，記録できる細胞をあらかじめ選別できるという利点があり，古典的な電気活動の記録(慢性実験)に置き換わりつつある。

遺伝薬理学的手法は，遺伝子変異により内因性リガンドとの結合能を失い，人工合成リガンド(clozapine-N-oxide：CNO)のみによって活性化する遺伝子改変受容体(Designer Receptors Exclusively Activated by Designer Drugs：DREADDs)を標的細胞に導入することで，その活性を薬理学的に制御する手法である(Armbruster et al, 2007)。DREADDsには，Gタンパク質共役型受容体(GPCR)である改変型ヒトムスカリン性アセチルコリン受容体M3(hM3Dq)とM4(hM4Di)があり，セカンドメッセンジャーを介してhM3Dqでは興奮性に，hM4Diでは抑制性に細胞活性を制御することが可能である。リガンドであるCNOは腹腔内投与することで全身性に作用させることができ，半減期も2時間程度と比較的短いことから取り扱いが容易である。これは，DREADD法のメリットの一つであるといえる。

2 ホルモン分泌の神経調節

　ホルモンによる行動の制御を知るためには，基本的な内分泌の機構について理解を深める必要がある．本章では，ホルモン（液性）情報を介して標的器官である特定の細胞に情報を伝達する内分泌系の基本的な仕組みを概説する．

　無脊椎動物，脊椎動物にかかわらず内分泌系に共通するシグナル伝達は，細胞から分泌される化学シグナルを細胞で受容することにある．その様式には，自身の細胞内に分泌する細胞内分泌（イントラクライン〈intracrine mediation〉），自身の細胞から分泌されたシグナルが自身の細胞に働き，分泌作用を修飾する自己分泌シグナル伝達（オートクライン〈autocrine mediation〉），近傍にある細胞に，拡散によって働きかける傍分泌性シグナル伝達（パラクライン〈paracrine mediation〉）がある（図2-1）．それに対して内分泌性シグナルの特徴は"内分泌腺"と呼ばれる特殊化した細胞群からホルモンが細胞外液に分泌され，血流に乗り，離れた場所にある標的器官にはたらきかけ，生理的反応を引き起こすことにある（endocrine mediation）．ニューロンが化学伝達物質を介してニューロン間のシグナル伝達を行う場合は，ニューロンの終末から細胞間隙に化学物質を放出するシナプス伝達がある（図2-2）．一方，同種他個体にはたらきかける化学シグナルは，フェロモンと呼ばれる物質によって生理的反応を引き起こす．内分泌腺からではなくニューロンから分泌されるホルモンは，特に神経ホルモンと呼ばれる．神経ホルモンは，外界など刺激に反応して起きた神経の興奮（神経のシグナル）を液性情報（ホルモンのシグナル）に置き換える仲介役を担っているということができる．

　ホルモンは，①ペプチド，タンパク，②ステロイド，③モノアミンに分類される．脂溶性のステロイドホルモンは，細胞膜などの生体膜を容易に通過し標的細胞内にある受容体と結合して生理的作用を惹起する．これら脂溶性ホルモンの受容体タンパクの構造と相同性から遺伝子スーパーファミリーを形成していることがわかっている．

　ここでもう一度，内分泌系の持つ種々の特徴を挙げる．
1）内分泌腺から分泌されるホルモンは導管を通して分泌されるものではない．
2）傍分泌系は微量の化学物質を介しているのに対して内分泌系は大量の化学シグナルを血液中に放出する．
3）ホルモンは内分泌腺の産生物であり，血流中に分泌される．
4）ホルモンは血流を介して全身の細胞にくまなく行

| 図 2-1　局所的化学シグナル伝達 |

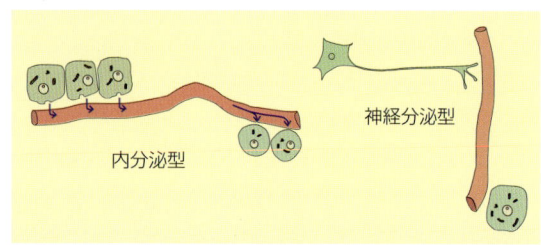

| 図 2-2　内分泌性シグナル伝達 |

きわたるが，ホルモンの作用には受容体が必要である。
5) 細胞内におけるホルモン受容体の場所は，細胞膜上であったり，細胞内であったり，それぞれホルモンの種類によって異なる。

内分泌腺と対比して考えられるのが外分泌腺で，これは血液中に放出される内分泌とは異なり，直接導管内に放出される。この例としては，唾液腺や乳腺が挙げられる。しかし，外分泌と内分泌の両方の性質を併せ持つ腺がある。例えば，膵臓は，導管を通して消化液を腸に分泌する一方で，膵臓の中にあるランゲルハンス島 β 細胞はインスリンを血液に分泌して全身に到達し，エネルギーの消費や蓄積を調節する。

2.1 内分泌器官

2.1.1 視床下部

視床下部は，神経系と内分泌系をつなぐ装置の一つである。視床下部は脳底部にあってニューロンの集まりである神経核から成り立っている（図2-3）。視床下部は，より高次の脳領域から軸索や神経投射を介して情報を受け取る。この情報は，神経核において最終的に統合され，代謝調節や生殖調節などが行われる。視床下部の基底部，あるいは正中隆起部では，化学シグナルを特異的に分泌する特殊なニューロンが存在する。これらのニューロンは，神経分泌細胞と呼ばれ，機能的には初期内分泌腺である。ただし，これらの神経分泌細胞は，通常のニューロンと類似の形態を備えている。神経分泌細胞から分泌される化学シグナルは神経ホルモンと呼ばれ，細胞体で産生された神経ホルモンは神経終末へ運ばれ，神経活動に応じて血中に放出される。

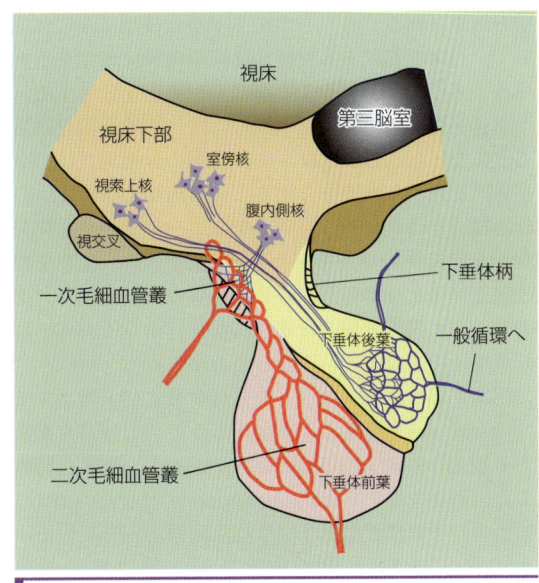

図 2-3　**下垂体と視床下部内分泌細胞**　視床下部の神経分泌ホルモンは，門脈系の第一次毛細血管叢に分泌され，視床下部と前葉をつなぐ閉鎖血管系を介して下垂体前葉に運ばれる。オキシトシンやバソプレシンは視床下部で神経ホルモンが合成され，長い軸索を後葉に運び，後葉の血管系とシナプス連絡している。

視床下部は，2つの方法で下垂体と連絡を取り合う（図 2-4）。一つが，視床下部-下垂体門脈系（hypothalamic-hypophyseal portal system）という血管系を介してである。この血管系は正中隆起部のループ状毛細血管（一次毛細血管叢）から始まり，漏斗を下降して下垂体前葉（二次毛細血管叢）に入る。門脈系は，これらのホルモンを全身に廻らせるというより，視床下部から下垂体前葉への比較的近い臓器間の血液の流れを持続的に供給する役割を果たす。下垂体前葉に到達した神経ホルモンは，下垂体ホルモンを一般循環へ放出させる。このような門脈系のシステムは，原始的な脊椎動

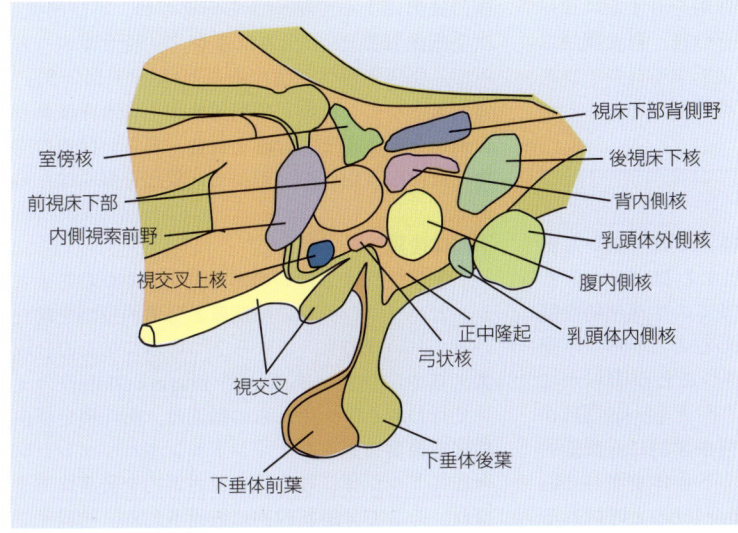

図 2-4　ヒトの視床下部神経膜

物からみられる．もう一つが，下垂体後葉にみられる系で，視床下部にある神経分泌細胞の長い軸索を下垂体後葉まで伸ばし，そこで神経ホルモンを分泌する．下垂体後葉で分泌されたホルモンは，一般循環を巡ることになる．このように下垂体後葉の分泌様式は，下垂体門脈系から血流を介する下垂体前葉のホルモンの分泌様式とは異なり，視床下部ニューロンが下垂体後葉から直接神経ホルモンを分泌する（下垂体後葉を顕微鏡で見ると分泌物が貯留しているのが観察され，下垂体後葉が視床下部で合成された神経ホルモンの一時貯蔵場所にもなっていることがわかる）．

　視床下部ホルモンは，下垂体前葉および中葉ホルモンの合成分泌を調節し，下垂体ホルモンの分泌を促進する放出ホルモン(releasing hormone)と分泌を抑制する抑制ホルモン(inhibiting hormone)に分けられる．放出ホルモンは5つあり，甲状腺刺激ホルモン放出ホルモン(TRH)，性腺刺激ホルモン放出ホルモン(GnRH)，コルチコトロピン放出ホルモン(CRH)（コルチコトロピン放出因子〈CRF〉），成長ホルモン放出ホルモン(GHRH)，メラノサイト刺激ホルモン放出ホルモン(MRH)である．抑制ホルモンは，成長ホルモン抑制ホルモン(GHIH)（またはソマトスタチンと呼ばれる）であり，化学構造が決定し，生理作用が確認されている．これらの視床下部ホルモンはすべてペプチドホルモンであるが，同じく視床下部ホルモンであるドーパミンは，モノアミンであり，下垂体前葉のプロラクチンや下垂体中葉のメラノサイト刺激ホルモンを抑制するため，プロラクチン抑制ホルモン(PIH)とメラトニン抑制ホルモン(MIH)として知られている．

　このほか，視床下部は下垂体系とは別個にホルモンを産生している．グレリンは，胃で産生される消化管ホルモンとして知られているペプチドホルモンであるが，脳の弓状核でも産生されることが知られる．摂食中枢である視床下部外側野に特異的に発現するオレキシン（ヒポクレチン）は，摂食促進作用を有するニューロペプチドとして報告されたが，その後，摂食調節以外にも覚醒レベルの上昇やプロラクチンやコルチコステロンの分泌調節など，多彩な生理作用があることがわかってきた．

2.1.2 下垂体

　下垂体(pituitary)は，初期の解剖学では，脳から出される老廃物を集めて鼻から排出する器官であると誤って信じられてきた．しかし，多くの生理学的機能を担うホルモンの産生や分泌に関わることから，下垂体は主要内分泌腺として機能を持つことが明らかになった．哺乳類の下垂体は，hypo(下)とphysis(脳)からなる"hypophysis"とも呼ばれ，解剖学的にも機能的にも異なる2つの部位からなり，下垂体前葉(lobus anterior lobe)と下垂体後葉(posterior lobe)と呼ばれる

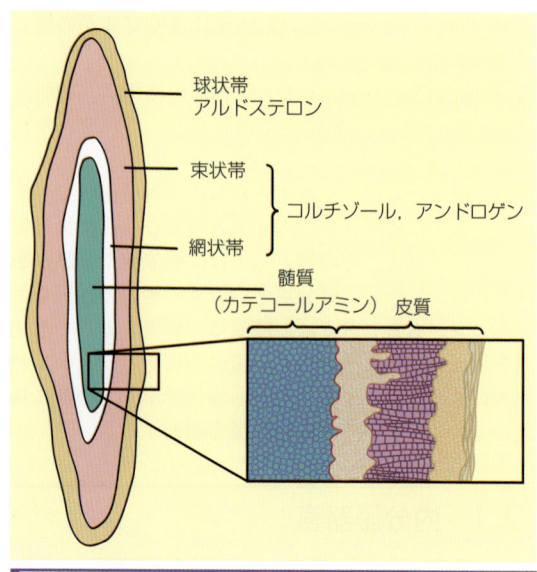

図2-5　副腎　副腎皮質の3つの異なる層から副腎皮質ホルモンが分泌される．副腎髄質からはカテコールアミンが分泌される．(Guyton & Hall, 2005 より改変)

（図2-4）．2つの腺葉は，発生学的にも異なり，前葉は胎性外胚葉に由来し，後葉は神経葉由来である．また，2つの間に中葉(intermediate lobe)が存在する．

下垂体前葉

　視床下部の神経分泌ホルモンは下垂体前葉ホルモンの放出を促進あるいは抑制する因子として機能しているが，ここではおおまかに放出ホルモンとして定義する．視床下部から軸索を介して運ばれてきた放出ホルモンが門脈系の一次毛細血管叢に分泌され，続いて二次毛細血管叢へ移動して下垂体前葉全体に拡散する．すると放出ホルモンの受容体を持つ下垂体前葉の細胞から下垂体ホルモンが分泌される．前葉細胞はホルモンを貯蔵している細胞内顆粒を含み，これらの顆粒は開口放出によって細胞から分泌され，再び門脈系（二次毛細血管叢）へ放出されるが，一般循環へ一方向のみで，視床下部へ逆流することはない（図2-5）．下垂体前葉ホルモンは称して刺激ホルモンと呼ばれ，標的組織からのホルモン分泌を促進，あるいは他の内分泌腺にはたらきかけて，ホルモン放出を促すはたらきがある．

下垂体後葉

　下垂体後葉は2種類のホルモン，すなわちオキシトシンとバソプレシンの貯蔵庫としての役割を果たしている．というのも，これら2つのホルモンの合成は視索上核や室傍核にある大型(magnocellular)ニューロンで行われるが，それらの軸索は，漏斗柄を経由して終末を後葉に送る．オキシトシンやバソプレシンは，合成後ゴルジ体に取り込まれ軸索内を後葉終末まで運ばれ，そこで分泌顆粒内に貯留される．神経インパル

スによって細胞膜の膜電位が脱分極側へシフトすると、分泌顆粒内に貯留されたホルモンは開口分泌によって血液中に分泌される。

2.1.3 甲状腺

甲状腺の機能単位は腺内に数千存在する球状の濾胞であり、下垂体前葉から分泌される甲状腺刺激ホルモンに応答して甲状腺ホルモンを分泌する（図2-5）。脊椎動物の他の内分泌腺と比較して甲状腺の特徴的なところは、大量の甲状腺ホルモンを長期間保存できることである。例えば、哺乳類の場合、90日間に及ぶことが知られている。この理由として、甲状腺ホルモンは、体内でヨードを含むただ一つの物質であり、ヨードを含む食物が限られていることにあると考えられている。甲状腺全体に散在する傍濾胞細胞C細胞からは、ペプチドホルモンであるカルシトニンが分泌される。下垂体前葉から分泌される甲状腺刺激ホルモンに応答して甲状腺ホルモンを分泌する。主要な甲状腺ホルモンは、サイロキシン（T_4）と、トリヨードサイロニン（T_3）であり、いずれも脂溶性である。そのため他のステロイドホルモン同様に、細胞膜を通過可能である。一般循環中では、75％が血清タンパクであるαグロブリンに結合し、残りはアルブミンに結合している。甲状腺ホルモンは成長・成熟に重要なはたらきを担っている。甲状腺ホルモンの成長促進の作用は、成長ホルモンと密接に関連しており、成長ホルモンに感受性のある標的細胞にはたらいて、効果的な成長ホルモン作用を促進する作用（プライミング効果）がある。また、成長ホルモンが下垂体前葉から分泌される際に、甲状腺ホルモンがその分泌を仲介することが知られている。甲状腺機能低下症によって、甲状腺ホルモンの分泌がないため低身長となるクレチン症は、特異な顔貌を呈し知能・精神発達の遅れを伴う。しかし、生後3ヶ月以内にホルモン補充療法（HRT）が行われれば、症状は改善される。逆にこの期間を過ぎてしまうと永久的な知能低下を引き起こす。また、甲状腺機能低下症では、性成熟が遅延する。雄では精子形成は行われるものの血中のテストステロン量が減少しており、雄の性行動が強く抑制される。雌では、性周期が乱れる。

2.1.4 副　腎

副腎は腎臓の上に位置する左右一対の角錐形の器官で、内分泌腺としては機能的にも構造的にも異なる皮質と髄質とからなる（図2-6）。

副腎髄質

副腎髄質は主として胎生期に特殊化された交感神経節後ニューロンとみなされるクロム親和性細胞から構成される。出生後は機能的には自律神経系の一部分をなす。神経シグナルに応じて、副腎髄質からは3種のモノアミンホルモンである、アドレナリン（エピネフ

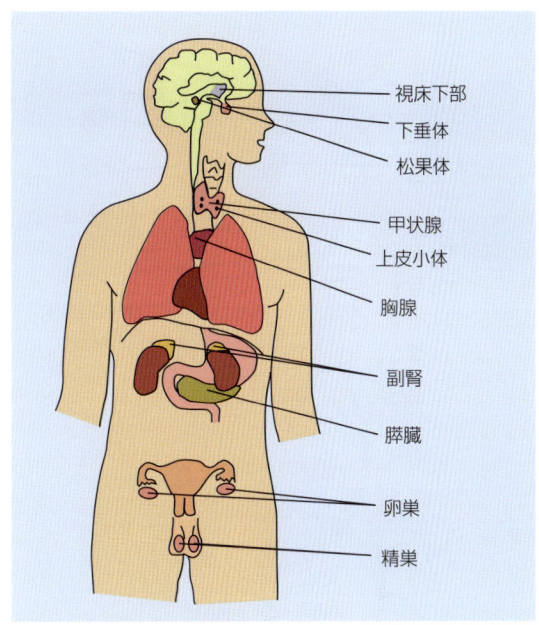

図2-6　**視床下部-下垂体系**　視床下部は脳底部に位置し、多数の神経核からなっている。さらに視床下部の下に内分泌器官である下垂体がぶらさがっている。

リン）、ノルアドレナリン（ノルエピネフリン）、ドーパミンを一般循環へ放出する。タンパクホルモンであるエンケファリンも同様に分泌される。

副腎皮質

副腎皮質は形態学的に異なる3つの帯からなる。最外層は、球状帯であり、副腎皮質の10～15％を占める。中間層に副腎皮質の75～80％を占める束状帯があり、副腎髄質に接しているのが網状帯である。胎児では副腎が身体のサイズに比べてはるかに大きく、成人ではみられない4つ目の帯がある。胎児期の副腎皮質は、球状帯、束状帯、網状帯あわせて20％で、80％はいわゆる胎児帯が占める。胎児帯は出生後すぐさま退化が起こるため、胎児帯の機能は不明である。副腎皮質を構成する球状帯、束状帯、網状帯は機能的にも異なり、それぞれ異なるタイプのステロイドホルモンを合成する。球状帯は、アンジオテンシンIIの作用によりミネラロコルチコイドであるアルドステロンが合成・分泌され、アルドステロンは腎集合におけるナトリウムと水の再吸収を促進する。束状帯および網状帯は、下垂体前葉ホルモンである副腎皮質刺激ホルモン（ACTH）により、それぞれグルココルチコイドであるコルチゾール（小型げっ歯類、ウサギ、鳥類、両生類、爬虫類ではコルチコステロン）と副腎アンドロゲンであるデヒドロエピアンドロステロン（DHEA）が合成・分泌される。グルココルチコイドは、肝臓における糖新生を促進し、血糖値を上昇させる。また、グルココルチコイドはストレス反応により急激に分泌を増加させ、脳に作用して多くの行動を変化させることが知ら

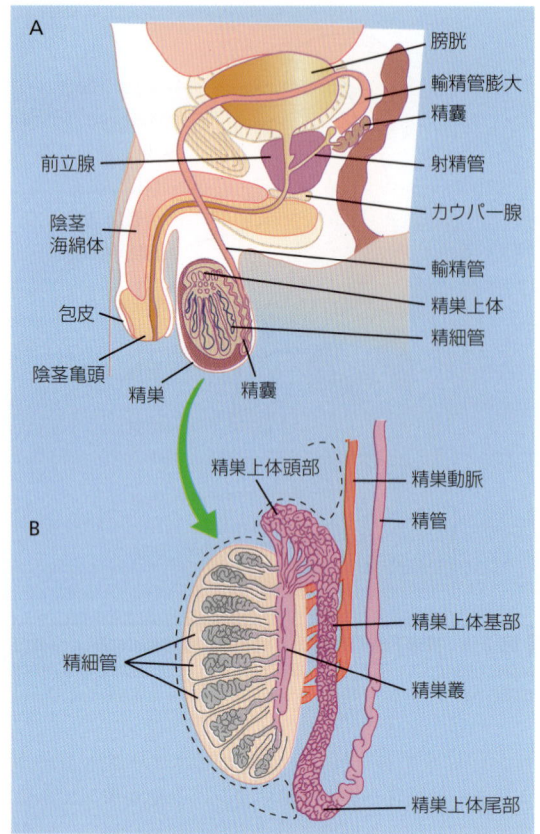

図2-7 男性生殖器官 (Guyton & Hall, 2005 より改変)

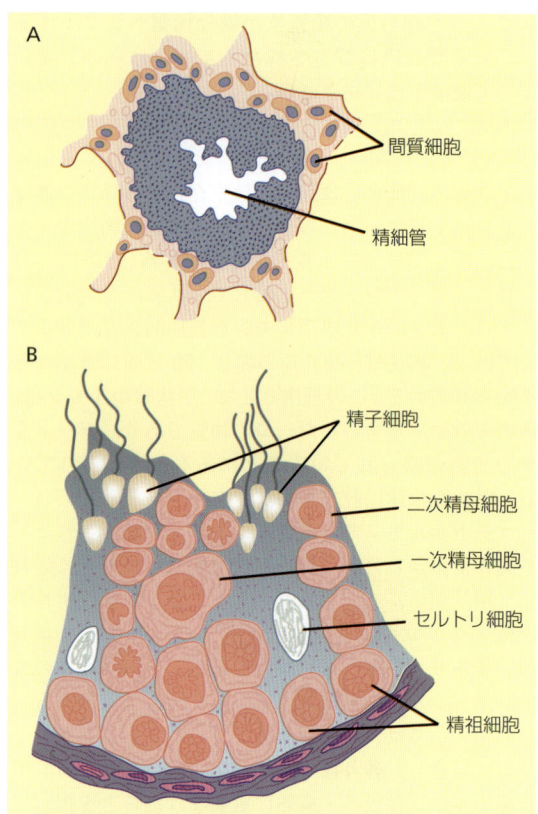

図2-8 精細管の断面図(A)と精祖細胞から精子への分化過程での様々な発育ステージ(B) (Guyton & Hall, 2005 より改変)

れている。

2.1.5 性 腺

性腺には2つの機能がある。配偶子(精子あるいは卵子)を産生する機能とホルモンを産生分泌する機能である。性腺ホルモンは，配偶子発育に関与し，性腺の二次性徴を促進し，性行動をも調節する。このホルモン分泌は，下垂体前葉から分泌される，性腺刺激ホルモンによって調節を受ける。

精巣

精巣は成人男性の性腺であり左右一対存在し，アンドロゲン(男性ホルモン)を産生する(図2-7)。精巣は精細胞とセルトリ細胞を含む多数の精細管によって構成されており，この中で精細胞は段階的な成熟過程を経て，精子へと形成される。セルトリ細胞(Sertoli cell)は精細管の基底部に沿って存在し，精子成熟過程において栄養の供給源となり，インヒビンを分泌する。インヒビンは，下垂体前葉から分泌される性腺刺激ホルモンを抑制するペプチドホルモンとして知られる。ほぼ成熟した精子は頭部をセルトリ細胞にうずめたような状態で存在している(図2-8)。また，精細管の間質にあるライディッヒ細胞(Leydig cell)においてアンドロゲン(男性ホルモン)であるテストステロンが

合成・分泌されるが，このホルモンの分泌調節は下垂体前葉から分泌される性腺刺激ホルモンによって行われる。

卵巣

卵巣は成人女性の性腺であり，左右一対存在し配偶子(卵)とホルモンを産生する(図2-9)。卵巣は骨盤の卵巣窩に存在し，卵巣間膜によって，腹壁後壁に付着している。精巣では性成熟後に連続して精子を形成するのに対して，卵巣における卵細胞は成熟後に形成されることはない。胎児期の卵巣において生殖上皮が最終的には原始卵胞になり，ヒトでは2つの卵巣で約50万の未成熟卵胞ができ，その中に卵子となる一次卵母細胞が形成される。出生後にその数が増えることはなく，閉経まで連続して卵胞は退化していくことになる。ヒトの一生で，思春期発来から閉経期までに約400の卵が放出される。卵巣では周期的な排卵調節を行い，限られた数の卵を放出する。卵巣は機能的に様々な発達段階の卵胞を含む。卵胞は排卵後に黄体へと変化する。

原始卵胞は，扁平な顆粒膜細胞(卵胞細胞)と呼ばれる1層の上皮細胞に取り囲まれている。顆粒膜細胞層では2種類のペプチドホルモン，インヒビンとアクチ

2.1 内分泌器官　19

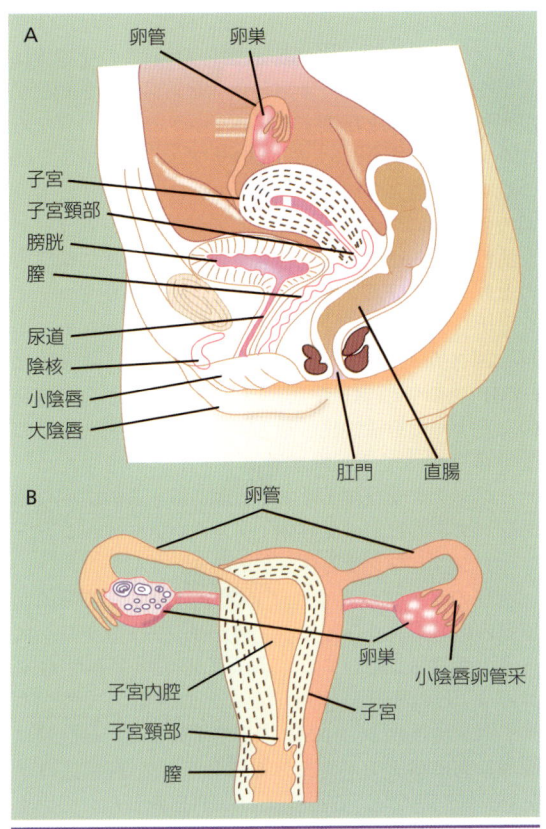

図 2-9　女性生殖器官　（Guyton & Hall, 2005 より改変）

伴い，それを囲んでいる卵胞は様相が変わる。すなわち，卵胞は間葉細胞のより深いところに移動し，顆粒膜細胞は肥厚する（一次卵胞）。基底膜で仕切られた外卵胞膜および内卵胞膜細胞は，顆粒膜細胞を取り巻くようになり，エストロゲン（女性ホルモン）を分泌する。第二次卵胞へと成熟する中で，卵胞は透明層と肥厚した上皮細胞で取り巻かれるようになる。さらに顆粒膜細胞は排卵前に卵母細胞の周りに卵胞液を分泌し卵胞腔を形成する。十分に発達した卵胞腔相の卵胞をグラーフ卵胞と呼ぶ。

　成熟卵胞を取り巻く内卵胞膜細胞には，黄体形成ホルモン（LH）受容体が発現しており，下垂体前葉から分泌される LH の作用でアンドロゲンが合成される。一方，顆粒膜細胞には，卵胞刺激ホルモン（FSH）受容体が発現しており，FSH の作用でアンドロゲンの変換酵素であるアロマターゼが合成されるため，内卵胞膜細胞で合成されたアンドロゲンは即座にエストロゲンに変換されるため，卵巣より分泌される性ホルモンはエストロゲンが主となる。顆粒膜細胞にはエストロゲン受容体も発現しており，エストロゲンによって増殖するため，エストロゲンによってエストロゲン合成を促進するという正のフィードバックが成立することになり，エストロゲンの大量分泌（サージ分泌）をもたらす。これらに続いて，LH のサージ分泌が生じ，これがグラーフ卵胞の破裂（排卵）を惹起する。排卵された卵は卵管口へたどり着き子宮へと移動する。ほとんどの哺乳類は，正常な場合は卵管内で受精が起こる。排卵後に破裂卵胞の顆粒膜細胞はすぐさま有糸分裂を行い，血管新生が起こり黄体へと変わる。黄体ではプロゲステロンが産生される。黄体は，最終的にはホルモン産生をしない白体となる（図 2-10）。

ビンを産生すると考えられている。これら 2 つのペプチドホルモンは，視床下部や下垂体前葉からのホルモン放出を抑制あるいは促進する。下垂体前葉から分泌される性腺刺激ホルモンによって，卵巣周期に応じてある一定数の卵母細胞が成熟する。卵母細胞の成熟に

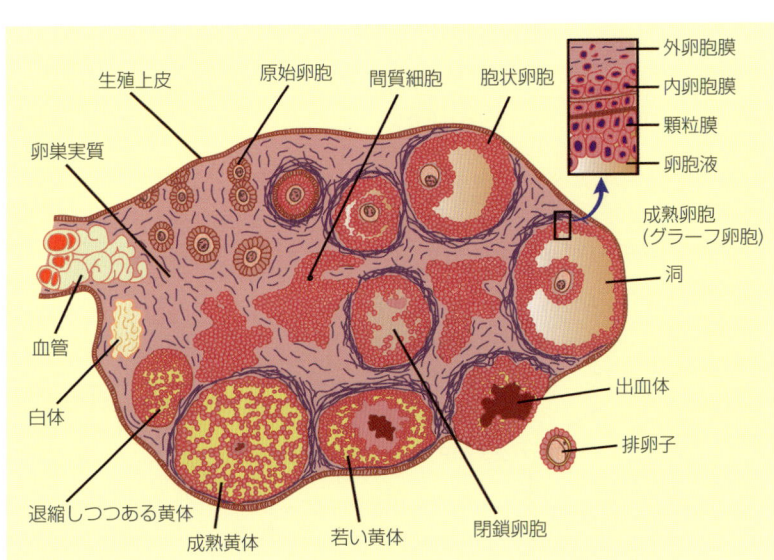

図 2-10　ヒトの卵巣　（Ganong, 2005 より改変）

2.2 標的器官

ホルモンが合成・分泌され，その生理作用を発揮するためにはその受容体を持つ標的器官が必要となる。最終的に細胞の機能に影響を及ぼすためには，化学シグナルとしてホルモン情報がシグナル伝達系を介して細胞内応答に変化を及ぼす必要がある。標的器官でのシグナル伝達系はホルモンの種類によって異なる。

2.2.1 タンパクおよびペプチドホルモン受容体

タンパクおよびペプチドホルモンの受容体は細胞膜に埋まったような状態で，少なくとも3つのドメインからなっており，細胞膜外側のホルモン結合領域，膜貫通領域，そして細胞内領域を形成している（図2-11）。これらの受容体は細胞膜内で形や位置を大きく変える。タンパクやペプチドホルモンの受容体を介したシグナル伝達系を握る鍵は，細胞内にある酵素とその活性を調節するセカンドメッセンジャーにあるといえる。

例えば，チロシンキナーゼの酵素活性ドメインを細胞内領域に持つ受容体は，ホルモンが結合すると活性化され，ATPからリン酸基を他のプロテインキナーゼに転移させ活性化させる。チロシンキナーゼはさらに，GTPからセカンドメッセンジャーであるcGMPを産生するグアニル酸シクラーゼ活性や，タンパクの脱リン酸化をするチロシンホスファターゼ活性とセリン／スレオニン残基を特異的にリン酸化するセリン／スレオニンキナーゼ活性を持つ。

タンパクおよびペプチドホルモンに対しては，Gタンパク質共役型受容体がある（図2-11）。この受容体は酵素やタンパクなどセカンドメッセンジャーを介してホルモンの情報を伝達する。いくつかの種類の異なるGタンパクがあり，α，β，γのサブユニット構造を持つ点では共通している。ホルモンがGタンパク質共役型の受容体につくことによってアデニル酸シクラーゼを活性化しcAMPの産生を促す。cAMPが次に細胞内のセカンドメッセンジャーとして，特異的なプロテインキナーゼを活性化する。Gタンパクがイオンチャネルを開きカルシウムの細胞内流入を促し，結果的にcAMP（あるいはcGMP）の産生を促進し，さらに特異的なキナーゼを活性化させる。Gタンパク質共役型の受容体はすべて7回膜貫通型ドメインを持つため，サーペンチン受容体と呼ぶことがある。このようなGタンパク質共役型の受容体にグルカゴン，オキシトシン，バソプレシン受容体などがある。

細胞のタイプが異なればcAMPに対する特異的な細胞内応答も異なってくる。例えば，アドレナリンは自身の受容体に結合すると，G_Sタンパク（刺激性Gタンパク）との相互に作用することでアデニル酸シクラーゼを活性化し，cAMPの産生が高まる。細胞膜は同様に別のGタンパクであるG_iタンパク（抑制性Gタンパク）を持つが，こちらはcAMPを介したシグナル伝達を抑制する。いわばcAMPはアドレナリンのホルモン作用を増幅するというかたちで細胞内シグナル伝達を担う役割がある。いったんcAMPが合成されれば繰り返しプロテインキナーゼA（PKA）に結合して，ホスホリラーゼキナーゼをリン酸化する。肝臓内のホス

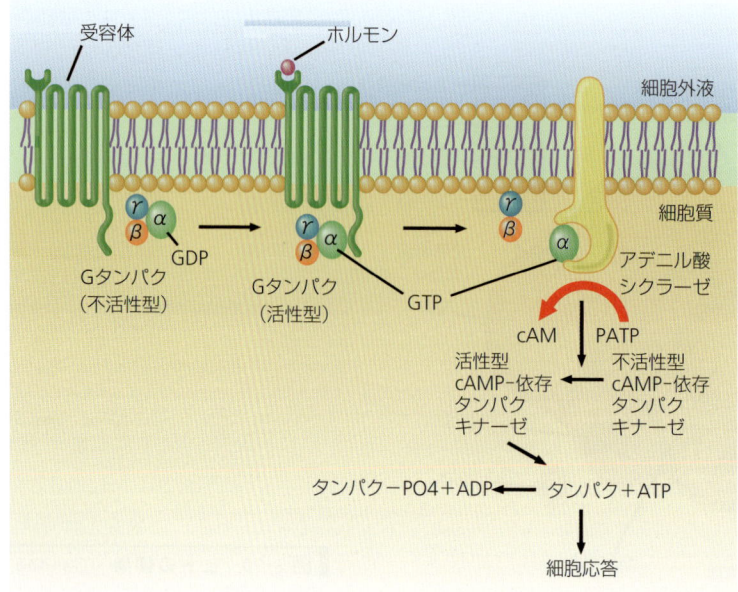

図2-11　ペプチドホルモン作用機序　ホルモン結合により，ヘテロ三量体Gタンパクの結合した受容体が活性化され，酵素などのGTP活性化標識タンパクが活性化される。ホルモン結合によりGタンパクの活性化され酵素などのGTP活性化標識タンパクが活性化される。（Guyton & Hall, 2005より改変）

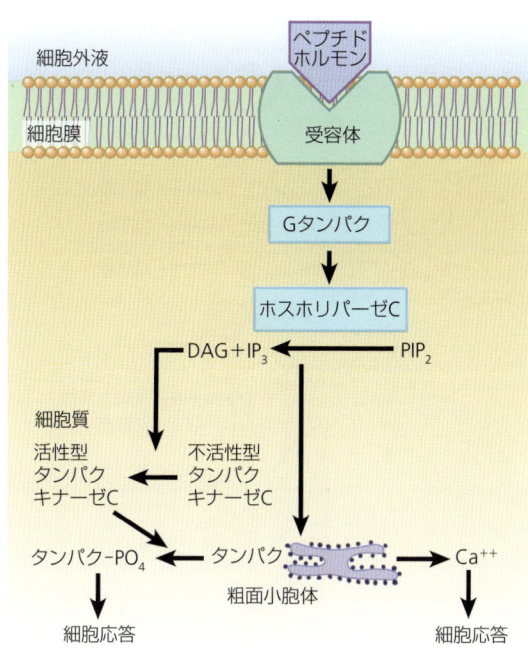

図 2-12 リン脂質を第二メッセンジャーとする系　DAG：ジアシルグリセロール，IP_3：イノシトール三リン酸，PIP_2：フォスファチジルイノシトール二リン酸。（Guyton & Hall, 2005 より改変）

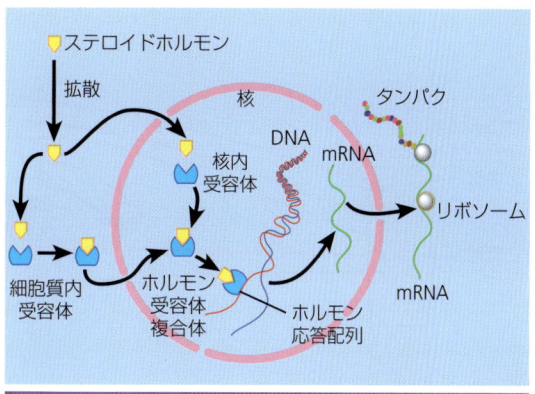

図 2-13 ステロイドホルモン受容体の作用機序　（Guyton & Hall, 2005 より改変）

ホリラーゼキナーゼは，ホスホリラーゼ B からホスホリラーゼ A となり，グリコーゲンからグルコースへの変換を促し，血中に放出され，他の細胞のエネルギーの供給源となる。脂肪細胞では，cAMP がホルモン依存的にリパーゼの活性を高め，エネルギー源として貯蔵されている脂肪の加水分解を促す。心臓の細胞やニューロンでは，cAMP が PKA を活性化する一方で，Ca^{2+}-gated イオンチャネルに結合し，膜を脱分極する。cAMP は，細胞質から核へ移動し cAMP 応答配列結合タンパク（CREB）に結合する。cAMP が CREB に結合した後，DNA のプロモーター領域に結合し，遺伝子の転写活性を調節する。

G タンパクのシグナル伝達にはさらにイノシトール三リン酸（IP_3）／ジアシルグリセロール（DAG）が関連する経路がある（図 2-12）。α，β，γ の三量体から構成される G タンパクから乖離した α サブユニットに GTP が結合し，ホスホリパーゼ C が活性化されホスファチジルイノシトール-4,5-二リン酸（PIP_2）から IP_3 と DAG が合成される。IP_3 は，小胞体貯蔵の Ca^{2+} の動員を促す。DAG と Ca^{2+} の細胞内濃度の上昇は，プロテインキナーゼ C（PKC）が細胞膜への結合を引き起こし，イオンチャネルを活性化する。

2.2.2 ステロイドホルモン受容体

ステロイドホルモンは副腎や性腺由来のホルモンであり，4 個の炭素環を含むステロイド骨格を持つ脂質である。脊椎動物においてコレステロールはステロイドホルモン合成の前駆体である。ステロイドホルモンや甲状腺ホルモンは脂溶性であり分子量が低いため，細胞の膜を容易に通り抜けることができる（図 2-13）。ステロイド合成シグナルに応じたステロイド産生は時間単位であることがほとんどである。しかし，副腎皮質刺激ホルモン（ACTH）刺激に応じて行われるコルチコイドの分泌は数分単位であるし，LH に反応したプロゲステロン合成はすぐさま行われる。ステロイドホルモンは，脂溶性であるため水溶性である血液に溶けない。そのために，ステロイドホルモンは水溶性の輸送タンパクに結合することで溶解度を増し，血液を介して標的器官に運ばれる。また，輸送タンパクに結合することは，早期にステロイドホルモンが分解するのを防ぐ役目も持つ。標的器官に運ばれるとステロイドホルモンは輸送タンパクから外れて細胞膜を通り抜け，細胞質に移行するため，これらの受容体は細胞質あるいは，核に存在する特徴を持つ。ステロイドホルモン受容体のアミノ酸配列は，脊椎動物では高度に保存されている。ドメイン構造を主要とする機能領域を持ち，C 末端側にステロイド結合領域，中央部分は DNA 結合領域があり，N 末端は転写活性を変化させる転写活性調節領域として機能する。ステロイドホルモンや甲状腺ホルモン受容体はホモ二量体を形成し，標的遺伝子の応答配列（ホルモン応答配列）に結合して標的遺伝子の転写活性を調節する。このほかに，ステロイドホルモン作用には，核受容体を介する場合より短時間に発現する膜受容体もあることが示されている。

2.3 自律神経系と内分泌

自律神経系は生体の生命維持に必要な，循環，呼吸，消化，代謝，分泌，体温調節，排泄，生殖などの自律機能を調節し，生体のホメオスタシスの維持に重要な役割を果たしている（図 2-14）。自律機能は，生体が本

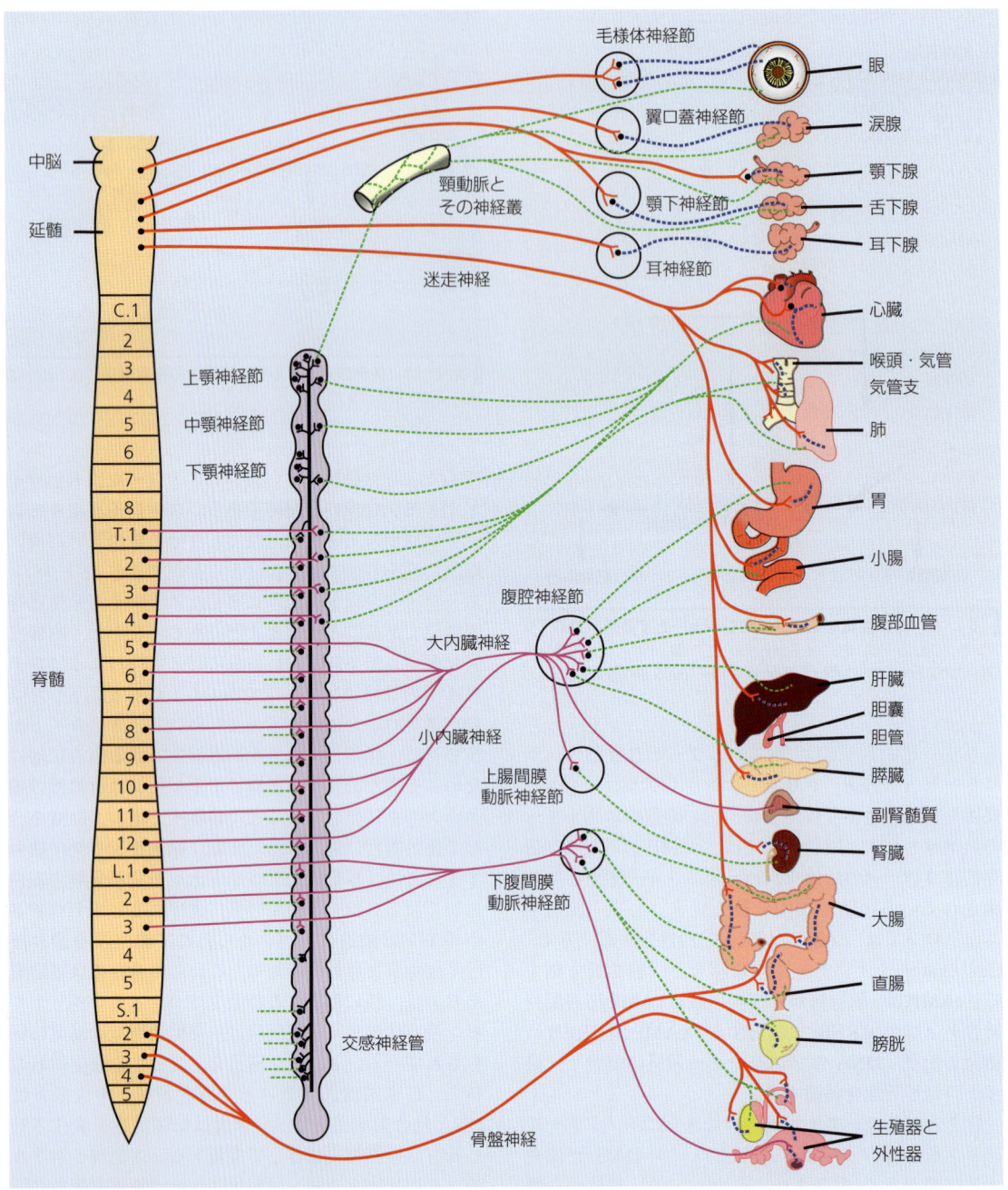

図 2-14　自律神経系遠心路　副交感神経系の節前ニューロンは太い赤線，節後ニューロンは太い青破線，交感神経系の節前ニューロンは細いピンク線，節後ニューロンは細い緑破線で描かれている。(Ganong, 2005 より改変)

能行動や情動行動を起こす際に，運動機能と協調的に働く。本能的欲求である摂食行動や飲水行動には，自律性反応を伴い，そのためには自律機能の協調が必要である。自律神経系は，交感神経系（sympathetic division），副交感神経系（parasympathetic division），内臓求心性線維とに分けられる。自律神経の神経線維は，直接効果器に結合せず，中枢神経系の外にある神経節につながっている。中枢神経系から神経節をつなぐ遠心性（運動性）の軸索を節前線維，神経節とその効果器をつなぐ軸索を節後線維と呼ぶ。交感神経は胸髄・腰髄の細胞に起始し，副交感神経は脳幹および仙髄に起始する。内臓からの情報は，自律神経求心路，あるいは内臓求心性線維と呼ばれ，自律神経遠心性線維とほぼ平行に走る。求心性線維を伝わって中枢神経に伝えられる。交感神経節前線維は，第1胸髄と第3腰髄に脊髄側柱の細胞に起始する。これらの細胞は交感神経

節前ニューロンといい，交感神経節前線維の軸索突起は脊髄前根，白枝通枝を経て，交感神経節に達する。交感神経節は脊柱の両側にあり，頚部を除いて尾部まで分節ごとに配列し，神経線維束によって上下に連絡し，交感神経幹を形成している。交感神経節前線維は，神経幹の神経節で交感神経節後ニューロンとシナプスを形成する。交感神経節後線維が灰白交通枝や体節の脊髄神経を通り，様々な内臓効果器へと達する。

副交感神経節前線維は脳幹と仙髄第2～第4の脊髄側柱に起始し，神経節は効果器の近傍に，あるいは効果器壁内に位置している。副交感神経節内で節後ニューロンとシナプス形成し，節後線維が効果器に達する。脳幹に起始する副交感神経節前線維は，動眼神経，顔面神経，舌咽神経，迷走神経を経由して，各効果器である眼，唾液腺，内臓，心臓，肺，その他の内臓器官を支配する。仙髄に起始する副交感神経は，骨盤神経を経由して，直腸，膀胱，生殖器などの骨盤腔内器官を支配する。

内臓器官の多くは交感神経と副交感神経の両方によって二重支配を受け，さらにその作用は相反的であり機能的側面で拮抗的に働く。例えば心臓では，交感神経によって刺激を受けると，心拍数が上がり心筋の収縮力が高まるが，副交感神経の刺激では心臓機能が抑制される。また，自律神経支配を受ける器官では緊張（トーヌス〈tonus〉）と呼ばれる最小限の活動がもたらされる。これは，自律神経が常時自発的に活動していることで起こる。トーヌスは自律神経中枢の支配を受けて増減し，それによって効果器の機能は調節される。例えば，血管の収縮の度合いは交感神経によるトーヌスによって調節される。副交感神経によるトーヌスの例として，心臓が安静時に迷走神経緊張によって支配を受けている。

自律神経の神経節での神経伝達物質は，アセチルコリンとノルアドレナリンであり，交感神経系と副交感神経両方で，神経節前線維からアセチルコリンが放出される。交感神経節後線維はノルアドレナリンを放出するが，副交感神経節後線維はアセチルコリンを放出する。汗腺，立毛筋の興奮は例外で，交感神経節後線維からアセチルコリンを放出する。アセチルコリンを放出するニューロンをコリン作動性ニューロンと呼び，ノルアドレナリンを放出するニューロンをアドレナリン作動性ニューロンと呼ぶ。アセチルコリンの受容体は2種類に大別され，ニコチン様受容体とムスカリン様受容体がある。自律神経系神経幹の節後ニューロンにはニコチン様受容体が存在し，自律神経支配の効果器にムスカリン様受容体が主に存在する。

自律神経系，内分泌系ともに脳の視床下部によって調節を受け，いわゆる生体のホメオスタシスの維持に役立っている。視床下部は間脳の一部であり，その脳内分布域は視索前野から乳頭体までで，自律機能の高次神経中枢としてはたらき，摂食，飲水，性行動などの本能行動，怒りや攻撃などの情動行動や，体温調節，組織の浸透圧調節の制御において重要なはたらきを果たしている。すなわち視床下部は，視床下部辺縁系とともに内部環境のホメオスタシス，さらには外部環境へ適応するための自律神経系，内分泌系，体性神経系などそれぞれの機能における統合中枢であるといえる。

2.4　分泌器官としての脳，標的器官としての脳

内分泌系のはたらきは，体内環境を恒常的に維持していくという生体機能が挙げられるが，それはフィードバック系によってホルモン量が一定の値に保たれるという仕組みであると言い換えることができる。体内環境の恒常性の維持ということは，とりもなおさず外部環境への適応を意味し，神経系と内分泌系とを駆使することによって，外部環境に対する反応を神経活動に置き換え，それがまた液性情報に変換され，さらには標的細胞の応答がみられることによって成立するといえる。したがって，脳の神経内分泌系とは，まさに神経情報と液性情報をつなぐ情報連絡の仲介システムであり，脳は重要な内分泌器官であり，そして重要な標的器官でもある。

視床下部にある神経分泌細胞はニューロンの形態を持ちながらホルモン様物質を分泌する。それはニューロンの活動電位という電気信号をホルモンによる液性信号に変換することであり，神経ホルモンが下垂体前葉の刺激ホルモン放出を促進あるいは抑制する放出因子を下垂体門脈系に分泌されて行われる。下垂体後葉から分泌されるオキシトシン，バソプレシンは例外で，神経ホルモンは視床下部の視索上核，室傍核で合成され，終末がある下垂体後葉で貯蔵され，活動電位により分泌される。そしてこれら視床下部の神経分泌細胞の分泌調節は，末梢からのホルモンによって調節される，いわゆる負のフィードバックがはたらき，ホルモン量を一定に保つ調節機構が存在する。排卵調節におけるフィードバック機構は，これとは異なり，末梢から分泌されるホルモンがさらに視床下部での分泌を促進して結果的に，卵巣から分泌されるエストロゲンのサージ様分泌を引き起こす。これを負のフィードバックと区別して正のフィードバックと呼ぶ。さらに，排卵とともに正のフィードバック環は消失し，負のフィードバックへと切り替わる。哺乳類では負のフィードバックから正のフィードバックへの切り替えが周期的に起こるが，そのメカニズムはいまだ不明のままである。

また，脳は末梢で分泌されたホルモンを受容体によってモニターし，自律神経系を介して代謝を調節している。例えば，肥満に関わり摂食を抑制するホルモ

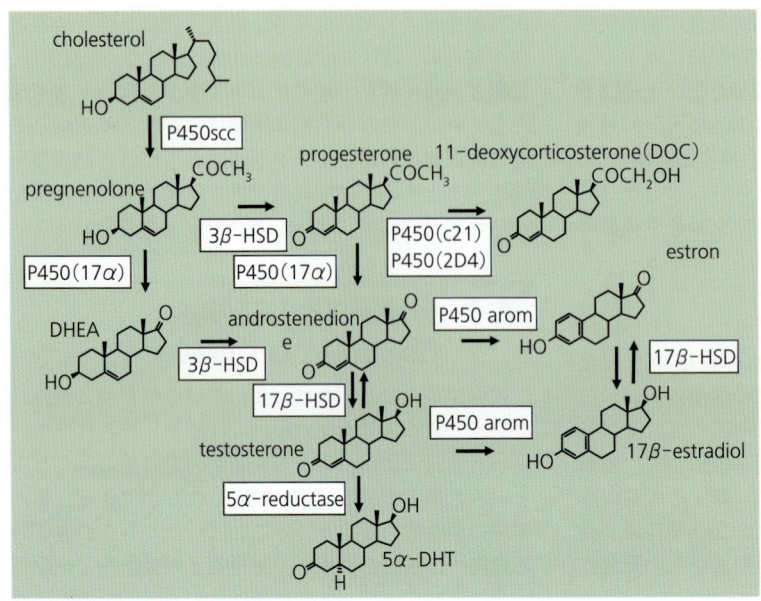

図2-15　代表的なステロイドの生化学合成経路　脳におけるニューロステロイド生合成経路を示す。まずチトクロム P450scc（P450 分子種の一つ）（コレステロール側鎖切断酵素）によりコレステロール（cholesterol）からプレグネノロン（pregnenolone）が合成される。3β-ヒドロキシステロイド脱水素酵素 Δ5-Δ4-異性化酵素（3β-HSD）の作用によりプレグネノロンから性ステロイドとして知られるプロゲステロン（progesterone）が合成され，プロゲステロンからチトクロム P450（c21），P450（2D4）の作用により 11－デオキシコルチコステロン（11-deoxycorticosterone：DOC）が合成される。一方で，脳にはチトクロム P450$_{17α,リアーゼ}$（17α-ヒドロキシラーゼ/C17, 20-リアーゼ），が存在しており，プレグネノロンからデヒドロエピアンドロステロン（DHEA）が合成される経路と，プロゲステロンを経てアンドロステンジオン（androstenedione）が合成される経路とがある。アンドロステンジオンから 17β-ヒドロキシステロイド脱水素酵素（17β-HSD）によりテストステロン（testosterone）が合成され，テストステロンからチトクロム P450arom（芳香化酵素）の作用によりエストラジオール（17β-estradiol）が代謝される経路と，5α-還元酵素（5α-reductase）の作用により非芳香化アンドロゲンである 5α-ジヒドロテストステロン（5α-DHT）が合成される経路とがある。エストラジオールはアンドロステンジオンから P450arom の作用でエストロン（estron）を経て合成される経路も存在する。

ンであるレプチンは脂肪組織で産生され，食欲を亢進させるグレリンは胃で産生される。血中のレプチンは，血液脳関門が欠如している視床下部内側底部から容易に脳内に侵入できる。レプチン受容体は，視床下部の弓状核（NPYニューロンとα-MSHニューロン），外側野（MCHニューロンとオレキシンニューロン），室傍核（CRHニューロンとTRHニューロン），それに背内側核や腹内側核に豊富に発現している。これらのニューロンは，エネルギーの取り入れと消費の調節を行っている。

2.5　行動を制御する代表的なホルモン

2.5.1　ステロイドホルモン

下垂体前葉から分泌される多様なタンパクホルモンに応答して，副腎や性腺でコレステロールからステロイドホルモンが合成される（図2-15）。

精巣ホルモン

精巣から分泌されるアンドロゲン（androgen）は，プロゲステロンから変換されて生成され，主に雄性化を促すホルモン類の総称で，その代表であるテストステロンは 19 個の炭素数を持ち，アンドロゲンのほぼ 90％を占める。テストステロンとアンドロステンジオンが生物学的に重要なホルモンであり，テストステロンは 5α-還元酵素によって，5α-ジヒドロテストステロン（DHT）となりアンドロゲンとしての効果を発揮する。DHT はエストロゲンに芳香化されないアンドロゲンとして知られている。アンドロゲンには多くの生理的な機能がある。これらアンドロゲンは精子形成に重要であり，輸精管，前立腺，精嚢，カウパー腺の維持に関わっている。また雄鶏のとさかの大きさや，雄鹿の角の成長の促進など成熟後の二次性徴の発達にも関わる。さらに求愛行動，交尾などを含めた雄の性行動に重要であり，また，攻撃行動などの社会行動にも関与している。

卵巣ホルモン

主に卵巣から分泌されるステロイドホルモンは，卵巣ホルモン（エストロゲン〈estrogen〉）と黄体ホルモン（プロゲステロン〈progesterone〉）である。プロゲステロンは炭素数 21 個のステロイドで，プロゲステロンと 20α-ヒドロキシプロゲステロンの 2 種が含まれる。一方，生物活性を持つエストロゲンは 17β-エストラジオール，エストロン，エストリオールが含まれる。プロゲステロンはステロイドホルモンすべての中間代謝物である。哺乳類では妊娠を維持し，また交尾行動を抑制する。エストロゲンは炭素数 18 個のステロイドホルモンでアンドロゲンから生成される。エストロゲンはアンドロゲンのフェニル基 A 環の芳香化（aromatization）によって生成される。内卵胞膜細胞で合成されたプロゲステロンから，細胞内に存在する酵素によりアンドロゲンが生成され，顆粒膜細胞内ですぐさまエストロゲンに変換される。雌の二次性徴はエストロゲンにより影響を受ける。エストロゲンはヒトの水代謝に重要であり，水分の保持に役立っている。高濃

度のエストロゲン存在下で骨形成が行われるため，閉経後の女性には骨粗鬆症の所見がみられる．さらにエストロゲンは雌の雌性行動，母性攻撃行動に重要な役割を果たしている．

副腎アンドロゲン

網状帯で副腎アンドロゲンであるデヒドロエピアンドロステロン（dehydroepiandrosterone：DHEA）が産生される．DHEAの生理機能は不明であり，それ自身にはホルモン活性はなく，末梢でテストステロンに変換されて初めてアンドロゲン活性を示すと考えられている．血中DHEA濃度がある年齢で減少することが知られている．実際DHEAの補充療法を試みた結果，加齢による筋力や免疫力の低下を改善する効果のあることが判明している．

ニューロステロイド

脊椎動物の脳を取り出しての器官培養下（ex vivo）の実験，あるいは脳抽出液を用いた実験によって，ストレスや社会的接触，あるいは薬理学的操作により脳内のステロイド合成酵素タンパクやそのmRNAの量が変動することが見出された．さらにニューロンにおいて合成されたステロイドホルモン（ニューロステロイド〈neurosteroid〉）が脳内の神経回路形成と神経間の回路形成（可塑性）を制御することも報告されている．

このように脊椎動物では，ニューロステロイドを作る酵素が脳内の領域特異的に発現していることが示唆されている．その証拠はまだ多くはないものの，脳内で領域特異的に変動しているニューロステロイドは，神経伝達物質と同様，脳神経回路の機能を修飾していると考えられ始めている．

ニューロステロイドの作用機序の一つは，"古典的な"経路である核内受容体の転写活性を介して作用するものである．この経路では，ステロイド→核内受容体→転写促進→タンパク合成といくつものステップを必要とし，比較的長い時間で作用する．

一方，これまで知られてきた遺伝子転写制御因子としてのステロイドホルモン作用（genomic action）のほかに，急性反応として，遺伝子を介さず秒から分の短い時間単位で作用する反応（nongenomic action）が見出された．この非古典的反応は，ステロイド結合性イオンチャネル開閉性膜受容体による神経の興奮によると考えられている．17β-エストラジオールなどのエストロゲンについてはニューロンの膜上への直接的な作用により脳神経機能に影響を与えることが明らかとなってきた．脳でのエストラジオール合成速度が急速に変化することも実験的に示され，雄における性行動への影響もまたこれに従い，おそらく分単位で急速に変化する．その変化の速さは従来のステロイドホルモンによる転写制御メカニズムでは説明できない．またテストステロンをエストラジオールに変える酵素のアロマターゼが，脳神経のシナプス前終端で発現し，Ca^{2+}依存性のリン酸化によって分単位で修飾されることも報告されている．脳内において一定割合のエストロゲンは，多様な機能的神経機能修飾因子（neuromodulator）としての特徴を示し，神経伝達物質とみなす考え方さえある．ニューロンと神経伝達物質，あるいはホルモン類との化学的なシングル伝達様式は，神経機能の基本であり，中枢系の複雑さを整理するためにも，脳に存在する化学的なメッセンジャー分子の分類は重要である．100年ほど前にすでにホルモン類と神経伝達物質の区別が定義されているが，この区別についての見直しの必要性が強く求められている．

特に代表的な性ホルモンである17β-エストラジオール（E_2）は，哺乳動物の脳においてはステロイドホルモンとしての側面と化学メッセンジャーとしての両側面を持つ．ホルモン類の定義は内分泌腺から血中に放出され，離れた標的サイトで機能を発揮する化合物である．ホルモン類は，細胞膜，または細胞質受容体と結合し，比較的時間のかかる作用機序によって生物学的な変化，酵素タンパクの活性化・不活性化や遺伝子の転写開始を誘導する．対照的に，神経伝達物質はニューロンによって合成される化学物質メッセンジャーであり，シナプス前小胞に貯留され，比較的速いスピードで選択的なシナプス後受容体タンパクを介して作用すると定義される．また，神経伝達物質に関わる特定の分解酵素や再取り込みタンパクなどは，すみやかにこれらの作用を終了させる．1950年代に発見された下垂体後葉性ホルモン類の発見によっては，最初にこれらの区別への疑問が呈された．オキシトシンとバソプレシンのようなペプチドは脳内のニューロンによって合成され，その後，下垂体後葉ホルモンとして直接血流中に放出され遠くの目標組織・器官に達して作用する一方，脳内の特定のニューロンに対して血流を介さずに直接はたらきかける．遊離基ガスの一酸化窒素や一酸化炭素のような新しいメッセンジャーも，化学メッセンジャーの分類について疑問を提起している．これらは小嚢に貯留はされず，標的細胞には拡散により達し，そこでグアニル酸シクラーゼのような"酵素受容体"に作用する．このように，これらもまた神経伝達物質と同じような特徴をも共有する．"神経伝達物質とは，神経またはグリアから分泌され，隣接した細胞の電気化学的な状態に生理学的な影響を与える分子である"という神経伝達物質の概念に立ち返るなら，一酸化窒素や一酸化炭素，オキシトシンとバソプレシンは神経伝達物質とも定義されよう．近年の動物の脳ステロイド研究は，アンドロゲンの芳香化（aromatization）によって合成されるエストロゲンが，前述した神経伝達物質にみられる多くの特徴を共有することを示している．

鳥類のニューロステロイド研究では，ウズラの脳がチトクロムP450側鎖切断酵素（P450scc），3β-ヒドロ

キシステロイド脱水素酵素/D5-D4-イソメラーゼ（3β-HSD），チトクロムP450 17α-ヒドロキシラーゼ/c17,20-リアーゼ（P450$_{17α,lyase}$），17β-HSD，その他の変換酵素を発現し，コレステロールからプレグネノロン，プロゲステロン，3β-，5β-テトラヒドロキシプロゲステロン（tetrahydroprogesterone），アンドロステンジオン，テストステロン，そしてエストラジオールが合成されることが明らかにされた。ウズラ脳は活発に7α-ヒドロキシプレグネノロン（7α-hydroxypregnenolone）を合成することが見出され，これが鳥類特有のニューロステロイドではないかと推定されているが，鳥類脳でのニューロステロイドの生合成経路解明もいまだ解明の中途である。

このように，ステロイドが脳機能や行動を修飾する重要性を示す証拠はいくつも挙がってきているが，特に通常行動に伴う，局所的かつ急性の脳内ステロイド濃度の変動の制御機構についてはいまだ不明の点が多い。

2.5.2 副腎髄質ホルモン

副腎髄質ホルモンは，腎臓の上の左右に一対ある内分泌器官である副腎から分泌されるホルモンであり，アドレナリン，ノルアドレナリン，ドーパミンの3種類があり，この3つを総称してカテコールアミンとも呼ぶ。ノルアドレナリンはチロシンから水酸化反応と脱炭酸反応を経て合成される。また，アドレナリンはノルアドレナリンにメチル基を転移して合成される。これらの物質は一方で重要な脳内の神経伝達物質であるが，それらはそれぞれ特定のニューロンで合成される。ノルアドレナリンは副腎を摘出しても正常血中濃度（ヒトの場合300 pg/mL）と変わらないことから，ニューロンなど副腎髄質以外に由来するノルアドレナリンが充分量，血中に供給されていることを示している。一方，血中の正常アドレナリン濃度（ヒトの場合30 pg/mL）は，副腎を摘出するとほぼなくなることから，血中のアドレナリンはそのほとんどが副腎髄質に由来しているものと考えられる。

副腎髄質ホルモンは，安静時には微量しか分泌されないが，寒冷，精神的感動，血圧低下などのストレスがかかると，大量に分泌される。アドレナリンは心臓のはたらきを高め，血圧を上昇させ，血糖値を高めて熱産生を促進するなどの作用を持ち，交感神経系の興奮状態と似た作用を示す。

副腎髄質はカテコールアミン類以外にもオピオイドペプチドを含んでいるがその役割はよくわかっていない。

2.5.3 下垂体前葉ホルモン

下垂体前葉ホルモンには古くから知られていた6種のホルモン，副腎皮質刺激ホルモン（adrenocorticotropic hormone：ACTH）（コルチコトロピン〈corticotropin〉とも呼ぶ），甲状腺刺激ホルモン（thyroid-stimulating hormone：TSH）（サイロトロピン〈thyrotropin〉とも呼ぶ），卵胞刺激ホルモン（follicle-stimulating hormone：FSH），黄体形成ホルモン（luteinizing hormone：LH），成長ホルモン（growth hormone：GH）とプロラクチン（prolactin）（黄体刺激ホルモン〈luteotropic hormone：LTH〉とも呼ぶ）以外に，β-リポトロピン（β-lipotropin，β-lipotropic hormone：β-LPH），メラノサイト刺激ホルモン（melanocyte-stimulating hormone：MSH）などが知られている。

ACTHは下垂体前葉のコルチコトロープ（corticotrope）細胞で合成分泌されるポリペプチド性のホルモンである。ACTHは視床下部-下垂体-副腎（HPG〈hypothalamic-pituitary-gonadal〉）軸を支える重要な構成因子であり，種々の生物学的ストレスに応じて視床下部から分泌されるコルチコトロピン放出ホルモン（corticotropin-releasing hormone：CRH）（コルチコトロピン放出因子〈corticotropin-releasing factor：CRF〉）の働きで合成分泌される。ACTHの主要な生理作用は，アンドロゲン（androgen）の生合成昂進と副腎皮質からのコルチゾール（cortisol）の分泌促進などである。

TSHは，以下のFSH，LHとあわせて糖タンパクホルモン類という別称を持つ。これらの3種いずれのホルモンも，共通のαサブユニット，ホルモンごとに異なるβサブユニットからなるヘテロダイマー型の糖タンパクホルモンである。しかしその機能は，FSHとLHが性腺の発達，卵胞や精子形成であるのに対し，TSHは甲状腺に発現するGタンパク共役型（leucine rich repeat containing G-protein coupled receptor類とも総称される）のTSH受容体にはたらきかけ，標的細胞内のcAMP上昇を経由してサイロキシン（thyroxine：T$_4$）とトリヨードサイロニン（triiodothyronine〈T$_3$〉）の分泌を促す。T$_4$，T$_3$は核内受容体でありステロイドホルモン受容体スーパーファミリーに属する甲状腺ホルモン受容体への結合と活性化を介して転写因子として作用し，代謝による熱産生，心拍数，脳機能など様々な生理機能を制御する。

FSHは，主に雌雄性腺の標的細胞（卵巣顆粒膜細胞，精巣セルトリ細胞および子宮内膜分泌細胞など）に発現する。TSH受容体と近縁のGPCR型受容体であるFSH受容体に結合して細胞内のcAMPを上昇させることで，精子形成や卵胞成熟を促すことが知られている。

一方，LHもFSHと同様のαサブユニットおよび独自のβサブユニットからなり，FSH受容体と類縁のLH／絨毛性性腺刺激ホルモン（chorionic gonadtropin）受容体を介して成熟後の卵胞にはたらきかけ排卵を促す。また，排卵後の卵胞に残存する卵胞顆粒膜細胞は，

LHのはたらきにより黄体組織（corpus luteum）へと変換される。この黄体組織のは細胞は，LH作用によりプロゲステロン（progesterone）やエストラジオール（estradiol）を産生するようになる。

GHは，ペプチド性のホルモンであり，細胞の増殖を刺激し，動物の成長を促す。GHは下垂体前葉に局在するソマトトロ－フ細胞によって合成分泌され，ヒトの場合191アミノ酸からなるポリペプチドホルモンである。

組換えタンパクのGH，特にヒト成長ホルモン（hGH）は，その欠乏のために成長障害を起こした子どもたちの成長ホルモン欠乏を臨床的に補うために利用されている。hGHはまた成人に投与すると体脂肪を減少させ，筋肉量や骨密度，エネルギー消費を増やし免疫系機能を向上させるなどの抗老化作用のあることが報告されている。

β-LPHはプロオピオメラノコルチン（POMC）のC末端部分の91個のアミノ酸からなるタンパクであり，前葉にあるPOMC産生細胞で生産される。POMCはその他，視床下部弓状核，視床下部背内側核，皮膚の色素細胞（メラノサイト）などでも産生される。β-LPHは，さらにPOMCのN末端部分の58個のペプチドからなるγ-LPHと，鎮痛ペプチドのβ-エンドルフィン（β-endorphin）にまでプロセシングされる。

2.5.4 下垂体後葉ホルモン

多くの哺乳類では，下垂体後葉から分泌されるホルモンはオキシトシン（oxytocin）とアルギニンバソプレシン（arginine vasopressin）である（ブタなど一部の哺乳類では，8番目のアミノ酸がリジンに置き換わっている〈lysine vasopressin〉）。これらの両ホルモンはともにその大部分は脳視床下部の視索上核（SON）と室傍核（PVN）に分布する大細胞性神経細胞体において産生され，神経軸索を経由して後葉の神経終末に輸送され，細胞の活動電位により血流中へ分泌される。オキシトシンの場合，視床下部を中心に脳内で産生されるオキシトシンを中枢性オキシトシン（central oxytocin）と呼称するのに対し，オキシトシンのmRNAは精巣や卵巣，羊膜や胎盤など様々な組織での低レベルでの発現が検出されており，これを末梢性オキシトシン（peripheral oxytocin）と呼ぶ。バソプレシンも性腺や副腎皮質での末梢性バソプレシン（peripheral vasopressin）合成が報告されているが，その役割についてはよくわかっていない。

オキシトシンと同様，終末に運ばれたバソプレシンは血漿の浸透圧上昇に伴い血流中に放出され，腎集合管の水の再吸収を促進して尿量を抑え，水分の喪失を防ぐ。したがって，視索上核や室傍核，視床下部下垂体路，または下垂体後葉の疾患によって引き起こされるバソプレシン分泌不足により多量の濃縮されていない尿を排出する，あるいは多量の水分摂取を要求する症状，尿崩症を示すことが知られている。一方，オキシトシンは，子宮平滑筋に多数発現するオキシトシン受容体を介して子宮筋を収縮させ分娩を催起させるとされるが，オキシトシン遺伝子をノックアウトしたマウスでも正常な分娩を起こすことが観察されており，オキシトシンの分娩における役割についてはいまだ結論は得られていない。一方，乳児による母親の乳頭への刺激が下垂体後葉からのオキシトシンの血流への分泌を誘導することが知られ，オキシトシンは乳房中に分布する乳腺胞の収縮を通じて乳汁射出を促すことが知られている。また，オキシトシンについては近年，骨代謝に関与するとの報告がなされている。

一方，視索上核で合成されたオキシトシンとバソプレシンの一部，および視床下部室傍核で合成されたオキシトシンとバソプレシンの大部分は脳内に軸索投射され，または拡散により，脳内に広く分布するオキシトシン受容体（oxtocin receptor：OTR）およびバソプレシン1aおよび1b受容体（vasopressin receptor：V1aR, V1bR）を介して特定の神経にはたらきかけ，この作用を通じて，様々な生理作用，性行動，怒りや安堵などの感情，母性行動，個体識別能などに関わっていることが近年の多数の論文により示されている。またこのリガンドや受容体の遺伝的な異常は，自閉症やうつ病，不安神経症などの精神疾患と密接に関わっている，との報告も多い。

2種の下垂体後葉ホルモンであるオキシトシンとバソプレシンは内分泌を通じて体組織に広く分布する受容体へ作用し，体恒常性を維持するホルモンとしてのはたらきと，脳内の限られた神経，例えばセロトニン作動性ニューロンあるいはドーパミン作動性ニューロンなどに特異的に発現分布する受容体を介して，その下位にある神経伝達物質の放出制御を通じて，脳の高次機能そのものへはたらきかける作用の2面性を持つことが，近年の特に脳におけるこれらの"ホルモン"機能の研究を通じて明らかになりつつある。Landgrafらは，これら下垂体後葉ホルモンの"神経伝達物質"的なはたらきを神経調節物質（neuromodulator），と呼称することを提唱している（Landgraf & Neumann, 2004）。

2.6 神経伝達物質としてのホルモン

脳内ステロイドは物質的には核内受容体のリガンドであるステロイドホルモンと基本的に同じであり，また鳥類ではその類縁物質の場合もあるが，その作用経路は少なくとも2通りあり，古典的な核内受容体を経由しての転写制御作用以外に，ニューロンに特異的に発現するチャネル型膜受容体に作用することにより，神経伝達物質と同様のニューロン間の傍分泌性シグナル伝達分子としてもはたらくことが明らかになってき

た．同様にたいへん古い研究の歴史を持つペプチド性のホルモンである下垂体後葉ホルモンは，すなわち抗利尿ホルモン（antidiuretic hormone）として知られるバソプレシン，あるいは分娩誘起や乳腺での乳汁分泌制御または生殖腺の機能制御に関わるとされてきたオキシトシンは，両者ともに脳内視床下部の室傍核と視索上核でのmRNA発現とタンパク合成後，下垂体後葉に軸索投射するだけでなく脳内の様々な領域にも投射し，あるいは拡散により到達することで，不安行動やつがい形成の制御を行い（V1aR，V1bR），あるいは様々な社会行動，性行動，母性行動，社会的認知，攻撃行動，母子関係の制御（OTR）をすることが見出されている．このように，下垂体後葉性の両ホルモンもニューロステロイドホルモンとともに，脳内において古典的なホルモンの概念にはあまり当てはまらず，むしろ神経伝達物質様の機能を果たしていることが明らかになりつつある．

3 性の決定

3.1 性染色体による性決定
3.1.1 哺乳類の性染色体

　哺乳類の性は，受精時に精子の染色体のタイプによって決定される．例えば，ヒトは22対の常染色体(autosome)と1対の性染色体(sex chromosome)を持つ．性染色体にはX染色体とY染色体が存在しており，一倍体ゲノムを持つ生殖細胞において，卵子はX染色体を，精子はY染色体かX染色体のいずれか一方を持っている．X染色体を持つ精子が受精するとその個体の性染色体の組み合わせはXXとなり，性は雌に決定される．一方，Y染色体を持つ精子が受精した場合にはXY両方の性染色体を持つこととなり，性は雄に決定される．言い換えると，X染色体を2本持つと雌になり，X染色体とY染色体を1本ずつ持つと雄になるということになる．X染色体を2本持つこととY染色体を持つことのどちらが性の決定に重要であるかについては，性染色体を3本(XXY)持つクラインフェルター症候群(Klinfelter syndrome)の患者が男性であること，X染色体を1本持ち，Y染色体を持たないターナー症候群(Turner syndrome)の患者が女性であることから，Y染色体を持つことが性を雄に決定することに必要十分であることが明らかになった．

　X染色体とY染色体は互いに非常に異なった染色体である．ヒトにおけるX染色体の総塩基対数は約1億6,300万，遺伝子数は1,098個であるのに対し，Y染色体は約5,100万塩基対に78個の遺伝子がコードされているのみである．しかし，それぞれの染色体の両端は偽常染色体領域(pseudoautosomal region)と呼ばれるX染色体とY染色体の間で塩基配列がほぼ一致する領域を持っており，同じ常染色体から進化して2つの異なる性染色体へと分化していったと考えられている(Graves, 1998)．

　X染色体には生存に重要な遺伝子が多くコードされており，X染色体を1本しか持たない男性において，X染色体上の遺伝子の異常が原因となる疾病が多くみられる(図3-1)．ジストロフィン遺伝子(*dystrophin*)の変異により起こるデュシェンヌ型筋ジストロフィー，凝固因子Ⅷ(*Factor Ⅷ*)の変異による血友病，赤オプシン(*red opsin*)・緑オプシン(*green opsin*)遺伝子の変異による赤緑色盲などはいずれもその患者のほとんどが男性であることが知られている．また精神疾患の原因となる遺伝子も非常に多く存在しており，X染色体上の10.1%の遺伝子が精神遅滞に関与するという報告もある．これは他のどの常染色体よりも有意に高い確率であり，脳機能の発達におけるX染色体の重要性を強く示唆している(Zechner et al, 2001)．

　これに対しY染色体は短い配列の繰り返しによって構成される領域が多くを占めるなど，性を決定する機能以外は持たないと考えられてきた．その後の解析により性決定遺伝子以外の遺伝子も発見されており，ヒトにおいては78個，遺伝子重複を除くと27種のX染色体にはコードされていない遺伝子が存在することが明らかとなった．この中には性決定遺伝子である*Sry*(*sex-determining region on the Y chromosome*)，精子形成に重要な*DAZ*(*deleted in azoospermia*)など，雄の生殖機能に必須な遺伝子が含まれている(Delbridge & Graves, 1999)．しかし，単孔類と有袋類を除く哺乳類のグループである真獣類の中では保存性が高いX染色体に対し，Y染色体は種間での差が大きい．また，コードされている遺伝子も性決定遺伝子以外については非常に異なっているため，その役割については不明な点が多い．げっ歯類の中でトゲネズミ(*Tokudaia osimensis*)など数種においてはY染色体が失われ，雄雌ともにXO型の染色体を持つものの半数は雄へ遺伝的に性分化することが知られており(Fredga, 1983)，Y染色体あるいはそこにコードされている遺伝子の機能は他の染色体によって容易に補償しうるものであるのかもしれない．

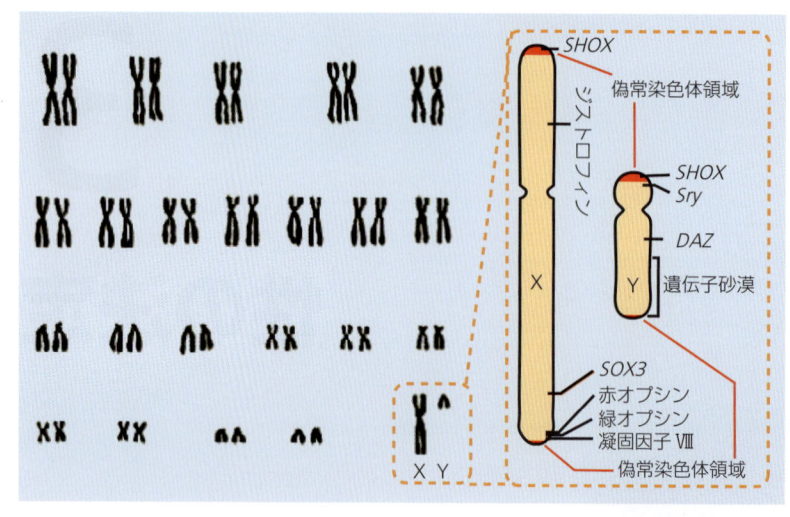

図 3-1 ヒトの常染色体と性染色体
ヒトは22対の常染色体と1対の性染色体を持つ．X染色体とY染色体はそのほとんどの領域において非常に異なっているが，両端にある偽常染色体領域では非常に似通っており，短腕部の末端の領域には*SHOX*などの遺伝子が共通にコードされている．Y染色体の長腕部には短い配列の繰り返しが続いており，遺伝子が存在していないことから，この領域は遺伝子砂漠と呼ばれている．

これまでにみてきたように哺乳類の雌はX染色体を2本持つのに対し，雄は1本しか持たない．また，X染色体が非常に多くの生存に重要な遺伝子をコードしているのに対し，Y染色体にはきわめて少数の遺伝子しかコードされていない．このため，雌はX染色体上の生存に重要な遺伝子を雄に比べ2倍持つことになる．特別な調整がなければ雌の細胞においてはこれらの遺伝子が雄に比べ2倍発現されることになり，細胞の機能に大きな影響を与える可能性がある．21番染色体の三倍体化がダウン症（Down syndrome）を引き起こすように，ゲノムの中で染色体の個数が異なるというのは生物にとって致命的な影響を与えることである．この雌雄でのX染色体数の違いを補正する特別な機構がX染色体不活性化（X chromosome inactivation）である（Lyon, 1999）．雌において2つ存在するX染色体は各細胞において父方由来，母方由来のX染色体のどちらか一方が不活性化され，コードされているほとんどの遺伝子は片側のアリルからのみ発現する（図3-2）．しかし，すべての遺伝子が不活性化されるのではなく，不活性化を逃れる遺伝子も存在している．例えばY染色体上に相同な遺伝子，あるいは非常によく似た遺伝子が存在している場合は不活性化されないことが多い．前述した偽常染色体領域には身長に深く関わる遺伝子である*SHOX*（short stature homeobox containing gene）が存在している．この遺伝子は雌雄どちらにおいても2コピー存在するので不活性化される必要がない．しかし，性染色体の総数が1であるターナー症候群，3であるクラインフェルター症候群ではこの遺伝子の総コピー数も変化することになるが，不活性化は起こらないので低身長あるいは高身長となってしまう．

3.1.2 脊椎動物の性染色体

哺乳類で最も原始的である単孔類においてすでにY

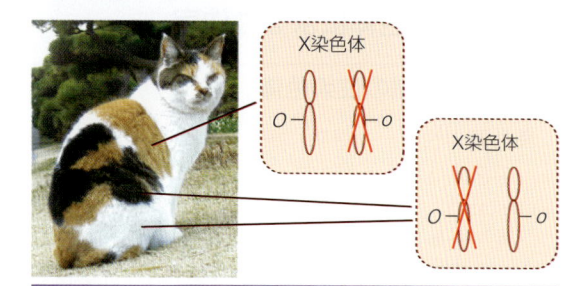

図 3-2 三毛猫とX染色体不活性化 ネコの体色をオレンジ色に決定する遺伝子はX染色体上にあり，*O*ではオレンジ色に，*o*では他の常染色体上の遺伝子によって決定される色（白，黒）になる．この遺伝子を*O/o*とヘテロで持つ雌では*O*が存在するX染色体と*o*が存在するX染色体はモザイク状に不活性化されている．このため，オレンジ色の部分と白，あるいは黒の部分ができ，三毛猫になる．一方，X染色体を1本しか持たない雄では*O*か*o*のどちらか一方しか持たないため，全身にオレンジが現れるかまったく現れないかのどちらかであり，三毛猫にはなれない．

染色体の有無による性決定が行われていることが知られており，性染色体の由来となった常染色体も共通であると考えられている．一方，脊椎動物という枠でみたときには性染色体のパターンとその起源は非常に多様である．

哺乳類では雄が2種類の性染色体を持つのに対し，鳥類では雌が2種類の性染色体を持っている．このように雌に異なった2種類の性染色体が存在する場合，便宜上それらはZ染色体とW染色体と呼ばれることになる（図3-3）．そして雄は1種類の性染色体であるZを2本持つ．Z染色体とW染色体は同じ常染色体を起源とし，進化の過程の中で分化したと考えられている．しかし，コードされている染色体の比較から，哺乳類のX染色体およびY染色体の起源とは異なる常染色体が起源となっていることが明らかとなっている（Handley et al, 2004；Berlin & Ellgren, 2004）．

哺乳類と鳥類が属する羊膜類には爬虫類も含まれる

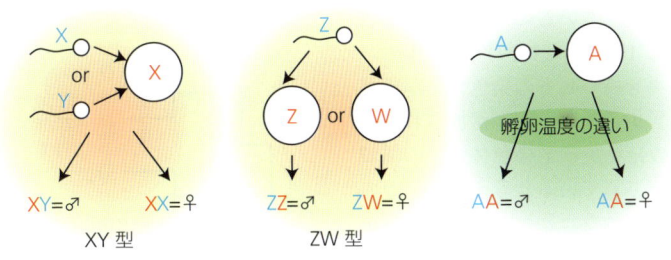

図3-3　染色体依存性性決定と温度依存性性決定　性決定には大きく分けて性染色体による性決定と環境による性決定がある。染色体依存性性決定のものはさらにXY型とZW型に分かれる。XY型では雄が異なる2種類の性染色体を持ち、X染色体あるいはY染色体を持つ精子がX染色体を持つ卵子に受精する。精子の持つ性染色体がXであるかYであるかによって受精卵の持つ性染色体のパターンがXY、つまり雄になるか、XX、つまり雌になるかが決定される。一方、雌が異なる2種の性染色体を持つ場合はZW型という。すなわち、精子はZ染色体を1つ持ち、Z染色体あるいはW染色体を1つ持つ卵子に受精する。卵子の持つ性染色体がどちらであるかによって性が決定される。環境による性決定の一つである温度依存性性決定動物では性染色体は存在しておらず、受精時には性が決まっていない。受精後の環境温度によって性が決定され、雌雄は同じゲノムから分化することになる。

が、爬虫類の性決定様式はさらに複雑である。爬虫類はムカシトカゲ目、トカゲとヘビを含む有鱗目、カメ目、ワニ目からなり、鳥類はワニ目と近縁な動物群であり、羊膜類の中で哺乳類は爬虫類と鳥類が含まれる群とは独立した群となっている。爬虫類の中でムカシトカゲ目とワニ目のすべての種には性染色体が存在しておらず、性は、性染色体とは異なるメカニズムで決定される。一方、カメ目と有鱗目においては性染色体を持たない種と性染色体を持つ種がともに報告されている。そして、性染色体の種類も哺乳類のように雄が2種の性染色体を持つパターン (XY) と鳥類のように雌が2種の性染色体を持つパターン (ZW) とが混在している。有鱗目のヘビ下目では調べられたすべての種で雌が2種の性染色体を持つ。まとめると、哺乳類はXY型、鳥類はZW型、ヘビ下目もZW型、そしてカメ目とトカゲ下目ではXY, ZW, 性染色体を持たないものが混在していることになる (図3-4)。それぞれの動物群間ではXYあるいはZWという呼称は共通であっても、羊膜類の共通祖先におけるどの常染色体がX, Y, Z, Wへ分化していったかという起源は異なっている (Matsubara et al, 2006)。また、性染色体を持つ種がカメ目、トカゲ目内の特定の分類群に集中して存在しているわけではなく、非常に近縁な種間でも持つ種と持たない種がモザイク状に存在している例がある。このことは、それぞれの目のサブグループにおいて、性染色体の獲得が複数回、独立に起きたことを示している。

一方、両生類と魚類でもそれぞれの動物群の中にはXY型あるいはZW型の性染色体を持つ種が含まれている (図3-4)。興味深いことに、日本に生息する両生類であるツチガエル (*Rana rugosa*) では1つの種の中にXY型とZW型のものが存在しているという報告もあり (Miura et al, 1997)、性染色体の獲得は非常に短期間で起こりうる現象であることを示唆している。両生類ではこれまで調べられたすべての種で性染色体を持っているとされているが、魚類では性染色体を持たない種も多く報告されている。

3.1.3 性決定遺伝子

これまでに脊椎動物では哺乳類において *Sry*、メダカにおいて <u>*DM*-domain gene on the *Y* chromosome</u> (*DMY*) の2つが、その存在が性決定に必要十分である性決定遺伝子として同定されている。

1956年、ヒトの性はXYの性染色体のパターンにより決定されるということが報告されて以来、Y染色体

図3-4　脊椎動物の性決定様式　哺乳類ではすべての種がXY型の性決定であるが、鳥類と有鱗目のヘビ下目はZW型の性決定、ワニ目は温度依存性性決定と異なった性決定様式を持つ。さらに、その他の分類群では異なる性決定様式が混在しており、脊椎動物の性別の決まり方が繰り返し独立して獲得されてきたことがうかがえる。図の円グラフの面積は各性決定様式をとる種数を反映していない。

上のどの遺伝子が性を決定しているのかという問題に多くの関心が集まった．1980年代に，性染色体のパターンはXXだが，精巣を持つヒトの染色体を解析したところ，X染色体にY染色体の一部が付加されていることがわかった．この発見からY染色体のこの領域に性決定遺伝子がコードされていると考えられ，その遺伝子の探索が競って行われた．そして1990年，SinclairらによりSry遺伝子が発見された(Sinclair et al, 1990)．さらに1991年，Koopmanらによってこの遺伝子を強制的に発現させられたXXの性染色体を持つマウスの受精卵からは精巣を持った個体が発生することが報告され，Sryが性決定遺伝子であることは明らかとなった(Koopman et al, 1991)．

このあと，Sryは哺乳類の中で単孔類を除く，原獣類と真獣類のほとんどの種に存在することが明らかとなり，獣類一般の性決定遺伝子であると考えられている(Veyrunes et al, 2009)．しかし，Y染色体を失っているトゲネズミにおいてはSryは存在しておらず，他のスイッチにより性決定が行われていると考えられている(Fredga, 1983)．同じげっ歯目に属するマウスでは，他の種では1 exon遺伝子であるSryが2 exon遺伝子になっていることが報告されており(Miyawaki et al, 2020)，その機能および他のげっ歯目での保存性についての解析が待たれるが，哺乳類においても性決定の分子機構が進化し続けていることを示唆している．また，単孔類および哺乳綱以外の綱に属する脊椎動物種ではSryが存在しないことも知られている．SryはSOX遺伝子ファミリーに属しており，比較ゲノム解析から，哺乳類のX染色体上に存在するSOX3遺伝子がその起源であると考えられている．一組の常染色体のうち一方のSOX3遺伝子に変異が生じ，性決定遺伝子Sryとしての機能を持つようになり，元は常染色体であった一対の染色体が性染色体へ分化していったというシナリオである(Graves, 1998)．鳥類などではSOX3が常染色体に存在していることからも，Sryの獲得は哺乳類が分岐した後に起きたと考えられる．

DMYはメダカの性決定遺伝子であり，2001年に松田らによって発見された．Sryと同様に，突然変異により性染色体のパターンと性が対応しない動物群を用いた解析によってY染色体上の性決定領域が絞り込まれた．そして，遺伝学的手法によりその領域に存在する遺伝子を欠失させる，あるいは導入して性転換が起こるか否かを確認することにより性決定遺伝子であることが明らかとなった(Matsuda, 2005)．興味深いことに，DMYは非常に近縁な種間でも保存されておらず，また分子系統学的な解析から，一度獲得してからまた失った種も存在することが明らかになっている(図3-5)．このことは魚類において性決定機構が非常に多様であることを示しているとともに，その多様な機構は1つの種の中にも潜在し，どの機構で性が決定

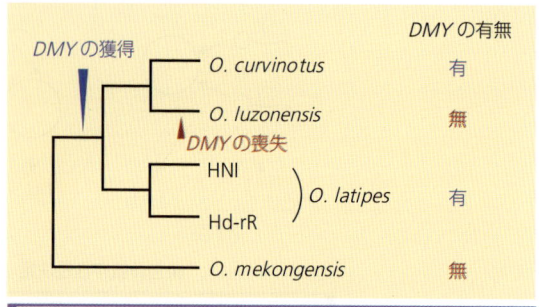

図3-5　メダカの系統樹とDMYの有無　この系統樹の中で，DMYが発見されたO. latipesから最も早く分岐したO. mekongensisにおいてはDMYは存在しておらず，この遺伝子の獲得はこれらの種が分岐した後に起きたと考えられる．また，O. latipesからその共通祖先が分岐した後に分かれたと考えられるO. curvinotusとO. luzonensisにおいて，O. curvinotusはDMYを持つが，O. luzonensisは持っていない．このため，DMYはこれらとO. latipesの共通祖先で獲得された後，O. luzonensisが分岐した後にまた失われたと考えられる．(Matuda, 2005より改変)

されるか，その決定的なスイッチは容易に変化しうることを示唆している．

哺乳類の性決定遺伝子SryはSOX遺伝子ファミリーから生じ，メダカの性決定遺伝子であるDMYはショウジョウバエや線虫の性決定に重要なDM領域を持つDMRT1遺伝子の重複を起源としている．SOXファミリーに属するSOX9，そしてDMRT1はヒトにおいて変異が生じた際には性転換を引き起こす，性決定・性分化に重要な遺伝子である(Wilhelm et al, 2007)．またこれらの遺伝子はヒトだけではなく，脊椎動物一般において性腺の性決定・性分化期に性特異的に発現することが報告されている．この2つの遺伝子以外にも，Ad4BP/SF-1，FOXL2，DAX-1など数多くの遺伝子が脊椎動物で一般的に性決定・性分化に関与している(Morrish & Sinclair, 2002)．このことから，脊椎動物の性決定・性分化は共通の分子的基盤を持ちながら，哺乳類と鳥類が分岐した後，あるいは他の動物群では種ごとに些細な変化が生じることでその多様性が生み出されたのではないかと考えられる(図3-6)．

3.2　環境による性決定

3.2.1　温度依存性性決定

前述したとおり，爬虫類の中でムカシトカゲ目とワニ目のすべての種，カメ目の多くの種，そして有鱗目トカゲ下目の一部の種は性染色体を持たない．これらの種では性染色体によらず，発生期の温度による性決定が行われる(図3-7)．発生の過程で，まず卵巣と精巣どちらにも分化しうる未分化の性腺が形成され，その後の環境温度によりどちらに分化するかが決まる．温度と性比の関係は種によって異なるが，低い温度で

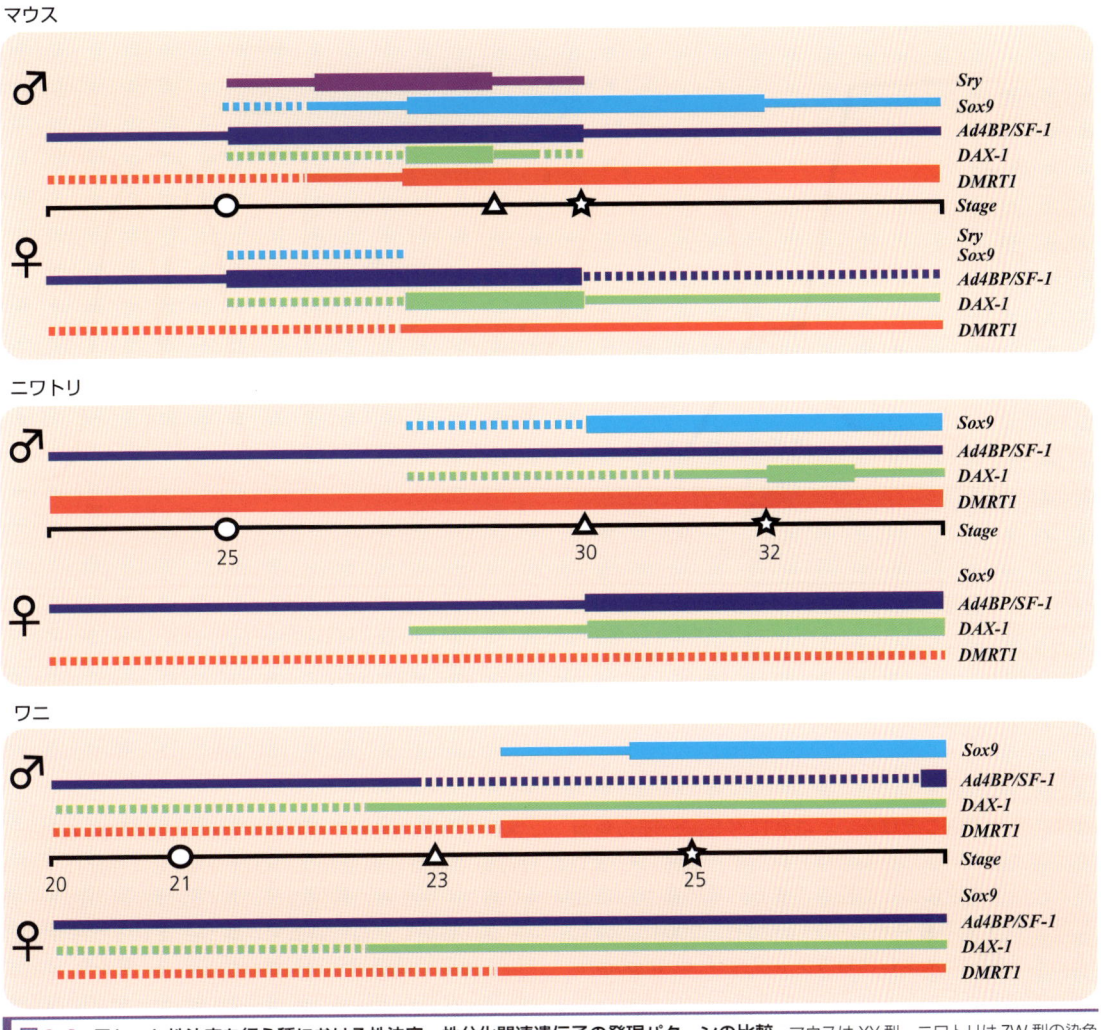

図3-6 異なった性決定を行う種における性決定・性分化関連遺伝子の発現パターンの比較 マウスはXY型，ニワトリはZW型の染色体性性決定動物，ワニは温度依存性性決定動物であるが，すべての種でSox9, Dmrt1は雄特異的に，Dax-1は雌で強く発現している。Ad4BP/SF-1はどちらの性で発現が強いかは種によって異なっているものの，その発現に性差が認められるという点では一致しており，これらの遺伝子が異なった性決定様式を持つ種でも共通に性決定・性分化に関与していることが示唆される。○：未分化生殖腺出現，△：形態的な性分化開始，☆：形態的な性分化完了（Morrish & Sinclair, 2002 より許可を得て改変）

雄が生まれ，高い温度で雌が生まれるパターン（TypeIA），逆に低い温度で雌が生まれ，高い温度で雄が生まれるパターン（TypeIB），低い温度と高い温度では雌が生まれ，中間の温度で雄が多く生まれるパターン（TypeII）が報告されている（Pieau, 1996）。温度がどのように感受されて性が決定されるのか，そのメカニズムについてはいまだ不明である。温度を感受する機構としては1997年にTRP familyが同定され，その一員であるTRPV4の活性がアリゲーターにおいて性決定に関与するという報告がなされており，温度を受け，下流のカスケードを分岐させる最初のスイッチとなるのか興味深い（Yatsu et al, 2015）。また，温度の感受による性決定はどの器官で起こるのかについては，カメにおいて性腺の性が決定される時期の胚から未分化の性腺を取り出し，雌になる温度，雄になる温度で培養した実験において性腺のみで卵巣あるいは精巣への分化が誘導されたことから，性腺が直接温度を感受し，自らの性を決めていると考えられる（Moreno-Mendoza et al, 2001）。

爬虫類の中でも特に多様な環境に生息している有鱗目トカゲ下目では近縁な種間でも性染色体による性決定を行う種と温度依存性性決定を行う種が混在しており，それぞれの性決定様式は種が環境に適応するために両方向へ進化しうると考えられている（Janzen & Phillips, 2006）。

3.2.2 社会性性決定

温度依存性性決定では発生期の温度により決定され

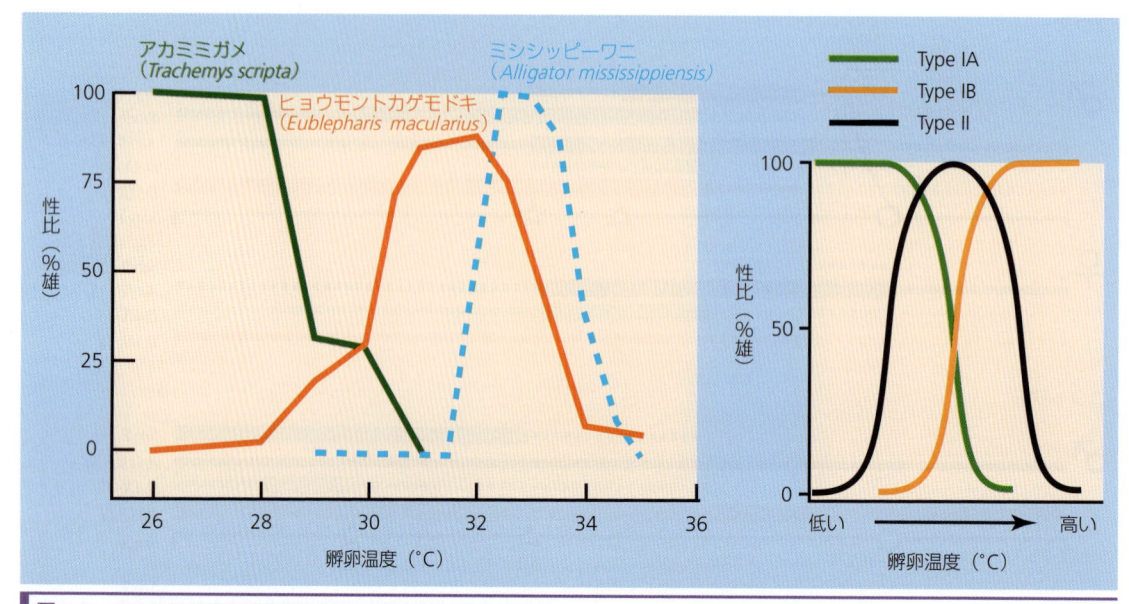

図3-7 温度依存性性決定動物における孵卵温度と性比の関係 温度依存性性決定動物は孵卵時の環境温度によって性が決定されるが，温度と性の関係は種によって異なる。そのパターンを大別すると，低い温度で雄，高い温度で雌になるもの（Type I A），低い温度で雌に，高い温度で雄になるもの（Type I B），低い温度と高い温度で雌になり，中間の温度で雄になるもの（Type II）の3種類になる。例えばアカミミガメは Type I A，ヒョウモントカゲモドキとミシシッピーワニは Type II である。しかし，この Type II の2種でも何度で雌になり，何度で雄になるか，雄が多く生まれる温度ではすべて雄になるか，雌も生まれてくるかなどグラフの形は異なっており，温度と性比の関係はその種の生息環境に応じて多様であると考えられる。

た後，変化することはない。これに対し，一部の魚類では爬虫類と同様に性染色体を持たず，成体になってから社会的地位によって性が決まり，その後さらに性転換を行うものも存在している（桑村，2004）。例えば，イソギンチャクに住むカクレクマノミ（*Amphiprion ocellaris*）は1匹のイソギンチャクの中に複数の個体がいる場合，常に最大の個体が雌，次に大きい個体が雄，それ以下のサイズの個体は性的に未成熟である。このとき，何らかのアクシデントにより雌がいなくなると雄が雌になり，未成熟個体の中で最大のものが雄となる。また逆にホンソメワケベラ（*Labroides dimidiatus*）では，一夫多妻のグループにおいて常に最大の個体が雄であり，その雄を取り除くと雌の中で最も大きい個体が雄へと性転換する。種によっては周囲の個体と自らの体サイズの関係によって，雄から雌，雌から雄へ複数回の性転換を行うこともある。こうした社会性的因子による性決定を行う意義としては，その種の生息環境から体サイズと繁殖成功率との関係が雌雄で異なる場合，繁殖成功率が高い性であることが個体の繁殖において有利であるからだと考えられている（図3-8）。このタイプの性決定からも性決定様式は個体の適応のために容易に変化することがみてとれる。

3.2.3 その他の性決定

性染色体による性決定を行う種の中にも，発生期の温度により性腺の性が変化するものがいることが報告されている。例えばフトアゴヒゲトカゲ（*Pogona vitticeps*）では孵卵温度が22〜32℃の間では性比は1対1であり，生まれた個体のゲノムの性は性腺の性と一致する。しかし，34℃以上では雌が生まれる比率が上昇し，36℃ではほぼ100％雌が生まれる（図3-9）。生まれてきた雌の中には性染色体のパターンが雄である個体が含まれており，環境温度の影響が性染色体による性決定を乗り越えて性転換を引き起こしたことがわかる（Quinn et al, 2007）。こうした現象を温度感受性性転換（temperature-sensitive sex reversal）と呼び，魚類，両生類，爬虫類において多く報告されている。内温性動物である鳥類においてはまだ不確実な点も多いが，やはり環境温度による性転換を行う種の存在を示唆する報告があり，この種では野生個体群でも気候に応じて性比が変動するといわれている（Goth & Booth, 2005）。

魚類については野生個体群でも水温により性比が変動する種は多く報告されてきたが，それが温度依存性性決定であるか，温度感受性性転換であるかは議論が分かれてきた。ほとんどの種は温度感受性性転換であることがわかってきたが，ラプラタトウゴロウ（*Odontesthes bonariensis*）などごく一部については温度依存性性決定であることが明らかになってきている（Strussmann, 1997）。両生類では温度依存性性決定の報告はなく，温度により性比が変動する種はすべて温度感受性性転換であると考えられている。また，性比

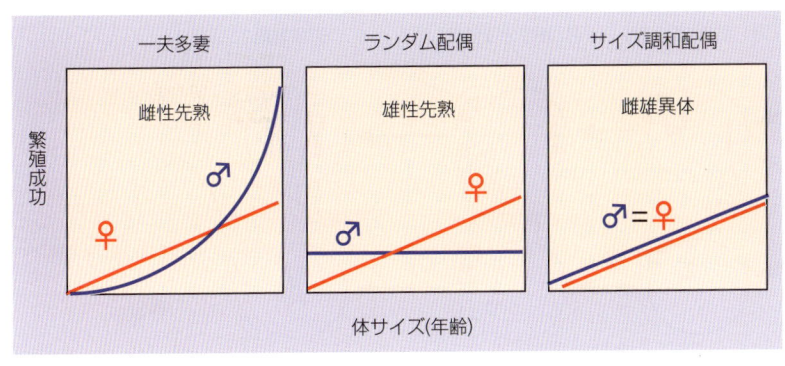

図 3-8 体サイズと繁殖成功の関係と社会性性決定 社会性性決定がその個体の戦略上有利であるかどうかは体のサイズと繁殖成功の関係によって決まる。一夫多妻の種では雄のサイズが大きいほど多くの雌を維持できる縄張りを確保できるため繁殖成功の度合いは上がっていく。こうした種ではサイズが小さい時期は雌であり，成長してから雄になる雌性先熟が有利である。ランダムに出会った相手と交尾を行う場合には雌は大きくなるほどより多くの卵を生むことができる。一方，精子を作るコストはそれほど大きくないため，雄の繁殖成功はそれほどサイズに依存しない。こうした種では先に雄である雄性先熟が有利である。同程度の大きさの個体がペアになる場合には雌雄で体サイズと繁殖成功の関係はほぼ同じであり，性転換のコストがいらない雌雄異体が有利となる。(桑村，2004 より改変)

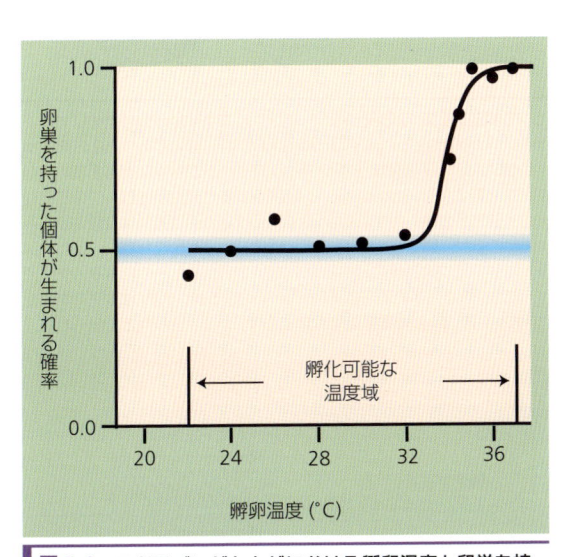

図 3-9 フトアゴヒゲトカゲにおける孵卵温度と卵巣を持った個体が生まれる確率の関係 このトカゲでは 22〜32℃では生まれてくる個体はほぼ 1 対 1 の確率で卵巣か精巣を持つ。また，この種は ZW 型の性染色体による性決定を行い，卵巣を持つ個体の性染色体は ZW，精巣を持つ個体は ZZ である。34℃以上では卵巣を持つ個体の確率が上昇し，また卵巣を持つ個体の中に性染色体として ZZ を持つものが現れることから，孵卵温度の影響で性転換が起こっていることがわかる。(Quinn et al, 2007 より許可を得て改変)

と呼ばれる現象のため，単為生殖が妨げられている (Kawahara et al, 2007)。

3.3 性決定と行動の性差

3.3.1 鳥類の行動の性差

これまでの性決定は性腺の性について触れてきた。しかし，有性生殖が効率的に行われるためには卵子を生み出す卵巣と精子を生み出す精巣だけではなく，外部生殖器など様々な器官が雌あるいは雄の役割に応じて性分化される必要がある。その中でも脳はそれぞれの性に特有のパターンでホルモンを分泌させることで配偶子形成を制御するほか，性特異的な行動を司らなくてはならない。このことから，行動の性差に関わる脳の性分化機構は多くの研究者によって調べられてきた。

鳥類は脳の性分化，特に行動の性分化についてよい研究モデルである。一部の種でみられる雄特有な求愛のための歌行動は，脳の形態的な性差と行動の性差が脊椎動物で初めて対応づけられた例である。また，卵生であるために母体からの影響を除いて胚に対する操作が可能であるという点も行動の性分化を研究するうえで有利な特徴である (Becker et al, 2005)。

ウズラ (*Coturnix japonica*) はその特徴的な性行動からこれまでに多くの研究が行われてきた種の 1 つである。雄は雌に対しディスプレイ行動を行った後，雌の首の羽をつかみ，マウントの後，受精にいたる。成体の雄ウズラを去勢する，あるいは短日条件下において精巣を退縮させると性行動を行わなくなるが，アンドロゲンであるテストステロンを投与すると性行動は誘起される。アンドロゲンによる性行動の誘起は卵巣を除去した雌においては起こらないことから，脳におい

が変動する温度は生息環境ではありえない温度であることが多く，自然には起こりにくい現象かもしれない。

脊椎動物では有性生殖ではなく，雌のみで次世代を産み出す単為生殖 (parthenogenesis) を行う種も多く報告されている (図 3-10)。単為生殖種は魚類，両生類，爬虫類，鳥類で報告されているが，哺乳類においては存在していない。哺乳類では配偶子形成の際に精子と卵子の中のゲノムが特有の修飾を受け，それぞれ固有の機能を持つことが受精後の正常発生に必須である。このゲノムインプリンティング (genome imprinting)

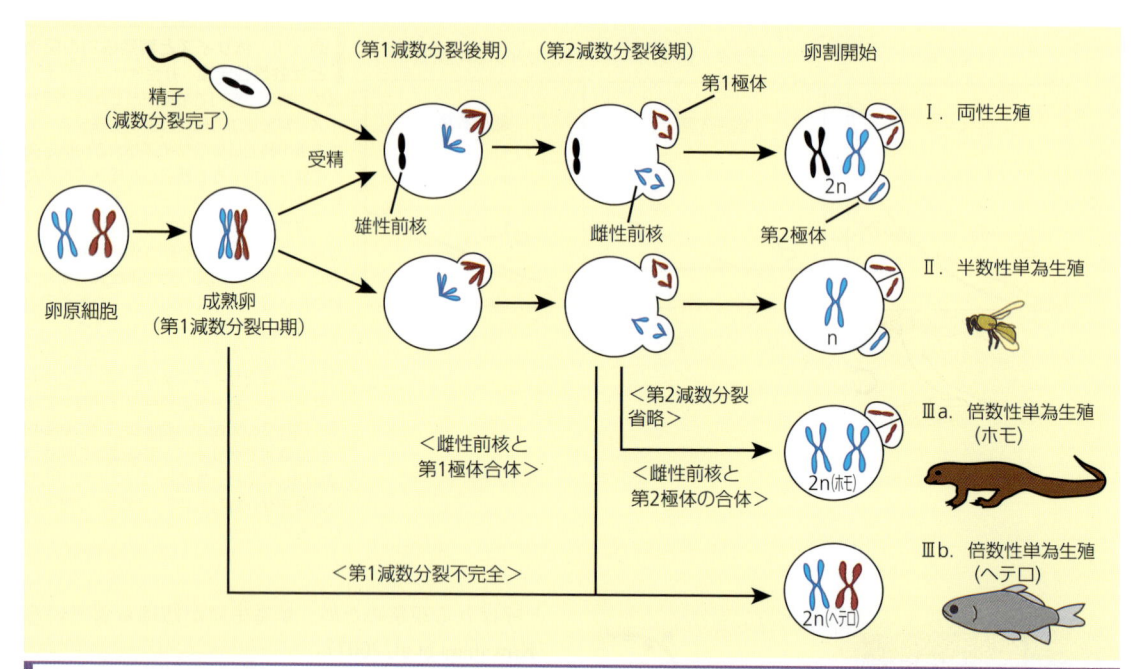

図 3-10 単為生殖の機構 卵子形成の際には染色体の半分を第1極体として放出する第1成熟分裂と，残された染色体が分裂した後にもう一度半分を第2極体として放出する第2成熟分裂が起こる（Ⅰ）。単為生殖を行うギンブナ（*Carassius gibelio langsdorfi*）は3倍体であり，この第1成熟分裂において第1極体を放出することができず，卵子の中の染色体数は減少しない。この3倍体卵子がウグイ，コイ，ドジョウなどの多種の魚類の精子による刺激で発生が開始される。このとき精子由来の染色体は取り込まれず，第2極体の放出の後，3倍体のままで発生が進む。このことから，次世代のギンブナは親の完全なクローンとなり，すべて雌になる（Ⅲb）。一方，コモドオオトカゲ（*Varanus komodoensis*）は通常は有性生殖を行い，雄がいない環境でのみ単為生殖を行う。この動物では第1成熟分裂は正常に起こるが，第2成熟分裂で第2極体の放出が起こらない，あるいは第2極体が卵子の雌性前核と融合する。このとき発生する卵の持つ染色体は母トカゲの持つ染色体のどちらか一方が2倍化したものになり，すべての遺伝子がホモ接合体である。コモドオオトカゲはZW型の性決定であるため，単為生殖で生まれる子はZZかWWになるが，WWは致死であるため，ZZを持つ雄のみが生まれることになる（Ⅲa）(Watts et al, 2006)。半数性の単為生殖（Ⅱ）は脊椎動物では起こらず，ハチ，アリなどでみられる。この単為生殖では1倍体の個体はすべて雄である。

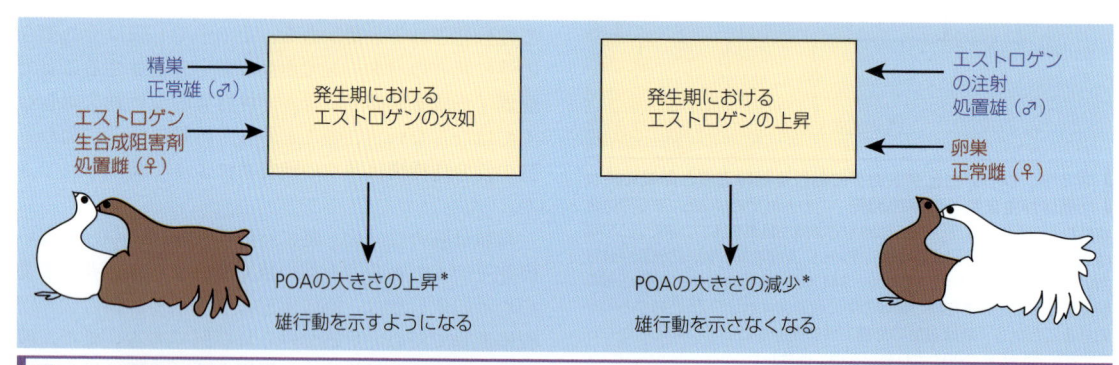

図 3-11 性腺からのホルモンによるウズラ脳の性分化の制御 この脳の性差は発生期において性腺から分泌されるホルモンによって形成されると考えられている。発生期に高濃度のエストロゲン投与を受けた雄ウズラは性成熟に伴い，血中のアンドロゲン濃度が上昇しても性行動を行わない。また，やはり発生期にエストロゲンを合成する酵素であるP450アロマターゼの阻害剤で処理された雌ウズラはアンドロゲンを投与すると雄の性行動を行うことから，発生期の性腺由来のホルモンの脳の性分化における重要性が支持されてきた（茶色の個体に注目）。
*性行動を制御する領域であると考えられている視床下部の視索前野（preoptic area : POA）は雄で雌より大きい。この領域が性行動の性差を生み出していると考えられてきたが，成体のウズラに性ホルモンを投与するとサイズの性差が消失すること，胚に対する性ホルモン投与ではサイズの性差は完全には消失しないことから，発生期に形成される性行動の性差は脳の別領域が関与する可能性も示唆されている。

て性ホルモンを感受し，行動を引き起こす回路には性差が存在することがわかる。また，この種を用いた研究から，脳の性差は発生期に形成され，やはり性ホルモンが重要な役割を果たしていることも明らかとなってきた（図3-11）。

歌行動も行動の性差を考えるうえで重要な行動であり，キンカチョウ（*Taeniopygia guttata*）において多くの研究が行われている。この種では雄のみが歌行動を行うため，行動の性差に関わる脳部位の特定，脳の性差を形成するメカニズムの研究が行いやすいという利

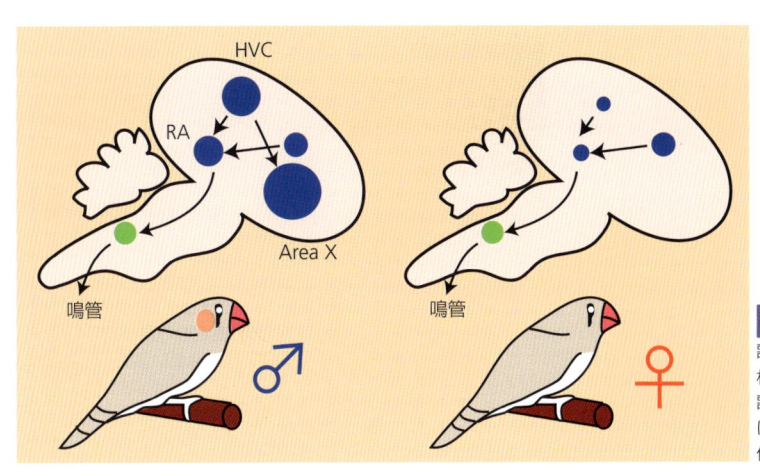

図 3-12 歌行動を司る神経核 雄のみが歌行動を行うキンカチョウでは，雄の脳には神経核（HVC），神経核（RA），神経核（Area X）などの歌行動を司る神経核が非常に発達している。これに対し雌では神経核（Area X）は存在しておらず，他の神経核も非常に小さい。

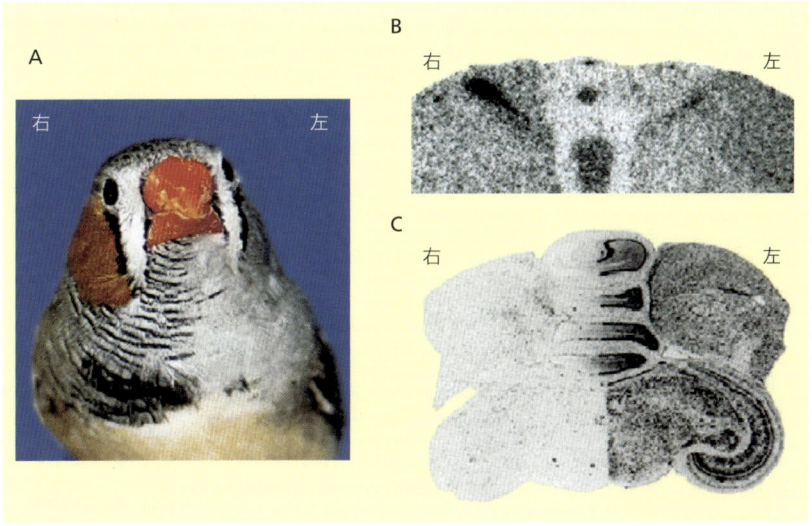

図 3-13 雌雄モザイクのキンカチョウの脳にみられる左右差 A：雌雄モザイクのキンカチョウの右頬には雄の特徴である赤い斑点があるが，左頬にはない。B：歌行動に重要な部位であり，雄では雌より大きい神経核であるHVCは脳の右側で左側より大きかった。C：雌しか持たないW染色体上の遺伝子は脳の左半分でしか発現しておらず，雄では2本あるが，雌では1本しかないZ染色体上の遺伝子は右半分で左半分より強く発現していた。（Agate et al, 2003より許可を得て掲載）

点がある。ウズラにおける性行動と同様，キンカチョウの歌行動も性ホルモンによって制御されている。去勢された雄は歌わなくなるが，アンドロゲン投与により歌うようになる。また，雌はアンドロゲンを投与されても歌うことはない。性ホルモンが歌行動を司る脳の性差の形成に重要である点も同様である。歌行動の性差を司る脳の部位はいくつか同定されており，神経核（Area X）は雄には存在するが雌ではみられない，神経核（HVC），神経核（RA）は雄では雌の約5倍大きいことが報告されている（図3-12）。この脳の性差は種の生態に強く影響され，雌雄ともに歌うシマバラマユミソサザイ（*Thryothorus nigricapilla*）では性差はみられない。そして，雌も歌うが雄よりその頻度が少ないホシムクドリ（*Sturnus vulgaris*）では形態的な性差は小さく，雄の神経核（RA）は雌の2倍の大きさでしかない（Schlinger, 1998）。

3.3.2 性染色体と行動の性差

鳥類と哺乳類における脳の性分化は，性染色体により決定された性腺の性により二次的に引き起こされるという考え方が中心であった。しかし近年，性染色体が直接脳の性分化を制御していることを示唆する報告が多く出されており，性腺からの性ホルモンによる影響と協調して脳の性差が現れることが示唆されている。

減数分裂の異常により体の右半分の細胞は雄型の性染色体，左半分が雌型の性染色体を持つ雌雄モザイク（gynandromorph）のキンカチョウは脳の性分化における性染色体の直接の関与を示すよい例である（図3-13）。性腺は右側が精巣，左側が卵巣に分化しているが，それぞれの性腺から分泌された性ホルモンは血中で混ぜ合わされた後に脳へ届くことになる。そのため，脳は発生期から成体にわたり左右半球は共通の性ホルモンにさらされている。脳の性分化がすべて性腺からのホルモンによって制御されているとしたら，脳

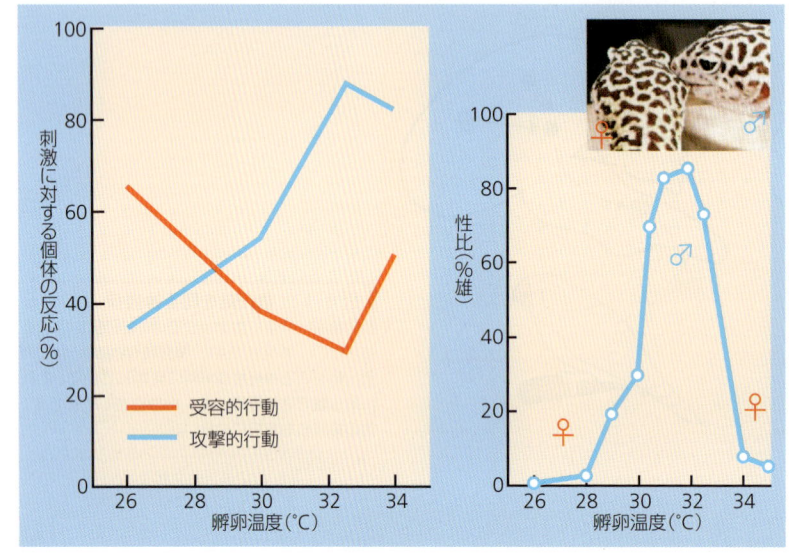

図 3-14 ヒョウモントカゲモドキの雌の孵卵温度と性行動の関係 ヒョウモントカゲモドキは低い温度と高い温度で孵卵されるとほとんどの個体の性は雌に決定され、中間の温度からでも2割弱の個体は雌になる。異なる孵卵温度から生まれた雌はすべて機能的な卵巣を持っているが、その性行動は孵卵温度によって異なる。高い温度から生まれた雌ほど雄に対して攻撃的であり、受容性が低く雄的な特徴を示す。(Flores et al, 1994 より許可を得て改変)

の左右半球に差はみられないはずである。しかし、歌行動に関わる神経核において雄型の性染色体を持つ右半球では左半球よりサイズが大きかった。この左右差は性腺からの制御ではなく、脳の中で自律的な性分化が起きていることを示すものである。また、雌しか持たない性染色体であるW染色体にコードされている遺伝子 *Asw* が左半球特異的に発現していたことも性染色体の脳での役割を示唆するものである (Agate et al, 2003)。

ニワトリにおいても、性腺が性分化し性ホルモンを分泌すると考えられる時期より前から、脳で性分化関連因子である *Ad4BP/SF-1* の発現に性差があることが報告されており、脳の自律的な性分化機構に何らかの役割を果たしていることが考えられる (Endo et al, 2007)。

哺乳類でも性染色体が性腺からのホルモンの働きを介さずに直接、行動の性差に影響する可能性が報告されている。Y染色体上の遺伝子のほとんどはX染色体にはコードされておらず、雄のみで発現する。つまり、Y染色体に特異的な遺伝子が脳で発現する場合は必ず雄特異的な発現になることから、脳の雌雄差に関与する可能性が高い。特に興味深いことに、性決定遺伝子である *Sry* のmRNAがマウスの脳で発生期から発現しており、出生後にはタンパク質としても発現することが明らかとなっている。成体のマウスにおいて脳での *Sry* のはたらきを阻害すると雄に特徴的なニューロンの特性の一部が失われる。このことから *Sry* は成体の脳で雄的な特徴を維持するのに寄与していると考えられる。ヒトの脳においてもやはりSRYは発現しており、同様の働きをしているのではないかと考えられている (Dewing et al, 2006)。

また、雌では雄の2倍存在するX染色体上の遺伝子が脳の性差に関与する可能性が指摘されている。前述したようにX染色体特異的な遺伝子は雌においては父方由来、母方由来、いずれかのアリルは発現が抑制されている。しかし、ヒトではX染色体上の約15%の遺伝子がX染色体不活性化の影響を受けず、雌で2コピー、雄で1コピーが活性遺伝子として存在している (Carrel & Williard, 2005)。これらの遺伝子のうち、どれが性特異的行動に影響しているかはいまだにわかっていないが、X染色体を1コピーしか持たないターナー症候群において知覚異常などがみられることから、X染色体不活性化を逃れる遺伝子群はヒトの行動、特に女性特異的な行動の制御に重要なはたらきをしていると考えられる (Davis & Wilkinson, 2006)。

3.3.3 環境による性決定と行動の性差

環境による性決定を行う動物でも性決定因子は直接行動に影響することが報告されている。

ヒョウモントカゲモドキ (*Eublepharis macularius*) はTypeⅡの温度依存性性決定を行う種であり、低い温度と高い温度では雌に、中間の温度ではほとんどの個体が雄になる (図3-14)。低い温度から生まれた雌も高い温度から生まれた雌も機能的な卵巣を持っており、脳は同じ卵巣由来の性ステロイドホルモンの刺激を受けながら性分化されるはずであるが、これらの雌では雄に対する攻撃性、あるいは受容性には有意な差がみられる。高い温度から生まれた雌は雄に対してより高い攻撃性とより低い受容性を示した。このことは性決定因子である孵卵温度が直接脳の性行動を司る領域の形成に影響していることを示すものである (Flores et al, 1994)。

性転換を行う魚類においても、社会性は性腺を介さずに直接行動に影響を与えることが知られている。ク

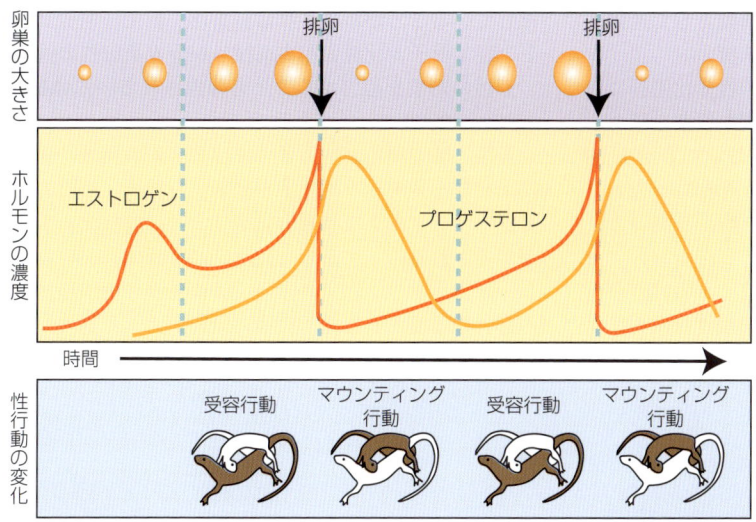

図 3-15 単為生殖種ハシリトカゲの生殖周期と性行動 単為生殖種であるハシリトカゲはすべての個体が雌であるが，生殖周期の中の時期に応じて雌的な性行動と雄的な性行動の両方を行う。排卵前，卵巣が発達し血中のエストロゲン濃度が高い時期には雌的な受容行動を，排卵後にプロゲステロン濃度が高まると雄的なマウンティング行動をとる（茶色の個体に注目）。(Crews, 2005 より)

ロハマクマノミ（*Amphiprion melanopus*）では最大の個体が雌，2番目の大きさの個体が雄であるが，最大の雌を取り除くと，数分から数時間で雄は雌の性行動をとる。しかし，血中の性ステロイドホルモン濃度が変化するには数日から数週間，性腺の精巣から卵巣への形態的な変化には数週間から数ヶ月かかるため，行動の変化は性腺の変化によるものではなく，周囲の社会環境が直接脳へ影響して起こると考えられる。このことは社会性が脳の性分化に影響することを示唆するが，同時にこれらの性転換魚類においては脳が性分化しておらず，雌の性行動を行うための回路，雄の性行動を行う回路がともに脳に存在しており，簡単な刺激により切り替わる可能性も考えられる (Elofsson et al, 1997)。

脳に雌雄両方の性行動がプログラミングされている例は単為生殖種においても報告されており，爬虫類・有鱗目のハシリトカゲ（*Cnemidophorus uniparensis*）では生殖周期の中で，排卵直前には雌的な受容行動を，排卵後には雄的なマウンティング行動を示す（図3-15）。

こうした特殊な生殖戦略をとる動物に限らず，マウスでも化学コミュニケーションに重要な鋤鼻器官を取り除くと雌がマウントを含む一連の雄的性行動をとるようになることから，少なくとも雌にも雄の性行動を引き起こす回路が存在しており，周囲の社会環境からの刺激により抑制されていることが示唆される (Kimchi et al, 2007)。行動の性差がどこまで発生期にプログラミングされ，どこまでが成体においてホルモン，あるいは社会的な刺激などによって制御されているのかは今後新しい捉え直しが必要かもしれない。

3.4 エピジェネティック因子による性決定と性行動の制御

エピジェネティクスとはゲノムのDNA塩基配列を変化させることなく細胞の遺伝子発現パターンを変化させる現象であり，不可逆的な性決定と性分化にはエピジェネティックな因子であるヒストン修飾やDNAメチル化が重要な役割を果たしていることが予想される。実際にヒストン脱メチル化酵素の一種であるJmjd1aはマウスにおいて性決定遺伝子である*Sry*のプロモーター領域に結合しているヒストンのメチル化状態を制御することによりその発現を活性化することや，その遺伝子ノックアウトマウスにおいてはその一部で雄から雌への不完全，または完全な性転換が起きることが示されている (Kuroki et al, 2013)。同様に，ヒストンのアセチル化に関わる酵素であるCREB結合タンパク（CBP）およびそのパラログであるp300も*Sry*プロモーターのエピジェネティックな活性化を通じて性決定に関与することも報告されている (Carre et al, 2018)。

興味深いことに，こうしたヒストン修飾による性決定の制御はXY型の性決定を行うマウスのみならず，温度依存性性決定を行うアカミミガメにおいても報告されている (Ge et al, 2018)。ヒストンのメチル化酵素であるKDM6Bは，ほぼ100%雄へと性決定される26℃で孵卵された胚の未分化生殖腺において，雌への性決定が誘導される温度である32℃で孵卵されたものより強く発現する。そして，その発現をRNA干渉により抑制すると，26℃で孵卵されたにもかかわらず80%以上の確率で雌となった。

これらの報告は少なくとも羊膜類におけるヒストン修飾の性決定に果たす役割が，性決定様式にかかわらず保存されていることを強く示唆するものであり，脊

椎動物の性決定がどのような機構を基盤として進化してきたのかを考えるうえで非常に興味深い。

性決定後の生殖腺および副生殖器の性分化過程においてもエピジェネティック因子は重要な役割を果たしていると考えられる。マウスの脳においても胎生18日および新生仔期に大脳皮質と海馬領域のヒストンH3のアセチル化レベルが雄において雌より高いことが報告されている(Tsai et al, 2009)。ヒストンのアセチル化は転写の活性化を意味しており，この性差が生後6日で消失していたことから，脳の雄性化過程にこれらの領域での活発な遺伝子発現が何らかの影響を及ぼしていることが示唆される。また，新生仔期のヒストン脱アセチル化酵素阻害剤投与が分界条床核の性的二形性の形成を阻害することも報告されている(Murray et al, 2009)。

今後，時空間特異的，さらにはゲノムの領域特異的にエピジェネティック因子を制御する技術，細胞のエピジェネティックな状態を組織化学的に解析する手法が開発されることにより，性決定と性分化におけるエピジェネティック因子の役割，脊椎動物の性決定様式の進化の基盤となる分子機構の研究が大きく進展することが期待される。

4 哺乳類の性分化

4.1 生殖器の分化

　生殖器は，生殖腺，内生殖器および外生殖器から構成され，これらの構造と機能は雌雄間で異なる。*Sry* などの生殖腺分化に関与する遺伝子の働きによって未分化な生殖腺から卵巣あるいは精巣ができると，次いで内生殖器と外生殖器が性的に発達する。発達期の生殖腺から分泌されるホルモンは，内生殖器と外生殖器の性分化の決定的役割を担う。

4.1.1 生殖腺

　ヒトでは胎生3～4週頃（マウスでは胎生8日頃），将来，卵や精子となる始原生殖細胞の集団が卵黄囊の尿膜膨出部に近い壁の体細胞から発生する（図4-1A）。その後，始原生殖細胞は後腸壁へ移動し，次いで背側腸間膜に沿って生殖腺原基である生殖隆起が生じる場所へ移動する（図4-1B）。移動の間，始原生殖細胞は細胞分裂を繰り返して，その数は増加する。胎生4週末頃になると，胎児の中腎部分が内側の間充織側へ隆起した生殖隆起が形成され，生殖腺の発生が開始する。生殖隆起の体腔上皮細胞はさらに増殖し，背側の間充織に侵入して第一次性索（髄質索）を形成する。その後，移動してきた始原生殖細胞は第一次性索の中に取り込まれて定着する。この頃までの生殖腺は男女（雌雄）の間に違いはみられないが，これ以後の生殖腺は男女（雌雄）間で異なる発生過程をたどる。

　精巣を形成する場合，第一次性索は結合組織の内深くまで伸長し，精巣網を形成する（図4-1C）。やがて，第一次性索は白膜によって生殖隆起から分断される。生殖腺内部の第一次性索は始原生殖細胞を保持したまま管状になり，後に精細管を形成する。始原生殖細胞は精祖細胞となり，最終的に精子へと変態する。第一次性索の細胞からはセルトリ細胞（Sertoli cell）も分化する。また，間充織からは精細管の間を埋めるライディヒ細胞（Leydig cell）ができる。

　卵巣を形成する場合，第一次性索とその端に形成される卵巣網は退化する（図4-1D）。これと同時に，残った生殖隆起の上皮細胞が再び分裂と増殖を繰り返して第二次性索（皮質索）を形成する。第二次性索は始原生殖細胞を取り込みながら索状に増殖を続け，やがて索状構造は分断される。始原生殖細胞は明るい大型の卵祖細胞となり，その周囲を第二次性索の細胞から分化した卵胞細胞が取り囲んで原始卵胞を形成する。

4.1.2 内生殖器

　胚発生の初期において，内生殖器の原基は性的両能性（bisexual）を有する。つまり，すべての胚は男性（雄）および女性（雌）の内生殖器になる前駆体を備えている（図4-2A）。男性（雄性）内生殖器の前駆体は左右1対のウォルフ管（Wolffian duct）であり，この管は精巣上体，精管，精囊に発達する（図4-2B）。女性（雌性）内生殖器の前駆体はミュラー管（Müllerian duct）という左右1対の管であり，卵管，子宮，膣の一部に発達する（図4-2C）。内生殖器の性決定には，精巣から分泌されるホルモンが重要である。ウォルフ管の発達を刺激するホルモンは，アンドロゲン（androgen）と呼ばれる一群のステロイドホルモンである。一方，ミュラー管の発達を妨げるホルモンは，精巣のセルトリ細胞から分泌されるペプチドホルモンである抗ミュラー管ホルモン（anti-Müllerian hormone：AMH）である。ヒトでは，胎生8週頃に精巣がアンドロゲンを分泌して，ウォルフ管から男性内生殖器が発達する。少し遅れて，胎生9週後半よりAMHが分泌されてミュラー管が退化する。こうして，男性内生殖器の前駆体であるウォルフ管が発達して，女性内生殖器の前駆体であるミュラー管の発達が妨げられるのである。一方，女性（雌）の場合は，精巣がなくアンドロゲンが分泌されないのでウォルフ管は退化する。ミュラー管はホルモンの刺激に関係なく発達する性質があり，AMHが作用しなければ女性内生殖器になる。

42　4章　哺乳類の性分化

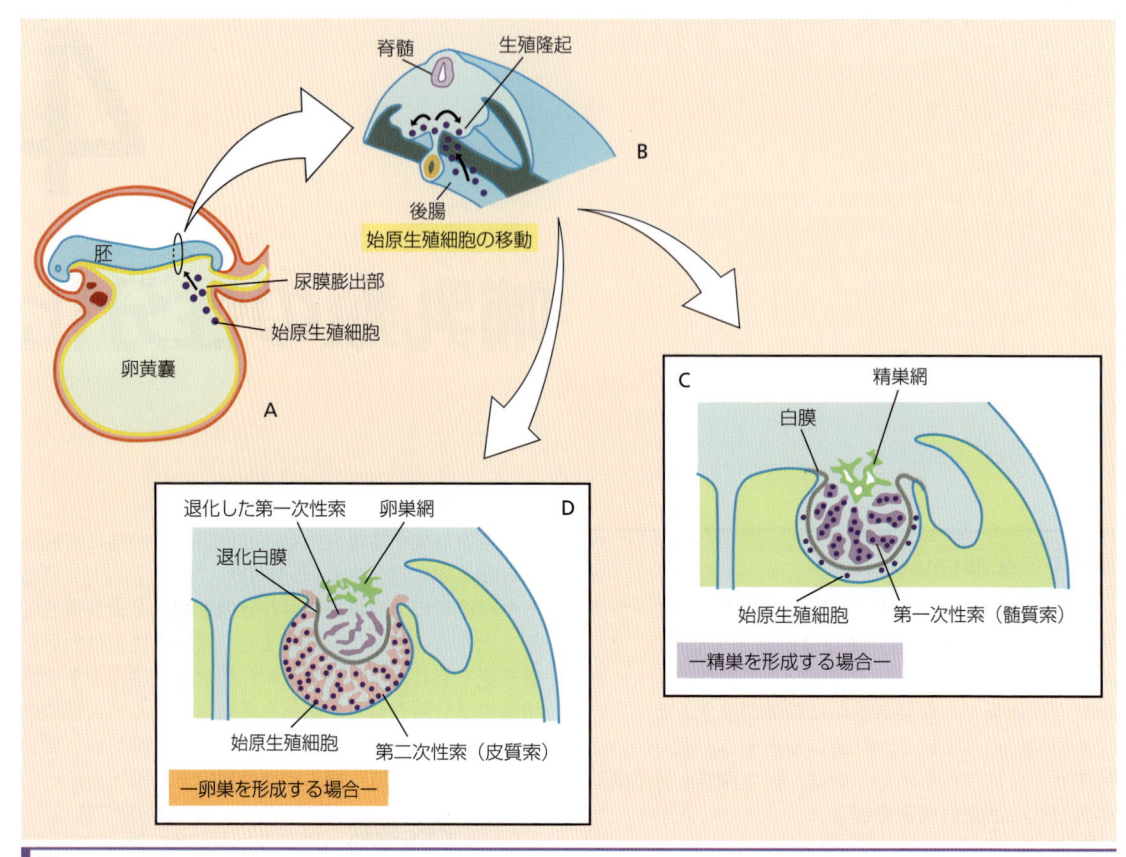

図4-1　生殖腺の発生　始原生殖細胞は，卵黄嚢の尿膜膨出部に近い体細胞から発生する。その後，始原生殖細胞は後腸壁を経由して，生殖隆起へ移動する(B)。始原生殖細胞を取り込んだ生殖隆起はさらに分化する。精巣を形成する場合，第一次性索(髄質索)が発達する(C)。卵巣を形成する場合，第一次性索は退化して，第二次性索(皮質索)が発達する(D)。

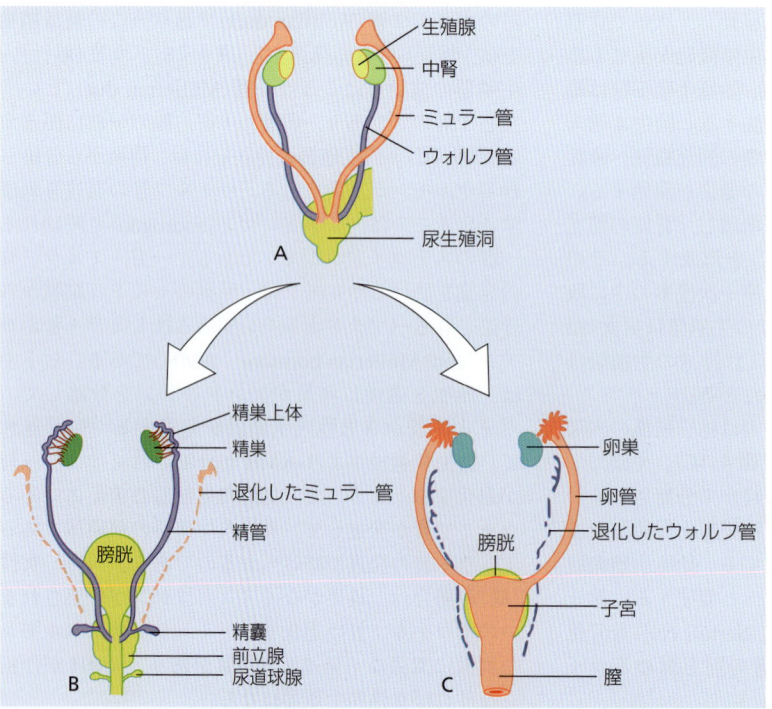

図4-2　内生殖器の発生　未分化な内生殖器は女性(雌性)内生殖器の前駆体であるミュラー管と男性(雄性)内生殖器の前駆体であるウォルフ管の両方を有している(A)。男性(雄)の場合，ウォルフ管が男性(雄性)内生殖器に分化して，ミュラー管は退化する(B)。女性(雌)の場合，ウォルフ管は退化して，ミュラー管が女性(雌性)内生殖器に分化する(C)。

内生殖器の男性化（雄性化）を促すアンドロゲンには2種類ある。精巣のライディヒ細胞が分泌する主たるアンドロゲンはテストステロン（testosterone）である。もう一つは，5α-ジヒドロテストステロン（5α-dihydrotestosterone：DHT）である。DHTは，5α-還元酵素（5α-reductase）によってテストステロンから合成され，テストステロンより強力なアンドロゲン作用を有する。ウォルフ管の細胞は5α-還元酵素を発現していないので，精巣上体，精管，精嚢などはテストステロンの作用によって分化する。一方，尿生殖洞から分化する前立腺や尿道の発達はDHTが中心的な役割を果たしている。

4.1.3 外生殖器

　外生殖器は，男性（雄）の陰茎と陰嚢，女性（雌）の陰唇，陰核および膣の外側部などを含む。胎生8週頃の外生殖器は，男女の間で違いはあまりなく性的両能性を保持しているが，その後，尿生殖裂が正中で癒合して男性外生殖器あるいは尿生殖裂が癒合せずに開裂した状態で女性外生殖器が形成される。内生殖器と同様，男性の外生殖器の発達においてはアンドロゲンの働きが重要である。テストステロンから合成されたDHTが未分化な外生殖器に作用して陰茎と陰嚢が発達する。女性外生殖器の発達にはホルモンの作用は必要ない。
　前述した，生殖腺，内生殖器および外生殖器の発達について，図4-3にまとめた。

4.2 脳の性分化

　1959年，フェニックス（Charles H. Phoenix）らは，脳の性分化に関する重要な研究結果を発表した（Phoenix et al, 1959）。彼らは，妊娠したモルモットにテストステロンプロピオネート（testosterone propionate：TP）を投与して，生まれてきた仔モルモットの成熟期における性行動を調べた。その結果，母モルモットを介して，胎生期にTPを曝露した雌仔モルモットは，成熟期において雌性行動を起こさなかった。成熟期に再びTPを投与すると，胎生期にTPを曝露した雌モルモットは雄性行動を起こした。一方，TPを投与した母モルモットから産まれた雄仔モルモットの性行動は，正常な妊娠モルモットから産まれた雄と変わらなかった。モルモットの精巣は胎生期にアンドロゲンを分泌するので，胎生期の雄の精巣から分泌されたアンドロゲンが脳に作用すると脳の脱雌性化（defeminization）と雄性化（masculinization）が起こり，その影響は成熟期にいたるまで持続するのだと，彼らは考えた。この考え方は，脳の性分化機構の基本的な考え方として，現在でも広く受け入れられている。
　いくつかの動物では，発達期の精巣から分泌される

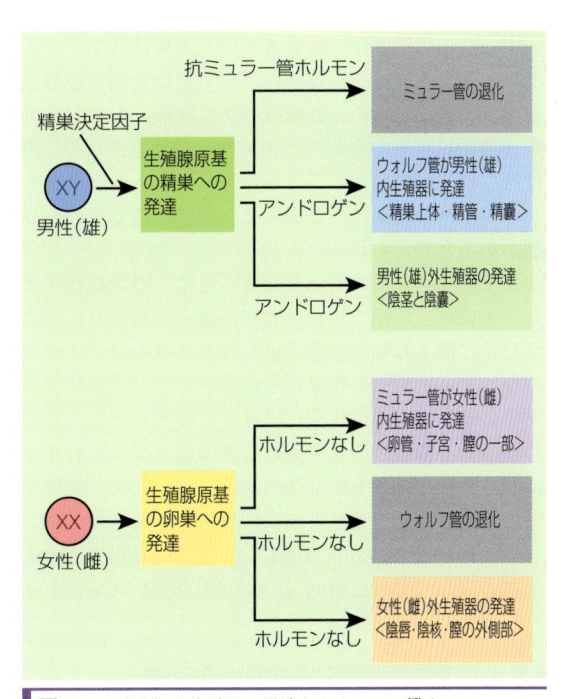

図4-3　哺乳類の生殖器の発達とホルモンの働き

アンドロゲンの作用が，脳の性分化の方向性を決定する重要な因子であることが明らかにされている。例えば，雄ラットの精巣を出生後数日以内に摘出すると，成熟後に発情を誘発する性ステロイドホルモンを投与すれば雌性行動であるロードーシス（8章「雌性行動」を参照）を起こし（Feder & Whalen, 1965），成熟後にテストステロンを投与しても雄性行動が起こらなくなる（Hart, 1968）。一方，出生日にTPを雌ラットに投与すると，成熟後のロードーシスの発現が低下する（Gladue & Clemens, 1982）。周生期にテストステロンを投与した雌ラットは成熟後にテストステロンを再び投与すると，完全な雄性行動のパターンが出現する（Sachs et al, 1973）。このように，ラットの脳は，出生1週間頃までは性的に未分化であって，周生期におけるテストステロンのはたらきによって脳の雄性化と脱雌性化が起こる。性的に未分化な脳にテストステロンがはたらかなかった場合，脳は雌性化（feminization）する。脳がテストステロンに対して高い感受性を有して，テストステロンが効果的に作用する時期は，脳の性分化の臨界期と呼ばれる。脳の性分化の臨界期は動物によって異なり，妊娠期間が長い動物の臨界期は胎生期にある（表4-1）（MacLusky & Naftolin, 1981）。
　ヒトの胎児の血清中テストステロン濃度を調べると，男の胎児では妊娠16週あたりをピークとして，妊娠12週から22週にかけて，精巣から多量のテストステロンが分泌されている（新井, 1999）。したがって，この時期の脳は，いわゆるアンドロゲンシャワーと呼ばれる高濃度のテストステロンに曝されている。

一方，女の胎児ではテストステロン濃度は低く，アンドロゲンシャワーを浴びない。ヒトでは正確な臨界期を検証できないため，詳細はわからない。しかし，妊娠8週頃に精巣からテストステロンが分泌されて，男性内生殖器が発達することからも，テストステロンのレベルが高い時期のどこかにヒトの脳の性分化の臨界期があると考えられる。

フェニックスらの研究を端緒にして，20世紀後半より，主にげっ歯類を用いた研究が盛んに行われ，脳の性分化に関する知見が多く得られた。さらに，21世紀になって，周生期の精巣から分泌されるテストステロンのほかにも，脳の性分化に重要な要因があることがわかった。脳の性分化に関わる要因として，これまでに明らかになったものは3つある。すなわち，①周生期の精巣から分泌されて脳に作用するテストステロン（MacLusky & Naftolin, 1981），②脳内で発現する性染色体の遺伝子（McCarthy & Arnold, 2011；Cox et al, 2014），③春機発動期（ヒトの思春期に相当する時期）の生殖腺から分泌され，脳に作用する性ステロイドホルモンである（図4-4）(Juraska et al, 2013；Schulz & Sisk, 2016)。脳の性分化に対するこれら要因の影響の詳細は後述する。

4.2.1 脳の性分化機構の種差 （げっ歯類と霊長類の違い）

周生期におけるテストステロンのはたらきが脳の性分化に影響することはすでに述べたが，動物によってテストステロンの作用機序は異なる。精巣から分泌されたテストステロンが，脳内のアンドロゲン受容体（androgen receptor：AR）に結合して作用する霊長類（ヒトやサルなど）もいれば，脳内のアロマターゼ（芳香化酵素〈aromatase〉）によってテストステロンから17β-エストラジオール（17β-estradiol：E_2）に転化されて働くラットやマウスなどのげっ歯類もいる。図2-15に示したように，テストステロンは5α-還元酵素によってDHTに転化される経路とアロマターゼによってE_2になる経路がある。内生殖器の一部と外生殖器の雄性化は，5α-還元酵素によって産生されたDHTの働きに起因する。しかし，周生期の雌ラットにDHTを投与しても脳の雄性化と脱雌性化は起こらない（Whalen & Luttge, 1971）。周生期にアロマターゼ阻害剤を雄ラットに投与すると，テストステロンによる脳の性分化に対する効果が抑えられる（Brand et al, 1991）。テストステロンの代わりにE_2を投与しても，脳の雄性化と脱雌性化が引き起こされる（Whalen & Nadler,

表4-1 動物の妊娠期間と脳の性分化の臨界期

動物	妊娠期間（日）	臨界期（受胎後，日）
ラット	20～22	18～27
マウス	19～20	出生後
ハムスター	16	出生後
モルモット	63～70	30～37
シロイタチ	42	出生後
イヌ	58～63	出生前～出生後
ヒツジ	145～155	およそ30～90
アカゲザル	146～180	およそ40～60

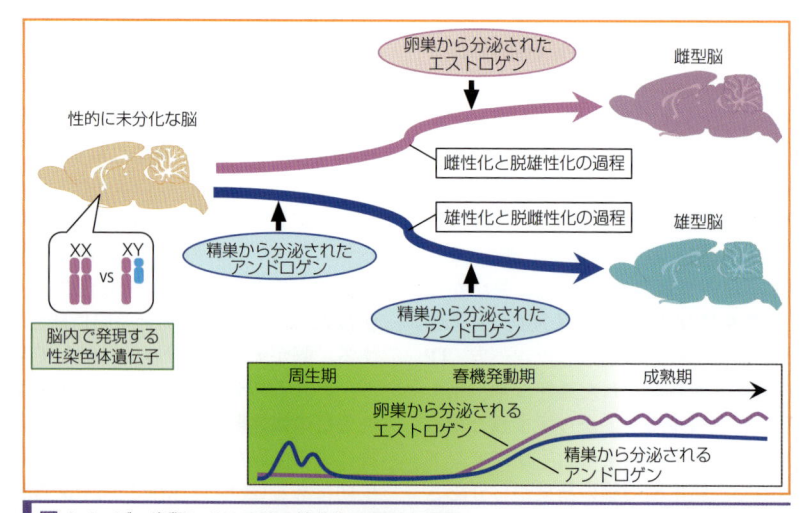

図4-4 げっ歯類における脳の性分化の要因と過程　脳の性分化の要因には，①周生期の精巣から分泌されるアンドロゲン，②脳内で発現する性染色体の遺伝子，③春機発動期の生殖腺から分泌される性ステロイドホルモン（精巣由来のアンドロゲンおよび卵巣由来エストロゲン）がある。周生期には精巣から高濃度のアンドロゲンが分泌される時期（脳の性分化の臨界期）がある。周生期における卵巣のエストロゲン産生能は低い。春機発動期になると，精巣のアンドロゲン分泌が再び増加し，卵巣のエストロゲン分泌が増加する。周生期と春機発動期の精巣から分泌されたアンドロゲンは，脳の雄性化と脱雌性化を促す。春機発動期の卵巣から分泌されたエストロゲンは，脳の雌性化と脱雄性化を促す。また，性ステロイドホルモンの作用に関係なく，脳内で発現する性染色体遺伝子のはたらきによって，脳の一部は性分化する。

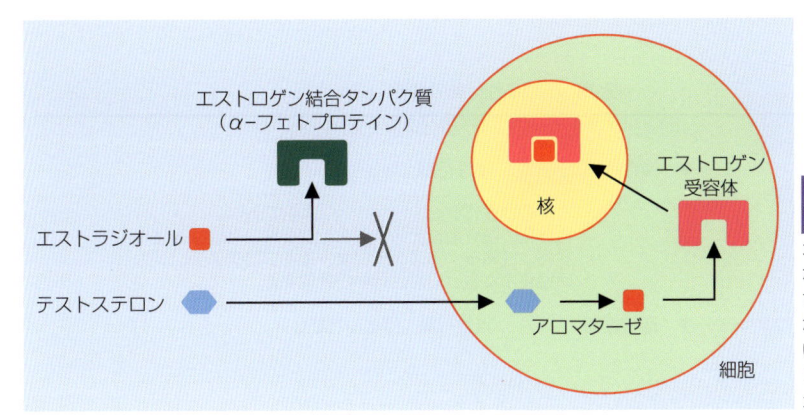

図4-5 エストロゲンの直接作用に対する防御機構（模式図） エストラジオールは血液中にあるα-フェトプロテインなどのエストロゲン結合タンパク質と結合するため，胎仔や新生仔の脳に直接作用しない。α-フェトプロテインとの親和性が低いテストステロンは血液中から脳内に移行して，アロマターゼによってエストラジオールに転化して作用する。

1963；Christensen & Gorski, 1978）。発達期のラットにおいて，エストロゲン受容体とアロマターゼが発現する脳領域には共通する場所が多い。このことから，アロマターゼによってテストステロンが転化したE_2は，エストロゲン受容体と結合することが可能である。以上のように，ラットやマウスなどのげっ歯類では，テストステロンがアロマターゼによってE_2に変換されて作用することで，脳が性分化すると考えられている。このような考え方を芳香化学説という。

脳の性分化に対する影響がアンドロゲンではなくエストロゲンによるものであるならば，母親由来のエストロゲンが胎盤を経由して雌の胎仔に影響するのではないかという疑問が生じる。しかし，雌胎仔の脳は正常に性的な分化を遂げていく。つまり，胎仔にはエストロゲンから脳を守る仕組みが備わっているのである。胎仔や新生仔の血液中に含まれるエストロゲン結合タンパク質が母親由来のエストロゲンや卵巣から分泌されるわずかなエストロゲンと結合することで，エストロゲンの直接的な脳への作用を防いでいるのである（図4-5）。卵黄嚢や胎仔の肝臓で多く産生されるα-フェトプロテイン（α-fetoprotein）はエストロゲンと特異的に結合する糖タンパク質である。α-フェトプロテイン遺伝子をノックアウトした雌マウスでは，雌性行動の発現が低下する（Bakker et al, 2006）。また，α-フェトプロテイン遺伝子をノックアウトした雌マウスは，高頻度に雄性行動を発現する。α-フェトプロテインの欠乏によりエストロゲンが脳に直接作用するため，遺伝的には雌であるが，脳の雄性化と脱雌性化が引き起こされたのである。α-フェトプロテインと結合しないテストステロンは，血液中から脳内に移行して，脳内のアロマターゼによってE_2に転化されて作用する。実験的にエストロゲンを投与して脳の雄性化と脱雌性化を誘導する場合には，α-フェトプロテインとの結合に対して過飽和状態になる用量を投与する必要がある。

テストステロンは単なるアロマターゼの基質であるばかりでなく，アロマターゼの発現を調節する働きがあることも知られている。胎生後期のマウスの視床下部を用いた初代培養系では，テストステロンによってアロマターゼの発現量と酵素活性が亢進する（Beyer et al, 1994）。さらに，このテストステロンの効果はAR拮抗薬によって阻害される。また，ラットやマウスでは，AR遺伝子の変異や欠損によって一部の脳領域の雄性化が阻害される（Durazzo et al, 2007；Kanaya et al, 2014）。ARに結合して作用するアンドロゲンの働きも脳の性分化に重要である。

ヒトを含めた霊長類における脳の性分化では，アンドロゲン自体による作用が重要である。テストステロンあるいはDHTを妊娠したアカゲザルに投与すると，生まれてきた雌ザルの成熟後における性行動パターンが雄性化する（Pomerantz et al, 1986）。しかし，合成エストロゲンであるジエチルスチルベストロールを妊娠中に投与しても，生まれてきた雌ザルの性行動の雄性化は起こらない（Goy & Deputte, 1996）。DHTはエストロゲンに変換されないので，ARと結合して作用する。アカゲザルを用いた実験の結果は，エストロゲンではなくアンドロゲンの脳に対する直接作用が脳の性分化に重要であることを示している。

アンドロゲン不応症候群の一つである精巣性女性化症（testicular feminization mutation）の遺伝的男性（XY）の患者では，アンドロゲンは精巣から分泌されており，アロマターゼも発現している。しかし，ARの異常により，ARを介したアンドロゲン作用が欠如している。このため，脳の構造，性同一性（gender identity）および性的指向（sexual orientation）は女性型を示す。アロマターゼ遺伝子（CYP19）を欠損しており，先天的にアロマターゼを発現しない男性の例では，脳の構造は男性であり，性同一性および性的指向も通常の男性型を示す。これらの症例から，アカゲザルの場合と同様，ヒトの脳の性分化もARへの結合を介したアンドロゲンの直接作用が重要であることがわかる。

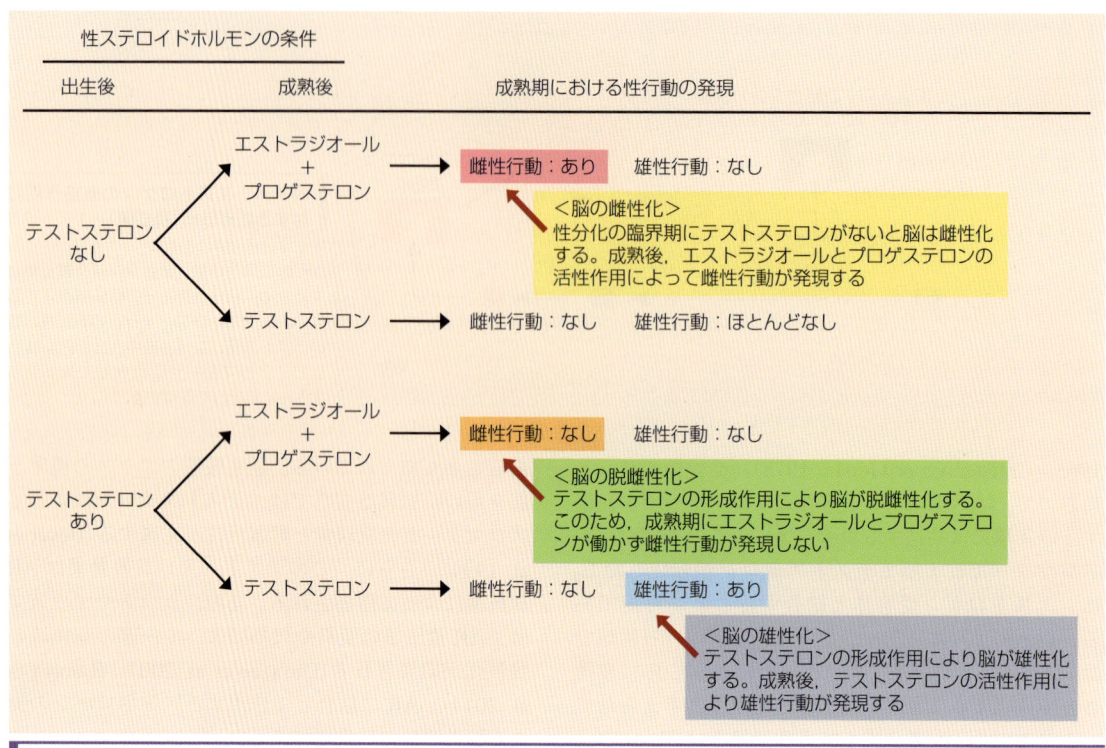

図 4-6 成熟ラットの性行動に対する性ステロイドホルモンの形成作用と活性作用

性ステロイドホルモンの条件

出生後 / 成熟後 / 成熟期における性行動の発現

- テストステロンなし
  - → エストラジオール＋プロゲステロン → 雌性行動：あり　雄性行動：なし
  - → テストステロン → 雌性行動：なし　雄性行動：ほとんどなし

＜脳の雌性化＞
性分化の臨界期にテストステロンがないと脳は雌性化する。成熟後，エストラジオールとプロゲステロンの活性作用によって雌性行動が発現する

- テストステロンあり
  - → エストラジオール＋プロゲステロン → 雌性行動：なし　雄性行動：なし
  - → テストステロン → 雌性行動：なし　雄性行動：あり

＜脳の脱雌性化＞
テストステロンの形成作用により脳が脱雌性化する。このため，成熟期にエストラジオールとプロゲステロンが働かず雌性行動が発現しない

＜脳の雄性化＞
テストステロンの形成作用により脳が雄性化する。成熟後，テストステロンの活性作用により雄性行動が発現する

4.3 げっ歯類の脳の性分化における性ステロイドホルモンのはたらき

4.3.1 周生期における精巣由来テストステロンの形成作用

　発達期における性ステロイドホルモンの作用は脳の性分化にとって重要であり，その影響は一生涯残る。このような不可逆的な性ステロイドホルモンの作用を形成作用（organizational effect）という。性分化を完了して成熟した動物では，性行動や生殖腺機能を制御する神経機構が構築されており，機能の発現には性ステロイドホルモンの作用が必要になる。性ステロイドホルモンに依存した脳機能はホルモンの有無によって可逆的に発現するため，このような作用は活性作用（activational effect）と呼ばれている。

　周生期においてテストステロンに曝された個体では脳の雄性化と脱雌性化が起こるが，成熟後の性行動の発現に対する性ステロイドホルモンの効果にそれを見ることができる（図4-6）。例えば，出生後まもなく雌ラットの卵巣を除去してテストステロンを投与すると，成熟後にE$_2$とプロゲステロンを投与しても雄の性行動（マウント）（7章「雄性行動」を参照）に反応した雌の性行動（ロードーシス）（8章「雌性行動」を参照）が発現しない。つまり，新生仔期に投与したテストステロンの形成作用により，性行動を制御する脳の脱雌性化が起こったのである。このため，雌の発情状態を促すE$_2$とプロゲステロンを投与しても雌性行動が発現しないのである。出生後まもなく卵巣除去してテストステロンを投与した雌ラットは，成熟後に再びテストステロンを投与すると，発情雌に対して高頻度にマウントをする。これは，雄性化した脳を有した個体に対するテストステロンの活性作用を示している。新生仔期にテストステロンを投与された雌ラットとは対照的に，出生直後に去勢をしてテストステロンのはたらきを取り除いた雄ラットでは，E$_2$とプロゲステロンを成熟後に投与すると，正常雄のマウントに対してロードーシスを起こす。このことは，雌性行動の発現を促進するE$_2$とプロゲステロンの活性作用を示している。

　下垂体前葉ホルモンの一つである黄体形成ホルモン（luteinizing hormone：LH）は生殖腺機能を調節する作用がある。ラットやマウスの雌では，4～5日間で回帰する発情周期（estrous cycle）があり，発情周期の位相の一つである発情前期にLHの一過的な大量分泌が発生する。この分泌はLHサージと呼ばれ，排卵を誘起するために重要である。LHサージの発生にはエストロゲンの作用が必要であり，発情前期の雌ではLHサージの前に高濃度のエストロゲン分泌が起こる。成熟した雌ラットの卵巣を切除するとLHサージは消失するが，エストロゲンの代償投与によってLHサージは回復する。雄ではLHサージは発生しないが，エス

トロゲンを投与してもLHサージは引き起こされない。しかし，出生直後に精巣を除去した雄ラットにエストロゲンを投与するとLHサージが引き起こされる。反対に，出生後数日以内にテストステロンあるいはE$_2$を投与された雌ラットでは，LHサージが消失するとともに無排卵状態になる。以上のように，LHサージを制御する神経機構は，雌性化した脳においてのみ構築され，LHサージの発生にはエストロゲンの活性作用が必要不可欠である。

周生期の精巣から分泌されたテストステロンの成熟期における性行動への影響や脳の構造に対する影響（詳細は後述）については多くのことが明らかになっている。しかし，周生期の限られた時期にテストステロンが脳に作用して，成熟期までその効果が持続するメカニズムは不明である。近年，周生期の精巣由来テストステロンの形成作用のメカニズムの一端が明らかになった。エピジェネティックな遺伝子発現制御を介して，テストステロン（あるいはE$_2$）が持続的に脳の性分化に影響を及ぼすことがわかったのである(Forger, 2016；McCarthy et al, 2017)。エピジェネティックな遺伝子発現制御とは，DNA塩基配列の変化を伴うことなく，遺伝子の発現を制御することであり，ヒストンのアセチル化は，遺伝子の転写活性を促進するエピジェネティック制御機構の一つである。新生仔期の雄ラットの脳内におけるヒストン脱アセチル化酵素の活性や発現を阻害すると，成熟期において発情雌ラットと接触したときに起こる雄性行動の潜時が長くなる(Matsuda et al, 2011)。雄マウスや新生仔期にテストステロンを投与して雄性化処置を施した雌マウスでは，新生仔期にヒストン脱アセチル化酵素の活性を阻害すると，分界条床核主核(BNSTp)（性的二型核の一つ〈詳細は後述〉）の雄性化が阻害される(Murray et al, 2009)。DNAメチル化もエピジェネティック制御機構の一つであり，ヒストンのアセチル化とは反対に，DNAメチル化は遺伝子発現を抑制する。新生仔期の内側視索前野（雄性行動の制御に関係する脳領域）(7章「雄性行動」を参照)では，DNAメチル基転移酵素の活性が雌ラットにおいて雄ラットよりも高く，E$_2$を雌ラットに投与すると同酵素の活性が下がって，雄ラットと同じ活性レベルになる(Nugent et al, 2015)。さらに，新生仔期の雌ラットの脳内におけるDNAメチル基転移酵素の活性を阻害すると，成熟期における性行動の雄性化が起こる。このように，周生期の精巣由来テストステロンは，エピジェネティックな遺伝子発現制御を介して，脳の雄性化に関わる遺伝子の発現を調節する。

4.3.2 春機発動期における性ステロイドホルモンの形成作用

生殖腺は春機発動期（ヒトの思春期に相当する時期）に成熟する。このため，春機発動期では精巣から分泌されるアンドロゲンの量と卵巣から分泌されるエストロゲンの量が増加する(図4-4)。春機発動期に精巣から分泌されたテストステロンが，周生期に分泌されたテストステロンに影響を受けた雄の脳に作用すると，脳の雄性化と脱雌性化の過程が進行する。一方，周生期にテストステロンの影響を受けなかった雌の脳は，春機発動期に分泌が増加した卵巣のE$_2$の影響により，脳の雌性化と脱雄性化の過程が進む。このように，周生期にテストステロンが作用した雄の脳は春機発動期に再びテストステロンが作用し，周生期に性ステロイドホルモンの影響を受けなかった雌の脳は春機発動期にE$_2$が作用することで，ホルモンに依存した脳の性分化過程の第2ステージに入る。

春機発動期の前に去勢した雄ハムスターでは，春機発動期の後に去勢した雄ハムスターに比べて，成熟期にテストステロンを投与したときに起こる雄性行動の発現頻度が低い(Schulz et al, 2004)。また，春機発動期の前あるいは後に去勢して，成熟後に雌の発情を誘発するE$_2$とプロゲステロンを投与すると，春機発動期の前に去勢した雄ハムスターの方が春機発動期の後に去勢した雄ハムスターに比べてロードーシスが早く起こる(Schulz et al, 2004)。これらの知見は，春機発動期に精巣から分泌されるテストステロンが，性行動の雄性化と脱雌性化に関与することを示唆する。アロマターゼ遺伝子をノックアウトしてエストロゲンの産生能が欠如した雌マウスでは，成熟期にE$_2$とプロゲステロンを投与してもロードーシスがほとんど起きない(Bakker et al, 2002)。このことは，性行動の雌性化には卵巣から分泌されるエストロゲンの作用が必要であることを意味する。しかし，前述したように，げっ歯類では周生期の精巣から分泌されたテストステロンがアロマターゼのはたらきでE$_2$に転化して作用することで，性行動の雄性化と脱雌性化が起こる。このようなエストロゲンの作用に関する矛盾は，その後の研究で解消されることになる。アロマターゼノックアウト雌マウスにE$_2$を出生5～15日（性分化の臨界期を過ぎた時期）あるいは出生15～25日（春機発動期に入る前の時期）の間に投与して，その後，成熟期にE$_2$とプロゲステロンを投与すると前者の動物ではロードーシスがほとんどみられないが，後者の動物では野生型雌マウスと同程度の頻度でロードーシスが観察される(Brock et al, 2011)。このことから，春機発動期あるいはその前の時期に卵巣から分泌されるE$_2$が脳の雌性化に関わっており，それ以前の時期に卵巣から分泌される少量のE$_2$は脳の性分化に影響を与えないと考えられる。

性行動と同様に，遊び行動にも性差がある。格闘遊びの頻度は雄ラットのほうが雌ラットよりも高い。格闘遊びの行動には攻撃と防御の2種類があり，前者の

性差は周生期のホルモン環境によって生じる。すなわち，格闘遊びにおける攻撃行動の頻度は，周生期にテストステロンが脳に作用した雄で高く，作用しなかった雌で低い(Pellis, 2002)。このように，攻撃行動の性差形成のメカニズムはフェニックスらが提唱した古典的概念で説明できる。しかし，防御行動の性差形成は古典的概念のみでは説明が難しい。春機発動期の頃になると雄ラットの防御行動は粗暴になるが，この変化は周生期のテストステロンの作用に起因する。しかし，新生仔期にテストステロンを投与しても，雌ラットの防御行動は雄ラットのように変化しない。雌ラットでは，春機発動期の前に卵巣を切除すると，雄ラットと同様，春機発動期での防御行動が粗暴になる(Pellis, 2002)。このことは，春機発動期に卵巣から分泌されるホルモンが行動の脱雄性化に関わることを示唆する。

以上のように，春機発動期の精巣から分泌されるアンドロゲンは脳の雄性化と脱雌性化に関与し，春機発動期の卵巣から分泌されるエストロゲンは，脳の雌性化と脱雄性化に関与すると考えられる。しかし，春機発動期の精巣から分泌されるアンドロゲンの作用機序はほとんど明らかになっていない。雄マウスの扁桃体内側核に作用する春機発動期のアンドロゲンは，芳香化されてエストロゲンとして作用し，扁桃体内側核の性差形成や成熟期での性行動と攻撃行動の発現に影響を及ぼす(Sano et al, 2016)。芳香化学説に則り，アンドロゲンは，脳内のアロマターゼによってエストロゲンに転化した後で作用するのか，それとも，アンドロゲンとして直接作用するのかは，各脳領域において詳細に解析しなければならないだろう。また，春機発動期の卵巣から分泌されるエストロゲンが脳の脱雌性化と雄性化に関わることを示す研究結果もあり(Schulz & Sisk, 2006)，春機発動期の卵巣から分泌されるエストロゲンの脳の性分化における役割は今後も研究が必要である。

4.4 性染色体遺伝子の役割

性ステロイドホルモンの形成作用の影響が脳の性分化にとって重要であることは，これまでに述べたとおりである。これに加えて，性ステロイドホルモンの作用に関係なく，脳内で発現する性染色体の遺伝子の働きによって脳の一部分が性分化することが，行動レベルや組織レベルで明らかになっている。

X染色体とY染色体をそれぞれ1本ずつ有する雄個体と2本のX染色体を有する雌個体との間の遺伝的な違いは，脳内での性特異的な遺伝子発現を引き起こして，行動の性差を生じさせる要因となる(Cox et al, 2014)。SF-1(steroidogenic factor-1)は，生殖腺と副腎の発達に必要な転写因子である。このため，SF-1

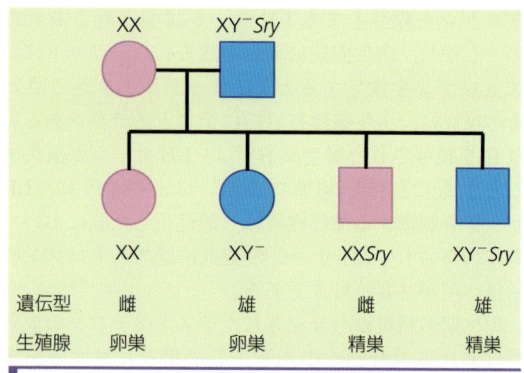

図4-7 four core genotypes モデルの作製方法　詳細は本文を参照。

ノックアウトマウスでは内因性の性ステロイドホルモンが産生されず，遺伝的性別にかかわらず外生殖器は雌型になる(Ingraham et al, 1994；Grgurevic, et al, 2012)。生殖腺を除去して，発情を促すホルモンを投与した野生型マウスの雌雄を比較すると，雌性行動であるロードーシスの発現頻度には雌優位な性差がみられる。同様に，生殖腺を除去して，発情を促すホルモンを投与したSF-1ノックアウト雌マウスのロードーシスの発現頻度は，同処置を施した野生型雌マウスに比べて低下するが，それでも同処置を施したSF-1ノックアウト雄マウスよりも高い(Grgurevic et al, 2012)。このように，性ステロイドホルモンの形成作用を受けなかったSF-1ノックアウトマウスでもロードーシスの発現に性差がある。このことは，性染色体が性行動の性差に寄与することを示している。

さらに，four core genotypes モデル(Arnold & Chen, 2009)と呼ばれる遺伝子組換えマウスを用いた研究より，生殖腺から分泌される性ホルモンに関係なく，遺伝的性別に従って，脳の一部が性分化することが明らかにされた。Y染色体にある *Sry* を取り除き，それを常染色体へ導入した雄マウス(XY⁻*Sry*マウス："Y⁻"はY染色体から*Sry*を除去したことを意味し，"*Sry*"は常染色体に*Sry*を導入したことを意味する)と遺伝的雌マウス(XXマウス)を交配すると，精巣を持った遺伝的雄マウスであるXY⁻*Sry*マウスと卵巣を持った遺伝的雌であるXXマウスのほかに，卵巣を持った遺伝的雄マウス(XY⁻マウス：Y染色体があっても*Sry*がないので生殖腺が卵巣になる)と精巣を持った遺伝的雌マウス(XX*Sry*マウス：Y染色体がなくても*Sry*が機能して生殖腺が精巣になる)が生まれてくる(図4-7)。このような遺伝的性別と生殖腺の組み合わせが異なる4種類のマウスを調べてみると，中脳のドーパミンニューロンの数と外側中隔のバソプレシン神経線維の量は，精巣あるいは卵巣のいずれかを持っていても遺伝的雄マウス(XY⁻*Sry*マウスとXY⁻マウス)のほうが遺伝的雌マウス(XXマウスとXX*Sry*マウス)よりも

多い(Carruth et al, 2002；De Vries et al, 2002)。しかし，前腹側室周囲核(anteroventral periventricular nucleus：AVPV)のドーパミンニューロンや球海綿体脊髄核(spinal nucleus of the bulbocavernosus：SNB)の運動ニューロンの性差(詳細は後述)には遺伝的性別の影響はみられず，性ステロイドホルモンの形成作用の影響を受ける(De Vries et al, 2002)。このことは，脳の一部ではあるが Sry 以外の Y 性染色体の遺伝子のはたらきが脳の性分化に必要であることを示している。野生型マウスでは，自身のホームケージに侵入した他個体に対する攻撃行動は雄マウスにおいて雌マウスよりも多くみられ，仔に対する養育行動は雌マウスにおいて雄マウスよりも多く発現するが，four core genotypes モデルの攻撃行動と養育行動を解析した結果では，XY⁻マウスのほうが XX マウスに比べて攻撃行動が多く，養育行動が少ない(Gatewood et al, 2006)。そして，XY⁻マウスの攻撃行動と養育行動の発現レベルは，XX*Sry* マウスや XY⁻*Sry* マウスと同程度である(XX*Sry* マウスと XY⁻*Sry* マウスの間に違いはない)。これらの結果は，four core genotypes モデルにおいて表現型が雌(生殖腺が卵巣)である場合，性染色体の違いが行動に影響を与えることを示している。

脳内で発現する *Sry* も脳の性差形成に重要である。中脳にあるドーパミンニューロンの数は雄マウスのほうが雌マウスよりも多い。雄マウスのドーパミンニューロンは *Sry* を発現していて，*Sry* の発現を抑制するとドーパミンニューロンの数が減少し，雌マウスと同程度になる(Dewing et al, 2006)。さらに，生殖腺形成以前の時期において，マウスの脳で発現する遺伝子を調べてみると，発現レベルに性差がみられる遺伝子が 50 個ほど見つかっている(Dewing et al, 2003)。このことは，周生期の精巣から分泌されるテストステロンが作用する以前に，脳内ではすでに遺伝子発現の性差があることを意味する。

4.5 中枢神経系の構造の性差と形成

4.5.1 中枢神経系における構造の性差（性的二型核）

中枢神経系を構成する細胞はニューロン(神経細胞⟨neuron⟩)とグリア(神経膠細胞⟨glia⟩)である。神経系の構造的および機能的な単位であるニューロンは，細胞体(cell body)と細胞体から伸長する 1 本の軸索(axon)と無数の樹状突起(dendrite)からなる。ニューロンどうしはシナプス(synapse)と呼ばれる構造によってつながっており，シナプスを介して神経情報の伝達を行っている。神経組織には，ニューロンの細胞体が局所的に密集した部分があり，これを神経核(nucleus)という。神経核には形態学的に性差が認められるものが存在する。このような神経核は性的二型核(sexually dimorphic nucleus)と総称され，脳と脊髄にその存在が確認されている。性的二型核の性差は，神経核の体積(大きさ)，ニューロンの数・局在・形態，神経突起の形態，シナプスの数，グリア細胞の数や形態などに認めることができる。このような構造の性差は神経核が司る生理機能の性差や性特異性に反映されると考えられる。多くの場合，性的二型核における構造の性差は性ステロイドホルモンの形成作用の影響を受けており，性的二型核の形成は脳の性分化においてきわめて重要な過程である。性的二型核のいくつかを以下に紹介する。

SDN-POA

ラットの視索前野にある SDN-POA(sexually dimorphic nucleus of the preoptic area)は，最初に発見された性的二型核である。SDN-POA はニッスル染色によって濃染される内側視索前核のニューロン群であり，雄の SDN-POA は雌よりも約 5 倍大きい(図4-8)。SDN-POA の大きさの違いは，雄においてより多くのニューロンが含まれているからである。周生期の精巣より分泌されるアンドロゲンは性的二型核の形成に大きく影響を与えている(Gorski et al, 1978)。出生直後に去勢された雄ラットの SDN-POA は雌のように小さくなる。反対に，出生後まもなく TP を投与された雌ラットの SDN-POA は，雄の SDN-POA のように大きくなる。しかし，成熟したラットに TP を投与しても SDN-POA の大きさは変化しない。さらに，雌ラットの SDN-POA は，新生仔期に E_2 を投与しても大きくなり，この効果はエストロゲン受容体α(estrogen receptor α：ERα)のアゴニストでも同じである(Patchev et al, 2004)。しかし，エストロゲン受容体β(estrogen receptor β：ERβ)のアゴニストは SDN-POA の大きさに影響を及ぼさない。以上のことから，周生期の精巣より分泌されたテストステロンは E_2 に転化した後，ERα に結合して作用することで SDN-POA は雄性化すると考えられる。

SDN-POA を含めて視索前野を広範囲に破壊すると，雄ラットの性行動の制御に障害が生じ，雄性行動が完全に消失する(Kondo et al, 1990)。しかし，性経験がある雄ラットの SDN-POA を局所的に破壊しても，雄性行動への明確な障害は起こらない(Arendash & Gorski, 1983)。一方，性経験がない雄ラットの SDN-POA を破壊すると雄性行動の発現が遅くなり，その頻度も低下する(De Jonge et al, 1989)。最初期遺伝子の一つであり，ニューロンの活性マーカーである c-Fos の発現を指標にした解析から，交尾中に活性が上昇する SDN-POA のニューロンの数は最初の交尾において 2 度目の交尾よりも多いことがわかった(Yamaguchi et al, 2018)。SDN-POA の生理機能は不明な点が多いが，雄ラットでは性的覚醒中枢としては

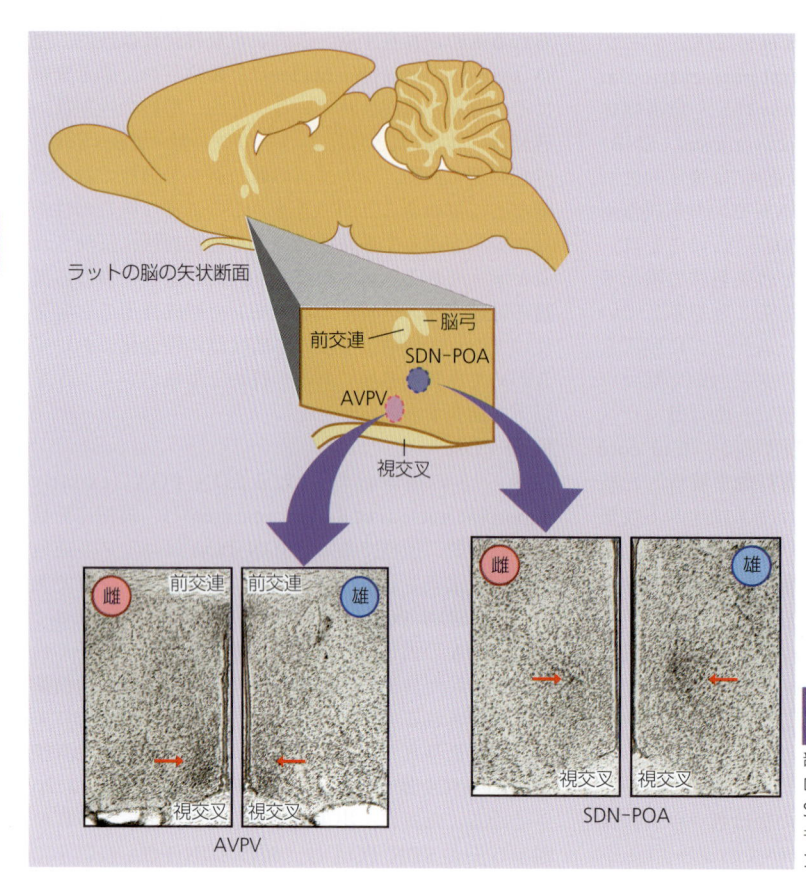

図4-8 ラットの視索前野に存在する性的二型核　AVPV（左側写真の矢印部分）は雄よりも雌において大きく、ニューロンの密度も雌において高い。反対に、SDN-POA（右側写真の矢印部分）は雌よりも雄において大きく、より多くのニューロンが雄に含まれている。

たらく可能性がある。また、SDN-POAは性的指向にも関係するかもしれない。SDN-POAの大きさと性的指向の程度との間には相関関係がみられ、より大きなSDN-POAを持った個体はより雌に対する性的指向が強い（Houtsmuller et al, 1994）。ラットのSDN-POAに相同するヒツジのoSDN（ovine sexually dimorphic nucleus）の体積とニューロン数は、同性愛雄ヒツジにおいて異性愛雄ヒツジよりも少ない（Roselli et al, 2004）。ヒツジのoSDNも性的指向に関係するかもしれない。ヒトにおいてもSDN-POAと相同であると考えられる神経核が存在し、後述するように、性的指向との関係が示唆されている。

ラットのSDN-POAに類似する性的二型核は、ヒツジやヒトだけでなく、他の動物（モルモット、スナネズミ、シロイタチ、アカゲザルなど）でも確認されている。マウスでは、ニッスル染色した脳組織の観察をしてもSDN-POAは見当たらない。カルビンディンD-28K（カルシウム結合タンパク質の一種）に対する抗体を用いてラットの脳組織を免疫染色すると、SDN-POAがある位置にカルビンディンD-28K免疫陽性の細胞集団が観察される（Sickel & McCarthy, 2000）。この細胞集団の大きさは雄において雌よりも大きい。カルビンディンD-28K発現細胞の集団はSDN-POAの一部であると考えられ、CALB-SDN（calbindin-sexually dimorphic nucleus）と呼ばれる。前述したように、マウスの脳にはSDN-POAは見当たらないが、マウスの脳組織にカルビンディンD-28Kの免疫染色を施すと、CALB-SDNが見つかる。マウスにおけるCALB-SDNのカルビンディンD-28K発現細胞数にも雄優位な性差がある（Orikasa & Sakuma, 2010）。この性差は春機発動期以前にすでにみられ、春機発動期を経て成熟期になるとより顕著になる（Wittmann & McLennan, 2013a）。マウスのCALB-SDNの性差形成には、周生期と春機発動期に精巣から分泌されるテストステロンが重要である（Orikasa & Sakuma, 2010；Morishita et al, 2017）。また、春機発動期以前にみられるCALB-SDNの性差形成には抗ミュラー管ホルモン（AMH）も関与する（Wittmann & McLennan, 2013a）。カルビンディンD-28K遺伝子をノックアウトした雄マウスでは条件情動学習の低下と社会的探索行動の増加がみられ、雌雄ノックアウトマウスにおいて不安行動の低下がみられる（Harris et al, 2016）。しかし、CALB-SDNの生理機能は不明である。

BNSTp

分界条床核主核（principal nucleus of the bed nucleus of the stria terminalis：BNSTp）は分界条床核の亜核の

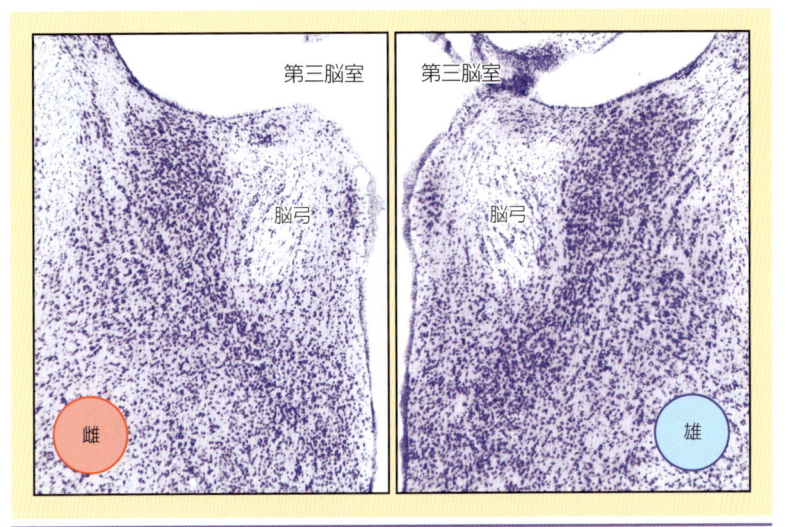

図4-9　マウスにおける分界条床核主核(BNSTp)　ニッスル染色を施した脳組織標本の顕微鏡写真(左：雌マウス，右：雄マウス)の中央部分がBNSTpである。BNSTpは，他の領域よりも細胞密度が高く，背腹側軸に長く伸びている。雄マウスのBNSTpには，雌マウスのBNSTpよりも多くの細胞が含まれ，領域が広い。

一つである。ニッスル染色を施したマウスやラットの脳の前額断標本を観察すると，分界条床核の亜核の中でも，細胞密度が高く，背腹側軸に長い部分がBNSTpである(図4-9)。マウスやラットのBNSTpの体積やニッスル染色ニューロン数は，雄優位な性差がある(del Abril et al, 1987；Forger et al, 2004)。周生期の精巣から分泌されるアンドロゲンはBNSTpの性差形成に大きく影響を与える。出生日に雄ラットの精巣を除去すると成熟期におけるBNSTpの体積とニューロン数が減少し，反対に，新生仔期の雌ラットにTPを投与すると体積とニューロン数が増加する(Guillamón et al, 1988；Chung et al, 2000)。また，エストラジオールベンゾエート(estradiol benzoate：EB)を新生仔期の雌マウスに投与すると，成熟期におけるBNSTpの体積とニューロン数が増加する(Hisasue et al, 2010)。しかし，DHTでは影響がみられない。BNSTpの雄性化は精巣由来のアンドロゲンがアロマターゼによりエストロゲンに転化して作用することで引き起こされると考えられる。実際，アロマターゼ遺伝子をノックアウトした雄マウスのBNSTpの体積とニューロン数は野生型雌マウスのように少なくなる(Tsukahara et al, 2011)。さらに，ERαノックアウト雄マウスのBNSTpも野生型雌マウスと同じようになる。しかし，BNSTpに対するERβ遺伝子ノックアウトの影響はみられず，ERβノックアウトマウスでは依然として雄優位な性差がみられる。このように，BNSTpの雄性化を促す周生期のアンドロゲンは，アロマターゼによりエストロゲンに変換され，その後，ERαに結合して作用する。さらに，AR遺伝子の変異や欠損によってBNSTpの雄性化が阻害されることも明らかになった(Durazo et al, 2007；Kanaya et al, 2014)。BNSTpのARは胎生期では発現しておらず，新生仔期以降に発現する。新生仔期のアンドロゲンは，エストロゲンに転化してERαに結合するだけでなく，ARに結合して作用し，BNSTpの雄性化に関わる。前述したように，げっ歯類における脳の性分化の臨界期は周生期であるが，周生期を過ぎた時期でも精巣由来アンドロゲンはBNSTpをはじめとするいくつかの性的二型核の性差形成に関与することが雄ハムスターを用いた実験より明らかにされている(Schulz et al, 2009)。春機発動期における性ホルモンの作用については次の段落で述べる。

ラットやマウスのBNSTpは，SDN-POAと同様，カルビンディンD-28Kを豊富に発現しており，カルビンディンD-28Kを発現するニューロンの数や発現領域には雄優位な性差がある(Gilmore et al, 2012；Morishita et al, 2017)。ニッスル染色によって同定されるBNSTpとカルビンディンD-28K免疫染色によって同定される雄優位な性的二型核は解剖学上，同一でないことが証明されており(Morishita et al, 2017)，本章では後者をCALB-BNSTpと呼ぶことにする。CALB-BNSTpの性差形成には，周生期および春機発動期の精巣から分泌されるアンドロゲンが重要な役割を果たす。周生期のアンドロゲンは，エストロゲンに転化して作用し，CALB-BNSTpの雄性化を促す(Morishita et al, 2017)。CALB-BNSTpの性差は春機発動期よりも前の時期にみられ，この性差の形成にはAMHも関与する(Wittmann & McLennan, 2013b)。CALB-BNSTpの性差は春機発動期を経て成熟期になるとより顕著になる。春機発動期の前から成熟期にい

たる間に，雄マウスのCALB-BNSTpの体積とカルビンディンD-28Kニューロン数は増加し，雌マウスのCALB-BNSTpの体積とカルビンディンD-28Kニューロン数は減少する（Wittmann & McLennan, 2013b；Morishita et al, 2017）．また，春機発動期の前に精巣を除去すると，雄マウスのCALB-BNSTpの体積は増加せず，カルビンディンD-28Kニューロン数は春機発動期以前よりも少なくなる（Morishita et al, 2017）．このことは，春機発動期の精巣から分泌されるアンドロゲンがCALB-BNSTpの雄性化に関与することを示唆する．一方，春機発動期前の卵巣除去は雌マウスのCALB-BNSTpに影響を及ぼさず，卵巣の有無にかかわらずカルビンディンD-28Kニューロン数は春機発動期から成熟期にかけて減少する．

分界条床核は扁桃体内側核からの神経情報が入力される領域であり，雄ラットのBNSTpを破壊すると性行動が障害を受ける（Claro et al, 1995）．このことからBNSTpは雄性行動の制御に関わる一領域であると考えられる．しかし，BNSTpの内部に豊富に存在するカルビンディンD-28Kニューロンがどのような生理学的役割を持っているかは不明である．

AVPV

前腹側脳室周囲核（anteroventral periventricular nucleus：AVPV）は，終板器官の直後から第三脳室を取り囲むように存在する性的二型核である（図4-8）．SDN-POAやBNSTpとは反対に，げっ歯類におけるAVPVの体積とニューロン数は雌において雄よりも多い（Bleier et al, 1982）．新生仔期の雌ラットにテストステロンやE$_2$を投与すると，AVPVの体積やニューロン数が減少して雄のAVPVと同じようになる（Ito et al, 1986；Patchev et al, 2004）．アロマターゼ遺伝子をノックアウトすると，雌マウスでは影響がみられないが，雄マウスではAVPVの体積とニューロン数が増加して，野生型雌マウスと同程度になる（Kanaya et al, 2014）．マウスのAVPVにおけるアロマターゼmRNAは，周生期では発現するが，春機発動期では発現しない（Kanaya et al, 2014：Kanaya et al, 2018）．一方，雌雄マウスともにAVPVの体積とニューロン数は，AR遺伝子をノックアウトしても変化せず，雌優位な性差がみられる（Kanaya et al, 2014）．これらのことから，周生期の精巣由来アンドロゲンはエストロゲンに転化した後に作用し，AVPVの体積やニューロン数が減少すると考えられる．ラットのAVPVの性差形成には，春機発動期に卵巣から分泌されるホルモンも重要である．春機発動期の前に卵巣を切除した雌ラットでは，AVPVの体積とニューロン数が減少する（Ahmed et al, 2008）．

新生仔期の雌ラットにERαあるいはERβの作動薬を投与すると，成熟期におけるAVPVの体積が減少する（Patchev et al, 2004）．これは，AVPVの脱雌性化に関わる新生仔期のエストロゲンの作用はERαおよびERβの両方を介することを示唆する．マウスでは，ERα遺伝子をノックアウトすると，雄のAVPVの体積とニューロン数が増加する（Kanaya et al, 2014）．しかし，ERβ遺伝子をノックアウトしてもAVPVには影響がみられない．マウスのAVPVの脱雌性化に関わるエストロゲンの作用はERαを介する．このように，AVPVの性差形成に関わるエストロゲンの作用機序にはラットとマウスの間で違いがある．

AVPVでは，体積やニューロン数だけでなく，特定のニューロンにも性差があることが明らかになっている．ラットやマウスのAVPVはチロシン水酸化酵素（tyrosine hydroxylase：TH）を発現するドーパミンニューロンを含んでおり，その数は雌のほうが2〜3倍多い（Simerly et al, 1985a）．周生期あるいは新生仔期にTPを投与された雌ラットのTHニューロン数は減少する（Simerly et al, 1985b）．ERαあるいはERβの遺伝子をノックアウトした雄マウスのAVPVにおけるTHニューロン数は野生型雄マウスよりも多くなり，THニューロン数の性差は消失する（Bodo et al, 2006）．しかし，AR遺伝子をノックアウトした雄マウスのAVPVにおけるTHニューロン数は野生型雄と変わらない（Simerly et al, 1997）．マウスでは，AVPVにおける総ニューロン数の性差形成に対するERβの関与は低いが，ドーパミンニューロンの性差は，周生期に芳香化したTがERαとERβの両方に結合して作用することにより形成されると考えられる．雌マウスにおけるAVPVのドーパミンニューロンは，視床下部室傍核のオキシトシンニューロンに神経入力し，オキシトシン分泌を促進することで，養育行動を引き起こす（Scott et al, 2015）．一方，雄マウスのAVPVのドーパミンニューロンは養育行動には関与しないが，攻撃行動の抑制制御に関与する．このように，マウスのAVPVのドーパミンニューロンは雌雄ともに本能行動の制御に重要である．構造が劣位の性別でも性的二型核には何からの生理機能があることを意味している．

Kiss1遺伝子の産物であるキスペプチンは性腺刺激ホルモン放出ホルモン（gonadotropin-releasing hormone：GnRH）の分泌を促進する神経ペプチドであり，キスペプチンを発現するニューロンは，主にAVPVと視床下部の弓状核に存在する（Clarkson & Herbison, 2006；Kauffman et al, 2007）．ラットやマウスのAVPVに存在するキスペプチンニューロンには性差があり，その数は雌において雄よりも多い（Kauffman et al, 2007；Semaan et al, 2010）．出生日に去勢した成熟雄ラットのキスペプチンニューロン数は正常雄ラットよりも多くなり，新生仔期にTPあるいはEBを投与した成熟雌ラットのキスペプチンニューロン数は減少する（Kauffman et al, 2007；Homma et al, 2009）．このように，キスペプチンニューロン数の性差形成には，

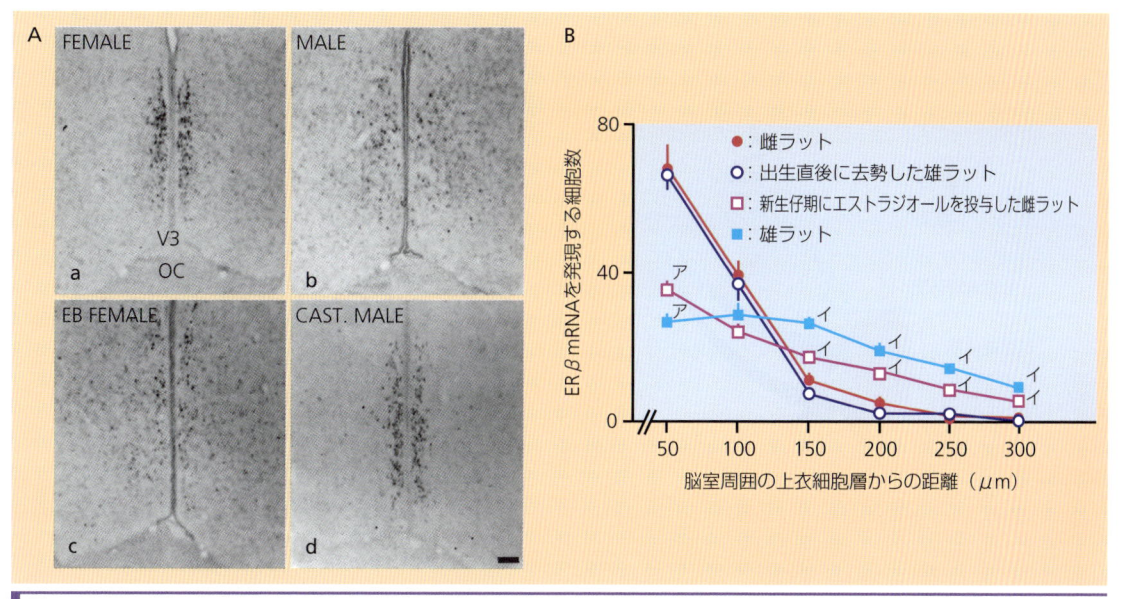

図 4-10　ラットの AVPV におけるエストロゲン受容体βの発現　A：AVPV におけるエストロゲン受容体βの mRNA 発現分布．a：雌ラット，b：雄ラット，c：新生仔期にエストラジオールを投与した雌ラット，d：出生直後に去勢した雄ラット．B：AVPV におけるエストロゲン受容体βmRNA 発現細胞の数．AVPV を内側から外側に向けて 50 μm 間隔の領域に分けて細胞数を計測した．ア：雌ラットと去勢雄と比べて有意差あり．イ：他の値との間に有意差あり（Orikasa C et al, Proc Natl Acad Sci USA, 2002, 99, 3306-3311. Fig4, Fig5 より許可を得て掲載）

周生期の精巣から分泌されるテストステロンが重要であり，テストステロンは芳香化されてE_2として作用する．雌ラットの AVPV を破壊すると，排卵を誘起するLH サージが消失して無排卵になる（Terasawa et al, 1980；Wiegand et al, 1978）．AVPV にあるキスペプチンニューロンのはたらきを抑制すると LH サージが消失する（Kinoshita et al, 2005；Pineda et al, 2010）．このことから，LH サージの発生を制御する AVPV の本体はキスペプチンニューロンであると考えられるようになった．一方，弓状核のキスペプチンニューロンの数には性差はみられない（Kauffman et al, 2007）．弓状核に存在するキスペプチンニューロンは，性ステロイドホルモンの負のフィードバック作用を仲介し，ゴナドトロピン分泌の抑制制御に関与する．雌マウスでは，AVPV に存在する約 80％のキスペプチンニューロンが TH を発現する（Semaan et al, 2010）．一方，雌ラットでは，TH を発現するキスペプチンニューロンの数は約 20％であり（Kauffman et al, 2007），AVPV のニューロンにおける TH とキスペプチンの共発現率には種差がある．

マウスの AVPV における ERα 発現細胞数には雌優位な性差があり，新生仔期に EB を投与した雌マウスの AVPV では，ERα 発現細胞数は減少して，雄のようになる（Kelly et al, 2013）．一方，ラットの AVPV における ERβ 発現細胞の数には性差がみられないが，ERβ の分布には性差がある（図 4-10）（Orikasa et al, 2002）．第三脳室に近接する AVPV 内側では，ERβ を発現する細胞は雌に多く，AVPV 外側では雄のほうが多い．雌ラットの AVPV における ERβ は新生仔期のE_2投与によって雄と同じような分布パターンを示す（図 4-10）．反対に，出生日に去勢した雄ラットの AVPV における ERβ の分布は雌のパターンになる．

SNB

ラットの第 5 および第 6 腰髄の腹角にある運動ニューロン群である球海綿体脊髄核（spinal nucleus of the bulbocavernosus：SNB）と背外側核（dorsolateral nucleus：DLN）は雄に優位な性的二型核である（Breedlove & Arnold, 1980）．特に，SNB の性差は著しく，成熟した雄の SNB に局在する運動ニューロン数が約 200 個に対して，雌では 60 個程度である．雄では SNB の運動ニューロンが球海綿体筋，肛門挙筋および外肛門括約筋を支配しており，DLN の運動ニューロンが坐骨海綿体筋と尿道括約筋の活動を制御する（図 4-11）．SNB と DLN によって支配されるこれらの骨格筋は勃起や射精に関わる．雌では球海綿体筋，肛門挙筋および坐骨海綿体筋が退化しているため，SNB には外肛門括約筋を支配する少数の運動ニューロンが存在するのみである．ヒトのオヌフ核（Onuf's nucleus）はラットの SNB および DLN に相同する神経核であるが，SNB のような顕著な性差はみられない．

周生期の雌ラットに TP を投与すると，SNB における運動ニューロン数が雄ラットのものと同程度に維持されるが，EB の投与では SNB 運動ニューロン数を雄のレベルにまで維持できない（Breedlove et al, 1982）．AR をノックアウトした雄ラットの SNB の構造は雌

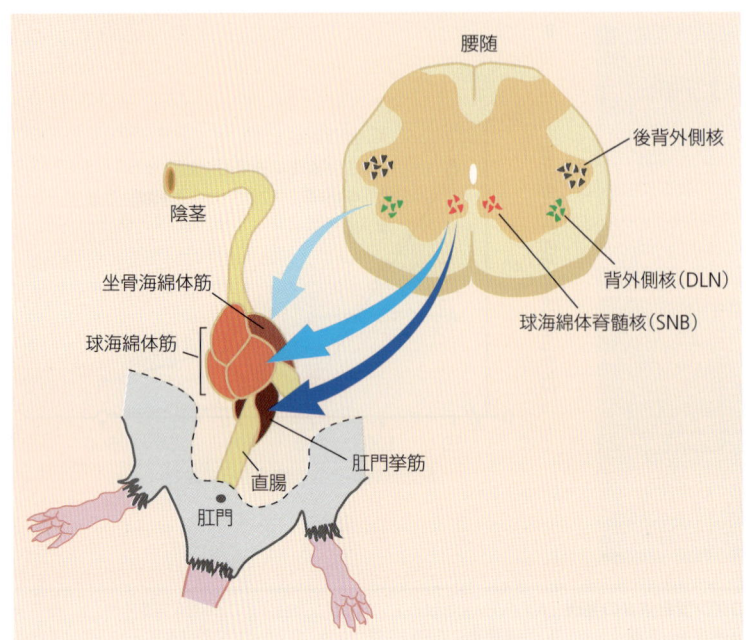

図4-11 雄ラットの腰随における運動ニューロン群と神経支配される骨格筋
球海綿体脊髄核(SNB)は球海綿体筋，肛門挙筋(矢印)および外肛門括約筋(図示していない)に神経線維を送っている。背外側核(DLN)は坐骨海綿体筋(矢印)と尿道括約筋(図示していない)を神経支配する。

ラットのSNBのようになる。脳に存在する性的二型核の場合とは異なり，脊髄にあるSNBの性差形成にはARを介したアンドロゲンの直接作用が重要である。成熟個体のSNB運動ニューロンもアンドロゲンの影響を受けている。成熟した雄ラットを去勢すると，SNB運動ニューロンの細胞体の大きさ，樹状突起の長さ，細胞体と樹状突起におけるシナプス占有率は減少する。しかし，去勢雄にテストステロンを代償投与すると，SNB運動ニューロンの形態は正常雄のレベルにまで回復する。

4.5.2 性的二型核の形成

発生初期の中枢神経系では，神経管の神経上皮にある神経幹細胞からニューロンが産生される。ニューロンは最終的に神経系を構成するのに必要な数よりも過剰に産生される。新生ニューロンは神経上皮から実質へ移動して最終定置にたどり着くと，樹状突起や軸索を伸長させてシナプスを形成する。これらの一連の過程で，ニューロンの半数以上がアポトーシス(apoptosis)という細胞死によって中枢神経系から脱落する。このような神経系の発生は無駄が多いように思えるが，必要最小限の細胞から精密に神経系を形成することよりも進化の過程においてリスクが少なかったのかもしれない。ニューロンの発生，移動，アポトーシス，表現型の分化など，神経系発生に重要な現象に生じる性差が性的二型核形成の要因になると考えられている。これまでのところ，性的二型核の形成機構は不明な部分が多くあり，その全貌は未解明である。しかし，複数の性的二型核において，発達期にアポトーシス細胞の数に性差があることが知られている。

雄に優位な性的二型核であるSDN-POAやBNSTpは，新生仔期にアポトーシスを起こして死んでいく細胞が雄よりも雌において多い(Davis et al, 1996；Chung et al, 2000)。反対に，雌に優位な性的二型核であるAVPVでは，アポトーシスを起こす細胞は雄において多い(Yoshida et al, 2000)。このように，アポトーシスによって死滅する細胞数の性差は，成熟個体の性的二型核を構成するニューロン数の性差に逆相関している。出生5日目にEBを雌ラットに投与すると，AVPVにおけるアポトーシス細胞は数を増し，SDN-POAのアポトーシス細胞数は減少する(Arai et al, 1996)。このアポトーシスに対するEBの効果はTPでも同じである(Davis et al, 1996；Chung et al, 2000)。新生仔期の脳における性的二型核のアポトーシスは芳香化された精巣由来アンドロゲン(エストロゲン)によって調節されるのである。

アポトーシスの分子機構は複雑であるが，Bcl-2ファミリーによるミトコンドリアのチトクロムc放出調節を介したアポトーシス経路が性的二型核の形成に関与することが明らかにされた(図4-12)。Bcl-2ファミリーに属するBcl-2はチトクロムc放出を抑制してアポトーシスによる細胞死を防ぐ。反対に，Baxはチトクロムc放出を促進してアポトーシスの誘導を促す。ミトコンドリアからチトクロムcが細胞質へ放出されると，カスパーゼ(caspase)という一群のタンパク質分解酵素が次々と活性化されてアポトーシスが実行される。Bcl-2を過剰に発現するトランスジェニックマウスのAVPVとSNBを調べた研究によると，雄

4.5 中枢神経系の構造の性差と形成

トのAVPVとSDN-POAでは，Bcl-2とBaxの発現に性差がある（Tsukahara et al, 2006）。AVPVにおけるBcl-2の発現には雌優位な性差があり，Baxの発現には雄優位な性差がある。一方，SDN-POAでは，Bcl-2の発現に雄優位な性差があり，Baxの発現には雌優位な性差がある。Bcl-2とBaxの発現の性差によって，最終的にはアポトーシスを実行する活性化カスパーゼ3を発現するニューロンの数にも性差が生じる（図4-13）。すなわち，活性化カスパーゼ3を発現するニューロンの数の性差は，AVPVでは雄優位であり，SDN-POAでは雌優位である。このように，新生仔期の性的二型核では，アポトーシスのミトコンドリア経路に関連する分子の発現に性差があり，最終的に死滅する細胞の数に性差が生じる。周生期の精巣から分泌されるアンドロゲンがどのようにアポトーシスの分子機構を調節しているのか，その全貌は不明である。SDN-POAでは，新生仔期の雌ラットにEBを投与すると，Bcl-2の発現が増加し，Baxの発現が減少することが報告されている（Tsukahara et al, 2008）。

アポトーシスによって死んでいくニューロン数の性差は性的二型核の形成に関与することは間違いないが，アポトーシスのみで性的二型核の性差形成機構を説明することは難しいことも事実である。前述したように，雌マウスのAVPVにおける細胞密度は雄よりも高く，ドーパミンニューロンやキスペプチンニューロンの数も雌において多い。一方，bcl-2トランスジェニックマウスとbaxノックアウトマウスでは，AVPVの細胞密度の性差は消失あるいは減少するが，ドーパミンニューロンやキスペプチンニューロンの性差はなくならない（Zup et al, 2003；Forger et al, 2004；Semaan et al, 2010）。また，マウスのCALB-SDNとCALB-BNSTpにおけるカルビンディンD-28Kニューロン数の性差は，bax遺伝子をノックアウトしても消失しない（Gilmore et al, 2012）。これらの結果は，bcl-2とbaxが関与しないアポトーシス経路による細胞死の性差やアポトーシス以外の要因が性的二型核の性差形成に関与することを示す。

ラットのAVPVでは，ERβ発現細胞の分布に性差がある（図4-10）。しかし，AVPV全体にあるERβ発現細胞の総数には性差はない（Orikasa et al, 2002）。胎生後期におけるマウスの視索前野-前視床下部では，細胞が移動する速度や経路が雌雄で異なる（Henderson et al, 1999）。ニューロンの移動の性差によって，性的二型核の中での細胞の分布に性差が生じるのかもしれない。

げっ歯類におけるニューロンとグリアの発生は，主に胎生期や新生仔期に盛んであり，脳の形成に重要である。ただし，ニューロンとグリアの発生はそれ以降の時期にも起こる。春機発動期に発生・分化したニューロンやグリアが性的二型核に組み込まれて，性

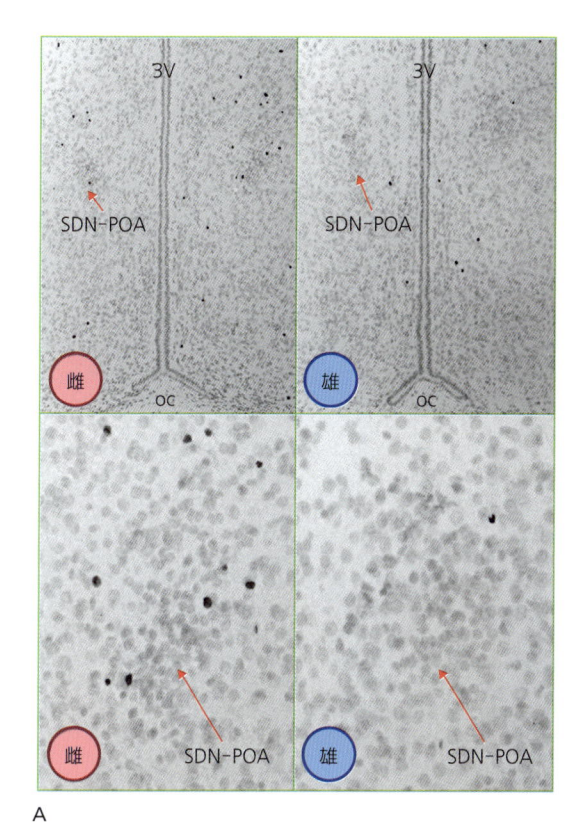

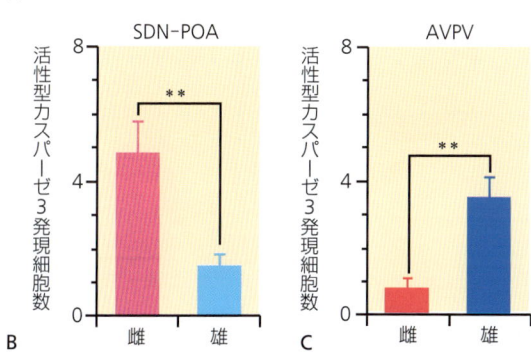

図4-12 発達期のラットの性的二型核におけるアポトーシス
A：生後8日齢の雌雄ラットのSDN-POA（赤矢印）に観察されるアポトーシス細胞（下段の写真は上段の左側SDN-POAの拡大像）。カスパーゼ3が活性化してアポトーシスを起こしている細胞（黒色の細胞）は雄よりも雌において多い。oc：視交叉，3V：第三脳室。B：生後8日齢ラットのSDN-POAにおける活性型カスパーゼ3発現細胞数。C：出生日の雌雄ラットのAVPVにおける活性型カスパーゼ3発現細胞数。AVPVでは，アポトーシスを起こしている細胞は雄において多い。**：有意差あり。（Tsukahara S et al, 2006より改変）

のAVPVと雌のSNBにおけるニューロン数が同じ性別の野生型マウスよりも多くなる（Zup et al, 2003）。野生型マウスでみられるAVPVとSNBのニューロン数の性差が，bcl-2過剰発現マウスでは軽減するのである。さらに，bax遺伝子をノックアウトしたマウスでは，AVPVおよびBNSTpのニューロン数の性差が消失する（Forger et al, 2004）。新生仔期におけるラッ

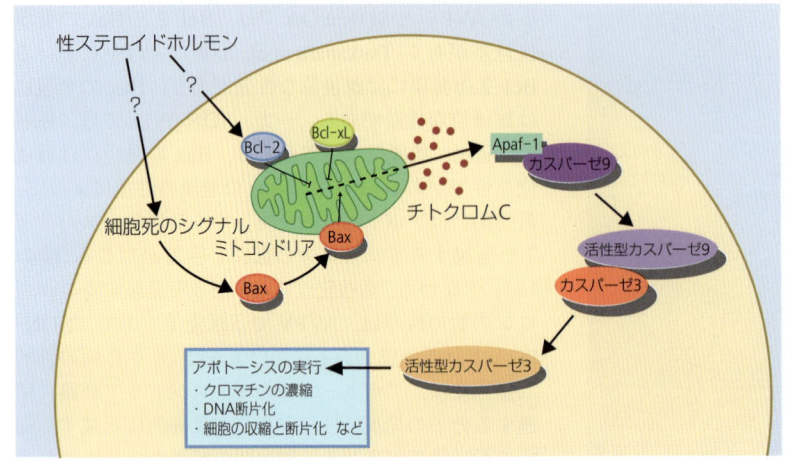

図4-13　性的二型核の形成に関与するアポトーシスの分子機構（模式図）
Bcl-2ファミリーに属するBcl-2とBcl-xLはミトコンドリアからのチトクロムCの放出を抑制している。一方，細胞質にあったBaxは細胞死のシグナルに応答してミトコンドリアへ移行してチトクロムCの放出を促す。チトクロムCは細胞質に放出されるとカスパーゼ9を活性する。活性化したカスパーゼ9はカスパーゼ3を活性する。活性化したカスパーゼ3によってアポトーシスが実行される。

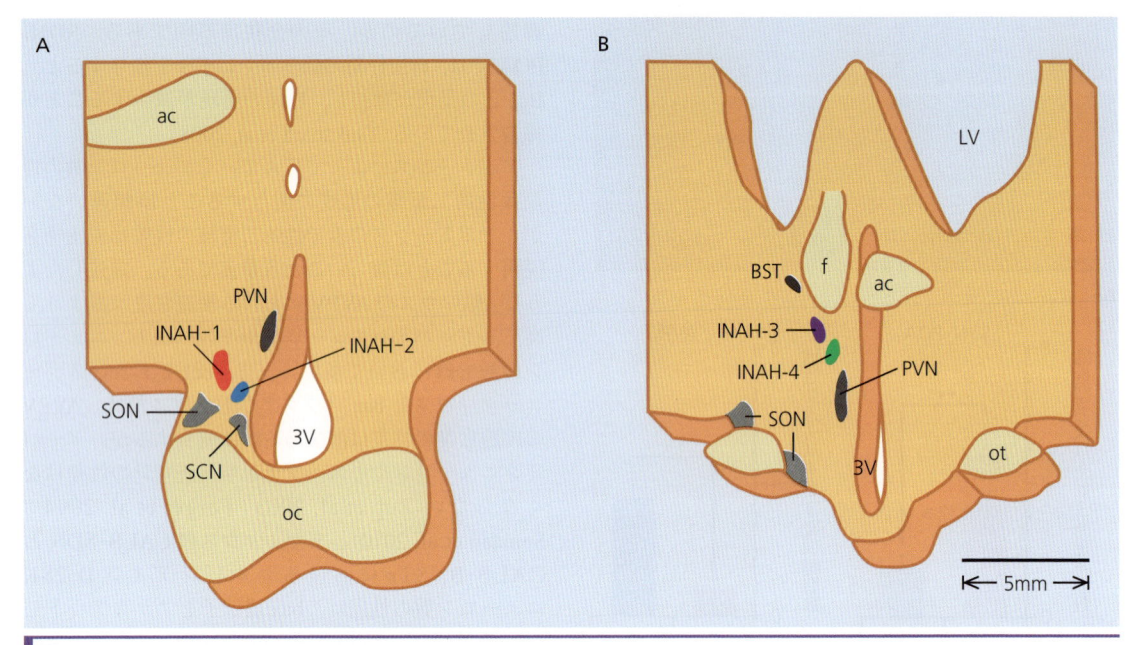

図4-14　ヒトの視床下部に存在する性的二型核のニューロン群　Aは視床下部の前方，Bは視床下部の後方を表す。スケールバーは5mmを示す。前視床下部間質核（INAH）は4つの亜核（INAH-1〜INAH-4）からなるニューロン群である。ac：前交連，BST：分界条床核，f：脳弓，LV：側脳室，oc：視交叉，ot：視索，PVN：室傍核，SCN：視交叉上核，SON：視索上核，3V：第三脳室。（Swaab DF & Hofman MA, Trend Neurosci, 1995, 18, 264-270. Fig2より許可を得て掲載）

差の形成に関与する（Ahmed et al, 2008；Mohr et al, 2016）。さらに，春機発動期に発生し，性的二型核に組み込まれた細胞が成熟期に活動し，性行動やLHサージの制御に関与することも報告された（Mhor & Sisk, 2013；Mohr et al, 2017）。春機発動期において性的二型核に組み込まれるニューロンやグリアは，性的二型核の再構築に重要であり，成熟期に性的二型核が適切な生理機能を発揮するようにはたらくのかもしれない。

以上のように，アポトーシスのほかにも，細胞の発生や移動，ニューロンの表現型分化なども性的二型核の形成に重要である。近年では，これまで脳の性分化とは無関係とみなされていたミクログリア（中枢の免疫担当細胞），サイトカイン，プロスタグランジンE₂（PGE₂）など，免疫系に関係する細胞や因子が脳の性分化に関わることが明らかになり，注目を集めている（McCarthy et al, 2017）。

4.5.3　ヒトの脳の性差

前視床下部間質核（interstitial nucleus of the anterior hypothalamus：INAH）は，視索前野から視床下部前部にかけて存在する4つの亜核（INAH-1〜INAH-4）から構成されるニューロン群であり，ラットのSDN-POAに相同する性的二型核であると考えられている

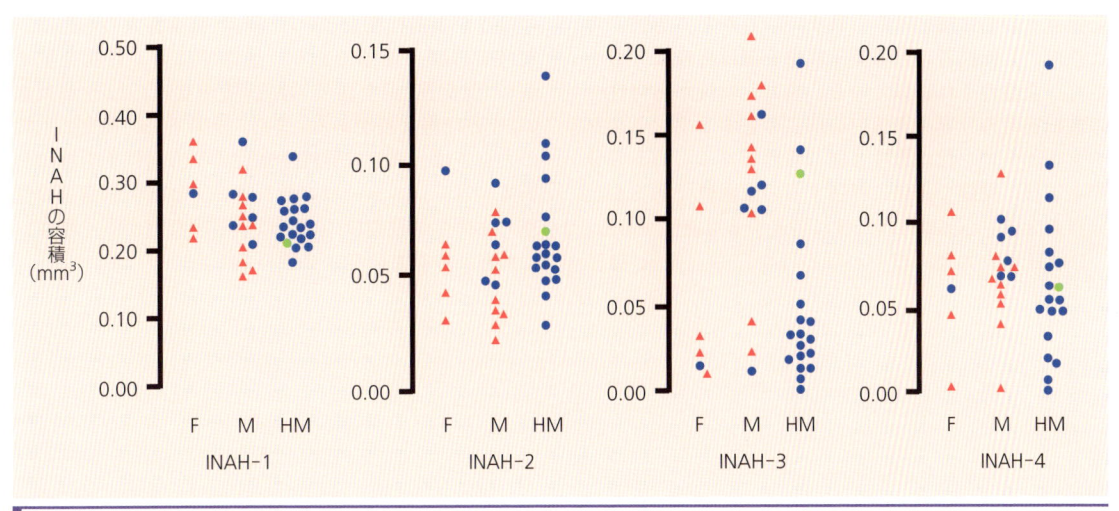

4.5 中枢神経系の構造の性差と形成

図 4-15 前視床下部間質核(INAH)の 4 つの亜核の大きさ F：女性，M：異性愛男性，HM：同性愛男性，●：エイズで死亡したヒト，▲：エイズ以外で死亡したヒト，●：エイズで死亡した両性愛男性。(LeVay S, Science, 1991, 253, 1034-1037. Fig2 より許可を得て掲載)

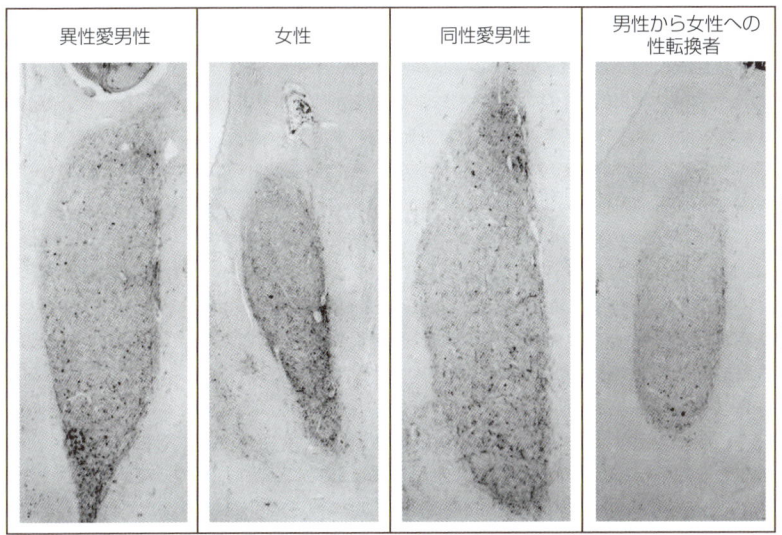

図 4-16 ヒトの分界条床核中心部の顕微鏡写真 ソマトスタチンを免疫染色をした脳組織切片の分界条床核中心部にはソマトスタチン陽性のニューロン細胞体と神経線維(黒い部分)が観察される。分界条床核中心部の大きさとソマトスタチン陽性ニューロン数には違いがある。分界条床核中心部の大きさとソマトスタチン陽性ニューロン数は，異性愛男性＝同性愛男性＞女性＝男性から女性への性転換者の順である。(Kruijver FPM et al, J Clin Endocrinol Metab, 2000, 85, 2034-2041. Fig2 より許可を得て掲載)

(図 4-14)。4 つの亜核のうち，INAH-1，INAH-2，INAH-3 は男性において女性よりも大きいことが報告されているが，いくつかの矛盾点もある。Gorski らの報告によれば，INAH-2 と INAH-3 に男女差があり，INAH-2 では 2 倍，INAH-3 では 2.8 倍，男性のほうが女性よりも大きい(Allen et al, 1989)。その後，LeVey によって，同性愛男性の INAH-3 の大きさは異性愛男性の INAH-3 よりも小さく，女性の大きさとはほぼ等しかったという報告がなされた(図 4-15)(LeVay, 1991)。しかし，他の亜核では同性愛男性と異性愛男性との間に差はみられず，男女差もなかった。この結果は，INAH-2 の男女差を示した Gorski らの結果と一致しない。女性に性的魅力を感じない同性愛男性の INAH-3 は異性愛男性よりも小さくて女性と同じようになっているとすれば，INAH-3 は性的指向に関係す

る部位なのかもしれない。しかし，Byne らの報告によると，INAH-3 の大きさと性的指向との因果関係は見出されなかった(Byne et al, 2001)。一方，Swaab らは，男性の INAH-1 は女性よりも大きく，内在する細胞も多いことを報告した(Swaab & Hofman, 1995)。これにより，INAH-1 がラットの SDN-POA に相同する部位であるとしている。以上のように，ヒトの INAH については不明点が多くあり，今後も十分な検証が必要である。

ヒトの分界条床核にも男女差がある(Zhou et al, 1995)。分界条床核の中心部と呼ばれる部位では，女性に比べて男性のほうが大きく，ソマトスタチンを産生するニューロンの数も男性のほうが多い(図 4-16)(Kruijver et al, 2000)。同性愛男性の分界条床核中心部の大きさとソマトスタチンニューロンの数は，異性

愛男性との間に違いはみられない。しかし，男性から女性への性転換者の分界条床核中心部は男性よりも小さく，女性のそれに似ている。他方，女性から男性への性転換者の分界条床核中心部に存在するソマトスタチンニューロン数は男性と同じ程度である。ヒトの分界条床核の機能を正確に判断するのは困難であるが，分界条床核中心部は性同一性に関連する可能性がある。

INAHや分界条床核中心部のほかにも，大脳（男性のほうが1割程度大きい），脳梁（脳梁膨大の形態は，女性では厚く球形であり，男性では薄く管状を呈する），前交連（正中面での断面積が女性のほうが大きい）などに男女差がある。また，視床下部の視交叉上核の大きさは，異性愛男性や女性よりも同性愛男性において大きく，ニューロン数も多い。ヒトの脳構造の性差の生理学的役割については不明瞭な点が多く残されており，今後も研究が必要である。

5 生育環境と行動

5.1 胎児の子宮内順位と性分化

　性ステロイドホルモンは周生期の中枢発達に大きな影響を与える（4章「哺乳類の性分化」を参照）。その作用の一部は不可逆的で，雄特有の中枢，あるいは雌特有の中枢を発達させる。これら周生期の性ステロイドホルモンの作用は一般的に"形成作用（organizational effect）"と呼ばれる。具体的には精巣から放出されたテストステロンが中枢に到達し，一部はアロマターゼによりエストラジオールに置換され，エストロゲン受容体に作用する（Lephart, 1996）。同時にテストステロンはアンドロゲン受容体を刺激し，これら2つの刺激の結果として雄特有の中枢機構が作り上げられる。一方，雌においてはエストラジオールが放出されるにもかかわらず，α-フェトプロテインがエストラジオールと結合し，そのため中枢に到達することができない（Mizejewski, 1985）。このように性ステロイドホルモンに曝露されなかった脳は雌型になる。雄特異的行動が高く発現する系統のマウスでは，この時期に性的動機づけを制御するとされる扁桃体におけるアロマターゼの活性が高く，また性行動の制御中枢である視索前野におけるアロマターゼ活性が低いことが確認されている（Burns-Cusato et al, 2004）。これら細胞レベルの違いは，この周生期における性ステロイドホルモンの曝露の程度が決めており，テストステロンに曝露された動物はより雄型の，テストステロンの曝露を受けなかった動物では雌型の特徴を示すようになる（Burns-Cusato et al, 2004）。

　テストステロン曝露の程度の違いを生む要因に関して，最もよく知られているものの一つは子宮内環境からの影響である。妊娠末期になると，胎仔は次第に生殖腺からテストステロンあるいはエストロゲンの産生を始める。この際に多胎の動物では，隣り合わせになった同腹の胎仔が雌雄どちらかであるという違いで，そのときのテストステロン曝露濃度の値が相対的

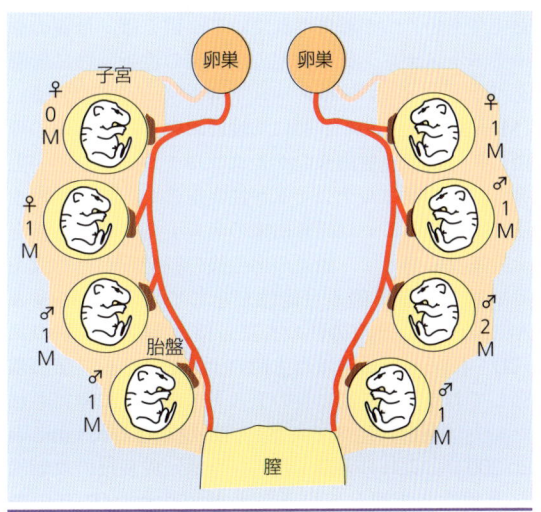

図5-1　子宮内位置によるテストステロン曝露濃度の違い　両端を雄に囲まれた雄動物あるいは雌動物は，隣接している雄由来のテストステロンの影響も受けるため，妊娠末期におけるテストステロン曝露濃度が相対的に高くなる（2M）。片方を雄，片方を雌に囲まれた動物は1M，両端とも雌動物に囲まれた動物は0Mとなる。これら0Mと2Mの動物の間には器官形成および中枢機能発達に違いが認められ，2Mの動物はより雄らしい特徴を，0Mの動物はより雌らしい特徴を示すようになる。

に変化し，結果としてより雄型の表現型をとるか，あるいは雌型の表現型をとるのかが決まってくる（図5-1）（vom Saal, 1989）。具体的には両端を雄に囲まれた雄動物あるいは雌動物は，両端に着床している雄由来のテストステロンの影響も受けるため，妊娠末期におけるテストステロン曝露濃度が相対的に高くなる（2M）。片方を雄，片方を雌に囲まれた動物は1M，また両端とも雌動物に囲まれた動物は0Mとなる。これら0Mと2Mの動物の間には，同じ雄であっても，また同じ雌であっても器官形成および中枢機能発達に違いが認められ，2Mの動物はより雄らしい特徴を，0Mの動物はより雌らしい特徴を示すようになる。

実際に出生直後の外部生殖器の発達具合に違いがみられ，2Mの雄では0Mの雄と比べて，生殖器と肛門との距離が長くなり，より雄らしい特徴を持つことが知られている（vom Saal, 1989）。この2Mと0Mの違いはそのまま成長後の雄特有の行動発現にも影響を与えるようで，2Mの雄は0Mの雄に比べて性行動の発現が大きく，またマーキング行動，攻撃性も高くなることが知られている。しかし，胎児期におけるテストステロン曝露濃度の高低だけでは説明できない雌雄差も存在しており，脳内の性分化機構が多元的であり，脳の部位，機能，さらには時期に依存して性差が形成されることに留意すべきである（Morris et al, 2004；Ottem et al, 2004）。

このような周生期におけるテストステロン曝露の高低がその後の行動特性に影響を与えることが，ヒトにおいてもいくつか報告されている。例えば，母親の血中テストステロン値は女児の成長後の性指向性に影響を与え，よりホモセクシュアルになる傾向が強い（Morris et al, 2004）。特に女性において，何らかの理由により副腎皮質由来のグルココルチコイド分泌が上昇し，グルココルチコイドが性ホルモンと共同作用することで，あるいは副腎由来のテストステロン分泌を上昇させることで，胎児の出生後の脳発達が男性型あるいは女性型に偏る可能性を示している（Hanley & Arlt, 2006）。また男性の人差し指と薬指の長さの比（2D：4D digit ratio）は周生期のテストステロン値に依存しており，より高い量のテストステロンに曝露されたヒトは薬指に比べて人差し指が短くなる（Csathó et al, 2003）。これら人差し指の長さは，成長後の攻撃的な衝動性と相関していることが示された（Bailey & Hurd, 2005）。もちろん攻撃行動の表現系はそれら周産期の影響だけでなく，遺伝的影響，幼少期の経験，さらに成長後の学習による強化などの影響も強く受けるため，一概に判断はできない。

5.2　妊娠期ストレス

妊娠期の母親が社会的あるいは身体的ストレスにさらされると，その後の子の神経内分泌系，あるいは行動に変化があることが示されている。例えばオランダでの疫学調査では，不作の冬に妊娠し，出産した場合に統合失調症の子どもの生まれる確率が高くなる（Stein, 1975），あるいは妊娠中期から末期にかけて父親が他界するとその子においても統合失調症の発生率が高くなることが報告されている（Cannon et al, 2003）。これらの変化は出産後の父親の喪失では変化しないことから，妊娠期の母親へのストレスが何らかの形で胎児に伝わっていることを意味する。神経内分泌学的にはイギリスの研究者，David Barkerが立てた"バーカー理論（Barker Theory）"が有名である（Barker, 1992；Barker et al, 1989）。これは新生児の体重が軽いと，成長後の高血圧，脂質異常症，心筋梗塞，脳梗塞など，いわゆる生活習慣病の発生確率が高くなるというものである。Barker博士はイギリスの環境疫学の研究者で長期にわたるイギリスの栄養状態と生活習慣病の発生率を比較したところ，非常によく相関することが明らかとなった。低体重で生まれた新生児は，胎内において低栄養状態の環境に適応しようとする結果，筋肉量の減少，腎臓のネフロン数の減少，膵臓のβ細胞の減少などを起こすと考えられており，これらの変化も成長後の生活習慣病のリスクとして働いていると考えられている。

5.2.1　妊娠期ストレスと視床下部−下垂体−副腎軸の発達

胎児のストレス内分泌反応の亢進に関しては多くの知見があり，妊娠期の母親がストレスを受けると，グルココルチコイド（げっ歯類ではコルチコステロン，ヒトではコルチゾール）の分泌が上昇し，その結果母由来のグルココルチコイドが胎児の中枢あるいは末梢に直接あるいは間接的に作用することが明らかとなってきた（Kofman, 2002；Welberg & Seckl, 2001）。ラットの研究では妊娠14日目から出産までの間のストレス，例えば注射ストレス，緊縛ストレスなどが仔のストレス内分泌軸を亢進させ，コルチコステロンの基礎値の上昇とストレス後の反応を増大させた（Barbazanges et al, 1996；Takahashi et al, 1990）。しかし基礎値の亢進は生涯にわたるものではなく，生後3ヶ月後には消失する。ストレスに対するコルチコステロンの分泌上昇はその後も認められ，特にストレス後の回復に遅れが認められることから，コルチコステロンのネガティブフィードバック制御能力の低下が示唆されている（図5-2）（Koehl et al, 1999；Maccari et al, 1995；Szuran et al, 2000）。またストレス負荷に対する適応反応性にも違いが認められる。すなわち，妊娠末期にストレス負荷された仔では予測不能なストレスに繰り返し曝露してもストレス応答が低下せずに高いままである。このことはストレス応答能力の違いと考えられよう。

妊娠期ストレスによるストレス内分泌軸の反応性亢進には雌雄差が認められる。本来グルココルチコイドの分泌には雌雄差が存在し，雌が雄よりも高い（15章「ホルモンと睡眠」を参照）。妊娠期ストレスによるストレス内分泌軸の亢進は雌で強く認められ，ラットではストレス後の副腎皮質刺激ホルモン（adrenocorticotropic hormone：ACTH）の分泌の亢進ならびにコルチコステロンの基礎値上昇は雄よりも雌で安定して観察される（McCormick et al, 1995）。これらコルチコステロンの長期的上昇は海馬の構造と機能を変化させる。妊娠期ストレスを受けたラットの仔では海馬顆粒細胞

5.2 妊娠期ストレス

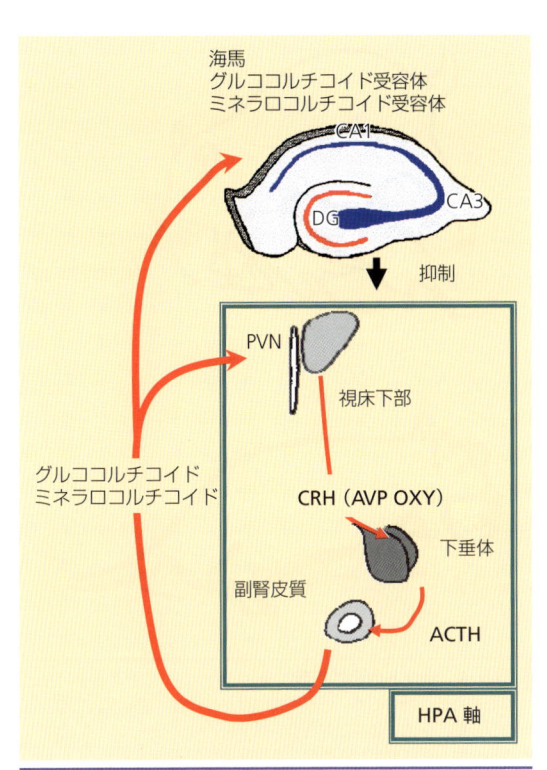

図5-2 視床下部-下垂体-副腎（HPA）軸の活性化とネガティブフィードバック制御機構 視床下部室傍核から放出されたコルチコトロピン放出ホルモン（CRH）は下垂体に作用して副腎皮質刺激ホルモン（ACTH）の放出を刺激し、ACTHは副腎皮質から血中にグルココルチコイドとミネラロコルチコイドを分泌する。グルココルチコイドとミネラロコルチコイドは室傍核と海馬のグルココルチコイド受容体やミネラロコルチコイド受容体に結合し、最終的にCRHの産生と分泌を抑制する。胎生期にストレスを受けた仔では、海馬のグルココルチコイド受容体発現量が低下し、ネガティブフィードバック機構が脆弱化するため、結果としてグルココルチコイドの血中濃度が高い状態を維持するようになる。

の減少、海馬の神経新生の低下などが観察される（Lemaire et al, 2000）。また海馬のみならず扁桃体の外側基底核が増大することが知られており（Salm et al, 2004）、これは不安や恐怖反応の亢進につながる脳内の機能変化と考えられる。

5.2.2 妊娠期ストレスと行動発達

妊娠期ストレスが仔の行動発達に及ぼす影響に関してもいくつか調べられている。仔の運動能、あるいは運動活性については影響が観察されるものの、一貫した結果は得られていない。例えば妊娠末期の母ラットに緊縛ストレスを負荷すると、雄の仔では基礎運動活性自体には影響が出ないが、立ち上がり回数が低下する（Fujioka et al, 2001）。同じくストレスを受けた雌の仔では運動活性の低下が若齢期に認められるが、その後消失する（Lehmann et al, 2000）。一方、妊娠17日目以降のマイルドなストレスは雄の仔の運動活性を上昇させる（Weller et al, 1988）。基礎運動活性に関しては使用しているラットあるいはマウスの系統、どの時期にストレスをかけたか、ストレスの種類とその頻度、仔の運動活性の測定方法などにより結果が異なることから、これら因子が統合的に制御しているものと思われる。一方、薬物惹起による運動活性は一様の結果が得られている。妊娠期ストレスを受けた仔にアンフェタミンあるいはコカインなどの中枢覚醒薬物を投与すると、その作用が増強する。これらには側坐核におけるドーパミン神経系の変容が関与するかもしれない（Henry et al, 1995）。

妊娠期ストレスを受けた仔の新奇刺激や環境に対する行動の違いも認められる。例えば電撃ショックを受けた後のすくみ行動の延長、オープンフィールドテストにおける探索行動の低下、プレパルスインヒビジョン（prepulse inhibition）の増強などである（Takahashi et al, 1992）。高架式十字迷路テストではオープンアームへの侵入が低下し、不安行動の上昇が認められる（Weinstock et al, 1988）。強制水泳試験では不動化の時間が延長し、学習性無力症の亢進が観察されている（Drago et al, 1999）。

その他の行動として性行動なども妊娠期ストレスで変化する。例えば妊娠したモルモットを安定した群れと不安定な群れ（妊娠中に雄を入れ替え、群れの構成メンバーを変更する）の中で飼育し、生まれた仔の行動発達を観察すると、生まれた雌の仔では行動パターンが雄に似たものであること、つまり取っ組み合い遊び（play fighting）や攻撃行動の回数が増えことが示されている（Kaiser et al, 2003a；Kaiser et al, 2003b）。また同時に血中のテストステロンを測定したところ、安定した群れで生まれた雌と比較し有意に高い値を示した。さらに脳内において性的二型が知られているmPOA（medial preoptic area）においてテストステロンが作用するアンドロゲン受容体の発現量の増加も認められ、群れの不安定化の影響が脳内の性差制御部位にまで及ぶことが明らかとなっている。さらに不安定な群れで生まれた雄動物では攻撃行動の発達に遅れが観察され、行動の幼若化が認められる。

5.2.3 母体から胎仔への作用物質

妊娠末期の母体へのストレスを仔に伝える因子としては、前述したとおり母由来のグルココルチコイドであるとのデータが多い（Kofman, 2002；Matthews, 2000；Welberg & Seckl, 2001）。妊娠中の母ラットにグルココルチコイド受容体のアゴニストであるデキサメタゾンを投与することで、妊娠末期ストレスで認められたストレス内分泌軸の亢進など一部の現象は再現できるし、母体の副腎摘出はストレスによる影響を減弱させる（Kofman, 2002；Matthews, 2000；Welberg & Seckl, 2001）。しかしすべての現象が再現できるわけではなく、その他の因子の関与が示唆され

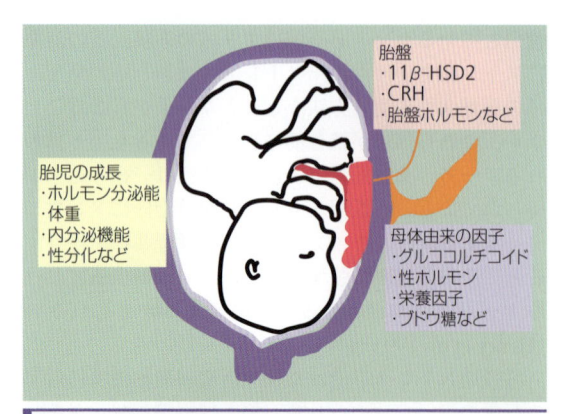

図5-3 胎児には母体由来のグルココルチコイドや栄養因子など様々な因子が胎盤を介して到達する　胎盤では胎児由来のホルモン（ヒト絨毛性性腺刺激ホルモン，プロゲステロン，エストロゲン，ヒト胎盤性ラクトーゲンなど）のほかに，酵素などが存在し，母体由来の因子を間接的に胎児に到達させる。これら因子は胎児の発達に影響を及ぼす。母親が低栄養状態に陥ると，胎児の発育が抑制され，出生体重が低下するとともに，新生児が成長後に生活習慣病に罹患する率が上昇する（バーカー仮説）。CRH：コルチコトロピン放出ホルモン。

図5-4 ラットの母性行動　母性行動はいくつかの要素で構成された複合的行動である。妊娠末期の巣作り行動，授乳行動，グルーミング行動，保温行動などが観察される。上はグルーミング行動をする母ラット，下は巣戻し行動をする母ラット（9章を参照）。

ている。特にヒトを含めラットなどでは母体由来のグルチコルチコイドを代謝する酵素である 11β-hydroxysteroid dehydrogenase type 2（11β-HSD2）が胎盤ではたらいており，直接母体由来のグルココルチコイドは胎児に影響しないことから（Matthews, 2000；Welberg & Seckl, 2001），他の因子の存在が指摘されている。一方，過剰なグルココルチコイドの存在や11β-HSD2の機能低下は胎児に母体からのグルココルチコイドの曝露を起こす（Seckl & Meaney, 2004；Seckl, 2001）。この際，ヒトやラットでは出生時の体重低下，永続的な高血圧症，脂質異常症，視床下部-下垂体-副腎（HPA）軸の高活性と不安行動の上昇を引き起こすことが知られている。特にヒトでは11β-HSD2の突然変異を持つ患者は酵素活性の低下とともに胎児の体重低下，子の永続的なグルココルチコイド値の上昇を認める（Seckl & Meaney, 2004；Seckl, 2001）。母体と胎児の関係を図にまとめた（図5-3）。

母体由来のグルココルチコイド以外の因子としては母性行動が挙げられる（図5-4）。妊娠期にストレスを受けた母体において，出産後の母性行動の低下がいくつかの動物種で認められている。例えば仔戻し行動や母性攻撃の低下などである（Grimm & Frieder, 1987；Moore & Power, 1986；Pollard, 1986）。また妊娠期ストレスを受けた仔を他の母ラットに里子に出すと，妊娠期ストレスによるコルチコステロン分泌の上昇や記憶学習の低下などは一部改善することから（Maccari et al, 1995），母から受ける母性行動の変化による仔への影響も考慮する必要があろう。

このように動物の行動発達は，社会環境や社会経験を通して形作られている。もちろん実験動物だけでなく，イヌやネコ，家畜にいたるまで，これらは共通にみられる現象だと考えてもよいかもしれない。さらには人間社会に対する示唆も大きい。ヒトの妊娠期ストレスとその後の追跡研究によると，早期出産，新生児の体重減少，幼児の不適切行動の上昇などと成長後の身体機能や脳機能との関連も指摘されている。近代社会の不安定化は，ヒトのストレス反応性や適応能力，学習能力だけでなく，生殖機能においても影響があるかもしれない。

5.3　母仔分離と幼少期ストレス

哺乳類の社会行動を鑑みると，社会的親和性あるいは社会的愛着の中で一番強固なものは母仔間のつながりである。哺乳類はその名のとおり仔を母乳で育てる動物であることから，栄養学的側面においても母仔のきずなが深いことがうかがえよう。かの有名な Richard Dawkins の"利己的遺伝子"によると，自分の遺伝子の50％を共有するわが子に対する庇護は高くても当然といわれるかもしれない（図5-5）（Dawkins, 1989）。哺乳類に属する動物種では共通して母乳で仔を育てるが，その他の行動も同じような母性の要素が認められる。例えば，仔の側に積極的に近寄り，仔を抱え（あるいは腹部の下に集め），温め，そして撫でるあるいはグルーミング（毛づくろい）をするなどの行動はほとんど共通の要素である。母性行動の発現誘導は大きく2つの因子に依存している。妊娠出産に伴うホルモンの変化と，幼少期を含めた母性の経験である。

5.3 母仔分離と幼少期ストレス

詳しい母性行動発現の機構に関しては9章「子育て行動」を参照されたい。このようなホルモンの変動から始まり，母仔間の相互作用の過程を経ることできずなが形成される（図5-6）。この母仔間のきずなの障害に関しては，"母性の略奪"による仔の発達の変化を追跡する研究が広く進められてきた。以下ではこの"母性の略奪"を実験的に行った際の仔の変化に関して紹介する。

5.3.1 アカゲザルを用いた研究

母仔関係の行動発達の研究の歴史から欠かすことのできない研究者であるHarry Harlowの実験を簡単に紹介する。彼はアカゲザルを用いた実験で親子のきずなの重要性を説き，そしてこの幼少期の経験がその後の社会行動を大きく変容されることを実験的に示した（Harlow, 1958）。アカゲザルの赤ちゃんは人間の赤ちゃんよりも成熟した状態で誕生するが，人間の赤ちゃんのように感情的な表情を持ち，また親からの世話を必要とすることは研究を進めるうえで利点となった。彼は母親から仔ザルを引き離し，代わりに2種の母親の人形を与えてみた。一つは鉄のワイヤーで作られたもので，もう一つは布で作られたものであった。ワイヤーの人形は肌触りには適していなかったが，仔ザルの餌となるミルクの入ったボトルが装着されていた。布の人形にはそのような餌となるものはなにも装着されていなかった。すると仔ザルは必要なミルクを得るため以外はワイヤーの人形にいくことはなく，ほとんどの時間を布の人形と過ごした。布の人形にミルクボトルを装着すると1度たりともそのワイヤーの人形に行くことはなかった（図5-7）。これらの結果より，彼は仔ザルにとって栄養学的な要素よりもむしろ身体的な接触のほうが大事であるとの結論を出した（Harlow & Suomi, 1970）。つまり，アカゲザルの仔にとっ

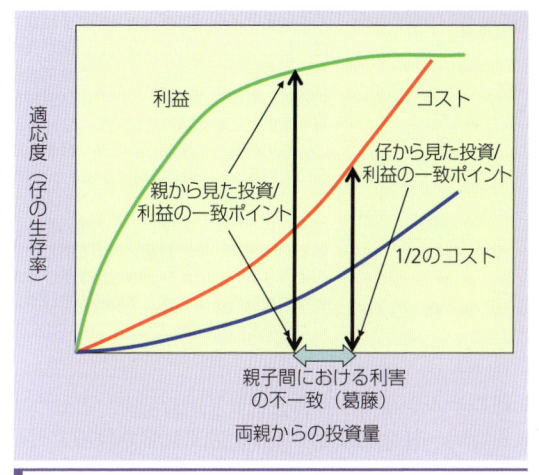

図5-5 親子間の投資-利益相関図 親は仔に対して投資をするが，わが仔であっても自分の遺伝子を50%しか受け継がないため，かかるコストが得られる利益の半分になる時点で，仔に対する投資を止めたい。しかし仔にとっては，自分と半分の遺伝子を持つ親から得られるコストは，遺伝的近縁係数（1/2）を換算すると，親の支払うコストの半分に値が下がるので，得られる利益と1/2コストとの差が最も多い点を親に求める。このお互いの要求点の違いが葛藤を生じる。

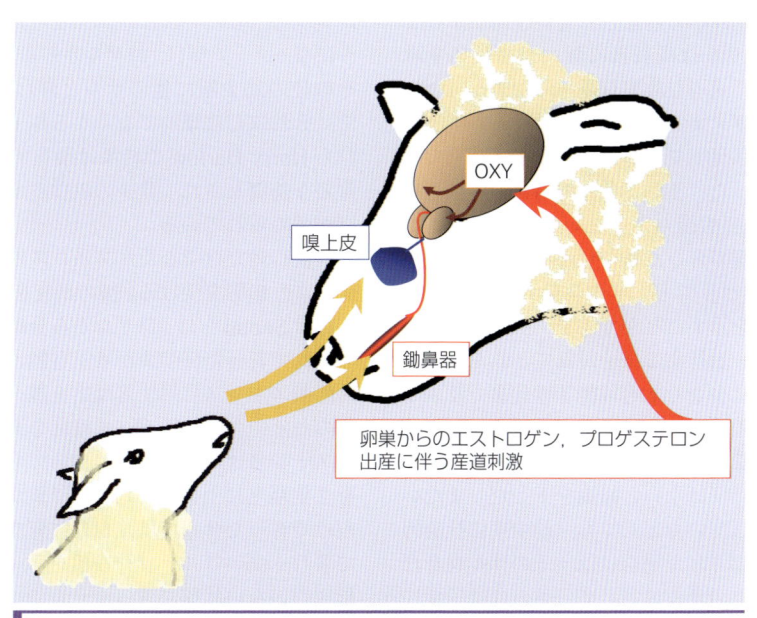

図5-6 仔ヒツジのにおいを記憶する神経機構 母ヒツジは出産に伴い，血中のエストロゲンとプロゲステロン濃度が上昇する。さらに出産に伴う産道刺激が視床下部のオキシトシン分泌を高める。視床下部室傍核で産生されたオキシトシンは，視床下部の内側視索前野に作用し母性行動の発現を促し，嗅球では仔ヒツジのにおいの記憶形成に関与する。この仔ヒツジのにおいは，嗅上皮を介した主嗅覚系のにおい刺激と鋤鼻器を介した鋤鼻系のにおい刺激が必要である。

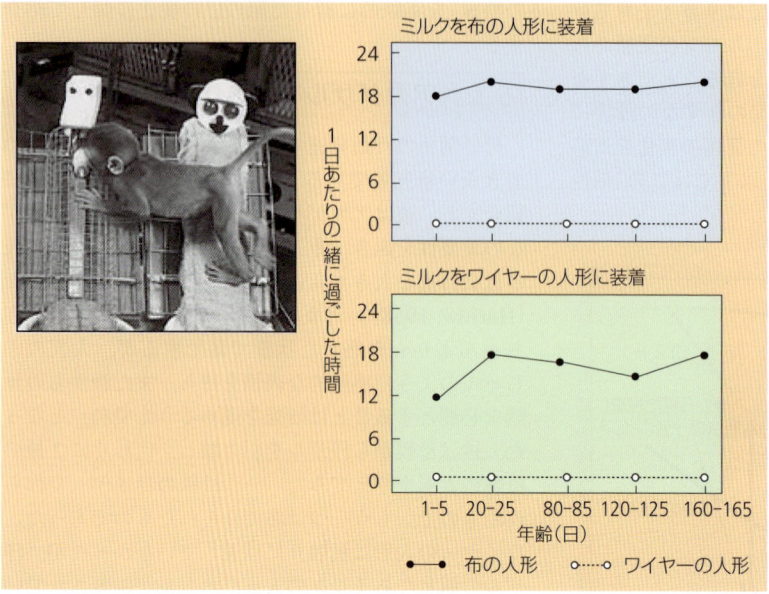

図 5-7　Harry Harlow の実験　アカゲザルの仔は生後まもなく母ザルから離され，人工的に飼育される。その際に布でできた人形とワイヤーでできた人形の2種類を提示し，どちらの人形と過ごす時間が長くなるかを調べた。ミルクを布でできた人形に装着して授乳させると，仔ザルは長時間布の人形とともに過ごす（右上）。ワイヤーの人形に装着して授乳させても，仔ザルは布の人形とともに過ごす時間が長かった（右下）。この結果は，アカゲザルの赤ちゃんは生まれながらにして母ザルとの柔らかく，あるいは温かい接触刺激を求めており，このようなアタッチメントはミルクという栄養学的報酬によって成立するものではないことを示唆している。

ては栄養が足りていればよいわけでなく，母ザルと一緒に過ごしているという身体的な刺激が重要であることが示された。また彼は，母親に育てられた仔ザルが群れ仲間の同じくらいの年齢のサルと遊び，社会行動を身につけていくことに興味を持った。実際の母親から離され布でできた人形とともに育った仔ザルは，実の母ザルに育てられた仔ザルに比べると遅いものの，その後に群れでの生活をおくると約1年までに社会性が身についていく様子が観察された。実際の母親に育てられても，他のサルから隔離されて遊び仲間がいなかった場合，そのサルは成長後に強い恐怖反応を示し，仲間に対して不適当な攻撃行動を示すようになった。悲劇的な環境下，すなわち遊び仲間もおらず，実際の母親もいない状況下で育ったサルはまったくの社会性を示さなくなった。そして多くの場合，成長後に交尾行動を行う社会的能力さえない状態が観察された。このような状況で育った雌のサルなどはたとえ交尾がうまくいったとしても，その自分の仔に対してまったく母性行動を示すことができず，生まれたばかりの新生仔を無視・虐待する様子がみてとれた。このような母性の低下は少なくとも以後3世代まで及ぶことが認められた。Harlow はこれらの結果から，フロイトが提唱したような性的な愛着だけで社会的な組織が成り立っているわけではないと結論を下した。またいくら食餌環境が整っていたとしても，幼少期に社会的な環境が大きく障害された場合には，そのサル自身だけでなく，他の群れのサルに対して，さらには子孫に対しても多くの社会的な問題を引き起こすことが示されたわけである。Harlow のさらなる特筆すべき研究成果は，社会的リハビリでの改善効果を見出したことにある。彼は社会的に隔離された環境で育った攻撃的な雌のサルが正常な社会性を取り戻せるか，という実験を行い，社会的なリハビリが非常に早い段階で行われる場合には行動の改善が可能であることを示した (Harlow & Suomi, 1971)。すなわち幼少期に親から庇護を受けることなく育った若い雌サルでも，リハビリの後ではある程度正常な母親としての振る舞いを示すことができた。仔ザルは拒絶しようとする母ザルの抵抗にめげることなく，母親に固執して離れない。幾度となく仔ザルに抱きつかれた結果，学習性の母性行動が発現し，しだいに仔ザルを受け入れ世話を始めるようになった。同様に，母ザルから隔離されて育っても，その後の幼少期に他のサルと群れ生活をおくることで，それほど攻撃的でなくなる様子が観察された。これら Harry Harlow の結果は現在でも母仔間の研究の重要な基礎とされ，サルのみならず様々な動物種で研究が進められている。

　社会行動だけでなく，ストレス内分泌応答も母子関係により影響を受ける。彼の研究を継承した Higley あるいは Suomi らは，母ザルから分離されて仔ザルだけの群れで育った仔ザルが6ヶ月齢になったとき，社会的隔離ストレスに対する反応を調べた。隔離ストレス後の血液中のコルチゾール濃度を測定したところ，隔離ストレスはいずれの群においてもコルチゾールの値を2倍程度に上昇させたが，母親から離されて仔ザルだけで育ったサルでは，母親に育てられたサルに比べて著しく高いコルチゾール値を示した。このことは，母親のいない状態で育ったサルではストレス内分泌反応が亢進していることを示している (Higley et al, 1992)。またこれら仔ザルが3〜5歳に達したとき，アルコール摂取の実験を行った結果，母親から離されて育ち，高いコルチゾール値を示すサルでは，母親とと

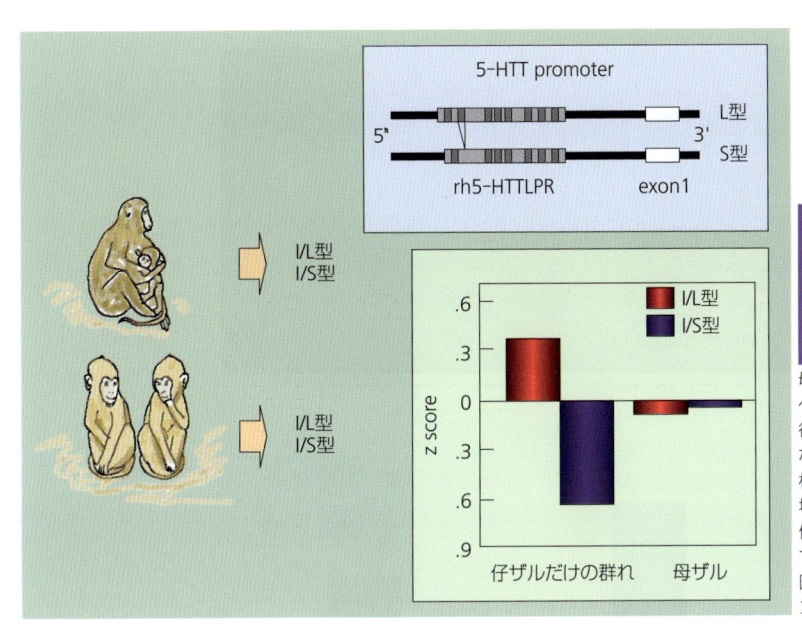

図5-8 セロトニントランスポーター遺伝子多型と行動・セロトニンの関係．アカゲザルのセロトニントランスポーターのプロモーター領域には，ヒトと同じように，長いL型と短いS型の多型が存在する（図右上）．母親に育てられたアカゲザルの仔ザルに比べ，仔ザルだけの群れで育った仔ザルでは，行動表現系の変化（攻撃性や不安反応の上昇など）が顕著に現れる．遺伝的多型と環境の相互作用を調べると，仔ザルだけで育った場合にのみ，脳脊髄液中の5-HIAA濃度の低下が顕著であり，母ザルと育った仔ザルでは遺伝的多型の影響は検出されなかった．図の縦軸は群内補正後の5-HIAA濃度のスコアを示す．

もに育ったサルに比べて，アルコール摂取量が増加した．これらのことからアルコールに対する報酬効果も母仔関係の良し悪しが影響する可能性が指摘されている（Higley et al, 1991）．

その他，母親から離されて育った仔ザルではおよそ半分のサルが新しいコロニーとの間で攻撃行動を示し，群れへの適応ができないなど，社会的適応度の低下も報告されている．同時にSuomiらはこれらサルの脳脊髄液を採材し，セロトニン代謝物である5-ヒドロキシインドール酢酸（5-HIAA）の濃度を測定した．脳脊髄液の5-HIAA濃度は攻撃行動や自傷行為と相関することがヒトやサル，イヌなどで明らかにされているものである．その結果，母親から離されて育ったサルの脳脊髄液中5-HIAA濃度は母親のもとで育ったサルのものと比べて有意に低い値を示しており（Suomi, 1997；Suomi, 2003），幼少期の社会環境は脳内神経伝達物質の動態，特にセロトニン神経系に影響を与える可能性が示唆されている．

5.3.2 遺伝と環境の相互作用

Suomiらによる"氏か育ちか(nature or nurture)"という疑問を解く鍵になりうると思われる近年の報告を紹介する．アカゲザルにおいても遺伝的背景の差が個体の行動特性を左右することが示唆されている．特にセロトニンの再取り込みを行うセロトニントランスポーターの発現を調節するプロモーター領域における遺伝子多型においてヒトと同じような長いタイプのL型と短いS型の多型が存在することより，不安や情動行動との関連が示唆された（図5-8）．Higleyらによってセロトニントランスポーターのプロモーター領域のL型を持つ個体とS型を持つ個体で，攻撃行動の関連

が調べられた．その結果，通常どおり母ザルに育てられた個体では遺伝子多型による攻撃行動の差異はみられなかったものの，母親から分離されて育った仔ザルではセロトニントランスポーターのプロモーター領域における遺伝子多型と脳脊髄液中の5-HIAA濃度，さらには攻撃行動の発現との間に相関がみられた（Suomi, 2003）．すなわち，ある特定の環境条件下においては，遺伝的背景が行動発達に影響を与えうることが明瞭に示されたのである．このことは"氏か育ちか"という疑問に対する答えが，やはり"氏も育ちも"であることを示唆しているものと考えられるべきであろう．

5.3.3 げっ歯類での研究—1

げっ歯類を用いて，幼少期の経験が成長後にどのような影響を及ぼすかという研究は1960年代からさかんに行われてきた．Michael MeaneyとRobert Sapolskyは，母ラットと仔ラットをしばらく離すという分離ストレスを負荷し，仔の神経内分泌発達を調べた（図5-9）（Meaney et al, 1985）．仔ラットを15分間母親から隔離した群と，3時間隔離した群，さらにはまったく干渉しないコントロール群を作製し，母仔分泌を仔ラットの生後2日目から2週間にわたって毎日行った．オープンフィールド試験の結果，毎日3時間，母親から離されて育ったラットではフィールドの中央部に入ることが少なく，不安傾向が高いことが示された．一方，毎日15分間母元から離されたラットでは，コントロール群ラットに比べて，中央部での滞在時間が増加し，不安傾向の低下が認められた．またラットに10分間の緊縛ストレスを負荷してコルチコステロン値を測定したところ，行動テストと同様に，毎日3

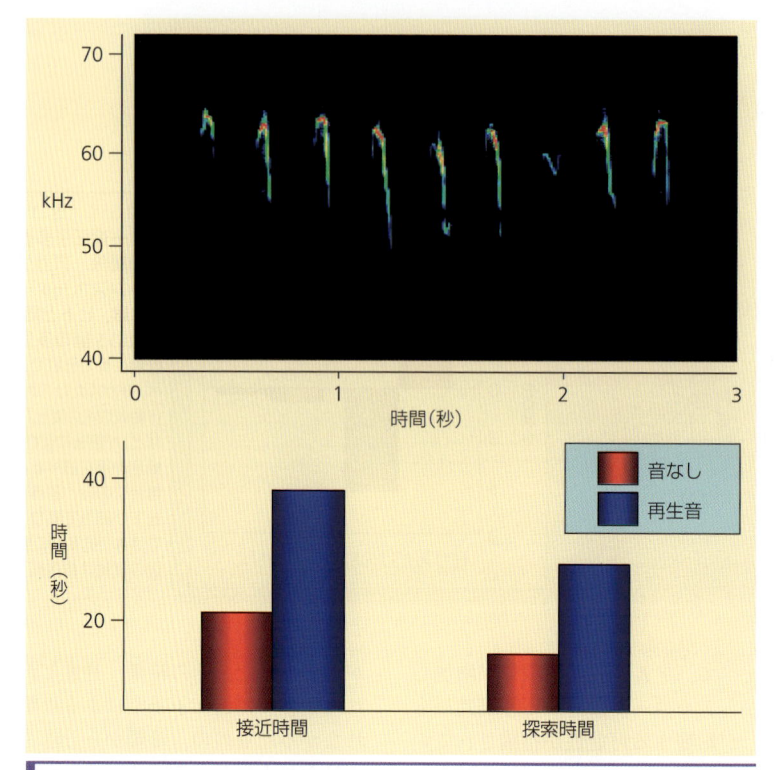

図5-9 母仔隔離した仔マウスが発した超音波の波形(上)とその再生音に対する母マウスの行動(下) 仔マウスは母から離されると、50〜100 kHz、持続時間0.1〜0.2秒の超音波を発声する。超音波スピーカーを用いて、記録した仔マウスの超音波発声を再生すると、母マウスはスピーカーに接近し、その付近を探索する。仔の巣戻し行動が誘発される。

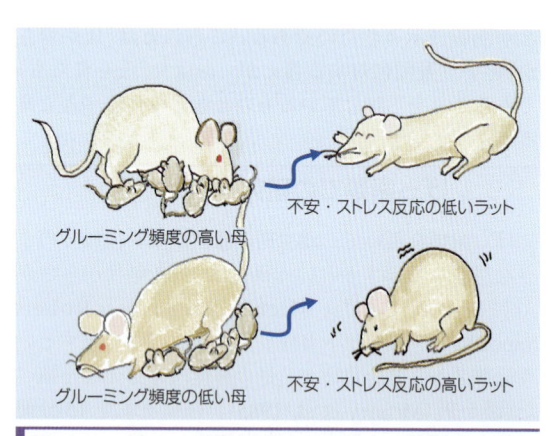

図5-10 母ラットの養育行動の頻度と仔の不安傾向との関係 母ラットのリッキングやグルーミングの頻度が高い場合、仔の成長後の不安行動やストレス内分泌反応は低下する。一方、母ラットのリッキングやグルーミングの頻度が低い場合には、仔の不安行動やストレス反応は亢進する。

時間母ラットから離されて育ったラットではストレス内分泌反応の増大が認められたが、毎日15分間母ラットから離されたラットでは、逆にストレス内分泌反応の低下が認められた。これらの結果を受けて彼らは、3時間の母仔分離ストレスは、仔の成長後のスト

レス反応と不安行動を増大させると結論づけた。Meaneyらが15分間の母仔分離ストレスがなぜ不安行動を低下させるのかについて調べたところ、15分間の母仔分離ストレス後、仔を巣に戻した際に、母ラットの母性行動の一つであるグルーミングが上昇することを見出した(Anisman et al, 1998)。彼らはこのグルーミングが仔の発達に影響すると仮説を立て、母ラットの示す自発的なリッキング(仔舐め〈licking〉)／グルーミング(毛づくろい〈grooming〉)を出産後2日目から2週間、毎日8時間に及ぶ行動観察を行ったところ、母親の仔に対するリッキング／グルーミングの発現頻度に大きな個体差があることがわかった。他の母性行動、例えばそばに寄り添って寝たり授乳させたりする時間はたいていの動物で一定であった。そしてリッキング／グルーミングの発現頻度の高い母ラットに育てられた仔と低いラットに育てられた仔の成長後のストレス反応や不安行動の比較を行ったところ、リッキング／グルーミングの発現頻度の高い母ラットに育てられた仔は低いラットに育てられた仔に比べて成長後のストレス反応、さらには不安行動が低下していることが明らかとなった(図5-10)(Liu et al, 1997)。短時間の母仔分離が仔の成長後のストレス反応を軽減させるという現象は、ハンドリングにより他のにおいが仔に

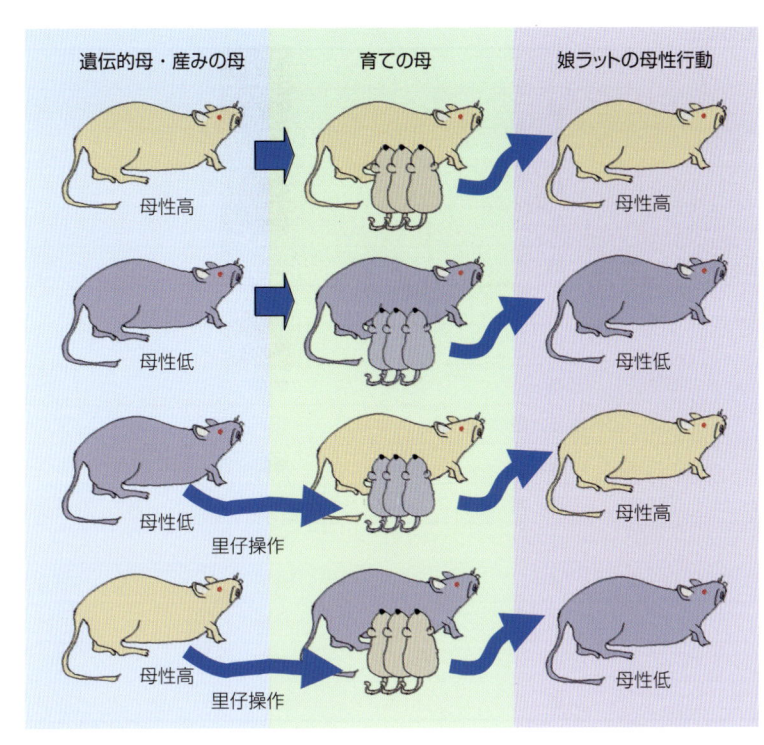

図 5-11 母性行動の non-genomic transmission（遺伝子によらない行動形質の伝播） 遺伝的母・産みの母ラットのグルーミング行動の頻度が高い場合，仔雌ラットの成長後のグルーミング頻度も高くなるが，母性行動の頻度が低い母ラットに育てられるとグルーミング行動は低下する。遺伝的母・産みの母ラットのグルーミング行動の頻度が低い場合でも，生後まもなく里仔操作を行い，グルーミングの高い代理母ラットに育てられると，仔雌ラットの成長後のグルーミング頻度が回復し，高くなる。逆に遺伝的母・産みの母ラットのグルーミング行動が高い場合でも，生後まもなく里仔操作を行い，グルーミングの低い代理母ラットに育てられると，仔雌ラットの成長後のグルーミング頻度が低下する。このことから，仔雌ラットの母性行動は遺伝子によらず育ての母の影響を受けて伝播する行動様式であることがわかる。

付着し，巣に戻った後，母親のリッキング／グルーミングの発現頻度を上昇させるためであることが示唆された。仔が母親から受ける庇護は決して授乳という栄養学的な要因だけでなく，母親から積極的に触れてもらいグルーミングをしてもらうという要因が行動発達に重要であることを意味している。

　母親からのグルーミングをあまり受けずに育った仔では視床下部室傍核におけるコルチコトロピン放出ホルモン（CRH）（コルチコトロピン放出因子〈CRF〉）の発現量が増加し，HPA 軸の反応性が亢進する。グルココルチコイド受容体はグルココルチコイドと結合すると，視床下部にある CRH ニューロンに抑制性の情報を伝達する。母親から庇護をあまり受けられなかった仔は多く受けた仔に比べて海馬グルココルチコイド受容体の発現量が低下しており，このネガティブフィードバックの機能低下が HPA 軸の活性亢進につながっているとされる。

　HPA 軸以外においても，感情の制御中枢である扁桃体や身体の緊張状態を司る青斑核のノルアドレナリン作動性ニューロンにも変化がみられ，母親からより多く庇護を受けた動物では扁桃体における γ-アミノ酪酸（GABA）$_A$ 受容体の発現量の増加と青斑核のノルアドレナリン作動性ニューロンに発現する CRH 受容体の発現量の低下が認められる。GABA$_A$ 受容体は抗不安薬であるベンゾジアゼピン系薬物の作用点であることから，この GABA 受容体の発現が上昇し，GABA 伝達系が高い状態にあるということはベンゾジアゼピンを投与されたのと同じような作用が予想され，母親からより多くの庇護を受けた動物がより不安の少ない行動を示すことと一致する（Caldji et al, 2000）。また特筆すべきは，母性行動の変化である。母親からのグルーミングをあまり受けずに育った雌の仔では，母親になった場合のグルーミングが低い。この雌の仔におけるグルーミングの違いは里仔実験を施すことにより逆転することから，遺伝によらず新生仔期に自分が受けたグルーミングに依存して形成される，いわゆる "non-genomic transmission（遺伝子によらない行動形質の伝播）" であることが知られている（図 5-11）（Champagne & Meaney, 2001）。このことから，一度母性が低下するような環境に母体が置かれると，次世代，次々世代においても母性行動の低下，さらには不安行動の上昇が誘起される可能性がある。

5.3.4 げっ歯類での研究—2

　ラットやマウスは通常 3 週間の授乳期間を終え親元から離されるが，自然界におけるラットやマウスの行動観察によると，自然離乳は 25〜30 日くらいである。5.3.3「げっ歯類での研究—1」のように，仔の成長具合や母親の母性の強さ，周囲環境に影響を受けて，離乳の時期は微妙に調整される。マウスとラットにおいて通常よりも 1 週間早くに離乳させると，いくつかの行動試験において不安行動の上昇が観察される。早期離乳を受けたラットでは，新奇環境における心拍や体温などの自律反応が高くなることも認められ，離乳の

表 5-1 早期離乳による行動・神経内分泌系の変化

高架式十字迷路テスト(マウス,ラット)	雄	不安上昇
ホールボードテスト(ラット)[1]	雄	不安上昇
新奇刺激による自律反応(ラット)	雄	亢進
強制水泳試験(マウス)	雌	不動化亢進
母性行動(マウス)	雌	低下
性行動(マウス)	雄	低下
制限給餌後の攻撃行動(マウス)	雄	増強
社会的扇動後の攻撃行動(マウス)	雄	低下
同居マウスに対する攻撃行動(マウス)	雄	増強
社会的遊び行動(ラット)	雄,雌	低下
コルチコステロン基礎値(マウス)	雄	増加
ストレス後のコルチコステロン反応(マウス)	雄,雌	増加
海馬 GR 発現(マウス)[2]	雄	低下
脳重量(マウス)	雄	低下
ミエリン形成(マウス)	雄	早期化
海馬 BDNF 発現(マウス)[3]	雄	低下
海馬神経新生(マウス)	雄	低下

[1] ホールボードテスト:オープンフィールドテストの変形版。アリーナに 4 つの穴があいており,この穴をのぞく回数や時間を測定する。不安傾向が高い動物は穴をのぞく回数と時間が低下する。
[2] GR:グルココルチコイド受容体(glucocorticoid receptor)。核内受容体の一つで,血中のグルココルチコイドの作用点。不安や認知,ストレス応答,神経新生などに関与することが知られている。
[3] BDNF:脳由来神経栄養因子(brain derived neurotrophic factor)。脳内のニューロンで産生され,特異的受容体(TrkB)に作用する。ニューロンの生存,分化,誘導のみならず,不安や攻撃,認知,記憶学習に関わるなど,その機能は非常に多様である。

早期化により周囲環境に対する不安反応が,行動的にも自律機能的にも増強することが明らかとなっている(Kanari et al, 2005;Kikusui et al, 2004)。制限給餌の状況下における攻撃性の増加,また群れ飼いの状況下における攻撃性の上昇が観察され,攻撃性の変容が認められる(Nakamura et al, 2007)。早期に離乳された雌マウスでは,自分が母親になった際にも通常に離乳された雌マウスに比べ,仔へのリッキング／グルーミングをする時間が短い(Kikusui et al, 2005)。この結果は,生後 2 週間の間に仔を親から一時的に離す母仔分離のストレスによる影響や,母性行動の発現の低い母親に育てられた仔の成長後の母性行動の結果と一致するものである。

神経内分泌学的には早期離乳を受けた動物においてストレス内分泌応答の亢進が認められるが,海馬におけるグルココルチコイド受容体の mRNA 量が低下し,ストレス反応の抑制がかかりにくくなっていることが明らかとなっている(Kikusui et al, 2006)。また,海馬における神経栄養因子の低下や神経新生細胞数の低下,扁桃体内のミエリン形成など様々な脳内変化が認められており,げっ歯類においては生後 3 週目も行動神経発達に多大なる影響がある(表 5-1)。これらのこととは,げっ歯類における行動や神経内分泌の発達は生後の様々なステージにおいて,共通,あるいは異なる中枢への影響を持ち,その総合的結果として成長後の表現系が形成されるということを意味しよう。

5.3.5 ヒトでの臨床的知見

幼少期経験が行動発達,ストレス応答に影響するとの報告はヒトの臨床でも多い。最も著名な知見を残したのはイギリス人精神科医の John Bowlby で,第二次世界大戦後のイギリスのタヴィストック病院での臨床経験から"愛着理論"を展開した(図 5-12)(Bowlby, 1969)。戦災孤児には,発達,身長,体重の伸びの遅れなどの身体的機能発達の障害に加え,罹病率,死亡率,適応不良などが顕著であった。1951 年,彼はこれらの疫学的知見から母親による世話と幼児の心的な健康の関連性に関する論文を発表し,"母性的養育の剥奪(deprivation of maternal care)"の重大性を示した。"母性的養育の剥奪"とは,新生児が自分の最も親しい人を奪われる,また新しい環境に移されて,その環境の社会的つながりが不十分で精神的に不安定な場合に,前述した発達の遅れや病気に対する抵抗力,免疫の低下,精神発達の遅延など様々な支障をきたすこと

5.4 思春期ストレス

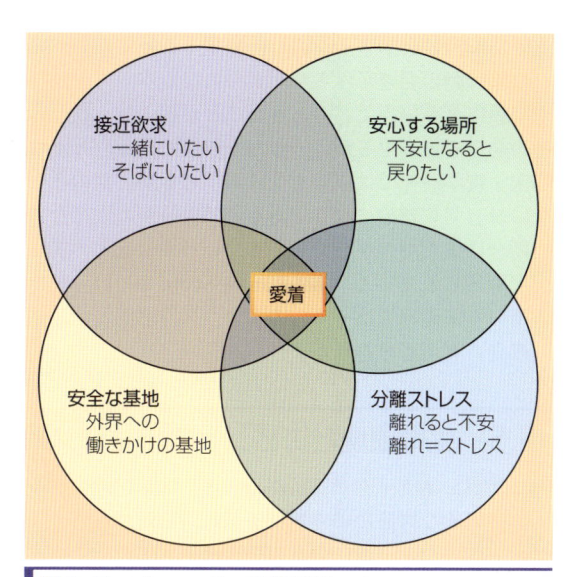

図 5-12　John Bowlby の愛着理論　愛着には4つの特徴が存在する。①接近欲求(proximity maintenance)：愛着の対象相手に対して側にいたいと思う気持ち。②安心する場所(safe heaven)：不安や脅威にさらされると愛着対象に戻り，安心を得ることができる。③安全な基地(secure base)：愛着相手は安全な基地のような役割を持ち，ここを基点に外界に出ていき，あるいは接することになる。④分離ストレス(separation distress)：愛着対象がいない状況は不安とストレス反応を惹起する。これら4つの要因によって愛着とは特徴づけられるとした。

をいい，現在では世界保健機構(WHO)により親を失った子どもたちの福祉のためのプログラムの根幹として使用されている。また彼は母と子の間には生物学的な絆のシステムというものが存在し，それが母親と子どもの情緒的な関係の発達を左右しているという主張をもとに，愛着の理論をまとめあげた。特筆すべきは，当時の人間の行動学や心理学ではフロイトの思想が大半を占めている中で，ヒトの母子間の関係も動物とあまり変わりはなく，動物行動学的な解釈を取り入れた点である。彼が Lorenz や Timbergen の論文について熟知していることからもこのような学説に到達したことがうかがえよう。

現在でもヒトの母子間と子の発達に関する研究は大きく取り上げられている。例えば幼少時期であれば，親子関係を中心とする家庭環境の影響はきわめて大きく，同じ遺伝子を共有する一卵性双生児でも，行動形質や神経内分泌機能に違いが認められ，臨床的には統合失調症や双極性障害で不一致例が報告されている。この結果は，遺伝的背景がすべて同じ一卵性双生児が同じ生活環境を経ても，個々人のユニークな体験が行動発達には重要であることを意味する(Gross & Hen, 2004)。HPA軸の形成，うつ症状，攻撃性，学習能力，海馬機能，免疫機能などが母子間を中心とした発達期の社会環境によって多大なる影響を受けることを示唆する知見も多い。今後は動物モデルを用いたメカニズム解明とそれをもとにした治療法の確立が，ヒトの社会環境の改善や予防的効果につながると思われる。

5.4 思春期ストレス

5.4.1 ヒトでの臨床的知見

思春期に起こる内分泌変化は第二次性徴として現れる。第二次性徴とは，思春期の生殖腺から分泌される性ホルモンの作用により顕著な性差がみられる身体的特徴のことである。10歳前後から顕著に現れ，男子では肩幅などの骨格の変化，筋肉の発達，変声，体毛の増加などが挙げられる。女子では，皮下脂肪の増加，生理の開始などが顕著な変化である。現代の先進国においては，思春期に伴い変化する性ステロイドホルモンの値が，発展途上国の同年代と比較し数倍以上高いことが示されており，栄養学的あるいはその他の因子のため，本来のヒトが持つべき数値を高く上回っているといわれている。このことも下記諸問題の原因とも考えられている。

ヒトの臨床研究において，攻撃性，うつ症状，摂食障害，解離性パーソナリティ障害など，思春期に特徴づけられるものがいくつか存在する。また統合失調症などもこの時期を境に発症するケースが多く，発達期における中枢神経系，あるいは第二次性徴に伴う神経内分泌変化との関連性が指摘されている(Sisk & Foster, 2004)。一方，ヒトの青年期(adolescence)において，人格の形成，親からの精神的独立，認知機能，性的意識の変化など様々な情動変化が必要となるため，社会的な因子が原因と思われる臨床的症状も多く，神経内分泌や中枢発達の解明とあわせて理解する必要があろう。これら解明のためには，モデル動物を用いた基礎研究が必須となる。

5.4.2 げっ歯類での研究

離乳後のストレス研究として最もよく用いられるものに社会的隔離飼育ストレス(isolation stress)がある。一般的に発達期において隔離飼育された動物では"隔離飼育症候群(isolation syndrome)"といわれる行動変化が認められ，ラットでは新奇環境下における運動活性の上昇，接触刺激に対する反応性の増大，攻撃性や不安行動の上昇，神経内分泌学的にはストレス内分泌軸の亢進が認められる(Hatch et al, 1965)。しかし，隔離飼育による影響を調べたラットの研究では，時期や期間に関して詳細に調べたものはなく，発達期のある時期が隔離飼育による行動変容に大事なのかあるいは隔離飼育される期間が大事なのか，明らかにされなかった。スナネズミを用いた下鶴らの研究によると，生後4〜6週までのより若い時期における隔離飼育が最も影響が大きいことが明らかとなった。このことは脳の正常な発達に社会刺激が必要な時期が存在するこ

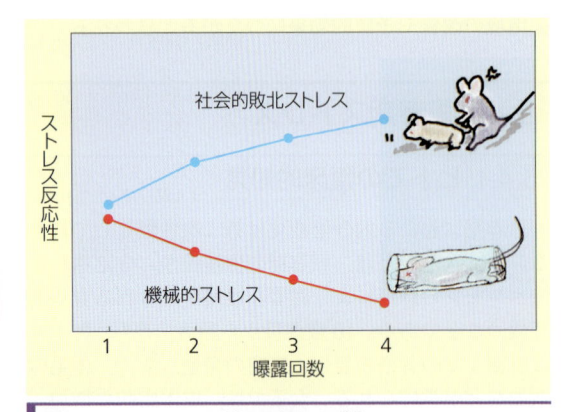

図5-13 ストレスに対する慣れと感作 拘束ストレスのような機械的なストレスに繰り返し曝露すると，動物のストレス反応はしだいに低下していく。この過程を慣れ，あるいは馴化と呼ぶ。一方，社会的敗北ストレスなどの社会的ストレスは慣れを生じにくく，しだいにストレス反応が大きくなっていく。この現象は，ストレス感作（stress sensitization）と呼ばれる。

とを示唆する。また隔離飼育によって認められる行動変容は，発達期に必須の社会刺激が略奪されるからなのか，それとも隔離飼育によるストレスが発達期の脳に大きな影響を与えるからなのかもいまだ不明であるものの，若い時期に隔離飼育したスナネズミにおいて社会刺激の一つである嗅覚刺激を回復することで，不安傾向は変わらないものの，攻撃行動の上昇が一部改善することから，おそらく脳の正常な発達にいくつかの社会刺激が必須であると思われる。

シリアンハムスターは，離乳後に次第に母兄弟から離れていく。離乳期から性成熟に達するまでの間に **play fighting** と呼ばれる仔同士のじゃれあいが観察されるが，週齢を重ねることで成熟した攻撃行動へと発達していく。この攻撃行動の変容は社会環境，つまりその個体がどのような経験をしてきたかに影響を受ける。特に注目したいのは，離乳後に成熟した雄から攻撃を受け，社会的敗北を経験すると攻撃行動の発達が促進されることである（Delville et al, 1998）。社会的なストレスは物理的ストレスと違い，慣れが生じないといわれている。つまり脚や尾に嫌悪刺激を与え，あるいは動物を拘束し自由に動けなくするようなストレスを繰り返して負荷すると，動物はそれに順応できるようになり，しだいにストレス反応が減弱することはよく知られているが，社会的ストレスではこのような慣れが生じにくい（図5-13）（Covington et al, 2005）。例えばラットに社会的敗北を経験させ，それを繰り返していくとストレス反応は減弱するどころか，しだいにストレス反応は増大し，ストレス感作（stress-sensitization）が観察される。他にも母親から仔を離すという社会的ストレスもなかなか慣れは生じない。このように社会的ストレスは一般的なストレスとは生物学的意味を異にする。成熟過程のハムスターが雄個体から攻撃され，社会的ストレスを経験することで，より早く攻撃行動の発達がみられるようになるが，ストレスの経験により脳内でどのようなことが起こり，攻撃行動の発達を促進するかはいまだ未解明である。ヒトの臨床・疫学研究では虐待を受けた子どもが，他の子どもに対して攻撃的になり，あるいは自分が大人になった場合にまた虐待をしてしまう，いわゆる暴力の連鎖が広く知られている（Chapman & Scott, 2001）。動物を用いた基礎研究はそれらのメカニズム解明と治療法の確立に有用と思われる。

5.5 生育環境とエピジェネティクス

エピジェネティクス（epigenetics）とは，クロマチンへの後天的な修飾により遺伝子発現が制御されることである（図5-14）。遺伝形質の発現はセントラルドグマ仮説で提唱されたように，DNA複製→RNA発現→タンパク合成→形質発現の経路にしたがって，DNA上の遺伝情報が発現したものである。セントラルドグマ仮説における形質の変化（遺伝子変異）とはDNA上の一次配列における変異であり，結果として合成されるタンパク質に差異を生じさせる。しかしながら，DNA配列の変化を伴うことなく後天的な作用により変異が生じる機構も発見され，近年ではヒトゲノムの解読が完了し，形質発現の調節機構に研究の中心が移るにつれてエピジェネティクスが注目を集めるようになった。従来のオペロン仮説による遺伝子発現の制御はDNA一次配列変化により変異が発生するが，DNA塩基のメチル化あるいはヒストン修飾に基づくような発現制御の変異はDNA一次配列変化と独立している事象である。遺伝子型で見ればクローンであるはずの一卵性双生仔でも，表現型は異なった身体的特徴を示すことは有名であり，環境因子によって遺伝子発現が変化していることがうかがえる（図5-11）。DNA塩基のメチル化とは，真核生物の遺伝子のプロモーター領域に多くみられる5'-CG-3'（CpGアイランド）のシトシンの5'の位置にメチル基が付加されることをいい，DNAメチル化によってプロモーター領域は不活性となり転写は抑制される。ヒストンの修飾にはメチル化，アセチル化，リン酸化，ユビキチン化のような様々な修飾が知られており，これらヒストンの修飾とDNAのメチル化は相互に作用することで，クロマチン構造のダイナミックな変化と遺伝子の発現調節が行われている。エピジェネティックな機能は哺乳類の雌でみられるX染色体の不活性化や酵母の交配型遺伝子座のサイレンシングといった，正常な細胞内現象にも不可欠である（Jaenisch & Bird, 2003）。近年，これらエピジェネティックな遺伝子発現の変化は，細胞や臓器の特異性，あるいは癌化した細胞では詳細な研究が進んできたが，学習や経験に依存した中枢神経細胞

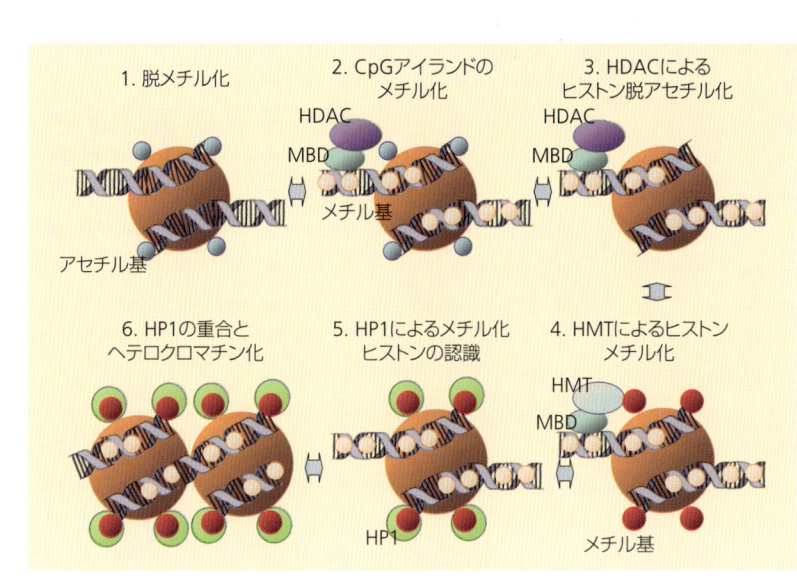

図 5-14　DNA の活性化と不活性化のメカニズム　1. CpG アイランドがメチル化されていない状態（脱メチル化状態）では、周辺のヒストンのアミノ末端側は、アセチル化されている。この状態では、クロマチンは"開いた"状態にあり、転写が起こる。またヒストンはアセチル基が結合している。2. CpG アイランドがメチル化すると、メチル CpG 結合タンパク（MBD）が、メチル化された CpG 配列を認識して結合し、さらにヒストン脱アセチル化酵素（HDAC）が MBD に結合する。これにより、ヒストンの N 末のリジン残基から、アセチル基が離脱する。3. アセチル基の離脱により、アセチル基によって電気的に中和されていたヒストン N 末は陽性荷電となり、陰性荷電を持つ DNA と電気結合して転写が抑えられる。4. MBD はヒストンメチル化酵素（HMT）と結合し、アセチル基が取り除かれたヒストン N 末は HMT によってメチル化される。5. メチル化されたヒストン N 末にヘテロクロマチンタンパク質 HP1 が結合する。6. 隣接する HP1 が重合することにより、その DNA 領域は凝縮し、転写制御因子が結合できなくなり、結果として転写が抑えられる。

における変化の知見も集まりつつある。神経細胞における学習性、あるいは経験依存的なエピジェネティックな変化が果たして機能的変化に直結するかどうかは未解明のままであり、今後の研究を待たなければならない。

　前述したように、ラットの母からのグルーミングの刺激は仔の HPA 軸の発達に重要である。Meaney らのグループの報告によると、グルーミングを受けたラットでは副交感神経経路が活性化され、その結果甲状腺から甲状腺ホルモン（T_3）の分泌量が増大する。分泌された T_3 は縫線核に存在するセロトニン作動性ニューロンに作用する。T_3 の刺激を受けたセロトニン細胞は、海馬のセロトニンの放出を増大させ、結果として海馬に存在するグルココルチコイド受容体発現細胞に到達し、グルココルチコイド受容体発現領域のメチル化を調整する（Weaver et al, 2004）。よくグルーミングを受けたラットではセロトニンの作用を受け、海馬グルココルチコイド受容体の DNA のメチル化が抑制され、結果としてグルココルチコイド受容体の発現量が上昇する可能性があることが報告された（図 5-15）。このメチル化部位は転写因子 NGFI-A の結合部位にあたり、グルココルチコイド受容体の発現制御を行っている領域である。さらに DNA メチル化を抑制することのできるトリコスタチン A を成熟ラットの脳に注入すると、DNA メチル化のレベルが低下し、NGFI-A のグルココルチコイド受容体遺伝子のプロモーター領域への結合が増加し、受容体の発現量が増加した。興味深いことに、グルココルチコイド受容体遺伝子のプロモーター領域は一度メチル化された後に、グルーミングを受けることで生後 6 日以内に再度脱メチル化される。このような経験依存的なメチル化制御機構はいまだ明らかになっていないものの、今後生後の記憶がどのように中枢に記銘されるかを調べる分子メカニズムとしてのエピジェネティクス解析は非常に有用な手段となろう。

5.6　豊かな環境と脳の発達

　ここまでは、環境の粗悪化が脳や神経内分泌の発達にどのような影響を与えるかについて述べてきた。一方、複雑な生息環境であったり、多個体が存在するような豊かな環境は脳の発達を促進し、記憶学習能力を上昇させることが知られている。本来、臓器は使用する頻度が上昇すると肥大化することが知られており、すでに 19 世紀初頭には脳も多くの刺激を受け知能を駆使することで大きくなるだろうと予想が立てられていた（Spurzheim, 1815）。Charles Darwin も環境と脳の発達が関係することを飼育ウサギと野ウサギの脳を比べることで見出している（Darwin, 1874）。その他、1819 年にイタリア人解剖学者の Malacarne は経験が脳の構造を変えうることを推論し（Malacarne, 1819）、1911 年にノーベル生理学・医学賞を受賞した Ramon Cajal が大脳の運動は脳内の神経細胞間に多くの新しい結合を作ることができると記載している（Cajal, 1909）。また特筆すべきは McGill 大学の Donald Hebb であろう。彼は心理学の研究からヘッブ則[1]と呼ばれる法則まで見出し、脳の機能、環境と脳の発達、記憶学習のメカニズムなど、現在の脳神経科学領域にとっ

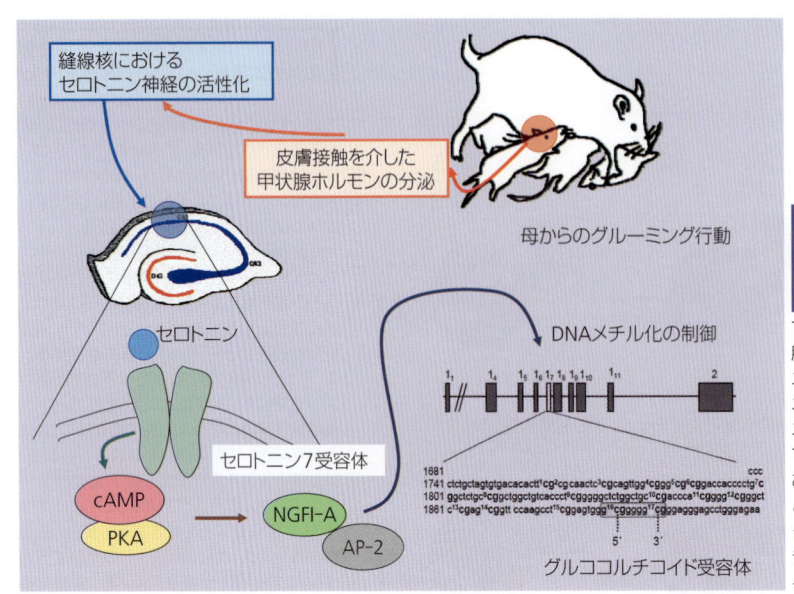

図5-15 母ラットのグルーミングによるグルココルチコイド受容体遺伝子発現のエピジェネティック制御（予想図） グルーミングを受けた仔ラットでは甲状腺ホルモンの分泌が高まる。甲状腺ホルモンは縫線核のセロトニン作動性ニューロンを刺激し、海馬におけるセロトニン分泌が上昇する。海馬CA1領域のニューロンはセロトニン7型受容体を介してcAMPとPKAを活性化、転写制御因子であるNGFI-AとAP-2が上昇する。NGFI-AとAP-2はグルココルチコイド受容体のエクソン1付近にあるCpGアイランドの脱メチル化を維持し、結果的にグルココルチコイド受容体の発現量が増加することになる。

て礎となる仮説や考え方、またそれを実証した偉大なる研究者である（Brown & Milner, 2003；Hebb, 1949）。1949年にHebbは幼少期時代に暗闇で育ったラットでは記憶学習課題の成績がよくないことを見出し、幼少期環境が脳の発達に多大なる、永続的な影響を与えることを見出していた。また通常の飼育ケージで飼育されているラットと、そのラットを家庭に持ち帰りペットとして育ててもらい、豊かな環境で生活してきた場合の迷路学習の成績が、格段に家庭でペットとして育ったラットのほうがよいことを報告している。1950年代には彼の仮説をもとに、粗悪な環境で育ったラットを成熟後に豊かな環境に戻し、その悪影響を排除できるかなどの再社会化実験を行った。結果として、やはり幼少期時代の影響の強さを認めざるをえないという結論にいたっている。

これら経験則に基づき、環境による脳の発達への影響を詳細に調べた科学者として、カリフォルニア大学バークレー校のMarian Diamondが挙げられる（Diamond, 1988）。彼女らのグループは30年にも及ぶ研究で、ラットの脳と環境の影響を詳細に調べ、環境によって変わる脳を明らかにした。事の初めは同じ大学の心理学部Robert Tryonらによって見出された行動実験にある。彼らは同じ系統のラットの中に、迷路課題で優れた成績を獲得するものとそうでないものが存在し、個体差が大きいことの原因を調べようとしていた。同じ頃、心理学者のDavid Krechと化学者のMelvin Calvinらは、これら優秀なラットとそうでないラットの間に神経化学的な違いが存在するだろうとの仮説を立て、まずはアセチルコリン系に着目して研究をスタートした。アセチルコリン自体は代謝が早く、測定することができなかったため、その代謝酵素であるアセチルコリンエステラーゼの測定を試みた。この時代から心理学者と神経化学者らの共同研究は次第に多く行われるようになってきている。結果として彼らは迷路学習の優秀なラットでは脳内のアセチルコリンエステラーゼ濃度が高いことを突き止め、学習能力と脳内物質を結びつけた最初の偉業を成し遂げた。Diamondらは豊かな環境で育ったラットとそうでないラットの間に、神経化学的な相違だけでなく、構造上の何らかの違いが生まれているだろうとの仮説を立てた。ラットを生後4週から約80日間、豊富な環境（64 cm×64 cm×46 cmに12頭、遊具を入れる）と標準環境（28 cm×20 cm×20 cm、単独飼育）で飼育する場合を比較すると、前者の脳重量が3〜5％上昇すること、大脳皮質、特に後頭野の第2層から第4層でその厚さが上昇することを見出した。皮質の厚さが変化することはニューロンが増えるわけではなく、ニューロンの大きさが大きくなるわけではない。詳細な解析により、樹状突起や軸索の量が増えること、グリア細胞の中でも特にアストロサイトの数が増えることが示されている。その後、環境を豊富化することにより、生後

---

[1] Hebb則："When an axon of cell A is near enough to excite cell B and repeatedly or persistently takes part in firing it, some growth process or metabolic change takes place in one or both cells such that A's efficiency, as one of the cells firing B, is increased"（from the Book"Organization of Behavior"）。つまり、シナプス前ニューロンとシナプス後ニューロンが同時に、ある程度の期間発火することにより、このシナプス結合が増強するというものである。
Hebb-Williams maze：Hebbがラットの記憶学習のテストをするために作成し、使用した迷路。右あるいは左の箱から反対側の箱にたどり着くと、そこに報酬として餌が置いてある。毎日、迷路の壁の位置が変わり、新しい道順を覚えて、次第に早く餌に到達するようになる。この学習速度を測定し、脳の発達との関連性を調べた。また彼はイヌでも同じような実験を行っており、家庭で飼われたイヌと実験室で飼われたイヌで、大型のHebb-Williams mazeを試しており、同様の結果を得ている。

20週程度の成熟動物でもアストロサイトの数は増加すること，変化率は低くなるものの老齢動物でもアストロサイトの増加が確認されている．また，樹状突起の詳細な解析により，最も増大傾向を認めたのは，樹状突起棘の構成の変化とシナプス[2]の接合面積であった．

シナプスの接合面積と記憶学習能力に関しての最終的な結論はいまだに出ていないが，これはCajalらがすでに19世紀末に学習はシナプスの機能変化によるものだと提唱しているし，またHebbも学習は新しいシナプスの連絡形成によるものと仮説を立てていた．また出生後の環境だけが脳の発達に作用するわけではなく，妊娠したマウスを豊富な環境で飼育した場合にも，新生仔の大脳皮質は厚みを増すことも見出されている．また豊富な環境での飼育を3世代まで繰り返し行うと，仔の大脳皮質の厚みの差は，たとえ母ラットが同じ環境下で育てられていても，2世代前の影響が現れる，つまり親だけでなく，祖父母などの環境が伝承されることも報告している．これは，動物の飼育形態が仔の大脳皮質の発達に世代間伝達のかたちで影響を与えるという重要な知見である．

近年ではこれらの研究が脳内のニューロンの新生に影響を与えることも明らかとなっている．歴史的には「ニューロン説」を提唱し，現在の神経解剖学の礎を築いたRamon Cajalが出生後にニューロンの新生は起こらないと結論づけて以降，神経新生は起こらないとされてきた．しかしながら，1980年代になってBurdとNottebohmによって，カナリアの海馬における神経新生が発見されて以降（Burd & Nottebohm, 1985），神経新生に関する研究が盛んに進められてきた．哺乳類の脳において海馬歯状回や側脳室周辺領域では神経新生が起こることが知られるようになり，さらに近年では大脳皮質や扁桃体においても神経新生が認められている．これらの報告によって，生後においても脳神経にはシナプス形成だけでなく，新しいニューロンを介した可塑性が存在することが明らかになった．ニューロンの新生は豊かな環境で育ったラットの海馬歯状回で増加することが明らかとなり，成熟後も神経系の新しい構築が可能であることが示唆されている．ニューロンの新生による神経系の再構築は，最終的にシナプスの可塑性を増大させるであろうし，その結果として新しいことを記憶学習する能力が上昇したと考えられる．

環境の豊富化と行動，例えば性行動や不安行動との関係については，いまだに議論が多く，最終的な結論にはいたっていない．例えば不安行動は軽減するという報告も存在するが，影響が認められないとの結果もある．おそらく環境を豊富化する方法や期間，脳発達などのどの時期に環境の豊富化を施したか，など様々な要因が関係しているため，手法の統一化が必要と思われる．イヌや数種の霊長類では社会化期と呼ばれるものが存在し，この時期，すなわち授乳を終え，性成熟にいたるまでの間，様々な環境に曝露することで，将来そのものに対する不安行動が変化することが知られている．社会化期に周囲環境からの刺激が低下した動物では，見知らぬ人や他の動物に対して不安行動が強く発現するため，この時期の環境豊富化は個体の行動特性を決める重要なものである（Serpell, 1995）．

脳内の神経伝達物質の変化としては脳由来神経栄養因子をはじめとする栄養因子類，セロトニン受容体，ドーパミンなども変化するようである．これらいくつかはニューロンの新生やシナプスの形成，さらにはアストロサイトの成長にも関わっていることが知られており，豊かな環境が脳に与える影響を仲介している可能性が高い．

母仔分離あるいは早期離乳によって不安行動は上昇するが，その緩解作用として環境の豊富化の影響を調べたものはいくつかある．環境の豊富化によって不安行動はある程度改善するが，脳内に認められる変化，例えばCRHの発現上昇などは，この環境豊富化によっては改善されない．おそらく改善されるものとされないものが存在しており，それは脳の発達段階における感受性期が決まっており，その時期を過ぎると脳内の構造や伝達物質の発現様式を変えることは困難になると解釈可能である．

5.7 腸内細菌叢と脳の発達

近年の分子生物学的手法の発達に伴い成長した分野として，脳腸相関研究が挙げられる．脳腸相関とは，腸内細菌叢と脳がお互いに影響を与え合っていることである．脳腸相関研究は，次世代シーケンサーにより，腸内細菌叢が網羅的に調査可能となって大きく進ん

---

[2] シナプス：シナプスとは，ニューロンとニューロン，あるいは筋線維などの間に形成される特殊な構造を示し，その間隔はシナプス間隙と呼ばれ，通常20 nmくらいの距離である．シグナルを伝えるほうの細胞をシナプス前細胞，伝えられるほうの細胞をシナプス後細胞という．1906年にノーベル生理学・医学賞を受賞したスペインのRamon Cajalの研究により明らかにされた．シナプス前細胞に小胞を含み，伝達物質を放出するタイプのシナプスを化学シナプス（小胞シナプス）といい，電気的変化によって情報を伝達するものを電気シナプス（無小胞シナプス）という．このシナプスの電気的活動状態などによってシナプスの伝達効率が変化することがシナプス可塑性であり，記憶や学習に重要な役割を持つと考えられている．具体的にはシナプス前細胞とシナプス後細胞がともに高頻度で連続発火すると，持続的な興奮性のシナプス後電位（EPSP）によりシナプスの伝達効率が長期にわたって増加する．これを長期増強（long term potentiation：LTP）という．また，低頻度の発火や，抑制性シナプス後細胞の連続発火による抑制性のシナプス後電位（IPSP）の持続的な変化によって，シナプスの伝達効率が低下する現象を長期抑圧（long term depression：LTD）という．近年では，シナプス前細胞とシナプス後細胞の発火時間における差のみによっても結合強度に変化がみられることがわかっており，anti-Hebb則，あるいはスパイクタイミング依存シナプス可塑性（spike timing dependent plasticity：STDP）という．もちろん，いったんLTPやLTDを起こしたシナプスに対して適切な外部刺激を与えると，そのLTPやLTDが消失することも知られており，それぞれ脱増強（depotentiation），脱抑圧（dedepressiopn）などと呼ばれる．

だ。また細菌叢が心身にもたらす影響を調べる際に適したマウスとして無菌マウスが挙げられる。これまで無菌マウスは主に免疫系の研究に用いられてきたが、無菌マウスの持つ行動特性にも注目が集まっている。例えば、無菌マウスとSPFマウスのストレス内分泌応答を計測したところ、無菌マウスは高い反応を示した。またこの上昇はビフィズス菌(*Bifidobacterium infantis*)の投与で改善されたことから、腸内細菌叢によるストレス内分泌応答の制御が明らかになった(Sudo et al, 2004)。胎児は無菌状態なので、母子間あるいは発達期の環境から体内に取り込まれた菌が定着することで、ストレス内分泌応答が規定されることになる。前述した発達期にストレスを経験したマウスでも生涯にわたる高いストレス内分泌応答が観察されるが、その原因の一端に細菌叢の変化が考えられる。例えば、妊娠期マウスにストレスを負荷すると、仔マウスにストレスに関する細菌叢が生着する(O'Mahony et al, 2009)。同様に、ヒトの母子間での細菌叢の伝承もストレス状態によって変化することが知られており、ストレスが高まることで病原性を持つことが知られている Proteobacterial グループの細菌叢(*Escherichia, Serratia, Enterobacter* など)が増加し、乳酸菌類(*Lactobacillus, Lactoccus, Aerococcus* など)が低下した(Zijlmans et al, 2015)。

画期的な実験として、自閉症の原因の一端も細菌叢が担うことが明らかになったものが挙げられる。自閉症スペクトラム障害のモデルマウスでは、腸内細菌叢の変化とともに、腸間膜の障害ならびに自閉症様の行動を示すことがわかった。このマウスの血中成分を調べると、4EPA という物質が通常のマウスに比べて46倍程度に上昇していた。4EPA をマウスに投与すると、自閉症様の行動を示したことから、この物質が腸から脳への媒介シグナルであると考えられた。またこのモデルマウスに腸内細菌の一つである *Bacteroides fragilis* を投与すると、自閉症様の行動が改善された(Hsiao et al, 2013)。これらの結果から、発達期の細菌叢の変化は脳機能を恒常的に変化させるといえよう。

5.7.1 腸内細菌叢とオキシトシン

中枢発達における腸内細菌叢の役割に関しては、負の効果を改善するものも知られている。高脂肪食を摂食し続けると、腸内細菌叢のディスバイオシスが観察される。ディスバイオシスとは、宿主の体調の変化など、何らかのきっかけにより、腸内細菌の総菌数が著しく減少することや、その構成比が変化してしまうこと、また、通常は菌数レベルの低い菌種が異常に増加することなど、正常な細菌構成が異常になることをいう。親のディスバイオシスはそのまま子の腸内細菌叢のディスバイオシスへと垂直伝染し、子の成長に影響を与える。例えば、社会性の低下などがその例である。

この母親に対して、乳酸菌(*Lactobacillus reuteri*)を飲水投与すると、母親のディスバイオシスが改善、それに伴って子のディスバイオシスの改善と社会性が回復した(Buffington et al, 2016)。特に注目すべきは、*L. reuteri* が中枢のオキシトシンを活性化して、社会性を改善している点である。また、ヒトの新生児期にペットとの同居はアレルギー性疾患の罹患率を軽減させる「衛生仮説」が知られているが、*Lactobacillus* に属する *Johnsonii* はイヌの唾液にも含まれる菌で、マウスの気管支炎を抑制する効果を持つ(Fujimura et al, 2014)。マウスではオキシトシン神経系を活性化させ、オキシトシンが末梢で作用することで、外傷の治癒が早まることも明らかにされている(Poutahidis et al, 2013)。さらに迷走神経の切除で *Lactobacillus* の効果が消失することから、迷走神経がその伝達回路の候補といわれている。

オキシトシンは、ストレス内分泌応答を低下させることが知られているホルモンであり、母子間の身体的な接触で分泌量が上昇することも知られている。しかし、「親子の触れ合い」は、接触を介したオキシトシンの分泌上昇のみならず、母乳に含まれる *Lactobacillus* などを介して子の細菌叢を変化させ、間接的に子のオキシトシンをさらに上昇させる可能性が示されたこととなる。母子分離による細菌叢のディスバイオシスが、これらの母子間で伝達される *Lactobacillus* などの投与によって改善するかどうか、などは今後の研究の方向性といえよう。

5.7.2 離乳後の発達と腸内細菌叢

著者らもマウスの社会性と発達期の腸内細菌叢の関係を調べた。3週齢までに無菌状態で育ち、その後通常環境にて飼育したマウスと、SPFマウスをそれぞれ3匹ずつ、合計6匹を広いアリーナに入れ、個体間距離や不安傾向を計測したところ、無菌(GF)由来のマウスは高い不安行動とともに運動活性の低下が観察された。また個体間距離も長く、「社会不安」様の行動が観察された。加えて、中枢前頭葉のBDNFの発現量も低下し、中枢発達が阻害されていることが示された。GF由来マウスを3週齢からSPFマウスと混飼育すると、不安行動が改善し、また前頭葉BDNFも上昇することから、母仔間の相互作用が強い3週齢のみならず、性成熟期の腸内細菌叢も社会性の発達に影響を及ぼすことが明らかとなった。興味深いことに、個体同士の接近回数はSPFよりも混飼育されたマウスのほうが多くなった。これは、個体のにおいの類似度が影響するかもしれない。これらのマウスの細菌叢解析の結果からGF由来とSPF由来は大きく異なるが、混飼育群では細菌叢構成が類似していた。細菌叢は個体のにおいにも関与することから、似た者同士が距離を近づけたのかもしれない。また *Actinobacteria* や *Verru-*

comicrobia の発現量にも群間差が認められたが，これらの菌の機能はまだ不明である。

発達期のもう一つのイベントは性成熟である。通常マウスでは4週から次第に性ホルモンの分泌が上昇し，8～10週の間に性成熟に達する。無菌雌マウスの糞便中の性ホルモン含量を調べたところ，SPFマウスに比較して低いエストラジオール値を示した。GFマウスにマウスの糞便から抽出した細菌叢を投与すると，その影響が改善された。エストラジオール以外にもプロゲステロンやグルココルチコイドも同様にGFマウスでは低値を示し，SPFマウスの細菌叢投与により改善した。これらのことから，正常な腸内細菌叢は，個体の性成熟にも大きな影響を与えることが示された。

5.8 内分泌攪乱物質

環境中に化学物質が混入し，野生動物の繁殖能や行動が変化してきたことは1950年代にアメリカですでに認められていた。1962年にはかの有名なRachel Carsonの『沈黙の春』が出版され，工業物質が環境を汚染し，最終的に自然だけでなく，ヒトにも多大なる悪影響を与えることが世間一般的に知られるようになった。その後1991年になり，ようやくアメリカのラシーンにて環境中に混在する化学物質に関する会議がもたれた。その場でこれら化学物質のいくつかは，ホルモン様作用を持ち，動物のみならずヒトの繁殖機能や脳の発達に悪影響を持つ可能性が指摘された。また不幸にも1948～1971年までの間，妊娠した女性に対して流産の防止のためにエストロゲンのアナログであるDES（diethylstilbestrol）の投与が行われていた。DESの投与を受けた女性から生まれた男児も女児も，性成熟後に腺癌や生殖機能に異常をきたす可能性が指摘され，ようやく内分泌攪乱物質の毒性効果，特に妊娠期の胎盤を介して胎児に伝達されることの研究が盛んに行われ始めた。

内分泌攪乱物質の多くはエストロゲン受容体あるいはアンドロゲン受容体に結合し，促進作用あるいは拮抗作用を示す。内分泌攪乱物質のスクリーニングには *in vitro* の受容体結合試験が多く用いられているが，子宮の肥大化作用（エストロゲン効果）なども併用される。これまでに同定されているエストロゲン受容体を介する内分泌攪乱物質として，化学肥料・薬剤（DDT，メトキシクロル，ケポン，ディルドリンなど），抗酸化剤（アルキルフェノール，ブチル化ヒドロキシアニソール〈BHA〉），可塑剤（フタル酸エステル，ビスフェノールA〈BPA〉），殺菌剤（フェニルフェノール），その他（ポリ塩化ビフェニル〈PCBs〉，日焼け止め剤）などがある。

内分泌攪乱物質の作用としては，内因性のエストロゲンあるいはアンドロゲンの相加あるいは相乗効果，内因性ホルモンとの拮抗作用，内因性のホルモンの合成ならびに代謝経路の変容，ホルモン受容体の構成や機能の修飾，が挙げられる。いずれにせよ，内因性のホルモンの作用を促進あるいは阻害することで身体に対して影響を与えるものが内分泌攪乱物質といえよう。内因性のエストロゲンは雌動物における生殖腺の発達と機能発現，中枢性の雌型表現系，雌動物特異的な身体特徴，性周期，妊娠，出産，育児など様々な機能を担っており，内分泌攪乱物質の曝露はこれらの様々な側面で影響を及ぼす。またアンドロゲンも雄型の性行動，身体的特徴など多様な作用があり，内分泌攪乱物質の作用には，他章で紹介されているエストロゲンやアンドロゲン様作用あるいはその障害といった多様性があることに留意すべきである。

内分泌攪乱物質の特徴として，これら内因性のホルモン作用と直接比較をしてもその効果は弱いものの，相乗的効果を持つということである。例えばBPAは単独の作用はさほど認められないものの，比較的高濃度のエストロゲンと共存することで，その作用が強く現れる（Silva et al, 2002）。またその機構は未解明ではあるが，低濃度の内分泌攪乱物質のほうが高濃度の同一物質よりも効果が強い場合もある。例えば胎生期でのDES曝露や低濃度BPAの曝露は雄の前立腺重量を増加させることが知られているが，高濃度の曝露では影響が少ない。またBPAを性成熟前のマウスに投与すると，エストロゲンによる膣開口や子宮重量の増加は低用量と高用量では認められるものの，中程度の用量では認められないなど，その薬理学的作用機序も不明な点が多い（Markey et al, 2002）。また，内分泌攪乱物質の作用は発達期によって大きく異なる。これは内因性のホルモンに関しても，いわゆる組織化作用を受ける発達期特異的な反応期があり，その時期にホルモンが作用することで，中枢，生殖腺，あるいは身体的特徴が形成される。生殖腺の発達ではラットやマウスなどでは胎生期11～15日くらいが感受性期であり，脳の性分化に関しては胎生期18日頃から出産直後までである。この時期に内分泌攪乱物質の曝露を受けることは，結果的に成長後の曝露と比較しても多大なる影響が観察される（Colborn & Clement, 1992）。

ラットやマウスに対して実験的に内分泌攪乱物質を投与し，その影響を調べる研究は多々存在する。投与経路も様々で，母体への投与，胎児への投与，新生仔への投与，母乳に混入，などが挙げられる。例えば，BPAは母体に投与しても，胎盤を通過し，胎仔に間接的に作用することが明らかになっており，その際に胎仔のα-フェトプロテインに結合し，結果として雌の胎仔においては，エストロゲンを中枢へ作用させ雄型化することが知られている（Milligan et al, 1998）。また雌の胎仔においてはエストロゲン作用を増強させ，膣開口や子宮重量の増加が認められる。興味深いこと

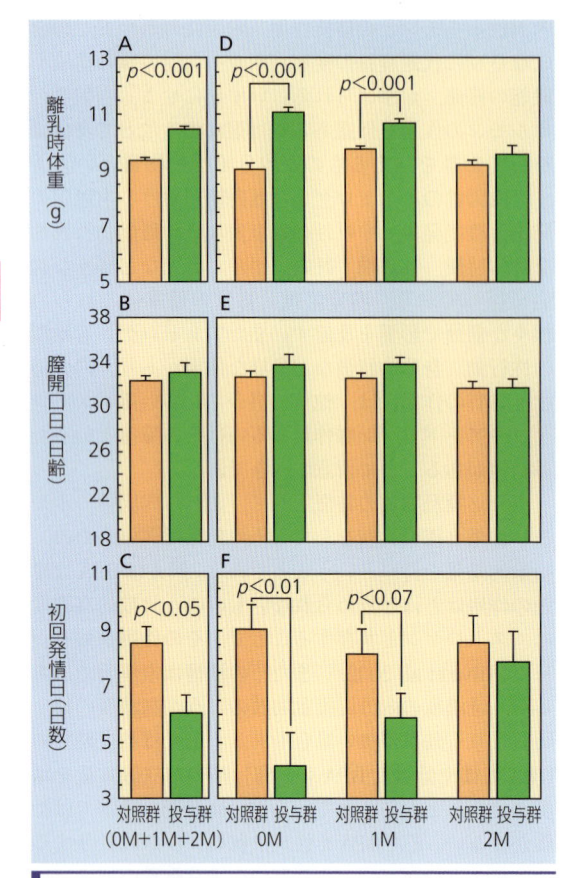

図 5-16 胎生期ビスフェノール A (BPA) 曝露による雌動物への影響 体重（上段）では BPA 投与によりコントロール群 (CON) と比較し、体重増加が認められるが (A)、その影響は雌の胎仔に囲まれたもの (0M) で最も影響が強い (D)。膣開口の日には差が認められなかった (B, E)。初回発情の日も BPA 投与で短縮するが (C)、この影響は雌の胎仔に囲まれたもの (0M) で最も強い (F)。(Howdeshell et al, 1999 より改変)

に、前述した子宮内順位と性分化 (5.1「胎児の子宮内順位と性分化」を参照) と BPA の作用は相互的である。すなわち、雌と雌に囲まれた雌の胎児では BPA の作用が強く認められるが、雄と雄に囲まれた雌では BPA の作用が認められない (図 5-16) (Howdeshell et al, 1999)。このことは、隣接する雌の胎仔から放出されるであろうエストロゲンの量がより多い場合に、BPA が作用すると考えられる。一方、雄の胎仔では出生時における肛門性器距離が伸張し、前立腺が肥大するなど、アンドロゲン作用を増強させるような効果が認められる。出生後の発達期に BPA を雄マウスに投与すると精子形成の異常、ペニスの萎縮など、アンドロゲン受容体の障害作用が検出される。これらの結果は BPA が各受容体に様々な作用を持っており、発現時期や濃度によって異なる影響が認められる可能性を示している (Markey et al, 2002)。

内分泌撹乱物質の中枢作用を調べる際に留意しなければならないことは、精巣や卵巣などの生殖腺の発達に異常をきたし、その結果として性ホルモンの分泌が増加あるいは低下したことで、中枢作用が認められることである。そのため、このような実験系ではまず生殖腺の発達を調べるとともに、血中のホルモン濃度測定が必須事項といえよう。内分泌撹乱物質の影響が生殖腺の発達や機能に認められず、行動や中枢神経系の発達に認められる場合には内分泌撹乱物質の影響は中枢のエストロゲンあるいはアンドロゲン受容体を介している可能性が高い。ここではいくつかの例を紹介する。

HPG 軸の機能の変化は中枢作用の一つであり、例えば発達期に BPA を投与された雌ラットやマウスでは性周期が不規則になることが実験的に知られている。また妊娠 6 日目から母体に BPA を投与した場合、生まれた雌ラットの血中 LH 濃度が変化する (Rubin et al, 2001)。雄動物においては生後すぐから離乳期まで同じく BPA を投与すると血中卵胞刺激ホルモン (FSH) の濃度が上昇すること、雄においても雌においても生後すぐから 5 日間 BPA を投与すると血中プロラクチンの濃度が最大 3 倍にも増加することが知られている (Khurana et al, 2000)。この BPA の作用の一部は乳腺の形態的ならびに機能的変化によるものである。同様に発達期の BPA 曝露は視床下部ならびに下垂体におけるエストロゲン受容体の発現量を増加させる。例えば出生直後に BPA を投与された雄ラットでは下垂体におけるエストロゲン受容体 α ならびに β の発現量が増加する (Khurana et al, 2000)。雌ラットにおいては、視床下部の腹側基底核内のエストロゲン受容体 α の発現が上昇する。おそらく視床下部ならびに下垂体におけるエストロゲン受容体の発現様式の変化が雌における発情周期の不規則性に関与すると思われている。その他の中枢作用としては視床下部内のソマトスタチン受容体発現量の増加、青斑核のノルアドレナリン含有細胞における性差の消失などがある (Kubo et al, 2001)。行動への作用としては、妊娠期から離乳までにいたる期間に低用量の BPA を投与された母ラットの仔において、探索行動の減少、雌における抑うつ的行動の上昇、雄における不安行動の低減などが認められている (Farabollini et al, 1999)。同じく妊娠期から離乳にいたるまでの間に BPA を投与されたラットでは運動活性や記憶学習能などの本来存在する行動上の性差が消失することが報告されている (Kubo et al, 2001)。社会行動においては、同様に妊娠期から離乳期までに投与された雌ラットにおいて雌型の性行動が亢進し、母性行動が低下すること、雄における雄型の性行動が低下すること、また社会的遊び行動については、雄で低下、雌で雄型化することも近年報告された (Palanza et al, 2002)。これらの行動の背景となる神経機能の変容については、いまだ明らかになっていない。

6 種内コミュニケーション

6.1 はじめに

　コミュニケーション(communication)とは"伝達,報道する"ことであり,伝えられる情報そのものを意味する場合もある。「利己的な遺伝子(The Selfish Gene)」の著者として有名なイギリスの進化生物学者ドーキンス(Clinton Richard Dawkins)は,動物行動学におけるコミュニケーションを「他個体の行動に何らかの影響を与えること」としている(マクファーランド,1993)。したがって,私たち人間を含めた動物のコミュニケーションとは,「他個体に意味を伝え,情報を交換することで,相互に影響を与えること」と定義することができる。コミュニケーションは,同種のみならず他種の個体間でも行われているが,同種の個体間における種内コミュニケーションには,子育て行動,求愛行動,攻撃行動,なわばりを維持するための行動など,同種個体の生命維持や無用な争いを回避するために不可欠なコミュニケーション行動が含まれている。そのため種内コミュニケーションは,その動物種の適応度を向上させることに貢献しているのである。コミュニケーションに用いられる感覚としては,一般に五感(触覚,視覚,聴覚,嗅覚,味覚)と呼ばれている感覚のうち,視覚(光),聴覚(音),嗅覚(化学物質)が用いられることが多い。なかでも化学物質をシグナルとする嗅覚コミュニケーションは,本書の共通テーマである神経内分泌系にも大きな影響を及ぼすコミュニケーションの方法である。
　本章ではまず,視覚,聴覚,嗅覚による種内コミュニケーションについて概観する。次いで,鋤鼻系の神経解剖学的な特徴を解説し,最後に哺乳類における嗅覚コミュニケーションの具体例を挙げていく。

6.2 種内コミュニケーションと感覚

6.2.1 視　覚

視覚コミュニケーションの特徴

　物理的シグナルである光を媒介とするコミュニケーションは,聴覚や嗅覚を介したコミュニケーションよりも早く情報を伝達できる特性を持つ。その反面,シグナルを発する個体がよほど大きくない限り,遠くから確認することは難しくなる。また,視覚のシグナルはしばしば障害物によって遮断されてしまう。そのため,視覚によるコミュニケーションは,遠距離のコミュニケーションにはあまり適さず,多くの場合は近距離コミュニケーションとして用いられている。

視覚シグナルの伝達方法

　動物行動学の歴史上で最も知られている種内コミュニケーションの一つが,ミツバチ(Apis mellifera)の"ダンス言語"である。採食係の働きバチが採食源を見つけて巣に戻ると,胴体を左右に震わせ"尻振り(waggle)"走行をしながら"8の字ダンス"を行う(図6-1)。フリッシュ(Karl von Frisch)は,直線部分における尻振り走行(直進部分)の回数が採食場までの距離を示すこと,採食場が太陽の方向にある場合は上に向かって走行することを発見した。さらに,直線部分から左右に傾いたダンスによって,採食源と太陽方向との角度を示していることも発見した(von Frisch, 1967)。フリッシュは,後述するティンバーゲン(Nikolaas Tinbergen)や,水鳥のヒナが孵化直後に見た動くものを親と思って追従する"刷り込み"現象を発見したローレンツ(Konrad Zacharias Lorenz)とともに,動物行動学の基礎を築いたことを評価されノーベル生理学・医学賞(1973年)を受賞している。その後,日本とドイツの科学者の共同研究により,ダンス言語によるコミュニケーションに新しい発見が加わった。ミツバチは尻振りダンスで生じる特徴的な「音」を,巣の仲間のハチ

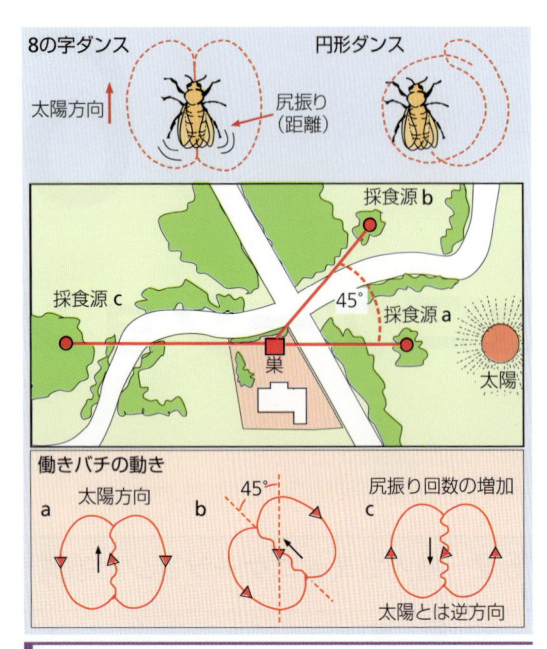

図 6-1 フリッシュによる「ダンス言語」の発見 フリッシュが発見した，動物行動学の歴史上で最も知られている種内コミュニケーション"尻振りダンス(waggle dance)"。働きバチが採食源を見つけて巣に戻ると，"8の字ダンス"を行う。2つの円が接する直線部分を通るとき，働きバチは走りながら胴体を左右に震わせる尻振り走行を示す。フリッシュは尻振り(直進部分)の回数が採食場までの距離(1回が約75 mに相当し，回数が多いほど遠いことを示す)を示すこと，採食場が太陽の方向にある場合は上に向かって走行することを発見した。さらに，直線部分から左右に傾いたダンスは，採食源と太陽方向との角度を示していることも発見した。採食源が75 m以内の場合は"8の字ダンス"の代わりに"円型ダンス"を行う。(ティンバーゲン，動物大百科，1976より改変)

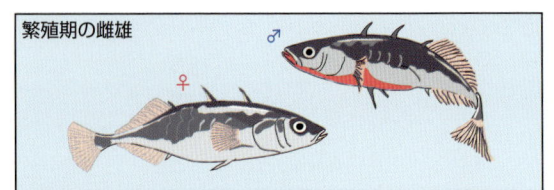

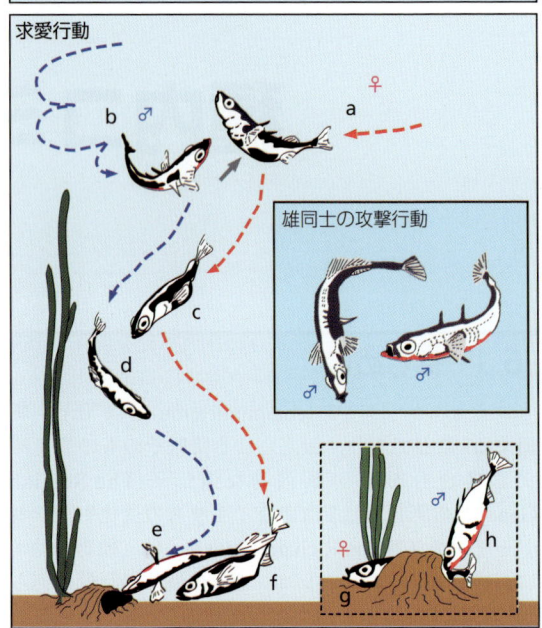

図 6-2 イトヨの繁殖期における性行動と攻撃行動 イトヨの雄(♂)は繁殖期になると胸の部分が婚姻色と呼ばれる赤色を呈する。卵で腹部が膨らんだ(矢印)雌 a が現れると，雄 b は婚姻色の胸を見せながらジグザグに泳いで雌に求愛する。求愛に応じた雌 d は雄 c に向かって直進する。この誘いに応じた雄は自分の巣へ雌を誘導する。雄 e は巣の入り口を雌 f に知らせる。雌 g が巣で産卵すると，雄 h は卵に授精させる。雄の胸部分の婚姻色は雌への性シグナルであると同時に，他の雄に対しては攻撃シグナルになる(下図内中央の挿入図)。(ティンバーゲン，本能の研究，1976より改変)

が特殊な脳神経系で解析することで蜜源までの距離を検出していることが判明したのである(Ai et al, 2017)。フリッシュによる最初の発見から半世紀を経て，ミツバチのダンス言語は視覚と聴覚の共作用による種内コミュニケーションであることが明らかとなったのである。

視覚による種内コミュニケーションは，交尾に先立って行われる求愛ディスプレイとして使われることが多く観察されている。例えば，ホタルは光という視覚シグナルを用いて性的コミュニケーションを行っている。ホタルの場合，種に特異的な点滅パターンを示すと同時に，雄と雌とでは異なった応答パターンを示すことが知られている。また，日本に棲息するモンシロチョウ(*Pieris rapae*)の雌は紫外線を強く反射するため，雄は紫外線を見ることで雌を探し当てることが知られている。モンシロチョウの複眼には3タイプの個眼が存在し，雄ではそのうちタイプⅡという個眼が紫外線を受容出来る視細胞を有している。これは雌には存在しないため，モンシロチョウの複眼は性的二型の器官ということになる。しかし，ヨーロッパのモンシロチョウの雌には紫外線反射が認められないことから，紫外線による性コミュニケーションは，モンシロチョウに固有の性差ではなく地域差の認められる種内コミュニケーションといえる。

魚の視覚コミュニケーションとして最も知られているのが，イトヨ(*Gasterosteus aculeatus*)が繁殖期に示す行動である(図6-2)。イトヨは，背中に3つの棘(実際には2棘，4棘のものもいる)を持つトゲウオ科の魚である。イトヨの雄は，繁殖期になると腹の部分が赤くなり"婚姻色"と呼ばれる体色を示すようになる。雄は雌を見つけると，赤くなった胸を見せながらジグザグ・ダンスをすることで雌に求愛をする。この"婚姻色"は，繁殖相手の雌を引きつける性シグナルになるばかりでなく，繁殖期における雄同士の攻撃行動を誘発するシグナルにもなる。このイトヨにみられる行動を観察することで動物の種内コミュニケーション研究に大きな業績を残したのが，前述したフリッシュらとともにノーベル生理学・医学賞を受賞したティンバー

ゲンである(ティンバーゲン，1976)。ティンバーゲンは，繁殖期におけるイトヨの性行動や攻撃行動を観察するなかで，現代の動物行動学において重要な学術用語となっている，鍵刺激(サイン刺激)や生得的行動という用語を生み出すにいたった。

　鳥類は，ニュージーランドの国鳥で夜行性の鳥であるキーウィ(*Apterygiformes*)(あるいは*Apterygidae*)など一部例外はあるが，多くが脊椎動物の中では視覚が発達した動物である。そのため，視覚による種内コミュニケーションが幅広く観察される動物である。なかでも広く知られている例は，雄のインドクジャク(*Pavo cristatus*)が200本にもおよぶ目玉模様をもつ巨大で美しい羽(上尾筒)を扇状に広げて行う求愛ダンスである(図6-3A)。クジャクの雌は雄から発せられたこの視覚シグナルを受け，最も飾り立てた雄を交尾相手として選ぶ。また，ニューギニアに生息するアオフウチョウ(*Paradisaea rudolphi*)の雄は，艶のあるエメラルドブルーの美しい羽を持つが，繁殖期になると木の枝に逆さに捕まり，背中向きに羽を広げて，その美しい羽を雌に向かってディスプレイすることで求愛を行う。雌は最も美しい羽でダンスする雄の求愛を受け入れる(スレイター，1991)。なお，インドクジャクの求愛には，羽のディズプレイと同時に発生する声(羽音)も重要であることがその後の研究で示され，視覚と聴覚の共反応による種内コミュニケーションであることが明らかとなっている。

　鳥類において，雄の求愛に重要な要素は「美しさ」ばかりではない。ハタオリドリ科のテンニンチョウ(*Vidua macroura*)の雄は体長よりも長い黒い尾羽を持っており，それは1km以上離れたところからも確認できるという(図6-2B)。尾羽を短くして他の雄の尾羽に付け足すなど，人為的に尾羽の長さを変えて雌の交尾相手の選好性を調べたところ，長く伸ばされた尾羽を持つ雄が最も多くの雌を引きつけたという。すなわち，テンニンチョウの雌にとって雄の尾羽の「長さ」が交尾相手を選別するうえでの魅力的な視覚シグナルとなっているのである(スレイター，1991)。

　哺乳類でも，繁殖期における外見の変化を性シグナルとして利用している例がある。アカゲザルに代表されるマカク属やヒヒ属などの霊長類では，排卵の直前になると血中エストロゲンの上昇によって雌の外部生殖器周囲の性皮が腫脹してくる。この変化は，雄に対して雄の排卵が近いこと，すなわち交尾によって妊娠が可能である状態になったことを知らせる視覚シグナルの役割を持つ。事実ヒヒの雄は，雌の性皮の腫脹が認められない限り決して交尾を試みることはしないのである。

　一般的に哺乳類には，雄が雌よりも大型であるという身体的な性的二型が認められている。極端な例では，霊長類のマントヒヒやゴリラでは2倍，海獣のト

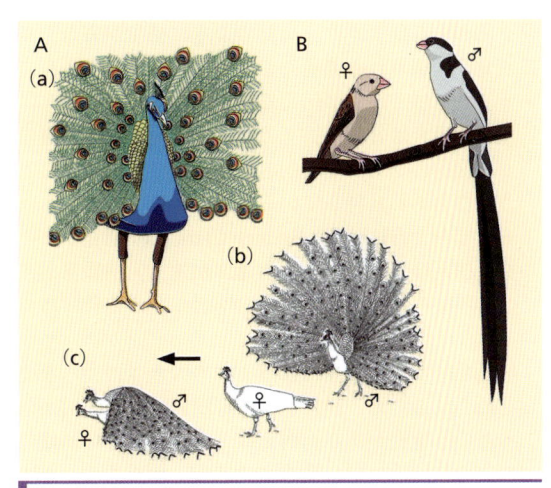

図6-3　鳥類の性的二型による性シグナル　A：雄(a)のインドクジャクによる雌に対する求愛ディスプレイ。雄(b)は目玉模様の大きな羽を雌に向けて広げることで求愛を示す。雄(c)の求愛を雌が受け入れると交尾にいたる。B：雄のテンニンチョウは体長よりも長い尾羽を持つ。雌はこのような長い尾は持たない。

ドやキタオットセイでは3〜5倍，ゾウアザラシでは8倍，雄のほうが雌よりも大きい。また，牙や角など体の一部分のサイズの違いを性シグナルに利用している種も存在している。ウシやシカなどの有蹄類の雄では，角がよく発達しており明確な性的二型が認められている。特異的な例として，イッカク(*Monodon monoceros*)の雄は，異常に長く伸びた上顎の切歯を持つ海洋性の哺乳類である。イッカクは，春の繁殖期にはこの牙を使って雄同士が雌の争奪戦を行い，より長い牙を持つ雄が雌を確保できるとされている。これら哺乳類における雄の身体的サイズの違いが，鳥類にみられる雄の羽のように繁殖パートナー選択における決定的な性シグナルであることを裏づけるデータはない。しかし，多くの一夫多妻型の哺乳類では，これら雄における性的二型の程度とハーレムにおける雌の総数には明らかな正の相関が認められるという。これは「闘いに強い雄ほど雌と繁殖できる」ということの反映として，雄の体の大型化と性的二型の発達は「強い雄」であることを伝える視覚シグナルの役割を兼ね備えていると考えられている。

6.2.2　聴　覚

聴覚コミュニケーションの特徴

　聴覚シグナルは，動物が自らが持つ器官を使って発する音であり，発生源から四方へと向かって空気や水(これらは"媒質"と呼ばれる)を伝わって相手に届けられるシグナルである。聴覚シグナルは，空気や水の中をすばやく伝わり(20℃の環境では，空気中を約350m/秒，水中を約1,500m/秒の速さで伝わる)，ほとんどの環境においてすぐに消えてしまうため，時間的に早くかつ多くの情報を伝えることができる。また，昼

夜を問わず有効であり，森林のように植生が密なために視覚が制限される環境においても有効なシグナルである。さらに，遠くに伝える場合は音量を大きくし，近距離の場合は音量を抑えるなど，状況に応じて発信者が意図的にシグナルの内容を変えることができるという特性もあわせ持っている。動物行動学者のベネット＝クラーク（Henry C. Bennet-Clark）は，聴覚シグナルを「遠距離まで届き，通信速度が速く，情報量が多く，いろいろな状況で使えるシグナル」と定義づけている。

哺乳類では，動物種によって体の大きさに大きな差が認められるため，種によって可聴周波数の範囲が異なるという特性がある。例えば，成人ヒトの可聴域は一般に20 Hz〜20 kHz程度であるが，マウスやコウモリなどの小型哺乳類では，体が小さく聴覚器で受容できる最低共鳴振動数はヒトよりも高くなり，最低の可聴周波数は500 Hz以上とかなり高くなっている。反対に，クジラなどの大型哺乳類では，ヒトが聞き取れない20 Hz以下の低振動数の音も聞き取ることができるといわれている。

一方で聴覚シグナルは，同種のみならず捕食者を含んだ他種の動物に自分の存在を知らせてしまうというリスクを含んだシグナルである。加えて，コミュニケーション可能である周波数の範囲（すなわち，同種の個体同士で聞き取れる周波数帯）には，他種動物の聴覚シグナルが混在することがあるため，情報伝達に際しては干渉や混乱を招くリスクをもあわせ持つシグナルである。

聴覚シグナルの伝達方法

聴覚シグナルは，昆虫から哺乳類までの多くの動物種において，求愛行動のためのシグナルとして用いられることが観察されている。繁殖期を迎えた雄の昆虫が，自分の身体表面の一部をすばやくこすり合わせることで"鳴き声"を発して雌を誘引する行動は，我々の身近な昆虫であるセミやスズムシなどでよく見ることができる行動である。また，両生類のカエルでは，雄が数百メートルも届く音量の鳴き声を出して雌を引き寄せている行動もしばしば観察できる。

鳥類は，聴覚コミュニケーションをよく発達させた動物である。鳥類は世界に約10,000種が棲息しているが，その半数近くが鳴禽類とされている。鳴禽類はその名が示すように，発声機能に優れた鳥類であり，その鳴き方には"地鳴き"と"さえずり"の2種類が認められている。地鳴きとは，生まれつき発することが出来る音声シグナルで，単音節の発声で構成されるシグナルである。これは，ヒナが親を呼んだり餌を要求したり，仲間に挨拶したり，さらには敵の襲来を知らせるときに用いられる。一方の"さえずり"は，学習による習得を必要とする複数の音節からなるシグナルで，一般的には雄のみに認められる鳴き声である。雄は"さえずり"を，求愛やなわばりの主張および防衛の際に用いている。水棲の鳥類では，しばしば聴覚コミュニケーションと視覚コミュニケーションが併用して行われることが観察される。また，前述したインドクジャクの雄が雌に向けて行う目玉模様の羽広げて行う求愛ダンスにも特異的な音声を発していることが後年わかり，これも聴覚コミュニケーションと視覚コミュニケーションの併用によるものであることが判明した。聴覚と視覚シグナルを組み合わせたコミュニケーションは，求愛行動のみならず攻撃行動，威嚇行動および母性行動の一環としても用いられることもある。

哺乳類における聴覚コミュニケーションの発達

高度で複雑なコミュニケーションを必要とする哺乳類では，群れ全体に情報を伝えてその動きを統一させるなど，より社会的な種内コミュニケーションを行うためのツールとして聴覚コミュニケーションを発達させている。

例えばラットは，ヒトの可聴域（20 Hz〜20 kHz）を超えた音域帯である"超音波"を3種類発声することが知られている。1つは主に40 kHz前後（30〜60 kHzのレンジに入る）の周波数帯の発声で，新生仔が母親と引き離された際などストレスを受けている時に発声する超音波である。この発声を聞くと母親は声の発生源に近づき，母性行動を示すことが知られている。2つ目は主として50〜70 kHz（30〜90 kHzのレンジに入る）の周波数帯の発声であり，学術的には"50-kHz calls"と呼ばれる超音波である。この超音波は，雄が発情した雌に遭遇した際に発声されることが知られている（図6-4の上図）。また，しばらく仲間の個体から隔離されていた後に久しぶりに仲間のラットと出会えたとき，仲間同士で遊び行動をしている最中，さらには実験的に覚醒剤や麻薬を投与された際にも発声することが知られている。このような発声を受容したラットの側坐核ではドーパミンが放出され，その声の発生源に近づく行動が認められることから，ヒトの笑い声に似た快情動に伴った発声ではないかと解釈されている。そして3つ目の超音波発声は18〜24 kHzのレンジに入る発声で，学術的には"22-kHz calls"と呼ばれる超音波である。この超音波は捕食者や電気ショックなど嫌悪刺激を受けた際に発声することが知られている。この発声は，音声を受容した他個体のラットに劇的な変化を起こさないものの，他の音に比べて恐怖条件づけが成立しやすく，一度電気ショックを経験したラットはこの発声に対してすくみ行動を示すことから，ヒトの悲鳴に似たような不快情動に伴う発声と考えられている。

高等な哺乳類であるチンパンジーでは，食べ物がある場所に仲間を呼び寄せるための特別な声を発することが知られている。ベルベットモンキー（*Cercopithecus aethiops*）では，接近してきた捕食者の種類によっ

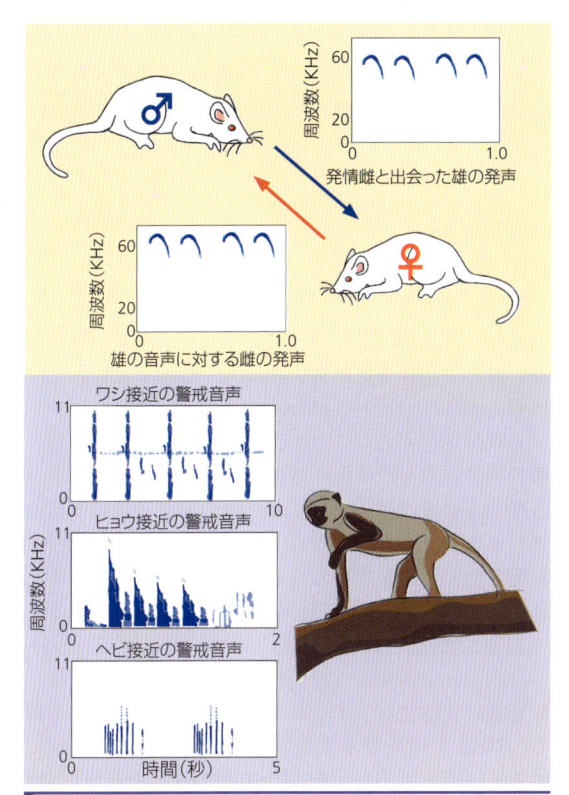

図 6-4 哺乳類の音声コミュニケーション 上：雄(♂)ラットは発情した雌(♀)と出会うと 50〜60 kHz の音声を発する。一方、この音声を聞いた雌は 50〜70 kHz の音声を発する。下：ベルベットモンキーは接近する捕食者の種類（上空から接近するワシ、地上から接近するヒョウあるいはヘビ）によって異なった音声を発する。仲間はこの情報をもとに逃げる方向を共有している。(Bekoff M, Encyclopedia of Animal Behavior, 2004 より改変)

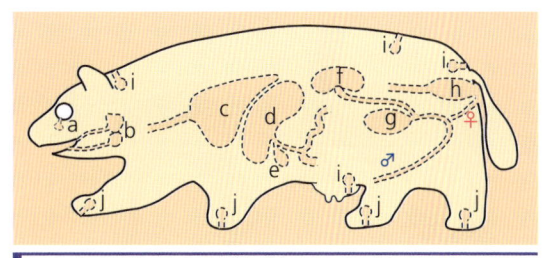

図 6-5 哺乳類のにおい物質の産生部位 動物体内の様々な部分で産生された化学物質が個体情報を伝える"におい"として作用し、嗅覚コミュニケーションを仲介している。a：眼窩腺、b：唾液腺、c：肺、d：肝臓、e：胆嚢、f：腎臓(尿)、g：膀胱(尿)、h：大腸(糞)、i：肛門、乳房、皮膚の腺、j：四肢の腺。(Wyatt TD, Pheromones and Animal Behavior, 2003 より改変)

てそれぞれ異なった鳴き声を使うことによって、仲間に逃げる方向を知らせ、その情報を受けた仲間は情報に応じた対処を示すことが知られている（図 6-4 の下図）。これら霊長類にみられる音声コミュニケーションの発達は、ヒトの言語コミュニケーションの発達につながる現象と考えられている。

6.2.3 嗅覚

嗅覚コミュニケーションの特徴

　嗅覚シグナルは、味覚シグナルとともに化学的なシグナルであり、物理的なシグナルである視覚シグナルや聴覚シグナルとは明確に区別される信号である。そのため嗅覚と味覚は、あわせて化学感覚(chemical sense)と総称される。化学感覚は、動物が進化の過程において最初に獲得した感覚であり、おそらく地球上に生息する最も多くの動物種で使われている感覚である。しかし、化学感覚を用いたコミュニケーションは、害虫駆除を目的とした昆虫における研究は別として、近年まであまり関心を集めてこなかった。特に哺乳類では、ヒトにおける嗅覚コミュニケーションがあまり重要視されてこなかったこと、他の感覚に比べて動物の嗅覚を客観的に評価することが難しいこと、さらには水中生活する哺乳類には嗅覚を失った種が存在するなどの理由もあり、嗅覚の神経メカニズムは視覚や聴覚に比べて理解が大幅に遅れていた。しかし、1991 年にアクセル(Richard Axel)とバック(Linda Buck)によって、その他の感覚受容体の発見から大幅に遅れてにおい受容体(嗅受容体)遺伝子がようやく発見されてからは(Buck & Axel, 1991)、急速に嗅覚コミュニケーションに関する研究が発展した（アクセルとバックは、これらの業績により 2004 年にノーベル生理学・医学賞を受賞）。

　嗅覚シグナルは、ある一定の場所に一定の期間、情報を残すことができる特性を持っている。また、風による条件がよければ、視覚シグナルよりも遠くまで伝わる可能性を持っている。動物の個体から発せられるにおいは、揮発性の成分として直接空気中に放出されたり、分泌物として地面やモノにつけられ、そこから徐々に拡散していったりする特徴を持つ。

　なお、嗅覚シグナルとともに化学シグナルである味覚シグナルは、動物が食べ物を確認することで生体に危険である物質から回避するための重要な情報を提供してくれるが、種内コミュニケーションにおける重要性は嗅覚に比べて著しく低いと考えられるため、本稿での解説は割愛する。

嗅覚シグナルの伝達方法

　嗅覚シグナルとして、動物が自らの分泌物を使って"におい"をつける行為（においつけ）は、"マーキング(scent marking)"と呼ばれる。マーキングは、野生動物のみならず家庭動物や産業動物などの家畜を含め、動物の世界で幅広くみられる行動である。嗅覚シグナルとなるにおい物質は、動物の体表に存在する腺から直接分泌される場合もあるし、尿や糞などの排泄物とともに放出される場合もある（図 6-5）。マーキングの対象となるものは様々であり、地面の他、草や木であったり、石や岩であったり、時には同種あるいは異種の動物の身体に直接行われる場合もある（図 6-6）。

図6-6　哺乳類のマーキング（においつけ行動）　A：肛門周囲腺からの分泌物を木にこすりつけるコビトマングース。B：眼窩腺からの分泌物を木にこすりつけるオグロジカ。C：後ろの木に尿を噴出させるキングチーター。イエネコを含めたネコ科の動物で観察されるこの行動は"スプレー(spray)"と呼ばれる。D：糞でマーキングをするサイ。このように，動物は体の様々な部分からの分泌物を使ってマーキングを行って自分のなわばりを主張する。

哺乳類にみられるマーキングは，なわばりの形成や維持に関係した行動であることが多い。例えばチーター (*Acinonyx jubatus*) は，多くのネコ科動物と同様に後ろに向かって尿を噴出し樹木などにマーキングすることで自分の存在を他個体に示し，互いに直接出会うことを避けていると考えられている（図6-6）。また，ハツカネズミ (*Mus musculus*) の雄は，少量の尿によってある範囲に満遍なくマーキングすることでその範囲が自分のなわばりであることを主張している。もし他の雄が自分のなわばりに侵入しマーキングをした場合には，他の雄のにおいの上に自分のにおいをただちに被せることで，そこが自分のなわばりであることを侵入個体に対して示す行動をとる（カウンターマーキング〈counter marking〉）。スナネズミ (*Meriones unguiculatus*) の雄は，腹部にある臭腺を地面の突起物などにこすりつけることでマーキングをし，なわばりを主張していると考えられている。

マーキングは，なわばりの主張のみならず性行動に関連して観察されることもある。実験的には，性ホルモンとの強い関連性が示唆されている。性行動に関連したマーキングは雌よりも雄で頻繁に認められ，雄を去勢するとマーキングの発現頻度は低下し，反対に去勢した雄にアンドロゲンを投与するとマーキングの発現がもとのレベルに戻ることが知られている。

攻撃行動に関連したマーキングも頻繁に観察されている。ハムスターやテンジクネズミは闘争の後，勝者がマーキングを示す一方で敗者は示さないことが観察されている。また，マーキングによって残された見知らぬ個体のにおいを見つけると歯ぎしりをして威嚇行動を示す姿が観察される。ウサギやアレチネズミなどでは社会的に優位な雄ほど頻繁にマーキングを示すという。マーキングによってにおいを残すことで自己の優位性を示し，雄に対してなわばりを主張して無意味な闘争を避けるのと同時に，雌には自己の存在をアピールするである。

フェロモン

嗅覚シグナルの中に，「同種の他個体に認知され，その個体に特定の反応を引き起こすシグナル」が存在する。このような嗅覚シグナルは，一般的なにおいとは区別して"フェロモン(pheromone)"と呼ばれている。フェロモンの存在は1930年代から予想されていた。雌のカイコガを籠に入れ活動時間帯である夜間に屋外と通じる場所に置いておくと，籠の周りに雄のカイコガが集まってくることから，雌が空気中に雄を誘引する何らかの物質を放出しているのではないかと考えられていた。『ファーブル昆虫記』にも記載されているこの現象に興味を持ったドイツ人科学者のブテナント (Adolf Butenandt) は，雌が雄を引き寄せているのは，揮発性の化学物質，すなわちにおいであると確信を持ち，1930年代後半からこの化学物質の単離と同定に関する研究を始めた。そして20年の歳月を費やして，1959年にその化学物質の同定に成功し，カイコガの学名である *Bombyx mori* にちなんでボンビコール (Bombykol) と命名した (Butenandt, 1961)。また，このように強力な生理活性を持った化学物質を指すために，カールソンとルッシャーによってギリシャ語の pherein (運ぶ) と hormao (刺激する) をあわせた pheromone (フェロモン) という用語が造られ，「個体から放出され，同種の他個体に特異的な反応を引き起こす，単一あるいは少数の化学物質」と定義された (Karlson & Luscher, 1959)。そのため，ボンビコールは同定されたフェロモンの第1号となった。今日，フェロモンという言葉から性的な魅力を連想されることが多い背景には，フェロモンの第1号が異性を誘引する化学物質であったことが影響していると思われる。しかし，フェロモンは異性に働きかける物質に特化したものではなく，「動物に特異的な行動や生理反応の変化を起こす化学物質」であることを忘れてはならない。なお，ブテナントは初めて性ステロイドホルモンの単離・同定に成功した科学者でもあり，その業績によりノーベル化学賞 (1939年辞退，1945年に正式に授与) を授与されている。

フェロモンは，嗅覚コミュニケーションのシグナルとして幅広く用いられている。最も単純な生物におけるフェロモンとしては，ミズカビの一種であるカワリミズカビ (*Allomyces*) の性誘導物質としてのフェロモンがある。この生物は，雌雄の配偶子が効率よく出会えるために，雌性配偶子からシレニンというフェロモ

ンを放出し，これが雄性配偶子を引き寄せる作用を持っている。ミズカビのような単純な生物では性誘導物質としてのフェロモンがコミュニケーションの主体であるが，複雑な無脊椎動物になると，性誘導のフェロモンのほかに，同種の仲間に集合を呼びかけるフェロモンや，仲間に危険を伝えるフェロモンを放出して種内コミュニケーションを行う例も認められている。

無脊椎動物でフェロモンによる嗅覚コミュニケーションが最も多く研究されているのは，フェロモンという用語を生み出すきっかけとなったカイコガを含む昆虫である。昆虫では，交尾相手を誘引する性フェロモンのほかに，生息に適した樹木を見つけた個体が仲間を引き寄せるフェロモン（招集フェロモン：カリフォルニアに生息するキクイムシは，寄生するポンデローサ松の成分を摂取し，これを体内の細菌を利用することで仲間を誘引するフェロモンを分泌している。女王フェロモン：ミツバチの女王はカルボン酸を主成分とするフェロモンを分泌し，コロニーを維持している），ある生物が自分らの種にとって敵であることを仲間に示すフェロモン（警報と攻撃フェロモン：見張りのハチは標的に刺した針とともにフェロモンを含んだ分泌腺を残すので，仲間のハチは標的を確認して的確に攻撃することができる），巣の中で死亡した死体から出るフェロモン（死後フェロモン：ミツバチでは，このフェロモンが出る死体をワーカーが連携して巣の外に運び出す），餌場のありかを仲間に知らせるフェロモン（道しるべフェロモン：アリは地面に臭跡を残して他の仲間に跡を追わせることで餌場に導く）などが知られている（アゴスタ，1995）。

脊椎動物でもいくつかのフェロモンが同定されているが，いまだ十分な知見は蓄積されていない。脊椎動物は昆虫に比べて複雑な神経回路を持ち，個体の寿命が長いことから彼らが示す行動は経験による影響を多分に受けている。そのため，昆虫における発見をもとに作られたフェロモンという用語とその定義を，脊椎動物のコミュニケーションにそのまま当てはめることに関して様々な意見があるのが現状である。このような背景から，脊椎動物における嗅覚コミュニケーションに関しては，フェロモンが関与するものに限定せず幅広く紹介する。

魚類のキンギョでは，雌体内で卵の成熟を促進するステロイドホルモンとして同定されている $17\alpha,20\beta$-dihydrosy-4-pregnen-3-one が雌の体外に放出されると，雄の性腺刺激ホルモンの分泌を刺激して精子を増加させる作用を持つことが明らかとなっている。また，排卵時期に雌から放出されるプロスタグランジン $F_{2\alpha}$ は，性成熟した雄を誘引する作用を持つことも明らかにされている（アゴスタ，1995）。

両生類では，アカハライモリ（*Cynops pyrrhogaster*）が分泌するソデフリン，シリケンイモリ（*Cynops ensicauda*）が分泌するシリフリン，アマガエルの一種であるイエアメガエル（*Litoria caerulea*）が分泌するスプレンディフェリンなどが報告されている。ソデフリンやシリフリンは雄の腹部肛門腺から分泌されるペプチドで，繁殖期に雌を誘引する効果を持つことが知られている（Kikuyama et al, 1995）（18 章「行動の比較神経内分泌学」を参照）。

爬虫類では，アメリカガーターヘビ（*Thamnophis gigas*）の交尾行動はにおいによって調節されているとされている。アメリカガーターヘビは繁殖が可能な春になると，冬眠からさめて巣穴の近くに雄が群がるようになる。同じ時期に雌は 1 匹ないし数匹ずつ巣穴から出てくるが，雌が巣穴から出てくると一群の雄が雌を取り囲み，交尾ボールと呼ばれる集団を形成する。このとき雄は雌の背中のにおいにより雌であることを確認し，"あごこすり"という行動を示して交尾行動にいたる（アゴスタ，1995）。これらの行動を指標にしてビテロゲニンというタンパク質が同定されたが，ビテロゲニン単独では雄を誘引する作用は認められなかったため，この行動には他の物質の関与もあると考えられている。

鳥類は，一般的に嗅覚は発達していないとされてきた。しかし，嗅覚研究の発展により，鳥類においても，種族識別，個体識別，性の区別，配偶者選択などに嗅覚を利用している可能性が示されている。においによる個体間コミュニケーションのための情報源の一つとして考えられているのが，多くの鳥類の尾の付け根付近に存在する尾脂腺からの分泌物（preen oil）である（Whittaker & Hagelin, 2020）。preen oil の主成分は，ワックスエステルやアルコール，アルデヒド，カルボン酸などである。従来から preen oil は，鳥が自らの嘴を用いて羽に塗りつけることで，羽の汚れの防止や水に浮くための撥水性の維持に役立っているとされてきた。これらに加えて，近年では preen oil が個体情報を伝える体臭として，種内相互作用，特に繁殖期の種内コミュニケーションの嗅覚シグナルとしても機能している可能性が研究されている。さらに，消化管微生物相の違いが生み出すにおいも種内コミュニケーションに利用される可能性も注目されている。鳥類でも種内コミュニケーションを担うにおい分子が同定される期待は十分に持たれているのである。

哺乳類は，進化的に陸上の様々な環境に適応するように進化をしてきた。そのため，フェロモンを含む嗅覚シグナルを性行動や社会行動のための重要なシグナルとしてきた。哺乳類における嗅覚コミュニケーションに関しては，6.4「哺乳類における嗅覚コミュニケーションの例」でさらに解説する。

6.3 嗅覚系の構造

2つの嗅覚系——嗅覚系と鋤鼻系

動物が食べ物の探索や認知を行う際ににおいを感知する能力は，嗅覚系(主嗅覚系〈main olfactory system〉)というにおい情報を認識するための神経系が中心となって発揮されている．さらに，ヒトなどの類人猿，鳥類，その他一部の例外を除き，陸上生活を営む多くの動物種には鋤鼻系(vomeronasal system)という嗅覚に関連した感覚系が存在している．ここでは医学書では取り上げられることが少ない鋤鼻系について解剖学的特徴を中心に解説する．

主嗅覚系は，嗅覚受容体(olfactory receptor)が存在する嗅上皮(olfactory epithelium)から始まり，その情報を受け取る主嗅球(main olfactory bulb)と，主嗅球から投射を受ける幅広い脳領域で構成されている．一方鋤鼻系は，これまでは補足的(accessory)な嗅覚系(olfactory system)を意味する副嗅覚系(accessory olfactory system)と呼ばれてきた神経系である．鋤鼻系は，鋤鼻受容体(後述)が分布する鋤鼻上皮(vomeronasal epithelium)を内在する鋤鼻器(vomeronasal organ)(Jacobson et al, 1998)から始まり，その情報を受け取る副嗅球(accessory olfactory bulb)，さらに副嗅球からの投射を受ける脳領域で構成されている(図6-7の左半分，図6-8A)(長田ほか，2007)．嗅球の半分近くを副嗅球が占めるヘビ類などを除いて，鋤鼻器を持つ多くの陸棲動物では副嗅球は嗅球の一部として確認される．そのため，主嗅覚系(図6-7の右半分)に対して鋤鼻器に始まる嗅覚系は補足的な嗅覚系として扱われてきたのである．嗅覚研究の進展により，主嗅覚系と副嗅覚系は原則的には別々の神経回路であること，嗅覚受容体と鋤鼻受容体は異なった分子構造であることが明らかとなり，副嗅覚系を鋤鼻系とする考え方が定着してきた．鋤鼻器を持たない類人猿や鳥類などでは副嗅球も確認できないため，これらの動物が持つ嗅覚神経系は主嗅覚系のみということになる．一般の医学書でにおいの感覚系として嗅覚系(主嗅覚系)のみが記載されているのはこのためである．

この2つの神経回路には機能分担があると以前は考えられており，例えば主嗅覚系と鋤鼻系はそれぞれ揮発性の高い物質と低い物質を受容するという説や，鋤鼻系はフェロモン受容のために存在する特別な嗅覚神経回路であるとする説が提唱されていた．しかし，揮発性の高い物質でも鋤鼻系で受容されること，揮発性の低い物質でも主嗅覚系で受容されること，さらに主嗅覚系で受容されるフェロモンが存在することも明らかとなっている(Hudoson & Distel, 1986；Lin et al, 2005)．したがって現在では，2つの嗅覚系に明確な機能的分担は存在しないことが広く受け入れられている．

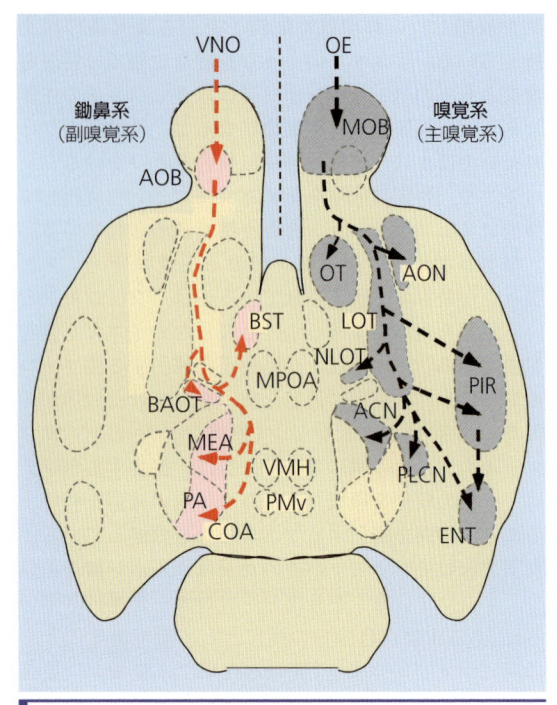

図6-7 哺乳類の2つの嗅覚系 げっ歯類の研究をもとに，嗅覚系(主嗅覚系)と鋤鼻系(副嗅覚系)の主要な神経回路を示す．左半分(赤)が鋤鼻系，右半分(黒)が嗅覚系．いずれも，受容体ニューロンの軸索が投射する一次中枢(副嗅球〈AOB〉および主嗅球〈MOB〉)と，その後の投射先である二次中枢を示す．鋤鼻系の二次中枢(分界条床核〈BST〉，扁桃体内側核〈MEA〉，扁桃体後核〈PA〉など)は，その後さらに，視索前野(MPOA)や視床下部腹内側核(VMH)など性ホルモンが作用する部位へと投射する．一方，嗅覚系の二次中枢からは，主に大脳辺縁系や大脳皮質へと投射し，最終的には前頭前野へと情報が送られる．このように，原則的に嗅覚系と鋤鼻系は相互に異なった神経回路を形成している．ACN：扁桃体前皮質核，AON：前嗅核，BAOT：副嗅索床核，COA：扁桃体皮質核，ENT：嗅内皮質，LOT：外側嗅索，NLOT：外側嗅索核，OE：嗅上皮，OT：嗅索，PIR：梨状皮質，PLCN：扁桃体外皮質核，PMv：乳頭体前核腹側核，VNO：鋤鼻器．

鋤鼻系の構造

鋤鼻器は，一般には両生類，爬虫類，哺乳類にみられる器官とされているが，例外も存在する．例えば，ワニ目は爬虫類に分類される動物であるが鋤鼻器は存在しない．哺乳類でも，類人猿には機能的な鋤鼻器や鋤鼻受容体は存在しない．ただし類人猿では，胎児期において，鋤鼻器の存在と鋤鼻器と嗅球を連絡する軸索投射が認められることから，鋤鼻系は発生途中で退化すると考えられている．同じく鳥類も，鋤鼻器は発生の途中で退化するといわれている．鋤鼻器は，有尾両生類の主鼻腔に相当する一部が憩室化して徐々に鼻腔から独立して発生をするようになることから，鋤鼻系の発達は水中から陸上生活への適応の結果として形成された神経回路と考えられている．実験動物を含めて家畜化された哺乳類では，鋤鼻器は鼻中隔の腹側基部に沿って，前後方向に細長い左右対称の1対の器官として認められる(図6-8B)．前端は，鼻腔に直接開口

6.3 嗅覚系の構造　85

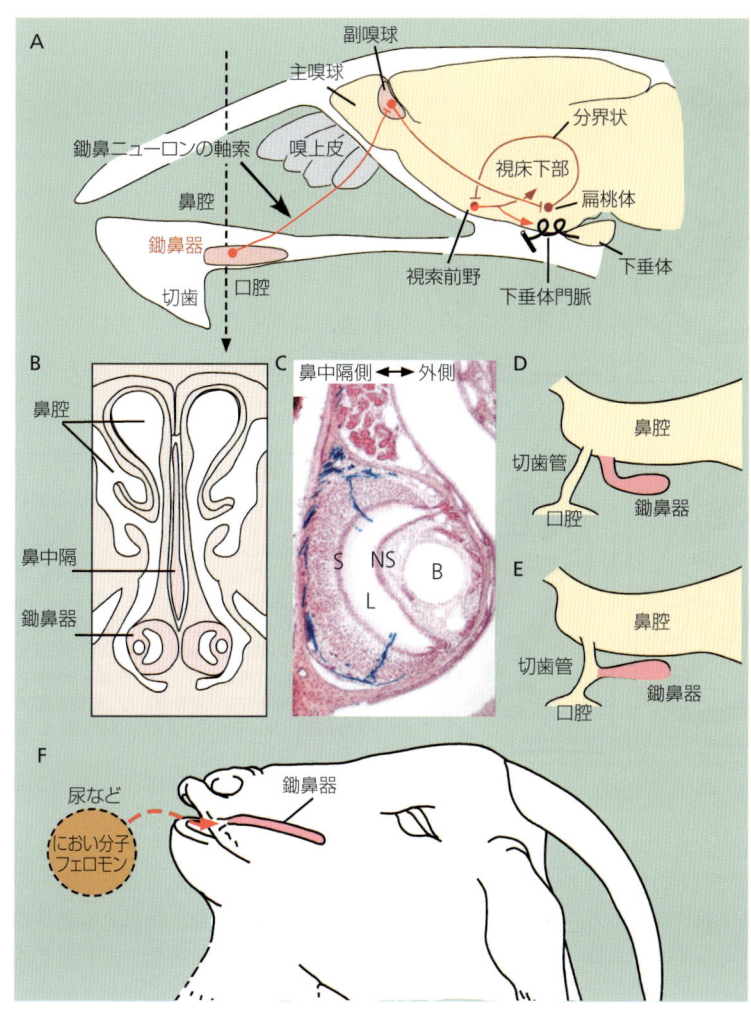

図6-8　鋤鼻器の位置・構造およびヤギのフレーメン　A：鋤鼻系の神経回路の模式図．マウスを例にして，鋤鼻器の位置と鋤鼻系の主たる神経回路を示す．B：Aの点線部分の前頭断（模式図）で，鼻中隔，鼻腔，鋤鼻器の位置関係を示す．C：マウス鋤鼻器の組織像（前頭断，左側）．青色の構造物は，鋤鼻受容体遺伝子（V1Ra1）を持つ鋤鼻神経細胞とその軸索（S：感覚上皮，NS：非感覚上皮，L：鋤鼻腔，B：静脈洞）．D，E：鋤鼻器が鼻腔に直接開口するタイプ（D）と切歯管を介して鼻腔と口腔の双方に開口するタイプ（E）の模式図．F：ヤギなどの反芻獣（Eタイプの動物）は，フレーメンによってにおい物質を鋤鼻器へ引き込んでいると考えられている．(A〜D：Yokosuka, 2012より改変．F：ハート，動物行動学入門，1995より改変)

している動物（げっ歯類，ウサギなど）（図6-8D）と，切歯管という鼻腔と口腔を結ぶ管に開口している動物（イヌ，ヤギ，ウシなど）（図6-8E）が存在している．後端は，動物種に関係なく盲嚢として終わっている．鋤鼻器の組織構造は，鼻中隔側である内側には感覚上皮（鋤鼻上皮）が形成され，鋤鼻腔を挟んだ対側には血管（静脈）に裏打ちされた非感覚上皮が形成されている（コモンマーモセットのような例外も存在する）．げっ歯類のように鋤鼻器が鼻腔に開口する動物では，非感覚上皮を裏打ちする血管は太い静脈洞として発達しており，その周囲には平滑筋および弾性線維が発達している（図6-8C，図6-10）．この血管が拡張・収縮を繰り返すことで鋤鼻腔内圧を変化させて鋤鼻腔ににおい物質を引き込むポンプの役割をしていると考えられている（鋤鼻ポンプ説）．一方，切歯管を介して口腔に連絡しているタイプの動物の鋤鼻器には，太い静脈洞は認められず，その代わりに細い血管が走行している（図6-9）．このタイプの鋤鼻器を持つ動物は，鋤鼻のポンプ作用ではなく，舌を口腔に出し入れする運動や

フレーメンという行動によってにおい物質を鋤鼻腔に引き込んでいると考えられる．フレーメン（flehmen）とは，においを嗅いだときに動物が頭を上げて上唇をめくり上げる反応で，ウマやヤギなどの有蹄類，ネコ科動物，コウモリ，有袋類などで観察される行動である（図6-8F）．なかでも有蹄類の雄で観察されるフレーメンは特徴的であり，雌の尿や外陰部のにおいを嗅ぐと，上唇をまくり上げて口を開き，頭を上げて左右あるいは上下に動かす行動を示す（ハート，1995）．

　鋤鼻器の感覚上皮である鋤鼻上皮は，鋤鼻受容体を発現している鋤鼻神経細胞と受容体を持たない支持細胞で構成されている．鋤鼻神経細胞は，嗅上皮の嗅細胞（嗅覚受容神経）と同様に，上皮細胞由来の感覚細胞であると同時に，軸索を持つ神経細胞（ニューロン）でもあるため"神経"という名称がつけられている．鋤鼻神経細胞は双極型の細胞で，その片方は鋤鼻腔内に達しており，細胞表面から鋤鼻腔内に向かって数十から数百本の微絨毛が突出している（図6-8C，図6-10B）．

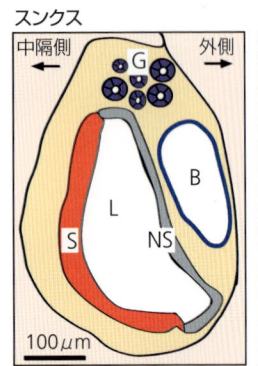

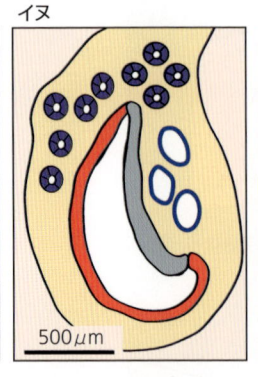

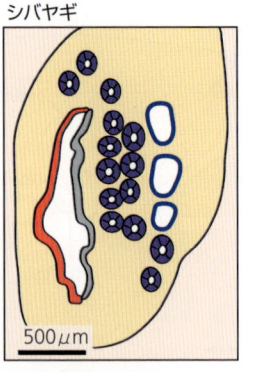

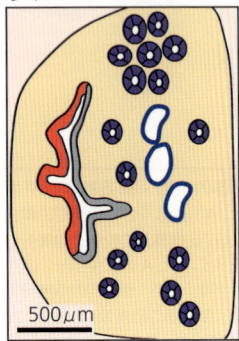

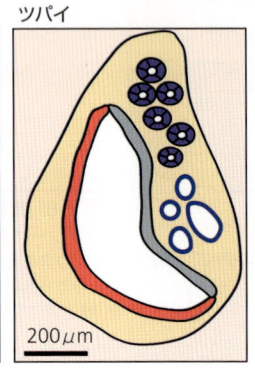

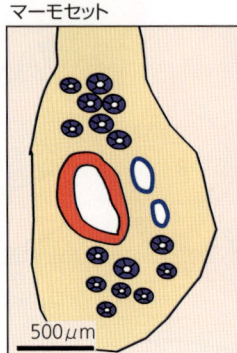

図 6-9　哺乳類の鋤鼻器の比較　スンクスでは大きな静脈洞(B)が非感覚上皮(NS)を裏打ちしている。マウスやラットも同じ形態を持っている。この血管の運動が鋤鼻器ににおい物質を引き入れるポンプ(鋤鼻ポンプ)の役割を持つと考えられている。一方，イヌ，ヤギ，ツパイ，コモンマーモセットでは細い静脈洞が複数走行する構造を示す。これらの動物では鋤鼻ポンプのような機能はないと考えられる(瀧上周博士から提供された組織標本をもとに作成)。S：感覚上皮(赤色の部分)，NS：非感覚上皮(灰色の部分)，L：鋤鼻腔，G：腺組織。

鋤鼻受容体(vomeronasal receptor)は，主にこの微絨毛に発現しており鋤鼻腔表面に発現している。鋤鼻神経細胞の反対側からは，鋤鼻上皮の基底膜に向かって軸索が派生しており，この軸索は鋤鼻器の基底膜を貫いて粘膜固有層で複数の神経束を形成し，副嗅球へと投射している。

鋤鼻受容体

鋤鼻受容体は，鋤鼻器に特異的に発現する受容体遺伝群として1995年から1997年にかけて発見され，Ⅰ型(V1R)およびⅡ型(V2R)の2つのグループに分けられている(図6-10)(Dulac & Axel, 1995)。げっ歯類はⅠ型とⅡ型の両方を発現しているが，その他の多くの哺乳類(例えば，ウシやヤギなどの反芻類，イヌやネコなどのネコ目)ではⅠ型のみが発現している。哺乳類以外の動物の鋤鼻上皮では，両生類ではⅠ型とⅡ型が，爬虫類のカメではⅡ型が発現している。また，鋤鼻器の分化が認められていない魚類では，Ⅰ型とⅡ型が嗅上皮に発現している。鋤鼻受容体は，嗅覚受容体と同じく7回膜貫通型受容体である。鋤鼻受容体はGタンパク質と共役しているのが特徴で，Ⅰ型はGタンパク質αサブユニット$G\alpha_{i2}$と，Ⅱ型はGタンパク質αサブユニット$G\alpha_o$などと共役して発現し，イオンチャネルの開口を促すことで受容した化学物質のシグナルを伝達していると考えられている。

鋤鼻感覚細胞の投射様式

げっ歯類や有袋類であるオポッサム(*Monodelphis domestica*)では，鋤鼻神経細胞の分布とその軸索投射パターンに他の動物にはない特徴があることが調べられている。これらの動物では，Ⅰ型を発現する鋤鼻神経細胞の細胞体は鋤鼻上皮の浅層に位置し，Ⅱ型を発現する鋤鼻神経細胞の細胞体は深層に分布している。また，Ⅰ型の受容体を持つ鋤鼻神経細胞の軸索は副嗅球の吻側に，Ⅱ型を持つ鋤鼻神経細胞の軸索は副嗅球の尾側に投射している。しかし，Ⅰ型のみを発現している反芻類やネコ目の動物では，副嗅球全体がⅠ型の鋤鼻細胞細胞の投射で占められている(図6-10B，C)(Yokosuka, 2012)。

副嗅球の構造

副嗅球は鋤鼻神経細胞の投射を受けることから，鋤鼻系の第一次中枢と位置づけることができる。詳細な研究が行われているげっ歯類では，副嗅球は主嗅球の後背側部に位置する。げっ歯類の副嗅球は，鋤鼻神経細胞層，糸球体層，僧帽/房飾細胞層，有髄神経層，顆粒細胞層の5層で構成されている(図6-11)。僧帽/房飾細胞層には鋤鼻系の二次ニューロンである僧帽/房飾細胞の細胞体が不規則に分布している。鋤鼻神経細胞からの軸索投射の先端は，僧帽/房飾細胞の樹状突起の先端にあわせるように糸球体内部で"あずまや"を形成しており，ここでシナプス形成して，鋤鼻受容体で受容した化学分子の情報を僧帽/房飾細胞に伝達している。僧帽/房飾細胞は，鋤鼻系の二次ニューロンとしてさらに高次中枢に鋤鼻系の情報を送っている

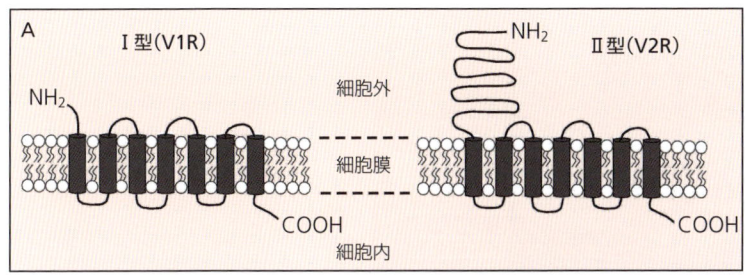

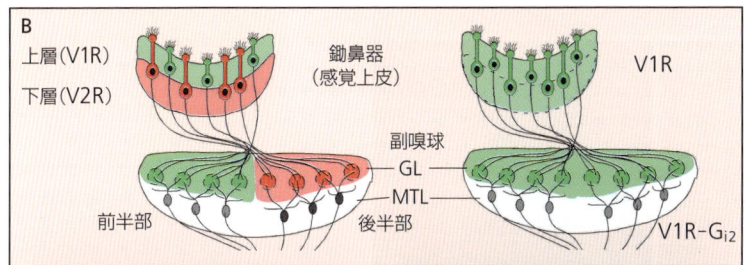

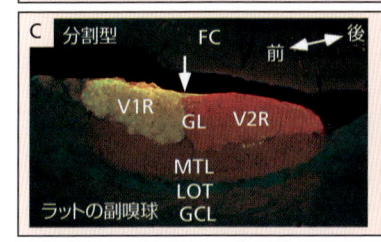

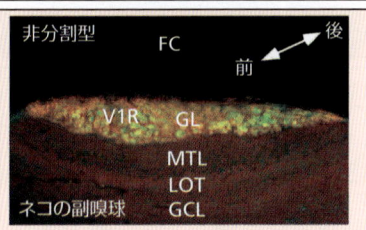

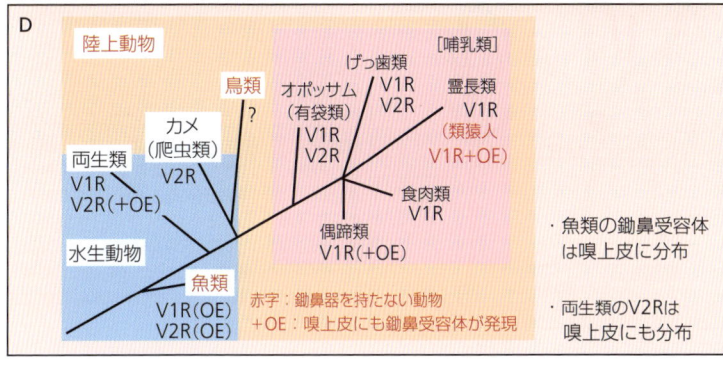

図6-10 鋤鼻受容体と鋤鼻神経細胞の投射様式 A：鋤鼻受容体はⅠ型(V1R)とⅡ型(V2R)の2つのグループに分けられ，それぞれG_{i2}とG_oというGタンパク質サブユニットと共役している。V1RはN端の細胞外ドメインが短いロドプシンタイプの受容体で，嗅上皮に分布する嗅覚受容体とは遺伝子の相同性はない。B，C：ラットのように鋤鼻器にⅠ型とⅡ型の双方を持つタイプでは，副嗅球の糸球体層(GL)の吻側部と尾側部に分割してそれぞれの鋤鼻神経細胞の軸索が投射する。図中の白い矢印は前後の境界を示す。Ⅰ型のみを持つタイプでは糸球体層の全体にⅠ型の鋤鼻神経細胞の軸索が投射する。LOT：有髄神経叢(外側嗅索)，GCL：顆粒細胞層。D：鋤鼻受容体の発現を系統発生的に示した。MTL：僧帽／房飾細胞層。(Yokosuka, 2012より改変)

(Yokosuka, 2012)。

6.4 哺乳類における嗅覚コミュニケーションの例

雄のにおい

　成熟した雄ヤギは，いわゆる「ヤギ臭さ」と呼ばれる特異的なにおいを発する。この雄のにおいを構成している成分の一つである4-ethyl-octanic acidには，雌ヤギを性的に誘引する効果があることが認められている。同様に雄ヤギのにおいは，雌の性腺機能を賦活化することが明らかにされている。ヤギやヒツジのように，特定の季節にしか交尾行動をすることができない季節繁殖物では，人為的に非繁殖期の雌の群れに雄を導入すると雌の卵巣活動が賦活化され，排卵を誘発できることが古くから知られており，この現象は雄効果(male effect)と呼ばれていた(Gelez & Fabre-Nys, 2004)。雌の卵巣活動は，脳の視床下部より分泌される性腺刺激ホルモン放出ホルモン(gonadotropin-releasing hormone：GnRH)によって制御されていることが知られている。GnRHは下垂体に作用して黄体形成ホルモン(luteinizing hormone：LH)の分泌を促し，分泌されたLHが卵巣を活性化する。GnRHは常に一定量が放出されているのではなく，周期的(パルス状)に分泌されており，GnRHの分泌パルスが低頻度のときには卵巣活動が停滞する一方で，このパルスが高頻度になると卵巣活動が活発化し排卵にいたるというように，GnRH分泌のパルス頻度が卵巣活動を支配している。このパルス頻度は，弓状核に存在するGnRHパルスジェネレーターという神経機構により制

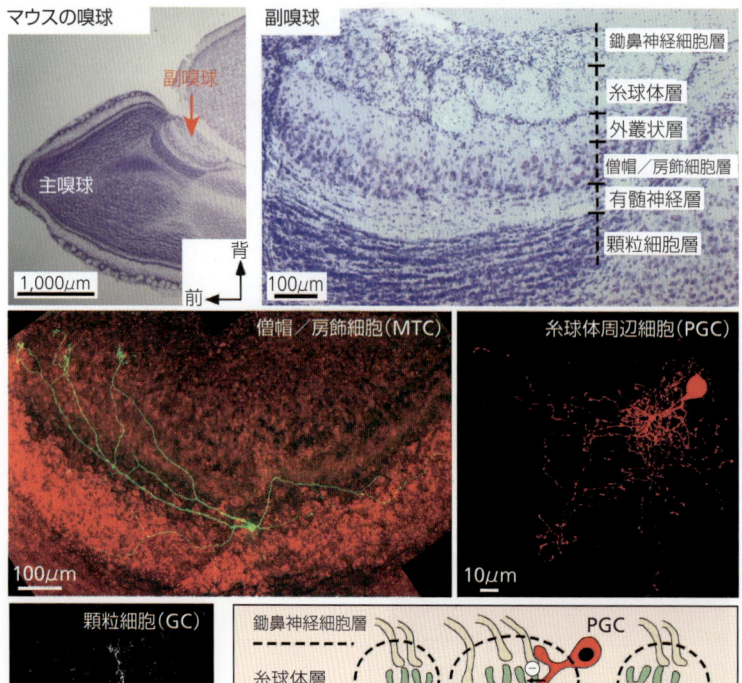

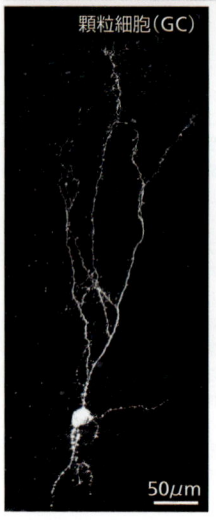

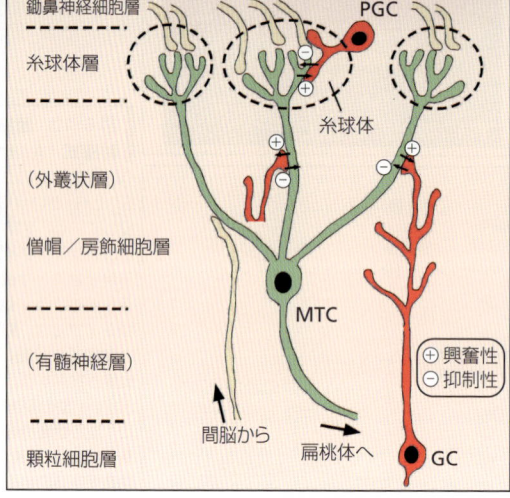

図6-11 マウス副嗅球の組織構成 マウスの副嗅球は嗅球(主嗅球)の背側に形成されている(上段の左写真)。組織学的に5層構造を示す(上段の右写真)。副嗅球の主ニューロン(投射ニューロン)は形態的に僧帽細胞と房飾細胞の区別ができないため,僧帽/房飾細胞(MTC)と呼ばれている(中段の左写真,緑の細胞)。MTCの樹状突起は,副嗅球の糸球体において鋤鼻神経細胞の軸索投射を受けて,その情報を扁桃体へと送る(下段の図)。介在ニューロンである糸球体周辺細胞(PGC)と顆粒細胞(GC)は,MTCの樹状突起との間に相反性シナプスを形成して,抑制性伝達物質(GABA)を放出することでMTCの神経活動を制御すると考えられる。PGC(中段の右写真,赤の細胞)とGC(下段の左写真,白の細胞)は,それぞれの細胞にトレーサーを注入して単一ニューロンを可視化した。(Yokosuka, 2012 より改変)

御されていると想定されており,キスペプチン(kisspeptin)を分泌する神経細胞群がGnRHパルスジェネレーターの本体である可能性が強く示唆されている(Uenoyama et al, 2016;Kanda, 2018)。パルスジェネレーターの活動を電気生理学的に観測したところ,雄ヤギの頭部よりテストステロン依存性に放出される4-ethyloctanalは,その活動を賦活化する能力を持つことが明らかになった。

ブタでも雄のにおいが雌の性腺活動を賦活化することが知られている。雄の近くで飼育された雌や,雄が飼育されていたケージで飼育された雌は,春機発動が早まることが知られている。これは雄の唾液中に含まれるアンドロステノン(5α-androst-16-en-3-one)が引き起こしていると考えられている。またこの物質は,交尾の際に雌に不動化を誘導して雄の交尾を受け入れやすい姿勢をとる"ロードーシス"を引き起こすことも知られている。人工的に合成したアンドロステノンを,発情していると思われる雌ブタの鼻面にスプレー噴霧すると,その雌ブタが発情していた場合には不動化がより顕著化する。この行動を指標とすることで雌ブタの発情をより正確に検出することができるため,畜産における人工授精の効率向上に役立っている。またこの物質は,土の中にあるトリュフを探すことにも役立っている。トリュフにはアンドロステノンと同じ成分が含まれているため,発情期の雌ブタはトリュフが埋まっている場所を探し出し,掘り出して食べようとするのである。

家畜のウシでも,雄の近くで飼育された雌や,雄の尿に曝露された雌は春機発動が早まることが一部報告されているが,効果がみられないとの報告も存在し学

術的には同意にはいたっていない。

　マウスでは，雄の尿に含まれる物質に雌の性腺機能を賦活化する作用があることが知られている。例えば，発情が遅延している雌に雄の尿を提示すると，発情が誘起されるという現象が報告されている。この現象は，報告した研究者の名をとってウィッテン効果（Whitten effect）と呼ばれている（Whitten 1956；Whitten et al, 1968）。また，雄のにおいは雌の鋤鼻系を介して春機発動を早めることが報告されており，同様に発見者の名からヴァンデンバーグ効果（Vandenberg effect）と呼ばれている（Vandenbergh, 1969）。後年さらに研究が進み，雄のにおいは雌の性腺機能に影響を与えるのみならず，行動学的にも様々な効果を引き起こすことが明らかとなっている。例えば，雄から分泌される 3,4-dehydro-*exo*-brevicomin と 2-*sec*-butyl-4,5-dihidrothiazole の混合物は，他個体の雄に攻撃行動を誘発する一方で雌を引きつける作用を持ち，また前述したウィッテン効果を誘導することが知られている。同様に，雄の包皮腺から尿中に放出される α-farnesene と β-farnesene の混合物は，他の雄に対して攻撃行動や忌避行動を引き起こし，社会的順位に応じてマーキング行動を変容させる。また雌に対しては誘引作用を持ち，ウィッテン効果を誘発することが報告されている。その他にも，6-hydroxy-6-methyl-3-heptanone や isobutylamine, isoamylamine といった分子がヴァンデンバーグ効果を引き起こすこと，(Methylthio)methanethiol や包皮腺から尿中に放出される (Z)-5-Tetradecen-1-ol は主嗅覚系への作用を介して雌を誘引する作用があることが示されている。

　これらはいずれも揮発性の高い化学物質だが，一方で揮発性の低い化学物質も雄を特徴づけるにおいとして雌に作用ことが明らかにされている。例えば，マウスの雄の眼窩外涙腺から分泌される ESP1（exocrine gland-secreting peptide 1）というタンパク質は，鋤鼻系を介して他個体雄に攻撃行動を誘発し，さらに雌に対しては雄からの性行動を受け入れる確率を上げる作用があることが知られている（Haga et al, 2010；Hattori et al, 2016）。マウスを含めたげっ歯類では，雌雄が出会うとお互いの顔面のにおいを嗅ぎ合うような行動がしばしば観察されるが（図 6-12A），マウスではこの行動を介して EPS1 によるコミュニケーションが行われているのである。またマウスは，正常でも尿中に主要尿タンパク質（major urinary protein：MUP）というタンパク質が存在するが，その1つである MUP20 は雌にとって強い報酬になり，一度嗅ぐだけで同時に嗅いだ雄のにおいを覚え，それに誘引されるようになることから，ダーシン（darcin）と名づけられている（Roberts et al, 2010）。

　このように実験動物であるマウスでは，嗅覚コミュニケーションに関係する様々な物質が同定されてきて

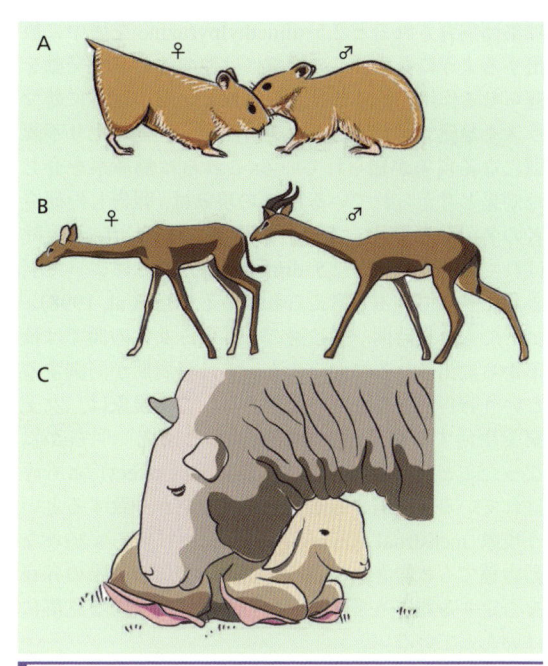

図 6-12　哺乳類の主な嗅覚による種内コミュニケーション
A：げっ歯類の雌雄が出会うとお互いの顔面のにおいを嗅ぎ合う行動がみられる。マウスでは，この行動によって ESP1（本文参照）を介した性的および攻撃的な嗅覚コミュニケーションが行われる。B：雄（♂）は雌（♀）の生殖器のにおいを嗅いで交尾相手の雌が発情期であることを確認する。このような行動は多くの陸上生活を行う哺乳類において性行動として観察される典型的な嗅覚コミュニケーションである。C：ヒツジの母親は生まれたばかりの仔ヒツジに付着した胎盤を取り除く行動を行うことでわが子のにおいを記憶する。母親はこのにおい記憶をもとに，離乳まで産んだ仔をわが子として個体識別する。

いる。しかし，雄から示されるにおい物質の多くが実際に効果を発揮するためには，尿とともに提示されることが必要であることから，これらの物質の単独の作用ではなく，尿中に存在する他の物質が補助的な役割を担っていると考えられる。

雌のにおい

　雌のにおいは雄への性的シグナルとして種内コミュニケーションの役目を持つことが観察されている。例えば，雌ヤギや雌ヒツジの尿には繁殖期の雄を引きつける作用が認められる。雌は成熟した雄が近づくと頻繁に排尿し，雄は雌の尿を嗅いだり舐めたりして，フレーメンを行って，雌が発情期であると判断した場合に性的アプローチを開始する（図 6-12B）。同様に，発情した雌ウシの膣分泌物や，会陰部の汗腺や皮脂腺からの分泌物には，雄ウシを強く引きつける作用が認められている。実験動物にもなっているゴールデンハムスター（*Mesocricetus auratus*）では，発情期の雌の膣分泌物に含まれる dimethyl disulfide という物質が雄を誘引する効果を持つことが明らかにされている（図 6-12A）。

　雌のにおいは，同性である同種の雌の性腺活動にも影響を与えることが知られている。例えば，雌マウス

は集団飼育されると 2,5-dimethylpyrazine を尿中に放出するようになり，この物質には他の雌の春機発動を遅らせる作用があることが知られている．同様に雌マウスを集団で飼育すると，発情回帰が遅延したり不規則になる現象が知られている（これらは鋤鼻系を介した効果と考えられている）．この現象は，報告した研究者の名前からリー・ブート効果(Lee-Boot effect)と呼ばれており，やはり 2,5-dimethylpyrazine によって引き起こされていると考えられている(Ma et al, 1998)．ヒトでも，長時間一緒に過ごしている女性の間では腋下から放出されるにおいによって月経周期が同調するという報告がなされたことがある．この現象は，女子寮で生活する女子学生を対象にした研究で明らかになったことから"寄宿舎効果(dormitory effect)"とも呼ばれている．同居する雌同士で性周期が一致するという現象(menstrual synchrony)は，ヒトに限らず様々な動物種でも報告されているが，一方でこの効果の存在を否定する報告も多数あり，いまだに統一的な見解にはいたっていない．

母親のにおい

哺乳類では，授乳期に新生子(仔)の授乳を助けるための母子(仔)間における嗅覚コミュニケーションの存在が知られている．例えばヒトの新生児は，母親の乳輪に存在するモントゴメリー腺からの分泌物のにおいを頼りに，乳首に対して頭を向け，初乳から出産 4 日後までの授乳と母乳の嚥下反射を促進させていることが示されている．同様の現象がウサギでも明らかとなっている．ウサギでは，母乳に含まれる 2-methyl-but-2-enal という分子が主嗅覚系を介して新生仔に授乳のための捕捉反射を引き起こしていること明らかとなっている(Schaal et al, 2003)．ラットでは，母親は新生仔の排泄を促すために生殖器・肛門の周囲を舐め，それと同時に自分の乳首に対してもグルーミング(毛づくろい)を行うため，においが母親由来なのか新生子由来であるのかは不明であるが，乳首周辺に存在するにおいの一つである dimethyl disulfide は新生仔に捕捉反射を引き起こすことが明らかとなっている．

母親の存在は，子のストレスや不安を緩和する作用を持つことが知られている．ただしこの現象は，母親が雌であることや生みの親であるからではなく，自分に対して子育て行動を示してくれているためであることが知られている．そのため，例えば父親が主に子育て行動を行うティティモンキーでは，母親ではなく父親の存在が仔のストレス緩和の効果を持つことが明らかとなっている．このような，母親の存在によってストレスや不安が緩和される効果には，嗅覚コミュニケーションが関与していると考えられている．そのためこれを応用し，授乳中の乳房周囲から抽出したにおい物質が"安寧フェロモン"としてウマ，ウシ，イヌで商品化されている．

個体情報としてのにおい

ヒツジの母親は，自分の仔だけに授乳をして他個体の仔が吸乳を求めても激しく拒絶する行動を示す．これは，母ヒツジは自分の生んだ仔と他個体が生んだ仔を識別できることを示している．分娩前に嗅球を除去された母ヒツジは他の仔に対しても母性行動を示すと，分娩直後に同時期に生まれた仔ヒツジの胎盤や身体を拭いたニオイを母親に提示すると，その仔ヒツジに対する子育て行動を示すことから，仔を識別するためには産んだ仔に関連するにおいとそれを記憶することが重要であることがわかる．さらに，分娩直後に我が子のにおいを記憶するためには，分娩時に胎仔が産道を通過することによる子宮頸管への刺激という物理的な刺激が不可欠であることも明らかにされている．分娩による子宮頸管刺激によってもたらされる視床下部室傍核からのオキシトシン放出と，分娩直後にわが子を舐めることによる仔のにおい情報の受容があわさることが(図 6-12C)，母親が仔を識別するための記憶成立に重要なのである．

臓器移植の拒絶反応の鍵となる生体情報として知られている主要組織適合抗原複合体(MHC)(ヒトではヒト白血球抗原〈human leukocyte antigen：HLA〉)遺伝子によって作り出される個体のにおいは，配偶者の好みを決めていることが示されている(山崎, 1999)．雄マウスを MHC 遺伝子のみが異なる 2 匹の雌マウスと同居させると，雄は自分の MHC 型とは異なる雌と好んで交配することが知られている．また生後直後に里仔に出した研究結果から，この好みは遺伝的に決定されているのではなく，育ての母親の MHC 型と同じ MHC 型を好まない，というように決定されていることが明らかになった．さらにこの現象は実験室の中に留まらず，自然状況下で飼育されたマウスの群れにおいても確認されている．MHC 型がホモであるマウスのみを自然状況下で飼育し，誕生したすべてのマウスの MHC 型を解析したところ，MHC 型がヘテロである仔マウスが有意に多かったのである．この現象を生み出す原因を解析したところ，MHC 型の違いは尿に含まれる揮発性の高いにおいの違いとして現れていることが明らかになった．これに類似した現象はヒトでも実験されており，においによって近親交配が避けられていることが示唆されている．男性が 2 日間着続けた T シャツを用いてその男性のにおいの好みを女性に評価してもらうという実験を行ったところ，女性は自分の HLA 型とは異なる型の男性のにおいを好ましいと評価することが明らかになった(Wedekind et al, 1995)．同時に，経口避妊薬の服用はこのにおいの選好性を逆転させ，自分と同じ型の男性のにおいを好ましいと評価することが示された．このようなにおいの選好性が実際の行動に反映されていることも明らかにされている．隔離されたコミュニティで長年生活を続

けているフッター派の集団では，夫婦間でHLA型が一致する確率が理論値よりも有意に低かったのである。したがってヒトもマウスと同様に，HLA型によって決定されるにおいを用いて近親交配を避けていると考えられているのである。しかし，これらのにおいがMHC(HLA)遺伝子だけで決定されている訳ではないことは認識しておくべきである。マウスを用いた実験で，性染色体やMHC遺伝子以外のゲノムにもにおいの決定に寄与していることが示されている。複合的な作用によって個体としてのにおいが形成されているのであろう(Overath et al, 2014)。

またマウスでは，尿中に大量に含まれるMUPも個体のにおいを生み出すメカニズムに関与している。他の雄がマーキングによって残したにおい(マーク)を見つけると，雄はその上に自分のにおいを被せる行動であるカウンターマーキングを行う。この際，たとえマークが自分の尿であっても後から異なるMUPが添加されるとカウンターマーキングを行う一方で，MHCだけが異なる他の雄の尿によるマークにはカウンターマーキングを行わない。すなわち，MHC遺伝子ではなく，MUPによって作られるタンパク質の違いをもとにして，マークを残した個体を識別しているのである。雌も，MUPの違いで雄の個体識別を行っていることが知られている。侵入者が残したマークに対してカウンターマーキングを行うことは，そのなわばりを防衛できていることを示しているため，雌に対して生殖能力の高さを伝える役目もあると考えられている。そのため雌は，雄が残したマークおよびカウンターマークを探索した後にそれらを残した2匹の雄と出会うと，カウンターマーキングをしたほうの雄と過ごすことを好む性質を持つ。この際雌は，2匹の雄が異なるMUP型を持つ場合にはカウンターマーキングをした雄を認識できるが，異なるMHC型を持つ場合では2匹の雄を識別できないことが示されている。

MUPは，出会った相手との血縁関係の強さを認識するためにも利用されている。マウスは姉妹で巣を共有して育児を行う性質を持つが，そのためには同居する雌が自分の姉妹であることを識別できなくてはならない。生後すぐに里仔に出したため，生物学的には姉妹であるもののお互い馴染みがない雌を用意し，MUP型が2つとも同じ姉妹，1つだけが同じ姉妹，2つとも異なる姉妹のどの姉妹と一緒に過ごす時間が長いかを比較する実験を行った。その結果，MUP型の一致率が大きいほど相手を好むことが明らかにされている。しかし一方で，MHC型の差異はこの好みに影響を与えなかった。またこの好みは，生物学な母や育ての母のMUP型ではなく自己のMUP型による情報が基準となっていた。そのため，MUPによって相手との血縁関係を認識していると考えられている。しかし同時に，MUP型が2つとも異なる姉妹でも非血縁雌よりは好まれるという実験結果もあることから，血縁度の認識にはMUP以外の情報も用いられている。

マウスは個体の違いだけでなく，系統の違いもにおいで識別できることが知られている。マウスでは，雄との交尾後に受精卵の着床が成立するまでの間に交尾相手と異なる系統雄のにおいに曝露されると，最初に交尾した系統の雄の仔を流産するという現象が知られている。この現象は，最初に報告した研究者の名前をとってブルース効果(Bruce effect)と呼ばれている(Bruce, 1959)。この現象には，鋤鼻系を介したにおい情報が関与している。鋤鼻器で受容された雄のにおい情報は，副嗅球を経て視床下部の弓状核へと伝達されてドーパミンの分泌を促す。ドーパミンには，受精卵の着床に重要な働きを持つプロラクチンが分泌されることを抑制する作用があるため，一般的には雄のにおいは受精卵の着床を阻止して妊娠を阻害する効果を持つことになる。ところが，雄の交尾刺激を受けてノルアドレナリンが放出されている状態で雄のにおいを嗅ぐと，副嗅球の抑制性シナプスの作用が増大して交尾した雄の系統のにおい情報は副嗅球で遮断されるようになる(シナプスに可塑的変化が現れることを記憶と呼ぶため，系統の情報が副嗅球に記憶されたと表現できる)。そのため，交尾した雄と同居し続けてもその雄の情報は視床下部に伝わらないため妊娠は成立するのである。しかし，異なる系統の雄と出会うと，そのにおい情報は(副嗅球に記憶されていないため)遮断の対象とはならず，そのまま視床下部に情報が送られるため，ドーパミン放出が起こり最終的に着床が阻止されブルース効果が引き起こされるのである。

このような系統の違いを認識するためのにおいとして，前述したMHCの違いやESP1の多寡が示唆されているが，いまだ確証にはいたっていない。

情動を伝えるにおい

ストレスを受けた個体が特別なにおいを放出し，そのにおいを受容した同種の他個体に様々な反応を引き起こすことが，ヒト，ブタ，ウシ，シカ，マウス，ラットなどで知られている。例えばラットでは，電気ショックを受けるなどして危険な状況におかれると，肛門周囲部からテストステロン非依存性に特別なにおいを放出する。このにおいには4-methylpentanalとhexanalが含まれており，それぞれ鋤鼻系と主嗅覚系を介して受容されることで不安反応に重要な役割を担っている脳領域である分界条床核の神経活動を活性化する(Inagaki et al, 2014)。その結果，そのにおいを受容した個体は体温上昇反応の増強，オープンフィールド内に置かれた小さな箱(安全な隠れ家)に入って外部の様子を窺う行動の増加，聴覚性驚愕反射の増強，性行動の抑制といった，様々な不安反応を示す。そのため，不安という情動を伝える嗅覚コミュニケーションが存在していることが明らかとなっている(図6-

図 6-13 ラットの情動コミュニケーション A：不安のコミュニケーション。ストレスを受けたラットは肛門周囲部から警報フェロモンを放出し，他個体に様々な不安反応を引き起こす。B：安寧のコミュニケーション。ストレスを受けていないラットから放出されているにおいは，他個体の様々なストレス反応を緩和する。

13A）。

　反対に，ストレスを受けていない個体から，同種の他個体にストレスを緩和するにおいが放出されていることも，ラットを用いた研究で明らかにされている。いまだにその情報を仲介するにおい分子の同定にはいたっていないが，揮発性の分子で主嗅覚系を介して受容される分子であることが明らかになっている（Takahashi et al, 2013）。受容された後，恐怖反応を司る脳領域である扁桃体の神経活動を抑制することで，電気ショック（嫌悪刺激）に関連づけられた音や実験箱に対するすくみ行動やコルチコステロンの分泌，不快情動に伴う発声と考えられている 22-kHz calls といった，様々なストレス反応を抑制するのである。そのため，安寧という情動を伝える嗅覚コミュニケーションも，ラットに存在することが考えられている（図 6-13B）。

7 雄性行動

哺乳類は，有性生殖を行い，配偶子を形成することで，世代をつないできた。ゆえに，雌雄独自の性行動パターンが獲得されてきた。哺乳類の雄性行動では，通常，雄のほうから働きかけるマウントを機軸として様々な行動パターンに発展している（ヒトを含む類人猿では体面位をとるものもある）。行動神経内分泌学の研究は，ラット，マウス，スナネズミ，ハタネズミ，モルモットといった小型げっ歯類を用いて研究がなされてきた。なかでも最も研究が進んでいるのがラットである。そこでこの章では，ラットで得られた知見を中心に概観していきたい。

7.1 雄性行動の観察

げっ歯類の雄の性行動テストでは，基本的に観察ケージに発情雌と同居させ，雄の行動を観察することで行う。パートナー（刺激）として用いる雌は，膣スメアの観察などにより発情前期であることを確認して用いているか（8章「雌性行動」を参照），あらかじめ卵巣を摘除し，エストロゲンとプロゲステロンを投与することによって人為的に発情させたものを用いる。刺激に用いる雌は，実際のテスト直前に別の雄と一緒にして，十分発情しているか（ロードーシスや誘惑行動が惹起されるか）を確認しておくと確実である。ここでは，実験動物として最も一般的に用いられているラットとマウスの性行動について説明する。

通常の雄ラットの性行動テストでは，観察ケージに実験雄ラットを入れて5分間以上のケージへの馴化を行ってから開始する。行動観察は，そこに発情した刺激雌を入れることでスタートする。発情雌が入れられると，雄ラットはしきりに雌を追いかけ，外生殖器の領域を探索する（anogenital investigation）。この雄ラットによる追尾刺激によって，発情雌もホッピング（雄の前で小さなジャンプと静止を繰り返す）や耳を震わせる誘惑行動を示すが（8章を参照），雄ラットにとってもこれらが刺激となってさらに雌の追従が促進される。それらを繰り返すうち，発情雌ラットの後部よりマウント（mount〈乗駕行動〉）する（図7-1A）。

ラットのマウントは持続時間が短く，通常は1〜2秒である。すべてのマウントに陰茎の膣への挿入が伴っているわけではなく，後方より雌の腰部に単に乗っかる場合もある。しかし，ラットの性行動テストでマウントとして記録される行動は，片側の後肢を上げて激しく振動させるスラスト（pelvic thrusting）を伴うものを指す。また，その結果，陰茎の挿入が生じると，亀頭への感覚刺激によって後方への飛びのき反射（backward jumping）が現れる（図7-1B）。したがって観察者は，このマウント後のジャンプによって陰茎の挿入の有無を知ることができる。陰茎の挿入を伴うマウントをイントロミッション（intromission）と呼び，挿入を伴わないマウントと区別している。

このようにマウントとイントロミッションを繰り返

図7-1　雄ラットの性行動　成熟した雄ラットが発情雌と出会うと，雌の外陰部を探索した後，雌の後方からマウント（乗駕行動）を示す（A）。マウントすべてに陰茎の挿入が伴っているわけではない。陰茎の挿入（イントロミッション）が生じると，雄ラットは反射的に後方に飛びのき，雌から離れる。この反応をもとにイントロミッションが生じたかを判断することができる。

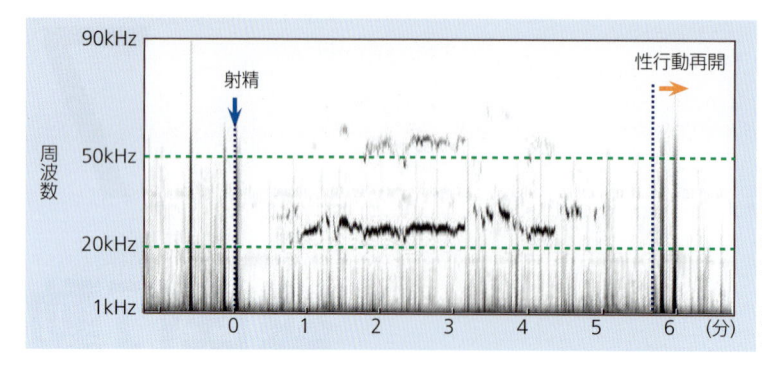

図7-2 ラットの射精後にみられる超音波発声 雄ラットは、性行動時に50〜60 kHzの超音波発声を行っている。しかし、いったん射精が生じると、およそ5〜10分の性行動休止期間（射精後間隔）があり、その期間中は22 kHzの発声に切り替わる。この22 kHzの発声期間を絶対不応期と呼ぶことがある。（斉藤徹博士より提供）

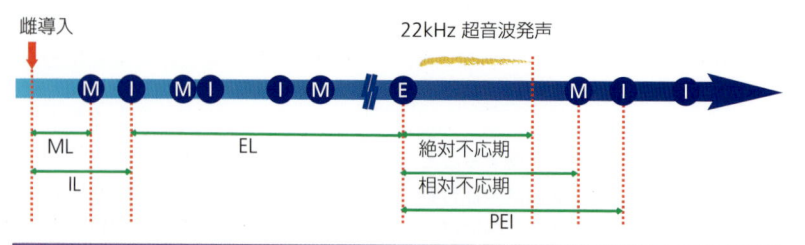

図7-3 ラットの雄性行動における行動パラメータ 図は行動観察中の時間の流れを示してある。図中のMはマウント、Iはイントロミッション、Eは射精が生じたことを示している。観察ケージに雌を入れてから最初のマウントまでの時間をマウント潜時（ML）、最初のイントロミッションまでの時間をイントロミッション潜時（IL）と呼ぶ。また、最初のイントロミッションから最初の射精までの時間を射精潜時（EL）という。射精が生じると5〜10分、性行動が停止する。これを射精後間隔（PEI）と呼ぶ。射精潜時をイントロミッション数で割ったものをイントロミッション間間隔（III）といって性行動の活発さの指標に用いる。

した後、射精にいたる。射精は、比較的長いマウントに続く、突然のスラストの停止、そして前肢が雌から離れるといった一連の行動パターンから判断できる。イントロミッションでみられるような後方へのジャンプは生じない。いったん、ラットが射精をすると、通常、5〜10分の性行動の休止期がみられる（射精後間隔〈postejaculatory interval〉あるいは性的不応期）。ラットは、性行動中に50〜60 kHzの超音波発声をしていることが知られているが、射精後には22 kHzの発声に切り替わる（図7-2）。射精後の休止期には、雄ラットは腹部を床についてじっとしていることが多いが、この22 kHzの発声が止まると、再び雌に対する追従が再開される。このことから、22 kHzの超音波発声が現れている期間を絶対不応期、その後、次の性行動が現れるまでの期間を相対不応期と呼ぶことがある。

ラットの場合は、1回の性行動セッションで複数回射精を行うことができるので、射精後間隔の後、再びマウントとイントロミッションを開始する。しかし、射精を2回、3回と繰り返していくと、射精潜時はしだいに短くなり（図7-3を参照）、射精にいたるまでのイントロミッション数も減少し、射精後間隔は増加してくる。そして最終的に性行動がまったく再開されない性的飽和状態（sexual exhaustion）となる。

近年では、分子生物学の発展により様々な遺伝子改変動物が作られるようになったため、雄マウスの性行動の研究も急激に増加してきた。マウスの性行動も基本的にはラットと同様に観察できるが、ラットのような観察ケージを用いると性行動の生起頻度が非常に低くなることがある。それを避けるためには、実験雄マウスを個別飼育し、そのホームケージに発情雌を投入して観察するとよい。

雄マウスの性行動の行動カテゴリーもラットのものと同じで、マウント、イントロミッション、射精からなる。マウスのマウントは、振幅の短いスラストを伴い、持続時間もラットのように短いが、イントロミッション中はラットのような片後肢のみの動きではなく、ゆったりとした振幅の腰部全体の前後運動が生じる。持続時間は10〜20秒、あるいは1分以上持続する場合もある。これらを繰り返し、射精にいたるという点はラットと同様である。射精が生じると、雄マウスはマウント姿勢のまま、前後肢を硬直させ、10〜20秒、雌にしがみついたままでいる。マウスもラットと同様に複射精型の性行動をとるが、C57BL/6のように1回の射精で強い性行動抑制が起こる系統もある。

7.2 性的動機づけと完了行動

一連の雄性行動観察を通して、様々な行動パラメータが得られる（図7-3）。これらを整理すると、摂食行動のような他の様々な動機づけ行動と同じように、

"欲求行動(appetitive behavior)"と"完了行動(consummatory behavior)"の2つの要素に分類できる。摂食行動では，食物を得るための探索や移動などの行動が摂食動機づけによって引き起こされる欲求行動であり，食物を食べる行為自体が動機づけを低減させる完了行動である。刺激雌が導入されてから最初に生じるマウントまたはイントロミッションまでの時間として測定される。また，完了行動は射精反応と考えられる。しかし，マウント潜時(mount latency：ML)やイントロミッション潜時(intromission latency：IL)は性経験にも影響を受けるため，性経験を持たない動物の場合は必ずしも性的動機づけを反映したものではない。イントロミッション間間隔(interintromission interval：III)は，どのくらいの頻度でイントロミッションを示すかという性行動のスピードを表したもので，やはり動機づけ(欲求行動)を反映していると考えられる。しかし，マウントやイントロミッションにも完了行動としての成分も含まれており，純粋に動機づけのみを反映したものではない。

総マウント数に対するイントロミッション数の比を取ったものをイントロミッション比(intromission ratio：IR)またはヒット率と呼び，陰茎機能，特に勃起に関する効率を反映したものと考えられている。しかし，このIRは，受け手である刺激雌の発情状態にも応答するので解釈には注意を要する。射精にいたるまでのイントロミッション回数は，多いほうが陰茎の感度が低く，少ないほうが感度が高いと考えられ，射精潜時(ejaculation latency：EL)と相関する。

性的動機づけを測定する場合，性行動そのものではなく直線走路テストが利用されることもある。これは，実験雄ラットを入れたスタートボックスと発情雌刺激を提示するゴールボックスを直線の走路で結んだもので，発情雌刺激は金網越しの雌であったり，雌ケージからの送風によるにおい提示であったり，また発情雌から採取した尿であったりする。テストは，スタートボックスのドアを開くことによって開始し，ゴールまでの所要時間やゴール領域における滞在時間が測定される。さらにその応用例として，走路の途中に段差や電気ショックのグリッドなど障害を設けることもある。また近年では，性的に活発な雄ほどより発情雌の刺激に対する接近や探索の時間が増加するという現象を利用して，発情雌と非発情雌の刺激を選択させる刺激選好性テストも用いられるようになってきた。しかし，これらのテストによって測られるデータは，必ずしも完全に一致するものではなく，いくつかの行動パラメータを組み合わせた総合的な判断が必要となる。

7.3 嗅覚選好性

性行動における欲求行動は異性への接近であり，そのためには離れたところから異性の信号を見つけ出す必要がある。したがって接近行動には同性や非発情雌の信号から発情雌の信号を識別する能力と発情雌の信号に近づこうとする動機づけの2つの要素が含まれる。実験室でこれらの機能を調べる方法が2刺激提示による選好性(preference)テストである。げっ歯類の異性に対する手掛かりで重要な役割を果たすのは，においやフェロモンといった化学刺激である。6章で紹介したようにげっ歯類の鼻腔内には鋤鼻器と嗅上皮の2種類の化学刺激受容器官がある。鋤鼻器は不揮発性の化学物質を検知する器官でフェロモン受容器として知られている。一方，嗅上皮は空気中を漂う低分子もしくは揮発性の化学物質を検知する器官でいわゆる嗅覚受容器である。これらの特徴から性的化学分子の選好性テストでは，被験体が刺激に直接接触できるかどうかが問題とされる。そこで前者の不揮発性刺激を用いたテストでは，発情雌や雄のホームケージから採取した汚れた床敷をカップに入れて提示し，被験体が自分の鼻先をカップに直接突っ込んだ時間を測定する。一方，後者の揮発性刺激を用いたテストでは，被験体と刺激動物が直接接触することを妨げるような二重のフェンスや送風機を使って刺激提示し，それらに対する接近や探索の時間を測定する。

図7-4Aに示されるテスト装置は，左右の刺激動物のにおいを送風により中央の被験体に提示し，刺激の流入口に鼻先を突っ込む(nose poking)時間により選好性を調べるものである。このような装置に性経験を持つ雄ラットを入れると雄ラットは正常雄や非発情雌よりも発情雌のにおいをより長く探索する(図7-4B)。この嗅覚選好性は性経験に依存し，性的未経験な雄ではほとんど探索行動を示さない。興味深いことに正常雄ラットと去勢雄ラットのにおいを対にして提示すると性経験のある雄は去勢雄のにおいに対して選好性を示す。去勢した刺激雄では，血中テストステロンの低下により視床下部に対するネガティブフィードバックがかからずGnRHを介して血中ゴナドトロピンが上昇するためで，去勢雄にGnRHアンタゴニストを投与すると，雄ラットのこの反応は消失する(Hayashi et al, 2021)。

嗅覚選好性も性ホルモンを必要としているが，雄ラットを去勢すると去勢後1～2週間，選好性が反転して発情雌や去勢雄よりも正常雄のにおいに対して選好性を示すという雌型の選好性が一時的に現れる(図7-5A)。これは，雄脳には雄型選好性の神経回路と雌型選好性の神経回路が共存していることを示唆している。血中に十分量のアンドロゲンがあるときには雄型選好性回路が活性化し雌型選好性回路は抑制されてい

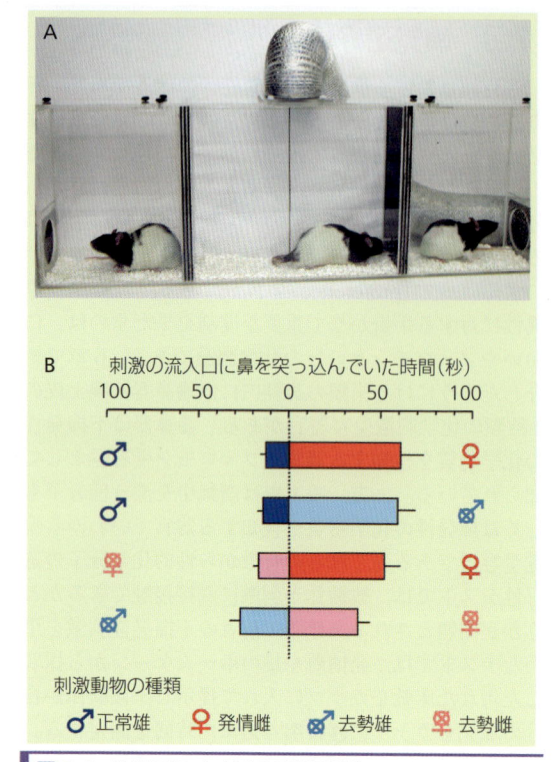

図 7-4　性的においに対する嗅覚選好性テスト　A：ラットにおける嗅覚選好性テスト装置。装置は 3 つ部屋からなり，中央の部屋に被験体を，左右の部屋に刺激動物を入れてテストを行う。部屋の仕切りは，隙間の空いた 3 枚の板からなり，それぞれ異なる位置に穴が開いている。中央の部屋の上部からファンで陰圧をかけると，仕切り板の隙間を通って左右の刺激動物のにおいを被験体に提示することができる。風の流入口には短い透明な筒が付いていて，被験体がにおいを探索しようとこの筒に鼻を突っ込む（nose-poking：NP）。その時間を測定し，左右の刺激動物の間で比較することによって被験体の選好性を調べることができる。B：性的に成熟した雄が示す選好性のパターン。被験体雄は，雄よりも発情雌（1 段目），非発情雌よりも発情雌（3 段目）に対して長い NP を示す。発情雌と去勢雄との間では NP 時間に差はみられない（4 段目）。興味深いことに，正常な雄は去勢していない雄よりも去勢した雄に対して選好性を示す（2 段目）。

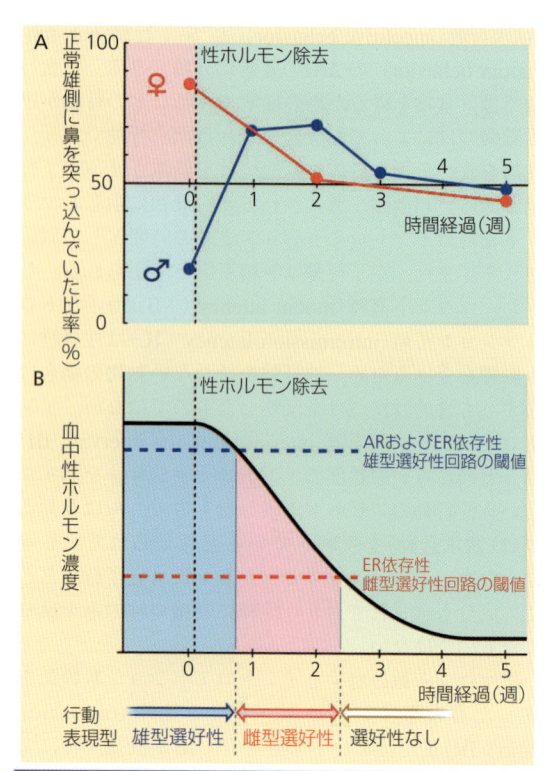

図 7-5　雄ラットにおいて性ホルモン除去後に現れる一過性の選好性反転　A：ラットの雌雄それぞれにおける嗅覚選好性の性ホルモン除去の効果。縦軸は左右総 NP 時間に対する雄刺激への NP 時間の比率を表しており，100 に近ければ雄のにおい，0 に近ければ雌のにおいに対する選好性を表していることを，50 であれば選好性がないことを示す。横軸は性ホルモン除去（0）からの時間経過を示す。雌は 2 週目には嗅覚選好性を消失させるが，雄は去勢後，1〜2 週目に発情雌よりもむしろ雄のにおいに対して選好性を示し，その後，選好性を消失させる。B：雄ラットのホルモン除去後の一過性選好性反転の説明モデル。雄の脳内にはホルモンの反応閾値が異なる雄型選好性回路と雌型選好性回路の両方が存在し，性ホルモン除去によって血中レベルが下がると最初に雄型選好性回路が反応しなくなり，まだ回路の反応閾値以下に達していない雌型選好性回路によって雌型の選好性が顕在化する。(Kondo & Hayashi, 2021)

ると考えられる。しかし，雄型選好性回路の活性化には雌型選好性回路よりも高い性ホルモン濃度が必要で，去勢後に血中ホルモンが低下するとまず雄型の選好性回路が不活性化し，その結果，一時的に雌型の選好性回路が活性化されると考えられる（図7-5B）。実際，去勢雄ラットにサイラスティックカプセルによってエストロゲンを慢性投与すると雄型選好性が現れるが，1 回のエストロゲン注射だとホルモン作用が雄型回路には十分でなく，雌型の選好性が現れる（Xiao et al, 2004；Xiao et al, 2015）。

鋤鼻器で受容された化学信号は脳の副嗅球へ伝えられ，一方，嗅上皮で感知された信号は主嗅球へと伝えられる。これら 2 つの経路は独立した感覚系である。雄マウスは雄の尿よりも発情雌の尿に選好性を示すが，これを 5％にまで希釈してしまうと選好性は消失する。しかし，副嗅球のニューロンにチャネルロドプシン 2 の遺伝子を導入して光刺激すると，5％の希釈尿に対しても探索時間が増加する。ただし，探索時に直接接触することを妨げるとこの促進効果は起こらないことが報告されている（Kunkhyen et al, 2017）。一方，相互作用も認められ，異性の揮発性のにおいは副嗅球を活性化し，Fos 陽性細胞数を増加させる。これは，嗅上皮から主嗅球へと伝えられた信号は扁桃体内側核へと送られ，扁桃体内側核から逆行性に副嗅球ニューロンを活性化しているらしい（Martel & Baum, 2009）。

扁桃体内側核では，入力されたにおいの社会信号に対して意味づけが行われる。麻酔したマウスに尿刺激を提示して電気生理学的な反応を記録すると，副嗅球のニューロンよりも扁桃体内側核のニューロンのほう

がより刺激選択性が高いことが報告されている(Bergan et al, 2014)。この扁桃体内側核における刺激選択性にはオキシトシンが不可欠であり(Yao et al, 2017)，オキシトシンまたはオキシトシン受容体遺伝子をノックアウトした雄マウスは嗅覚選好性を示さない(Dhungel et al, 2019；Yao et al, 2017)。興味深いことにバソプレシン受容体ノックアウト雄マウスでは，揮発性の嗅覚選好性には影響がないものの(Shimizu et al, 2018)，不揮発性の刺激に対する選好性は損なわれている。

以上のように扁桃体内側核のオキシトシンが社会的においの識別に関わっていると考えられるが，オキシトシンノックアウトマウスは嗅覚選好性を示さないものの性経験によってにおいの探索行動を増加させることから(Dhungel et al, 2019)，異性のにおいに対する接近行動には関わっていない。トリプトファンヒドロキシラーゼ2を欠損させてセロトニン合成を阻害したマウスでは，一般的なにおいやフェロモンの検出能力は損なわれていないが，発情雌に対する選好性が失われていることから(Liu et al, 2011)，においに対する接近行動の動機づけは嗅覚神経系とは別のものを想定する必要がある。

7.4 勃起機能の評価

ラットにおける勃起機能を調べるには，前述したように性行動のいくつかのパラメータから得られる情報を利用することもできるが，独自のテスト方法も開発されている。

7.4.1 反射勃起テスト

Hart(1968)は，ラットの勃起機能を調べるため，ラットを仰向けに固定しガラス棒で陰茎の背側面を刺激したところ，勃起が生じることを報告した。しかしながら，その後，勃起を引き起こすのに必ずしもガラス棒による刺激は必要でなく，陰茎を包皮から露出し放置するだけでも5～10分の潜時で勃起が生じることがわかった。この反応を陰茎反射(penile reflex)または反射勃起(reflexive erection)と呼んでいる。

現在，行われている標準的な方法を紹介する。雄ラットの前にシリンダー状の穴を提示すると，ラットは自分でその中に潜り込もうとする。前肢が入ったところで，そのラットを仰向けにし，マスキングテープなどで固定する。初めはもがいて逃れようとするが，固定が済めばほとんど暴れなくなる。下腹部の生殖器部分を楊枝のような細い棒で包皮の上から前後に挟み，棒を転がすように狭めていくと陰茎が包皮から現れる。露出された陰茎をマスキングテープに開けた5 mmほどの穴に通し，そのままの状態で固定しておくと数分後に勃起が観察される。基本的に反射勃起は脊

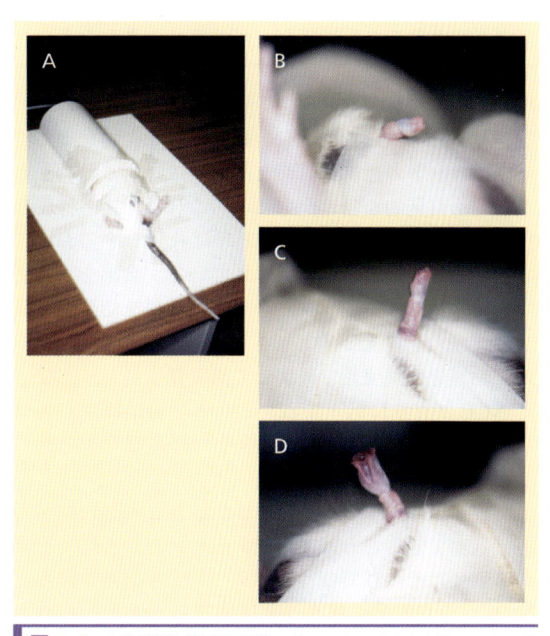

図7-6 反射勃起(陰茎反射) 雄ラットの上半身を筒に入れ，仰臥位でテープで固定する(A)。陰茎を包皮から露出させ，テープに開けた穴に通して保定すると(B)，およそ5分後に陰茎反射が生じる。陰茎反射には，亀頭の腫脹がなく陰茎の反り返りのみが観察されるフリップ(C)と亀頭が腫脹する勃起(D)の2種類の要素が含まれる。勃起は，その度合いによってE1～E3と評価され，Dは亀頭部分が最も腫脹したE3を示している。

髄レベルの反射によって生じるため，ペントバルビタールのような脊髄作用の弱い麻酔薬を用いても生じる。しかし，この場合には，上位脳からの影響が覚醒時と異なることに留意しなければならない。

反射勃起には，亀頭部分の腫脹が起こる勃起と陰茎基部から反り返りが起こるフリップと呼ばれる反応がある(図7-6)。それぞれの反応は，0.5～2秒程度である。いったん反射が生じると，この2種類の反応が織り交ざって10～30秒間，立て続けに生じる。この反応期(bout)をクラスタと呼び，クラスタと無反応期を繰り返す(実際のテストでは，15秒以上無反応が続いたときにクラスタが終了したと定義している)。

勃起反射は，その強度に応じてE1～E3と3段階で記録される。E1は陰茎が赤みを帯びるか腫脹がわずかしか認められない場合，E2は陰茎の腫脹があり陰茎自体も大きく持ち上がるが，亀頭部分の腫脹が完全ではない場合，そしてE3は亀頭部分の完全な腫脹が生じ，亀頭の形がカップ状になった場合である。E3はその形状からカップまたはフレアとも呼ばれている。またフリップは，反り返りの角度が90度以上の場合をロングフリップ，それ以下の場合をショートフリップと分けて記録される。陰茎露出から観察を開始し，15分間で反応が開始されないときには無反応と記録し，反射が生じた場合には，最初の反応から10分間の観察を行う。E1～E3，フリップの回数，潜時，クラ

スタ長，クラスタ間間隔などがパラメータとなる。

7.4.2 非接触性勃起

性経験のある雄ラットを金網などの障害物を隔てて発情雌ラットの近傍に置くと，陰茎に対する触刺激がなくても自発的な勃起が生じる。これは非接触性勃起（noncontact erection：NCE）と呼ばれ，ヒトにおける心因性勃起のモデルと考えられている。金網を不透明な板に変えたり，雌ラットの下喉頭神経を切断して超音波を含む発声を阻害してもNCEは生じ，雄ラットの嗅粘膜を硫酸亜鉛で破壊して無嗅覚症にしてしまうとNCEが有意に低下することから，発情雌から発せられる揮発性のにおい（化学信号）がNCEを引き起こしていると考えられる。

ラットがNCEを引き起こしたとき，実際に陰茎が直接観察できることはまれである。したがって，行動テストではその独特な行動パターンから判断される。NCEが生じると，雄ラットは臀部とかかとを持ち上げるような姿勢をとり，陰茎に対するグルーミングを行う（図7-7）。このときに，臀部の律動的な動きが随伴することから，勃起を伴わないグルーミングと区別ができる。雌の刺激を提示してから最初の反応が生じるまでの潜時はおよそ5分，1回の反応は約20秒続き，5分間ほどの間隔をおいて繰り返す。1回の反応は，反射勃起のクラスタのように複数回の勃起が繰り返される。NCEは，ウィスター系やSD系などのアルビノラットでは起こりにくく，ロングエバンス系などの有色ラットでよく観察される。

7.4.3 坐骨海綿体筋および球海綿体筋の筋電図

性行動中の勃起反応を行動パラメータによって評価する以外に，陰茎の海綿体の周りの筋活動をモニターする試みが行われている（図7-8）。勃起は，一般に知られるように海綿体内の充血によって生じる。ラットの海綿体構造はヒトのものと非常に類似しており，陰茎海綿体と尿道海綿体の2つのパーツからなっている。陰茎海綿体は，陰茎基部から亀頭を除く幹部を構成し，勃起における陰茎を起き上がらせる働きをする。また，尿道海綿体は，尿道を取り巻き，亀頭を形成する。これらの海綿体は，白膜と呼ばれる強い結合組織に包まれており，勃起はこの海綿体に血液が流入することによって起こる。海綿体の輸出静脈は白膜の中を蛇行するため，勃起による海綿体の腫脹は血液の流出を阻止し，勃起が維持される。

ラットの勃起時の海綿体内圧は300〜400 mmHgで心臓の収縮期血圧よりはるかに高い。これは海綿体基部を取り巻く筋組織が勃起とともに収縮し，海綿体内圧を押し上げるためである。陰茎海綿体には坐骨海綿体筋が，尿道海綿体には球海綿体筋がこの内圧上昇に関わっている。したがって，性行動中にこれらの筋活動を測定すれば，実際の性行動における勃起活動を評価することができる。また，近年では，非常に小型の圧力トランスデューサが開発されており，性行動中の海綿体内圧を直接測定する試みも行われている。

図7-7 非接触性勃起（NCE） 雄ラットを発情雌の金網越しに置くと自発的な勃起を起こす。このとき雄ラットは陰茎のグルーミングとリズミカルな腰部の動きを示し，この行動をもって勃起の生起を判断することができる。雌を提示してから5分ほどの潜時をもって生じ，15〜20秒続く。この反応が3分くらいの間隔で繰り返される。

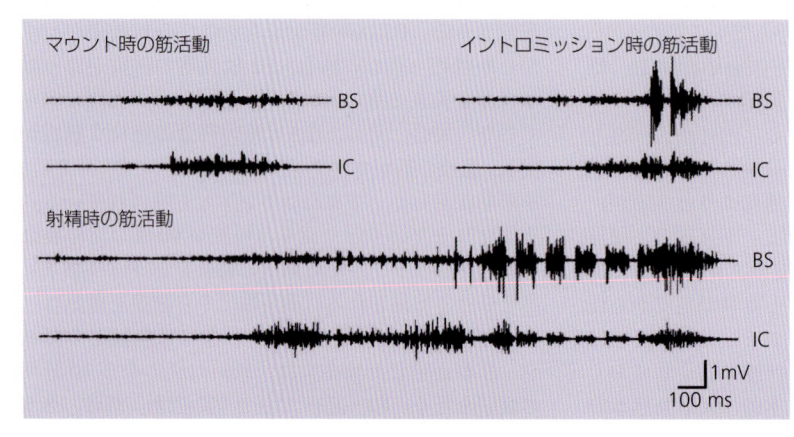

図7-8 性行動時の球海綿体筋（BS）と陰茎海綿体筋（IC）の筋電図 これらの筋肉の活動はマウント時にも同期して生じることが観察され，イントロミッションによって強縮に変わる。また，射精行動時に律動的に活動し，精液の射出そのものにも関わっていることが示唆される。（Miura et al, 2001）

7.4.4 交合反射

脊髄を切断したラットでは，尿道・性器反射（urethrogenital reflex）または交合反射（coital reflex）と呼ばれる反応が起こることが知られている（McKenna et al, 1991）。これは，射精時の反射の一種と考えられるが，射精に関する動物モデルは非常に数が少なく限られているため，ここで挙げておく。脊髄切断ラットを麻酔し，尿道にカテーテルを挿入し，生理食塩水を充填する。その後，一気に生理食塩水を抜いて尿道内圧力を解放すると持続的な骨盤筋の収縮が生じる。ヒトのオーガスム時のタイミングと類似していることから，オーガスムのモデルと考えられており，この反応は雌でも観察される。

7.5 性ホルモンによる雄性行動の活性化

雄性行動と性ホルモンの関係を述べようとすると，必ず発達初期のホルモンの影響（形成作用）と成体時におけるホルモンの影響（活性作用）の両方について触れなければならないが，本書では4章ですでに脳の性分化とホルモンについて概説しているので，ここでは成体時の性ホルモンによる雄性行動の活性作用について説明する。

雄性行動は，精巣から分泌されるテストステロンに大きく依存している。春機発動期（ヒトの思春期に相当する）を迎えると精巣からのテストステロン分泌が一気に増加し，動物種によっては第二次性徴が表出し，それに伴って性行動が現れるようになる。性行動の発現に必要なテストステロンは，第二次性徴に必要なホルモン量よりは少ないようで，したがって雄性行動発現にとって血中ホルモンは過剰となる。ヒトにおいても，テストステロン分泌がいくぶんか減少しても性行動にはほとんど影響しないことが知られている。

精巣除去（去勢）によって性行動の減弱が生じるまでの時間は種によってだいぶ違うが，テストステロンレベルが検出限界を下回っても性行動自体は長く持続するようである。ラットの場合，去勢して2週間ほどで血中テストステロンレベルは検出限界に近づくが（EIA法による），その時点でもほとんどのラットは性行動を示す。シリアンハムスターでは，去勢して25週間後でも4割の雄がマウントし，3割の雄は射精まで示す（Park et al, 2004）。これらの現象を理解するためには，副腎皮質から分泌されるアンドロゲンの一種，デヒドロエピアンドロステロンや脳内で産生されるニューロステロイドの影響を考える必要があるかもしれない。去勢して長期間を経て，雄性行動が停止してしまった雄ラットの性行動を復活させるためには，去勢直後に復活させるよりも多量のテストステロンが必要となる。また，去勢してから長期間おいた後では，テストステロンを慢性投与しても性行動が復活するまで5〜10日間と時間を要する（去勢直後のテストステロン慢性投与では性行動の低下はみられない）。

テストステロンおよびその代謝産物である5α-ジヒドロテストステロン（DHT）は，アンドロゲンとしてアンドロゲン受容体に作用するが，テストステロンはアロマターゼにより17β-エストラジオール（E_2）に変換されてエストロゲン受容体にも作用しうるので，テストステロンの作用はその両方の可能性を検討しなければならない。DHTからエストロゲンには変換されないので，DHT投与の効果はアンドロゲン受容体に対する作用によると考えられる。また，E_2からはアンドロゲンには代謝されないので，E_2投与の効果はエストロゲン受容体を介したものと考えることができる。

アンドロゲン受容体とエストロゲン受容体は，性行動の遂行と勃起機能とで作用が異なっている（図7-9）。エストロゲンは，マウントやイントロミッションを維持するのに非常に重要な役割を果たしており，去勢後DHTの投与のみでは去勢前の性行動を維持させるのに十分でない。一方，エストラジオールの慢性投与は性行動維持に有効であり，テストステロンと同時にアロマターゼ阻害剤やエストロゲン受容体拮抗剤を投与すると性行動が低下する（Beyer et al, 1976）。これらのことから，テストステロンが雄性行動を活性化する作用は，テストステロンが脳内に豊富に存在する芳香化酵素によってエストラジオールに変換され，それがエストロゲン受容体に作用することによると考えられている。

エストロゲン受容体には，α型とβ型の2種類が知られているが，遺伝子操作によりエストロゲン受容体αをノックアウトしたマウスではマウントはできるものの，イントロミッションや射精が著しく障害されるのに対して（Ogawa et al, 1997），エストロゲン受容体βノックアウトマウスでは正常な性行動を示す（Ogawa et al, 1999）。これらのマウスは，発生の段階からエストロゲン受容体が欠損しているため，性行動に対する効果が性ホルモンの形成作用と活性作用のどちらに帰されるか特定することはできないが，少なくともエストロゲン受容体βが雄性行動の遂行には関与が小さく，不可欠なものでないことは明らかである。

一方，反射勃起や非接触性勃起に関しては，エストラジオール投与があまり効果を持たず，DHT投与はテストステロンと同様に効果がある（図7-10）（Manzo et al, 1999）。DHTは，末梢器官ではテストステロンよりもアンドロゲン受容体に対する活性が高いと考えられており，この効果の一部は外生殖器由来のものとも考えられるが，DHTを脳の扁桃体内側核に局所投与した場合にも非接触性勃起が回復することから，勃起機能に関しては中枢におけるアンドロゲン受容体の関

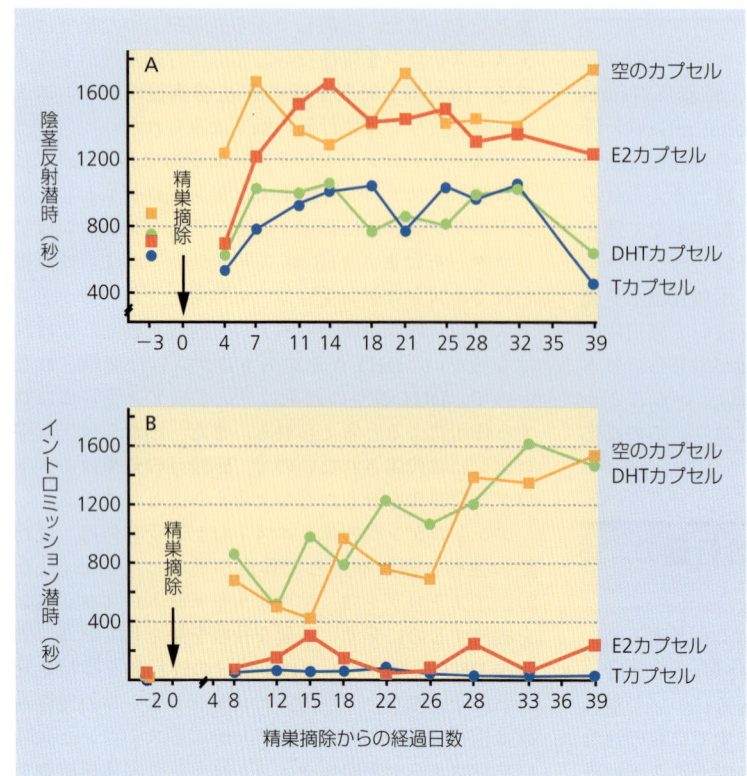

図7-9 反射勃起および性行動におけるアンドロゲンおよびエストロゲン投与の効果 雄ラットに対し，去勢と同時にホルモンカプセル(シリコンチューブにステロイドホルモンを封入したものである。ステロイドホルモンのような脂溶性物質はカプセル表面から徐々に浸み出てくるので慢性投与が可能である)を皮下に植え，その後の反射勃起(A)と性行動(B)を観察した。A：反射勃起では，TおよびDHTの投与によって去勢前と同程度の潜時が維持されたのに対し，E_2の投与では空のカプセルとほぼ同様に潜時が長くなる。B：性行動テストにおけるイントロミッション潜時は，TおよびE_2投与では増加しないが，空のカプセルおよびDHTで長くなる。E_2：エストラジオール，T：テストステロン，DHT：ジヒドロテストステロン(Meisel et al, 1984)

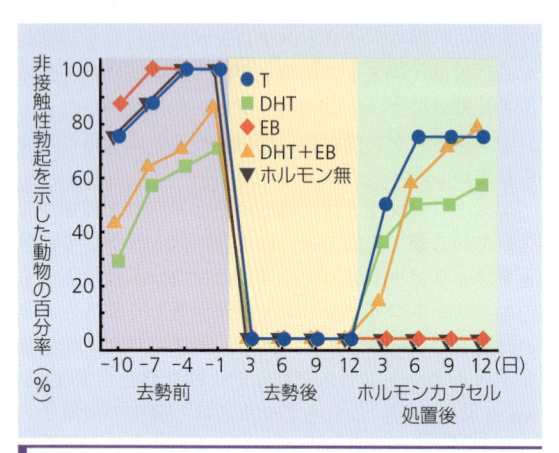

図7-10 非接触勃起(NCE)における性ホルモン投与の効果 去勢によってNCEが消失するのを確認したのち，ホルモンカプセルによって代償療法を行った。T，DHT，DHT+EB投与ではNCEの回復が観察されたのに対して，EBの単独投与ではNCEを回復させることはできなかった。T：テストステロン，DHT：ジヒドロテストステロン，EB：エストラジオール・ベンゾエート(Manzo et al, 1999)

与が重要であると考えられる(Bialy & Sachs 2002)。

7.6 性経験の影響

性経験の有無は，雄性行動に重要な役割を果たす。性経験を持たないラットやマウスを発情雌と一緒にして性行動テストすると，約半数の動物は1時間のテスト時間内に性行動を示さない。また，たとえ性行動を示したとしても，マウントやイントロミッションの潜時が非常に長い。性的未経験雄は，もちろん発情雌に興味を持たないのではなく，活発に雌の生殖器を探索し，活動量も増加しているのがわかる。しかし，それらがなかなかマウントに結びつかない。雄マウスでは，発情雌と遭遇すると50〜70 kHzの超音波を発するが，性的未経験雄ではこの超音波発声も非常に少ない。ところが，このテストを毎週繰り返すと，3週目には9割以上の動物が性行動を示すようになり，マウントやイントロミッションの潜時も30秒以内と非常に短くなる。性経験は，明らかに雄性行動の開始を促進するようである。

性経験は，感覚系や神経系の障害による性行動の低下を軽減することが知られている。性的未経験のラットの鼻腔に硫酸亜鉛を灌流して嗅上皮を破壊してしまうと，マウントやイントロミッションの潜時が長くなり，その頻度も低下するが，性経験を持つラットの場合にはその障害の程度が小さい(Thor & Flannelly, 1977)。また，性的未経験のラットの扁桃体内側核破壊は性行動を著しく障害するが(Kondo, 1992)，性経験を持つラットの破壊は性行動を完全には抑制しないという報告もある(Giantonio et al, 1970)。

HosokawaとChiba(2005)は，性経験を持つ雄ラットと性経験を持たない雄ラットに発情雌のホームケージから採取した床敷きを提示し，脳内の各部位におけ

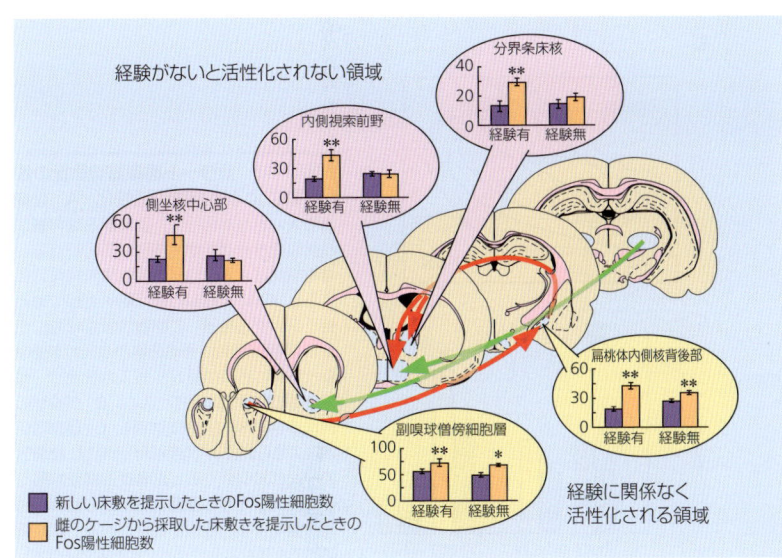

図7-11 発情雌のにおいによる脳の活性部位と性経験の効果 赤矢印は嗅覚情報の流れを，緑矢印は動機づけ行動を制御しているドーパミン神経系の投射経路を示している。嗅球と扁桃体では性行動の経験・未経験に関わりなく，雌ラットのにおいによってFos陽性ニューロンが増加したのに対し，分界条床核，内側視索前野，側坐核では性経験のある動物でのみFos陽性ニューロンの増加がみられた。(Hosokawa & Chiba, 2005)

るFosタンパク質（神経活動マーカー）陽性細胞数を比較した（図7-11）。フェロモン情報は，副嗅球を経て扁桃体内側核，次いで視索前野へと入力される（6章「種内コミュニケーション」，本章7.7「鋤鼻神経系と雄性行動」，7.8「内側視索前野」を参照）。副嗅球や扁桃体内側核では，性経験の有無にかかわらず発情雌のにおいによってFos陽性細胞数の増加がみられたが，視索前野や分界条床核，側坐核などでは性経験を持つラットにおいてのみ増加が観察された。性経験は，扁桃体から視索前野や分界条床核への発情雌シグナルの伝達効率を変化させることによって性行動を促進しているのかもしれない。

現在のところ，性経験によって脳内にどのような変化が起こるかはあまりよくわかっていない。ドーパミン報酬系の起始核である中脳腹側被蓋野におけるμオピオイド受容体発現が性経験によって減少することから内因性オピオイドの感受性の違いが性経験の効果に影響している可能性が指摘されている（Garduno-Gutierrez et al, 2018）。一方，雄性行動の制御に中心的な役割を果たしている視索前野では一酸化窒素合成酵素（NOS）陽性ニューロンの性行動による活性化は性経験がある雄ラットよりも性経験を持たない雄のほうが高い（Nutsch et al, 2014）。さらに視索前野性的二型核（SDN-POA）（4章「哺乳類の性分化」を参照）を含む内側視索前核中心部のニューロンは，初めて性行動を経験する雄ラットのほうが2回目以降の雄ラットよりも性行動による活性化が高い（Yamaguchi et al, 2018）。そしてこの領域のVGFという神経成長因子の遺伝子をノックダウンすると，性経験による性行動促進効果は失われることが報告された（Maejima et al, 2018）。しかし，これらの知識はまだ断片的であり，今後のさらなる解析が必要である。

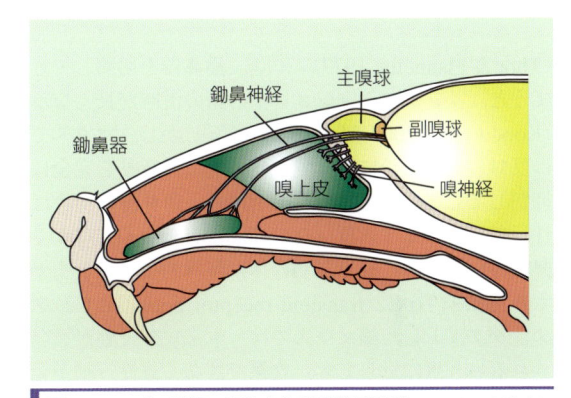

図7-12 げっ歯類の鼻腔内化学感覚受容器 ラットの鼻腔内には，においの受容に関わる嗅上皮とフェロモン受容に関わる鋤鼻器の2つのシステムがある。前者は脳の主嗅球に，後者は副嗅球に投射する。

7.7 鋤鼻神経系と雄性行動

多くの哺乳類にとってにおい刺激は，性行動時の重要な手がかりとなるだけでなく，性的覚醒を含む様々な反応を引き起こす重要な鍵刺激となる。化学感覚系の詳しい説明は6章にゆずるが，ここでは概略だけを説明する。通常の嗅覚では鼻腔内の嗅粘膜上皮で受容される。呼吸とともに鼻孔より入ってくる化学物質を粘膜上にある神経突起がシグナルとして受容し，その信号は嗅神経を通って主嗅球に伝えられる。また，鼻腔内に存在するもう一つの感覚器である鋤鼻器は，動物の個体間コミュニケーションのための物質であるフェロモンの受容に特化した器官であると考えられており，鋤鼻器で受容された信号は鋤鼻神経を通って副嗅球に伝えられる（図7-12）。

ラットの嗅上皮を硫酸亜鉛で破壊しても，前述したように性経験のある雄では性行動にあまり影響しない

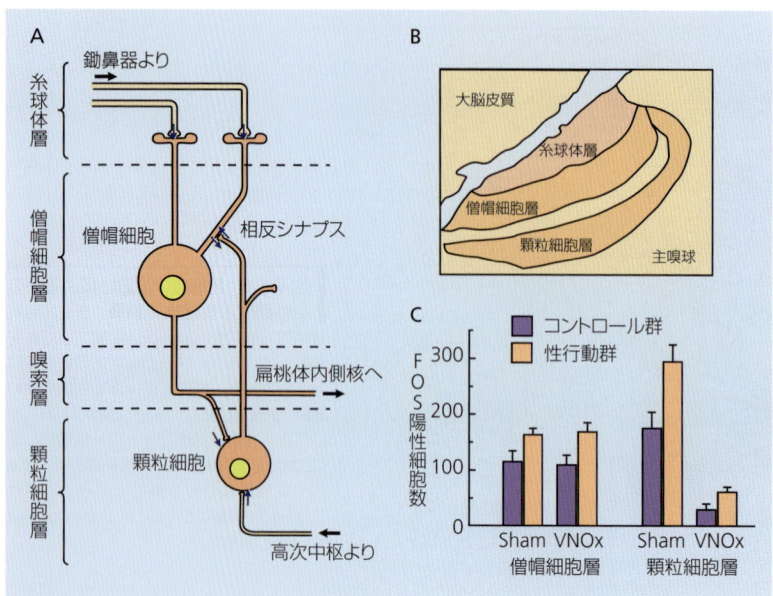

図7-13 雄ラット鋤鼻器切除後の性行動による副嗅球の活性化 A：鋤鼻器で入力された信号は，副嗅球糸球体層に樹状突起を伸ばす僧帽細胞に伝えられる。僧帽細胞は，その信号を扁桃体内側核に伝えると同時に，軸索および樹状突起にある相反シナプスを通して副嗅球顆粒細胞に伝える。顆粒細胞は，僧帽細胞から入力を受けると同時に高次中枢からも入力を受け，僧帽細胞に抑制性の信号を送る。B：副嗅球の層構造（Aの神経回路を参照）。C：鋤鼻器切除後の性行動による副嗅球Fos発現。鋤鼻器の一次感覚領野である副嗅球僧帽細胞層では，入力源である鋤鼻器切除後も変わらぬ性行動による活性化が観察される。顆粒細胞層でも同様な活性化が認められるものの，鋤鼻器切除によってその活性化レベルは大きく減少する。(Kondo et al, 2003)

(Thor & Flannelly, 1977)。一方，鋤鼻器を切除してしまうと，イントロミッションや射精の潜時が長くなる（Kondo et al, 2003；Saito, 1986）。しかし，マウスでは反対に硫酸亜鉛による嗅上皮破壊は性行動を完全に抑制してしまい（Keller et al, 2006），鋤鼻器の切除は性行動にほとんど影響しない（Pankevich et al, 2004）。興味深いことに，鋤鼻器受容体に特異的なイオンチャネル遺伝子TrpC2(transient receptor potential C2)をノックアウトした雄マウスでは，本来攻撃行動が誘発されるべき雄に対しても，攻撃ではなく雄性行動が発現してしまうことが知られている（Stowers et al, 2002）。このように雄性行動においては，種によって嗅上皮と鋤鼻器の感覚情報の使い方が異なるようである。

しかしながら，鋤鼻器に始まる鋤鼻神経系が雄性行動制御に重要な役割を果たしていることは，種を越えて一致している。鋤鼻神経系とは，鋤鼻器からの信号が副嗅球から扁桃体内側核，分界条床核および視索前野へと処理されていく神経回路であり，これらの領域は，マウス，ラット，ハムスター，ハタネズミといったげっ歯類のみならず，哺乳類全般にわたって重要な役割を果たしている。ただし，鋤鼻神経系が鋤鼻器からの感覚信号のみを処理しているわけではない。鋤鼻器を切除してしまったラットで，性行動後に副嗅球のFos陽性細胞の増加が確認されている（図7-13）(Kondo et al, 2003)。主嗅球と副嗅球の神経連絡に関する解剖学的証拠はいまだ得られていないが，直接あるいは間接的に神経連絡があると考えられる。

副嗅球からの出力線維は，扁桃体内側核へと投射している。扁桃体内側核の特に後部背側野はエストロゲン受容体やアンドロゲン受容体を持つニューロンが豊富に含まれ，この領域を破壊してしまうと雄性行動が著しく障害されることから（Kondo 1992），雄性行動において重要な役割をしていると考えられている。去勢したハムスターでは，扁桃体内側核にテストステロンやエストラジオールを局所投与すると雄性行動が回復するが，DHTでは効果が得られないことから，性行動には扁桃体内側核のエストロゲン受容体が重要であることがわかる（Wood 1996；Wood & Coolen 1997）。しかし，去勢ラットに性行動を引き起こさないほど微量のエストロゲンを全身投与しておいてからDHTを扁桃体内側核に投与すると性行動が回復するので，アンドロゲン受容体がまったく関与しないわけではない（Baum et al, 1982）。

扁桃体内側核は，雄性行動における陰茎の機能に関わっていると考えられる報告がある。扁桃体内側核破壊を施した雄ラットは，非接触性勃起を示さない（Kondo et al, 1997）。また，射精したラットでは，扁桃体内側核内にFos陽性細胞がパッチ状の集団で現れる（図7-14）。このパッチの出現は，マウントの回数には関係ない。セロトニン（5-HT）1A受容体アゴニストである8-OH-DPATを投与すると，射精が促進され，ラットは最初のイントロミッションで射精してしまうようになるが，そのようなラットでもこのパッチが現れることから，射精関連領域であると考えられている（Coolen et al, 1996）。片側の嗅脚を破壊して嗅球から扁桃体への入力をなくしても，性行動後にみられる扁桃体内側核のFos陽性細胞数に変化はない。しかし，雌の膣にテープを張って性行動をマウントに限定したり，リドカインで雄の陰茎を局所麻酔して陰茎からの感覚信号が入らないようにすると，嗅脚を破壊した側の扁桃体内側核のFos陽性細胞の数は有意に減少する

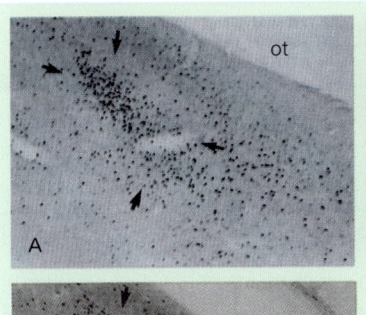

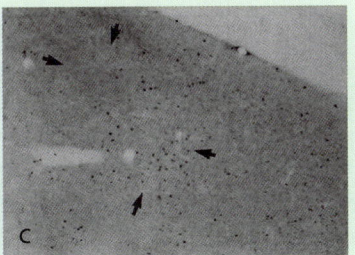

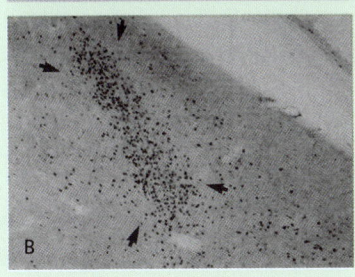

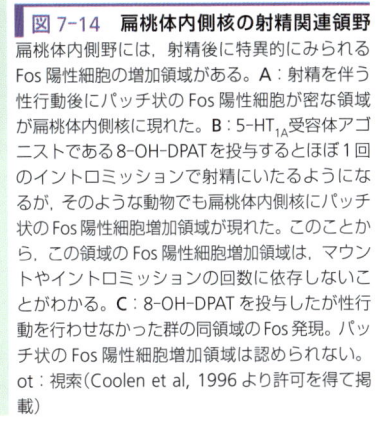

図7-14　扁桃体内側核の射精関連領野
扁桃体内側野には，射精後に特異的にみられるFos陽性細胞の増加領域がある。A：射精を伴う性行動後にパッチ状のFos陽性細胞が密な領域が扁桃体内側核に現れた。B：5-HT$_{1A}$受容体アゴニストである8-OH-DPATを投与するとほぼ1回のイントロミッションで射精にいたるようになるが，そのような動物でも扁桃体内側核にパッチ状のFos陽性細胞増加領域が現れた。このことから，この領域のFos陽性細胞増加領域は，マウントやイントロミッションの回数に依存しないことがわかる。C：8-OH-DPATを投与したが性行動を行わせなかった群の同領域のFos発現。パッチ状のFos陽性細胞増加領域は認められない。ot：視索（Coolen et al, 1996より許可を得て掲載）

（Baum & Everitt 1992）。扁桃体内側核は，嗅上皮や鋤鼻器の化学感覚信号のみならず，陰茎からの体性感覚信号をも統合し，雄性行動を調節していると考えられる。

扁桃体内側核からは，背側から出る分界条という線維束を介して分界条床核や内側視索前野へと出力されると考えられるが，分界条の切断は扁桃体内側核破壊ほど雄性行動に対して強い障害を持たないことから（Tsutsui et al, 1994），扁桃体腹側路の関与も示唆されている。分界条床核の破壊は，ラットの射精にいたるまでのイントロミッション回数を増加させ，射精後間隔を長くする（Valcourt & Sachs 1979）。

7.8　内側視索前野

内側視索前野と視床下部前野は，細胞構築学的に別領域と区別されるにもかかわらず，共通の投射領域と性ステロイド受容体の分布，そして破壊した場合の性行動における影響などがよく似ていることから，これらの領域をまとめて内側視索前野・視床下部前野複合体（medial preoptic-anterior hypothalamus continuum）と呼んでいる。ここでは，以下で便宜的にこれをmPOA（medial preoptic area）という語で置き換えるが，内側視索前野・前視床下部複合体と読み替えてかまわない。

扁桃体内側核の主たる出力ターゲットのmPOAは，ラット，マウス，ハムスターなどのげっ歯類をはじめとし，イヌ，ネコ，ヤギ，サルといった哺乳類全般から，鳥類，爬虫類，魚類にいたるまで，非常に多くの種において雄性行動の最も重要な部位として知られている。これらの動物では，mPOAを破壊すると雄性行動が完全に停止する（図7-15）。反対に，mPOAに電極

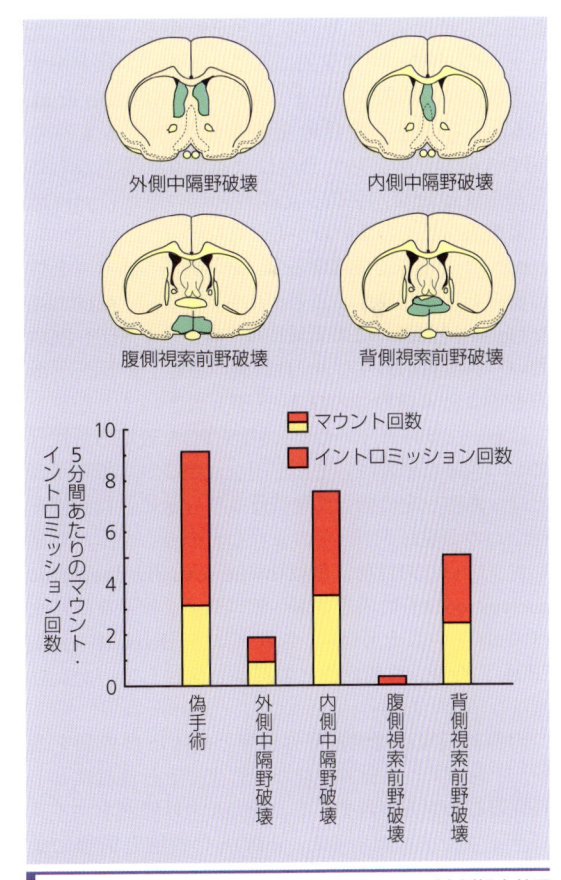

図7-15　雄ラット性行動における中隔野および内側視索前野破壊の効果　外側中隔野の破壊と内側視索前野腹側部の破壊で著しい性行動抑制が観察された。（Kondo et al, 1990）

を植えて性行動中に電気刺激すると射精にいたるまでのマウントやイントロミッションの回数を減少させ，射精潜時，射精後間隔を短くする（Malsbury, 1971）。

mPOA も扁桃体内側核同様にテストステロンの局所投与が去勢雄の性行動を回復させる(Davidson, 1966)。しかし，テストステロンと同時にアロマターゼ阻害剤を mPOA に投与するとテストステロンによる雄性行動刺激効果は抑えられる(Christensen & Clemens, 1975)。

扁桃体と同様に mPOA にも末梢からの体性感覚情報が入力している。扁桃体内側核の片側破壊をすることによって嗅球に発する化学感覚信号の mPOA への入力をなくしても，破壊と同側の mPOA の雄性行動による Fos 陽性細胞増加は影響を受けない。しかしながら，扁桃体内側核の片側破壊と同時にそれと同側の中脳中心被蓋野を興奮性アミノ酸で破壊してしまうと，性行動による mPOA の Fos 陽性細胞の増加は抑制される(Baum & Everitt, 1992)。中脳中心被蓋野は，mPOA に対する体性感覚入力の中継核と考えられ，mPOA のニューロンは扁桃体内側核から入力される化学感覚信号だけでなく，陰茎からの体性感覚信号によっても活性化されていることがわかる。麻酔したラットの mPOA を電気的にあるいは化学的に刺激すると陰茎の海綿体内圧が上昇する(Giuliano et al, 1997)。しかし，性行動を完全に抑制するような mPOA 破壊が非接触性勃起にはあまり影響しないことから(Liu et al, 1997)，心因性勃起の惹起に mPOA は直接関与していないのかもしれない。

mPOA を小さく破壊すると，その破壊の大きさと性行動の低下が相関することが知られている(Arendash & Gorski, 1983)。この領域には，前述した SDN-POA という神経核があり(7.6「性経験の影響」を参照)，雌のものよりも雄のものは 3～5 倍も大きいことがラットにおいて知られているが，SDN-POA 破壊の雄性行動への明確な影響はいまだ不明な点が多い。雄ヒツジでは，ある一定の割合で発情雌よりも雄に性指向性を持つものが現れるが，そのようなホモセクシュアルな雄ヒツジではこの性的二型核(ovine sexually dimorphic nucleus, oSDN)の大きさがヘテロセクシュアルな雄に比べて小さいことが報告されており(Roselli et al, 2004)，今後，性指向性との関係を検討していかなければならないだろう。

内側前脳束は視索前野外側野と視床下部外側を通り，下位脳幹へと結ぶ主要な線維束で上行性線維と下行性線維の両方が含まれる。mPOA の外側部をマイクロナイフで矢状断すると，mPOA の破壊と同様に雄ラットの性行動は完全に消失する(Szechtman et al, 1978)。しかし，mPOA の前方または後方の前額断は効果がない。これらのことから mPOA から発する雄性行動制御信号は，mPOA から側方の内側前脳束に出力され，下位脳幹へと伝えられると考えられる。

7.9 その他の脳領域と雄性行動

以上で副嗅球に始まる鋤鼻神経系と性行動制御の関係について概略したが，これら以外にも様々な領域が雄性行動に関連している。以下では，その代表的な領域をいくつか紹介する。

7.9.1 外側中隔野

中隔野は mPOA の背側に位置し，海馬や分界条床核，そして mPOA とも相互に神経連絡を持つ。ヒトでは中隔野を電気刺激すると性的関心が高まり，快感を生じることが知られている(Moan & Heath, 1972)。性経験がないラットの外側中隔野を破壊するとマウントやイントロミッションが有意に低下する(図 7-15)(Kondo et al, 1990)。しかし，これは雌に対する興味が低下したのではなく，発情雌と一緒にすると中隔破壊雄はしきりに追尾を繰り返す。性経験を持つ雄では，破壊によるマウントの減少はみられないが，雌の周りを興奮してくるくる回るような行動がみられるという。

去勢ラットに性行動が現れないほど微量のエストロゲンを投与しておき，中隔野に DHT の結晶を直接植えると性行動を引き起こすことができる(Baum et al, 1982)。中隔野のアンドロゲン受容体が雄性行動の調節に関わっているようである。

7.9.2 大脳皮質

雄ラットの大脳皮質をほとんど取り除いてしまうと性行動はまったくみられなくなる(Beach, 1940)。この大脳皮質除去による性行動の抑制効果は，除去された領域がどこであろうと小さく除去した場合にはほとんどみられず，大きく破壊した場合にはいずれの領域を破壊しても観察されると報告している。しかし，広範な大脳皮質除去であっても数ヶ月間雌ラットと一緒にしておくと雌を妊娠させることができることから(Whishaw & Kolb 1983)，完全に性行動が行えなくなるのではない。

その後の解析で，大脳皮質の中でも正中部よりも外側，それも前頭極の皮質除去は，その範囲が狭くても性行動が消失し，皮質後部の除去はほとんど効果がないことが示されている(Larsson, 1964)。しかし，性経験のないラットでは，中隔野の背側部に位置する大脳縦裂回(帯状回)の破壊がマウントの回数を減少させる(図 7-16)(Yamanouchi & Arai, 1992)。外側中隔野破壊と似て，雌の追尾自体は減少しないが，マウントとして成立せずに雌の上を通過してしまうような行動が観察される。しかし，いったん，マウントが成立するようになると，その後は正常に性行動を行えるようになる(Whishaw & Kolb, 1985)。

7.9.4 乳頭体

視床下部の後部に位置する乳頭体は，海馬采・脳弓を介して海馬と密接な神経連絡がある．乳頭体外側部の破壊は射精にいたるまでイントロミッション回数を著しく低下させ，射精後間隔を短縮させるという報告があるが(Heimer & Larsson, 1964)，ごく初期の研究であるため，再び検討する必要があるだろう．

7.9.5 視床下部腹内側核

視床下部腹内側核は，雌性行動であるロードーシスに重要な神経核として知られているが，雄ラットの腹内側核を破壊すると雄性行動が亢進することが知られている(Christensen et al, 1977)．また，去勢してテストステロンを投与した雄ラットの腹内側核にアンドロゲン受容体のアンタゴニストを局所的に投与すると，性行動や超音波発声，発情雌に対する選好性などが阻害される．

7.9.6 視床下部室傍核

自律神経系を統合する脳部位として考えられている視床下部室傍核は，勃起においても重要な部位として位置づけられている．ドーパミンの非選択的アゴニストであるアポモルフィン(apomorphine)を視床下部室傍核に投与すると，あくびとともに自発的な勃起が誘発される(Melis et al, 1987)．また，オキシトシンを室傍核に投与しても同様な反応が得られる(Melis et al, 1986)．さらにアポモルフィン投与に先立ってオキシトシンのアンタゴニストを投与しておくと，アポモルフィンによる勃起が阻害されることから，ドーパミンは室傍核のオキシトシンを介して勃起を引き起こしていると考えられる(Melis et al, 1989)．

オキシトシンは，室傍核と視索上核のニューロンによって産生され，下垂体後葉から分泌されるホルモンとしての役割のほか，近年では，直接他のニューロンに作用する神経伝達物質としての役割も注目されるようになった．勃起においても，室傍核から脊髄に直接投射を持つオキシトシンニューロンが重要な役割を果たしていると考えられている(Argiolas & Melis, 2005)．

7.9.7 中 脳

ラットの中脳中心被蓋野を破壊すると，雄性行動は完全に抑制される(Hansen & Kohler, 1984)．また，この領域を電気刺激すると性行動は亢進する(Shimura & Shimokochi, 1991)．中心被蓋野の片側破壊とmPOAの反対側破壊を組み合わせた場合も性行動は消失し，中心被蓋野と同側破壊を組み合わせた場合には性行動への障害は小さい(Brackett & Edwards, 1984)．これらのことから，中脳中心灰白質とmPOA

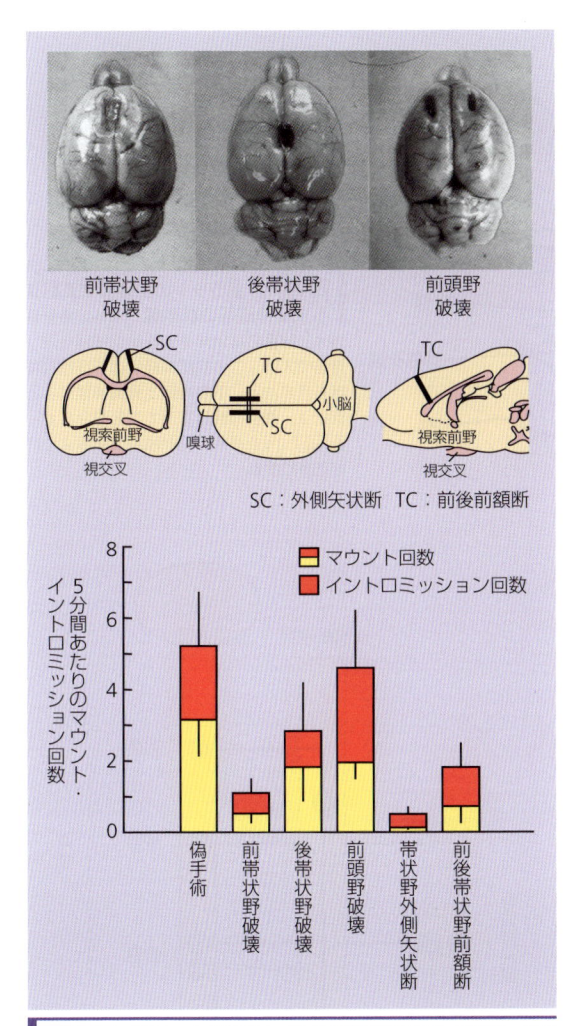

図7-16 雄ラット性行動における帯状皮質除去の効果 帯状皮質破壊は，前部と後部の2種類を作製した．また，これらに対するコントロール群として前頭野破壊群を作製した．さらに帯状皮質の出力線維を切断すべく，帯状野外側矢状断と前後の帯状野を切断する群も作製した．その後，性行動に対する影響を調べたところ，帯状野の前部を破壊すると性行動に対する障害が強く現れること，また，この強い抑制は，外側矢状断した後にも観察された．(Yamanouchi & Arai, 1992より許可を得て掲載)

7.9.3 海 馬

嗅球や扁桃体皮質核の信号は，嗅内皮質を介して海馬に伝えられる．海馬を吸引により除去するとマウントが増加するという古い報告があるが(Kim, 1960)，その後の研究では確認されていない．海馬に電極を置いて性行動中の脳波を記録した研究では，雌に近づきにおいを嗅いだときやマウントのときに7〜8 Hzのシータ波が現れ，挿入や射精といった反応をしたとき，シータ派のリズムがゆっくりとした不規則なものに変化することが観察されている．そして射精後の不応期には，持続して不規則な高振幅徐波や紡錘波が観察される(Kurtz & Adler, 1973)．

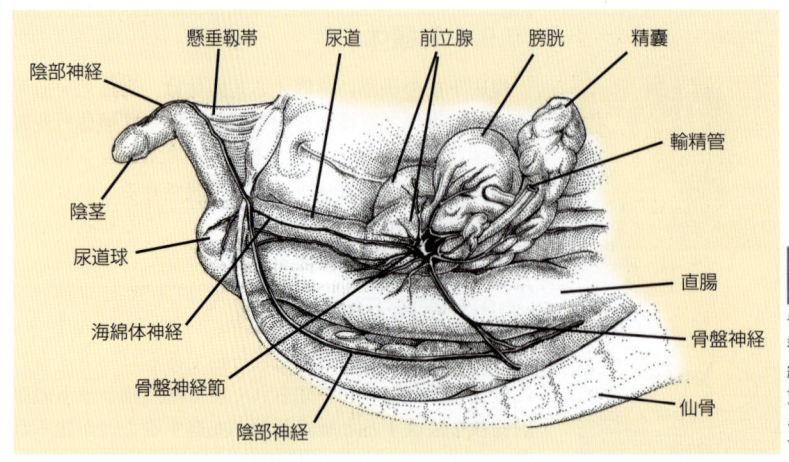

図 7-17 雄ラットの生殖器を支配する末梢神経系の解剖図 陰茎の感覚信号は，陰茎の背側部を走る陰部神経を通り脊髄に入る。この陰部神経には下行性の神経も含まれる。下腹神経と骨盤神経による支配は，骨盤神経節でシナプスを介している（図 7-16 を参照）。(Nelson, 2005 より許可を得て掲載)

の同側性の神経連絡が雄性行動に重要だと考えられている（7.8「内側視索前野」の「mPOA」の項も参照のこと）。

7.10 脊髄および末梢における陰茎機能の調節

　陰茎機能，特に勃起機能を制御する主な神経経路は，骨盤神経，下腹神経，陰部神経の3経路である（図 7-17）。骨盤神経の多くは腰髄および仙髄に始まり，脊髄を出た後，骨盤神経叢のニューロンにシナプスし，海綿体神経を通って海綿体および血管平滑筋を支配する。この神経のほとんどは，副交感神経系に属するが，一部は交感神経のものも含まれている。下腹神経は交感神経に属し，胸髄および腰髄に起始し，上下腹神経叢，骨盤神経叢を通って海綿体神経に入る。3番目の陰部神経には上行性と下行性の両方が含まれ，上行性神経は陰茎背側神経からくる陰茎の感覚情報を中枢に伝える。下行性神経は，海綿体を取り巻く横紋筋を支配する運動神経を含んでいる。これら運動神経の細胞体は胸髄L5-L6にあり，球海綿体を支配する運動神経は球海綿体脊髄核（spinal nucleus of the bulbo-cavernosus：SNB）に，坐骨海綿体を支配する運動神経は脊髄背外側核（DLN）に細胞体を有し，骨盤神経から脊髄を出て陰部神経に合流する。SNBは性差のある核として有名である（図 7-18）。

　勃起は副交感神経の活動を上げ，交感神経の活動を抑制することによって生じる。ラットの下腹神経を刺激しても海綿体内圧に変化は起きないが，仙髄を破壊して副交感神経の影響を取り除いておくと下腹神経の刺激によって勃起が生じる（Dail et al, 1989）。このように多くの末梢神経は，勃起を刺激するものと腫脹を終了させるものが混在していると考えられる。

　また，腰髄L3-L4に細胞体があるガストリン放出ペプチド（GRP）を発現するニューロンには雄優位の性

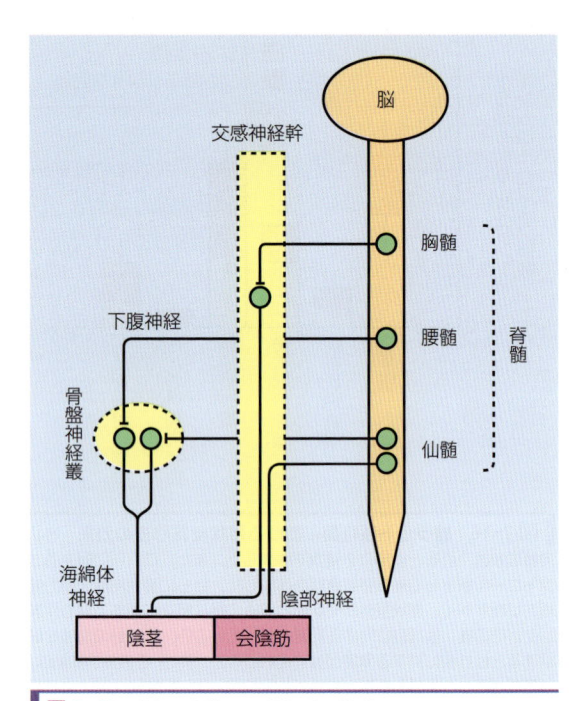

図 7-18 勃起を制御する神経系の模式図 哺乳類の勃起システムは，種によってたいへん異なっている。ラットでは，海綿体基部を取り囲む横紋筋の球海綿体筋と陰茎海綿体が重要な役割を果たす（図 6-6 を参照）。これはラットの断続的な勃起という特殊性からくるのであろう。したがってラットの勃起では，これらの筋肉を支配する脊髄運動ニューロンの軸索が通る陰部神経の役割が大きい。

差がある（Sakamoto et al, 2008）。このGRP産生ニューロンは，腰仙髄L5-L6，S1レベルに投射しGRPを放出する（図 7-19）。腰仙髄のSNBニューロンと副交感神経系などの勃起反射を調節するニューロンはGRP受容体を発現する。去勢ラットにおいて脊髄のGRP受容体を薬理学的に刺激すると勃起反射は改善する。また，強い心理的なストレスをかけると腰髄におけるGRPの軸索分布が減少し，勃起反射も減衰する。一方，ストレスによる勃起反射の減少はGRP受

7.10 脊髄および末梢における陰茎機能の調節　107

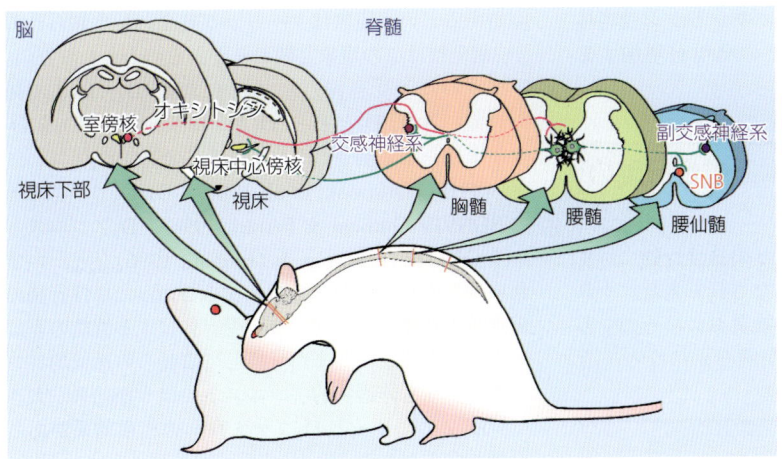

図7-19　雄の性機能を制御している脳-脊髄神経ネットワークの概略図　雄の性機能である勃起（副交感神経系により制御）から射精（交感神経系により制御）にいたる際，副交感神経系から交感神経系へのスイッチングが必要である。交感神経系は胸髄，副交感神経系は腰仙髄に責任回路が主に存在している。これら自律神経系のスイッチングには，それら両方に神経連絡している腰髄-視床ニューロン（腰髄に細胞体が存在）が重要な機能を担っていると考えられている。さらに，この脊髄神経回路系を介して視床下部からのオキシトシン・シグナルが射精を誘発する。

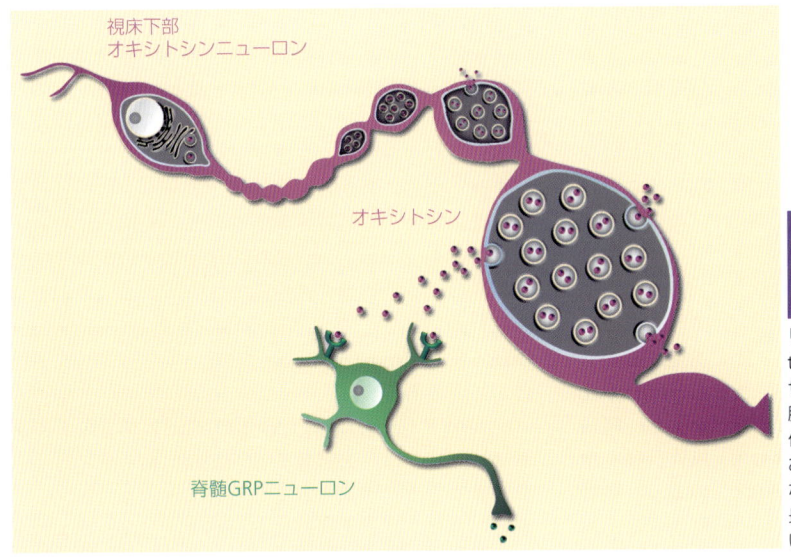

図7-20　シナプス領域以外の軸索から放出されたオキシトシンが拡散により脊髄ガストリン放出ペプチド（GRP）ニューロンへ作用する（ボリューム伝達）　ボリューム伝達（volume transmission）とは，個別にシナプスを形成せずに，神経ペプチドなどが樹状突起や細胞体から細胞間隙へ放出され，その後，拡散作用によって情報伝達を行う神経機構。なお，各種の神経ペプチド，および生体アミンなどの多くはこの伝達様式をとり，比較的長いタイムコースでの神経調節に関わっている可能性が高い。

容体アゴニストで回復を示す（Sakamoto et al, 2009）。脊髄 GRP ニューロンは，腰仙髄の副交感神経系（勃起）と胸髄の交感神経系（射精）の両方に軸索投射すると同時に，間脳の視床への上行性投射もあることから，腰髄-視床（lumbar spinothalamic）ニューロンとしても知られる（図7-19）。この腰髄-視床ニューロンの脳への投射先は，視床中心傍核（subparafascicular nucleus：SPF）と考えられており，射精時によりSPFニューロンが活性化されることも知られている。すなわち，脊髄 GRP ニューロン系が，脊髄レベルでの副交感神経系と交感神経系とのスイッチング，およびその快感情報（射精の有無など）を脳へ伝えていく際に重要な役割を果たしている考えられている（Sakamoto, 2012）。腰髄-視床ニューロン群を選択的に破壊されたラットでは，マウント，イントロミッションは正常にみられるが，射精がまったく観察されなくなる。このことから，腰髄-視床ニューロンが脊髄における射精

中枢（ejaculation generator）であると考えられている（Truitt & Coolen, 2002）。

一方，視床下部で作られ，出産や授乳のほか，愛情や信頼など社会性にも関係するホルモン「オキシトシン」が，脊髄 GRP ニューロン系を活性化させ，雄ラットの性機能をコントロールしていることも最近報告された（Oti et al, 2021a）。さらに，脊髄におけるオキシトシン放出を，電子顕微鏡で解析した結果，脊髄におけるオキシトシン放出はシナプス領域以外でも観察され，オキシトシンの作用はシナプス領域に限局しないという，オキシトシンによる脊髄での新たな局所神経機構"ボリューム伝達"が明らかとなった（図7-20）。オキシトシンを輸送するニューロンが軸索突起を遠く脊髄にまで伸ばし，血中へ放出するかのようにオキシトシンを脊髄にまき散らすことで，1対多に情報を効率よく伝えるシステムであると考えられる（Oti et al, 2021a）。また，これらの視床下部オキシトシン-脊髄

GRP系に関する遺伝子群（GRP，オキシトシン受容体など）は，性経験によって脊髄での発現が増加する（Oti et al, 2021b）。

7.11 神経伝達物質による雄性行動の調節

神経系に作用する様々な薬物投与の雄性行動に対する効果についても数多くの研究がなされてきた。それらを通して，どのような神経伝達物質およびその受容体が雄性行動を調節しているかが明らかになってきた。ここでは，物質別に概観する。

7.11.1 ドーパミン

ドーパミンの非選択的アゴニストであるアポモルフィンやL-DOPAなどを全身投与すると雄性行動が促進されることは古くから知られている。また，アポモルフィンの全身投与は雌の存在なしで自発的な勃起を誘発する（Benassi-Benelli et al, 1979）。さらに近年では，エストロゲン受容体αノックアウトマウスにアポモルフィンを投与すると雄性行動が回復することが報告された（Wersinger & Rissman, 2000）。エストロゲンによって引き起こされる雄性行動は，ドーパミン神経系が関わっている可能性が高い。

mPOAにマイクロダイアリシスのプローブを植え込み，性行動中の細胞外ドーパミン量を測定すると，雌提示前に比べて有意な上昇が観察される（Hull et al, 1993）。扁桃体内側核を破壊すると雌ラットと一緒にしてもmPOAのドーパミンは上昇せず，雄性行動も生じなくなる（Dominguez et al, 2001）。このような動物のmPOAにドーパミンのアゴニストを投与すると再び性行動を行うようになることから，発情雌から発せられる化学感覚刺激が扁桃体内側核を介してmPOAに入力し，そこにエストロゲンが作用することでmPOAのドーパミンが上昇すると考えられる。

中脳の腹側被蓋野から前脳側坐核に投射するドーパミン神経は，一般的に動機づけ行動と関係が深いことが知られているが，雄性行動に関しては，まだ明確な回答が得られていない。雄ラットの性行動中に側坐核のドーパミンレベルが上昇するという報告がある一方（Pfaus et al, 1990），側坐核にアポモルフィンを局所投与しても性行動はわずかしか増加しないことも報告されている（Hull et al, 1986）。また，同じ雌と射精を繰り返し，性的飽和状態になった雄ラットに目新しい発情雌を提示すると側坐核のドーパミンが上昇する（Fiorino et al, 1997）。さらに交尾したことがある雌に接近したときには発火せず，初めて出会った雌に接近するときのみ活動するニューロンが側坐核で見つかっている（Wood et al, 2004）。雄ラットが交尾して性的飽和に達した後，新規な雌と接触すると再び性行動を開始するという現象はクーリッジ効果として知られるが，側坐核はこの現象と関わりがあるのかもしれない。

ドーパミン受容体のサブタイプは，D_1〜D_5まで知られているが，D_1とD_5をD_1ファミリー，D_2〜D_4をD_2ファミリーと大別される。しかしながら，D_1アゴニストのTHP（Markowski et al, 1994），D_2/D_3アゴニストのSDN919（Giuliani & Ferrari, 1996），D_3アゴニストの7-OH-DPAT（Ferrari & Giuliani, 1996）など，いずれの薬物でも射精潜時を短くするといった雄性行動の促進効果が報告されており，受容体による機能の差はあまり大きくない。また，概してこれらの選択的アゴニストよりも非選択的アゴニストのほうが効果が大きく，D_1ファミリーとD_2ファミリーの相乗効果があるものと考えられる。

7.11.2 ノルアドレナリン

ノルアドレナリン作動性ニューロンの細胞体が豊富に存在する青斑核（A6）を破壊すると，射精間間隔が長くなる。また，ノルアドレナリンの合成阻害剤を青斑核に投与するとマウントやイントロミッションの潜時を長くすることから，ノルアドレナリンは雄性行動の促進に関わっていると考えられる（McIntosh & Barfield, 1984）。しかし，青斑核の破壊はセロトニンアゴニストによる性行動亢進を阻害するものの，単独では雄性行動に影響しないという報告もあり（Fernandez-Guasti & Rodriguez-Manzo, 1997），今後，さらなる検討が必要であろう。

ノルアドレナリンα_2受容体のアンタゴニストであるヨヒンビンは，去勢雄や性的飽和にある雄の性行動を亢進することが知られている（Clark et al, 1985）。しかし，ヨヒンビンと同時にドーパミンアンタゴニストであるハロペリドールを投与するとヨヒンビンの促進効果は失われることから，ヨヒンビンによる性行動促進作用は最終的にドーパミン系神経系を介したものであることが示唆されている（Rodriguez-Manzo, 1999）。また，大用量のヨヒンビンは，逆に雄性行動を抑制し（Sala et al, 1990），ノルアドレナリン前駆体と末梢デカルボキシラーゼ抑制剤を同時に投与して，ノルアドレナリン前駆体の作用を中枢に限定するとマウントやイントロミッションの潜時の増大がみられる（Agmo & Villalpando, 1995）。α_1受容体のアンタゴニストであるプラゾシンが雄性行動を抑制することから，ヨヒンビンによる雄性行動の促進効果は，少なくとも部分的にはα_2受容体の阻害によって起きるノルアドレナリンの放出がα_1受容体を刺激した結果ではないかと考えられている（Clark et al, 1985）。

7.11.3 セロトニン

セロトニンの枯渇剤であるpCPAは，ラットの雄性行動を著しく促進することが古くから知られている

(Salis & Dewsbury, 1971)．また，セロトニンの再取り込み阻害剤は，脳内の細胞外セロトニン量を増加させ，ヒトで抗うつ剤として用いられているが，副作用として性的動機づけの低下が報告されている(Hsu & Shen, 1995)．ラットでセロトニンの再取り込み阻害剤を慢性投与すると，発情雌の近傍における滞在時間が短くなり，射精潜時が長くなる(Vega-Matuszczyk et al, 1998)．これらのことから，セロトニン神経系は雄性行動を抑制していると考えられる．

上行性セロトニン作動性ニューロンは，中脳の縫線核群を起始核として前脳全体に広く投射している．しかし，背側縫線核の破壊は雄性行動にはほとんど影響せず，正中縫線核破壊でも射精潜時を短くするといった部分的な促進に限られている(Kondo & Yamanouchi, 1997)．pCPA投与でみられるような雄性行動全般にわたる促進効果は，脳の破壊実験では得られていない．

雄ラットの外側視床下部にマイクロダイアリシスのプローブを植えておき，性行動中の細胞外セロトニン量を測定したところ，射精後に有意な上昇が観察された(Lorrain et al, 1997)．また，外側視床下部にセロトニン神経毒である5,7-DHTを注射してセロトニン神経終末を破壊してしまうと，雄性行動が低下するとともに側坐核のドーパミン量が減少することから，外側視床下部のセロトニンは，部分的にはドーパミン神経系を介して性行動を促進しているものと思われる(Lorrain et al, 1999)．

5-HT$_{1A}$受容体に選択的なアゴニストである8-OH-DPATは，射精にいたるまでのイントロミッション回数を著しく減少させ，動物によっては初回のイントロミッションで射精することもある(Ahlenius et al, 1981)．また，5-HT$_{1A}$および5-HT$_2$受容体のアゴニストであるm-CCP(*m*-chlorophenylpiperazine)は雌刺激なしで自発的な勃起を誘発する．このようにセロトニン受容体の種類によって，促進・抑制といった機能差があるのだが，脳の領域との関係はまだあまりわかっていない．

7.11.4 神経ペプチド

小型のタンパク質であるペプチドホルモンは，血中への分泌とは独立に脳内に直接放出されて様々な行動を調節している．前述したように下垂体後葉ホルモンであるオキシトシンは陰茎勃起に重要な役割を果たしていることが示されているが，オキシトシンを雄ラットの視索前野に直接投与するとイントロミッション率(IR)が高くなり，射精後間隔(PEI)が短縮するのに対し，オキシトシンアンタゴニストを投与するとIRの低下とPEIの増加することが報告されている(Gil et al, 2011)．しかし，オキシトシン遺伝子をノックアウトした雄マウスでは，発情雌のにおいに対する選好性が消失するものの，性行動にはほとんど影響しない(Dhungel et al, 2019)．これはラットとマウスの種差であるのか，あるいはオキシトシン欠損に対して何らかの代償機能があるのか，今後の研究成果を待たねばならない．オキシトシンと同様，下垂体後葉ホルモンであるバソプレシンも様々な社会行動を調節する神経ペプチドとして知られているが，ラットの前脳腹側淡蒼球にバソプレシンV1b受容体のアンタゴニストを投与すると発情雌に対する選好性が低下することが報告されているものの(DiBenedictis et al, 2020)，雄ラットの性行動にはほとんど影響がないようである．しかし，オキシトシンと同様にバソプレシンのはたらきにも種差があるようで，雄マウスのバソプレシン受容体V1aRとV1bRをともにノックアウトさせても発情雌のにおいに対する選好性には影響せず，雄性行動はむしろ促進するという報告がある(Shimizu et al, 2018)．バソプレシンの性行動における機能についてもさらに詳細な解析が必要であろう．

下垂体前葉ホルモンである副腎皮質刺激ホルモン(ACTH)や中葉ホルモンであるメラニン細胞刺激ホルモン(MSH)の投与も勃起を引き起こすほか，射精潜時を短くすることが古くから知られている．しかし，これらの投与は射精にいたるまでのマウントやペニスの挿入回数も減少させるが，動物同士の相互作用には影響しないことから性的動機づけに対する効果はないのではないかと考えられている(Argiolas & Melis, 2013)．

オレキシンは，視床下部外側野のニューロン群により特異的に産生されるが，その受容体は脳に広範に分布し，摂食，睡眠・覚醒をコントロールするペプチドとして知られている．オレキシンを性的に未経験の雄ラットの視索前野に投与するとマウントや挿入の潜時を短縮し，頻度を増加させるといった性行動の促進が観察される(Gulia et al, 2003)．しかし，サポリン毒素を結合したオレキシンBを視床下部に投与してオレキシンニューロンの細胞死を誘導しても性経験を持つ雄ラットの性行動には効果がなく，また性的未経験ラットではテスト初回でのみ，性行動の潜時が短くなるといった促進がみられたという報告もある(Di Sebastiano et al, 2010)．この報告では，オレキシンは性的動機づけには影響せず，高架式十字迷路における不安様行動を促進することから，性的未経験ラットが初めて発情雌に遭遇したときの不安を増強し，それが性行動を促進したのではないかと考察している．

一方，内因性オピオイドは，性行動を抑制的に調節するようである．µ受容体の選択的アゴニストの視索前野への投与は，性行動の開始を有意に遅延することが報告されている(Matuszewich & Dornan, 1992)．しかし，オピオイドペプチドの投与効果は明らかに用量依存的であり，高用量では性行動を抑制するものの，低用量ではかえって性行動を促進する効果を持つ

(Band & Hull, 1990)。

7.12 おわりに

1940年代にFrank A. Beachにより性行動を制御する神経系の研究が開始され，80年の研究成果が蓄積されてきた。ここで紹介した知見は，それらのうちのほんの一部である。さらにここ最近10年間で分子生物学的な技術の発展により神経科学の研究技法も大きく変化し，それらによって神経調節系のさらに詳細な解析が可能となった。今後10年でさらに多くの新しい知識が得られることであろう。しかし，本書で記載した内容の多くは，それらの基礎となるものであり，そのような知識の積み重ねがあってこそ，さらなる研究の発展があるものと考えている。

8

雌性行動

8.1 性周期と行動

8.1.1 雌の発情パターンの分類

交尾は雌が雄の性行動を受け入れることによって成立する。つまり，雄がどれだけ雌に対して交尾の働きかけを行おうとも，雌がそれを拒否してしまえば交尾は成り立たないのである。自然場面でも，オランウータンなどでは雌の拒絶にもかかわらず雄が強引に交尾を完遂してしまう"レイプ"の例が報告されているが，これはあくまでも例外であり，基本的には，いつどのような場面で雌が雄の交尾を受け入れるか，つまり雌の発情パターンが，それぞれの動物種の繁殖成績を決定する主要な要因となっている。

哺乳類においては，雌の発情パターンは，排卵様式とそれを司るホルモン分泌との関係によって分類される（表8-1）。分類の第1のポイントは，排卵（ovulation）が自発的かどうかである。ヒトを含む霊長類や大型の哺乳類では排卵が定期的に繰り返される。これらの動物では，排卵に先立ってエストロゲン分泌が上昇して卵（胞）が発達する卵胞期（follicular phase），排卵後の卵胞に残った顆粒細胞が脂質を蓄えてプロゲステロンを分泌する黄体となる黄体期（luteal phase）からなる卵巣周期を繰り返し，これを完全周期型と呼ぶ。ヒトを含む一部の霊長類では，これらの周期を通して子宮内膜が肥厚し，受精が成立せず黄体期が終了するとそれに伴って肥厚した子宮内膜が体外に排出される月経（menstruation）が生じる。一方，実験室のラットやマウスなど小型げっ歯類では，周期が4～5日と短いために卵の発達と黄体形成が重複して明確な相に分かれないため不完全周期型という（図8-1）。これらをあわせて周期性排卵と呼ぶが，ヒツジやウシなどは，1年のうちで決まった期間のみにしか排卵が起こらないため季節性排卵型という（14章「行動の周期性」を参照）。一方，これらに対して排卵が自発的ではなく，特定の刺激によって排卵が引き起こされる反射性卵（reflex ovulation）動物もいる。ネコやフェレット，ウサギなどは交尾による刺激によって排卵が誘発される。このように交尾刺激によって強制的に排卵が引き起こされ

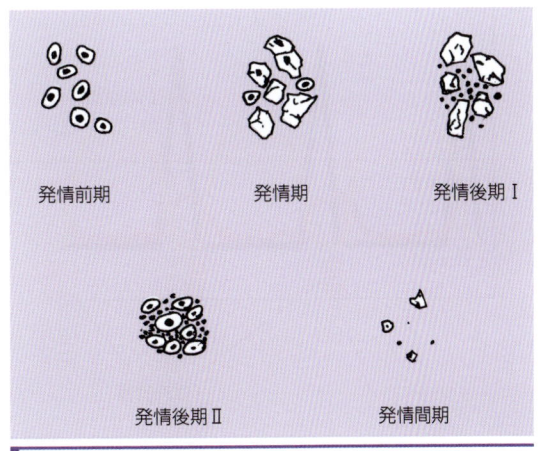

図8-1 マウスの腟スメア ラットやマウスの発情周期は，腟垢（スメア）を観察することによって判定できる。発情前期（P：proestrus，約12時間）：円形の有核上皮細胞のみが存在する。発情期（E：estrus，約1日）：有核細胞と角化上皮細胞が存在する。発情後期Ⅰ（MⅠ：metestrus Ⅰ，約1日）：核の消失した大量の角化細胞と少量の白血球がある。発情後期Ⅱ（MⅡ：metestrus Ⅱ，約1日）：有核細胞と多量の白血球がみられる。発情間期（D：diestrus，約1日）：わずかな量の白血球，有核細胞や小型の角化細胞がみられるか，ほとんど細胞が認められない。M1～M2を発情間期Ⅰ（DⅠ），M2～Dを発情間期Ⅱ（DⅡ）とする場合もある。

表8-1 雌の発情パターン

動物種	排卵様式	発情の同期
ラット，マウス，イヌ	自発的排卵 周期的排卵	同期
ヒト，ボノボ	自発的排卵	非同期
ヒツジ，ウシ	季節性排卵	同期
ネコ，フェレット	強制排卵 交尾排卵	同期
ハタネズミ，ラクダ	刺激性排卵	同期

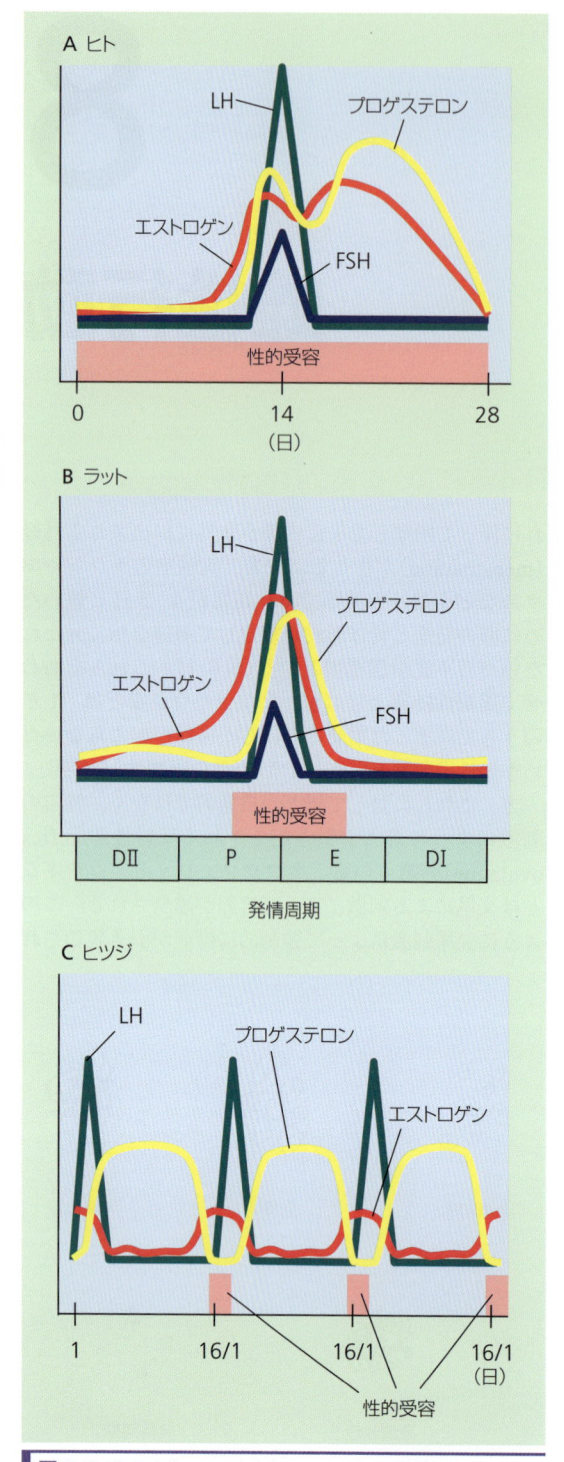

図8-2 ヒト(A), ラット(B), ヒツジ(C)の雌におけるホルモンの周期的分泌　卵胞刺激ホルモン(FSH)は未成熟の卵胞の成長を刺激し成熟させ, 黄体形成ホルモン(LH)の一過性の大量放出(LHサージ)により排卵が促される. いずれの種においても, エストロゲンとプロゲステロンが, その前後に上昇するが, ヒトにおいては, 性的受容期間はその時期に限定されない.

図8-3 ボノボの対面交尾　対面交尾は, ヒト以外の霊長類ではほとんど観察されないが, ボノボでは比較的多く観察される. (写真は伊谷原一教授〈京都大学野生動物研究センター〉のご厚意による)

ることを交尾排卵と呼ぶ. また, ハタネズミやラクダにおいては, 強制排卵を引き起こす刺激は, 交尾そのものではなく, 雄のにおい(フェロモン)である. 興味深いことに, 自発的排卵を起こす動物でも, 多くの種において, 交尾刺激によって排卵が起こったり, あるいは早まったりすることが報告されている. おそらく, 交尾排卵のメカニズム自体はかなり普遍的であり, 交尾後すみやかに排卵することによって受精の確率を高める適応的機能を持つのであろう.

発情パターン分類の第2のポイントは, 排卵と発情の同期である. ほとんどの動物では, 排卵の前後に行動的な発情が起こる. 前述したように, ラットやマウスなどは4～5日周期で自発的な排卵が起こるが, 行動的発情, つまり雌が雄の交尾行動を受け入れるのは, 排卵を挟む約24時間である(図8-2). また, 季節性排卵であるヒツジは, 秋から春にかけての繁殖期中に約16日周期で排卵を行うが, 行動的発情はやはり排卵に先立つ約24～48時間であり, 発情と排卵が同期している. 一方, 交尾排卵であるネコは卵胞が発達して排卵の準備が整うと行動的発情を示し, 交尾による排卵後もしばらく発情を維持する. したがって, 基本的には自発的排卵の動物と同様に, 発情は排卵と同期することになる.

排卵とは関係なく雌が常に発情, つまり交尾受け入れ可能な状態にある種はわずかであり, ヒト, ボノボがそれに相当する(図8-3). ヒトは約28日の排卵周期を持っている. 排卵後に黄体が形成され, エストロゲンとプロゲステロンの分泌が持続することを除いては, 性ホルモンの分泌パターンはラットやマウスのそれに非常によく似ている(図8-2). しかしながら, ヒトの場合, このようなホルモン分泌と関係なく, 女性は基本的にいつでも性的受容可能である. したがって, 繁殖に関する性周期は発情周期ではなく, 月経周

期か性周期と呼ばれることが多い。一方，ボノボは46日の性周期のうち，約20日間性皮が腫れて頻繁に交尾を行う。しかしながら，性皮の腫れが明確でない期間や，妊娠中や出産後の無排卵の時期にも交尾を行うため，雌の行動的発情は他の多くの動物のように排卵時期に限定されていない。さらにボノボでは，交尾の終了後に雄から雌への餌の分配が行われる例が報告されており，そのような場合，交尾は数秒で終了し，射精にいたらないことも多い。また，ボノボに限らず多くの霊長類では，発情期間が長いため，実際には受精不可能なときにも交尾が行われ，さらには同性同士や親仔間でも交尾様の行動が多く観察される。このような繁殖目的以外の交尾は，両者の関係性の形成や維持を促進するなどの社会的機能を有している。これが，排卵期以外の交尾を進化させた要因の一つであり，ヒトにおける恒常的な発情につながっているのであろうと考えられている。

ヒトの恒常的発情は，排卵の隠蔽の意味も持っているといわれている。他の多くの動物では，雌は発情期に特徴的な形態的変化を示し，容易に排卵時期が確認できるのに対し，ヒトの場合は形態的手がかりから排卵を確認することは困難である。したがって，男性側にとっては，いつ性交を行えば確実に自身の精子を受精させて子を残すことができるのかわからない。他の男性の精子が入り込むことなく，確実に自分の子を残すためには，継続的に女性のそばにいて，これを守る必要がある。妊娠・出産および子どもの養育に多大なコストのかかるヒトにおいては，このような継続的配偶者防衛を必要とすることにより，男性の協力を獲得し，一夫一妻制に移行してきたと考えられている。

8.1.2 げっ歯類の性周期に伴う行動変化

雌の行動的発情は最終的には雄の交尾を受け入れるかどうかで判定できるが，発情に伴う行動変化は交尾の受容だけではない。その他にも多くの行動的側面が発情に伴い変化する。特に周期性排卵を行う動物では，これらの行動的側面も周期性を持っている。

例えば，ラットやマウスは輪回しを好むが，その活動量は性周期によって変化する（図8-4）。通常，排卵前後の発情期には活動性が上昇し，輪回し活動量が増加する。また，同様にオープンフィールドなどの実験装置内での自発活動も上昇する。この期間中は睡眠時間も減少し，全体的に覚醒水準の基本レベルが上昇していると考えられる。これらの活動性の変化には，エストロゲンが重要な役割を果たしている。加齢によって排卵停止したラットでは，活動性の日間変化も減少する。また卵巣摘出により性ホルモン分泌のなくなった雌ラットでは，活動性が低下するとともに周期的変化も消失する。さらに，このラットにエストラジオールを投与してやると再び活動性が上昇する。ま

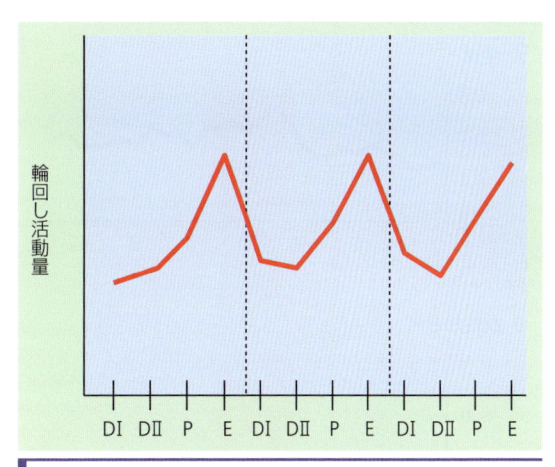

図8-4 雌ラットの輪回し活動の周期的変化 発情前期(P)，発情期(E)には活動性が上昇し，発情間期(DⅠ，DⅡ)には低下する。(Eckel et al, 2000 より改変)

た，エストロゲン受容体α(estrogen receptor α：ERα)遺伝子をノックアウトした雌マウスでは，エストロゲン依存性の活動性の上昇が認められない。さらに，ERα含有細胞の豊富な内側視索前野を破壊すると輪回し活動が減少し，この部位にエストラジオールを投与すると回転輪活動が上昇するので，排卵周期に伴う活動性の変化には内側視索前野におけるエストロゲン受容体の活性化が重要な役割を果たしていると考えられる。

発情周期は，活動性のみではなく，ラットやマウスの不安行動にも影響を与える。雌は発情期には不安が低下し，通常は回避するような場所にも積極的に出ていくようになる。しかしながら，卵巣摘出した雌ラットにエストラジオールを投与した場合には，不安傾向が低下するという報告と，逆に上昇するという報告とがあり，一定していない。おそらく，投与されるエストロゲンの用量，投与期間，タイミングなどにより不安様行動にもたらす効果は異なっているのだろう。また，エストロゲンの不安抑制作用にはエストロゲン受容体の2つサブタイプのうち，β受容体(estrogen receptor β：ERβ)のほうが強く関わっていると考えられている。例えば，ERβ遺伝子をノックアウトされたマウス(βERKOマウス)は，通常のマウスに比べて高い不安様行動を示し，また，ERβの選択的アゴニストは，卵巣切除ラットの不安様行動を低下させる。一方，ERα遺伝子をノックアウトしたマウス(αERKOマウス)では，βERKOマウスでみられたような不安行動の促進は認められない。したがって，エストロゲンが不安行動に及ぼす効果の相違は，これらの受容体の機能的相違に基づくものかもしれない。

8.1.3 ヒトの性周期に伴う行動変化

前述したように，ヒトは性周期にかかわらず性交可能であるが，その頻度は性周期に応じて変化する。多

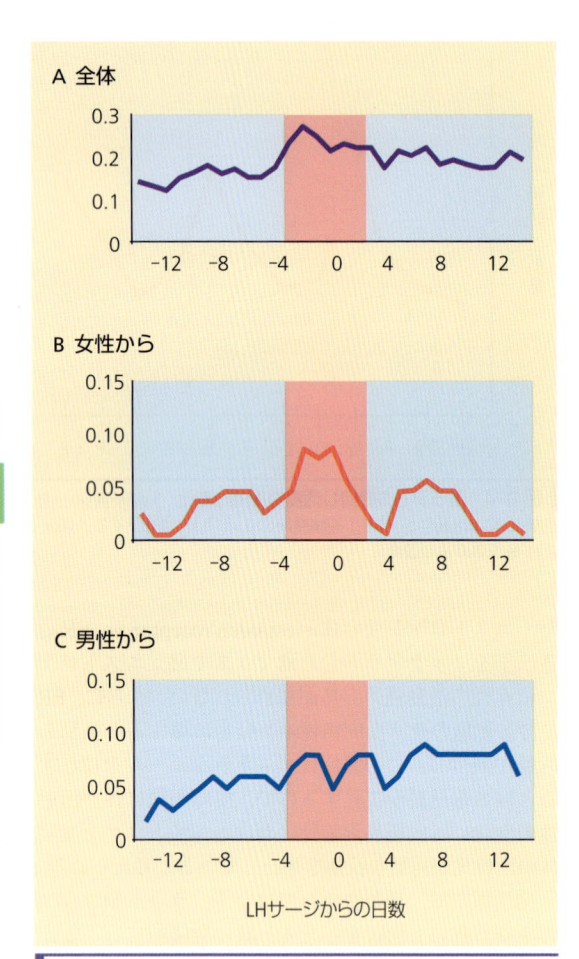

図8-5 生理周期に伴う女性の性的活動の生起率の変化 日にちはLHサージの確認された日を0日とした相対的な日を示す。すべての性的活動をみた場合には、受精の確率の高いLHサージの前後の期間（桃色の期間）で生起率の上昇が認められる（**A**）が、これは、この期間に女性から性的活動が開始されることが多いためであり（**B**）、男性からの性的活動だけをみた場合にはこのような変化は認められない（**C**）。（Bullivant et al, 2004 より改変）

くの研究が、女性の性行為の生起率が排卵期近辺に高まることを報告しているが、排卵期ではなくむしろ生理直後の卵胞期にピークがあるとする研究や、排卵期にはむしろ性行為が低下するという研究も存在している。このような不一致の背景には、実際の性行為の生起には妊娠に対する態度やパートナーとの関係など、他の社会的、心理的要因も深く関与していることや、生理開始日を基準にした排卵期の予測が実際には困難であることなどがある。そこでこれらの問題を避けるため、被験者に妊娠を避けるための避妊具を使用してもらい、さらに排卵期を黄体形成ホルモン（luteinizing hormone：LH）サージの開始によって正確に判定した研究では、排卵期に明確な性行為の生起率の上昇が起こることが確認されている（図8-5）。

さらには、実際の性行為だけではなく、性的な欲求や空想の頻度、あるいは顔の好みも性周期によって変化する。文化的差異はあるものの、一般に女性は男性的な特徴を有する顔を好むが、その傾向が排卵期前後では特に強まる。また、排卵期には、顔の左右対称性の高い男性や背の高い男性を好む傾向が高まるとされている。これらの特徴はその個人の持つ遺伝的優良性と関係があり、そのような遺伝子を受け継ぐために、特に排卵期にこれらの特徴に対する好みが高まると考えられている（19章「人間の性行動における生物学的基盤」を参照）。

8.2 雌の性行動の分類

ある欲求に基づいて生起する行動には、欲求行動（appetitive behavior）と完了行動（consummatory behavior）の2種類がある。欲求行動とは、その欲求を充足するために、その目標となる対象を探索し、入手しようとする行動である。一方、完了行動とは、欲求を充足するため、対象物に対して最終的に行われる行動のことである。空腹という動因に基づいて食欲という欲求が生起したときのことを考えてみよう。この摂食欲求は、生体に食べ物を探し、それを手に入れるという"採餌行動"を引き起こさせる。運よく食べ物を手に入れることができたら、それを口に入れ、噛み砕いて飲み込むという"摂食行動"が生起する。前者が摂食についての欲求行動であり、後者が完了行動となる。

Beach（1976）は、性行動についてもこの欲求行動と完了行動の区分を行い、げっ歯類の雌の役割を3つの側面に分けて捉えることを提唱した。1つ目は、誘引性（attractivity）である。誘引性とは、雄の性的相互作用を喚起させる刺激機能である。したがって、誘引性は必ずしも行動によって発揮されるのではない。2つ目は、前進性（proceptivity）である。これはいったん喚起された性的相互作用を維持し、交尾の完了にいたらせようとする機能を指す。つまり、雌が交尾を求めて、雄に対して示す欲求行動である。3つ目の受容性（receptivity）は、雄が膣内射精にいたるために、必要かつ充分な雌の反応のことである。簡単にいうと、交尾そのものであり、雌の完了行動である。

Beach（1976）は、この3つの側面によって、雌雄の複雑な性的相互作用を刺激反応連鎖として単純化して捉えようとしていたのである（図8-6）。つまり、雌の誘引性は雄を引き寄せ、性的相互作用、すなわち交尾の欲求行動を起こさせる。さらに雌は前進性行動を示し、雄は交尾の完了へと導かれる。同様に、雄の誘引性が雌を引き寄せ、雌に欲求行動、つまり前進性行動を引き起こさせる。それによって、雄が完了行動を示すと、雌もそれを受け入れ、雌にとっての交尾の完了行動、つまり受容性を示すことになる。

ただし彼は、この捉え方によって雌の行動を厳密に分類しようと考えたのではない。Beach（1976）自身も

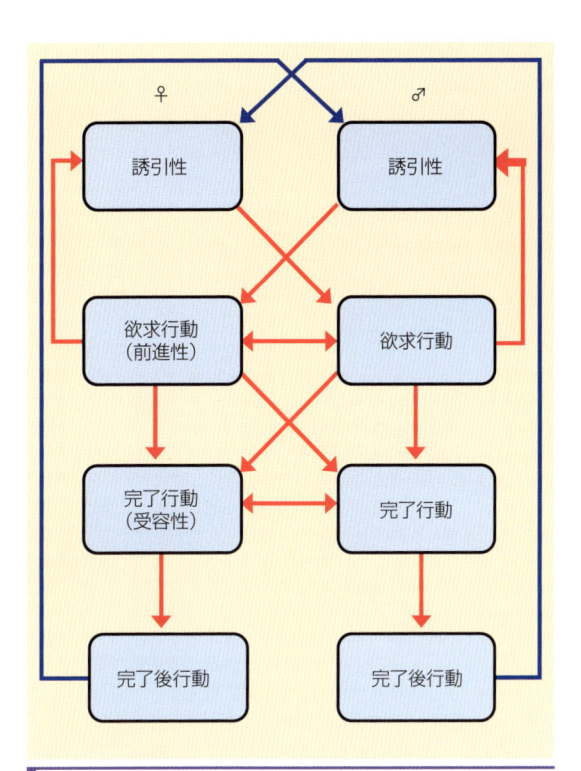

図 8-6 雌雄における性的相互作用の概念的モデル図　赤の矢印は促進的機能を有することを示し，青の矢印は抑制的機能を示す。(Beach, 1976 より改変)

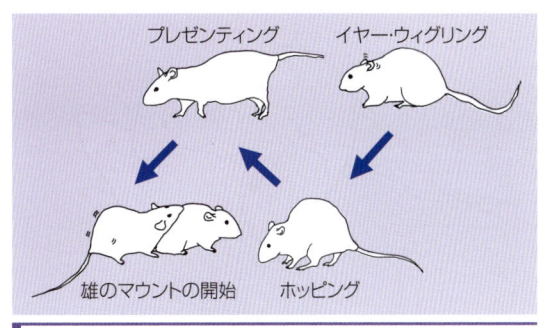

図 8-7 雌ラットの誘惑行動とマウントの開始　発情した雌ラットは，耳を細かく震わせ，飛び跳ねるように歩き，雄へ生殖器部位を向ける。雄はこれに注意を引きつけられ，マウントを開始する。

近回数や，雌雄が一緒にいた総時間，あるいはマウントや射精の回数などの差が選好性の指標として用いられる。

8.2.2 前進性

前進性はその機能からみて，誘引性と類似している。これらを区別しているのは，前進性が，雄から出された刺激によって引き起こされた，雌の欲求行動であるということである。したがって，前進性行動の分析では，当該する行動が後の交尾の成立に及ぼす促進的効果を検討すると同時に，雄のどのような特性によりその行動が引き起こされているのかを見定めることも重要である。

Beach(1976)は，多くの哺乳類に共通の前進性として，親和行動，誘惑行動，接近-退避の繰り返し，身体接触，雌によるマウントの5つを挙げている。親和行動とは，雄に近づき一緒にいることであり，霊長類の行動研究では，これが前進性の指標としてよく用いられる。誘惑行動は，雌がまだ離れている雄に対して示す行動で，種特異的な型を持つことが多い。発情した雌ラットは，雄の前をすばやく走り抜けたり（ダーティング〈darting〉），生殖器部位を雄のほうに向けて止まったり（プレゼンティング〈presenting〉），飛び跳ねるような歩き方をしたり（ホッピング〈hopping〉），耳を細かく震わせたり（イア・ウィグリング〈ear-wiggling〉）といった特徴的な行動を示す(図8-7)。これらの行動が示された場合には，雄の性行動が亢進することから，これが雌ラットにおける誘惑行動であるとされている。また，スナネズミは，プレゼンティングなどのほかに背中の毛を立てて震わせる立毛振動姿勢を示す。げっ歯類においては，これらの誘惑行動が前進性の指標として最もよく用いられている。接近-退避は，雄が雌を追いかけ始めるまで繰り返され，交尾行動を始動させる機能を持つ。また，身体的接触は，相手個体に対する生殖器部位のグルーミングなどの探索的行為を含んでおり，その身体的刺激が雄の行動を誘発することになる。雌によるマウントは，逆説的では

述べているように，完了行動と欲求行動を厳密に区別することは困難であり，また，同一の行動でも，あるときは受容的な機能を有するが，別の場合には前進的な機能を有するということも考えられる。しかし，行動の厳密な分類は困難であるとしても，雌の性行動を理解していくうえでは，その機能をおおまかに捉えていくことは有用であり，実際，雌の性行動についての多くの研究が，彼の分類に基づいて行われている。

8.2.1 誘引性

雌の誘引性は，どれだけ雌の発する刺激が離れている雄を引き寄せ，雌に対する探索行動を起こさせるかによって表される。また，この刺激は，それを発しているのが同種個体の雌であり，さらには発情していて交尾可能であるということを雄に識別させる機能を有している。何がこの刺激となっているかは種によって異なる。ラットやマウスでは，嗅覚情報（フェロモン）がこの刺激として重要な役割を担っている（6章「種内コミュニケーション」を参照）。

雌の誘引性を決定する実験では，単一の雌に対する雄の行動を調べるのではなく，複数の雌を提示して選択させる選好性テストが行われることもある。この場合，雄が選好性を示したほうが，誘引性の高い個体ということになる。このような実験では，雌に対する接

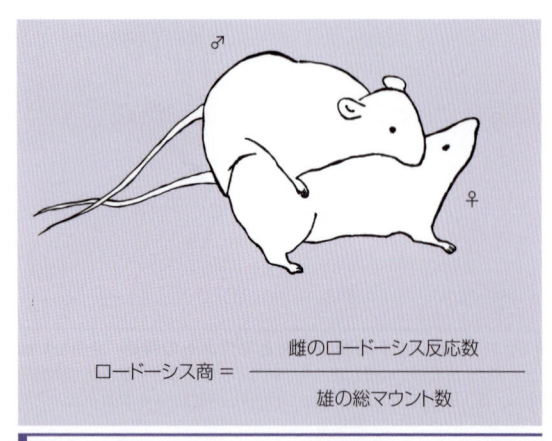

図 8-8 雌ラットのロードーシス姿勢とロードーシス商の計算式　雄のマウントの刺激により，雌は背を平たくし，臀部を雄の方へと突き上げる。ロードーシス商は，雄のマウントに対して雌がロードーシスを示した割合を表す。

$$\text{ロードーシス商} = \frac{\text{雌のロードーシス反応数}}{\text{雄の総マウント数}}$$

表 8-2 雌の受容性の強度得点

得点	受容強度	行動の特徴
5	最高	鳴かない。雄のマウントを避けようとしない。四肢をしっかり踏ん張り，挿入中に逃げようとしない。マウントの終了は雄によって決定される
4	良好	挿入中に少し鳴き，飛び跳ねることがある。四肢はおおむねしっかり踏ん張っている。マウントの終了は雄によって決定される
3	平均	挿入やマウントの間に少し鳴き，動く傾向がある。時折，マウントを避けるため後肢を上げる。雄の挿入は持続しにくいが，マウントの終了は雄が決定する
2	不良	雄が近づいてきたときに，顔を向け防御姿勢をとる。挿入中によく鳴き，動く。頻繁に後肢を上げたり，座り込んだりして，マウントを避け，挿入を終了させる。マウントの終了は雌が決定する
1	非受容	雄を激しく避ける。マウントや挿入中に，非常によく鳴き声を上げる。雌が逃げるので，挿入は短い。頻繁に立ち上がり，座り込み，雄を蹴る。射精が起きることはあるが，射精までの挿入回数は多くなる。雄がマウントしなくなるので，交尾が不完全に終了することも多い

（MaGill, 1962 より）

あるが，雄を明確に雌へと方向づけ，雄による雌へのマウントを促すことになるので，前進性行動と位置づけられている。

前進性は，それぞれの種の社会的組織や生態学的ニッチと深く関係があり，雌の性行動の中で種の特異性が最も反映される部分である。したがって，すべての種が Beach の述べた前進性の5つの行動特性を持っているわけではない。例えば，マウスにおいては，ラットでみられるホッピングなどのような特徴的な誘惑行動は認められていない。したがって，前進性の評価においては，種の特異性を充分考慮した手続きを用いることが必要である。

8.2.3 受容性

受容性とは，雄の交尾行動に対し，雌がそれを受け入れる姿勢を示すことであり，雌の性行動の完了行動である。げっ歯類ではロードーシス姿勢がこれに相当する（図8-8）。ロードーシスとは，四肢で体を支え，背を平たくし，臀部を雄のほうへと突き上げる姿勢であり，この姿勢のとき雄は陰茎の挿入が可能となる。ロードーシスはおおむねげっ歯類の交尾姿勢として共通であるが，種によって多少の相違がある。マウスの場合，ラットと比較すると，脊椎湾曲が明確ではなく，頭はあまりもたげず，水平か，やや下がることが多い。また，マウントの途中で雌が動いたり，雌のほうからマウントを終了させたりすることも比較的多い。

受容性の指標としては，雄のマウントの回数に対する雌のロードーシス反応の割合として算出されるロードーシス商（lordosis quotient：LQ）が用いられることが最も多い。この指標は，ラットやマウスのように，射精までに複数回のマウントを必要とする種には，非常に有用である。しかしながら，ハムスターのように，雄がマウントしなくともロードーシスを示す種では，有効な測度とはいえない。げっ歯類で用いられている他の受容性の測度としては，ロードーシスを示した総時間，平均持続時間，ロードーシスを示すまでの潜時などがある。また，ロードーシスの特徴からその強度を評定する場合もある（表8-2）。

8.3 ロードーシスの神経調節

ロードーシスは，雄のマウントによって引き起こされる，一種の反射反応である。しかしながら，ラットではマウントの開始からロードーシス生起までの潜時が平均 160 ms かかり，これは脊髄内の単純な反射弓ではなく，脳幹における多シナプスの反射弓によって生起していることを示唆している。さらに，これを様々な脳部位が促進的あるいは抑制的に調節しており，複雑な調節機構を構成している。

8.3.1 ロードーシスの反射機構

雌ラットのロードーシスを引き起こしている直接の刺激は，雄のマウントによる雌の側腹部への皮膚刺激と，後部臀部，会陰部への圧刺激である（図8-9）。これらの刺激はルフィニ終末で受容され，アドレナリンβ線維を介して，それぞれ第1，第2腰髄および第5，第6腰髄，第1仙髄の後根から脊髄に入る。これらの

8.3 ロードーシスの神経調節　117

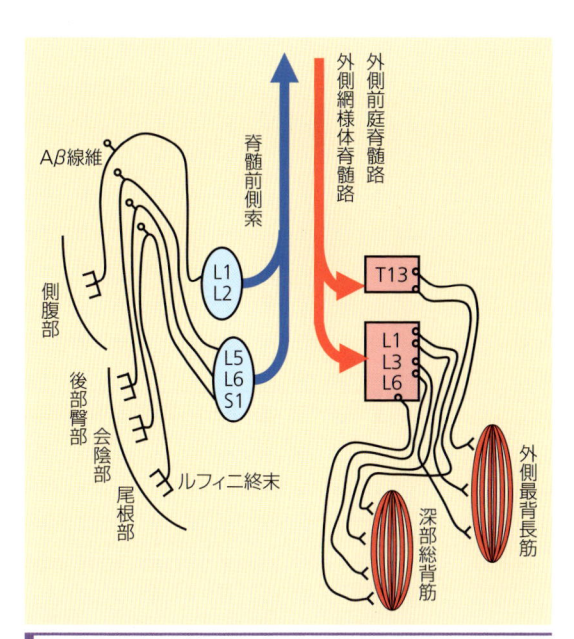

図 8-9 ロードーシスを引き起こす皮膚刺激の入力経路と，ロードーシス反射を実現する筋への運動情報の出力経路の概念図
T：胸髄，L：腰髄，S：仙髄　(Pfaff, 1980 より改変)

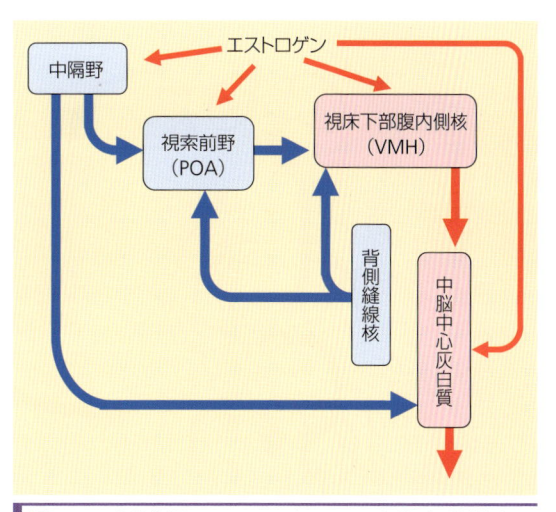

図 8-10 上位中枢におけるロードーシスの促進系と抑制系　ピンクは促進系を水色は抑制系を示す。赤の矢印はロードーシスに対する促進的作用を示し，青の矢印は抑止的作用を指す。エストロゲンは，抑制系に対してはこれを抑えることによってロードーシス発現を促し，促進系に対してはこれを活性化することによって，ロードーシスを促進する。

感覚入力は，腰髄中間灰白質の圧感覚系介在ニューロンに伝達され，脊髄前側索を通って脳幹後部に広く投射する。また，中脳中心灰白質や視蓋深層には，ロードーシスを引き起こすのと同様の触刺激によって賦活されるニューロン群が多数存在するので，これらの部位がロードーシス反射に強く関わっていると考えられている。

一方，ロードーシス反射を司る運動情報の脊髄下行路としては，外側前庭核(Deiters 核)に始まり，前側索腹側部を経由し，腰部前角腹内側境界領域の運動ニューロンに到達する外側前庭脊髄路と，延髄の巨細胞性網様核に始まり，前側索を経由し，運動ニューロンに投射する外側網様体脊髄路の 2 経路が知られている。これらの経路により制御されている運動ニューロンのうち，ロードーシス反射に直接関わるのは，第 12 胸神経から第 1 仙骨神経にかけての脊髄前角内側および腹側から出て，外側最背長筋と深部総背筋を支配するニューロン群と考えられる(図 8-9)。これらの筋を電気的に刺激して収縮させると，雌ラットはロードーシスに充分な臀部挙上を引き起こす。

8.3.2 上位中枢における促進系と抑制系

上位中枢におけるロードーシスの促進系としては，まず視床下部腹内側核から中脳中心灰白質にいたる経路が挙げられる(図 8-10)。視床下部腹内側核や中脳中心灰白質を破壊するとロードーシス反応が減少し，電気的に刺激すると逆に上昇することから，これらの部位はロードーシス反応を直接促進する機能を有していると考えられる。ただし，中脳中心灰白質の破壊ではロードーシス反応の減少がすぐに認められるのに対し，視床下部腹内側核の破壊では，ロードーシスの減少は破壊 12 時間後からようやく始まる。また，電気的刺激の場合でも，視床下部腹内側核の場合は，ロードーシス反応の促進に通常 1 時間程度の継続的刺激を要する。したがって，視床下部腹内側核はロードーシスの反射弓を直接構成しているのではなく，むしろそれに対し持続的影響を与えているものと考えられる。一方，中脳中心灰白質は，皮膚刺激による感覚情報を受けてこれを処理し，ロードーシスを指令する情報を下位中枢へ送るという，ロードーシス制御の中心的役割を担っていると考えられている。

また，中脳中心灰白質には，視床下部などロードーシスの発現に影響を与える様々な部位からの情報を受け，それを統御してロードーシス反射弓の働きを調節する役割もあると考えられている。例えば，巨細胞性網様核の電気的刺激による中心灰白質の逆行性応答は，視床下部腹内側核の刺激で促進し，後述するロードーシスの抑制系である視索前野の刺激によって逆に抑制される。また，同じく抑制系である中隔野からの下行線維切断によってもロードーシスは促進するが，中脳中心灰白質を破壊すると，この線維切断による促進効果は消失する。さらに，外側中隔中間部から中脳中心灰白質に投射するニューロンが，中隔のロードーシス抑制に関与することが示唆されている。したがって，中脳中心灰白質は，促進系のみならず，多くの抑制系の情報も受けて，最終的なロードーシス発現を調整しているものと考えられる。

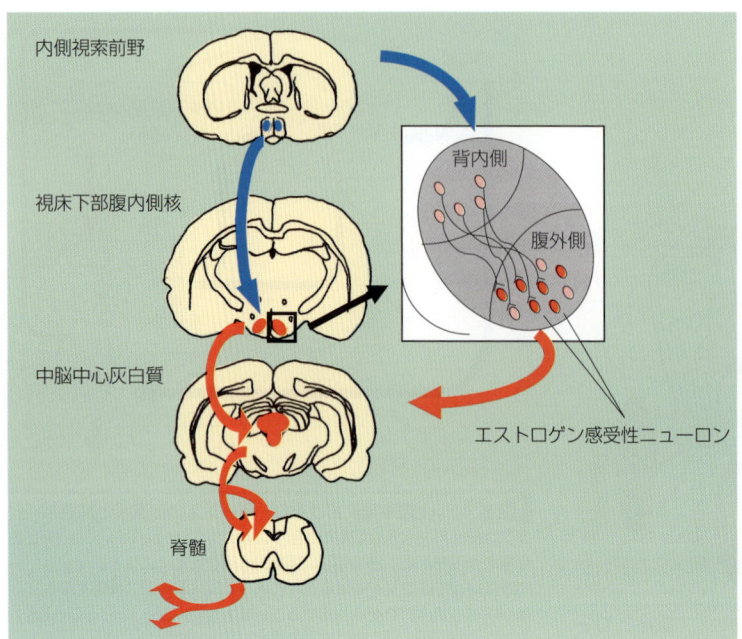

図8-11 ロードーシス制御の神経経路
視索前野から視床下部腹内側核の背内側部への投射は、ロードーシスに対して抑制的に機能する（青の矢印）。腹内側核背内側部からは腹外側部のエストロゲン受容体α含有ニューロン（赤い丸で示されている）への内的投射があり、これらのニューロンの活動を制御している。腹内側核腹外側部のエストロゲン受容体α含有ニューロンは、中脳中心灰白質にロードーシスの促進的制御を行い（赤の矢印）、中脳中心灰白質は脊髄を経由してロードーシス反射の指令を出す。

　視床下部腹内側核から中脳中心灰白質への経路としては、第三脳室の内側を経由する経路と、腹外側部から出て内側前脳束に合流する経路がある。内側の経路の切断ではロードーシスに大きな変化はないが、外側の経路切断により顕著に反応の低下が認められることから、ロードーシス反応に関与しているのは、腹外側部から内側前脳束を経由する経路だと考えられる。

　ロードーシス発現に抑制的に働く部位としては、視索前野や中隔野、扁桃体などの辺縁系領域、中脳背側縫線核などが挙げられる（図8-10）。

　前述した中隔から中脳中心灰白質に投射する神経束の切断や外側中隔の破壊は、ロードーシス反応の促進をもたらす。同様に、視索前野の破壊もロードーシス反応の促進をもたらすが、視索前野のニューロンは視床下部腹内側核の背内側部に投射しており、促進系である腹内側核の活動を制御していると考えられる。また、腹内側核の背内側部からはERαを含有する腹外側部へニューロンへの内的な投射があることから、視索前野は、この経路を通して腹内側核のエストロゲンに対する反応性を調節していると考えられる（図8-11）。さらに、内側視索前野から起こるエストロゲン感受性ニューロンの経路は、下行して中脳の腹側被蓋野にいたる。腹側被蓋野からは中脳中心灰白質腹側部を通過して延髄背内側部に投射する経路は、固有背筋をはじめ全身の筋緊張の低下によりロードーシス反射を抑制することも示されている。

　中脳の背側縫線核の破壊も、ロードーシス反応の促進をもたらすが、背側縫線核の抑制作用にはエストロゲンよりもセロトニンが深く関与している。背側縫線核のセロトニン神経は視床下部腹内側核、視索前野な

どロードーシス調節に関与する多くの部位に投射している。また、視床下部腹内側核にセロトニン神経毒を注入し、背側縫線核から視床下部腹内側核にいたるセロトニン神経経路を破壊すると、ロードーシスが促進される。このことから、背側縫線核はロードーシスの促進系である視床下部腹内側核を制御していると考えられる。

　ところで、これら促進系・抑制系の区分や影響の方向は、必ずしも完全なものではない。例えば、扁桃体の外側部破壊ではロードーシス反応が促進され、内側部破壊では抑制されることから、抑制と促進のそれぞれの機能を果たす部位が存在すると考えられる。また、基本的には抑制的機能を有する視索前野の前腹側脳室周囲核（anteroventral periventricular nucleus：AVPV）は、視床下部腹内側部のプロゲステロン受容体陽性細胞からの投射を受け、エストロゲンのプライミングによりこの神経投射の神経回路接続を増加させることで、ロードーシス発現を促進することが近年報告されている（Inoue et al, 2019）。したがって、この図式はあくまでもおおまかな枠組みと理解するべきであろう。

8.3.3 ロードーシス反射にみられる雌雄差

　後述するように、卵巣摘出した雌にエストラジオールとプロゲステロンを投与するとロードーシス反射が引き起こされるが、雄ラットを去勢し、エストラジオールを投与して発情期の雌と同等の内分泌環境においても雌のような強いロードーシス反射は起こらない。逆に、去勢雄ラットにエストラジオールなどを投与すると、去勢によって消失した雄型の生殖行動が復

活する。したがって，通常雄がロードーシスを示さないのは，性腺の分泌する性ホルモンが雌と異なるためではなく，脳の構造的・機能的性差によると考えられる。

通常の去勢雄ラットにエストラジオールを投与してもロードーシスはみられないが，中隔と内側視索前野の間の切断や，内側視索前野の破壊を行ったうえでエストロゲンを投与するとロードーシス反射が起こる。したがって，ロードーシス反射を遂行するための神経回路は雄でも存在しており，雌と同様に内側視索前野をはじめ，前脳の強力なロードーシス反射の抑制機構がこれを抑制していると考えられる。おそらく，この抑制がエストロゲンで除去されないことが，雄におけるロードーシス反射欠如の一因であろう。一方，前述したように，ラットやマウスの雌においても雄の性行動であるマウントは生起する。雌のマウントも，発情雌に対して生起しやすいが，基本的に自身の性腺ホルモン状態に依存せず，社会的優位性や経験によって大きく影響されるため，雄の交尾行動が誤って発現されたというよりも，雌独自の社会的機能を有する行動としてとしての役割を持っているのだろう。いずれにせよ，雌雄それぞれに特異的な交尾行動の原始回路は雌雄ともに存在しており，それを調節する神経機構に性差があって，それぞれの状況によってどちらにスイッチが入るのかが異なってくるのだと考えられている。

このような神経機構の性差は，主に周生期に形成される（4章「哺乳類の性分化」を参照）。雌ラットの出生後5日以内にアンドロゲンを投与すると，この動物は雄型の脳を持つようになり，成熟後ロードーシス反射を示さなくなる。逆に雄の新生仔を出生当日に去勢すると，遺伝的性別とは逆に成熟後に雌様の行動を示す雌型の脳を持つ動物が得られる。これらの動物を調べると，雄型の脳を持つ雌では，通常の雄と同様に腹内側核や内側視索前野のニューロンのエストロゲンへの感受性が低く，逆に雌型の脳を持つ雄では雌と同様にエストロゲンへの感受性が高いことが示されている（図8-12）。したがって，これらの部位のニューロンのエストロゲン感受性が脳の発育途上におけるアンドロゲンの作用で阻害されることによって，雄のロードーシスは発現しなくなるのだろう。

8.4 ロードーシスの神経内分泌

8.4.1 エストロゲンとロードーシス

多くのげっ歯類では，ロードーシスの発現は，基本的に卵巣から分泌されるエストロゲンによって制御されている。通常の性周期では，ロードーシス反射はエストロゲン分泌の高まる排卵前後でのみ生起する。また，卵巣を摘出し，通常のホルモン分泌のパターンを真

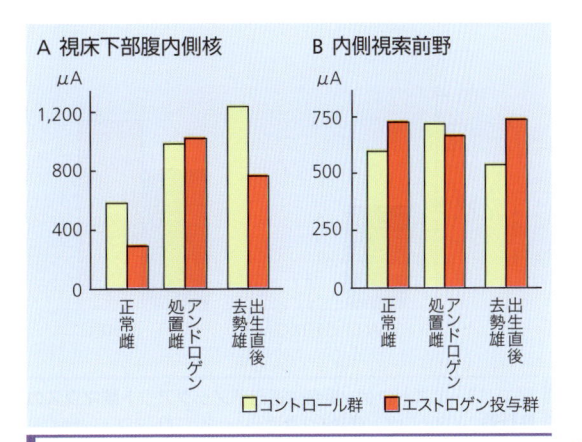

図 8-12　麻酔下のラットにおける中脳中心灰白質の刺激により視床下部腹内側核に誘発される逆行性電位活動の閾値(A)と，腹側被蓋野の電気刺激により内側視索前野に誘発される逆行性電位活動の閾値(B)　正常雌と出生直後に去勢された雄では，エストロゲンの投与によって腹内側核での閾値は低下し，逆に内側視索前野での閾値は上昇する。一方，出生直後にアンドロゲン処置された雌では，エストロゲン投与による効果は認められない。

似て，エストラジオールとプロゲステロンを連続的に投与してやると，雌はロードーシスを示すようになる。ラットやマウスで標準的に用いられているのは，性行動テストの48時間前にエストラジオールを注射し，4〜8時間前にプロゲステロンを注射する方法である。また，数日間連続でエストラジオールを投与したり，単回でも多量のエストラジオールを投与したりすれば，プロゲステロンがなくてもエストロゲンのみでロードーシスを発現させることができる。

ERαとERβの2種類のエストラジオール受容体のうち，ロードーシス反射に関与しているのは，主にERαだと考えられている。ERα遺伝子が欠損したαERKOマウスの雌は，標準的手続きでエストロゲンとプロゲステロンを投与しても，まったくロードーシスを示さない。一方，ERβ遺伝子が欠損したβERKOマウスの雌は，通常の性周期を示し，発情期には野生型の雌とほぼ同様のロードーシス反応を示す（図8-13）。興味深いことにαERKOでは，雄においても性行動の障害が認められており，これは雄でもエストロゲンが性行動の発現に重要な役割を果たしていることを示唆している。

ERαは，中脳中心灰白質，視床下部腹内側核，視索前野や辺縁系領域など，ロードーシスの発現に重要な役割を果たす領域に分布している。例えば，前述した中脳中心灰白質へ投射する視床下部腹内側核の外腹側部にはERαを豊富に含むニューロンが分布している。この神経核にエストラジオールを直接移植すると，卵巣摘出ラットのロードーシスが促進されるので，視床下部腹内側核はエストロゲンによるロードーシス促進を中脳中心灰白質へ働きかけていると考えられる。また，抑制系である中隔や視索前野にエストロゲンを直

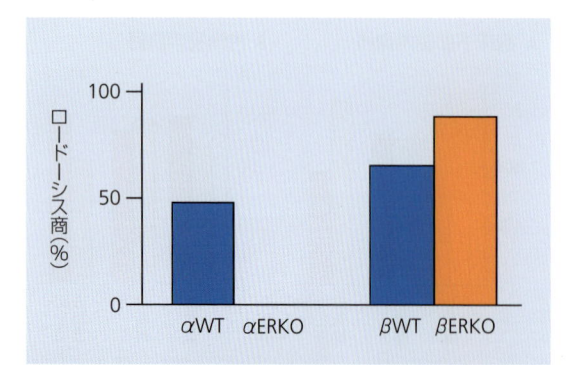

図8-13 エストロゲン受容体遺伝子ノックアウト雌マウスの性行動 エストロゲン受容体α遺伝子ノックアウトマウス（αERKO）の雌は性周期を示さず，野生型（αWT）とは異なり，卵巣摘出後，エストラジオールとプロゲステロンを投与してもまったくロードーシスを示さない（左）。一方，エストロゲン受容体β遺伝子ノックアウトマウス（βERKO）の雌は性周期を持ち，野生型（βWT）とほぼ同様に発情期にロードーシスを示す。(Ogawa et al, 1998とOgawa et al, 1999に基づき作成）

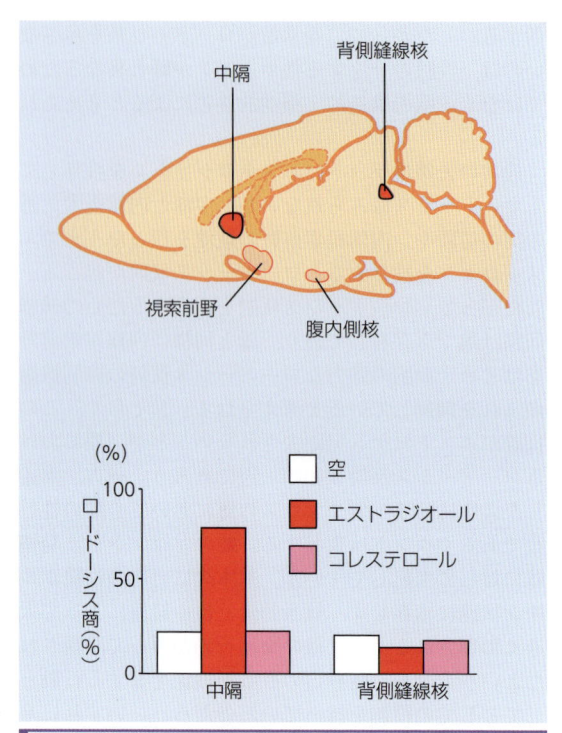

図8-14 中隔と背側縫線核に対するエストロゲンの作用の相違 卵巣を摘出した雌ラットの中隔と背側縫線核にそれぞれガイドチューブを挿入し，これを通してエストロゲンあるいはコレステロールを投与してロードーシス商を測定した。中隔に対する投与では，エストロゲンによるロードーシスの促進が認められたが，背側縫線核に対する投与では，エストロゲンは効果がなかった。(Satou & Yamanouchi, 1999より改変）。

接投与するとロードーシスが促進されるが，これはエストロゲンによってこれらの部位の抑制機能が外れることでロードーシスが促進されると考えられている。一方，同じく抑制系である背側縫線核にエストラジオールを直接投与した場合には，ロードーシスは促進されない。したがって，背側縫線核の抑制機構は，エストロゲンとは独立に機能していると考えられる（図8-14）。

また，卵巣摘出ラットにアンドロゲンであるテストステロンを投与しても，エストラジオールと同様にロードーシスを発現させることができる。ただし，芳香化されないジヒドロテストステロンでは効果がないことや，芳香化酵素の抑制剤やエストロゲン受容体のアンタゴニストを用いると，テストステロンによるロードーシス促進効果がなくなることから，テストステロンは，脳内でアロマターゼ（芳香化酵素）によりエストラジオールに変換され，エストロゲン受容体と結合することによってロードーシス反応を促進しているのだと考えられる。

8.4.2 プロゲステロンによる2面的効果

エストロゲンは核内の受容体に結合して二量体を構成し，その二量体がDNA上のエストロゲン応答配列（estrogen response element : ERE）に結合して，転写因子として遺伝子調節を行う。このエストロゲンの転写因子としての働きの一つに，プロゲステロン受容体の合成があり，卵巣摘出ラットではエストロゲン投与12〜24時間後に視床下部腹内側核や視索前野においてプロゲステロン受容体のmRNAが増加することが知られている。前述したように，少量のエストロゲンでも，続いてプロゲステロンを投与することでロードーシス反応が引き起こされることから，エストロゲンによって合成されたプロゲステロン受容体がロードーシスの発現を促進していると考えられる。実際，視床下部腹内側核や腹側被蓋野などでプロゲステロン受容体遺伝子の発現阻害を行うと，通常の発情手続きでエストロゲン投与後にプロゲステロンを投与しても，ロードーシス反応の促進が起きないことからも，この考えは支持される。ただし，エストロゲンは，核内受容体と結合することにより，オキシトシンやその受容体などの転写を制御し，これらもプロゲステロンとは独立にロードーシスを調節しているようである。さらに，プロゲステロン受容体も転写因子であり，その遺伝子調節作用もロードーシスの発現に関与している。ただし，近年，腹側被蓋野においては，プロゲステロンは核内受容体による遺伝子調節ではなく，むしろ即時性の膜受容体作用によってロードーシスを促進することが示唆されている。

ところで，このようにプロゲステロンは短期的にはロードーシスの促進に機能するが，長期的にはむしろ発情を抑制するよう働くことが知られている。妊娠期間中は，血中のプロゲステロン濃度が高まり，これが次の排卵と発情を抑制している。また，フェレットや

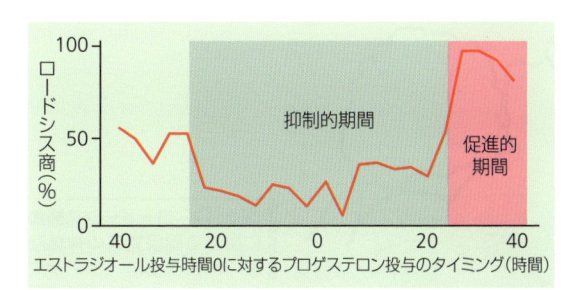

8.4 ロードーシスの神経内分泌　121

図 8-15　プロゲステロンのロードーシスに対する2面的効果　エストラジオールの投与前後それぞれ40時間内にプロゲステロンを投与したときの，雌ラットのロードーシス商。前後24時間では抑制的に，24時間以降では促進的に作用する。(Satou & Yamanouchi, 1996より改変)

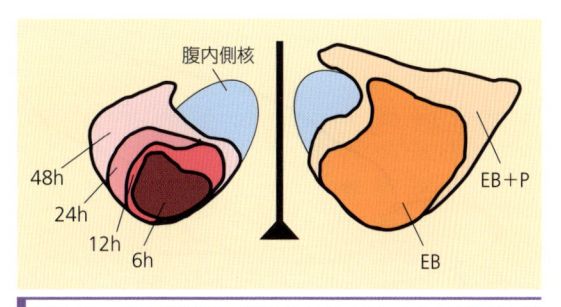

図 8-16　視床下部腹内側部におけるオキシトシン受容体の分布　卵巣摘出ラットにエストラジオールを投与すると，時間経過に伴って分布が拡大する(左)。また，エストラジオールの単独投与よりも，エストラジオールとプロゲステロンの組み合わせ投与の方が分布領域は広くなる(右)。(Coirini et al, 1991より改変)

ウサギなど，反射排卵の動物では，交尾によって引き起こされるプロゲステロン分泌の上昇が発情の終結に強く関わっていることがわかっている。ラットにおいても，前述したように卵巣摘出雌にエストロゲンを投与して48時間後にプロゲステロンを投与するとロードーシス発現が著しく促進されるが，エストロゲン投与と同時，または前後24時間以内にプロゲステロンを投与すると，強い抑制効果が認められる(図8-15)。

プロゲステロンをエストロゲンと同時に投与すると，視床下部のプロゲステロン受容体の増加が抑制される。また，視床下部腹内側核に直接プロゲステロンを投与することによってもロードーシスが抑制されるので，プロゲステロンは視床下部腹内側核に作用して，エストロゲンの効果を抑制しているものと考えられる。一方，プロゲステロンによる抑制効果は，抑制系である中隔，視索前野，背側縫線核の破壊を行っても認められる。したがって，プロゲステロンはこれらの部位とは独立に抑制効果を発揮しているものと考えられる。

8.4.3　その他の神経伝達物質と神経ペプチド

性腺ホルモンであるエストロゲンやプロゲステロン以外にも，多くの神経調節因子がロードーシスの調節に関与していることがわかっている。そのそれぞれの機能をおおまかに理解するためMcCarthy & Becker (2002)は，以下の4つの原理を挙げている。

1) 排卵に関係する神経ペプチドや生殖器部位の感覚刺激によって中枢神経系に放出される神経ペプチドは，ロードーシス反応を促進する。
2) エストロゲンによって視床下部に放出される興奮性神経伝達物質は，ロードーシス反応を促進する。
3) 前脳に投射する抑制性の神経伝達物質は，ロードーシスを抑制する。
4) いくつかの抑制性の伝達物質は，他の抑制因子をさらに抑制(脱抑制)することによって，ロードーシス反応を促進する。

第1の原理に当てはまる神経ペプチドは，排卵や生殖周期の調節などに重要な役割を果たす性腺刺激ホルモン放出ホルモン(GnRH)，プロラクチン，オキシトシンなどである。例えば，GnRHを中脳中心灰白質や視床下部腹内側核に直接投与すると，エストロゲン処置されたラットのロードーシスは促進され，逆にGnRHアンタゴニストを投与すると抑制される。したがって，GnRHはロードーシスに対して促進的に作用していると考えられる。また，オキシトシンも視床下部腹内側核や視索前野への移植で，ロードーシスを促進する。逆に，オキシトシンアンタゴニストの前脳基底部への投与はロードーシスを抑制し，また，オキシトシン受容体のmRNAアンチセンスを視床下部腹内側核に投与しても，ロードーシスは抑制される。エストロゲン処置は，視床下部腹内側核の外腹側部においてオキシトシン受容体の数を増加させ，さらにその領域を広げることから，エストロゲンによるオキシトシン受容体の活性化がロードーシス促進に関与していると考えられている(図8-16)。

第2の原理に当てはまるのが，ノルアドレナリン，ドーパミン，アセチルコリンなどである。内側視索前野や視床下部腹内側核へのノルアドレナリン投与は，ロードーシス反応を促進する。また，同じ部位へのアセチルコリンアゴニストの投与も，ロードーシスを促進する。内側視索前野や視床下部腹内側核はいずれもERα含有細胞を持ち，エストラジオールを前処置しないと，ノルアドレナリンやアセチルコリンアゴニストの投与によるロードーシス促進は認められないので，これらの伝達物質の促進効果にはエストロゲンが必須であると考えられる。さらに中脳の腹側被蓋野のドーパミン作動性ニューロンはロードーシスの調節に重要な役割を果たしており，この部位へのD_1受容体アゴニストの投与でロードーシスが促進され，逆にアンタゴニストで抑制されることが知られている。

第3の原理には，セロトニンやオピオイドが当ては

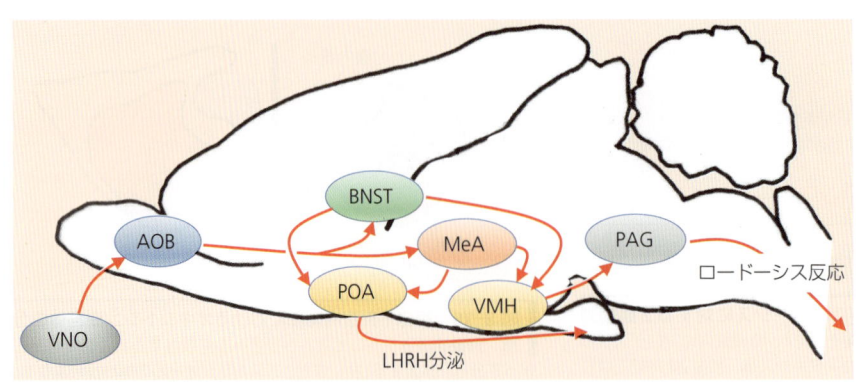

図8-17 ロードーシス調節に関わる副嗅覚系の神経回路 VNO：鋤鼻器，AOB：副嗅球，MeA：扁桃体内側核，BNST：分界条床核，POA：視索前野，VMH：視床下部腹内側核，PAG：中脳中心灰白質。

まる。前述したように，背側縫線核のセロトニン作動性神経は，ロードーシスの抑制に重要な役割を果たしている。また，視床下部のセロトニン神経の破壊や入力の阻止によって，ロードーシス反応が促進することから，セロトニン神経系がロードーシスの促進系である視床下部腹内側核に抑制をかけているものと考えられる。また，オピオイドアンタゴニストであるナロキソンを中脳中心灰白質に注入すると，ロードーシスが増強されることや，βエンドルフィンの脳室内注入でロードーシスが抑制されることから，これらオピオイド系もロードーシスに対して抑制的に作用すると考えられる。

第4の原理はGABAに代表される。視床下部腹内側核へのGABAアゴニストの投与は，ロードーシスを促進する。GABAは視床下部腹内側核への抑制性の入力を阻止することによってロードーシスを促進すると考えられているが，同部位のGABA系の活性化によりロードーシスが抑制されたとの報告もあり，詳細な検討が必要とされる。

このような雌性行動の調節に関して，近年特に注目されている神経ペプチドとして，キスペプチン（kiss-peptin）が挙げられる。キスペプチンは視床下部において産生・放出されるペプチドで，ラットやマウスなどのげっ歯類では，主に弓状核や前腹側室周囲核にその産生細胞が多く存在している。どちらの脳部位のキスペプチンニューロンにもERαが発現しているが，弓状核ではエストロゲンにより発現増加調節（up-regulation）され，前腹側室周囲核では逆に発現低下調節（down-regulation）を受ける。キスペプチンの主な生理的機能は，視床下部-下垂体-性腺（HPG〈hypothalamus-pituitary-gonad〉）軸においてエストロゲン作用とGnRHニューロンの間に介在してゴナドトロピンの分泌を調節することで，春機発動にも関係している。雌性行動の調節にも直接関わっているようで，キスペプチンニューロンは雄のにおいで活性化し（Bakker et al, 2010），キスペプチンノックアウトマウスは，雄のにおいに対する選好性やロードーシスを示さない

ことが報告されている（Hellier et al, 2018）。このようなキスペプチン阻害による雌性行動抑制効果は，弓状核では起こらず，前腹側室周囲核を含む吻側第三脳室周囲（rostral periventricular area of the third ventricle：RP3V）でのみ起こる（Hellier et al, 2018）ため，それぞれの部位によってキスペプチンニューロンの果たす役割は大きく異なるものと考えられる。

8.4.4 フェロモンによるロードーシスの調節

雌のロードーシス発現には，嗅覚情報が重要な役割を果たしている。鋤鼻器官の神経細胞は副嗅球に軸索を投射しており，副嗅球からは扁桃体内側核や分界条床核に情報が送られる。この領域の神経細胞はさらに，生殖内分泌やロードーシスの調節中枢である視床下部の視索前野や腹内側核へと投射している（図8-17）。したがって，鋤鼻器からの情報入力を阻害すると，ロードーシスの発現に重大な影響を与える。例えば，雌ハムスターでは，鋤鼻器の切除により，腰仙部の触覚刺激によるロードーシスの誘発が妨げられる（Mackay-Sim & Rose, 1986）。同様に，鋤鼻器切除の雌ラットでも，ロードーシス反応の低下が起こる（Saito & Moltz, 1986；Rajendren, 1990）。このような受容性の低下は，鋤鼻器切除により，雄のにおいによって誘導されるGnRHの分泌が阻害されるためだと考えられている。

近年マウスにおいて，雄の涙腺から分泌されるペプチドESP1（exocrine gland-secreting peptide 1）が，フェロモンとして機能することが明らかとなった（Haga, et al, 2010；Kimoto et al, 2005）。ESP1は鋤鼻器上皮細胞に発現するGタンパク質共役型受容体であるV2Rp5により受容され，雌マウスがこのフェロモンを受け取ると，雄のマウントに対する受容率（ロードーシス商）が高まり（Haga, et al, 2010），雄が受け取ると攻撃行動が誘発される（Hattori, 2016）。このような雌雄の行動の違いは，その情報処理経路の違いを反映している。鋤鼻器のV2Rp5でESP1が感知さ

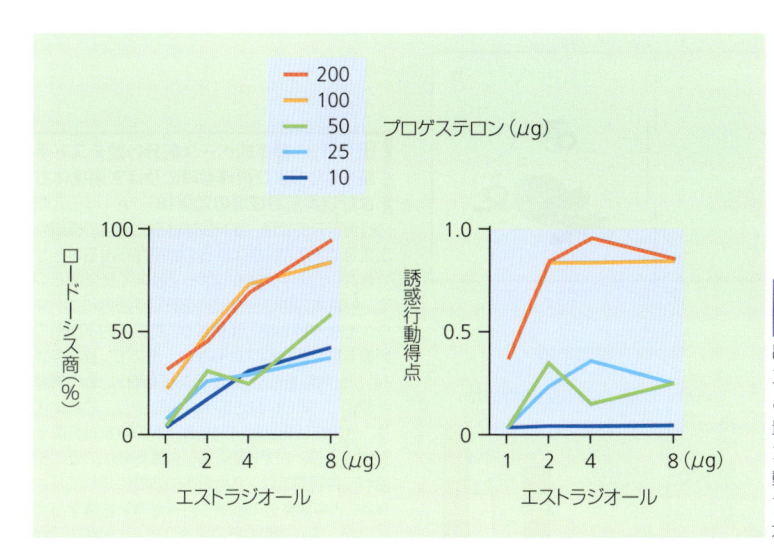

図 8-18 受容性と前進性に対する2つのホルモンの用量依存的効果の相違 卵巣摘出雌ラットに対して，エストラジオールとプロゲステロンの用量をそれぞれ変化させて投与したところ，ロードーシス商はエストラジオールの用量に依存して上昇し，一定量以上のプロゲステロンはその全体レベルを押し上げた。一方，誘惑行動は，一定量以上のエストラジオールがあれば，プロゲステロンに対して用量依存的に発現が増大した。(Whalen, 1974 より改変)

れると副嗅球後方領域の神経細胞群が活性化し（6章「種内コミュニケーション」を参照），その信号は内側扁桃体の後腹側部に伝達される。雌においては，その信号がさらに視床下部腹内側核の背側部，そして中脳へと伝達されることにより性的受容性の上昇が引き起こされ，雄においては視索前野へと伝達されることで，攻撃行動が引き起こされると考えられている（Ishii et al, 2017）。

一方，幼若マウスの涙腺から分泌されるタンパクであるESP22（exocrine gland-secreting peptide 22）は，逆に雌マウスのロードーシス商を低下させ，マウントに対する明確な拒絶反応を増大させる（Osakada, 2018）。ESP22は，鋤鼻受容体V2Rp4により受容され，副嗅球を経由して，扁桃体内側核や分界条床核から視床下部腹内側核の外腹側部に投射する抑制性の神経細胞に信号を送って，雌マウスの性行動を抑制していると考えられている。

8.5 雌の性的欲求行動

ロードーシスはげっ歯類における受容性の主な指標であるが，基本的に雄からの刺激に対する反射反応であるので，雌自身の性的動機づけのレベルを評定することには適していない。通常，行動的に雌の性的動機づけを評定する場合には，欲求行動である前進性行動を用いる。前進性行動には，誘惑行動や親和行動などいくつかの側面があり，それらを調節する神経内分泌メカニズムは必ずしも単一ではないため，ロードーシスのように明確にされていない部分も多い。また，前進性行動は，げっ歯類の中でも種によって異なる部分が多いので，その機能と機構を評価する場合には，現在用いている動物種の生態学的特徴をよく考慮する必要もある。以下では，ラットを中心に述べていくが，

例えば明確な誘惑行動を示さないマウスのように，生態学的条件の異なる種において同様のメカニズムが存在するかについては，慎重な検討が必要である。

8.5.1 誘惑行動

前進性に関しては，ラットの誘惑行動が最もよく検討されている。発情雌ラットに雄を提示すると，ダーティング，ホッピング，イア・ウィグリングといった特徴的な誘惑行動を示す。これらの行動は，雄の注意を雌に引きつけ，雄の交尾行動の発現を促進する。誘惑行動は，ロードーシスと同じく，多量のエストロゲンの単独投与で引き起こすことができる。しかしながら，基本的にはプロゲステロン依存の行動であり，エストロゲンが閾値レベルに達していれば，プロゲステロン投与に対して用量依存的に発現が増大する（図8-18）。

ロードーシスと同様，オキシトシンの脳室内投与は，雌ラットの誘惑行動を促進し，オキシトシンアンタゴニストの投与は，逆に抑制する。しかし，ドーパミンなど，ロードーシスに影響を与えるとされている多くの神経伝達物質が，誘惑行動に対しては本質的効果を持っていないと示唆されていることから，受容性と前進性を司る神経メカニズムはかなり異なっていると考えられる。

ロードーシス行動の促進系である視床下部腹内側核は，誘惑行動の発現に対しても促進的役割を果たしている。この部位の破壊によって雌ラットの誘惑行動は抑制され，電気的刺激によって促進される。またエストロゲンを投与し，視床下部腹内側核にプロゲステロンを局所投与すると，高頻度に誘惑行動が現れるが，中脳中心灰白質への局所投与では誘惑行動は示されない。さらに，mRNAアンチセンスによって視床下部腹内側核のプロゲステロン受容体発現を阻害すると著し

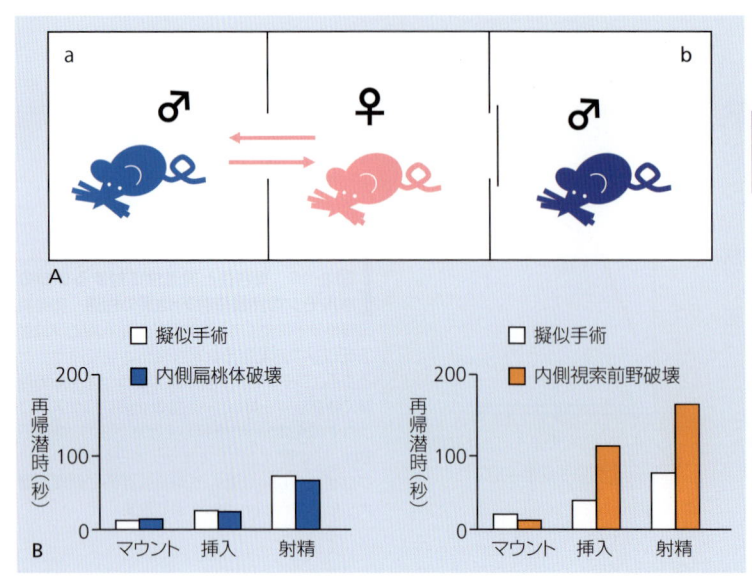

図8-19 標準的ペース配分行動テスト手続き(A)および再帰潜時に及ぼす扁桃体および視索前野破壊の効果(B)　A：ペース配分行動テストでは，雌被験体は自由に雄の部屋へ出入りできるが，雄は自らの部屋から出ることができない。雄は射精後しばらく性的不能になるので，射精後の雌の再帰潜時を評定する際には，マウント後や挿入後とは異なり，その性的不能期の影響を取り除かねばならない。そこで，最初の雄(a)が射精に達したら，aの部屋を閉じ，bの部屋を開いて，新しい雄とのテストを行う。これにより，性的に活発な雄に対する，雌の再接近行動を評定することができる。B：交尾刺激後の雄の部屋への再帰潜時は，交尾刺激の強度に応じて長くなる。内側扁桃体の破壊は再帰潜時に影響を与えないが，内側視索前野の破壊は挿入・射精後の雌ラットの再帰潜時を伸長させる。(Guarraci et al, 2004 より改変)。

い誘惑行動の減少が生じる。したがって，誘惑行動の発現には視床下部腹内側核のプロゲステロン受容体が重要な役割を果たしていると考えられる。

一方，ロードーシスの抑制系である視索前野は，誘惑行動に対してロードーシスとは異なる機能を有しているようである。視索前野の破壊はロードーシス反応を促進するが，誘惑行動に対しては影響を与えないか，むしろ抑制する。また内側視索前野には，誘惑行動と並行して活動が増加するニューロンが存在することも知られている。したがって，この部位は誘惑行動に対して促進的役割を担っているのかもしれない。

また，視索前野の破壊は，親和行動にも影響を与え，雌ラットは雄近傍へ滞在する時間を減少させる。しかしながら，中脳の脚周囲核の破壊では，雄近傍への滞在時間は増加するものの，誘惑行動は抑制されるので，同じ前進性行動でも，親和行動と誘惑行動の発現にはそれぞれ異なるメカニズムが関与していると考えられる。

8.5.2 交尾のペース配分行動

性行動テストにおいて，雄の行動範囲を制限し，一方雌はそこへ自由に出入りできるような実験状況を設定してやると，発情雌ラットは，雄へ間欠的に接近・退避を行うことで，雄からのマウントや挿入，射精などの交尾刺激を受けるタイミングを積極的にコントロールする。例えば，雌ラットはマウントや挿入など，雄からの交尾刺激を受けた後では，雄の行動範囲から出て，しばらく時間をおいてから再び雄の側に戻る傾向にある。このように雄へ接近・退避することによって交尾刺激をコントロールしようとする雌ラットの行動は，前進性のもう一つの重要な側面であり，ペース配分行動(pacing behavior)と呼ばれる。ペース配分行動は，交尾時に雌が子宮頸部および膣に受ける刺激によって制御されており，交尾刺激を受けた後の雄の側からの退出率(percentage exit)や再び雄の側へ戻るまでの潜時(return latency)は，より強い刺激を受けた後のほうが高くなる(図8-19)。また，膣および会陰部を麻酔したり，骨盤神経の感覚経路を切断したりすると，雌はペース配分行動を示さなくなる。

雌がペース配分行動を示せるような実験状況では雌がマウントや挿入のタイミングを決めるため，通常の性行動テストのように雄がテストケージ内を自由に動き雌が逃れることができないような実験状況と比べると，マウントや挿入の間隔が長くなり，射精までに必要とされる挿入の回数も多くなる。半自然状況下で行われた観察に基づけば，本来のラットの交尾の挿入間隔や射精までの挿入回数は，むしろペース配分テスト場面でのそれに近く，挿入間隔は長く挿入回数も多いと考えられている。このような挿入間隔の伸長と回数の増大は，雌の妊娠を確実にするのに重要な機能を有している。交尾によって受けた挿入の回数は妊娠の維持に必要なプロゲステロンの分泌を調節し，妊娠の準備を促す。また，充分な回数の挿入を受けると，黄体の活性化によりプロゲステロンが長期的に分泌され，実際に受精卵が着床しなくても，次の排卵が抑制される偽妊娠の状態になる。雌がペース配分を行った交尾では，ペース配分できなかった交尾と比較して，少ない回数の挿入でこの偽妊娠の状態が引き起こされる。また，ペース配分された交尾では，ペース配分されない交尾と比較して，妊娠率が高いという結果も出されており，これはペース配分された交尾により黄体が充分に活性化された結果によるものであろうと考えられている。さらに，ペース配分を行った交尾では，雌が受容可能な発情期間が早期に終結する傾向にある。こ

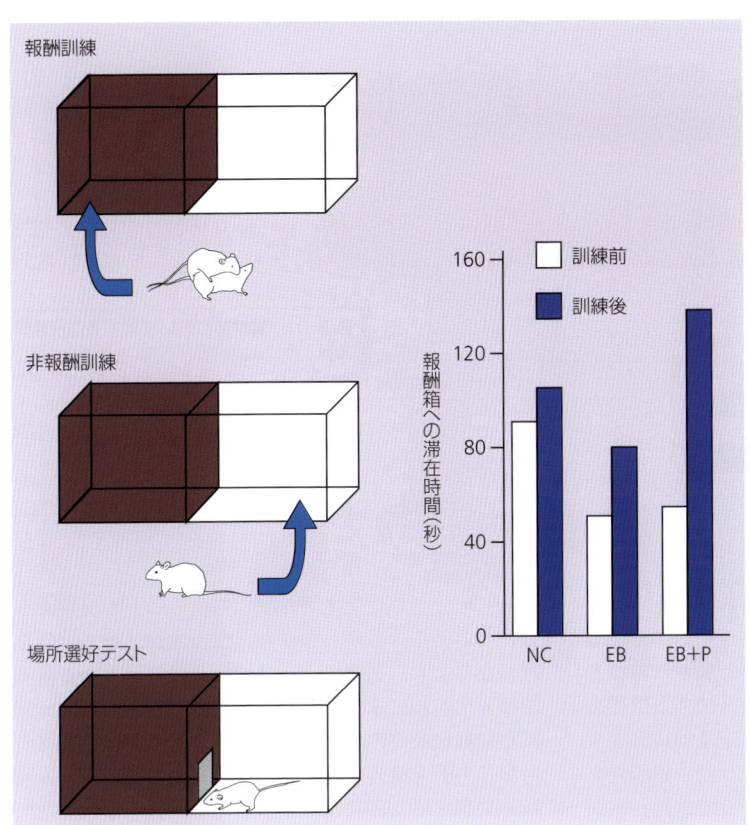

図8-20 条件性場所選好テスト 報酬訓練(左上)では交尾後に雌ラットを報酬箱(黒い箱)に入れ，非報酬訓練(左中)では交尾を行わずにそのまま非報酬箱(白い箱)に入れる。場所選好テスト(左下)では，中央の通路を開け，被験体が自由に行き来できるようにし，それぞれの箱への滞在時間を測定する。エストロゲンとプロゲステロンを投与された後に交尾を行い，報酬箱に投入された卵巣切除雌ラット(EB＋P)は，訓練後に報酬箱への滞在時間を有意に増加させたが，エストロゲン(E)の単独投与では，報酬箱における滞在時間の上昇は有意ではなく，また，交尾を行わないでそれぞれの箱に入れられた場合(NC)は，滞在時間はほとんど変化しなかった(右)。(González-Flores et al, 2004 より改変)

れもまた，射精後の雌の性的不能期を確実にすることで着床率を増大させる機能を持つと考えられている。

ペース配分行動は，ホッピングやイア・ウィグリングのような誘惑行動と異なり，卵巣切除ラットに対し充分な量のエストラジオールを投与した場合は，続くプロゲステロンの量を変えても変化しない。しかし，エストラジオールの量が充分ではなく，プロゲステロンの用量依存的に受容性の上昇が認められる場合には，交尾刺激後の再帰潜時もプロゲステロン依存的に減少する。また，自然発情では，発情期間中の前半と後半で示されるペース配分行動に差がなく，性的経験の有無も影響を与えない。したがって，ペース配分行動は，発情レベルが充分であれば，その後の内分泌的変化にかかわらず非常に安定して生起するといえる。ただし，自然発情と卵巣摘出後にホルモン処置によって発情させたときとを比較すると，ロードーシス商が等しい場合でも，自然発情のほうが雄のもとに戻るまでの潜時が短くなるので，ペース配分行動にはロードーシスとは異なるメカニズムが関与していると考えられる。

ペース配分行動の調節には，内側視索前野が重要な役割を果たしている。内側視索前野の電気的破壊やイボテン酸による細胞体の破壊は，挿入後の再帰潜時を伸長する(図8-19)。したがって内側視索前野は，誘惑行動であるホッピングやイア・ウィグリングと同様，ペース配分行動について促進的役割を果たしていると考えられる。性行動の完了行動であるロードーシスについては視索前野が抑制的に機能しているので，欲求行動と完了行動でこの部位の機能的役割が異なっているといえる。

8.5.3 雌における性的動機づけの測定

雌の性的動機づけに関する検討を行う場合に，通常の性行動テストではなく，別の場面で示される行動測度によって実験的に動機づけレベルや性行動の報酬性を評価する場合がある。以下に，それらの方法のいくつかをまとめて紹介する。

条件性場所選好

動物は，以前に報酬を与えられた場所を好んで，そこに滞在する傾向を持つ。この性質を利用して特定の刺激の報酬性を評価するのが，条件性場所選好(conditioned place preference：CPP)テストである。例えば，図8-20 のように左右それぞれが白黒で塗り分けられた箱があったとき，ラットに黒い箱の中で報酬を与え，白い箱で報酬を与えないという訓練試行を繰り返す。続いて，左右両方の箱を自由に行き来できるが報酬をまったく与えないテスト試行を行うと，以前報酬を与えられた黒い箱の中に長く滞在するようにな

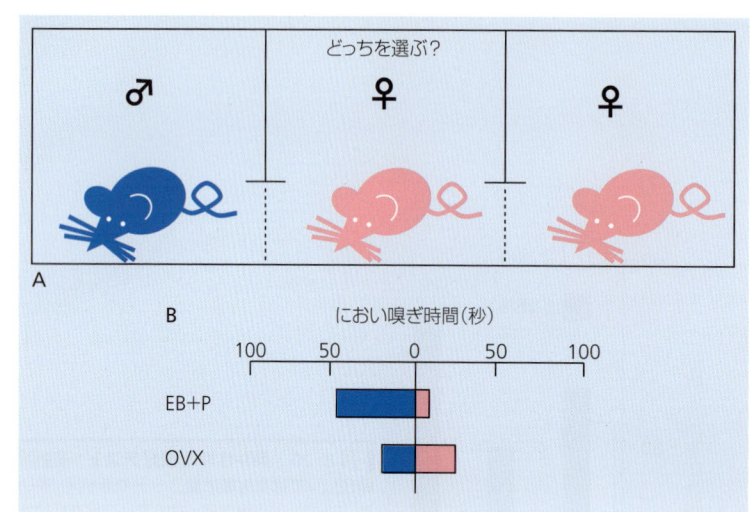

図 8-21 異性のにおいに対する選好性テスト　A：両端の部屋から真ん中の部屋へは，空気が送られている。B：卵巣摘出後，エストロゲンとプロゲステロンを投与された雌ラット（EB＋P）では，雄の部屋に対する探索時間が有意に長いが，摘出後 5 週間ホルモン剥奪されたラット（OVX）では，それぞれの部屋に対する探索時間に差がなくなった。(Xiao et al, 2004 より改変)

る。この滞在時間の延長は，報酬とそれを与えられたときの環境が古典的条件づけによって連合し，その環境に滞在することに二次的な報酬性が形成されることによって生起している。条件性場所選好テストは従来アンフェタミンなどの薬物の報酬性を定量的に評価するのに多く用いられてきたが，近年性行動の報酬性を評価する実験にも用いられるようになってきた。

条件性場所選好テストを用いて雌ラットにおける性行動の報酬性を検討した実験では，薬物の報酬性を検討する実験と違って，場所選好を条件づけられる装置の中ではなく，別の場所で交尾を行わせてその直後に一定時間場所選好装置に投入するという手続きがとられている。これは，条件性場所選好装置内で直接交尾を行わせると，その後のテストで条件性場所選好が生じにくいためである。これは，雌にとって交尾は報酬であると当時に嫌悪性の刺激としての側面もあり，その嫌悪的な条件づけも同時に生じて，条件性場所選好が抑制されるためと考えられている。

これまでの条件性場所選好の実験では，どのような交尾を行うかによって，雌にとっての報酬性が異なることが明らかとなってきた。例えば，交尾を行った箱と行わなかった箱を対比させた場所選好においては雌がペース配分を行った交尾では条件性場所選好が成立するが，雌がペース配分できない状況下での交尾では，条件性場所選好は成立しにくいとされている。また，ペース配分した交尾とペース配分しない交尾とでそれぞれの箱を条件づけたときでさえ，雌ラットはペース配分したほうの箱に対して強い条件性場所選好を示すようになる。したがって，ペース配分された交尾は，ペース配分されない交尾と比較して，雌にとって報酬性が非常に高いといえる。ペース配分された交尾では，ペース配分されない交尾と比較して，側坐核と線条体での細胞外ドーパミン濃度が高いことも，

ペース配分された交尾が報酬性の高いことを支持する証拠といえる。しかしながら，雌自身がペース配分を行わなくとも，通常のペース配分交尾で示される間隔で挿入生起後に雄を取り除いてやると，ペース配分交尾と同様に条件性場所選好が成立することや，最初の射精後も引き続き交尾を行わせ，交尾における挿入回数を統制することによって，ペース配分しない交尾でも条件性場所選好が成立することなどから，これらの交尾の報酬性を変えている要素は，雌の自主的なペース配分そのものではなく，ペース配分した交尾によって受ける刺激の特性にあると考えられる。

性的におい選好テスト

ラットやマウスなどのげっ歯類は，社会的相互作用場面で嗅覚手がかりを非常に多く用いている。例えばマウスは，嗅覚手がかりに用いて，自己との遺伝的類似性やウイルスなどの感染を識別し，繁殖に適した相手を選択する（ただし，遺伝的類似性は，幼少期の性的刷り込みに基づき識別されると考えられている）。このような性質を用いて，複数の社会的におい刺激を提示したときの雌の選好性をみることで，雌の性的動機づけレベルを検討しようとする研究がある。これらの研究では，雌対雄，あるいは去勢雄対正常雄のように，繁殖可能な個体のにおい刺激と，繁殖相手として不適切な個体のにおい刺激とを提示し，におい刺激の選択やそれぞれのにおい刺激への探索時間などを測定して，性的動機づけの指標としている。

雌ラットでは，雄のにおいに対する性的選好性は，性ホルモンの支配を強く受けており，卵巣摘出によって低下し，エストロゲンとプロゲステロンの投与によって回復する（図 8-21）。また，エストロゲンの単独投与では，受容性が充分であったとしても，雄に対する選好性が高まらないので，ホッピングやイア・ウィグリングなどの誘惑行動と同様，雄に対する選好性は

プロゲステロン依存の行動であるといえる。

しかしながら、マウスでは発達初期に成体雄のにおい刺激に曝露されていれば、発情周期に関係なく、雌は去勢雄よりも正常雄を選好する。また、雄の揮発性のにおい成分に対する雌の生得的な選好性ではなく、雌は成体雄との同居経験や交尾経験などによって選好性を示すようになる。したがって、雄のにおいに対して雌マウスが示す選好性は、性的動機づけだけではなく、社会的学習の側面をより強く反映したものといえる。

オペラント条件づけ

性的刺激を報酬としたオペラント条件づけ学習によって雌の性的動機づけを定量化する手法は、霊長類を対象とした研究で多く用いられている。これらの研究では、性的対象や過去に性的経験を受けた場所にアクセスする手段として、レバー押しなどのオペラント反応を学習させ、動機づけの指標として用いている。アカゲザルを用いた研究では、発情周期に応じて雌のレバー押し反応が変化し、排卵周辺で最も反応が高まることが示されている。また、同様のレバー押し反応の上昇は、卵巣摘出後のホルモン投与によってももたらされるので、この行動は性ホルモンの調節を強く受けているといえる。一方、ラットやマウスの雌でも性的刺激を報酬としたオペラント学習は可能ではあるものの、雄と比較して成立しにくく、また特にマウスにおいては、ホルモン処置よりも性的経験の有無のほうが学習の成立に強く影響することから、これも性的動機づけというよりも、もっと広範な社会的動機づけの側面を反映しているといえる。

2階建て交尾テスト装置

前述したように、雌の性行動に関しては、完了行動であるロードーシスは非常に詳細に検討されているが、動機づけの側面を最も明確に表す欲求行動は、比較的検討が遅れている。これは、ロードーシスが定型的な反射反応であり、検討が容易であることもあるが、そもそも通常用いられている性行動テストの手続きでは、雌の欲求行動があまり出現しないためでもあ

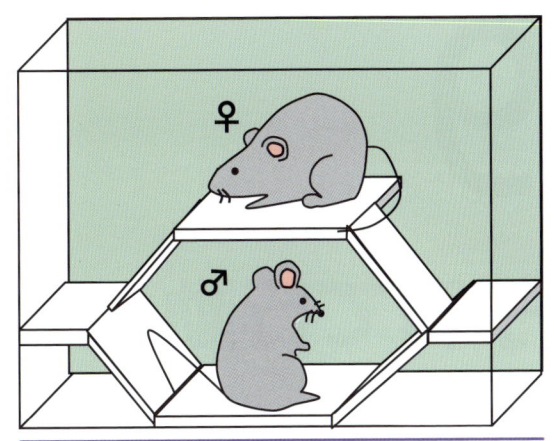

図8-22　2階建て交尾テスト装置　雌は、雄と階を変えることで距離を保ち、ペース配分行動を示すこともできる。

る。本来、通常の性行動テストで主に用いられる手続きは、雄の性行動を評定するために開発されたものであり、その目的から、雄が性行動を示しやすいように、狭いテスト空間で、性的に活発な雄を用いることが多かった。そのようなテスト手続きでは、雌は自ら積極的に欲求行動を示さなくとも、交尾は成立する。そこで、雌の欲求行動を検討する場合には、前述したペース配分型の交尾テストのように、雌が本来持つ様々な行動を示しやすいように、特殊なテスト装置を使用することがある。

MendelsonとGorzalka(1987)やPfausら(1999)は、この目的から2階建て交尾テスト装置を用いて雌の動機づけ的側面を検討している(図8-22)。この装置は、2つの階とそれをつなぐ通路からなっており、幅が狭いために装置内に入れられた動物は、互いに接触しないで離合することはできない。また、十分な長さの部屋と2階建て構造によって、雌は雄へ接近／退避することが容易に可能となっている。彼らは、このテスト装置で示されるラットの様々な行動に対し、因子分析などの多変量解析的技法を適用することで、複雑な行動の定量的検討を試みている。

9 子育て行動

　子育て行動は繁殖戦略の中で非常に重要な要素であり，未熟個体の生存率を上昇させ，最終的には自己の遺伝子を次世代へと継承させる。広義の「子育て行動」では，授乳やグルーミング（毛づくろい）のような直接的な育児行動に加え，離乳期における餌の巣への持ち帰りなどの，仔の生存率を上昇させる何らかの行動を含むことがある。一方，狭義の「子育て行動」では，授乳，グルーミング，巣戻し，巣作り，出産前の群れからの隔離，胎盤の食飲除去，母性攻撃行動などの直接的な幼若動物の存在と関わるものに限られる。本章では母性攻撃を除く狭義の子育て行動を取り扱うこととする。

9.1　様々な子育て行動

　子育て行動の中には出産前の行動も含まれる。げっ歯類における母性攻撃(maternal aggression)は，仔殺しを高い頻度で示す雄を巣から遠ざけるために重要な行動で，出産が間近になった母ラットなどで観察される。母性攻撃の詳細については10章「攻撃行動」を参照されたい。ヒツジやヤギなどでは，出産が近づいた雌動物が群れから離れていくことが知られている。これら動物種は通常，群れから離れることでストレス様行動（分離ストレス）を示すが，出産24時間前からは，群れから離れることに対しての耐性が観察される。その後，出産時には，休息行動が消失し，動き回り，鳴くなど，不安様行動が認められる。その他，出産前には巣作り行動(nesting)が多くの動物種で観察される。巣作り行動は哺乳類に限らず，魚類，鳥類から爬虫類にいたるまで認められ，仔の保護と温度管理のために必須であるといわれている。ウサギでは出産前の母動物が自分の腹部の毛を抜き，巣剤として利用する。このウサギの行動は卵巣摘出した雌にエストロゲンとプロゲステロンの処置をすることで再現できることから，妊娠出産に伴うホルモン変化が中枢に作用したためであると考えられている(Gonzalez-Mariscal et al, 2007)。

　出産を終えたばかりの母動物は，新生仔から胎盤を除去し，羊水とともに食べて除去する。この刺激で気道の粘液が除去され，胎内から出てきたばかりの仔の自発呼吸を促す。羊水のにおいは特に母親にとって刺激となるようで，ヒツジの場合にはこのにおいが仔への接近と自分の仔の特異的な記憶形成を促し，きずなが生じる(Kendrick et al, 1997)。ヒトの場合も，新生児のにおいは母性を刺激し，母子間のきずな形成の一助となる。このことから，胎盤の除去行動も一つの重要な子育て行動といえる。

　出産後，母ラットは数時間以内に仔に覆いかぶさるようにして抱きかかえる(crouching/cuddling)，あるいは腕で抱擁するかたちで仔を乳房付近に引き寄せ，授乳しやすい体勢をとる。しかし，出産後まもない母ラットは，仔ラットに興味を示さず，時として攻撃をするが，仔ラットが乳房付近を刺激するにつれて，次第に興味を示すようになる。一度巣に仔を運び(retrieving)，舐め噛み(licking)，グルーミング(grooming)といった子育て行動が行われると，その後も継続的に子育て行動が観察されるようになる。また授乳行動(nursing)を示す母ラットは，静止状態で仔ラットがミルクを飲みやすい体勢を維持する（図9-

図9-1　ラットの母性行動　母性行動はいくつかの要素で構成された複合的行動である。妊娠末期の巣作り行動，授乳行動，グルーミング，保温行動などが観察される。左図はグルーミングをする母ラット，右図は巣戻し行動をする母ラット。

1)。仔のほうは，乳房付近から分泌されるにおいを手がかりに乳房に吸い付き，吸乳行動（suckling）をとる。多くの哺乳類では乳房付近から母性フェロモンや特異的なにおいが分泌しており，このフェロモンを感知した仔が反射的に乳房に吸い付く。ウサギでは 2-methylbut-2-enal がフェロモンとして同定された（Schaal et al, 2003）。授乳行動の発現頻度には種差が大きく，ラットなどでは 1 時間に数回の授乳行動を示すが，ウサギなどでは 1 日に数回，それも 3～5 分程度だけである。

9.2 妊娠時のホルモン変動と行動

　妊娠前のラットでは，4～5 日の発情周期を通したエストロゲンおよびプロゲステロンの変動がみられる。発情前期の夜に，下垂体から LH のサージ状の分泌と卵胞からのエストロゲンの放出により排卵が起こる。その後の数時間で，交尾行動が行われ受精が成立すると，妊娠中期には，黄体を維持するための胎盤からの胎盤性ラクトゲンによって妊娠が維持されている。エストロゲンは妊娠中期から後期にかけて上昇し，プロゲステロンは出産 2～3 日前から減少する（図 9-2）。分娩に伴い，乳腺の発達に関与しているプロラクチン，さらに胎盤由来のラクトゲンの上昇がみられる（図 9-3）。あらゆる動物において，交尾から出産までに起こるこのホルモン変動は，出産まで発情周期を抑制し，受精卵の着床のための準備をし，子宮の収縮を抑制することによって妊娠を維持している。この妊娠を維持するためのホルモン動態は，同時に中枢において出産前後の子育て行動の発現を調節していることが示されている。具体的には，①妊娠後期には，里仔への子育て行動の発現に所用する日数が未妊娠ラットと比較して短縮した，②妊娠後期の母ラットの血液を未経産ラットへ輸血すると，子育て行動の発現がみられた（Terkel & Rosenblatt, 1972），などの報告がされている。このことから，妊娠に伴うホルモン動態は，妊娠後期ならびに産後の子育て行動の発現の促進作用を有していることになる。

9.3　分　娩

　ヒトでは，最終月経の第 1 日目から平均 280 日で，子宮の律動的な収縮が起こる。ラットでは，受精から平均 22 日で同様の収縮が起こり，分娩が開始する。子宮収縮に伴い激痛（陣痛）がある。分娩誘発の機序は複雑で，多様なホルモンや生理機構が関与しており，いまだ明確になっていないが，オキシトシンが分娩に大きな役割を果たす。子宮の収縮により子宮頸が拡張し，求心性のインパルスが生じ，その情報が視床下部に到達，オキシトシンの分泌を促すといわれている。

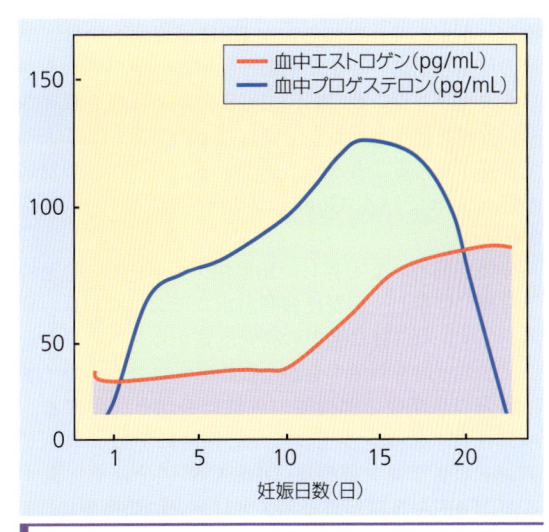

図 9-2　妊娠中のラットにおける卵巣由来性ステロイドホルモンの変化

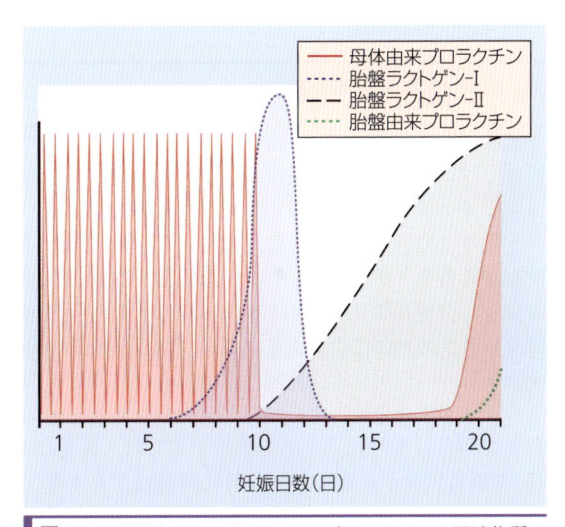

図 9-3　妊娠中のラットにおけるプロラクチンと関連物質の変化

オキシトシンの分泌の増加に加え，分娩前のオキシトシン受容体の数の増加も，子宮筋の収縮を強め，分娩を促進する（Soloff et al, 1979）。ラットを用いたこれらの結果から，オキシトシンが分娩に必須のホルモンと考えられていたが，オキシトシンやオキシトシン受容体をノックアウトしたマウスでも正常に分娩できることが明らかとなり，オキシトシンがなくとも分娩自体は可能であることが示されている（Nishimori et al, 1996）。おそらくオキシトシンは分娩を促すが，授乳や絆形成などにおける機能のほうが重要と思われる。また胎盤からは，本来，視床下部から分泌されるホルモンの一つとして知られているコルチコトロピン放出ホルモン（CRH）（コルチコトロピン放出因子〈CRF〉）が分泌されており，この CRH は子宮頸部に対して筋

弛緩作用があり，母体の血中 CRH 濃度が高いほど早産の可能性が高い．また胎盤や胎児から放出されるプロスタグランジン類（PGE_2, $PGE_{2α}$）が子宮筋を収縮させ，分娩を促進させるが，これはオキシトシンによって分泌が増えることから，オキシトシンと同様の効果と考えられている（González-Mariscal & Poindron, 2002）．

分娩が近づいて上昇した胎盤由来の CRH は胎児の下垂体に作用し，副腎皮質刺激ホルモン（ACTH）の分泌を促す．ACTH は胎児の副腎皮質からグルココルチコイドの分泌を刺激するが，このグルココルチコイドは胎児の出産後の肺機能の成熟に必須といわれる．ACTH はグルココルチコイドと同時にデヒドロエピアンドロステロン硫酸塩（DHEA-S）の分泌を促進するが，DHEA-S は胎盤でエストロゲンに変換され，子宮筋にオキシトシン受容体を準備させることで，分娩時に子宮筋がオキシトシンの作用で収縮するように誘導している．

9.4 授乳期の生理

乳腺の発達には，エストロゲンやプロゲステロンのほか，プロラクチンや成長ホルモン，グルココルチコイド，インスリン，甲状腺ホルモンなど多くのホルモンが関与している．授乳可能な乳腺は，主にエストロゲンが乳管を，プロゲステロンが腺小葉へ作用し発達を促す．分娩後 1～3 日後にみられるヒトの乳汁分泌はプロラクチンの作用による．このプロラクチンの分泌と乳腺への作用には，胎盤から分泌されているエストロゲンおよび分娩によるプロゲステロンの低下が関与している．また乳汁分泌を維持するには，乳児（乳仔）の吸乳刺激が必要であり，吸乳刺激によりオキシトシンの反射性分泌が生じ，それが乳腺に作用して射乳が引き起こされる．同時にプロラクチンの分泌も刺激され，乳汁の産生が増える（Uvnas-Moberg & Eriksson, 1996）．子の成長に従って自立的な採食が可能となると，乳汁への依存度が低下し，授乳頻度が低下する．この吸乳刺激の低下は視床下部に作用し，卵胞からのエストロゲン分泌が上昇し，次第に乳腺の発達も抑制されていく．最終的には性周期に必要なホルモン分泌が回復し，一連の授乳期間が終了し，繁殖ステージへと回帰する．

9.5 子育て行動の惹起

9.5.1 経産動物

子育て行動を惹起する要素として，個体の出産や育児の経験が，その後の子育て行動の開始と維持に重要であることが知られている．未経産のラットでは完全な子育て行動が発現するまで数日を要することがあるのに対して，すでに出産を経験した経産ラットでは，出産の 24 時間以内にすばやく子育て行動を示す．妊娠中に大きく変動する内分泌環境に加え，母子間の相互作用の経験が神経回路を変化させ，子育て行動が長期的記憶として保持されることで，経産ラットでは子育て行動が容易に惹起されるようになる（Fleming et al, 1999）．未経産ラットでは 5，6 日間の里仔の提示後に子育て行動を示すのに比べ，経産ラットは，妊娠をしていないときでさえも里仔を与えると短時間で授乳様の行動を示す．この現象を，Bridges らは，"maternal memory（母性記憶）"と呼び，子育て行動発現に関する記憶メカニズムの存在を示唆している（Scanlan et al, 2006）．初産のラットに出産後 2 日間，仔ラットの世話をさせてから仔を取り除いても母性記憶による子育て行動の促進は保持されるが，出産後すぐに仔を取り除いてしまうと，この促進効果が消失する．このことから，妊娠出産に伴うホルモン変動だけでは母性記憶は形成されない．一方，未経産のラットに数日間仔ラットを曝露し，完全な子育て行動を発現させるだけでも，母性記憶による子育て行動の促進が認められた．このことから，母性記憶の形成において，妊娠出産時のホルモン変動の関与は低いと考えられている（Leblond & Nelson, 1937）．しかし出産経験をしたラットのほうが，未経産で仔の曝露により子育て行動を誘発されたラットよりも子育て行動の促進が大きいことから，ホルモンも補助的にはたらくと考えられる．このような子育て行動を経験することで母性記憶が形成され，その後の子育て行動の促進は，リス，ウサギ，ウシやいくつかの霊長類でも観察される．また多くの動物種で未経産のものよりも経産の母親のほうが子育て行動の発現がスムーズであり，育児放棄や仔に対する攻撃性が観察される率も低い．このことから母性記憶は哺乳類において共通の機能といえるだろう．

母性記憶がどのようなメカニズムで脳内で形成・保持されているかはいまだ明らかではない．しかし，出産後の 2 日間，母ラットの脳室内にタンパク合成阻害剤を投与すると，母性記憶が形成されないことから，この 2 日間での脳内のタンパク質の発現を伴う変化が必須である（Davis & Squire, 1984）．またこの 2 日間に母親の腹部と口周辺の感覚情報を遮断した状態で母子間を飼育した場合にも，母性記憶が形成されないことから，仔から母ラットへの何らかの身体的刺激が必要である．母ラットにおいて子育て経験をした場所に対して選好性が獲得されることからも，脳内の報酬系の活性化が記憶増強を起こしている可能性が高い．事実，授乳刺激を受けている母ラットの脳内では報酬回路である側坐核内のドーパミン神経系が活性化することが知られており，これら報酬回路の関与が示唆されている（図 9-4）（Ferris et al, 2005）．

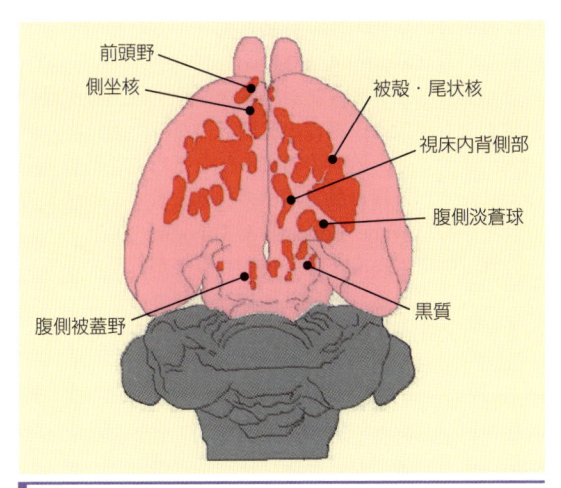

図9-4 授乳刺激を受けた母ラットの脳内活性部位 軽麻酔下にある母ラットが授乳刺激を受けたときの脳をfMRIによって評価すると，ドーパミン神経核である腹側被蓋野や黒質での神経活動の上昇，その投射部位である側坐核や被殻・尾状核，前頭葉などの活性上昇が認められた(Ferris, 2005)。

子育て行動以外でも，経産ラットでは，放射性8方迷路などを用いた実験で，空間学習，記憶の成績が上昇する(図9-5)。これら学習能力の促進は，母ラットが，安全な巣から離れ，効率よくエサを捕獲し巣へ戻り，外敵から仔を守るためには必要な要素であるといわれている。さらに，高架式十字迷路などを用いた実験で，恐怖やストレス反応が減弱することが知られている(Kinsley et al, 1999)。

9.5.2 未経産動物

未経産ラットに，里仔を提示すると，5, 6日間で子育て行動を示すようになる。この未経産ラットの子育て行動はほぼ完全に経産ラットのレベルまで再現されるが，いくつかの要素に違いが報告されている。その一つが仔ラットの上に覆いかぶさり，温めるような行動(crouching/cuddling)は未経産ラットではあまり観察されない。また，嗅覚系を完全に除去した未経産ラットでは，里仔を提示すると1日で里仔に接近し，巣へ回収するようになる(Fleming & Rosenblatt, 1974)。未経産ラットで，不安を司る扁桃体ならびに線条体を破壊すると，子育て行動の発現が早まる。このことから，未経産ラットにおいて，仔のにおい情報は扁桃体を介して内側視索前野に到達し，そこで抑制的に働くことで，子育て行動を抑制していると考えられている(Numan et al, 1993)。未経産ラットにみられる新生仔ラットのにおいの忌避反応は嗅球内のオキシトシン受容体の刺激で解除される。実際にオキシトシンを嗅球内に投与することで，子育て行動の発現が短時間で認められるようになり，オキシトシン受容体アンタゴニストの投与で発現までの潜時が延長する(Yu et al, 1996)。このことは，未経産ラットでは嗅球オキシトシン神経系が経産に比べて活性化されていないことを示唆する。

未経産のラットに仔を曝露することで，子育て行動を誘起できるが，このとき雌ラットを卵巣摘出，下垂体摘出，あるいは両方を摘出しても同じように子育て行動が発現することから，卵巣やエストロゲンなどの卵巣由来のホルモンに依存しない神経機構が存在し，これが仔の曝露によって活性化されるために，子育て行動が誘起されると考えられている(Leblond & Nelson, 1937)。

また，興味深いことに，生後24〜28日の幼若期の雌雄ラットも里仔を提示すると24時間以内に仔に興味を示し巣へ回収するという子育て行動(厳密には子育て行動様の行動)を示すといわれているが，成体期にみられるものと発現のメカニズムが同じなのか否か，詳しいことは明らかでない。これらはAlloparental careと呼ばれており，一夫一妻制の繁殖形態を持つ動物種や，集団で子育て行動をする動物種で観察されている(González-Mariscal & Poindron, 2002)。またマウスなどでも性成熟期前にalloparental careを経験することで，成長後の子育て行動の発現が上昇することが知られており，alloparental careの生物学的意義が様々な側面で報告されつつある。

9.5.3 雄

雄の子育てを父性行動(paternal behavior)と呼ぶ。

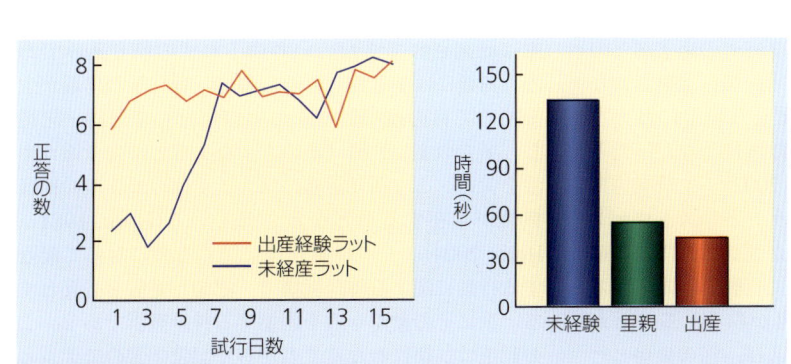

図9-5 出産経験による学習能力の向上 8方向迷路試験(図17-3を参照)において，迷路の先においてある餌を正しく見つける回数は，出産経験をすることで上昇する(左)。また，Dry land mazeテストにおいて，出産経験のあるラットだけではなく，自身が出産してなくとも16日間の里親経験をすることで，サンプル提示された餌の場所を短時間で見つけ出すことができるようになる(右)。

主に仔を運び，巣の防御をすることが，一部の哺乳類雄で観察される。一夫一妻制の繁殖形態を示す動物種では，雄が授乳行動以外はほぼ雌と同じ子育て行動を示すことも知られており，雄の子育て行動は雌よりも種による多様性が認められる。例えば雄でもよく子育てをするカリフォルニアマウスで行われた研究では，雌の妊娠中期から，雄の子育て行動の発現が次第に上昇し，その後，産後に子育て行動の発現が強く観察される (Hartung & Dewsbury, 1979)。これら雄の子育て行動の発現には，雌マウスの存在，特に交尾経験や妊娠に関係する何らかのにおい物質への曝露が必要であるといわれている。またほとんど子育て行動を示さない雄ラットでも，生後 45 日目くらいまでは雌と同様に仔ラットの繰り返し提示による子育て行動を誘起することができる (Mayer et al, 1979)。成熟後の雄ラットではあまり子育て行動を誘起することができないものの，1 日 10 分間 4 日間，里仔と接触させた雄ラットは，接触させなかった雄ラットと比較して，視床下部室傍核内のバソプレシン免疫陽性細胞の細胞体ならびに線維が増加する。前述したカリフォルニアマウスの雄の子育て行動には，視床下部室傍核内のバソプレシンニューロンが関与する研究があることから，雄ラットの子育て行動はそれほど観察されないものの，仔の繰り返し曝露によって中枢神経系は変化するのかもしれない (González-Mariscal & Poindron, 2002)。

このような雌雄間の子育て行動の違いの多くは性腺からのステロイドホルモンによって形成されている。出生直後の雄ラットを去勢すると，成長後に母ラットと似た子育て行動が誘起される。また成体期での去勢によって仔の巣戻し行動は上昇するが，また性ステロイドホルモンの処置によって低下する (Fukui, 2019)。一夫一妻制を示すプレーリーハタネズミでは，成長後の性腺のステロイドホルモンによらずに雄の子育て行動が容易に発現するが，出生直後の去勢によって子育てが阻害される (Lonstein et al, 2002)。また一夫一妻制のカリフォルニアマウスでも出生直後の去勢がラットとは逆に子育て行動を低下させ，テストステロン処置によって子育て行動が増加するとの報告がある。アンドロゲンのうちテストステロンはアロマターゼによりエストロゲンの一つであるエストラジオールに変換される。テストステロンとアロマターゼの阻害剤との共処置をした場合や，エストラジオールに変換されないジヒドロテストステロンを処置した場合にはカリフォルニア雄マウスの子育て行動は増加しなかったとの報告もある (Trainor and Marler, 2002)。生後発達期や成熟期における多様なアンドロゲンとエストロゲンの共修飾作用で子育て行動の発現が制御されているのだろう。またペアで飼育し，子育て行動を示している雄マウスではプロラクチンの上昇がみられることから，プロラクチンが父性行動，例えば，仔の巣戻し行

動や縄張り防衛性の攻撃行動と関与する可能性が報告されている (Gubernick & Nelson, 1989)。

その他，ジャンガリアンハムスターでは，雄が雌の出産までも手伝う。雄は出産間近になった雌に寄り添い，出産すると，胎盤の除去や仔を舐めて呼吸刺激を与えるなど，ほぼ母動物同様の行動を示すことが報告されている (Wynne-Edwards & Timonin, 2007)。

父性行動以外にも子育て経験の有無が行動に影響を与えるようである。母親と同様に父親でも子育て経験のない雄に比べて迷路課題を短時間で学習する。おもちゃのブロックのような目新しい刺激を与えると，子育て経験のない雄より父親のほうが早く調べ始め，新奇物に対する好奇心の違いがある。子育て経験のある動物は養育行動のない動物に比べ新奇環境における行動量の増加を示し，さらに社会探索行動もより頻繁に行う (Wu et al, 2012)。これらを考えると妊娠や出産を経験しない哺乳類の雄も子育て経験によって脳が変化し，認知能力や行動が変化するといえる。

9.6 母仔間のコミュニケーション

哺乳類の仔はその名のとおり，哺乳がなければ生存不可能であり，身体・栄養学的にも母親に依存したかたちで生まれてくる。そのため，母親からのシグナル，特に哺乳行動や保温のための行動は仔にとって必須のものである。しかし，げっ歯類では，特に初産などの出産直後に neo-phobia と呼ばれる仔に対する不安恐怖反応が認められ，決して簡単に子育て行動が誘起されるわけではない (Rosenblatt, 1967)。仔が積極的に母親の腹部に入り，嗅覚，視覚，超音波を含む聴覚，接触刺激を母親に与えることで，子育て行動が発現してくるようになる (Rosenblatt, 1967)。これらのことから母親の母性も仔の発達もお互いの刺激が必要不可欠であり，母仔関係とはお互いがそれぞれの行動の発現を促す相互的作用によって成立するものである。

9.6.1 仔のきずな形成の神経機構

母仔間の相互作用によって，きずなが形成され，母仔の距離感は非常に近いものとなる。このきずなを形成する背景にある神経機構に関しては，鳥類を用いて主に研究されてきた。いわゆるヒナの刷り込みである。鳥類には多くみられる現象で，孵化した幼雛が生後初めて目の前で動くものを母鳥として認識・記憶し，巣立つまでの間，そのきずなをもとに寄り添う生活を営む。この刷り込みには大きく分けて 3 つの神経機構が存在することが示されている (Horn, 1981; Horn, 2004)。一つは孵化後に動くものに対して接近する行動に関する神経機構で，認知と覚醒を必要とする。次にその動くものを記憶する神経機構である。この記憶は長期にわたることから，記憶学習のモデルと

しても使用されている。最後にこの記憶の臨界期を定める機構である。雛が母鳥として記憶するには孵化後数時間という限られた時間のみが重要であり，この時期を過ぎてしまうと，刷り込み記憶はもう起こらなくなってしまう。このエンドポイントを定める神経機構はその他の神経機構とは別に存在する。鳥類の中枢を詳細に調べたところ，IMHV(intermediate medial part of hyperstriatum ventrale)という神経核が刷り込みに重要な役割を担っていることが明らかとなった。この部位を損傷すると刷り込み記憶が形成されなくなる(Horn, 1998)。しかし鳥類に比べて哺乳類ではいまだ仔のきずな形成に関する神経機構は不明な点が多い。

9.6.2 母仔間のにおいを介したコミュニケーション

母親側の仔を受け入れ，絆を形成するモデルとしてヒツジを用いた実験が多く行われ，母親が仔との絆を形成するには出産後24時間以内に"自分の仔"として認知させる必要があることがわかった。この出産後24時間以内に嗅球でオキシトシンが分泌され，それによって仔のにおいを記憶し，記憶したにおいを手がかりに子育て行動を示すようになる(図9-6)(Kendrick et al, 1997；Keverne & Kendrick, 1994)。このオキシトシンの分泌は妊娠出産に伴うエストロゲンとプロゲステロンの分泌によって促進され，最終的には出産に伴う産道刺激により，中枢で大量に分泌される。乳牛などでは出産に伴うオキシトシンの分泌によって，授乳刺激がなくとも射乳する様子が観察される。

ラットなどでは仔が親を認知する際，嗅覚情報を利用する。特にノルアドレナリン神経系による主嗅球でのにおい記憶が重要である。仔の吸乳中，脳幹のノルアドレナリン神経系が活性化し，その神経活動は直接嗅球にあるニューロンを興奮させる。このタイミングで提示されているにおいは特に強く記憶されることから，母親のにおいに対する強い選好性の獲得につながる(Calamandrei et al, 1992；Moriceau & Sullivan, 2004)。この嗅球で記憶されたにおいに対し，仔ラットは強く引き寄せられ，そのにおいの傍らでは安心していられるようである。また仔においてもオキシトシンが記憶形成に重要な役割を担う。仔が親のにおいに曝露されると，オキシトシンが嗅球と視床下部で働いて母親の記憶を形成する。また，オキシトシン受容体アンタゴニストの投与により仔ラットにおける母親の記憶形成が阻害される(Nelson & Panksepp, 1998)。このように，母親と仔の中枢において，オキシトシンは愛着形成の相手に関するにおい情報に対して，記憶増強作用を持つ(Singh & Hofer, 1978)。その結果，母親側からの愛着の形成および仔側からの愛着の形成が呼応し合い強固な絆が結ばれるのであろう。

ヒトにおいても母子間の絆形成に嗅覚情報が重要で

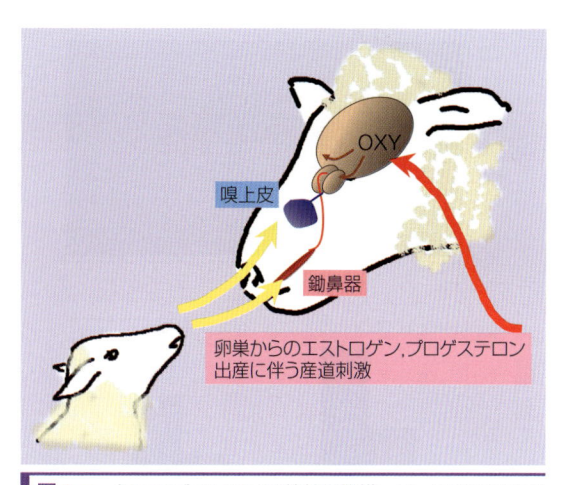

図 9-6 仔ヒツジのにおい記憶神経機構 母ヒツジは出産に伴い，血中のエストロゲンとプロゲステロン濃度が上昇する。さらに出産に伴う産道刺激が視床下部のオキシトシン分泌を高める。視床下部室房核で産生されたオキシトシンは視床下部の内側視索前野に作用し母性行動の発現を，嗅球では仔ヒツジのにおい記憶形成に関係する。この仔ヒツジのにおいは嗅上皮を介した主嗅覚系のにおい刺激と鋤鼻器を介した鋤鼻系のにおい刺激が必要である。

ある。新生児は生まれてまもなくから乳首のにおいに誘導され，乳首を吸引することができる。乳頭付近から放出されるにおいは羊水に似ているため，新生児が嗜好性を示すといわれている(Porter & Winberg, 1999)。乳首を吸引する際に自分の母親特異的なにおい記憶を形成し，その後は他の母親よりも自分の母親に対しての選好性が高まる。同様ににおいによる絆形成は親にとっても重要である。例えば母親と父親は自分の仔の羊水のにおいを弁別でき，他の仔と弁別することが可能である(Porter & Winberg, 1999)。これらはヒツジが羊水の曝露により自分の仔のにおいを特異的に記憶することと相同的であり，このようなにおいを介した母子間コミュニケーションの哺乳類普遍性がうかがえる(Kendrick et al, 1997；Keverne & Kendrick, 1994)。

9.6.3 母仔間の音を介したコミュニケーション

においだけでなく，音声によっても母子の関わりを調べることが可能である。仔が巣から離れたり，母親と隔離されてしまうと，特徴的な鳴き声を発する。また仔を安全な巣に隠して採食に出かける動物では，帰ってきた母親と仔が鳴き交わしてお互いを確認する行動が認められる。この"isolation call"は，多くの哺乳類で認められることから，哺乳類で保存された行動であると考えられる。こうした音声交信に，イヌやネコ，反芻動物などでは可聴域の音を使っているが(Serpell, 1995)，ラットやマウスなどでは超音波領域の音を使う(Noirot, 1972)。仔ラットの超音波発声は，出生時より認められ，生後5日目に最も頻度が高くな

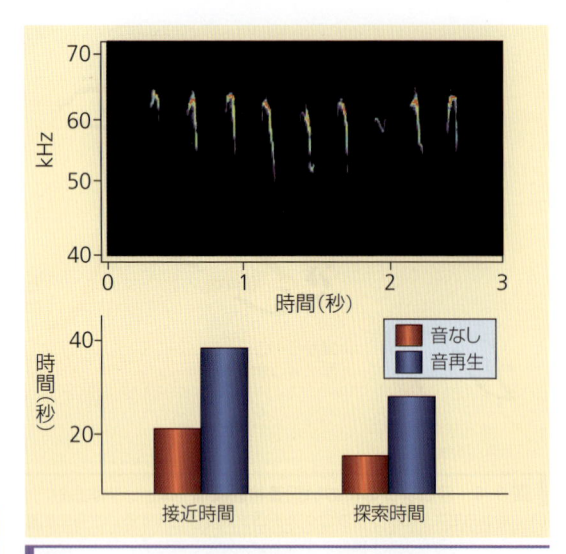

図9-7　仔マウスの母子隔離による超音波波形(上)とその再生音に対する母マウスの行動(下)　仔マウスは母から離されると，50～100 kHz，持続時間0.1～0.2秒の超音波を発声する。この発声を超音波スピーカーを用いて再生すると，母マウスは音に対して接近し，そのスピーカー付近を探索する様子が観察され，仔の巣戻し行動が誘発される。

る。その後開眼に伴って低下する。この新生仔からの超音波発声を察知した母親は，巣作りや仔の回収行動を開始し(図9-7)(Uematsu et al, 2007)，仔の肛門性器周辺を舐めることが報告されている。Terkelらの報告では，仔の発する超音波によって，母ラットの血中のプロラクチン値が上昇する(Terkel et al, 1979)が，このプロラクチンの上昇が仔を巣に連れ戻す行動に関係しているのかもしれない。

げっ歯類における超音波発声は，母親との分離による不安の亢進に伴って観察されるといわれ，現在まで数種の抗不安薬の薬効評価系において有用な指標として使われてきた。実際にベンゾジアゼピン系やセロトニン系の抗不安薬の投与によってこれら超音波の発生頻度が低下する(Fish et al, 2000)。しかし，これらの研究から明らかにされた分子機構は仔が母親に対して愛着を形成するものとは異なっており，ストレスや不安といった一般的な情動反応の機序に近いものである。愛着に着目した仔の超音波発声の神経機構に関する研究は，社会的愛着に関係が深いとされるオキシトシンのノックアウトマウス(Winslow et al, 2000)やオピオイド系の遺伝子ノックアウトマウスで行われている(Moles et al, 2004)。

超音波の発声要因は未解決のままである。げっ歯類では，新生仔は生後約2週まで体温の自己調整能力を持たず，外気温の影響を直接的に受ける。母親や同胎の仔から離されたときにみられる超音波は，仔の体温変化に伴って発現することから，体温を保持するための呼吸運動の副産物であるとする説もある(Blumberg

et al, 2000)。しかし進化生物学的にみれば，はじめ体温保持のための過呼吸に伴って発生した超音波を，親動物が認知することができるようになり，しだいにコミュニケーションのツールとして用いるようになったと解釈することが可能であろう(Uematsu et al, 2007)。より複雑な社会行動がみられる種では，仔の温度変化だけによらず，視覚や聴覚などを用いて，自分が母親からどの程度の距離にいるかを知ることができるようになり，親から離されたことがわかれば，isolation callを発するというように変化したと思われる。

また母親動物も仔に向けて特徴的な音声を発することが知られている。イルカなどではホイッスルと呼ばれる鳴き交わしを用いて，個体認知を行う。出産を終えたカマイルカでは，新生仔に向かって10倍もの頻度でこのホイッスルを発声していることが知られている。カマイルカは，本来，多くの個体が群れて生活しており，出生を終えた新生仔は多くの成熟雌などに囲まれて育つことになる。おそらくこの出産を終えた母親からのたくさんのホイッスルは，仔に親として覚えてもらい，正確に母親の元に戻ってきてもらうためではないかと考えられている。ヒツジやヤギでも出産後の母親は周波数を下げた，低い音声を出すようになる。これらの母親の声が仔にとってどのような意味を持つのかはいまだ明らかにされていない。

ヒトの赤ちゃんでは抱いてほしいとき，眠いとき，おなかが減ったとき，排泄をせがむときに泣くことが多い(St James-Roberts & Halil, 1991)。他の霊長類では基本的に母仔間の距離が近く24時間ほとんど一緒に過ごしているため，空腹時には自ら母親に接近して乳房に吸い付くし，また排泄のにおいを親が感知して仔の排泄口を舐めて排泄を促す様子が観察されるため，ヒトの赤ちゃんの泣く文脈は動物と異なるかもしれない。しかしヒトと動物の泣き声にいくつかの共通項も見出せるため，様々な進化学的・社会学的観点を含めたヒトの赤ちゃんの泣き声の研究には興味が持たれるところである。

9.6.4　輸送行動と輸送反応

子育て行動の一つである仔の巣戻し行動や輸送行動に対して，仔も輸送反応と呼ばれる体を丸めて運びやすくなるように姿勢を整える身体反応を示す(図9-8)。局所麻酔薬を用いて仔マウスの体性感覚を阻害した場合には母親マウスが運ぶまでの時間が延長する。したがって輸送反応は輸送を感知した仔による親を助けるための反応と考えられる。ヒトの子育てにおいて寝た子どもを運ぼうとしたときに重く感じることが多いのはこのためであろう。ヒトの子は母親に運ばれているときに泣きやむとともに心拍数低下が観察される。これと並行して仔マウスの輸送反応時にもisola-

図9-8　リスとライオンにおける輸送反応　仔は手足を縮めることで子育てする側の輸送が容易になる。(写真はKen Yuel氏, Senthil Cumar Palaniappun氏のご厚意による)

tion callの減少と心拍数の低下が観察される。首根っこをつかまれることで輸送される動物種と，霊長類など抱きかかえられることで輸送される動物種との間で共通した輸送反応が存在していると考えられる (Esposito et al, 2013)。

9.7　離　乳

　離乳 (weaning)，あるいは親からの独立も母子関係の終結として大事な社会的要素である。一般的に哺乳類では，親離れとは離乳を意味することが多い。仔が育ってくると食生活パターンに変化が現れる。今まで母乳に頼っていた糧を，親と同じような食物を口にするようになる。例えば，イヌは生後6週くらいから母乳とともに，親の吐き戻した餌を食べたり，親が食べ残した餌をつまんでみたりする。ウマは成長した状態で生まれてくるので，牧草を口にする時期はとても早いが，生後半年くらいまでは母親の母乳を探し求める。仔の食物変化に並行して母親の体内でも変化が起こる。それまでは自分の体力やエネルギーを，ほとんど仔のために投資していたが，自分のための投資が

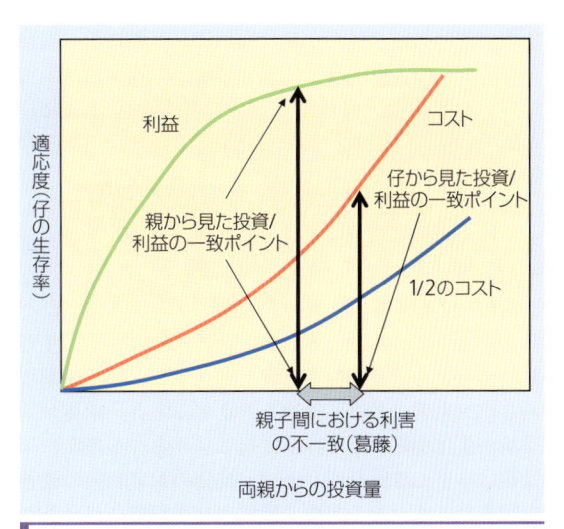

図9-9　親子間の投資-利益相関図　親は仔に対して投資をするが，わが子であっても自分の遺伝子を50%しか受け継がないため，かかるコストが得られる利益の半分になる時点で，仔に対する投資を止めたい。しかし仔にとっては，自分と半分の遺伝子を持つ親から得られるコストは，遺伝的近縁係数 (1/2)を換算すると，親の支払うコストの半分に値が下がるので，得られる利益と1/2コストとの差が最も多い点を親に求める。この互いの要求点の違いが葛藤を生じる。

徐々に増えていく (図9-9)(Trivers, 2001)。自分のための投資とは，自分の活動時間の多くを仔に費やすことがなくなり食糧を求めて移動し，脂肪を蓄え，体力を回復することに目的をおくことである。げっ歯類や一部の霊長類などでは，仔の授乳の頻度が低下することが引き金となって，生殖能力が育児モードから繁殖モードへとスイッチする。すなわち新生仔期には，乳房からの吸引刺激が脳内オキシトシンとプロラクチンの上昇を維持し，卵巣機能を押さえている (Carter & Altemus, 1997)。しかし成長に従って仔への授乳回数が減るため，しだいに乳房からの刺激が低下し，その結果性周期が回復する。性周期の復活は，明らかに次の出産に向けた準備を示しており，今まで育て上げた仔への投資をそろそろ打ち切りにして，新しい仔を授かろうとする最も重要な変化である。このように行動学的な変容だけでなく内分泌学的にも親子間の距離はしだいに開いていくことになる。

　離乳は，仔が初めて経験する大きな葛藤である。仔は自分が育つことで，親からの投資を受けにくくなる。もちろん仔としては継続して親からの加護や投資を受けることで，資源裕福な時間を過ごすほうが利益が大きい。しかし親はすでに独り立ちできそうな仔に投資するよりは，次の仔をもうけるほうが，自分の遺伝子を多く残せる可能性が高く，投資の矛先を変えていく。このような離乳に関わる葛藤は1974年にTriversらによって提唱され，その後多くの研究者によって同じような葛藤行動の観察が報告されている (Trivers, 1974)。特に霊長類においては，成長した仔に対し

て親が追い払い，けんかを仕掛けるなどの様子も観察される。このような"罰"に近い親からの攻撃性は，実は仔の行動発達，特に社会的敗北の経験や社会化にとって，重要な要素となっていることがいくつかの動物種で確認されている。

遺伝子と環境は行動パターンの重要な決定要因である。仔の行動的および生理学的発達は，遺伝子プログラムと離乳も含めた母仔関係の多様性によって様々なかたちに変容する。これらは将来の生存率を個別に上昇させるために寄与していると考えられている。また離乳前後の時期は個性を形成，確立する重要な時期である。野生下における動物を考えてみると，栄養学的環境が悪化することは容易に起こりうる。その際に，母親は早々と育児を切り上げ，自分の栄養状態の改善を図るだろう。その結果，通常よりも早期に離乳される行動が認められる(Johnson, 1986；Smith, 1991)。例えば，母ザルに十分な餌を与えていると強固な子育て行動が維持される。餌を与える時間を2時間に設定し，毎日決まった時間に給餌しても同じように子育て行動が観察されるが，同じ2時間の給餌時間でもランダムに与えると，たちまち子育て行動が低下することが知られている(Andrews & Rosenblum, 1991)。さらに母親からの離乳も早くなり，早々に自立して餌を探さなければならなくなる。環境や体内の変化が子育て行動の発現を司る中枢にはたらきかけ，それら情報が集約され，その結果として母性の発現が調節されている。このように，母親には，外部環境，体内環境，そして仔の成長状態をモニターし，離乳の時期を調節する能力が備わっている。

9.8　子育て行動とホルモン

子育て行動の多くはホルモンによる制御あるいは修飾を強く受けている。子育て行動のホルモン制御に関わる実験は以下の3つの段階を経て，実証されることが多い。①特定の子育て行動と相関する血中あるいは脳内のホルモン濃度，②関連するホルモンの産生分泌を(性腺や下垂体などの切除により)阻害した際に認められる子育て行動の変化，③さらにホルモンを外的に処置・回復させ，これら子育て行動がどれほど復元されるかの検証，である。

9.8.1　エストロゲンとプロゲステロン

プロゲステロンは卵巣の黄体，あるいは胎盤から産生・分泌される。この分泌器官には種差が大きく，モルモット，ヒツジ，ヒトでは胎盤由来が主であり，ラット，ウサギ，ウシでは卵巣由来が主である。ラットでは，エストロゲンは，妊娠中期から後期にかけて上昇し，プロゲステロンは妊娠の維持に必須で，妊娠後徐々に増加し，出産24～48時間前に減少する。

エストロゲンは，通常卵巣でプロゲステロンから数段階の酵素反応を経て生成されるが，胎盤はこれら酵素を持たない。しかし，エストロゲンは妊娠期に胎盤から多量に分泌されるが，これは胎児副腎皮質由来のデヒドロエピアンドロステロンから合成される。このデヒドロエピアンドロステロンは，母体由来のプレグネノロンから生成される。このように胎児と母体は，内分泌的に密接なやり取りをしつつ，出産に向けた身体の準備を進める。

前述したとおり，妊娠後期の母ラットの血液を未経産ラットへ輸血すると，子育て行動の発現がみられたという報告から(Terkel & Rosenblatt, 1972)，妊娠に伴うホルモン動態が，妊娠後期ならびに産後の子育て行動の発現を制御している。また妊娠期のラットから胎盤や子宮を除去した後の子育て行動の発現を観察すると，出産により近い日に摘出された雌ラットのほうが，より子育て行動の発現が容易であったことからも，ホルモンの長期的作用により子育て行動の発現中枢が刺激されると考えられる。Moltzらは，未経産雌ラットに長期作用型のベンゼン酸エストロゲンを処置し，さらにプロゲステロンの数日の投与と投与休止をすることで子育て行動を発現させることに成功し，これら妊娠出産に伴うエストロゲンとプロゲステロンが子育て行動を制御する神経系に作用し，発現を促していることを明らかにした(Moltz et al, 1970)。同じようなホルモン処置によって，卵巣摘出ウサギでも営巣行動が認められている。前述したウサギ母性フェロモンもエストロゲンとプロゲステロンの作用によって産生・分泌される(Gonzalez-Mariscal et al, 1994)。

このようなエストロゲンとプロゲステロンの協調作用は，哺乳類間でよく保存されており，マウスやハムスターでもこれらのホルモンの投与により，営巣行動や巣戻し行動が誘起される。ヒツジでも妊娠末期や発情期のようなエストロゲン値が高いときの雌に見知らぬ仔ヒツジを提示すると，受け入れ行動を示す。また経産の雌ヒツジにエストロゲンを投与することで，子育て行動が誘起される。例外的にヒトを含めた霊長類ではこれらエストロゲンやプロゲステロンの作用はさほど強くなく，どちらかといえば経済的状態，過去の子育て経験，社会的環境，感受性のほうが要因として大きいといわれている。しかし霊長類でも妊娠出産に伴うホルモン環境の変化は，他の哺乳類とほぼ一致し，また血中エストロゲン値の高い母体では，子育て行動の動機づけが強く現れることが知られており，ホルモンが子育て行動を修飾する可能性が高い(Maestripieri & Zehr, 1998)。ヒトでも妊娠中のプロゲステロンとエストロゲンの比率が母子間のアタッチメントスコアと関係することが報告されている(Fleming et al, 1997)。

プロゲステロンは妊娠の後期の子育て行動の発現の

タイミングを調節している。例えば，妊娠17日目に子宮を摘除した後，プロゲステロンの投与によって血中濃度を維持させると，通常みられるプロゲステロン除去による子育て行動の早い開始が阻止される。また，未経産ラットでみられるエストロゲン投与による子育て行動の開始は，プロゲステロン投与により阻止される。これらのことから，プロゲステロンの処置後，いったんプロゲステロンが低下し，それに同期してエストロゲンが上昇することで，子育て行動が強く誘起されると考えられている（Bridges & Russell, 1981）。しかしこのエストロゲンとプロゲステロンの相互作用メカニズムは明らかになっていない。

近年の遺伝子改変マウスの研究では，エストロゲン受容体βノックアウトマウスでは，妊娠出産が可能であり，子育て行動も正常である一方で，エストロゲン受容体αノックアウト雌マウスは，不妊である。エストロゲン受容体αノックアウト雌マウスでは，子殺し（喰殺）が多くみられ，里仔に対する子育て行動の発現までの時間も野生型と比べ長いことが報告されている（Ogawa et al, 1996）。プロゲステロン受容体ノックアウト雌マウスでは血中テストステロン濃度が上昇しているが，仔マウスへの攻撃性が低下し，子育て行動が増加している（Schneider et al, 2003）。

プロゲステロンはコレステロールから各種性ホルモンが合成される上流過程に位置しており，アンドロステンジオンを経由してテストステロンや各種エストロゲンへと変換される（2章「ホルモンと行動研究分泌の神経調節」，図2-15）。さらにいずれの性ホルモンも視床下部ホルモンである性腺刺激ホルモン放出ホルモンや下垂体ホルモンである卵胞刺激ホルモン，黄体形成ホルモンのネガティブフィードバック機構に対して寄与しうる。このような複雑なホルモン動態を考慮にした時期や身体部位に特異的な各種ホルモンの効果の検証が今後期待される。

9.8.2 アンドロゲンとバソプレシン

子育て行動におけるアンドロゲンの作用に関しては父性行動を中心に研究されてきた。雌でもマウスやスナネズミ，いくつかの霊長類で，妊娠出産に伴ってテストステロンの上昇が認められる。ウサギでは未経産雌にテストステロンとプロゲステロンを投与すると，巣作り行動が発現するが，その他の作用に関しては不明な点が多い。一方，雄におけるテストステロンの作用はいくつか報告がある。プレーリーハタネズミではアンドロゲンの上昇により，脳内のバソプレシン量が上昇し，父性行動の発現とよく相関する（Wang & De Vries, 1993）。一夫一妻型を示すプレーリーハタネズミでは，このバソプレシンの上昇が特に外側中隔で認められる。一方，一夫多妻制を示すアメリカハタネズミではこのバソプレシンの変化が認められない。また子育て経験のないプレーリーハタネズミの雄の外側中隔にバソプレシンを投与すると子育て行動が誘発され，バソプレシン受容体アンタゴニスト投与では子育て行動が抑制されることから，外側中隔のアンドロゲンによって誘導されるバソプレシンが重要な働きをすることが示唆されている（Wang et al, 1998）。

父性行動を示すハムスターでは出産に向けてテストステロン値が上昇し，巣の防衛行動を制御する。その後出産に伴いテストステロンが低下する。これはおそらく仔に対する攻撃性を低下させるためであると考えられている。また一夫一妻を形成するマーモセットでは妊娠出産に伴う雄のテストステロン値は変化しないが，ニホンザルでは雌が出産するときにテストステロン値が最も低くなる。ヒトでは母親の子育て行動の発現とテストステロン値が正の相関を示すが，むしろコルチゾルとの相関が高いことも報告されている（González-Mariscal & Poindron, 2002）。

9.8.3 プロラクチン

プロラクチンは，下垂体前葉から分泌されるホルモンで，乳腺の発育と乳汁分泌を刺激する。ラットでは，血漿プロラクチンレベルは，分娩日に劇的な上昇を示す。このプロラクチンの上昇が通常の子育て行動の開始に重要である。エストロゲンとプロゲステロンを投与した未経産ラットの脳室内にプロラクチンを投与すると子育て行動がすみやかに誘発される。この際，プロラクチンの単独投与では子育て行動の誘発がみられないことから，プロラクチンによる子育て行動の誘発には，エストロゲンとプロゲステロンの存在が必須である（Moltz et al, 1970）。下垂体を摘出した雌ラットではエストロゲンとプロゲステロンの処置による子育て行動の発現が消失するが，この雌に下垂体を移植することで子育て行動が回復する（図9-10）。このことはエストロゲンとプロゲステロンの作用の一部は下垂体ホルモンと共存することで発現することを意味する（Bridges et al, 1985）。下垂体からのプロラクチンの分泌を抑制するドーパミンアゴニストのブロモクリプチンの投与によって，エストロゲンとプロゲステロン投与による子育て行動発現が抑制され，プロラクチンの投与により回復することからも，下垂体由来のプロラクチンはエストロゲンとプロゲステロンとともに作用することで，子育て行動の発現を促進する（図9-10）。しかし，すでに子育て行動を発現している母ラットでは，下垂体を摘出したりブロモクリプチンを投与しても子育て行動に影響しないことから，いったん子育て行動を発現するとプロラクチンの存在は子育て行動の維持には必須ではないのであろう（Bridges & Ronsheim, 1990）。

一夫一妻制を示すカリフォルニアマウスの雄では，父性行動を示している個体で，高いプロラクチン濃度

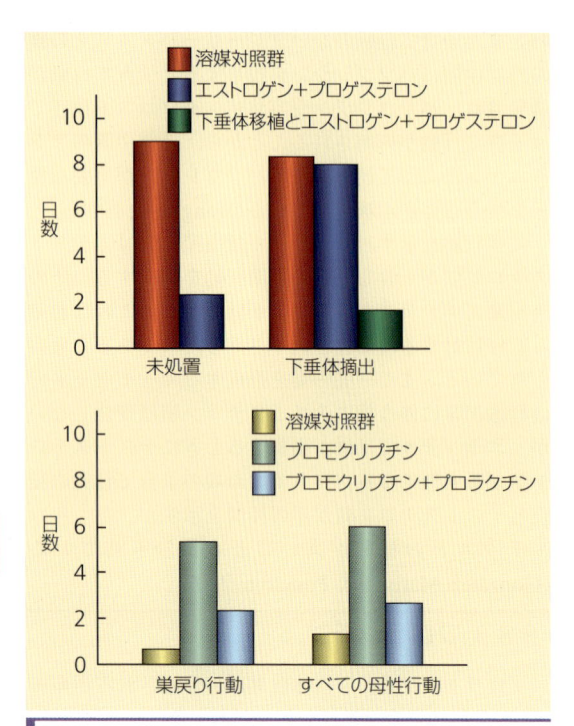

図9-10　プロラクチンによる母性行動発現の促進　未経産ラットにエストロゲンとプロゲステロンを処置することで，母性行動発現までにかかる日数が早まるが，下垂体を摘出すると，エストロゲンとプロゲステロンを処置しても母性行動の促進は認められない。下垂体を摘出した後，その下垂体を皮下に移植すると，エストロゲンとプロゲステロンの効果が回復する。このことからエストロゲンとプロゲステロンは下垂体に作用して母性行動を促進している（上）。麦角アルカロイド誘導体・ドーパミンD_2受容体アゴニストのブロモクリプチンは下垂体に作用し，プロラクチン産生を抑制する。ブロモクリプチン投与による母性行動発現の抑制は，プロラクチン投与によって回復する（下）。

を示す。またハムスターではプロラクチンの投与により巣作り行動と巣の防衛行動が上昇し，仔殺し行動が低下することが知られている。同じく一夫一妻制を示し，父性行動が頻繁に確認されるマーモセット（Dixson & George, 1982）やワタボウシタマリン（Ziegler et al, 2000）では，雄も雌でも仔と接触すると尿中のプロラクチン濃度が上昇する。

また，プロラクチン様ホルモンである，胎盤性ラクトゲンは妊娠中期から後期にかけて胎盤から分泌されるが，プロラクチン同様に胎盤性ラクトゲンを脳室内に投与すると，エストロゲンとプロゲステロンの存在下において，子育て行動を誘発する。しかし，エストロゲンやプロゲステロンのようなステロイドは血液脳関門を容易に通過できるが，199アミノ酸残基からなるプロラクチンはどのようにして血液脳関門を越えて脳内に到達し，子育て行動を調節しているのであろうか。可能性の一つは，血脈叢や側脳室に豊富に存在するプロラクチン受容体が，トランスポーターになっており，これを介して中枢に作用するというものである。また，プロラクチンのmRNAやプロラクチン受

容体が視床下部内で発現することが確認されており，神経伝達物質として脳内で合成され子育て行動を制御している可能性も報告されている（Grattan et al, 2001）。授乳中のラットでは，子育て行動の発現に同期して，プロラクチン受容体の発現が著しく増加する。また，授乳中母ラットから仔ラットを隔離すると，母ラットの脳内のプロラクチン受容体の発現が低下し，仔ラットを母ラットのもとへ戻すと，プロラクチン受容体発現の回復が認められる。また，プロラクチン受容体をノックアウトしたマウスでは，妊娠出産が著しく障害される（Lucas et al, 1998）。プロラクチン受容体ノックアウトのヘテロ接合体でも，巣の中へ仔を運ぶ行動は時々みられたものの，完全な子育て行動は観察されなかった。さらに胎児期の一定のプロラクチン濃度環境が将来親となったときに子育てするうえで重要であるとの報告もある（Sairenji et al, 2017）。生理学的な検討も行われており，子育て行動への寄与が報告されている内側視索前野では*Galanin*陽性ニューロンはプロラクチンによって興奮するとともに興奮性シナプス入力を増強させることが示されている（Stagkourakis et al, 2020）。これらマウスやラットの実験から，子育て行動の発現にはプロラクチン受容体を介した神経機構が重要な役割を担っており，さらにその作用にはエストロゲンおよびプロゲステロンの存在が重要であるといえる（Tanaka et al, 2002）。

9.8.4　オキシトシン

オキシトシンは，視床下部に産生細胞を持ち，下垂体後葉で貯蔵および分泌され，射乳反射や子宮筋収縮を促す作用を持つ。また，プロラクチン同様，子育て行動の発現に関与しているという。エストロゲンおよびプロゲステロン前処置を施した未経産ラットにオキシトシンを脳室内に投与すると，1時間以内に子育て行動の発現がみられた（Pedersen & Prange, 1979）。このオキシトシン誘発の子育て行動は，オキシトシン受容体アンタゴニストや抗オキシトシン抗体を投与することで遅延する。ラットでは，嗅球系を破壊すると，子育て行動の発現が早まるが，嗅球内に直接オキシトシンを投与すると，子育て行動が2時間以内に開始される。また，低濃度のオキシトシン受容体アンタゴニストを直接嗅球へ投与すると，産後のラットで子育て行動の発現の遅延が認められる（Yu et al, 1996）。さらにオキシトシン受容体ノックアウトにより雌マウスの子育て行動は阻害される（Takayanagi et al, 2005）。オキシトシンの投与や視床下部室傍核のオキシトシン合成細胞の刺激により交尾未経験雌マウスの巣戻し行動が促進されるとの報告もある（Marlin et al, 2015）。

オキシトシン遺伝子は，妊娠や授乳期に視床下部で発現の上昇がみられる。オキシトシン受容体においても，妊娠中期から視床下部視索前野での発現上昇がみ

られる。この上昇と子育て行動の発現時期はある程度一致する。視索前野にオキシトシン受容体アンタゴニストを投与すると子育て行動の発現が抑制される。これらのことから，視床下部内の，特に視索前野におけるオキシトシン活性は子育て行動の誘起に重要であると考えられている(Pedersen et al, 1994)。ケンドリックとケバーンらのヒツジを用いた実験においても，視索前野のオキシトシン神経経路が子育て行動の誘起に重要であることが示されている(Keverne & Kendrick, 1992)。

オキシトシン受容体の発現やオキシトシンとの結合能は，エストロゲンによって上昇することがわかっている。つまり，前述した妊娠後期のエストロゲンの増加は，分娩開始時のオキシトシンの分泌活性を高め，その結果として子育て行動の誘発を促しているとも考えられる。例えば，幼少期発達段階において，母ラットからあまり子育て行動を受けなかった雌のラットは子育て行動を多く受けた個体に比べて，子育て行動の発現が低下するようになるが，このラットでは視索前野におけるオキシトシン受容体の発現量が並行して低下している。その後の研究により，エストロゲンレベルが低い状態ではオキシトシン受容体の発現に差はみられないが，子育て行動をあまり受けなかったラットではエストロゲンを投与してもオキシトシン受容体の発現が誘導されないことが明らかとなった(Champagne et al, 2001)。

9.9 子育て行動を調節する神経系

前述したとおり，子育て行動の発現の調節には様々な内的および外的因子が関与している。そのため，子育て行動を調節する神経機構も複数の部位が連携して行っている。感覚受容は仔の認知に必須ではあるが，嗅覚，視覚，聴覚，触覚が統合的に刺激を脳内に送っており，一つの感覚神経系を選択的に障害しても子育て行動が完全に失われることはない(Herrenkohl & Rosenberg, 1972)。つまり，他の感覚神経系が機能すれば，子育ては可能になる。最終的にこれらの感覚情報が視床下部内で統合され，子育て行動が発現することになる。その最終的な統合領域として，視床下部内側視索前野が機能しているとされている。

9.9.1 内側視索前野

出産後のラットおよび未経産ラットでは，視床下部内側視索前野を破壊すると子育て行動が発現しなくなる。また，内側視索前野はエストロゲン，プロゲステロン，プロラクチンおよびオキシトシン受容体の発現が，妊娠期後期に上昇することが知られている。エストロゲンやプロゲステロン処置をした未経産ラットの内側視索前野にプロラクチンを直接投与すると子育て行動を促進するという報告もある。また，オキシトシン受容体アンタゴニストを内側視索前野に投与すると，産後ラットの行動の子育て発現が減弱する(Numan & Sheehan, 1997)。内側視索前野では仔の巣戻し行動やグルーミングなど，能動的な行動時に神経活動レベルが上昇しているが，覆いかぶさり行動(crouching/cuddling)時には大きな変化は起こらない(Wei et al, 2018；Kohl et al, 2018)。

養育行動を制御するうえで内側視索前野がどの領域から入力を受け取り，どの領域へ出力するか神経回路レベルの検討も進められてきた。逆行性トレーサーや改変狂犬病ウイルスを用いることで，内側視索前野への入力元は内側扁桃体，分界条床核，視床下部をはじめ多岐にわたることが明らかとなっている(Kohl et al, 2018)。扁桃体海馬野など扁桃体亜核から分界条を介した内側視索前野への投射が，子育て行動の発現を抑制するとの報告がある(Sato et al, 2020)。子育て促進に関わる内側視索前野への入力シナプスの解明はこれから本格的に進められていくであろう。

内側視索前野の投射先は，外側中隔，外側手綱核，腹側被蓋領域および脳幹の各亜核であることも報告されている。Numanらは子育て行動の発現には，外側視索前野を経て内側視索前野から腹側被蓋領域への投射が重要であると報告してきた(Numan, 1994)。近年では光遺伝学的手法を用いた内側視索前野-腹側被蓋野経路の選択的活性化によって巣戻し行動開始までの時間が短縮し，子育て行動の頻度が上昇することが示されている(Fang et al, 2018)。また雄マウスにおける内側視索前野-中脳中心灰白質経路の刺激が子育て行動を発現させるとの報告もある。内側視索前野の上流・下流の神経回路の検討に加え，今後は内側視索前野内部における細胞間連絡についても調べていく必要があるだろう。

内側視索前野は子育て行動以外にも性行動や体温調節(巣作りを含む)，睡眠など様々な本能行動に大きく寄与している。子育てに寄与する細胞群として*Galanin*やエストロゲン受容体(ERα)，カルシトニン受容体を発現する細胞の活動操作により子育て行動に変化がみられることが報告されている(Kohl et al, 2018；Fang et al, 2018；Yoshihara, 2021)。

出産分娩に伴う子育て行動の誘起は，前述したとおり，経験とホルモンバランスが決定している。その後の子育て行動の維持，つまり出産後から離乳にいたるまでは，仔の刺激が子育て行動の強化子として働き，母個体がより子育て行動を示すようになることが知られている。例えば，母仔を分離した場合，仔に接触するためにレバーを押すように母をトレーニングすると，この課題をすぐに学習し，仔に触れるためにレバーを何度も触るようになる(Lee et al, 1999)。このような強化子としての作用は出産後10日くらいまで

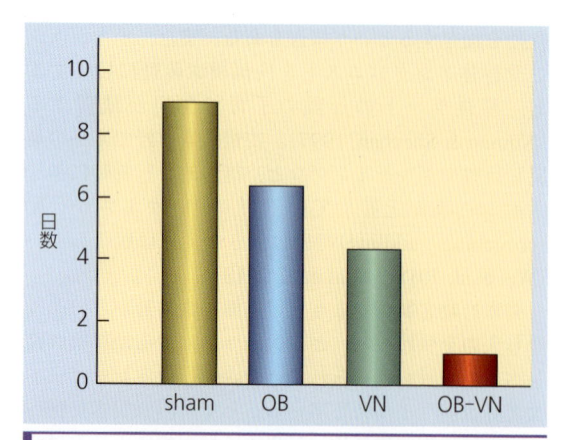

図 9-11 里仔を提示してから母性行動を発現するまでの日数
嗅球 (olfactory bulb : OB), 鋤鼻器 (vomeronasal organ : VN) を破壊した場合の影響。OBとVNの両方を破壊したラットは, sham手術をしたラットと比較して有意に母性行動の発現までの日数が減少した。(Fleming, 1979).

続く。実際に授乳中のラットの脳内活性をfMRIで調べた研究では，腹側被蓋領域から側坐核へつながる経路が授乳刺激によって非常に強く活性化することが示されており，外側視索前野を経て内側視索前野から腹側被蓋領域への投射の重要性が確認されている（図9-4）(Ferris et al, 2005)。

9.9.2 鋤鼻系，嗅覚系

鋤鼻系および嗅覚系は，多くの哺乳類における子育て行動の発現に重要な役割を担っている。子育て行動の研究で，未経産ラットで鋤鼻，嗅覚刺激の抑制的な性質が数多く報告されている。これは仔のにおいが，未経産ラットでは，嫌悪刺激となり回避行動に関連しているためと理解されている。例えばFlemingらの研究で，未経産雌ラットは里仔とのコンタクトを開始して6日間ほどで，子育て行動を示し始めるが，鋤鼻神経または主嗅球を切除すると，2日以内に子育て行動の発現が認められ，嗅覚情報が子育て行動の誘起に抑制的に働くことが示されている（図9-11）(Fleming et al, 1979)。このような仔からの嗅覚刺激が嫌悪的であるのは未経産ラットのみで，一度妊娠出産を経験することで，嗅覚器官を切除しても，その子育て行動に影響が認められない。一方，交尾未経験雄マウスでは鋤鼻器機能を低下させると仔への攻撃が阻害されるのみならず，子育て行動が表出する (Tachikawa, 2015)。また主嗅球系経路の嗅覚機能の低下したアデニル酸シクラーゼ3型ノックアウト雌マウスが養育行動を示さないとの報告がある (Wang & Storm, 2011)。鋤鼻器の投射先である扁桃体内側核や嗅皮質は内側視索前野に投射しており，子育て行動の発現に影響を与えると考えられる。ヒツジやヤギでは，自分の仔のみに対して子育て行動を示す選択性が認められるが，妊娠期に嗅上皮を障害すると，出産後の子育て行動自体は保存されるものの，仔の選択能力が低下する。このことから，ヒツジやヤギでは嗅覚情報は自分の仔の認知に重要であることが明らかとなっている (Kendrick et al, 1997)。ラットにおける新生仔のにおいに対する忌避反応は，嗅球内のオキシトシンによって減弱される。オキシトシンを嗅球内に投与した場合，あるいは視床下部室傍核を電気刺激して，オキシトシン分泌を誘導した場合には，新生仔に対する母性反応が上昇し，逆にオキシトシン受容体アンタゴニストを嗅球に投与すると，忌避反応が上昇する (Yu et al, 1996)。また同じように，ヒツジにおいては，嗅球内のオキシトシン伝達経路が仔のにおい記憶に重要であり，出産後に嗅球内にオキシトシン受容体アンタゴニストを投与すると自分の仔の選択能力が低下する (Kendrick et al, 1997)。このように，分娩時のホルモン動態や神経化学的な変化と鋤鼻，嗅覚系での変化が，分娩直後から，すみやかに子育て行動を行うことに関与しているだろうが，いまだ詳細は明らかとなっていない。

9.9.3 辺縁系

扁桃体は様々な情報の価値判断をする脳部位である。子育て中の雌の扁桃体，あるいは隣接する分界条を外科的に障害しても子育て行動には影響がない。未経産ラットにおいて，扁桃体の皮質核，あるいは隣接する分界条床核を破壊すると子育て行動の発現が促進される。扁桃体内側核や分界条床核の一部 (principal component) は雌雄で異なる遺伝子発現パターンが存在することが知られる (Unger et al, 2015 ; Bayless et al, 2019)。分界条床核に投与された副腎皮質刺激ホルモン放出ホルモン (CRH) は母親ラットの子育て行動を阻害する効果を持つ (Klampfl, 2014)。雄マウスでは分界条床核のうち菱形核のニューロンは仔への攻撃行動によって活性化されるが，父性行動開始以降には仔に接触しても活性化されない (Tsuneoka et al, 2015)。

9.9.4 その他の感覚神経系と脳領域

ハムスターでは新皮質を大きく除去しても子育て行動に影響がないことが明らかとなっている。しかし帯状皮質 (cingulate cortex) を含む海馬領域もあわせて除去すると子育て行動が完全に消失する (Murphy et al, 1981)。霊長類では，前頭葉あるいは側頭葉を生後2ヶ月以内に切除すると妊娠出産行動には影響がないものの，新生児を探す行動や外的から仔を守る行動が完全に消失することが示されている (Bucher et al, 1970)。聴覚野でのオキシトシンの作用が巣戻し行動を促進するとの報告もある (Marlin et al, 2015)。さらに子育て行動の乏しいマウスが子育て経験豊富なマウスの子育て行動を視覚的に観察することで視床下部室傍核のオキシトシン神経が活性化し，子育て行動の促進に寄与

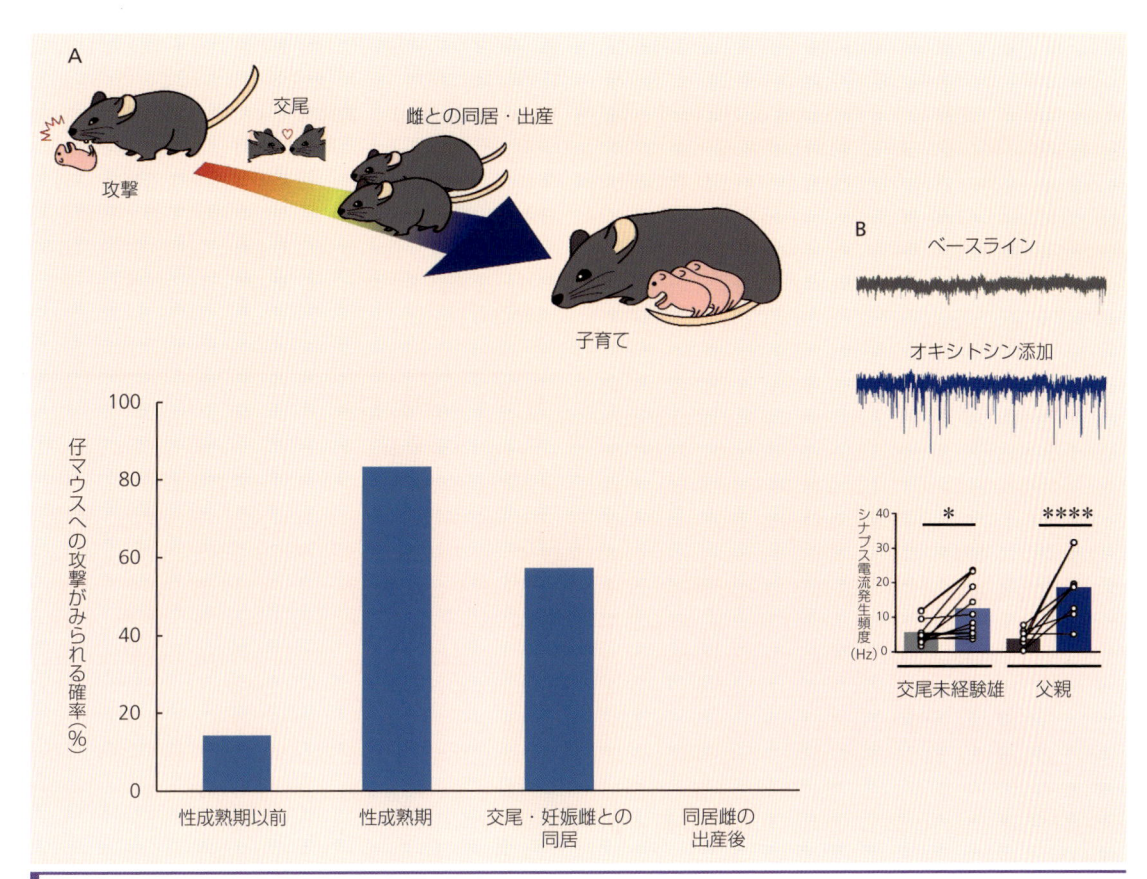

図 9-12　**雄マウスの発達・経験依存的な行動変化**　A：仔マウスへの攻撃は性成熟期に始まるが，雌との交尾や妊娠期の同居期間に次第に攻撃を示す雄マウスの割合は低下し，出産後には攻撃よりもむしろ巣戻し行動など子育て行動がみられる時期がしばらくの間続く。B：扁桃体海馬野におけるオキシトシン誘発性 GABA 作動性シナプス活動。父親では増強の度合いが大きい。(Amano, 2017；Sato, 2020 より改変)

することが示唆されている(Carcea et al, 2021)。ヒトでも子どもの泣き声や視覚・嗅覚・体性感覚をはじめとする様々な感覚情報が脳内で統合されることで子育て行動が誘発されるのであろう。

9.10　繁殖システムと子育て

9.10.1　仔殺し

　同種他個体の仔に対する攻撃である仔殺しがみられる動物種が存在する。仔殺しは雌に比べ妊娠や出産に関わる繁殖コストを負わない雄で多く観察される。これは自分以外の雄との交尾によって生まれた仔を殺すことで，その雌に繁殖能力を回帰させて交尾を可能とし，自分の遺伝子をより効率よく残す合目的行為だと考えられている。

　交尾後の雄マウスが雌と同居し続けると仔殺しを示す確率はしだいに低下し，仔の誕生後には仔殺しはほとんど観察されず，自分の仔でなくとも養育を行うようになる(図 9-12)(vom Saal et al, 1982)。このような仔殺しの抑制効果は仔マウスに接触する機会がないまま一定期間を過ぎると解除される。交尾後の雄の行動変化は自身の仔を殺すのを回避するために役立っていると考えられる。性成熟期以前の動物は巣戻しなど子育て行動を示す場合があるが，性成熟期になると仔殺しがみられるようになる(Amano et al, 2017)。このような行動変化は精巣摘出手術により抑制されることから，アンドロゲンの影響を強く受けていると考えられる。鋤鼻器からのシグナル入力が欠損している *Trpc2* 遺伝子ノックアウト雄マウスは仔殺しを示さず，むしろ子育てを示すことから，副嗅球系が仔殺しの制御に深く関わっていると考えられる(Wu et al, 2014)。

　父性行動開始後には様々な脳機能変化が起こっていることがわかってきている。例えば仔マウスに接触した場合には鋤鼻器は活性化しない(Tachikawa et al, 2013)。また，子育て行動に負に働く扁桃体海馬野においてはオキシトシンによって誘発される GABA 作動性シナプス機能が増強される(図 9-12)(Sato et al, 2020)。

　一方，雌にとって仔殺しは新たな交尾・妊娠を必要とするなど大きな負担となる。このような生物学的コストを減らすための戦略が知られている。その一つと

して，雌が群内の複数の雄と関係を持ち，そのすべての雄に自身の仔である可能性を認識させることで，結果として仔殺しを抑制する例（Lukas & Huchard et al, 2014）が挙げられる．また，飢餓や環境変化などストレスを受けた雌が自身の仔の養育をやめて仔殺しを示すこともしばしばみられるが，これらの雌は子育てにかかるコストを次回以降のよりよい子育て環境下に振り分ける判断をしているのかもしれない．

9.10.2 繁殖戦略

子育て行動は繁殖戦略の中で非常に重要な要素であり，未熟個体の生存率を上昇させ，最終的には自己の遺伝子を次世代へと継承させる．そのため，子育て行動には繁殖戦略によって大きな種差が存在する．一般的にr戦略といわれる多産系の動物種では，できうる限り多くの受精卵を作出し，その中からいくつかの個体が成熟することを期待する．このような戦略をとる種として魚類や昆虫類のいくつかが挙げられ，あまり熱心な子育て行動は認められない．一方，K戦略といわれる種では，数が少なく，できるだけ丈夫な子を出産し，その限られた個体を大事に育て上げる．ヒトを含めた霊長類や大型の哺乳類ではこのK戦略をとるものが多く，その場合には非常に強固な子育て行動とそれに伴う母子間の絆形成が認められる（Numan et al, 2006）．

9.10.3 子育ての特異性

子育て行動の特徴として，特異性，つまり母親は自分の子に対して熱心な子育て行動，特に授乳行動を示すことが挙げられる．しかし，この特異性は種差が大きく，ラットなどでは広く他の仔でも育てるが，ヒツジ，ヤギ，ウシなどでは自分の仔のみ育てることが知られている．マウスやウサギは自分の仔と他の仔を上手に見分け，また同時に他の仔も育てるものの，その熱心さは自分の仔に対するものよりも比較的低くな

る．親マウスの脳内における新生ニューロンは，親の仔の認識に関与する可能性が指摘されている（Mak & Weiss et al, 2010）．偶蹄類でよく認められる選択的な子育て行動であるが，野生種のヒツジや水牛では認められておらず，逆に他の母親が世話をする様子が報告されている．ただしこのような選択的子育て行動を示す種では時に，他の母親による仔の誘拐が報告されており，その区別が難しい．イルカの仔の誘拐は有名な現象である．

9.11 おわりに

生殖内分泌を中心とした子育て行動ならびに妊娠，出産および授乳期の研究は，げっ歯類の中でも，特にラットを中心にして行われてきた．現在では，遺伝子改変マウスを用いた実験が数多く行われているが，子育て行動を含んだ行動パターンや行動発現機序を考えるうえで，ラットと相違点が多いことも注意したい．ラットの妊娠，出産，授乳期の内分泌の変動はヒトとも共通する点が多く，これらの研究は，人間社会が抱えている少子化問題，虐待およびネグレクトなどの解決の糸口になるのではないだろうか．雌と妊娠，出産を経験しない雄も繁殖経験により脳は変化し，行動が変化する．

子育てにおけるあらゆる環境の変化に対応できるよう，親の脳はより変化するようにプログラムされていることを示す研究報告が年々蓄積されている．特に近年の遺伝子改変マウスを用いた実験から詳細な分子実態や神経回路ネットワーク機能が明らかとなっている．相違点もあるが，他の動物種の妊娠，出産，授乳期の内分泌の変動はヒトとも共通する点が多い．これらの知見は，人間社会が抱えている少子化問題，虐待およびネグレクトなどの解決の糸口になるのではないだろうか．

10 攻撃行動

　攻撃行動の発現をコントロールしている神経内分泌基盤を解明することは，雌雄の性行動(7章, 8章)と比べるとかなりの困難を要するといえる。例えば，ロードーシスの神経回路やエストロゲンのgenomic actionによるその制御といったセントラルドグマにあたるものは，今のところ攻撃行動については存在しない。その理由の一つは，攻撃行動の定義の難しさにある。"攻撃性"や"攻撃行動"が何であるかは，誰もが"知っている"。しかし，いざ定義するとなると，一筋縄ではいかず，他者に対する嫌悪をはじめとする情動状態なのか，他者を傷つけようとする意志なのか，あるいは実際に表出された他者(あるいは物)に対する破壊的行動なのか，さらに，動物行動学的視点からみた攻撃行動の生態学的・進化論的機能は何か，といった議論がつきまとう。また，"攻撃行動と認識される"行動は，様々な場面，要因で，様々な対象に表出される。このようなことから，本書のテーマである行動神経内分泌基盤に限ってみても，そのすべてを語ることは不可能であり，本章では，10.1「様々な種類の攻撃行動」で詳述する攻撃行動の種類の中から，ホルモン基盤や神経回路についての解析が最も進んでいる攻撃行動のいくつかについて解説することとする。

10.1　様々な種類の攻撃行動

10.1.1　攻撃行動の分類

　攻撃行動の分類として，最も広く知られているのが，Moyer(1976)によるものである。攻撃行動の発現の生理学的基盤，環境要因，社会的文脈・状況を考慮して，捕食を伴う攻撃(predatory aggression)，雄雄間にみられる攻撃(intermale aggression)，テリトリーの防衛としての攻撃(territorial aggression)，母親動物が示す攻撃(maternal aggression)，恐怖によって引き起こされる攻撃(fear-induced aggression)，その他の攻撃(irritable aggression, instrumental aggressionなど)に分類されている。しかし，これらの分類においても基準が必ずしも一律ではなく，攻撃行動とみなされる行動をおおまかに分けて記述しただけであるといえる。また，冒頭の捕食を伴う攻撃については，対象がその動物種にとっての餌食動物種であり，攻撃行動ではなくむしろ摂食行動の一部としてみなすべきであると主張する研究者も多い。

　実際に表出される行動型に注目して，Blanchardらは，攻撃行動を積極的(offensive)攻撃と防御的(defensive)攻撃に分類して，その生理的，内分泌的基盤の分析を行っている(Blanchard & Blanchard, 1989)。積極的攻撃は，個体の生存や生殖にとって重要な餌，テリトリー，交尾相手などの獲得と維持に寄与する行動型であり，それに対して防御的攻撃は，他個体による攻撃によって傷つけられることから自己を防衛する行動型であるとされている。Brainらのグループも，攻撃行動を積極的なものと防御的なものに分けて同様に詳細な分析を行っている(Brain, 1980；Brain & Haug, 1992)。

　以上述べてきたように，捕食を伴う攻撃を除いて，攻撃行動は，餌，テリトリー，交尾相手などをめぐって同種の2個体以上の動物が示す対他個体社会行動の一部として表出される行動であるといえる。その際，個体間の優劣位の決定には，必ずしも我々が"攻撃行動と認識する"行動が表出されるとは限らない。相手個体に対して優勢を誇示する姿勢や行動型，服従を示す姿勢や行動型の表出で十分な場合もある。このようなことから，Scott(1966)は，同種の2個体以上の間での社会的インターラクション中に生起するすべての行動を包括した"agonistic behavior(敵対行動)"という用語を提唱している。Scottの主張は，攻撃行動(aggressive behavior)と服従行動(submissive behavior)を両極とした，同種他個体に対する社会行動である敵対行動を，個体間，個体，個体内生理の各レベルで分析的に

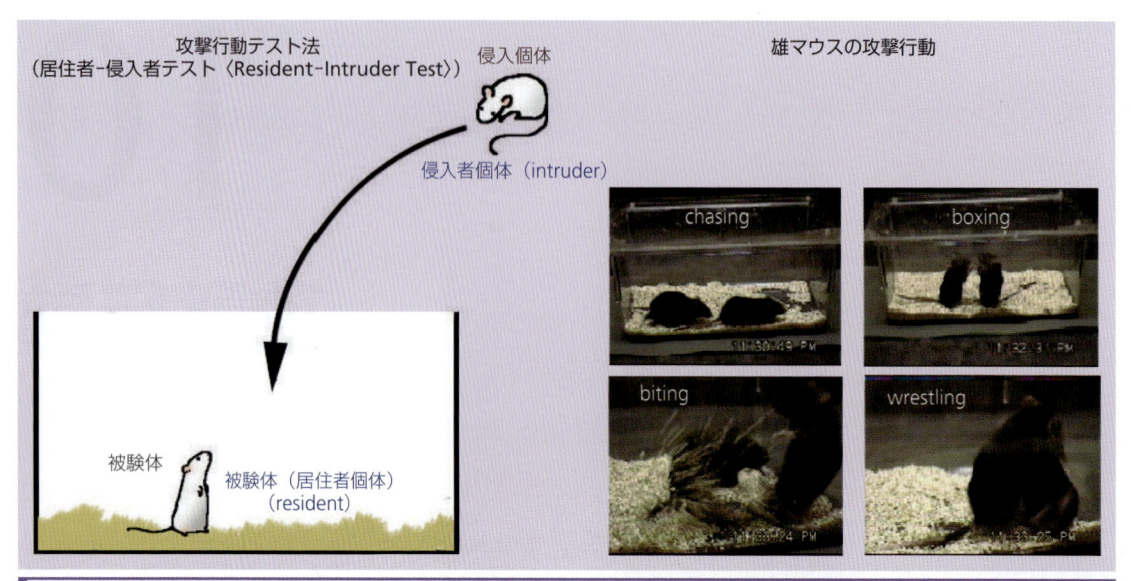

図10-1 実験室において最も広く用いられている攻撃行動テスト法と典型的な雄マウスの攻撃行動パターン

研究していくことこそが，攻撃性の研究には必須であるということである．しかしながら，agonistic behaviorとして神経内分泌基盤の解析を進める際には，攻撃と服従を同一次元上の現象として捉えるのか，あるいは別々のものとして，それぞれの表出レベルの高低を規定している要因を明らかにしていくのか，の区別を最初にはっきりさせておくことが肝心である(Nelson, 2005)．

ヒトにおいては，主に2種類の攻撃性が存在するとされており，それらは反応的(衝動的)攻撃性(reactive/impulsive aggression)と，道具的攻撃性(proactive/instrumental aggression)と呼ばれる．反応的攻撃性は，激しい怒りにより生じる攻撃行動で，衝動的であり，後先を考えない．例えば，蒸し暑くてイライラしているときに，道端で肩がぶつかった相手に対して，怒りが爆発して攻撃行動を示すような場合である．一方で，道具的攻撃性は，支配や目標物の獲得などの目的達成のために計画的に遂行されるものであり，「冷血」な攻撃性とも呼ばれる．いじめや家庭内暴力などは，相手を支配するという目的を持つ道具的攻撃性の表出の側面を持つことが多く，また強盗も金銭獲得という目的のための攻撃行動である．ヒトの場合，攻撃行動の表出は身体的なものに加えて，言語的，精神的な攻撃行動もみられる．動物の攻撃行動研究は，そもそも，適応的な行動としての動物行動学的な興味に基づいているのに対して，ヒトの攻撃性研究は，適応という概念から逸脱した過剰で病的な攻撃性を研究対象としているという違いがある．

10.1.2 実験室場面での攻撃行動の観察

Moyerの記述にもあるように，攻撃行動は，様々な環境条件，社会的文脈・状況において生起するのであるが，実際にその神経内分泌基盤を解析していくためには，当然のことながら，攻撃性の高低を測定できる信頼性の高い攻撃テスト場面を確立する必要がある．1950〜1970年代には，刺激強度を容易にコントロールできる電撃刺激によって惹起される攻撃行動(shock-induced aggression)テストや，ラットのマウス殺しやマウスのクリケット殺しといった捕食攻撃行動テストが用いられることが多かった．

1970年代以降には，主に雄マウスを用いた行動遺伝学的・行動内分泌学的解析において，隔離飼育によって惹起される攻撃行動(isolation-induced aggression)の測定が広く行われるようになった．野生雄マウスに比べて攻撃性の低い実験室雄マウスでも，テストに先立って最低2週間程度，単独で飼育すると攻撃行動がみられるようになることが知られている．このようなマウスの攻撃性を測定するテスト法としては，体重やホルモン条件などの要因をそろえた2匹の単独飼育マウスをまったく新奇なテスト環境で出会わせる方法(Homogeneous Set Test)や，単独飼育マウスの居住(ホーム)ケージ内に新奇個体を投入して行う方法(居住者-侵入者テスト〈Resident-Intruder Test〉)(図10-1)がある．後者の方法は，母親攻撃行動の測定や，もともと攻撃性の高いことが知られている雌雄のハムスターの攻撃行動測定にも広く用いられている．居住者である居住者個体(resident)は自身のテリトリー内で行動測定が行われるため，通常，標的刺激としての侵入してきた侵入者個体(intruder)に対して激しい攻撃行動を示し，多くの場合，優位個体となる．したがって，前述したagonistic behaviorの分析には必ずしも適さない．一方，侵入者個体が優位に立つほどの激

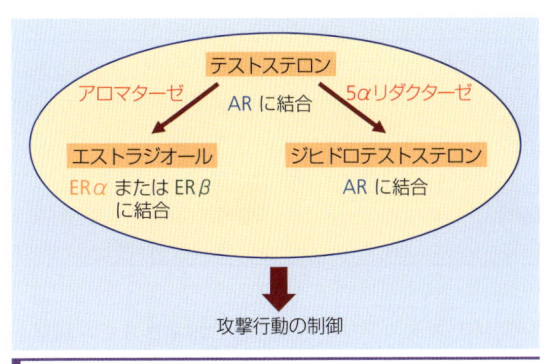

図 10-2 雄マウスの攻撃行動制御の基盤となる性ステロイドホルモンの作用経路

表 10-1 遺伝子ノックアウト雄マウスの攻撃行動

遺伝子	攻撃行動
アンドロゲン受容体	ほぼ消失
エストロゲン受容体α	ほぼ消失
エストロゲン受容体β	亢進(特に思春期)
アロマターゼ	ほぼ消失
オキシトシン	亢進(母親がヘテロマウスの場合は正常)
オキシトシン受容体	亢進
バソプレシン1a受容体	正常
バソプレシン1b受容体	減少
nNOS	亢進

しい防御的攻撃を示す場合や，"窮鼠猫を噛む"といった激しい防御的攻撃を示す場合には，本来の目的である居住者個体の攻撃行動の正確な測定が困難になってしまう。このため，侵入者個体の攻撃行動のレベルを一定に保つこと，すなわち，刺激個体の標準化が必要であるといえる。前述したように，単独飼育が雄の攻撃性を亢進することから，マウスの場合には，なるべく攻撃性の低い近交系統や選択交配系の雄個体を集団飼育して，侵入者個体として用いることが考えられる。10.2「ステロイドホルモンによる攻撃行動の制御」に詳しく述べるように，精巣を除去すると雄の攻撃行動は著しく低下するが，このような個体は少なくとも雄個体間(intermale aggression)での攻撃行動の測定には適さない。なぜならば，居住者個体は，侵入者個体の発する雄タイプのフェロモンに反応して，テリトリー防衛攻撃行動を示すのであり，精巣除去は侵入者個体の攻撃性ばかりでなくフェロモン分泌をも抑制してしまうからである。そこで，侵入者個体の嗅覚機能を化学的あるいは外科的に取り除く方法がしばしば用いられる。この場合，居住者個体は，侵入者個体の発するフェロモンを感知して攻撃行動を含むテリトリー防衛行動を示すが，侵入者個体自身は，フェロモンを感知できず攻撃をほとんど示さなくなるため，標準刺激として最適といえる。

10.2 ステロイドホルモンによる攻撃行動の制御

10.2.1 テストステロンによる雄の攻撃行動の亢進

多くの動物種では，通常，雌に比べて雄の攻撃性が高いことが知られている。このことから，精巣から分泌される性ステロイドホルモンであるテストステロンの血中濃度と攻撃性との因果関係が，広く研究されてきた。げっ歯類の多くの種では，雄の性行動と同様，雄個体間での攻撃行動もテストステロン量が急激に上昇する思春期に，最初の発現がみられる。精巣を除去すると，テストステロン量の減少とともに，攻撃行動が低下すること，さらにテストステロンの皮下投与により，攻撃行動の回復することが，数多くの研究で報告されている。これらのことから，テストステロンが雄同士の攻撃行動の亢進に関与していることは疑いがない。

テストステロンはアンドロゲンの一種であり，そのままの状態でアンドロゲン受容体に結合して作用する場合もあるが，代謝酵素により他のステロイドに非可逆的に転換されることも知られている。すなわち，テストステロンは，5α-リダクターゼ(還元酵素)によりジヒドロテストステロンに代謝されてから，アンドロゲン受容体に結合して作用する場合や，アロマターゼ(芳香化酵素)によりエストラジオールに転換されてエストロゲン受容体に結合して作用する場合がある(図10-2)。精巣除去した雄マウスに，テストステロン，ジヒドロテストステロン，エストラジオール，あるいはジヒドロテストステロンとエストラジオールをあわせて投与して，攻撃行動がどのように回復するのかを比較検討した実験から，テストステロンによる攻撃行動の亢進には，程度の差こそあれ，これらの3種類の作用経路がいずれも関与していることが確かめられている。中でも，エストラジオールに代謝されたうえでエストロゲン受容体に対する作用を介する経路の重要性は1970年代からたびたび指摘され，攻撃行動の芳香化仮説(aromatization hypothesis)として提唱されている。すなわち，精巣除去された雄マウスにテストステロンの代わりに，エストラジオールを投与しても，ある程度の攻撃行動が回復すること，また，テストステロンとアロマターゼの抑制剤を同時投与すると，テストステロンの行動効果が著しく低下することが確かめられている(Bowden & Brain, 1978)。

1990年代以降には，ノックアウトマウスを用いた攻撃行動解析が行われるようになった(表10-1)。アロマターゼのノックアウトマウスでは，エストラジオー

表 10-2　性ステロイドホルモンによる雄マウスの攻撃行動の制御

新生仔期でのホルモン処置	成体期でのホルモン処置	攻撃行動
なし	なし	正常レベル
なし	精巣切除	消失
なし	精巣切除後にアンドロゲン	攻撃行動の回復
精巣切除	なし	消失
精巣切除	アンドロゲン	攻撃行動の部分的回復
精巣切除後にアンドロゲン	アンドロゲン	攻撃行動の回復

ルへの代謝が起こらないために血中テストステロン量が増大しているにもかかわらず，攻撃行動がまったく出現しないことが報告されている(Toda et al, 2001)。さらに，ステロイドホルモン受容体のノックアウトマウスの行動解析では，アンドロゲン受容体とエストロゲン受容体α(ERα)が，攻撃行動の発現に必要であることを示唆する結果が得られている。すなわち，精巣除去前，あるいは精巣除去後にテストステロンを投与した場合の双方において，アンドロゲン受容体(Sato et al, 2004)やERα(Ogawa et al, 1997, 1998)のノックアウトマウスは，ほとんど攻撃を示さない。一方，エストロゲン受容体β(ERβ)ノックアウトマウスでは，攻撃行動の低下はみられないばかりか，思春期や精巣除去後のテストステロン投与によって引き起こされる攻撃行動のレベルはむしろ亢進することが報告されている(Ogawa et al, 1999, 2000；Nomura et al, 2002, 2006)。ただし，次項で述べるように，攻撃行動の制御においても，ステロイドホルモンは活性作用に加え，形成作用を持つため，これらのノックアウトマウスの攻撃行動の解析からだけでは，両者を区別することはできないことに注意すべきである。

10.2.2 性ステロイドホルモンの形成作用と攻撃行動

相手"雄"個体からの嗅覚的刺激によって惹起されるテストステロン依存的な攻撃行動を"雄型の攻撃行動"と定義し，その発現が性ステロイドホルモンの形成作用や活性作用によりどのように決定されるかについて，詳しい解析が行われてきた。Simonらのグループ(Simon et al, 2006；Simon & Whalen, 1987)やEdwardsらのグループ(Edwards, 1968, 1971；Motelia-Heino et al, 1993)による一連の実験では，出生後6日以内に新生仔雄マウスを精巣除去し，成体になってからテストステロンを投与した場合は，成体になってから精巣除去してテストステロンを投与した場合ほどの攻撃行動の回復はみられない。しかし，出生後6日以内での精巣除去と同時にテストステロンを投与すれば，成体時でのテストステロン処置に対する完全な回復がみられることが報告されている(表10-2)。同様に，雄型の攻撃行動，すなわち雄様のフェロモン刺激によって引き起こされる雄個体への攻撃行動は，新生仔期にテストステロン処置された雌マウスでも観察される。これらのことから，性ステロイドホルモンの形成作用が，攻撃行動の発現にも重要な役割を果たしているといえる。新生仔期でのジヒドロテストステロン処置は，テストステロンやエストラジオール処置に比べて効果が低いことが知られている。また，アロマターゼのノックアウトマウスでは，出生後1日以内にエストラジオール処置を開始するとほぼすべてのマウスで成熟後に攻撃行動が発現するのに対し，出生後7日以内での処置開始では攻撃行動の発現が約1/3の個体に減少してしまい，エストラジオール処置開始が出生後7日以降になると，攻撃行動をまったく示さなくなることが報告されている(Toda et al, 2001)。これらのことから，新生仔期にエストロゲン受容体が活性化されることが，テストステロン依存的な雄型の攻撃行動の発現に必要であると考えられる。前述したエストロゲン受容体ノックアウトマウスの研究結果から，この攻撃行動に対する新生仔期のエストロゲン作用の効果にはERαへの刺激が重要であることが示唆されている。

10.3 攻撃行動の発現制御に関わる神経回路と性ステロイドホルモン

10.3.1 攻撃行動の発現制御に関わる神経回路

攻撃行動に関わる脳領域の多く(図10-3)は，性行動やその他の社会行動に関わる脳領域と重複していることから，「社会行動の神経回路」と捉えたほうが適切であろう(Newman, 1999)。げっ歯類において，社会的な情報は主に嗅覚から得られるため，嗅球がその入り口として重要な役割を果たす。社会的情報の検出には，においを検出する嗅上皮から主嗅球への入力とフェロモンを検出する鋤鼻器から副嗅球への入力の両者ともが関与するが，攻撃行動の誘発には特に鋤鼻器を介した情報が必須である。雄の尿に含まれるタンパク質であるMUP(major urine protein)や，涙に含まれるESP1は，他個体に雄情報を伝えるフェロモンとしての役割を持つ(詳しくは6章「種内コミュニケーショ

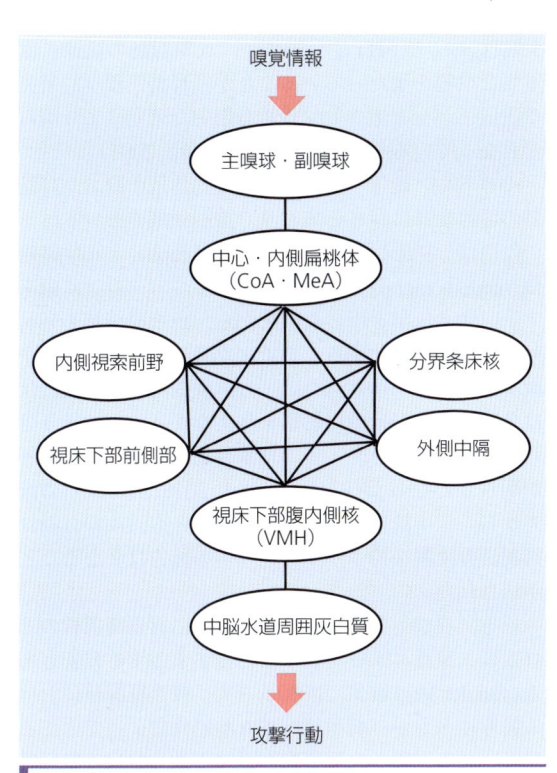

図10-3 攻撃行動に関わる脳領域

は、MeApdのγアミノ酪酸(GABA)作動性ニューロンの活性化はVMHvlと同様、光刺激依存的に去勢雄や雌に対しても攻撃行動を誘発する。一方、MeApdのグルタミン酸作動性ニューロンの活性化は、社会行動を抑制し、自己グルーミング(毛づくろい行動)が増加する(Hong et al, 2014)。このことから、MeApdのGABA作動性ニューロンの活性化が、攻撃行動の座であるVMHvlを活性化すると考えられる。他にも、VMHvlの活性を制御することで攻撃行動に関与する領域が次々と明らかになってきている。外側中隔の抑制性GABA作動性ニューロンはVMHvlに投射しており、この投射系を活性化すると攻撃行動は抑制される(Wong et al, 2016)。また、興味深いことに、攻撃行動には概日リズムがあり、概日リズムの中枢である視交叉上核は、室傍核を介してVMHvlニューロンの活動を変化させることで攻撃行動の日内変動を生じさせていることが明らかにされている(Todd et al, 2018)。

10.3.2 攻撃行動に関わる神経回路と性ステロイドホルモン

10.2「ステロイドホルモンによる攻撃行動の制御」で概説した性ステロイドホルモンによる攻撃行動の制御には、脳内に局在する各々の受容体への結合が不可欠である。アンドロゲン受容体、ERα、ERβは、いずれも、攻撃行動への関与が指摘されている脳部位に多く存在している。これらの脳部位におけるステロイドホルモン受容体は、攻撃行動の調節に関わる様々な遺伝子の発現を転写制御因子として調節していると考えられる。例えば、VMHvlにはERαやプロゲステロン受容体が局在しており、VMHvlのERα発現を欠損させたり、プロゲステロン受容体発現ニューロンを特異的に破壊すると、雄の攻撃行動が減少する(Sano et al, 2013 ; Yang et al, 2013)。逆に、光遺伝学などを用いてVMHvlのERα発現ニューロンを特異的に活性化させると、雌雄どちらでも攻撃行動が誘発されると報告されている(Lee et al, 2014 ; Hashikawa et al, 2017)。

攻撃行動の神経回路の発達過程において、性ステロイドホルモンによる形成作用が重要な役割を持つことも明らかとなっている。遺伝子発現ノックダウンの手法によって、思春期前にMeAのERαを欠損させると、攻撃行動がほとんど出現しなくなる。しかし、成体期になってからMeAのERαを欠損させた場合は、攻撃行動は適切に出現する(Sano et al, 2016)。このことは、思春期におけるERαを介したエストロゲンの作用が、MeAにおける攻撃行動の神経回路の形成に不可欠であることを示している。それに対して、VMHvlでは、成体期におけるERαノックダウンによって攻撃行動が出現しなくなることから(Sano et al, 2013)、VMHvlではERαを介したエストロゲンの活性作用が攻撃行動の発現に不可欠であるといえる。

ン」を参照)。前述したが、精巣除去によってこのフェロモン分泌は抑制され、また社会的に優位な個体の尿中には、劣位の個体のものよりも強いフェロモン情報が含まれていることが知られている(Jones & Nowell, 1973)。嗅球からの情報は嗅皮質や内側扁桃体(medial nucleus of amygdala : MeA)へ投射され、そこからさらに分界条床核、内側視索前野、外側中隔、視床下部前部、視床下部腹内側核、中脳水道周囲灰白質などを介して、攻撃行動が制御されている。近年、遺伝子ノックダウンや光遺伝学(optogenetics)、薬理遺伝学(DREADD)などの技術を用いて、脳内の特定の神経細胞や特定の神経回路の操作とその影響の観察を行うことが可能となってきており、それまでに報告されてきた攻撃行動に関わる神経回路が、特定の投射先や細胞種レベルでより詳しく解析されている。光遺伝学を用いた実験によって、視床下部腹内側核腹外側部(ventrolateral part of ventromedial hypothalamus : VMHvl)を刺激すると、雄マウスは雌に対しても人工物である手袋に対しても攻撃行動を示すようになる(Lin et al, 2011)。攻撃的かみつき行動はVMHvlの光刺激により誘発され、光刺激をやめると攻撃も終了することから、VMHvlは攻撃行動の発現に関わる座であるといえる。副嗅球から入力を受けてVMHvlに社会情報を送るMeA後背側部(posterodorsal part of MeA : MeApd)は、細胞種によって攻撃行動に対する効果が異なることが明らかとなっている。具体的に

一方，近年の研究では，細胞膜に存在するステロイドホルモン受容体を介した non-genomic な作用による攻撃行動の調節を示唆する結果も報告されている．例えば，冬期の短日照明条件下（8 時間明期：16 時間暗期）では，エストロゲンは雄マウスの攻撃行動を急性的（処置後 1 時間以内）に促進することが確かめられている（Trainor et al, 2007, 2008）．

10.4　攻撃行動の発現制御に関わる脳内分子機構

10.4.1　オキシトシン，バソプレシンによる攻撃行動の調節

　雄の攻撃行動への関与が指摘されている主なペプチドホルモンには，オキシトシンとバソプレシンがある．オキシトシンは，近年，愛着行動（affiliative behavior）や社会的認知行動への促進作用が注目を集めているが，雄マウスの攻撃行動に抑制的に働いている可能性を示唆する結果も得られている．すなわち，オキシトシンノックアウト（OTKO）（Winslow et al, 2000）やオキシトシン受容体ノックアウト（Takayanagi et al, 2005）の雄マウスでは，攻撃行動の亢進がみられることが報告されている．ただし，OTKO マウスでの攻撃行動の亢進は，OTKO を母親とする OTKO 雄マウスにのみで観察され，遺伝子を一方だけ欠損したヘテロ接合体の母親から生まれた OTKO 雄マウスではみられなかったことから，胎仔期に胎盤を通して母体由来のオキシトシンに曝露されることが重要であることが示唆されている．

　一方，バソプレシンは，雄の攻撃行動に促進的に働くことが，ハムスターを用いた Ferris らの一連の解析で明らかにされている（Ferris, 2005）．すなわち，雄ハムスターの攻撃行動の促進には，テストステロンによる調節を受ける V1a 受容体（Ferris et al, 2006）および V1b 受容体（Blanchard et al, 2005）の関与が示唆されている．それに対して，雄マウスでは，V1a 受容体を欠損すると嗅覚機能の変容がみられたものの，攻撃行動そのものには変化がみられないこと（Wersinger et al, 2007a），一方，V1b 受容体のノックアウトマウスでは，攻撃行動，特に offensive attack が減少していること（Wersinger et al, 2004, 2007b）が報告されている．

10.4.2　セロトニンと攻撃行動

　セロトニンは，攻撃行動への関与が最も明確になっている神経伝達物質である．脳内セロトニン量を減少させたり，セロトニン受容体の活性を抑制したりすると，攻撃行動が亢進することが，数多くの動物種で確かめられている．現在，同定されているセロトニン受容体は，少なくとも 14 あるとされているが，中でも 5-HT$_{1A}$ および 5HT$_{1B}$ 受容体が，攻撃行動の調節には重要な役割を果たしていることが，行動薬理学的研究や遺伝子ノックアウトマウスを用いた研究により明らかとなっている（Nelson & Chiavegatto, 2001）．

　セロトニン産生ニューロンの細胞体は中脳および延髄の縫線核群に存在しており，前脳領域のセロトニンの作用は，中脳の背側縫線核（dorsal raphe）と正中縫線核（median raphe）のセロトニン産生ニューロンに由来する．光遺伝学を用いた研究から，正中縫線核を光刺激によって活性化することでマウスの雄間攻撃行動が減少することが示された．一方，背側縫線核の活性化は急性では攻撃行動に影響を与えなかったが，繰り返し刺激を行うことで，後の攻撃行動を減少させることが明らかとなった（Balázsfi et al, 2018）．これらの研究から，正中縫線核と背側縫線核はともに攻撃行動に抑制性の役割を持つが，その作用の仕方は異なることが示された．

　一方，攻撃行動を行っている最中に背側縫線核のセロトニン産生ニューロンが活性化するとする報告もある（van der Vegt et al, 2003）．また，背側縫線核における興奮性入力が，刺激雄への直前感作によって生じる雄マウスの過剰な攻撃行動や雌マウスの母親攻撃行動に関与することも示されており（Takahashi et al, 2015；Muroi et al, 2018），特に攻撃行動の亢進の際にセロトニンの放出が増加していることが示されている．ただし，背側縫線核にはセロトニン産生ニューロン以外の細胞も存在しており，細胞種や投射先によって攻撃行動への影響が異なることが明らかになりつつある．また，行動薬理学的研究から，特定のセロトニン受容体サブタイプに作用する作動薬が，脳領域によって攻撃行動に逆方向の作用を示すことも明らかとなっている．セロトニンと攻撃行動の関係は，脳領域や攻撃行動の種類によっても異なり，さらに基礎値としてのセロトニン量と，行動に応答して生じるセロトニン放出は，攻撃行動に対して異なる役割をしているようである．

　これまで述べてきたステロイドホルモンやペプチドホルモンによる攻撃行動の制御も，脳内セロトニン系への影響を介したものである可能性が高い．すなわち，攻撃行動の発現調節に関わっているとされる脳部位，特に，外側中隔，内側視索前野，内側扁桃体，分界条床核などでは，性ステロイド受容体とセロトニン受容体を共発現する細胞がしばしばみられ，実際に，テストステロンやエストロゲンが 5-HT$_{1A}$ や 5HT$_{1B}$ 受容体の作用に影響を及ぼしていることが知られている．また，背側縫線核のセロトニン産生ニューロンにも，ERβ が共発現していることも報告されている．バソプレシンの脳内投与による雄ハムスターの攻撃行動の促進作用も，あらかじめセロトニンの再取り込み阻害剤を与えると，消失してしまうことが見い

だされている。

10.4.3 ドーパミンと攻撃行動

攻撃行動の結果として"勝つ"という体験には，強い報酬価があることも明らかとなっている．オペラント条件づけ学習パラダイムを用いて，レバー押し行動の報酬として侵入者雄をオペラント箱に提示すると，マウスはレバーを頻繁に押すようになる(Fish et al, 2002；Golden et al, 2017)．また，条件性場所選好(conditioned place preference：CPP)テストにおいて，一方の箱では侵入者雄と出会わせて攻撃行動を示すことができるようにし，もう一方の箱では侵入者は提示されず1匹で時間を過ごすことを条件づけると，攻撃行動を示した個体は選択場面において，侵入者を得られた箱を選好し，そこに長く滞在するようになった．その一方で，攻撃行動を示さなかった個体は，侵入者がいた箱を避け，1匹でいた箱を選好するようになった(Golden et al, 2016)．これらのことから，脳内報酬系が攻撃行動に関与すると考えられ，特に攻撃的な個体では攻撃の実行により報酬系の活性化が起こっていると考えられる．

実際，攻撃行動中には側坐核におけるドーパミンの放出が増加する(van Erp & Miczek, 2000)．さらに，毎日特定の時間に攻撃行動テストを行うと条件づけが成立し，その時間に向けて側坐核のドーパミンが増加するようになる(Ferrari et al, 2003)．このことから，攻撃行動自体だけでなく，攻撃場面を期待するだけでドーパミンの放出が増加することが明らかとなっている．さらに，光遺伝子を用いて，腹側被蓋野のドーパミンニューロンを活性化させると攻撃行動が増加することも明らかとなっている(Yu et al, 2014)．

10.4.4 その他の脳内物質と攻撃行動

セロトニン以外にも，GABAやオピオイドなどほとんどの神経伝達物質が，何らかの形で攻撃行動の調節に関与している．さらに，Nelsonらによる一連の研究(Nelson et al, 2006)は，神経組織型の一酸化窒素合成酵素(neuronal nitric oxide synthase：nNOS)が，雄マウスの攻撃行動に抑制的に作用していると報告している．すなわち，nNOSノックアウトマウス(Nelson et al, 1995)やnNOS抑制薬を投与された雄マウス(Demas et al, 1997)では，攻撃行動の著しい亢進がみられる．nNOSノックアウトマウスの血中テストステロン濃度は，野生型との間に違いがなかったことから，攻撃行動の亢進が単にホルモン環境の違いによるものでないことは明らかである．ただし，性腺除去されたnNOSノックアウトマウスでは，攻撃行動の亢進はみられないこと，テストステロン投与により攻撃行動の亢進作用が回復したことから，ノックアウトマウスでの攻撃行動の増大には，ステロイドホルモンが必

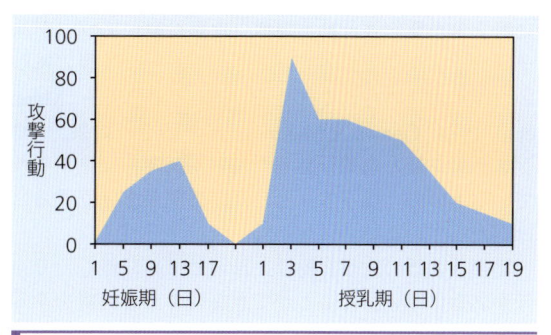

図10-4 妊娠，授乳期のマウスの攻撃行動の変化

須であることがわかっている(Kriegsfeld et al, 1997)．一方，内皮型の一酸化窒素合成酵素(endothelial nitric oxide synthase：eNOS)ノックアウトマウスでは，攻撃行動が消失したことから，eNOSは攻撃促進作用があることが示唆された(Demas et al, 1999)．さらに，彼らのその後の解析では，nNOSノックアウトマウスでの攻撃行動の亢進は，脳内セロトニン系機能の低下によるものであることが見出されている(Chiavegatto et al, 2001；Chiavegatto & Nelson, 2003)．したがって，前述したホルモンだけでなく，nNOSによる攻撃行動の調節も脳内セロトニン系を介していることが示唆される．

10.5 母親攻撃行動の神経内分泌基盤

10.5.1 母親攻撃行動のホルモン基盤

雌個体で，時として雄よりも激しい攻撃行動がみられるシリアンハムスターを除いて，多くのげっ歯類では，前述したようにテストステロン処置をされない限り雌個体が自発的に攻撃行動を示すことはあまりないとされている．唯一の例外は，妊娠中や出産後の雌にみられる母親攻撃行動と呼ばれるものである．この時期の雌は，雄に対しても激しい攻撃行動を示す．Moyerの分類では，出産後の仔を養育中の雌個体にみられる巣防衛的な攻撃行動と定義されている．しかし，その後の多くの研究においては，マウスでは妊娠初期から，ラットやハムスターでも妊娠後期になると，処女期に比べて攻撃行動の著しい増加がみられることが報告されており，現在では，妊娠期および出産後期の各々について，攻撃行動発現のホルモン基盤の研究が進められている(図10-4)．

母親攻撃行動は，基本的に生殖状態の変化に伴って発現の亢進がみられるため，妊娠・出産・授乳を支えているホルモンが，その発現機序として重要な役割を果たしていると考えられる．妊娠期初期には，プロゲステロンが急激に上昇するのに対して，エストラジオールは低レベルに維持されていることから，妊娠期

に特異的な巣作り行動と同様，攻撃行動にもプロゲステロンが促進的に働いているであろうとの仮説に基づいた解析が進められてきた（Broida et al, 1983；Mann et al, 1984；Ogawa & Makino, 1984）．その結果，プロゲステロン量と攻撃行動との間の相関関係は見出されているものの，はっきりとした因果関係を確立するにはいたっていない．

出産後の雌の攻撃行動は，母親と仔を分離したり，仔が乳首に吸い付くことができないような処置をすると急速に減少することから，乳首への刺激が重要な役割を果たしていることが示唆されている（Svare & Gandelman, 1976；Svare et al, 1980）．そこで乳汁分泌に直接的に関与し，授乳期の雌で大きな変化がみられるホルモンであるプロラクチンについて，攻撃行動との関係を検討した研究が数多く行われてきた．その結果，抑制薬投与や下垂体切除などにより血中プロラクチン量を操作しても，攻撃行動の発現には変化がみられないことが報告されている（Mann et al, 1980；Broida et al, 1981）．ラットを用いた近年の研究では，プロラクチン量の高低が攻撃行動の高低を決定しているのではなく，むしろ授乳期の母親が攻撃行動テスト中に侵入者雄ラットと接触する経験によって，血中プロラクチン量が変化する可能性が指摘されている（Consiglio & Bridges, 2009）．

授乳期の攻撃行動との関係が指摘されているもう一つのホルモンは，オキシトシンである．オキシトシンは，仔による乳首への吸い付き刺激により血中に放出されミルクの射出を促す．前述したようなオキシトシンやオキシトシン受容体のノックアウトマウスでは，出産は正常にできるがその後の仔の成長に必要な授乳ができないため，出産後雌の攻撃行動へのオキシトシンの関与を検討するには不向きである．ラットを用いた研究では，オキシトシンの産生ニューロンが局在する視床下部室傍核での局所的なオキシトシン分泌と攻撃行動のレベルには正の相関がみられ（Bosch et al, 2004, 2005），室傍核の破壊により攻撃行動が抑制される（Consiglio & Lucion, 1996）ことが報告されている．また，オキシトシン受容体が局在する扁桃体中心核でも，局所的なオキシトシン分泌と攻撃行動のレベルには正の相関がみられ（Bosch et al, 2005），この部位へのオキシトシンの投与により授乳期雌ハムスターの攻撃行動の亢進がみられることが知られている（Ferris et al, 1992）．これらのことから，前述した雄個体の攻撃行動の場合とは逆に，オキシトシンは，授乳期雌の攻撃行動には促進的に働いていることが示唆される．また，オキシトシンは不安関連行動の制御に深く関与していることから，オキシントシンによる授乳期雌の攻撃行動の発現の制御と，この時期に特有な不安・ストレス反応との関係もしばしば検討されている．

10.5.2　母親攻撃行動の脳内分子機構

母親の攻撃行動の脳内分子機構が，"雄型"の攻撃行動とどのように異なるのかは，Dulacらのグループの近年の研究（Kimchi et al, 2007）を待つまでもなくきわめて興味深い問いである．前述したように，脳内のオキシトシン量と攻撃行動との関係は，母親攻撃行動と雄型の攻撃行動とでは正反対であることがわかっている．さらに，Nelsonらの解析によれば，雄マウスで攻撃行動に抑制的に働いていることが知られているnNOSは，授乳期雌マウスの攻撃行動にはむしろ促進的に働いていることが見出されている（Gammie & Nelson, 1999；Gammie et al, 2000a）．一方，eNOSノックアウトマウスでは，雄マウスの攻撃行動がほぼ消失しているのに対し，母親攻撃行動はまったく影響を受けないことが報告されている（Gammie et al, 2000b）．Gammieらは，さらに，母親攻撃行動のレベルを基に選択交配された高母親攻撃性の雌マウスと通常（選択交配されていない）の雌マウスの授乳期における視床下部および内側視索前野の遺伝子発現を，DNAマイクロアレイ法を用いて比較検討している．その結果，約200の遺伝子の発現が両者の間で大きく異なり，その中には高攻撃性マウスで発現量の増大しているnNOSも含まれていることを報告している（Gammie et al, 2007）．今後，母親の攻撃行動と"雄型"の攻撃行動の発現調節にみられるこれらの違いをもとに，母親の攻撃行動の脳内分子機構の解明に迫る研究が展開されることが大いに期待されるところである．

10.6　おわりに

本章では，攻撃行動の神経内分泌基盤について，実験室マウス，ラットでの研究に焦点をあてて概観してきた．ホルモンによる攻撃行動の制御については，その他の動物種，特に，魚類，鳥類，サルや野生の大型哺乳類においても，多くの優れた研究成果が報告されている．さらに，思春期をはじめとしたヒトの攻撃性の発達的変化やその性差を考えるうえでも，ホルモンはきわめて重要な要因である．それらについては他書に譲ることにしたい．

11 個体間のきずなの形成と維持

11.1 つがいのきずな形成と維持

11.1.1 個体間関係の分類

　あらゆる動物は他個体との関係の中で生活を営んでいる。日常的に集団生活を営む動物種もあれば単独生活を基本として繁殖期にのみ他個体に接近する動物種もある。また、同じ種でも、季節により集団性または単独性に変化する動物種や、性別によって異なる動物種もある。さらに、集団で生活していても、あまり個体間の関連が強くなくて単なる集合状態を形成している種もあれば、緊密な個体間関係のみられる社会的集団を形成している種もある。動物の生息形態は、多種多様だといえよう。緊密な個体間関係のみられる動物種の場合、他個体との個体間関係を分類すると、親仔間のもの、異性成体間のつがい形成に関係するもの、そして同性成体間の仲間関係的なものがある。個体間のきずなの実験室研究は、現象的には、アカゲザルの仔を用いてHarlowが行った代理母実験に始まる愛着形成とその発達、そして分離不安研究の流れやその発展としてみられた隔離飼育と行動の発達異常研究の流れなどが端緒的なものといえるだろう。きずな研究に関する親仔関係の問題は本書では他章にその話題は譲ることとし、本章では異性成体間のきずな形成、いわゆるつがいのきずな形成の問題と同性個体間の社会的関係とその発達の問題に焦点をあてて論じたい。

11.1.2 つがい形成システム

　個体間のつながりに関して広く取り上げられることの多い問題が繁殖システムに関するものだ。つがい形成システムは、大きく分けると単婚制（一夫一妻制）と複婚制とに分けられ、複婚制はさらに一夫多妻制、一妻多夫制、多夫多妻制、乱婚制に分けられる。また、繁殖期にのみ雌雄が遭遇し、子育ては雌雄共同では行わない動物種もあれば、恒常的にあるいは繁殖期にのみ同じテリトリーを共有して子育てを雌雄共同で行う動物種もある。複婚制の一夫多妻や一妻多夫の場合には「多数」側にあたる性が子育てをもっぱら行うことが多く、「一個体」側にあたる性がテリトリーを防衛して餌資源を確保する役割を果たす。例えば、一夫多妻制の場合には、雄がこのようにテリトリーを防衛して餌資源を確保し、雌が子育てをもっぱら行う。逆に、マダライソシギなどでみられる一妻多夫制では、雌は体の大きさも雄よりも大きく、広いテリトリーを防衛して複数の雄とつがい、雄が子育てをもっぱら行う。このように、繁殖システムは、雌雄の関わり方の点以外に子育ての仕方やテリトリー防衛行動とも深い関わりがある。一夫一妻制の場合には、雌雄がともにテリトリーを防衛し、共同で子育てに関わる行動がみられることが多い。

　動物種によってこのようにつがい形成システムには大きな違いがみられるが、同じ種でも一夫一妻制と一夫多妻制とが変化することがある。また一夫多妻制においても何匹の雌とつがい形成するかには個体によって差異がみられる。このように、つがい形成システムが変動する要因、あるいはつがい形成相手の数が増減する要因に関しては、それを餌資源の豊富さによって説明する仮説がある。餌資源が豊富な場所では一夫多妻制につがい形成システムは移行し、餌資源が乏しい場所では一夫一妻制に移行するという仮説だ（図11-1）(Orians, 1969)。

　図11-1では、縦軸の「雌の適応度」は雌の繁殖成功率（育て上げることのできる仔の数）を意味する。横軸の「なわばりの質」はテリトリー内における餌資源の豊富さを意味する。図11-1の中に示された曲線は、一夫一妻制および一夫多妻制での第一位雌になった場合の適応度結果（上位の線）と一夫多妻制での第二位雌になった場合の適応度結果（下位の線）を表す。図11-1の横軸のX点に相当する餌資源のテリトリーを保有する雄とつがい形成をする場合、第二位雌になること

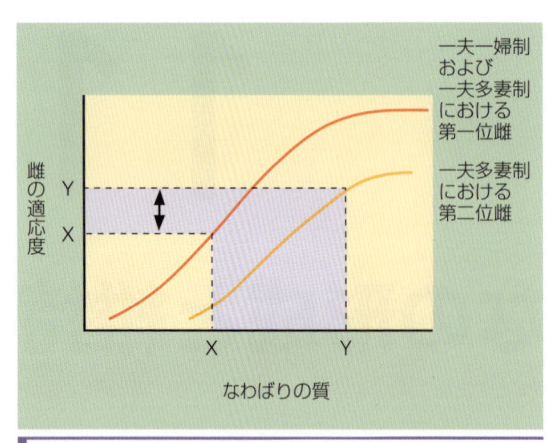

図 11-1　餌資源とつがい形成システムとの関係を表すOriansの仮説（Orians, 1969より改変）

は非常に適応度が低いが，Y点に相当する餌資源のテリトリーを保有する雄がいた場合には，その第二位雌となるほうがX点のテリトリーを保有する雄の第一位雌になるよりも適応度が高くなる。よって，餌資源の豊富なところでは一夫多妻制が出現するというのがOriansの仮説だ。

このように，繁殖システムの形態は同じ種でも変動することがあり，種によっては環境が変化しても変動しない。そして，つがい形成のタイプとその機能に関しては，このような変動の仕方をもとに諸仮説がある。一方，行動生理学的観点からは，このような繁殖システムを維持するメカニズムの問題として，つがいがいかにしてそのきずなを形成し，維持し続けるのかに関する研究が数多くなされ，興味深い成果を挙げてきた。

11.1.3　雌雄のきずなの形成と維持

哺乳類では一夫一妻制のつがい形成システムを示す種は非常に少なく，全体のわずか3％といわれる（Kleiman, 1977）。プレーリーハタネズミ（*Microtus ochrogaster*）は，哺乳類の中のこのようなごくわずかな種の一つで，なおかつ同じ属内に一夫多妻制のつがい形成システムを示す種サンガクハタネズミ（*M. montanus*）やアメリカハタネズミ（*M. pennsylvanicus*）

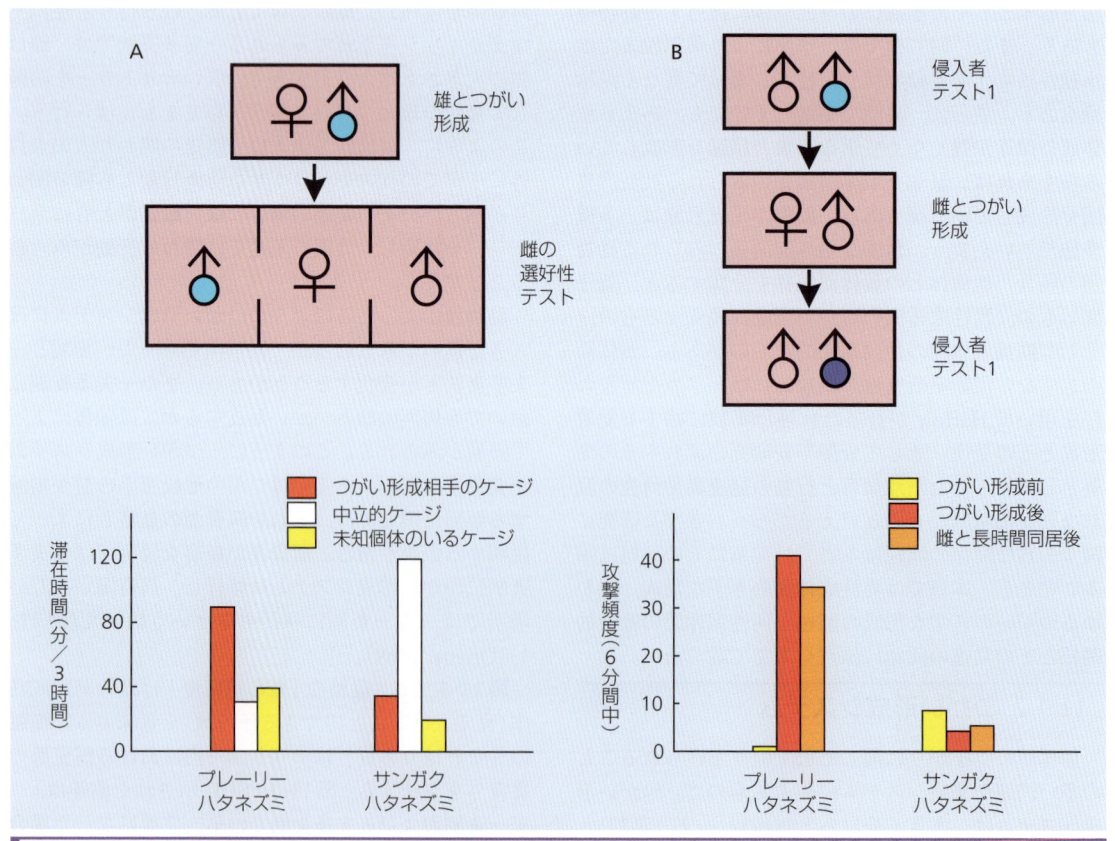

図 11-2　つがい形成が雌雄間のきずな形成と攻撃性に及ぼす影響　A：つがい形成後につがい形成相手に対して示した選好性。3時間の選好性テスト間につがい形成相手がつながれているケージ，空のケージ，未知個体がつながれているケージに滞在した時間を棒グラフは示している。プレーリーハタネズミ（n＝10）は一夫一妻制，サンガクハタネズミ（n＝9）は乱婚制のつがい形成システムを持つ。B：つがい形成前後における攻撃性の変化。雄は雌と24時間つがい形成するが，その前と後にそれぞれ6分間の侵入者テストを受け，攻撃性を調べられる。プレーリーハタネズミではつがい形成の後にはつがい形成前に比べて攻撃性が40倍に上昇するが，サンガクハタネズミでは変化がみられない。（Insel, 1997より改変）

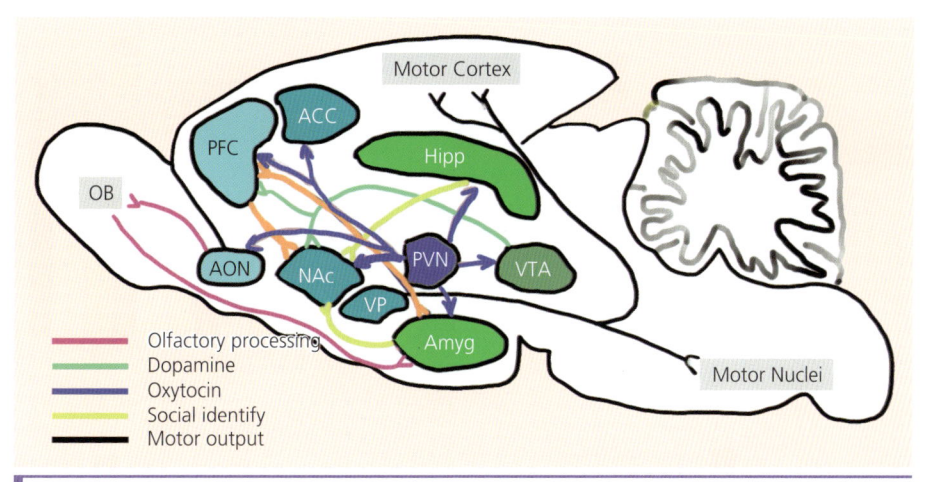

図 11-3　雌雄間きずな形成に関わる神経ネットワーク　雌雄間きずな形成には報酬系（青）が中心的な役割を果たしている。各経路の説明：嗅覚経路（Olfactory processing），ドーパミン経路（Dopamine），オキシトシン経路（Oxytocin），個体認知（Social identify），運動出力（Motor output）。赤線は嗅覚系による個体識別に，黄線はその記憶に関わる神経投射経路を示す。室傍核（paraventricular hypothalamic nucleus：PVN）からオキシトシンニューロンがネットワーク全体を修飾する。前頭前野（prefrontal cortex：PFC），側坐核（nucleus accumbens：NAc），腹側淡蒼球（ventral pallidum：VP），嗅球（olfactory bulb：OB），扁桃体（amygdala：Amyg），前嗅核（anterior olfactory nucleus：AON），腹側被蓋野（ventral tegmental area：VTA），海馬（hippocampus：Hippo），前帯状皮質（anterior cingulate cortex：ACC），運動野（Motor Cortex），運動核（Motor Nuclei）。（Walum & Young, 2018 より改変）

もいることから，つがい形成システムが異なっている以外は非常によく似た近縁種間で比較することが可能な好適モデル動物として1980年代から注目され，研究されてきた。

プレーリーハタネズミは，一夫一妻制の動物種に典型的な行動諸様式を示す。雌雄は同じ巣を共有し，雄も育児に加担し，侵入者はその性別にかかわらず攻撃され，つがいの一方が死んだ場合には残った個体のうちわずか20％しか再びつがい形成せず（これは残った個体の性別に関わらない）（Getz et al, 1993），仔は親と同居している間は性的に成熟しない（Carter et al, 1987）。一夫一妻制のプレーリーハタネズミと乱婚制のサンガクハタネズミを用いた選好性実験では，同じ種の雌雄を1つのケージに24時間同居させた後に3連ケージの一方の端側のケージに同居相手の雄をつなぎ，もう一方の端のケージに未知雄をつなぎ，雌に自由に3連ケージの中で過ごさせた。そうすると，プレーリーハタネズミの場合には同居相手雄のいるケージに長時間滞在し，サンガクハタネズミの雌は誰もいない中央のケージに長時間滞在した（図11-2A）（Insel, 1997）。一方，攻撃性を調べる居住者侵入者テスト実験では，侵入者を居住者のホームケージ内に6分間入れて反応が観察された。サンガクハタネズミではつがい形成の前でも後でも侵入者に対する攻撃性は低かったが，プレーリーハタネズミではつがい形成前には攻撃性が低く，つがい形成後に非常に攻撃性が高くなった（図11-2B）（Insel, 1997）。

このような雌雄間のきずなの形成には脳の前頭前野（prefrontal cortex），側坐核（nucleus accumbens），そして腹側淡蒼球（ventral pallidum）が特に関連しているといわれている（図11-3）。これらの領域は，食物を食べることで得られる快感や薬物中毒を引き起こすもとになる薬物に対する快感と深い関係のある領域で報酬系の神経回路と呼ばれ，この報酬系神経回路ではドーパミンが中心的な役割を果たしているとされている（図11-3）。つがい形成には，食物摂取や薬物中毒と同じ報酬系神経回路が関わっていることになる（Young & Wang, 2004）。一夫一妻制のプレーリーハタネズミを対象とした研究では，この裏づけとして，つがい形成後には側坐核（NAc）のドーパミン（dopamine：DA）濃度がつがい形成前よりも増加することが観察されており，特に雌では基準値の1.5倍にも増加することがわかっている（図11-4A）（Young & Wang, 2004）。側坐核はコア（中央部）とシェル（表層部）という構造的にも機能的にも異なる2つの構造に分類され，ドーパミンはシェル先端部で機能している。この領域でD_1型とD_2型のドーパミン受容体をそれぞれのアゴニスト（D_1：SKF38393，D_2：クインピロール）投与により活性化して選好性実験を行うと，つがい形成に対して逆の効果を示した（Aragora et al, 2006）。側坐核のシェル部でのD_1受容体の活性化はつがい形成を妨げ，D_2受容体では促進した（図11-4B）。また，側坐核の他の領域（シェルの尾部やコア）へ投与しても効果はなかった（図11-4C）。また，つがいを形成した雄では側坐核全体でD_2でなくD_1受容体発現量が上昇する（図11-4D）。さらにD_1受容体を阻害するとパート

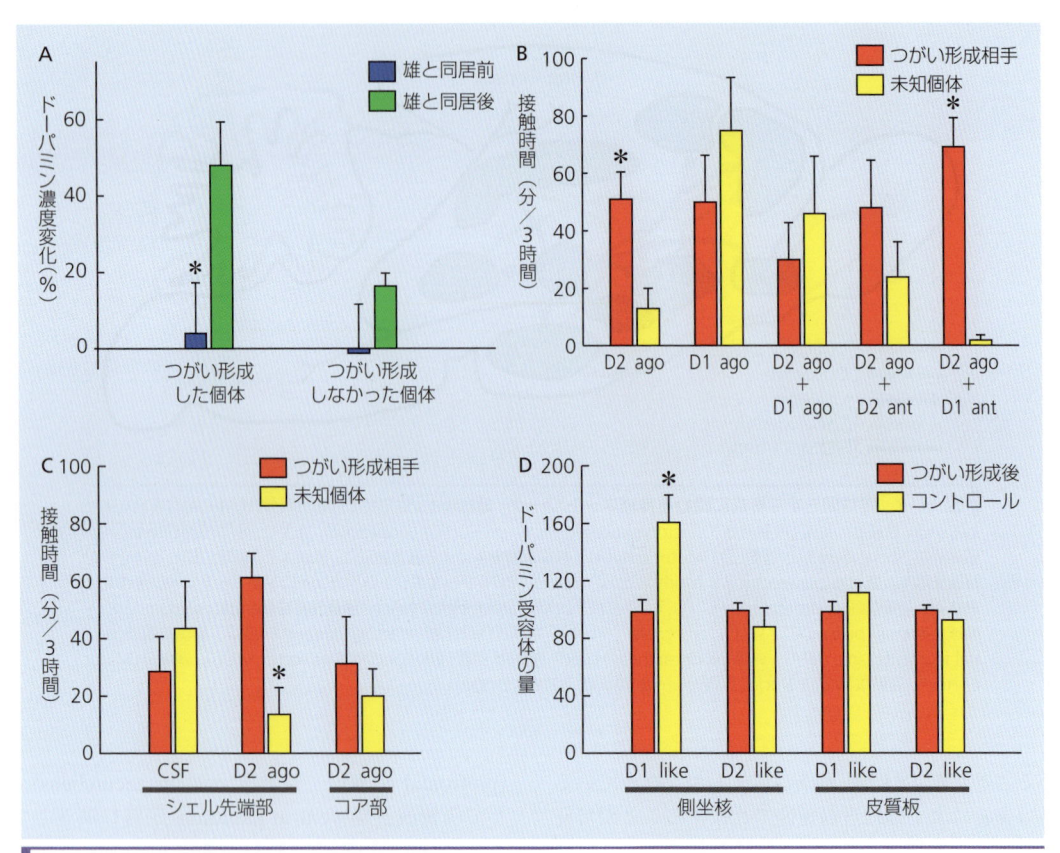

図11-4 つがい形成がドーパミンに及ぼす影響 A：雄と同居した雌のドーパミン濃度は，同居してもつがい形成しなかった場合（右）には変化がみられなかったが，同居してつがい形成した場合（左）にはドーパミン濃度が同居前基準値よりも51%上昇した。B：ドーパミン D_2 アゴニスト（D2 ago）を雌に投与して雄と同居させると，つがい形成をしなくても6時間同居していただけで選好性が形成されるが，D_1 アゴニスト（D1 ago）では効果がない。D_2 アゴニスト（D2 ago）と D_1 アンタゴニスト（D1 ant）の両方を投与すると選好性が強まる。C：つがい形成の前に脳脊髄液（CSF）（コントロール条件），脳脊髄液とドーパミン D_2 アゴニスト（D2 ago）を雌に側坐核シェル先端部へ投与すると，つがい形成をしなくても6時間同居していただけで選好性が形成される。一方で側坐核コア部へ投与してもこの効果はない。D：側坐核におけるドーパミン D_1 受容体は，つがい形成2週間で増加するが，D_2 受容体は増加しない。（A：Young & Wang, 2004；B〜D：Aragora et al, 2006 より改変）

ナー以外の雌に対する攻撃性を抑制する。このことから，D_1 受容体はすでに形成されたつがいのきずなの維持（貞節の維持）に関わっており，D_2 受容体はきずな形成（恋愛の促進）に関わっていると考えられる（Aragora et al, 2006）。また D_1 受容体の発現の種差が両者の配偶戦略の違いを生み出す可能性がある。側坐核においてサンガクハタネズミのほうがプレーリーハタネズミよりも D_1 受容体は多い（図11-5A）。サンガクハタネズミのペアは通常愛着行動は示さないが，D_1 受容体を阻害すると相手を選ばずに愛着行動をとるようになる（図11-5B）。

ドーパミン研究に先立ってつがいのきずな形成との関わり可能性が指摘されて研究が進んだのは神経ペプチドのオキシトシン（oxytocin：OT）とバソプレシン（arginine vasopressin：AVP）である。これらの神経ペプチドは，つがいのきずな形成以外にも，オキシトシンの場合には雌の攻撃や母仔間のきずな形成とも関わっているとされ，バソプレシンの場合には雄間の攻撃やにおいつけ，求愛行動そして父性行動とも関わっているとされる（Young & Wang, 2004；Nair & Young, 2006）。このように様々な社会行動と関連していることから，つがいのきずな形成にも関わっているのではないかと考えられた。プレーリーハタネズミを用いた初期研究ではオキシトシンは性特異的に雌で効果があると考えられていたが（Insel & Hulihan, 1995），現在では雌雄問わずに効果があることが示されている（Johnson et al, 2016）。さらにオキシトシン受容体の発現は種差があり，プレーリーハタネズミでは側坐核と前頭前野に強く発現しているが，サンガクハタネズミでは側坐核での発現は認められない（Young, 2001）。そのためドーパミンとともに配偶戦略の種差を生み出す分子的な基盤になっている可能性がある。

オキシトシンは主に視床下部の室傍核（PVN）（あるいはPVH）で合成され，下垂体後葉および脳の広範な領域へ軸索輸送されてから分泌される（図11-3）。それでは，神経ネットワーク全体でオキシトシンとドーパ

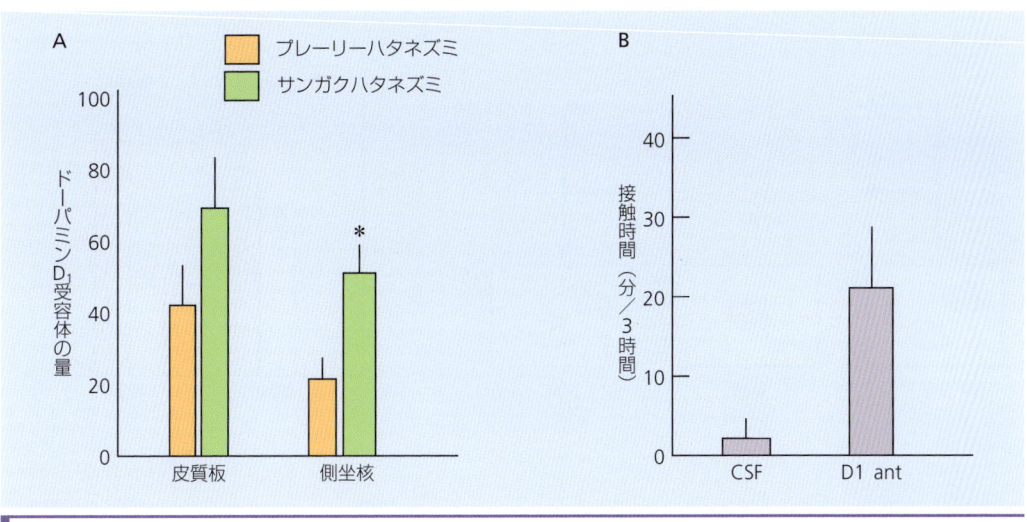

図11-5 ドーパミンD_1受容体による種差の説明 A：ドーパミンD_1受容体はサンガクハタネズミの雄により多く，プレーリーハタネズミの雄には少ない。B：サンガクハタネズミでD_1アンタゴニスト(D1 ant)を投与すると他個体への非選択的な接触行動が増加するが，脳脊髄液(CSF)（コントロール条件）では効果がない。(Aragora et al, 2006 より改変)

ミンはどのようにつがい形成を促進するのだろうか？まず，オキシトシンはパートナーのにおい情報を感覚受容器から中枢に運ぶ過程で，パートナーの識別能力を向上させる機能がある(Oetti et al, 2016)。マウスでは，オキシトシンは前嗅核(AON)のオキシトシン受容体発現ニューロンを活性化する。その結果，嗅球(OB)の抑制性ニューロン（顆粒細胞〈granule cell〉）が活性化し，高次中枢へにおい情報を伝達するニューロン（僧帽細胞〈mitral cell〉）の情報ノイズを減少させる（図11-6）。またマウスでは，各個体のにおい情報は海馬(Hipp)の腹側CA1ニューロンのエングラム（個体ごとに発火するニューロンの集団）として貯蔵・記憶される(Okuyama et al, 2016)。そこでプレーリーハタネズミでもパートナーのにおい情報は海馬においてエングラムとして貯蔵され，側坐核へ伝えられると想定されている（図11-3）。

一方，性経験によって腹側被蓋野(VTA)から前頭前野と側坐核へドーパミンが放出し，報酬系が活性化する。その際に室傍核(PVN)から放出されたオキシトシンはネットワーク全体に作用し，個体識別能力や社会情報処理全体を向上させると考えられている。実際にプレーリーハタネズミ雄において，つがいを形成するときに感覚系と報酬系に関わる広範な脳領域が協調的に活性化するが，オキシトシンアンタゴニストは協調的な活性を阻害する(Johnson et al, 2014)。これらの知見をあわせて，オキシトシンは特定のパートナーのにおい情報と報酬系を関連づけてネットワーク全体を可塑的に変化させて，パートナーのエングラムが側坐核を活性化し，腹側淡蒼球を経由して親愛行動を惹起することで，つがい形成が促進するという仮説が提唱されている（図11-3）(Walum & Young, 2018)。

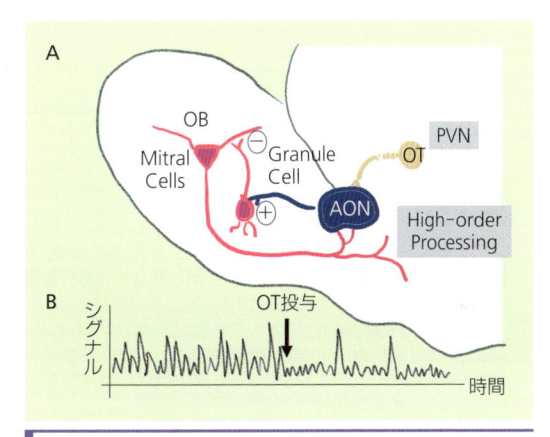

図11-6 オキシトシンのにおい識別に関わるネットワークへの効果 A：他個体のにおい情報を感知して中枢に伝えるネットワーク。B：オキシトシン(OT)により活性化した前嗅核(AON)の興奮性ニューロンが，抑制性ニューロン(Granule cell)を介して僧帽細胞(Mitral cell)へ接続する。僧帽細胞は嗅球(OB)の高次脳感覚処理(Higher-order Processing)へにおい情報を伝える。室傍核(PVN)由来のオキシトシンは僧帽細胞の情報ノイズを減少させる。(Oettl et al, 2016)

オキシトシンはプレーリーハタネズミにおける「なぐさめ行動(consolation behaviors)」を促進する働きを持つ(Burkett et al, 2016)。つがいを隔離して，一方の個体に音でストレスを与えた後に一緒にすると，ストレスを与えられたパートナーにグルーミング（毛づくろい行動）を示す（図11-7A，B）。またストレスを与えられた個体と一緒にいるとパートナーの脳では前帯状皮質領域(ACC)が活性化し（図11-7C），当該領域選択的にオキシトシンアンタゴニストへ投与すると，グルーミングが抑制される（図11-7D）。さらにプレーリーハタネズミにおいてパートナーを失った後に生じ

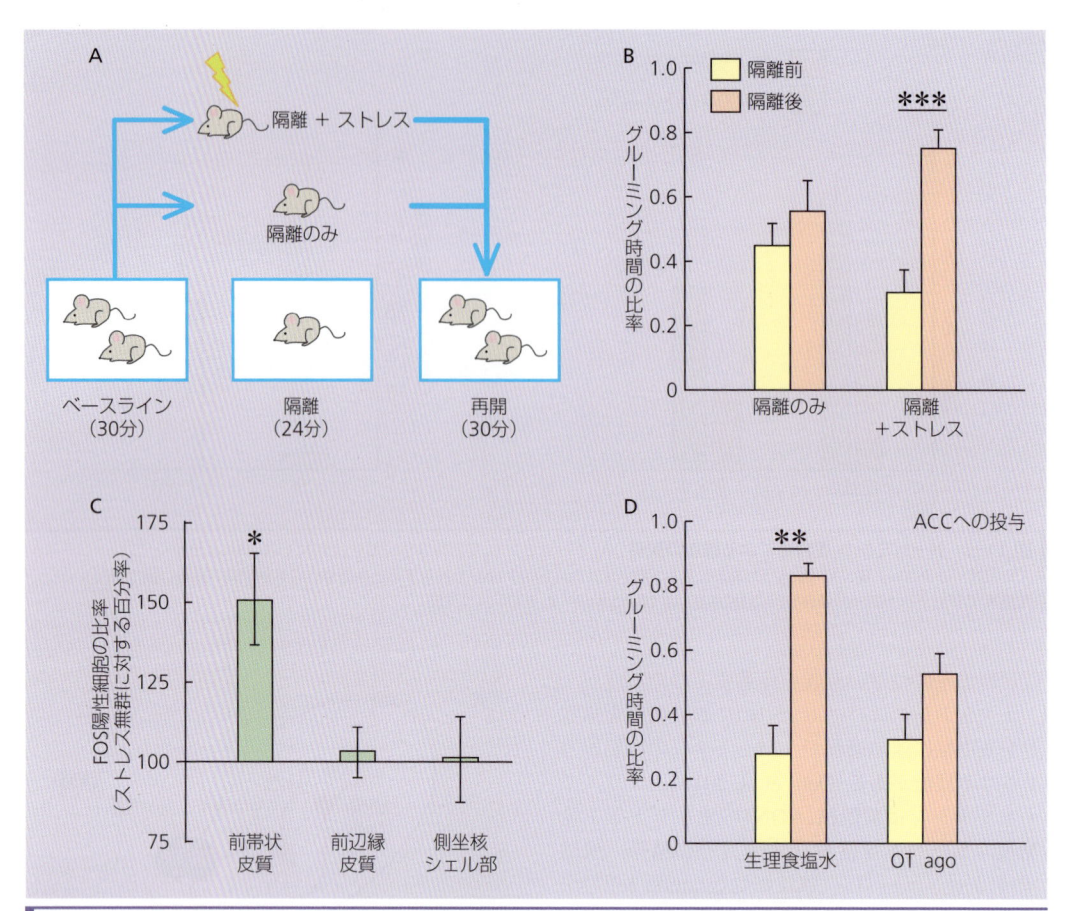

図 11-7　プレーリーハタネズミを用いたなぐさめ行動実験系　A：つがいを隔離して片方の個体にストレスを与えた後に，再びつがいを一緒にする．コントロールは隔離操作のみ．B：観察者のストレスを受けた個体に対するグルーミングがコントロールと比較して促進する．一方で，隔離操作だけストレスを与えない場合は変化しない．C：ストレスを受けた個体と一緒にいると，観察者の脳の前帯状皮質領域において最初期遺伝子の発現細胞（活性化ニューロン）の数が増加する．近接する前辺縁皮質や側坐核シェル部では変化しない．D：前帯状皮質にオキシトシンアンタゴニストを投与すると，観察者のなぐさめ行動は抑制される．(Burkett et al, 2016)

うつ様行動の発症にオキシトシンが関わる（Bosch et al, 2016）．雌をパートナーと4日間ほど隔離すると，強制水泳試験や尾懸垂試験において無動時間が顕著に増加し，うつ様症状を引き起こす．その際に，オキシトシン受容体が側坐核のシェル部で低下している．さらにオキシトシン投与はこのうつ様症状を改善した．

バソプレシンもオキシトシンと同様に視床下部で合成され，脳と末梢器官へ分泌される．プレーリーハタネズミの雄においてきずな形成を促進し（Insel & Hulihan, 1995；Cho et al, 1999），アンタゴニスト投与がつがいのきずな形成を妨げる（図11-8にバソプレシンと雄の研究結果を示す）(Wang & Aragona, 2004；Young & Wang, 2004)．さらにプレーリーハタネズミではバソプレシン受容体（V1aR）が腹側淡蒼球（VP）に密に発現しているが，サンガクハタネズミでの発現は低く，この発現部位の種差が配偶戦略の違いを生み出す分子基盤の一端になっている．ウイルスベクターを用いてサンガクハタネズミの雄の腹側淡蒼球にV1aR遺伝子を強制発現したところ，雌へのパートナーへの愛着行動や仔育て行動が促進した．またV1aR遺伝子のプロモータ領域の違いが発現部位の種差を生み出している．プレーリーハタネズミのプロモータ領域には，マイクロサテライトDNAが挿入されており，V1aR遺伝子のプロモータ領域の変化が個体の行動を変化させていた．

今後，ドーパミン，オキシトシン，そしてバソプレシンが互いにどのように関わり合っているのか問題となってくる．これまでの多くの研究ではアゴニスト・アンタゴニストの投与実験を足場にしているが，両者の間にはクロストークがあって薬剤投与実験はそれぞれの選択的機能を反映していない可能性が高い．そのために経路選択的な機能を議論するときにはこの点を考慮しなければいけない（Song & Albers, 2018）．さらにオキシトシンは幼少期の脳発達に関わるという知見もあり（Mogi et al, 2014），全身ノックアウトマウスの

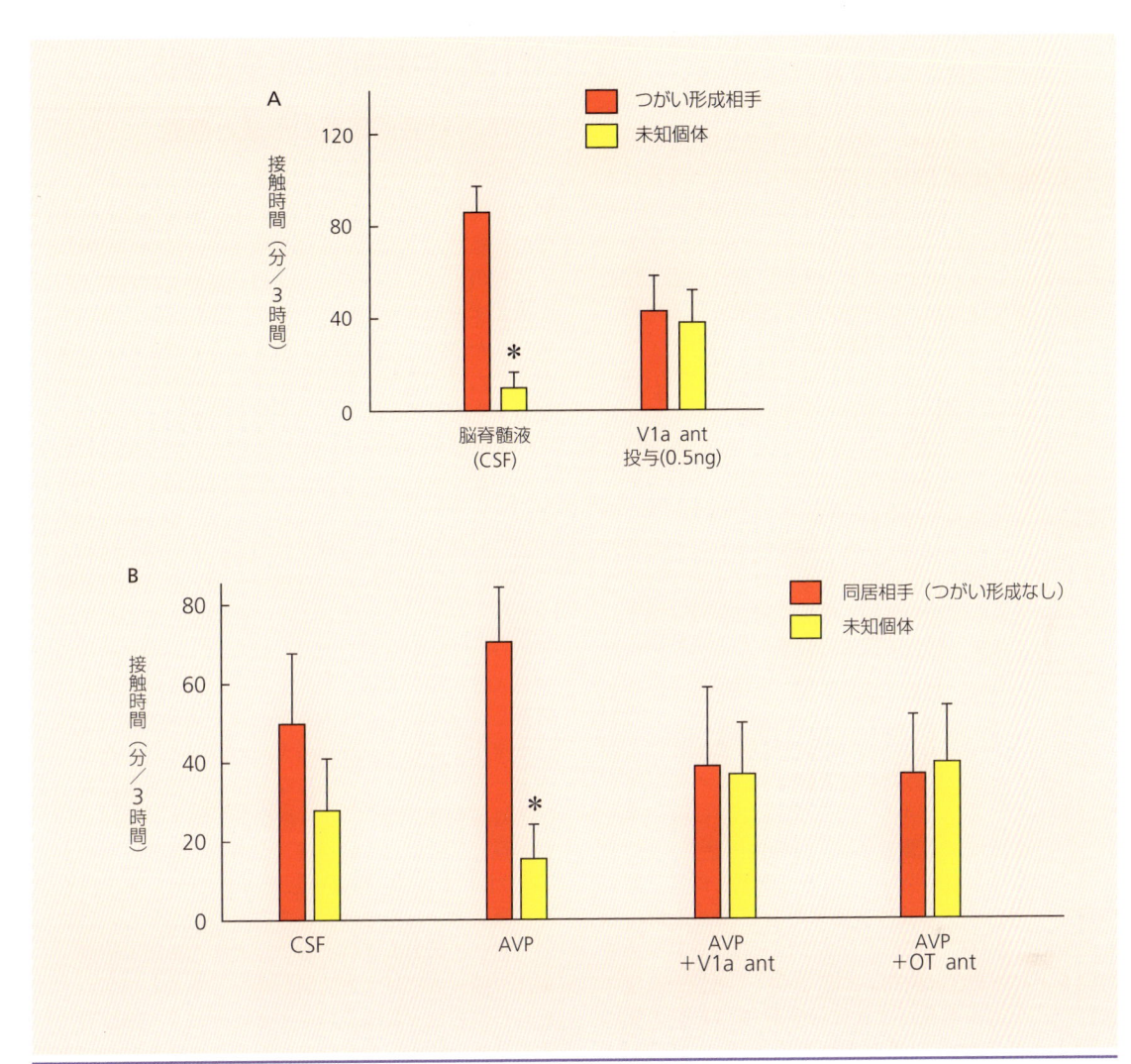

図 11-8　バソプレシンのプレーリーハタネズミ雄への投与はつがい形成相手に対する選好性に影響する　A：バソプレシン受容体アンタゴニスト(V1a ant)を投与すると，24時間のつがい形成時間後にもつがい形成相手に対する選好性が形成されない。CSFは脳脊髄液を投与したコントロール条件。B：つがい形成なしに6時間雌と同居した場合には，コントロール条件(CSF)では雌に対する選好性が形成されないが，バソプレシンを投与された条件(AVP)では選好性が形成される。バソプレシンを投与されても，バソプレシンアンタゴニストも同時に投与された場合(AVP＋V1a ant)やオキシトシンアンタゴニストも同時に投与された場合(AVP＋OTA ant)にはこの選好性形成が妨げられる。(Wang & Aragona, 2004より改変)

行動異常と成体脳への薬剤投与実験の結果が異なる可能性が高い。実際に，2019年に遺伝子編集法(CRISPR/Cas9)を用いてプレーリーハタネズミのオキシトシン受容体変異体が作製されたが，スリーチャンバーテストにおけるきずな形成テストで異常はみられなかった(Horie et al, 2019)。今後，条件的遺伝子操作法などを用いて時間・空間を限定して特定のリガンド／受容体の機能を修飾することで，内在性オキシトシン・バソプレシンの脳内作用機序が解明されることが期待される。

11.1.4　つがいのきずな形成研究の自閉症研究への臨床応用

近年の動向の中で興味深いものの一つは，オキシトシンやバソプレシン研究の発展として，自閉症の原因解明につながるのではないかというものだ。自閉症(自閉スペクトラム症)は，研究の歴史としては50年余の歴史がありながら解明があまり進んでいない病気の一つで，発症率は全体的には出生率の0.1％とされる。この発症率は，一卵性双生児では36％から91％にものぼるといわれ，遺伝的要因の関与が高い。症状としては，社会性の欠陥(反応が少なく，アイ・コンタクトが少なく，他個体の識別能力が低い)，コミュニ

ケーション能力の異常（言語獲得の遅れ，言語的および非言語的表現能力の欠陥，遊び行動が少ないこと），情動的行動の発現（物に対する異常な執着，ルーティン的作業に対する固執，単純な動作の反復）などがみられる (Insel et al, 1999)。自閉症のこのような症状がオキシトシンとバソプレシンの異常によるものではないかという仮説は，動物モデルを用いた研究によって提唱されている。オキシトシンでは，母性行動と性的受容性，雄の性行動，つがいきずな形成，母親隔離，巣から出された際に仔が発するディストレス・コール，社会的記憶，そしてグルーミング（なぐさめ行動）に関係し，バソプレシンでは，父性行動，雄のつがいきずな形成，攻撃，ディストレス・コール，回避学習，社会的記憶，グルーミング，そしてにおいつけ行動に関係していることがわかる。そして，オキシトシンやバソプレシンのアンタゴニスト投与はこれらの行動のほとんどを阻害する。オキシトシンのノックアウトマウスは，社会的記憶の欠如，攻撃性増加，ディストレス・コール減少，社会的探索行動減少などの社会的行動異常を示す。これらの現象の多くは自閉症と共通している。

オキシトシンはヒトで経鼻投与可能であることから，ヒトの向社会的行動や脳活動パターンへの効果が検証されている。オキシトシン経鼻投与は脳のネットワーク活性に影響を与え，自発性脳活動（刺激やタスクを負荷しない条件）において皮質と皮質下間の機能ネットワークを強める効果がある (Bethlehem et at, 2018)。さらにオキシトシンはヒトの顔を見つめる時間を上昇させ (Guastella et al, 2008)，男性が特定の女性パートナーを見たときに報酬系（図11-3）の反応を増大させる効果も認められている (Scheele et al, 2013)。また自閉症の症状に対する効果を大規模に検討した研究もあり (Yamasue et al, 2018)，限定的ではあるが効果が確認されたケースも報告されている。一方で，臨床的応用を考えるうえでは，ヒト経鼻投与されたオキシトシンが脳中枢で効果を発揮する作用機序がいまだに不明であり，薬物動態の制御が難しいという問題点が挙げられる (Quintana et al, 2016)。ヒトの研究結果については，実験対象であるヒト集団のばらつき（遺伝的背景，生育環境）や集団サイズの違いなどを考慮に入れて，その解釈について注意深く議論する必要がある。オキシトシンの向社会的行動の促進効果については，プレーリーハタネズミのつがい形成と母仔関係の研究を足場にしており，社会的文脈や種差を越えてオキシトシンが向社会的行動を促進し，ヒトの社会障害を改善できるかについてはさらなる研究と議論が必要である。

11.2 仲間関係の形成と維持

11.2.1 社会的集団の形成と機能

冒頭でも述べたように，動物は何らかのかたちで他個体と関わりながら生存している。密接な関わりを日常的に維持して生活する種も数多い。動物の行動は，その種の生存にとって何らかの利益をもたらす方向へと進化すると考えられているが，それぞれの種の生息環境とからめて，集団で生活することがどのような利益をもたらすのか，単独で生活することがどのような利益をもたらすのか，また季節や性別による変化にはどのような利益があるのかは動物生態学や動物行動学の中で長く研究されてきた。集団で生活することの利益はこれまでにいくつか挙げられている。捕食効率の向上，対捕食者行動の機能性向上，発情期の短縮，共同保育による保育行動の機能性向上，そして保温効果などは，集団で生活することの利益としてこれまでに挙げられているものの例だ。狩りをする肉食動物の場合，大きな捕食者ほど大きな獲物を得るが，集団で狩猟をした場合にはより大きな獲物を捕獲でき，集団で狩りをすることは捕獲効果を高めることがわかっている。一方，捕獲される側になる動物が捕食者に対して示す対捕食者行動，つまり防衛的行動も，集団で行う動物種と単独で行う動物種とがある。体サイズの小さいものほどつがい形成をしたペアでテリトリーを守り，捕食者に対しては隠れることで対応するのに対して，体サイズの大きいものでは大きな集団を形成して集団で捕食者に対する防衛行動をとることが多い。これらの情報は，集団を形成することにより捕食者に対する積極的防衛行動が可能になることを示しているだけでなく，このように大きな集団を形成するかペアもしくは単独で行動するかには体サイズも関係していることを示唆している。体が小さな動物の場合には積極的防衛行動によって捕食者を退散させる効果はいずれにしても低いと予想され，隠れることが捕食者対策として効果がより高く，隠れるのには目立たないように単独もしくはペアで行動するほうが隠蔽性が高くなることがこれらの行動特徴を生み出している背景に考えられるだろう。集団を形成した場合に発情期が短縮することは，早めに発情の状態に入った個体が，その音声やにおい，行動によって発情期特有の信号を示し，集団内の異性だけでなく同性他個体に対しても発情状態への突入を促す機能を果たす。各個体がより早く発情期に突入すると，結果的にその集団の発情期終了時期を早めることになり，発情期の総合的短縮を導くと考えられている。これは Frazer Darling によって最初に指摘され，フレーザー・ダーリング効果と呼ばれている。発情期は，つがい形成に注意が集中して捕食者に対する注意が散漫になりやすい時期なので，発情期

の短縮は生存率の向上に多大な効果をもたらすと考えられる。

　保育行動の共同化と保温効果を集団形成の効果であることを冒頭で挙げたが、共同保育において交代で保育することは、雌親が採餌に関わることのできる時間を増加させ、育仔負担を軽減させる。また、集団を形成することによる保温効果は、特に気温の低い地域に生息する種において、仔の生存率を高めると考えられる。このように、集団で生息するか単独もしくはペアで生息するかは、進化の過程の中で、その種の持っている様々な条件（体サイズなど）とのからみで適応性のより高い生息形態が獲得されてきたのだと考えられる。

　集団を形成して生活を営んでいる動物は、集合状態を形成しているものと社会的集団を形成しているものとに二大別することができる。前者は、魚の群れ（School）のように、凝集して生活するが緊密な個体間関係や群れの中の役割分担は明確にみられず、集合状態を形成することは例えば捕食者が襲来したときにいっせいに別の方向に逃げることで追跡を困難にさせたり、大勢でまとまっていることで自分が狙われる可能性を低下させる「希釈効果」を高めると考えられている。一方、社会的集団では、メンバー個体が互いを個体として識別しており、メンバー間の団結性がみられ、メンバー外個体に対する排他性がみられ、役割分担がみられ、複雑なコミュニケーションパターンが発達しているとされている。

　このような役割分担の中で、最も一般的にみられるものの一つは社会的順位だろう。社会的順位には、絶対的順位と相対的順位とがある（Kaufmann, 1983）。絶対的順位とは、場所や季節、時間と無関係に、ある個体が持っている強さを表し、相対的順位とは場所や季節、時間帯によって変化しうる強さを指す。例えば、個体は、自身のテリトリー内ではある他個体に対して激しく攻撃したとしても、テリトリー外では攻撃性が低下するため、自身のテリトリー内では優勢だったその相手のテリトリー内では逆に攻撃されたりする。このような変動的な順位関係を相対的順位と Kaufmann は呼んでいる。そして、ある集団内での個体間の強さ関係は絶対的な順位関係と Kaufmann は分類している。社会的順位の定義に関しては研究者によって相違もあり（Drews, 1993）、一義的なものではない。

　さらに順位関係の形態として、大きく分けて直線的順位関係と独裁的順位関係とが区分されている。直線的な順位関係は、Schjelderupp-Ebbe によって 1922 年にニワトリにおいて最初に記述された（Schjelderupp-Ebbe, 1922）。ニワトリは攻撃としてつつき行動を示すことから、より多くつつき行動を示した個体をより優位な個体と判断すると 1 位、2 位、3 位……と直線的な順位関係が得られ、これを「つつきの順位」と呼ぶ。独裁的順位関係は、Uhrich による実験用マウスの室内研究で初めて観察され、1938 年に論文として発表された（Uhrich, 1938）。独裁的順位関係では、1 匹の優位個体以外、劣位個体間において「表面的」な順位関係はみられない。しかし優位個体を取り除くと、次の優位個体が出現することが多く、劣位個体間では攻撃や威嚇を表面的に行っていないだけで実際には優劣関係が存在していると考えられている。

　社会的集団を形成して生息する動物種では、集団内での役割分担が発達することでこれらの機能が高められると考えられる。リーダー個体が存在することで作業効率が高まることは、ヒトを対象とした多くの社会心理学的実験研究においても明らかにされており、ヒト以外の動物種においても捕獲行動などにおいてリーダー個体の存在により集団としての統率性が高まり、捕獲効率が向上することは大いに考えられる。また、偵察行動を交代で行うことにより、集団全体の防御体制機能が高まり、かつ採餌行動を交代で行えるため、防御性と栄養摂取の高まりという双方の点から各個体の生存上非常に有利になると考えられる。

　このように、リーダーが存在することで集団の統率性が高まって捕獲効率が高まることや、交代で偵察行動をとることで効率よく防御と採餌行動を行い、生存性が高まることは集団にとって非常に望ましい。しかしその一方で、リーダー個体や他の優位個体は、集団の統率性を高めて自分の順位を維持するために劣位個体に対して攻撃や威嚇を示すという状況があり、劣位個体には「劣位ストレス」がかかる。劣位ストレスが非常に高まると、劣位個体の集団からの離脱も生じうる（Brandt, 1992）。また、高順位個体は、餌への接近や異性への接近において劣位個体よりも有利で利益が大きい（Ellis, 1995）ことから、劣位から優位へと順位の向上を目指すこともしばしばみられる。集団全体の安定性は集団全体の機能的行動に直結していることから、優位個体の行動としては、攻撃や威嚇を最小限にとどめて順位を確認して集団を安定した状態に維持し、集団の統率性を維持する必要性がある。緊迫感の高い攻撃を行うことはエネルギーを順位の維持に費やす必要性を高め、損失になるほか、注意が順位関係の維持に傾けられると集団防衛へ向ける注意量が減って敵の襲来に備え損なうことにもなりかねない。社会的順位を確認する儀式的行動（図 11-9）が、社会的集団を形成して生息する多くの動物種に発達しているのは、直接攻撃による順位の確認にはこのようにデメリットが多いためであり、それを回避して機能的に集団を運営するのに役に立っていると考えられる。

　社会的集団を形成して生息する動物種の多くでは、社会的順位を確認する行動以外にも、多くの社会的行動パターンを発達させている。攻撃的な状態にある個体に対して宥める行動や複数個体が出会ったときの挨拶行動、互いの情報を交換する意味を持つ互いの体の

図11-9 オオカミにおける社会的順位を確認する儀式的行動
上：左側の白いオオカミが優位個体。優位個体は，右側の劣位個体の口吻をくわえ，儀式化された攻撃を示している。下：劣位個体は優位個体の口元を舐める。これは，幼体が成体に対して示す餌ねだり行動の派生行動で，劣位としての意志表示機能を持つ。（フォックス，1976より改変）

図11-10 アカゲザルやニホンザルなどのマカク類でみられる fear gimace は，優位個体に対する融和行動とされている（ハインド，1977より改変）

においな嗅ぎ行動，個体間の親密関係を示す親密行動などは頻繁にみられる社会的行動の例だ。融和行動は，狭義では，攻撃的な行動をとっている相手に対して宥める行動を指すが，個体間の関係維持や強化の機能を持った行動といえ，その意味では上記の宥め行動，挨拶行動，親密行動も広義の融和行動といえる。

融和行動がどのように他個体に向けて出されるか，また他個体の融和行動を解発するためにどのような信号を送るかは種々多様であるが，大きく分けると音声（聴覚刺激），におい（嗅覚刺激），行動パターン（視覚刺激および触覚刺激）によって行われる。攻撃的な状態にある個体に対して示す降服を意味する姿勢や行動，あるいは宥めの表情などは，多くの動物種で種特異的な行動パターンが発達している（図11-10）。

11.2.2 社会的順位に関わる神経機構

近年，研究室内で実験動物を用いて社会的順位を検定する実験系が構築され，その神経内分泌機構，神経機構および分子基盤の解明が進んだ。本章では，サル，マウス，ゼブラフィッシュ，シクリッドを用いた研究例について紹介する。自然条件下ではマカクサルは厳密なヒエラルキーを形成する。研究室内では，2頭のサルを対面した状態で椅子に固定し，間に置いた台にエサを置くことで優劣関係を検定できる（Oosugi et al, 2016）。初対面の相手に対しては，体格差にかかわらずお互いを威嚇し，相手より先に手を出してエサをとろうと競争する。しかしながら，ある時点で優劣関係が決まると，劣位サルは手を出すのを諦める。小集団のサルの中で2頭ずつ組み合わせを変えて実験すると，社会的順位を検定することができる。劣位個体が競争を諦めることは「社会的抑制」といわれ，劣位雄では優位な雄を目の前にすると，大脳基底核の尾状核の活性が減少する傾向があり，そこへエサを提示すると，頭頂葉や視覚野など広い領域が優劣関係と相関して活動する（Oosugi et al, 2016）。またサルの他個体への評価を検定する行動実験として"pay-per-view task"がある（Isoda et al, 2018）。このパラダイムでは2種類の視覚刺激（T1, T2）が与えられた後に，T1の方を向けばその直後に報酬（ジュース）が与えられる。T2のほうを向けば，特定の画像（雌会陰部，優位雄，劣位雄，灰色の四角）が提示され，報酬も与えられる。T1よりT2の報酬量が少なくても，特定の画像を見るためにT2を選択すれば，サルはその画像に関心を持っていることを示している。そのテストの結果，雄は報酬を犠牲にしても，雌の会陰部または優位雄の画像を見るためにT2を選択する傾向があることがわかった（Isoda et al, 2018）。しかし優位雄の画像からはすぐに目をそらした。このことは，サルは優位雄を警戒して常にモニターするが，目をあわさないようにするという仮説と一致している。また，当該テストにおいてオキシトシン投与は優位雄への関心を減少させることから，オキシトシンはヒエラルキー関係における優位個

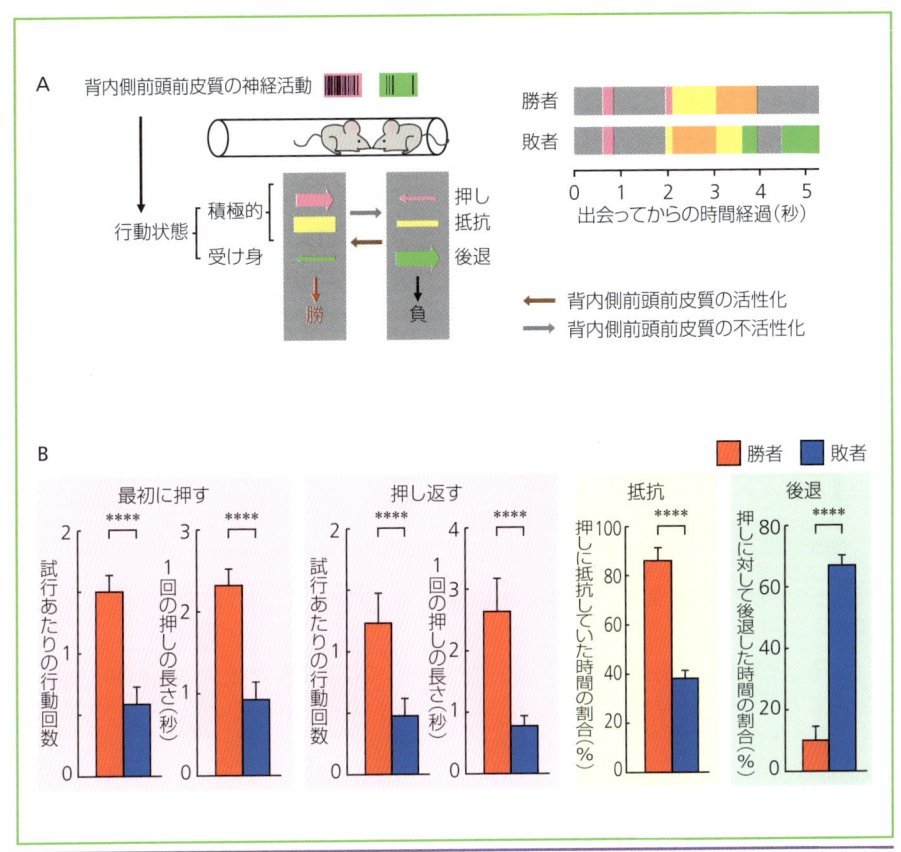

図11-11 マウスの優劣を判別するチューブテスト A：チューブの両端からそれぞれ2匹のマウスを入れると優位個体は相手を押し出し，後退しないように抵抗する行動を示す。一方で劣位個体は退避行動を示す。背内側前頭前野(dmPFC)のニューロンのサブセットは「押す行動」と「抵抗する行動」で神経活動が活発化する。またそのサブセットの神経活動を抑制すると後退する行動が増える。B：「最初に押す」，「押し返す」，「抵抗(停止)する」，「後退する」の行動要素を定量して，優劣判断をする。(Zhou et al, 2017 より改変)

体への警戒心を低減すると解釈されている(Ebitz et al, 2013)。

研究室内で実験系統マウスを集団飼育すると，暖かい場所に止まる時間(warm spot test)，尿によってマーキングされた面積，エサ(水)を獲得する頻度，雌への求愛頻度，劣位個体への過剰なグルーミング頻度(barbaring)を指標にして優位個体を同定できる。さらにチューブテストを用いると2体間の優劣関係を再現性よく検定できる(Zhou et al, 2018)。これは，マウス1匹が通れるチューブの両端にそれぞれ1匹ずつマウスを入れると優位マウスのほうが「押し出す」あるいは「抵抗(停止)する」を示す頻度が高く，劣位マウスでは「後退する」頻度が高くなる(図11-11)。検定した優劣関係は集団飼育の際に観察される他の指標群をよく反映している。様々な優劣関係の行動実験系を用いて，社会的順位とテストステロン濃度が相関することがわかっている。げっ歯類から霊長類まで競争に勝利した個体ではテストステロン濃度が上昇する(Fry et al, 2011)。またストレスを与えられたラットは劣位に

なる傾向があり，このストレス依存の優劣関係の維持にオキシトシンが関わることが示唆されている(Timmer et al, 2011)。さらにマウスにおいて優位雄を取り除いたときに，次に優位雄になる個体の視索前野では性腺刺激ホルモン放出ホルモン(GnRH)発現レベルが急上昇する(Williamson et al, 2017)。しかしながら，これらのホルモンが社会的優劣を決定する内在的な要因であることを示す決定的な証拠はない。

一方で，背内側前頭前野(dmPFC)に社会的優劣を決めるニューロン群が存在することがわかった(Zhou et al, 2017)。チューブテストの際にdmPFCのニューロン活動を観察した結果，「押す行動」と「抵抗する行動」の両方で神経活動が活発になるサブセットが同定された(図11-11)。次にそのサブセットの神経活動を抑制すると，これらの行動頻度が減少し，後退する行動が増える。また劣位個体においてこのニューロンを光遺伝学で強制発火させると瞬時に優位個体に対して90％の成功率で勝利する。興味深いことに劣位個体が強制発火によって繰り返し(6回以上)勝利すると，強

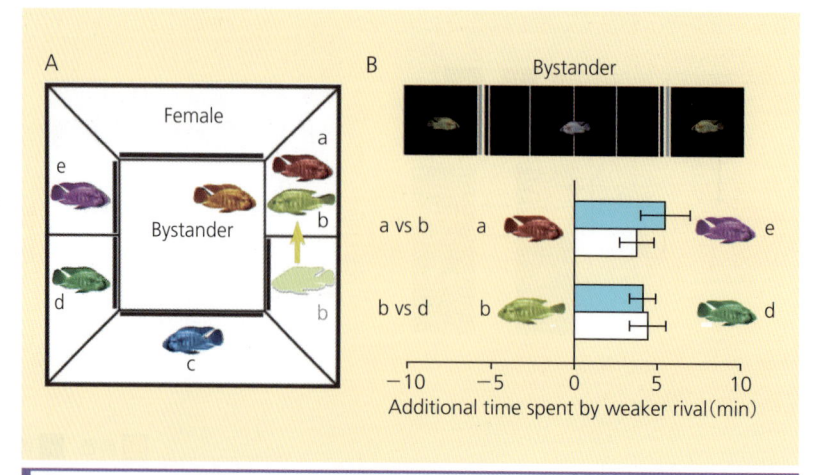

図11-12 シクリッドがライバルの順位を推察する実験 A：水槽の中央に観察者（Bystander）を入れ，雌（Female）が見ている条件で，ライバル同士（a 対 b，b 対 c，c 対 d，d 対 e）の闘いの様子を順次観察して，弱いライバルとより長く過ごした時間（Additional time spent by weaker rival）を測定した。B：スリーチャンバーテスト。観察者はランキングが2匹の被観察者のうち，ランキングがより低いと判断した個体の近づく傾向がある。(Grosenick et al, 2007)

制発火をしなくても，その後の優劣関係を維持することができた。このことから勝利の経験はその後の社会的優劣に強い影響を与えること（勝利効果〈winner effect〉）が実験的に示された（Zhou et al, 2017）。

ゼブラフィッシュでは，研究室内で小型水槽に2匹の雄を入れると威嚇行動，噛みつき行動（直接的な身体攻撃）を繰り返し，30分以内に優劣が決定する。優位個体は水槽内を自由に遊泳する一方で，劣位個体は水底で動きを止める傾向がみられる。またいったん勝者になると，その後繰り返し勝利する傾向（勝利効果）がある。この行動実験系を用いて手綱核で社会的優劣を決めるニューロン群が同定された。優位個体では背側手綱核が，劣位個体では腹側手綱核がそれぞれ活性化しやすくなっており，背側の神経活性を抑制すると負けやすくなり，腹側を抑制すると負けにくくなった。よって手綱核の神経ネットーワークは「闘争を続ける」「降参して逃走する」という行動決定に関与している（Chou et al, 2016）。

シクリッドは生態学的な研究が進んでいる魚類の一つであり，自然条件下でもシクリッドの一種（*Astatotilapia burtoni*）は厳密な順位制を営むことがわかっている。シクリッドは個体認知能力を持っており，集団内の個体を識別し，優位な個体に対しては逃避行動を示し，劣位な個体に対しては追いかけ行動を示す。研究室内では3チャンバーテストで優劣を検定することが可能であり，真ん中の水槽にいる魚は優位な個体から離れて，劣位な個体に近づこうとする。この手法を用いて調べたところ，シクリッドは他個体同士の闘いを観察して他個体のランクを推察する能力を持っているが示された（Grosenick et al, 2007）。例えば，5個体（a～e）のaとb，bとc，cとd，dとeの闘いの結果，すべて前者が勝者だった場合（図11-12A），このすべての結果をある特定の魚に観察させるとaとeの闘いを見なくても，aはeよりも強いと判断して，aよりもeのほうに近づくようになる（図11-12B）。このようにシクリッドはa＞b，b＞c，c＞d，d＞e，すなわちa＞eであるという論理を使ってランキングを推察する能力を持っている。シクリッド社会の劣位個体は自分のランキングを上昇させる機会をうかがっており，そのチャンスがくるとテストステロンの血中濃度が上昇し，攻撃性や性行動が活発化する。また網羅的遺伝子発現解析の結果，劣位個体と比較して優位個体の脳においてソマトラクチン，アルギニンバソトシン（バソプレシンの魚類ホモログ），プロラクチンなどの前駆体ホルモンをコードする遺伝子が強く発現していることがわかっている（Renn et al, 2016）。しかし魚類ではランキング制御に必要かつ十分な神経内分泌機構はまだ見つかっていない。

11.2.3 遊び行動と社会行動の発達

社会的集団を形成して生息する動物では，前述したように社会的順位がみられ，個体間の関係を融和させる行動も発達し，機能的で円滑に生活を営む多くの行動パターンが発達していることが多い。そして隔離飼育して育てられると社会的行動に異常を生じることから，これらの行動は発達過程の中で個体間の関わりを通して獲得されることが明らかになってきた。このような学習の機能を果たしているものの一つが「遊び行動」ではないかといわれている。

多くの動物が発達初期の時期に遊び行動を示す。遊びとは何かということは，その定義の難しさをめぐる問題も含めて長年論議の対象となってきていた。遊び

行動とは何かを定義することは難しい。それは遊びにおける行動パターン自体が，成体が示す闘争行動や性行動の典型的パターンとして現れること，さらには常に同じ行動パターンが現れるわけではなくその時々でパターンが変化することから，行動パターンによってのみでは定義づけできない。また，成体の動機づけ行動のように目的達成時に完結するのとは違って，遊び行動は繰り返し行われる。真剣みのなさで定義しようとすれば「真剣に遊ぶ」という事態もあるためにそれらによっても定義づけできない。このように定義づけが難しいにもかかわらず，我々は遊びと遊びでない闘争や性行動を瞬時に容易に識別可能なことが多く，それでいて容易に識別可能にさせているものが何なのかを特定しづらい歯がゆさを遊び行動は持っている。けれども，このような定義づけの困難さにこだわっていると研究の進展が望めないことから，遊び研究の一つのあり方として，遊びの定義づけ問題は回避し，遊びの分類，機能，進化などのより重要な問題に取り組むことが行われてきた。

遊び行動の分類にはいくつかの方法がある。一つは，単独遊び，平行遊び，社会的遊びに分類する方法で，単独遊びは発達的に最も早く現れ，文字どおり単独での遊び行動を意味する。発達段階で単独遊びの次に現れるとされるのが平行遊びで，近い場所にいながら関わり合うことはなくそれぞれが単独で遊ぶ。しかし，そばには寄っていって単独で遊ぶことから純粋な単独遊びでもない。さらに次の段階になると，相互に関わり合って一緒に遊ぶ行動を示す。ヒトの場合には，探索的な感覚運動遊びや積み木遊び，ごっこ遊び，ことば遊びなどさらに細かく遊び行動が分類されている（表 11-1）。

発達段階的には進んでいても，単独で遊ぶ行動を示すことも多い。この場合には，単独で走り回る，ジャンプする，走っては急に向きを変えてまた走るという行動を示すことが多い。このタイプの遊び行動は運動機能の発達に役立つとされている。また，単独で物を対象にして遊ぶ行動もある。石を持ち上げては落とす，石をぶつけ合うなどはその例だ。表 11-2 は Fagen（1995）による動物の遊び行動の分類で，動物の種類に

表 11-1　ヒトの幼児，児童にみられる遊び行動

遊びのタイプ	内容
感覚運動遊び	機能的遊びもしくは探索遊び
積み木遊び	物を積み上げて遊ぶ
平行遊び	相互作用はないが近距離で遊ぶ
ごっこ遊び	1 人で何かになったつもりでの遊び
社会ドラマ的遊び	複数人数で役割分担をしての遊び
取っ組み合い遊び	取っ組み合って遊ぶ
ことば遊び	独り言遊び，または年長での冗談，ユーモア
ルール遊び	ルールを決めての遊び
儀式的遊び	社会的ルーティンを繰り返す遊び（ルール遊びを含むことができる）

(Burghart, 2005)

よって当然ながら相違がある。

社会的遊び行動には様々な形態が現れるが，取っ組み合い遊びというのもある。行動パターンとしては闘争行動と同じ形態をとるが，遊びとして行われ，その違いは緊迫感の欠如，表情に緊張感がないこと，動作の緩慢さなどで真剣な闘争と容易に区別できる。取っ組み合い遊びの表情には遊び特有のものがあり（図 11-13），プレイ・フェイス（play face）と呼ばれている。プレイ・フェイスは，「笑い（laugh）」の表情の起源とされており（van Hooff, 1972），筋活動パターンは笑いと類似しているとされている（図 11-14）。

表 11-3 は遊び行動の機能をまとめたものだ（Burghardt, 2005）。運動機能の発達，生理的状態の向上発達，感覚運動機能性の統合的向上，捕獲や子育てなどの種特異的行動の学習や練習，適時適切に他個体に反応する練習，順位関係や性役割に則した行動の学習や練習などが遊び行動の機能として挙げられている。こうして見るとわかるように，遊び行動は，一般的に行動の学習や学習された行動および生得的行動がよりすみやかに適時適切に行われるように練習する機能を基本的に持っていると考えられている。

11.2.4　遊びの進化と性差

遊びは進化的にどのようにみられると考えられるのか，この問題は，様々な動物種における遊びの行われ方を種間比較し，それぞれの種の生息形態と比較する

表 11-2　Fagen による動物の遊びの分類　(Burghardt, 2005)

分類	特徴	例
1	単独遊び	突然すばやく動くことを繰り返す。げっ歯類でよくみられる
2	社会的かつ非接触的遊び	走ったり回転したりする行動で，社会的接触はないが，追いかけっこなどはみられる。偶蹄類や鳥，ある種のげっ歯類にみられる
3	接触および非接触的社会遊び	積極的かつフレンドリーな社会的遊びで，取っ組み合いや追いかけっこが行われる。接触型と非接触型が交互に行われることもある。霊長類や食肉類，偶蹄類など
4	複雑な社会遊び	雄同士や親子間以外での社会的遊び。社会的食肉類や霊長類，象などでみられる
5	特別な親密性や認知的相互作用を含む社会遊び	くすぐりっこ，物を積み上げる遊び，母子間の教育的遊び。チンパンジーや他の類人猿のみにみられる

図 11-13 カニクイザルやニホンザルなどのマカク類でみられるプレイ・フェイス　口を大きく開ける表情は威嚇でもみられるが，威嚇の場合には顔の緊張感，相手への凝視などがみられる．play faceではそれがみられない．(ハインド，1977 より改変)

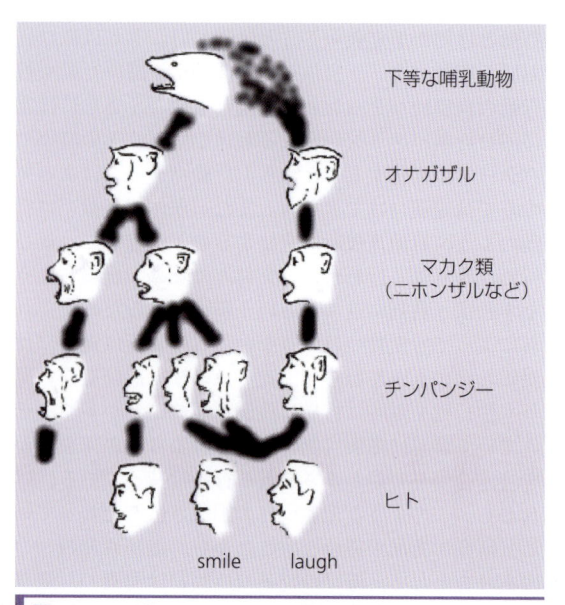

図 11-14 プレイ・フェイスの起源に関する van Hooff の仮説　顔面の筋肉の動きから，van Hooff はプレイ・フェイスがヒトの笑い(laugh)の表情の起源だとし，fear grimace は微笑(smile)の起源だとした．(ハインド，1977 より改変)

ことで検討されてきた．表11-4 は，非常に大雑把ながら，系統樹の分類単位別に運動遊び，物遊び，社会的遊びがみられるかどうかをまとめている．当然ながら，分類単位によっては非常に大きなグループもあり，この表はそれぞれのタイプの遊びを行う種が各グループの中に 1 つでもあれば「ある」という結果を示すことになる．遊び行動がどのくらい行われるかを評価づけした値が表に示されているが，これを見ると，食肉類，鰭脚類，霊長類，鯨類，長鼻類は非常によく遊ぶことがわかる．図11-15 は脳部位の大きさと遊びの量を比較したもので，各部位の大きさが大きいほど遊びの量も多いことがわかる．大脳の発達は，遊びの量と関連性が高いことが示唆される．

遊び行動に性差があることは多くの研究で報告されている．雄のほうがより多く遊び，また遊び行動の内容も取っ組み合い遊び(play fighting)が多いといわれている．このような性差には，つがい形成システムが関係しているという仮説もあり，一夫一妻制で雄が分散して育った場所とは別のところに新しいテリトリーを形成する場合には，雄に取っ組み合い遊びが多いのではないかとその仮説では考える．また，社会的順位を形成する側の性に取っ組み合い遊びが多いともいわれ，多くの種では雄に社会的順位がみられるが，雌にみられる場合には雌の側に取っ組み合い遊びがみられることが観察されている．ハイエナはその例で，雌のほうが雄より優位で，雌のほうが取っ組み合い遊びをより多く行うだけでなく，体も大きい．ニホンザルでは雄雌ともに社会的順位はみられ，取っ組み合い遊び

も両性にみられる．けれども，量的には雌の場合には子守り遊びも多く観察され，雄の側に取っ組み合い遊びはより多い．ニホンザルの場合には雄のほうが性成熟期に群れから離脱し，雌は群れに残るシステムがとられていることがわかっており，このような社会的システムが取っ組み合い遊びが雄により多い現象にも反映されている可能性があるだろう．また，社会的順位の遊び行動への反映は取っ組み合い遊びの中での行動にもみられ，順位の近いもの同士でより多く互いに遊び，より社会的順位の高い個体のほうが取っ組み合いの中でも上に乗りかかる位置や噛む行動などより優位な行動を多くとることが観察されている(小山, 1998)．

11.2.5　遊びの行動神経内分泌学

集団を形成する動物では，特に脳の発達度の高い動物では，遊び行動はより多く観察される．この章の冒頭でも述べたように，仲間関係の有無あるいは仲間との相互作用の有無が発達的にどのような影響を個体に及ぼすかに関する研究は，アカゲザルを用いた隔離飼育研究を端緒として数多く行われてきた．それらの研究は，発達過程において何が学習される必要があるのかを明らかにしたほか，隔離によって社会的学習の機会を逸した個体が示す異常行動の研究，また仲間集団への再導入による異常行動の治療研究など多くの研究方向性を示した．また，隔離の期間や開始時期は当然ながら結果を大きく左右し，短期間の場合には異常性がなく，むしろ遊び行動をより多く引き起こさせる効果があることがラットを用いた研究でわかった(Pank-

11.2 仲間関係の形成と維持

表11-3 遊びの機能に関する分類

機能	例
運動性の発達	運動機能の協調が発達
生理的発達	循環器系と耐久性が発達
感覚運動性の協調	感覚的様相の統合性が発達
成体の種特異的行動の発達	捕食行動や養育行動が発達
社会的コミュニケーション技術の発達	他個体に適切に反応する能力が発達
社会的役割行動の発達	社会的順位や性役割を決定する
情報収集	物や他個体が何をするか学ぶ
神経系の発達	神経回路系の統合を発達させる
認知能力の発達	環境内の変化に対する反応性を発達させる
創造性	新規な行動反応を生み出すもとを提供する
能力の査定	正常な発達をしているかどうかを親に査定可能にさせる

(Burghardt, 2005)

表11-4 各種哺乳動物でみられる遊び

動物分類	運動遊び	物遊び	社会的遊び	遊び度
ウサギ目	Y	Y?	Y	1.5
げっ歯類	Y	Y	Y	2.0
食虫類		Y	Y?	1.0
食肉類	Y	Y	Y	3.0
霊長類	Y	Y	Y	3.0
偶蹄類	Y	Y	Y	2.0
鯨類	Y	Y	Y	3.0
奇蹄類	Y	Y	Y	2.5
長鼻類	Y	Y	Y	3.0
海牛類	Y		Y	1.5
翼手類		Y?	Y?	1.5

(Burghardt, 2005)

sepp & Beatty, 1980；Beatty et al, 1982)。一方，隔離飼育によって生じた異常行動は自閉症児の行動と類似しているとされた。自閉症研究のモデル動物としてはアカゲザルがこのような研究の端緒となったが，ラットなどのげっ歯類も使われるようになった。隔離飼育されたアカゲザルは母性行動を正常に示すことができなかったが，ラットでは隔離されて育っても正常に母性行動を示すことができることがわかり，サルの場合には雌仔ザルが示すことの多い子守り行動が母性行動の重要な学習機会となっていることもわかった。母性行動では隔離の影響のないラットだが，遊び行動に関しては，隔離の影響と遊び行動の増減メカニズムの実験モデルとして1980年代から研究に使われ始めた。

ラットと遊び行動，そしてその神経内分泌学的研究では，遊びの中でも社会的遊び(取っ組み合い遊びあるいは闘争遊び)が研究の焦点となっている。アンフェタミンは覚醒剤として知られているが，ノルアドレナリンやドーパミンの遊離促進や再取込み阻害作用，そしてモノアミンオキシダーゼ阻害作用によるカテコールアミン濃度上昇によって交感神経刺激作用と中枢興奮作用を発現するとされている。そして，このように覚醒作用があるというイメージとは反すると思われるかもしれないが，アンフェタミンには遊び行動を抑制する作用を持っていることがわかっており(Beatty et al, 1982；Beatty et al, 1984)，その影響は投与量が多いほど大きいことがわかっている(Beatty et al, 1982)。遊び行動の神経内分泌的メカニズムに関してはまだBeattyらのグループによるこれらの研究においても明確でない点も多い。

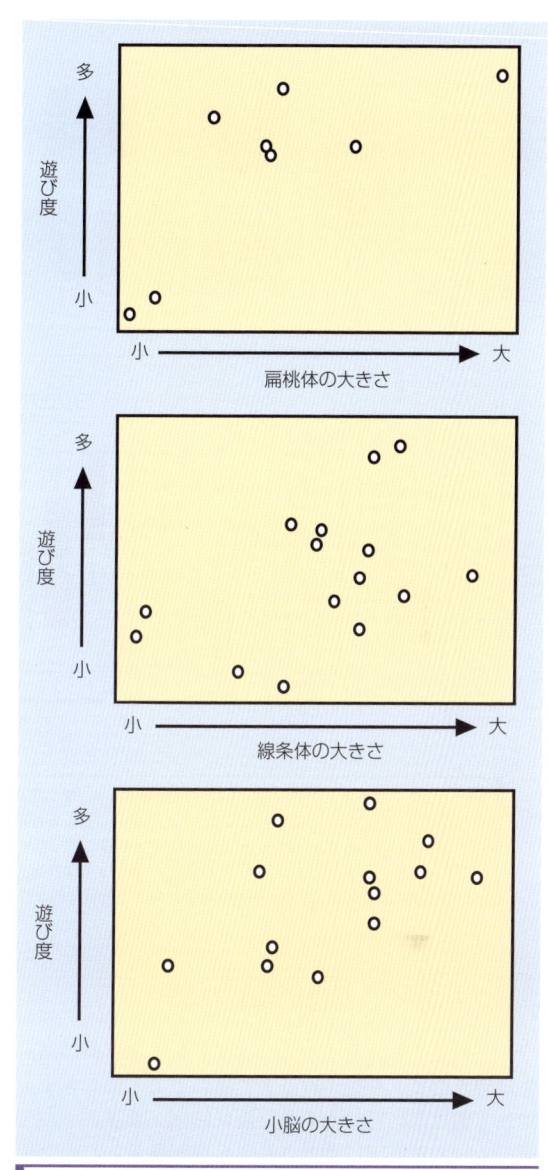

図11-15 脳部位の大きさと遊び行動量　上から順に，扁桃体の大きさと遊び行動量の比較，線条体の大きさと遊び行動量の比較，小脳の大きさと遊び行動量の比較。(Burghardt, 2003より改変)

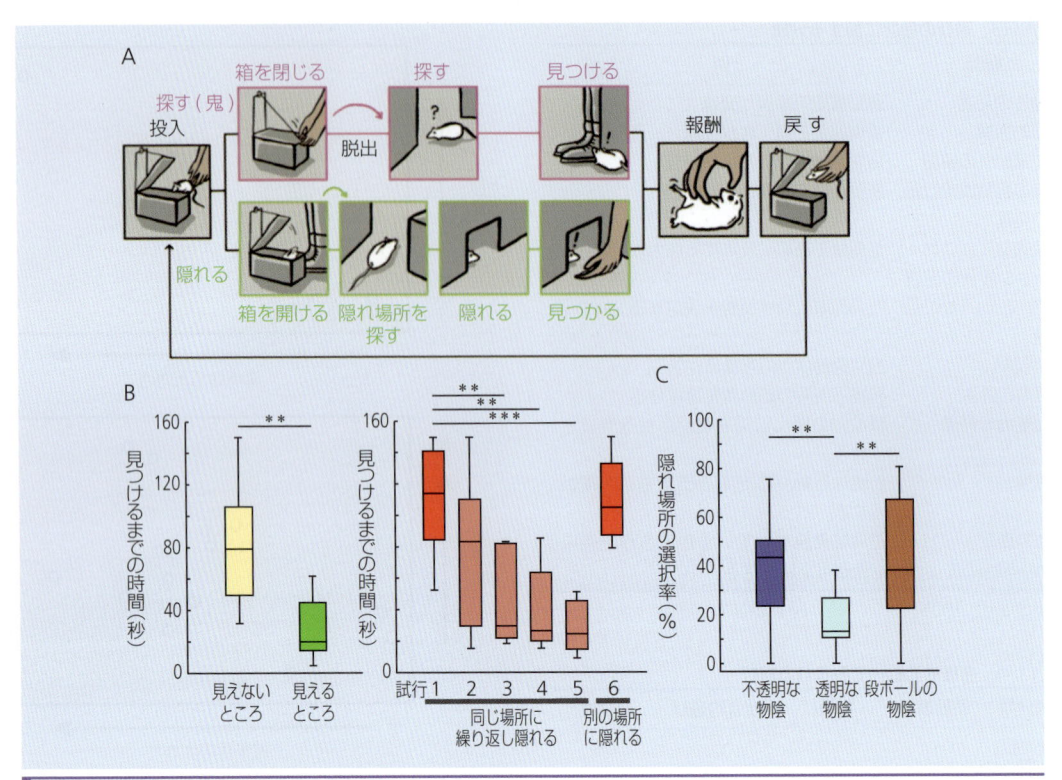

図11-16　ラットのかくれんぼの行動実験系　A：閉じた箱の中でスタートして遠隔操作でふたを開けられる場合，ラットが鬼役である（上段）．一方で開いた箱の中でスタートする場合，ラットが隠れる役になる（下段）．このルールをラットは学習することができた．鬼役がヒトを見つけたときと，隠れ役のラットがヒトに見つかったときにくすぐることで社会的報酬を与える．B：ラットが鬼役のときに，ヒトが隠れるところが見えると，見えない場合と比較して探索時間が短くなる．ラットがヒトが繰り返し同じ場所に隠れるとその場所を記憶して，探索時間が短くなる．C：隠れる役のときには透明な箱よりも不透明な箱や紙製の箱を選ぶ．(Reinhold et al, 2019)

11.2.6　かくれんぼの神経科学

ヒトの遊びである「かくれんぼ」をするためには，鬼は隠れたヒトを見つけるまで隠れることはできず，隠れる側は鬼に見つかるまで隠れ続け，参加メンバー間でルールが厳密に共有される必要がある．このため「かくれんぼ」は高度な能力を必要とする社会的遊び行動と考えられている．しかし，ラットがルールを学習し，ヒトと「かくれんぼ」ができたと報告がされた（図11-16A）(Reinhold et al, 2019)．方法はラットが不透明な箱に入っている間，ヒトが物陰に隠れると，ラットはヒトを探し出して近づき行動を示す．その際にヒトはラットをくすぐって社会的な報酬を与え，餌などの報酬は与えない．同じ場所にヒトが続けて隠れると，回数に従ってヒトを見つけるまでの時間が顕著に短くなった（図11-15B）．また透明な箱に入れて，ヒトが隠れる様子が見える場合は見つけ出すまでの時間が短かった（図11-15B）．一方で，ラットが箱の中に隠れているときに，ヒトがそのラットにくすぐり行動をすると，ラットは隠れ役もできるようになった．1〜2週間すると，スタート時にラットが開いた箱の中にいて，そばにヒトが目を覆ってしゃがみこんでいると，ラットは自分が隠れる役であることを学習した．さらに隠れるときには透明壁よりも不透明壁や紙でできた壁を選んだりするようになる（図11-15C）．

また内側前頭前野（PFC）においてテトロード電極を用いて多細胞同時記録実験を行ったところ，ヒトを探索中に発火頻度が上昇するニューロンの存在が確認できた．またラットがかくれんぼをする目的は不明であるが，ラットがくすぐられたときだけでなく，ヒトを見つけたときに正の情動を表現すると考えられる超音波を発する．また見つかった後に別の場所に隠れて，かくれんぼを継続しようとする行動もみられたことから，単純に報酬を目的とした行動でないと解釈されている．このように遊ぶために遊ぶ行動の進化的な起源は不明であり，今後，ラットの当該実験系は神経基盤の解明とその比較生物学的な研究に貢献することが期待される．

11.3　今後の展望

本章で見てきたように，動物は他個体との関わりの中で生活をし，生息形態やつがい形成システムのあり方に見合うような他個体との関わり維持システムを発

達させてきている．本章では，動物の行動とその神経内分泌学について考える場合にはその動物の生息形態を常に考慮に入れるべきだという基本的観点に立っている．そのため，行動神経内分泌学のテキスト類にみられがちなメカニズムのみに関する記述とはかなり趣の異なる章内容になっていると思う．つがい形成システムとその行動神経内分泌に見てもわかるように，動物がどのような行動をとり，それがどのような内分泌的メカニズムを背景にしているかは，さらに大きな背景としてその動物がどのような生息場所にどのような生息形態で住むように進化してきたかと深い関わりがある．進化と生態を抜きにして行動とそのメカニズムを正確に理解することは難しいと思う．

　つがい形成とその維持に関わるメカニズムと，つがい以外の仲間関係の形成と維持に関わるメカニズムは別に扱って研究をさらに深める必要があるだろう．また，これらの研究成果が実際にどれだけ自閉症などの研究に寄与するかは今後の研究の進展を見なければなんともいえない．類似性がみられるからといって，基本的にメカニズムが同じだとはまったくいえないからだ．本章の内容をきっかけとして1人でも多くの人たちが，行動・進化・生態・神経内分泌に興味を深めてくれればと思う．

12 情動

12.1 情動とは何か

　喜怒哀楽といった情動や感情を科学的に定義するのは困難で異論も多い。生体がその生命やホメオスタシス（恒常性）維持の危機に曝されたとき，あるいは，個体維持と種の保存に関連した状況のときに，情動・感情は生じる。そういった状況で感じる主観的体験（情動体験）のことを感情といい，表出される反応のことを情動表出あるいは情動反応とすることが多い（堀，1991）。情動反応は，単純な運動出力である反射運動に比べると刺激-反応関係が固定化されていない。一方で，意識的計画的な行動に比較すると定型的で自動的である。情動・感情には，喜び（幸福），悲しみ（悲痛），怒り，恐怖，驚きといったものがあり，喜びに代表される快（報酬）系と，悲しみ，怒り，恐怖といった不快（嫌悪）系とに大きく分けられる。快・情動を誘発する刺激は接近あるいは獲得行動の動因となり，不快の情動を誘発する刺激は回避行動の動因となる。同じ情動・感情でも強い恐怖，弱い恐怖といった強度の差があり，刺激が終了してもある程度の持続性がある。また，情動・感情を引き起こす刺激は特定のものだけというよりは汎化されやすい。誘発される情動反応は全身性に起きる。さらに，情動・感情は注意・記憶といった認知的過程も修飾する（表12-1）（Adolphs & Anderson, 2018）。これらの感情や情動反応は，刺激に応じて生得的に生じるものと経験（学習）によって生じるものや修飾を受けるものがある。さらに，情動・感情には社会的な経験を経て複雑で高次な認知を必要とするものも存在する。高次な脳機能を必要とする例としては自責の念，復讐心などがある。

　情動・感情には情動経験の側面と情動表出の2つの側面がある（表12-2）。情動経験の側面とは情動の主観的体験，すなわち内的に経験される感覚，感情の側面のことである。動物がどう感じているのかを知るのは困難なので，研究対象は主にヒトになる。主観的な感情とそのとき賦活化されている脳部位との相関関係を調べたり，何らかの原因で脳の局所が障害されている患者の感情変化や，あるいは脳局所が刺激されている状態のときの感情を調べる研究がなされている。しかし，どう感じているかを客観的に捉えるのは困難で，他人の感情はもとより，自分の感情を明確に把握することすら難しい。どこまで感情を意識的に捉えることができるかについても議論がある。

　これに対して，情動の表出は身体的な変化であり客観的に外から捉えることができる。情動に伴う身体反応には，末梢臓器による反応（表情・行動といった運動系の反応，自律神経系の反応，内分泌系の反応など）（図12-1）と脳の反応がある。実際，情動刺激が加わったとき，顔面の表情筋をはじめとして，行動，自律神経系，神経内分泌系に何らかの反応が表出されていることが多い。これらの情動反応を指標とすれば動物での検証実験が可能となる。実際，これまでどういう刺激が脳に伝わりどういう仕組みでどのような神経回路が活性化され，その結果，情動反応が誘発されるかが動物をモデルとして研究されてきた。

　ヒトには文化を越えて存在する基本的な情動が存在することが示されている。文化，人種を越えて普遍的

表 12-1　情動の特徴
快・不快が存在
強弱が存在
持続性がある
刺激に汎化性がある
反応は自動性を持つ
反応は全身性に生じる

表 12-2　情動の2つの側面
・情動の主観的体験（感情）
・情動表出（情動反応）

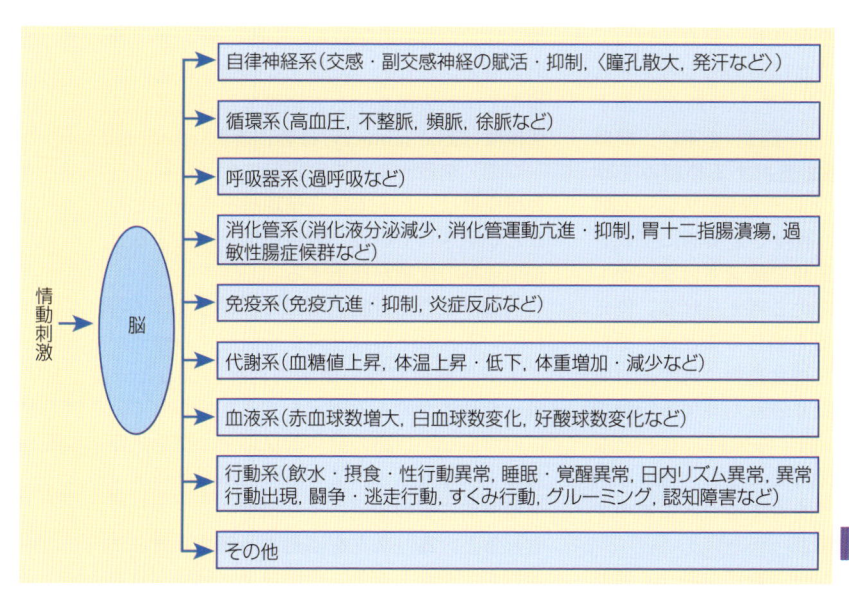

図12-1 末梢臓器による情動反応

に存在する情動は基本情動（basic emotion）と呼ばれている。基本情動として，喜び（幸福），悲痛（悲しみ），怒り，恐怖，驚き，嫌悪が挙げられている。ヒトには生得的にこれらの情動を感じ表出する能力とともに，他人がこれらの情動を表出しているときにその情動を理解する能力がある。基本情動のそれぞれに対応する顔の表情が世界共通に存在し，言葉は通じなくとも理解できるといわれている。他者の情動表出を一度も見たことのない先天性盲聾児においても喜怒哀楽の表情，姿勢を示すと報告されている。したがって，基本情動は後の環境に依存して文化的に学んだものというよりは，生物学的基盤が存在して遺伝的要因が大きいものと考えられている。

一方で，基本情動のそれぞれは独立した離散的なものというより，その境界線が明確ではないことも示されている。各情動は，快‐不快の感情価（valence）と活性（覚醒）‐不活性（睡眠）の覚醒度（arousal）の2次元を軸とした平面上，あるいはこれに持続性（persistence）を加えた3次元の空間上に位置するという考えが出されている（次元説）（Russell, 1980）。例えば，喜びは快で活性‐不活性の中間に位置し，悲痛は不快で非活性，驚きは快‐不快の中間で活性が強く，悲痛と驚きの間に，嫌悪，怒り，恐怖が位置する。

さらに，多くの動物において多種類ある情動のうち，喜び，悲しみ，怒り，恐怖は共通して存在すると考えられている。嗜好性のある食物や薬物に対する反応（喜びに関連した行動），期待していたことが起こらなかったときの反応（落胆，悲しみに関連した行動），身体的苦痛に対する反応（恐怖・不安に関連した行動），自分の領地への侵入者や自分の行動を邪魔する者に対する行動（怒りに関連した行動）は多くの動物種で観察されている。さらに，ある種の社会的な情動も動物とヒトに共通してあると想像されている。例えば，親子愛，夫婦愛，不公平に対する嫌悪（不公平忌避）に関連した行動を示す動物がおり，こういった社会的な行動の神経基盤もしだいに明らかになりつつある。

12.2 情動の意義

情動はしばしば理性と対比され制御すべきものとして扱われてきた。しかし，一方で，情動は生きるうえで重要な働きをしていることが指摘されている。情動は，個体維持と種の保存に関連する状況で生じることから，個体維持と種の保存に寄与しているのではないかと考えられている（表12-3）。身に危険が及びそうなときに不快な感情を感じ，逆に，個体の生命と子孫の維持に有利なときには快の感情を感じることは，危険を避け有利なことには接近するという適応的な行動をとるための動機づけとなる。また，有限で時間のかか

表12-3 情動の意義

【個人的情動】
- 心身のリソースの優先的割りつけ
- 接近（獲得），回避行動の心理的動機づけ
- 記憶促進
- 覚醒反応，注意集中，運動行動準備
- 認知・遂行能力・意思決定・行動選択への影響
- 主観的体験による生活への彩り
- 自身の進退情動反応のモニター

【社会的情動】
- 情動情報の伝達と感受・理解（コミュニケーション）
- 情動伝染，情動的共感，社会的緩衝
- 社会的情動による社会の形成・維持（集団帰属意識，内集団と外集団の区別，社会規範の順守）

る認知的リソースを，情動を惹起させた刺激に対して優先的に集中させて対処することは適応的と考えられる。この情動の働きで，何をすべきか判断がつかず延々と迷い続けること（ハムレット問題）を避け，問題を解決するうえで重要な情報を選択する枠組みを作り，関係ないものを無視するという課題（フレーム問題）を解決できる。この進化の過程で定型的に形成された情動による危機処理は，単純で最適ではないかもしれないが迅速でそこそこ適応的と考えられる。例えば，捕食動物を見たときに恐怖を感じることは，それまで行っていたことを中止して捕食動物に対する対処に集中し，捕食動物から逃げたり隠れたりする行動をとるための動機づけとなり，個体の維持に有利となる。また，子や異性に愛着を感じることは，他の事柄に優先させて次世代を産生し子を育てることに集中する動機づけになると考えられる。

一方でこの有限の心身のリソースを集中させる情動のはたらきは，スポットライト効果をもたらし，視点を狭くしバイアスをもたらす。身近で自身が属する集団（内集団）に関わることや，具体的なこと，そして新奇性があることに情動が誘発され，注意がいきやすくなる。

情動刺激を受け，行動と自律系の反応が主観的感情に先行して惹起されることもある。

情動刺激を受けたときに誘発される身体反応は，その状況下において適切な情動行動を起こすうえで適応的である場合が多い。例えば，捕食動物を見たときに覚醒度が上がり，捕食動物の動きに注視する。さらに交感神経系の賦活化により体温が上昇し，心拍数が増加し，血糖値も高くなる。これらは，逃避行動を起こすうえで身体の運動準備として適応的な反応である。

情動を誘発する状況は，記憶にとどまりやすいという特徴もある。その結果，危険な状況や楽しい状況，有利な状況を学習することによりその個体の生存・維持・繁殖に有利になると考えられる。捕食動物に出会った状況を記憶し，今後はそういった状況になるのを避けることができる。逆に，おいしい食べ物や飲み水を確保できる状況，適切な繁殖相手を見つけられる状況を記憶し，将来再びその状況になることを希求することは，その個体の生存・繁殖に役立つ。

また，後述するように，生体は情動刺激に対する自己の身体情動反応をモニターしており，それにより自身の身体情動状態を修飾することが知られている。例えば，ヒトは情動に応じて表情を示すが，情動の表情を強制的につくることでその感情体験を感じる。笑顔をつくると楽しい気分になり，眉間に皺を寄せると不快な気分になる。逆に，ボツリヌストキシン投与によって表情筋を弛緩させて表情表出を阻害すると自身の感情体験が低下するという。さらに表情表出は，目の前の相手の感情を読み取るのにも役立つ可能性が指摘されている。すなわち，ヒトのみならずイヌ，サル，チンパンジーといった様々な動物において，目の前の相手と同じ表情をする表情模倣が報告されている。表情模倣（facial mimicry）は動作模倣（motor mimicry）の一つで，刺激から 0.5 秒程度で生じ反射に近い。この表情模倣は，ヒトでは表情理解を促進する効果があることが示されている。表情模倣を阻害すると，相手の表情理解の成績が低下する。

情動はまた，行動選択にも影響を及ぼすことが知られている。ヒトにはリスクを回避する傾向があるが，ストレス負荷が強い閉塞的状況になると一攫千金を狙ったリスクのある選択をするといわれている。意識にのぼらない情動の身体的反応が，意思決定に影響を及ぼすことも示されている。前頭眼窩領域にある腹内側前頭前皮質の損傷により情動による身体反応が障害されると，高リスクを回避する適切な意思決定・行動選択ができなくなる。その結果，獲得額は大きいが損失額も大きく，結局は損をする高リスクを選択すると報告されている（ソマティック・マーカー仮説）。

また，情動反応のうち外界から容易に観察される反応，例えば，音声，表情，行動，においは，他の仲間個体に状況や意志を伝える手段としても役立つ。言葉の内容とは別に，言い方，表情，態度，におい物質は，そのときの情動状態を相手に伝達する。叫び声，表情，行動により仲間が危険な状況にあることを遠くからすばやく察知できれば，察知した個体は危機を事前に回避することができるかもしれない。観察している仲間の情動状態と同じ情動状態になることを情動伝染という。楽しそうにしている個体が傍らにいると楽しい気分になるし，不快そうにしている個体が傍らにいると自分も不愉快になる。一方，不安の情動反応と感情は，信頼できる仲間が傍らにいると緩和される。これは社会的緩衝と呼ばれている。周囲がすでに安全な状況になっていて仲間が近くにいる状況では，不必要となった情動反応が緩和されることは理にかなっている。積極的にストレス緩和作用のあるグルーミング（毛繕い行動），寄り添い行動やハグといった慰め様行動を不安状態の個体に仲間が示すこともある。

さらに，例えば怒っていることを物理的な接触なく相手に伝えられれば，無用な攻撃や争いが避けられる可能性がある。仲間に対して情動的共感が働き，愛着様行動，共感的行動，援助行動などを示すことは内集団の絆を強化し，属する集団に対する帰属意識を高め，集団の形成と維持に役立つ。外集団と競合関係にあるときには，内集団の士気を高めることにつながり，内集団の帰属意識が高まれば，外集団との競合で有利となる。

生物が集団を形成するメリットの一つは，互いに協力し合うことである。協力関係を安定的に保つためには，協力し合うという社会規範を遵守し，利己的な行

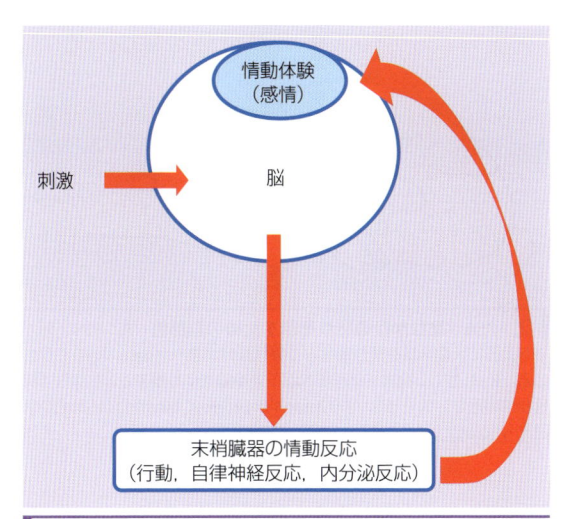

図12-2 ジェームズ-ランゲの情動の末梢起源説 外界から刺激を脳が受け取ると，脳から末梢臓器へ信号が出力され，末梢臓器が反応する。この末梢臓器に内在する感覚受容器が刺激されこの情報が脳に伝達され，その結果，情動体験が生じる。

為である「タダ乗り」を防ぐことが必要である。周りが協力的な状況ではタダ乗りするものが一番利益を得やすく，タダ乗りが横行すると協力関係は成立しなくなるからである。ヒトは，規範を守らないでタダ乗りする者を検出する能力に優れている。さらに社会規範の違反者を罰することに報酬性を感じることが示されている。不正義を目にしたり，他者や自身が不公平に扱われたりすると義憤・憤りの感情が生じ，逆に自身の裏切り行為に対しては，うしろめたさの感情を持つ。このような社会的な感情は，社会を維持するのに寄与していると考えられる。罰するというコストを分担し，タダ乗りを防止して協力を維持させることで，利益がコストを上回り次世代へと伝達されると考えられる。

12.3 情動の脳機構—歴史的経緯

情動は古くから研究の対象にされてきた(Cornelius, 1996)。ダーウィンは動物の様々な行動を観察し，動物とヒトの情動行動に共通性がみられることを指摘している(Darwin, 1872)。この事実から，基本的な情動行動は，後天的に文化により学習されたというよりは遺伝的に規定されたものであると考えられる。動物がヒトと似たような状況下で同じような情動行動パターンを示すことを考えると，動物がヒトと同様な情動体験をしているかは不明としても，行動や生体生理反応による情動表出の神経機構は少なくとも一部はヒトと動物で共通していると考えられる。例えば，攻撃行動を示している動物の神経機構の研究は，ヒトの「怒り」の神経機構につながる。

12.3.1 ジェームズ-ランゲ説

情動刺激を受けると様々な身体反応が誘発される。William James(1842〜1910)とCarl Lange(1834〜1900)は，この身体の情動反応が脳にフィードバックされ，その結果，脳は情動体験をする，すなわち感情が生じると考えた(図12-2)。感情の体験は末梢臓器の変化に起因するという考えである。情動的な刺激を受けると，例えば，無意識のうちに顔面の筋肉が動き表情がつくられ，思わず独特の身体の姿勢をとったりする。また，自律神経系を介して様々な内臓臓器の反応が誘発される。例えば，怒りが込み上げてくるような刺激があれば，眉がつり上がり顔面の皮膚血流量が上昇し，顔面が紅潮する。拳を握り攻撃に備える動作をする。血圧が上昇し，消化管機能が低下し食欲がなくなる。これらの末梢臓器の反応は，どういう状況でどのような刺激を受け取るかにより少しずつ異なる。この多彩な末梢臓器の様々な反応が脳にフィードバックされて，その結果，それぞれ異なる感情を経験するという考えである。"悲しいから泣くのではなく，泣くから悲しい"というわけである。

12.3.2 キャノンの批判

このジェームズ-ランゲ説に対してWalter Cannon(1871〜1945)は，感情は脳の反応によるもので，身体反応の結果生じたものではないと反論している(図12-3，表12-4)。ジェームズ-ランゲ説が正しいとすれば，異なる感情に応じてそれぞれ異なる内臓の変化がなければならない。しかし，内臓の反応は様々な刺激に対して共通していることをCannonは指摘した。例

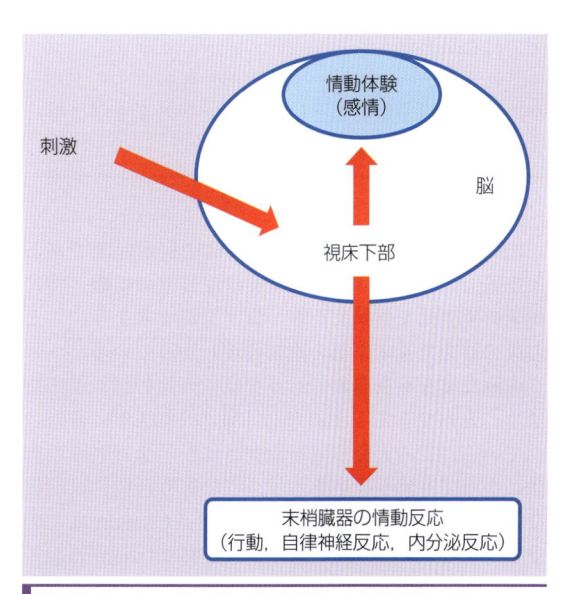

図12-3 キャノン-バードの情動の中枢起源説 外界からの刺激を脳が受け取り，脳が情動刺激であると判断すると，脳からの遠心性経路により末梢臓器の反応を誘発するとともに，情動体験も生じる。

表 12-4 キャノンの批判―情動の末梢起源説へのキャノンの反証

各感情に対応した異なる反応があるか？
・多くの感情に共通した末梢臓器の反応がある
内臓の反応と感情体験の時間的ずれ
・内臓の反応は遅い
内臓反応で感情が惹起できるか？
・薬物投与で内臓反応を誘発しても本物の感情は生じない
内臓感覚のフィードバックの遮断で感情が阻止されるか？
・求心性神経遮断動物で情動行動が起きる
・脊髄損傷患者で感情は消失しない

情動の末梢起源説だけでは説明できない現象がある。

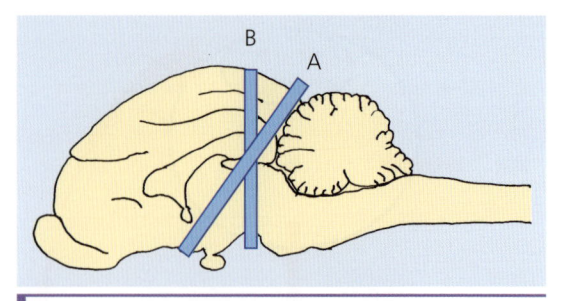

図 12-4 見せかけの怒りを示すための脳部位 A：視床下部が残るように大脳半球を切り離すと「見せかけの怒り(sham rage)」が生じる。B：しかし，視床下部とそれ以下の中脳を切り離すと，もはや「見せかけの怒り」は生じない。(Joseph E LeDoux, Emotion, Handbook of Physiology. vol 5, p420, 1987 より改変)

えば，恐怖の感情を引き起こす刺激も，嬉しいという感情を誘発する刺激も，そのいずれも，刺激の程度が激しければ，共通して交感神経系の興奮を誘発し，心拍数が上昇し，消化管の機能障害が生じるなどの内臓臓器の反応が起きる。さらに Cannon は，内臓臓器は比較的鈍感でそのうえ内臓の変化は遅く，刺激があるとすぐに感情が生じることを考えると，時間的にいっても後から起きる内臓の反応が，先行する感情の原因ではありえないと指摘した。また，内臓の変化を人為的に誘発させても，必ずしも自然状況下に生じるのと同じ本物の感情は惹起されない。例えば，恐怖刺激が加わっても，アドレナリンを外来性に投与しても心血管系の反応が生じるが，アドレナリンを末梢に注射しても大多数の被検者は"あたかも恐れているような"体験はするが，決して本物の感情は経験しない。Cannon はまた，末梢から中枢へと知覚信号を伝える求心性の神経線維を切断して脳へのフィードバックを遮断しても，動物は情動刺激を加えると情動行動を示した。そこで，Cannon は，末梢臓器の身体的変化は感情の原因ではないと考えた。

これらのデータから，末梢臓器からのフィードバックのみで感情が生じるという考えはそのままでは受け入れがたいことがわかる。

12.3.3 キャノン-バード説

Cannon は，したがって，感情は中枢が起源であると主張した(図 12-3)。Cannon は皮質下の組織，特に視床の重要性を指摘したが，以下記載するように，その後の研究で視床下部の重要性がわかっている。

大脳皮質を除去されてもイヌは，一連の怒り反応を示すことができると 100 年以上前の 1892 年に報告されている。この大脳皮質を除去されたイヌは些細な刺激によっても怒り反応を示す。この怒り行動には明確な標的がないように見える。そこで，Cannon はこの皮質除去動物の怒りを"見せかけの怒り(sham rage)"と呼んだ。この"見せかけの怒り"のとき，自然な怒りと同様，血圧上昇，心拍数増加，瞳孔散大，立毛といった交感神経系活動の亢進を伴っていた。このように自然な怒り反応と同じような反応が，大脳皮質がなくとも生じる。したがって，大脳皮質は怒り反応の表出には必須ではないことがわかる。大脳皮質がないと些細な刺激で攻撃行動が誘発されるということは，大脳皮質は"怒り"の表出を普段は抑制していると考えられる。

Phillip Bard(1898～1977)はさらに，様々な脳部位を切断して怒り行動を観察し，情動の責任部位を突き止めようとした。ネコの皮質と基底核を含む領域を除去しても，視床下部の後部と腹側尾部の視床が保たれているかぎり，ネコは背中を弓なりにして爪を出し，歯をむき出して唸り声を出すといったまとまった一連の攻撃行動を見せた。これに対し，視床下部と中脳の間を切断し，視床下部が働かないようにすると，もはやまとまった攻撃行動は観察できなくなった(図 12-4)。また Hess Walter Rudolf(1881～1973)は，ネコの視床下部の個々の部位を電気刺激することにより，様々な情動行動が誘発できることを見出した。これらのデータから，視床下部が情動反応の表出を担っていることがわかる。視床下部は前脳の底部にあり，ヒトでは 4 g 程度と 1,200～1,400 g の成人脳の 0.3 %にすぎない小さな組織であるが，自律神経系，内分泌系，行動を統合する中枢である。

この視床下部の刺激による攻撃行動も大脳皮質除去動物の怒りと同様，真の感情を伴っていないとして"見せかけの怒り"と呼ばれた。しかし，Hess は本物の怒り(true rage)と主張している。その後の研究でも，視床下部を刺激すると動物は情動行動を示すだけではなく，自律神経系の反応を伴っており，さらに，動物は攻撃行動を誘発するような視床下部電気刺激を嫌がることが明らかとなった。すなわち，視床下部刺激による攻撃行動は，自然な刺激による攻撃行動とほとんど区別がつかない。このことから，視床下部が情動表出だけでなく，情動体験にも関与している可能性が考えられる。いずれにせよ，これらのデータをあわせて考えると，視床下部が少なくとも怒り行動の表出に必須であることがわかる。

表 12-5　末梢臓器による情動への修飾

・各感情に対応した身体反応
・脊髄損傷患者における感情変化
・感情表現による感情惹起

末梢臓器の反応が情動を修飾しているという証拠がある。

12.3.4 キャノンの反証への再反論

それでは末梢臓器の情動反応が情動体験を生じさせるという James と Lange の考えがまったく間違っているのかというとそうでもないと現在では考えられている(表12-5)(Damasio, 2003)。

異なる感情でも同じような身体的変化があるという指摘に対して，必ずしも報告は一致していないが，細かく生理学的指標をとっていけば，感情によってそれぞれ異なる特異的な身体反応を観察することができるという報告もある。例えば，恐れと怒り，悲しみと幸福における末梢臓器の反応は異なることが報告されている。

また，末梢臓器からのフィードバックを遮断しても情動行動があるという反論も，動物を用いた実験なので情動行動を示したからといって，必ずしもヒトと同じように"感じている"かはわからない。ヒトにおいて，脊髄損傷患者で検討した報告によると，脊髄損傷で怒りや恐れの感情，性的な興奮が以前に比べて低下したという(Hohmann, 1966)。また，脊髄を損傷すると，情動刺激により賦活化される脳領域が変化する(Nicotra et al, 2006)。さらに，頸部，胸部損傷のような脊髄上部が損傷され，より広範囲の自律神経系からのフィードバックを受けられない患者は，脊髄下部損傷患者に比べより大きく情動経験が減退したと報告されている。また，自身の心拍への感受性が高いヒトほど，主観的感情体験が強いという。これらのデータを考えると，末梢から脳への脊髄を介したフィードバック回路があり，この回路が感情体験に重要であることがわかる。ただ別の研究では，感情の種類により，脊髄を介したフィードバックの重要性に差があることも示されている。脊髄を損傷すると損傷前に比較して怒りの感情は弱くなったが，恐怖，喜び，愛，悲しみの感情経験はかえって強くなったと報告されている(Chwalisz K et al, 1988)。このデータは，感情経験における内臓からのフィードバックの働きが感情の種類により異なることを示唆している。

また，末梢臓器の反応により感情が生じるかという点に関し，顔の表情を人為的につくるだけでその表情に対応する自律神経反応が生じることも示されている。すなわち，怒り，恐怖，悲しみ，幸せ，驚き，嫌悪の表情をつくるだけで，それぞれに特徴的な自律神経反応が生じたという(Ekman et al, 1983)。表情をつくるだけで感情が生じる(顔面フィードバック仮説)と

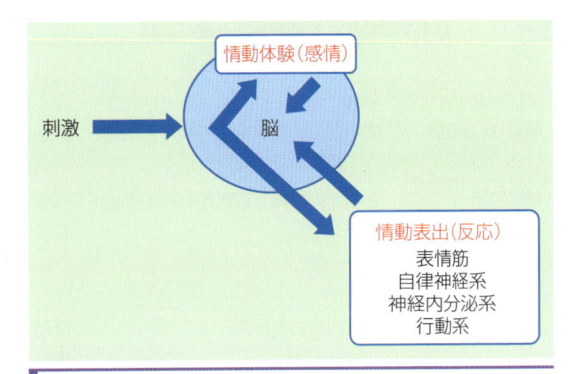

図 12-5　情動における末梢臓器と脳の相互作用　外界からの刺激が脳に伝達されると，情報処理により末梢臓器の反応を生じさせるとともに，情動体験を生じる。末梢臓器の情動反応と情動体験は，情報が戻され，さらに情動体験と情動反応を修飾する。

いうことに関しては異論があるものの，少なくとも比較的単純な情動体験は影響を受けることが示されている。さらに心拍動の意識的なフィードバックにより感情認知が影響を受けることが示されている。自分の心音を聞かせながら，提示された顔の表情に含まれる感情を判断させるというテストで，実際よりも早い心拍数の心音を聞かせると島皮質が賦活され，中性の表情の顔であるにもかかわらず感情表現があると認知されたと報告されている(Gray et al, 2007)。このデータは，心拍数が高いという偽りのフィードバックによって感情認知が修飾されること，また，その機構に島皮質が関わっていることを示している。

したがって，末梢臓器の情動反応からのみで情動体験が生じるということはないとしても，末梢臓器の情動反応の情報は脳に戻され，情動体験と情動反応を修飾していると考えられている(図12-5)。

12.3.5 基本情動仮説と認知評価説と心理的構成論説

前述したように，情動は生物が生存していくのに有利にはたらき，進化の過程で遺伝的に組み込まれた生物学的基盤を持つと考えられる。特に情動の生体反応は，ヒトと動物に共通する部分がある。情動の主観的感情経験においても，文化・社会を越えてヒトに普遍的に存在しており生物学的基盤を持つと考えられている。すなわち，喜び，悲痛，怒り，恐怖，驚き，恐怖といった基本的な情動にはそれぞれ別個の生物学的基盤があり，基本的に異なる生体反応と異なる感情体験を伴うという考え(基本情動仮説)がこれまで有力であった(表12-6)。

一方で，同じ状況に置かれたとしても引き起こされる情動は，個体によって異なることも知られている。すなわち，置かれた環境をその個体がどのように評価するかによって生じる情動は影響される。置かれた環境が対処不能と感じれば恐怖感が生じ，対処可能であ

表 12-6　基本情動仮説と認知評価説と構成論説

	基本情動仮説	認知評価説	構成論説
情動を発生させる刺激-反応連関	強固．刺激により別々の神経回路が賦活化し，特徴的な情動の生体反応と主観的情動体験が生じる	緩く存在．生体に生じた身体反応を評価した結果，主観的情動体験が生じる	特異的な連関はない．脳と各情動の生体反応と主観的感情関係は1対1対1関係ではない
神経回路	各情動に対応する特異的神経回路が存在	各情動に対応する特定の情動回路はない	各情動に特異的な回路はなく，快-不快の軸と覚醒レベルの軸に対応する基盤がある．広範囲の脳，ネットワークが関与
主観的情動体験	特異的なものがある	評価により生じる．社会，文化に影響される	快・不快，覚醒レベル，概念（言語）で形成される
進化	各情動が進化した	評価機能が進化した	多様化．概念化が進化した

ると判断されれば恐怖感は生じない．評価は，環境の情報とその個体のこれまでの経験と，そのときの生体の内部環境に依存する．即時的，自動的で無意識的な処理を含めた認知的処理によっても情動は影響される（認知評価説）．SchachterとSingerは，生体に生じた生理的な反応とその認知的解釈によって感情体験が生じるとしている（情動二要因説）（Schachter & Singer, 1962）．この例として，吊り橋を渡って心拍数が上昇したときに出会った異性に恋愛感情を抱く傾向がみられるという吊り橋効果が有名である（Dutton & Aron, 1974）．これは，吊り橋という環境で生じた心拍数上昇を，出会った異性に対する恋愛感情のためと解釈したことで生じたとする．

一方，情動に関して別の考えも提唱されている．情動には進化の過程で形成された生物学的基盤があるとしても，それぞれの基本情動に対応する神経基盤，固定的な刺激-反応（内臓の自律的反応，表情・姿勢を含む運動表出）連関と，それに伴う特定の主観的感情経験がそれぞれ別個に存在するかについては異論がある．実際，自律神経系の情動反応には各情動に対して特異性はなく，脳においても各情動に特異的に活性化される部位はないという報告もある（リサ・フェルドマン・バレット，2019）．そこで，個々の情動は，身体反応と環境の認知的評価，そしてその社会・文化に基づいて概念としてつくられたものであり，個別の特定の神経回路の活性化で起こるものではないという考えが提出されている（構成論説）．例えば，恐怖の情動は，蛇や蜘蛛を見ても，高所でグラグラするところに立っても，痛みを予告する刺激でも，誰かに脅されたとしても生じうる．そして，それぞれの状況で生じる生理的な反応は異なり，これらの生理反応を誘発するための神経基盤も異なる．しかし，恐怖の概念が形成されていれば，"恐怖"を感じると考える．後述するように条件恐怖学習によってすくみ行動を誘発する神経回路は存在するが，この回路は恐怖で逃走するときの神経回路とは別のものである．したがって，いわゆる普遍的な「恐怖中枢」はないという考えである．刺激-生体反応-主観的感情経験の連関は固定的なものではなく，"恐怖"という主観的感情を感じるのは"恐怖"としてまとめた概念があるからで，"恐怖"の概念がなければ"恐怖"の感情経験はできないと考える（Lindquist et al, 2012）．

心理的構成論説においては，内臓や心血管系などの身体からの情報による内受容感覚と状況に応じて内臓を動かすための神経ネットワークの活動に連関して，コア・アフェクト（原始的感情〈core affect〉）が生じるとする．コア・アフェクトは，快-不快（情動価），活性-不活性（覚醒度）の2因子で構成される2次元，あるいはさらに持続時間などの別の因子を加えた多次元の中で連続的に表される．このコア・アフェクトの状態を個々人が意識化しカテゴリー化することで，情動が体験され表現されることになる．

そもそも脳は身体の恒常性を保つために進化したもので，身体の状態が設定した目標値の範囲になる方向に変化していれば快の情動が生じ，逸脱する方向に変化しているとき不快の情動が生じると考える．

すなわち脳は，恒常性維持に向けて作成した内的モデルに従って予測を立てて内臓に運動指令を出す．その結果として変化した内臓からの情報（内受容感覚）と，あらかじめこう動くであろうと予測した値とのずれ（予測誤差）を検出する．脳は，このずれを最小化するために内的モデルを更新したり，内臓への運動出力を変える．この予測誤差を脳が検出し，予測誤差が小さくなっていくときに快情動が，逆に予測誤差が大きくなっていくときに不快情動が体験されるとする．

これらの説は必ずしも排他的ではない．情動は，環境刺激による外受容感覚と，その状況における身体の反応による入力（内受容感覚）と，個人的社会的な影響に依存した評価とを反映し生じるもので，広範囲の脳領域が関与している．基本的情動はそれぞれに特異的な脳領域の活動で生じるというよりは，後述する脳の様々な領域の結合性によって生じるらしい．

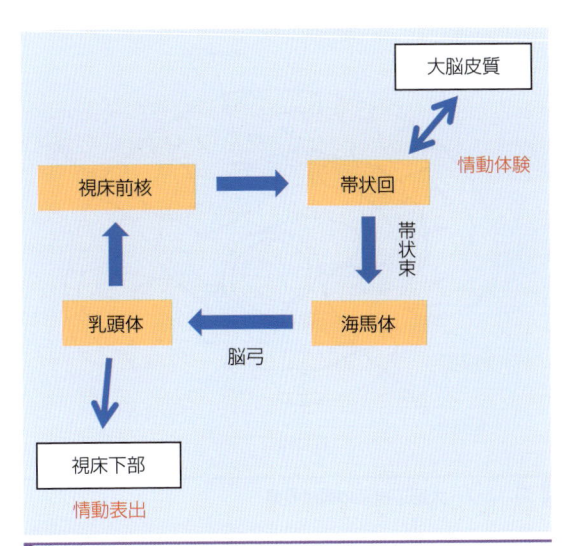

図 12-6　パペッツの回路　"乳頭体-視床前核-帯状回-海馬傍回-海馬-脳弓-乳頭体"という閉ループをパペッツの情動回路と呼ぶ．

表 12-7　クリューバー-ビューシー症候群
- 精神盲
- 視覚過敏
- 口唇傾向
- 性行動亢進
- 情動変化
- 摂食亢進

両側側頭葉切除による症状．

12.4 パペッツ回路

　視床下部が情動行動の表出に必須であることがわかったが，それではどういう機構で生体は，外界からの刺激を情動刺激と判断するのであろうか．この問いに関して比較解剖学者の James Papez（1883～1958）は，1937年，情動の脳回路モデルを出した（図12-6）．情動異常を示す狂犬病患者に海馬体の障害がみられることから，情動の情報処理に海馬体が重要であると考えた．情動体験の場所としては帯状回とそこからの投射先である大脳皮質を考え，情動表出を司る視床下部との間に"乳頭体-視床前核-帯状回-海馬傍回-海馬-脳弓-乳頭体"という閉ループがあると想定した．この閉回路が"パペッツ（Papez）の情動回路"と呼ばれるもので，Papez はこの回路で情動処理が行われていると考えた．この考えは，現在でも生きてはいるが，この回路は記憶の情報処理も行っていることと，後で述べるようにこの回路に含まれていない扁桃体が情動処理において中心的働きをしているという点で修正されている．

12.5 クリューバー-ビューシー症候群

　Heinrich Klüver（1897～1979）と Paul Bucy（1904～1992）は，両側側頭葉除去により情動行動が異常になることを発見した（表12-7）．彼らは，サルの海馬と扁桃体を含めた両側側頭葉を切除すると非常におとなしくなることを見出し，その行動を詳細に調べ 1937 年に報告した．両側側頭葉を切除すると，精神盲（視覚的に捉えたものの価値や意味を認知判断できない），視覚過敏（視覚的に捉えたあらゆる物事に対し次々と注意を向けて反応する），口唇傾向（あらゆるものを口に持っていき噛んだり舐めたりして確かめようとする），性行動亢進（性，種の区別なく性行動が亢進．ヒトでは頻度は低い），情動変化（怒り，恐怖，攻撃反応の消失．無感情，感情鈍磨），摂食亢進（過食，異食）が起こった．サルは，目に見えたものを何でも口にして食べようとし，蛇や人を見ても恐れなくなった．出現頻度としては，情動性の変化と口唇傾向が多いといわれている．両側側頭葉は多数の領域を含む．その後の研究で，障害されて情動が変化するのに重要な部位は扁桃体であることが明らかになっている．ヒトでも扁桃体損傷により，情動反応が変容し，攻撃行動が減少することが報告されている（次項を参照）．

12.6 大脳辺縁系

　Paul Broca（1824～1880）は，間脳（視床と視床下部）をリング状に取り囲むようにして新皮質と間脳の間に位置している系統発生学的に古い皮質領域を解剖学的に大辺縁葉と呼んだ．現在では辺縁葉（limbic lobe）と呼ばれている．この領域（帯状回，海馬傍回，海馬体，鉤，終板傍回）と辺縁葉に直接神経結合している皮質下の部位は，情動と自律神経系の制御を司っており機能的にまとまっている．そこで，Paul MacLean（1913～2007）は1949年，情動と内臓機能を制御しているという意味で機能的にまとまりのある，辺縁葉を中心とした脳領域のことを大脳辺縁系（limbic system）とする概念を提唱した．このように大脳辺縁系は機能的に定義づけられている．このため，どこまでを大脳辺縁系に入れるかについて研究者により異なっている．通常，帯状回，海馬傍回，海馬体といった皮質（辺縁葉）のほか，皮質下組織として扁桃体，中隔野，側坐核が含まれる．その他，前頭葉眼窩回，視床，視床下部，中脳中心灰白質を含める場合もある（表12-8，図12-7）．この大脳辺縁系は，感覚系からの入力と脳幹部からモノアミン線維の投射を受ける．狭義の大脳辺縁系からの出力先としては視床下部と中脳中心灰白質があり，自律神経系と運動系を制御している．

　大脳辺縁系の情動に関する機能に関し，ヒトで大脳辺縁系を刺激すると情動が誘発され，破壊されると情

表12-8 大脳辺縁系の構成要素
通常，線から上の部分をいうが，すべてを含める場合もある。

前頭葉眼窩野
帯状回，海馬傍回
海馬体（歯状回，海馬，海馬台）
中隔野
扁桃体，分界条床核
側坐核（腹側線条体）

視床前核
視床下部
手綱核
中脳灰白質
網様体

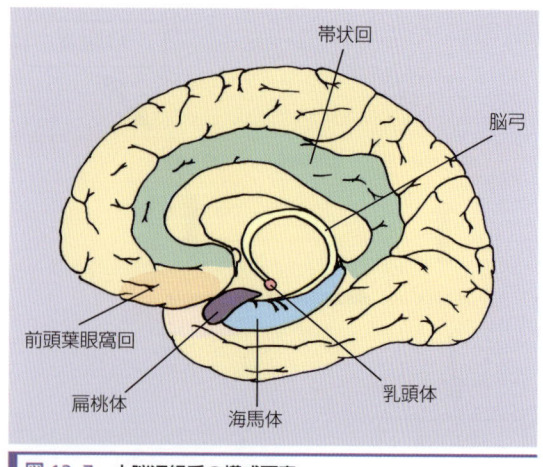

図12-7 大脳辺縁系の構成要素

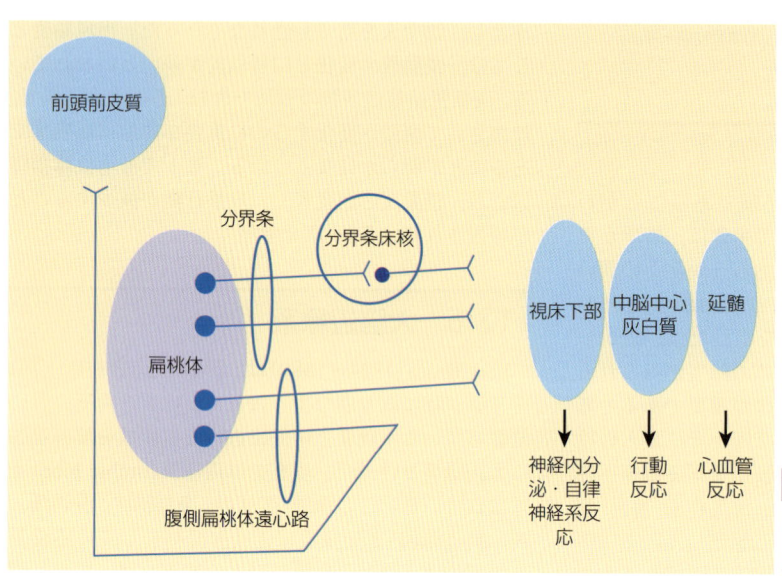

図12-8 扁桃体からの出力 扁桃体から，分界条と腹側扁桃体遠心路を経て大脳皮質と視床下部-中脳中心灰白質-脳幹網様体へと投射する。

動が障害されることが古くから報告されている。さらに，近年は情動刺激により大脳辺縁系の活動が上昇することが報告されている。神経活動が異常に増加する病態にてんかん発作がある。てんかん発作が始まるとき，あるいは，発作中に，欲望，恐怖，怒り，落ち込み，満足，愛といった様々な感情が出現する場合がある。このような精神発作がある場合，その病巣が大脳辺縁系のどこかであることが確認されている。このデータは大脳辺縁系の局所が刺激されると感情が生じることを示している。逆に，大脳辺縁系が障害されると，情動あるいは記憶学習の障害が起こる。これらのデータからも，大脳辺縁系の情動における重要性がわかる。

12.6.1 扁桃体

大脳辺縁系の中でも特に扁桃体（amygdala）は，情動と関わりが深い。扁桃体はアーモンド型（almondに対応するギリシャ語がamygdala）をしており，基底外側核，中心核，皮質内側核の大きく3つに分かれている。基底外側核は，高次感覚性皮質野や連合野，あるいは皮質下の視床，視床下部やモノアミン作動性ニューロンを含む脳幹部から，身体の内部あるいは外部環境の感覚情報入力を受ける。扁桃体からの主な出力としては，①分界条（stria terminalis）を経て視床下部への投射，②分界条床核を中継したのち視床下部への投射，③腹側扁桃体遠心路（ventral amygdalofugal pathway）を経て前頭前皮質や中脳中心灰白質・延髄への投射，が知られている（図12-8）。

情動の中でも恐怖と扁桃体との関連性が示されている。恐怖情動と扁桃体の関係を示す証拠としては，恐怖刺激で扁桃体が活性化され，扁桃体を刺激すると恐怖の情動反応が誘発され，そして扁桃体を破壊すると

12.6 大脳辺縁系

表12-9 扁桃体と情動

記録：	情動刺激で扁桃体が活性化
刺激：	扁桃体刺激で情動反応
破壊：	扁桃体破壊で情動低下

扁桃体が情動に関与するという証拠。

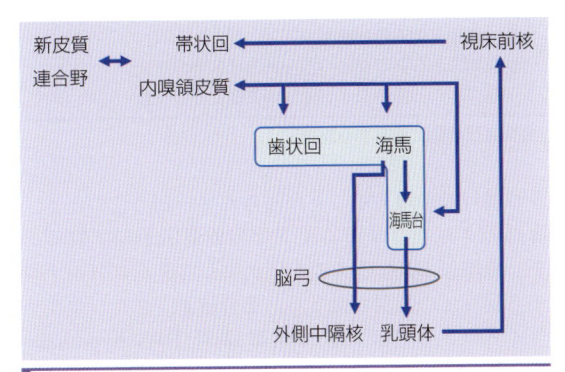

図12-9 海馬体の入出力 大脳皮質からの入力は内嗅領皮質を介し、出力は脳弓と内嗅領皮質を介する。

恐怖の情動反応が変容するという3つの論拠がそろっている（表12-9）。

恐怖の表情をした顔や信頼性の低そうな表情をしている顔写真を見せると扁桃体の活動が上昇することがヒトで示されている（Winston et al, 2002）。うつ病患者では扁桃体の活動が亢進しているという証拠がある。うつ病患者では扁桃体の体積が増加し、安静時の扁桃体の血流が増加して恐怖表情を見たときの扁桃体血流増加も大きいと報告されている（Sheline et al, 2001）。また、扁桃体を刺激すると恐怖の感情が生じる（Halgren et al, 1978）。常染色体劣性遺伝疾患のウルバッハ-ヴィーテ（Urbach-Wiethe）病（extracellular matrix protein ECM1 遺伝子変異の常染色体潜性遺伝性疾患）で両側の扁桃体が石灰化し障害された患者は、恐怖の表情をした顔を見せられても、正しくその感情（恐怖）を読み取ることができない。脅威となる顔（怒りの顔）の検出にも障害が生じる。これに対して幸せそうな顔の認知は障害されないという。また、扁桃体が障害された患者では、複雑な心理状態の顔面表情（不信、罪）の識別能力が低下し、顔写真を見せて人物の信頼性を評価させたときの判断は、健常者と異なり、健常者が不信感を示した顔写真に肯定的な評価を下すという（Winston et al, 2002）。また、物語の登場人物の意図と感情を推定することができにくくなると報告されている。さらに近年、扁桃体が快の情動刺激にも賦活化されること、扁桃体が社会行動に関与することも示されている。扁桃体が障害されると他人と物理的に近づいても不快感を感じなくなるという報告もある。したがって、扁桃体は恐怖などのような不快な情動の評価のみならず、情動の情報処理に広く関わっていると考えられる。

扁桃体が障害されるとどうして視覚刺激に対する恐怖の感情評価ができなくなるのかについても研究されている。扁桃体が障害された患者では相手の目を見ずに口を見て表情を判断しようとする傾向があり、そのために恐怖の顔を認知できないのだという。実際、目を見るように訓練することで恐怖の表情認知障害は改善されたと報告されている。事実、扁桃体が破壊されても恐怖の感情そのものが消失しているわけではないらしい。扁桃体が障害されていても、二酸化炭素吸入によりパニック発作が生じれば、主観的な恐怖感が誘発され（Feinstein et al, 2013）、さらには音声や身体の動きから健常者と同様に感情を判断できる（Adolphs et al, 2005）。これらのデータから考えると、扁桃体は恐怖の主観的感情そのものや恐怖表情の認知に必須というわけではなく、情動情報の入力とその処理に重要な働きをしており、扁桃体が障害を受けると表情や様々な刺激・状況から恐怖の感情を読み取り判断することが困難になると考えられる。

情動による記憶促進作用に扁桃体が関与していることも指摘されている。情動刺激が加わると、副腎髄質からアドレナリン、副交感神経系からノルアドレナリン、副腎皮質からは副腎皮質ホルモン（コルチゾール、げっ歯類ではコルチコステロン）が出てくる。これらのストレスホルモンが扁桃体に作用して、そのときの記憶をより強固にしているようである。扁桃体にβアドレナリン受容体アンタゴニストを局所投与すると、情動による記憶促進作用が阻止される。

12.6.2 海馬体

海馬体は歯状回、海馬（hippocampus）（アンモン角〈cornu ammonis〉）、海馬台からなる（図12-9）。海馬体は、内嗅領皮質から感覚情報の入力を受けている。また、内側中隔野からはフィードバック情報や学習機能に関連した情報を受け取る。その他、前脳基底部のコリン作動性ニューロン、脳幹部からのモノアミン線維の投射（青斑核と延髄のノルアドレナリン作動性ニューロン、中脳縫線核のセロトニン作動性ニューロン、腹側被蓋野のドーパミン作動性ニューロンからの投射）を受け取る（図12-10）。海馬体からの出力は、海馬と海馬台の錐体ニューロンが担っている。この錐体ニューロンの軸索は脳弓を形成し、視床下部の乳頭体あるいは外側中隔野に投射する。乳頭体の後は、視床前核、帯状回とつながる（パペッツ回路）（図12-9）。海馬体からのもう一つの出力としては、内嗅領皮質（嗅内皮質）を経由して大脳皮質の広い範囲へ投射するものがある。

海馬体の機能として、記憶、特に空間学習に重要な働きをすることが有名である。しかし、情動、特に不安にも関与していることが示されている（表12-10）。

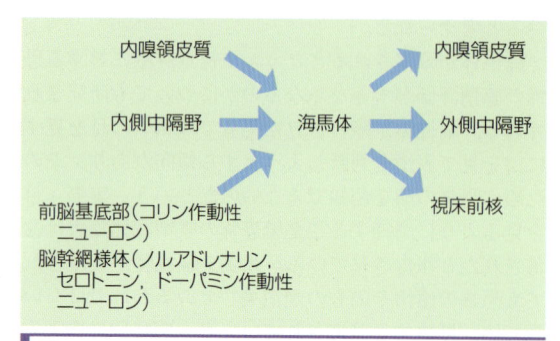

図12-10　海馬体への入力と出力　モノアミンの入力と中隔野，内嗅領皮質から入力を受け，内嗅領皮質，中隔野，視床前核に出力する。

表12-10　海馬体と情動

海馬が不安を亢進
- 腹側海馬破壊で不安行動減少
- 抗不安薬が中隔-海馬機能を抑制することで作用

海馬機能の障害でうつ症状
- 慢性ストレスで海馬神経細胞の新生が減少し，CA3神経細胞が変性
- うつ病患者で海馬体積減少
- 幼若期ストレスでグルココルチコイド受容体減少
- 前脳グルココルチコイド受容体欠損でうつ行動

海馬体が情動に関与する証拠。

動物において海馬体を破壊すると，空間学習が障害され，不安行動が減少する。破壊により，このように一見かなり異なる症状が出る理由の一つとして，海馬には機能局在があり，背側海馬（前部海馬）は空間学習に関与し，腹側海馬（後部海馬）は情動に関わる下辺縁皮質(infralimbic cortex)，前辺縁皮質(prelimbic cortex)，扁桃体・視床下部との結合があり，自律神経系・内分泌系の情動反応と不安行動に関与しているという考えがある。また，関与する神経伝達物質の違いも指摘されている。

抗不安薬が海馬-中隔系の機能を障害することにより抗不安作用をもたらしているというデータから，海馬-中隔野系が不安の情動に重要であるという仮説が提唱されている(Gray & MacNaughton, 2000)。腹側海馬を破壊すると高架式十字迷路における不安行動が減少し，副腎皮質刺激ホルモン(ACTH)分泌などの神経内分泌系のストレス反応も減弱する。このデータは，腹側海馬が不安に対して促進的に働いていることを示している。しかし，用いる情動刺激の種類や海馬の部位によってACTH分泌が促進されたり，逆に抑制されたりと報告が分かれている。

海馬体では，成熟後も神経細胞の新生が起こっていることが知られている。このニューロンの新生とうつ病との関連が指摘されている。うつ病患者では脳由来神経栄養因子(BDNF)が低下しており，海馬体の体積も減少していると報告されている。また，ストレスが加わると海馬の歯状回におけるニューロンの新生が抑制される。逆に，抗うつ薬を長期投与したり，うつ病の治療である電気痙攣療法を行うと，海馬におけるBDNFの合成が増加しニューロンの新生が回復する。さらに，海馬ニューロンの新生を放射線照射により阻止しておくと，抗うつ薬の抗不安効果が阻害される。これらのデータから，うつ病に海馬ニューロンの新生の減少が関与していることが考えられる。ヒトにおける重要性についてはこれから検証する必要がある(Dranovsky & Hen, 2006)。

幼若期にストレスを受けると，成熟後に不安行動とうつ様行動が増えることが知られている。このとき，海馬のグルココルチコイド受容体遺伝子のプロモーター領域にDNAのメチル化が生じてグルココルチコイド受容体の発現が低下し，その結果，グルココルチコイドによる視床下部-下垂体-副腎(HPA〈hypothalamo-pituitary-adrenal〉)軸のネガティブフィードバックが減弱し，HPA軸の亢進が生じることがラットで示されている。うつ病ではネガティブフィードバックが減弱し，HPA軸が亢進していることが知られており，海馬のグルココルチコイド受容体の発現低下がこの機構の一つかもしれない。また，海馬を含む領域でグルココルチコイド受容体を欠損させると，マウスでうつ様行動が生じる。これらのデータは，海馬のグルココルチコイド受容体がうつ病に関連していることを示唆しているが，今後ヒトにおける検証が必要である。

情動に関連する記憶に海馬体が役割を果たしていることも指摘されている。衝撃的な出来事があるとそのときの状況が強く記憶に残るが，扁桃体のほか海馬もこの情動による記憶促進作用に関与している。海馬を破壊しておくと，情動ストレスによる記憶促進作用が消失する。情動記憶が過剰になったと考えられる疾患として心的外傷後ストレス障害(post-traumatic stress disorder：PTSD)がある。PTSDの患者は自分や他人が命に関わるような惨事を経験しており，この体験が強く記憶され，意に反してふとしたことでありありと想起され（フラッシュバック），不安と緊張が続き，日常生活ができなくなる。双生児研究により海馬の体積が小さいと，戦争体験によりPTSDを発症する率が高いことが指摘されている(Gilbertson et al, 2002)。

12.6.3　分界条床核

分界条床核は延髄，海馬，前頭前野から入力を受け，視床下部，中心灰白質，延髄に出力を出す。扁桃体と相互に入出力があり，分界条床核は対象が不確定な不安に関与していることが示唆されている。

12.6.4　大脳辺縁系に属する大脳皮質

大脳辺縁系に属する大脳皮質として帯状回と前頭前皮質がある。どちらも情動を誘発するような刺激によ

り活性化され，これらの部位が損傷を受けると情動が変容することが示されている。

帯状回(cingulate gyrus)は，前述したようにパペッツ回路の一部であり，情動を担っている。帯状回には機能区分があり，帯状回最前部の前部帯状回(ブロードマン 24，25，32 野)が情動情報を処理し，帯状回の後半部は記憶，空間認知を担っていると考えられている。

前頭前皮質(prefrontal cortex)(前頭前野，前頭連合野)はヒトで特に発達しており，大脳皮質全体の約 30% を占め，行動遂行，記憶，感情の高次処理を行っている。この領域，特に左前頭前野が脳梗塞により障害されると，うつ症状を呈することがあると報告されている。前頭前野は，前頭葉眼窩回(orbitofrontal gyrus)と内側前頭前野，外側前頭前野からなる。このうち特に前二者が情動に関わっている。

前部帯状回

前部帯状回は前頭葉眼窩回，扁桃体，視床と双方向性に連絡があり，腹側線条体，中脳中心灰白質，橋，延髄の孤束核に出力を送る。

前部帯状回は，注意と情動情報を処理し，行動，自律神経系における情動反応を司っていると考えられる。怒りや悲しみなどの感情を思い描くと，前部帯状回の活動が上昇することが示されている。また，前部帯状回を刺激すると，恐れ，喜びなどの感情体験と自律神経反応が生じる。逆に，ヒトで前部帯状回が損傷を受けると，無動，無言(言語中枢障害や構音障害〈言葉を正しく発音できない状態〉がないのにしゃべらない)，感情鈍麿，攻撃性低下，疼痛による苦悩感の消失が起こる。また，うつ病では前部帯状回の体積や活動が減少しているという報告がある。一卵性双生児研究では，戦争体験によって PTSD を発症すると，発症しなかった場合に比べ腹側前部帯状回の体積が減少していたと報告されている(Kasai et al, 2008)。

前部帯状回は痛みの情動面とも深く関わっている。痛み刺激を加えると帯状回は活性化される。この帯状回の活動の程度は，痛み刺激の絶対的な強度というよりは自覚的な痛みの強さと不快感に依存している。さらにこの前部帯状回と後述する島皮質では，自分が痛み刺激を受けたときに活動が増加するだけでなく，他人が痛がっている写真を見るだけでも活動が上昇する(de Vignemont & Singer, 2006)。したがって，前部帯状回は，他人の痛みを自分の痛みとして感じ取るための回路として働いていると考えられる。また，慢性疼痛患者に対して前部帯状回を破壊すると，患者はどこが痛むかといった痛みの弁別は障害されずに痛みに伴う強い不快感が緩和される。以上から，前部帯状回は，痛みの情動的側面に関与していると考えられる。

島皮質

島皮質は外側溝の奥に位置し，周囲を前頭葉，頭頂葉，側頭葉，後頭葉に囲まれている。島皮質には視聴覚，体性感覚，内臓感覚といった多種の感覚情報が入り，前述した前帯状皮質とともに身体的な痛み，心理的な痛み，愛撫などの自己と他者の情動評価に関わることが知られている。島皮質と前部帯状回には孤束核や腕傍核を介し身体の情報(内受容感覚)が入り，身体がホメオスタシス(恒常性)から逸脱していること，すなわち，身体が顕著な状態(saliency)になっていることを検出することから，島皮質と前部帯状回はセイリエンス(顕著性)ネットワークを構成すると考えられている。身体の状態が内部モデルからずれた顕著な身体状態であることを島皮質が検出すると，安静時の脳活動状態(デフォルトモードネットワーク，前頭前野腹内側部の活動)から外界に注意を向け行動を遂行するための注意・遂行機能ネットワークへ切り替えが起きることが提唱されている(Uddin, 2015)。

心理学的構成論説によると，島皮質に入ってきた内受容感覚と内臓に運動出力を出している皮質(内臓運動皮質)の前部帯状回と後述する前頭葉眼窩回からの島皮質への予測信号により予測誤差が計算されコア・アフェクトが生じるとされる。

前頭葉眼窩回

前頭葉眼窩回は前頭葉の底部にあり，眼球が入るくぼみである眼窩の骨の直上に位置する。前頭葉眼窩回のニューロンは，その個体にとって報酬価の高い刺激，あるいは逆に後悔をさせるような刺激(マイナスの報酬が高い刺激)に反応して活動することが知られている。前頭葉眼窩回は報酬価に基づいて次の行動選択を変えるときに働いていると考えられる。扁桃体が破壊されると何が報酬と結びついているかという刺激–報酬連合学習ができなくなる。前頭葉眼窩回を障害されてもこの学習はできる。しかし，前頭葉眼窩回を破壊された動物は，一度，刺激–報酬連合を学習した後にこの組み合わせを変えた場合，この新たな刺激–報酬連合学習ができず，いつまでも元の組み合わせを選び続ける。つまり，前頭眼窩回がないと，報酬価に基づいて新たに行動を選択することができなくなる。

ヒトで前頭葉眼窩回が障害されると，性格と情動性が一変することが知られている。他人に対する配慮と思いやりがなくなり，理性がなく，気まぐれで衝動的となり，怒りっぽくなる。その結果，知能テストや学校での成績はそれほど問題なくとも，社会生活に障害が生じる。社会的な状況において，自分の感情を適切に表現できず，他人の感情もうまく認知できなくなる。また，前頭葉眼窩野が障害されると，通常なら情動を誘発させるような刺激(拳銃を突きつけられる写真など)を提示すると，その状況を知識としては理解できるものの自律神経系の情動反応が生じない。逆に，前頭葉眼窩野を刺激すると様々な自律神経反応が生じる。

Antonio Damasio は前頭葉眼窩回に障害があるヒトにギャンブルテストを行い，特徴的な障害を見出した。このテストでは4つのカードの山があり，それぞれのカードに貰える金額，あるいは支払わなくてはいけない金額が書かれている。カードを引いて，そこに書かれている金額の報酬を受け取ったり，罰金を支払う。4つのうち2つのカードの山には高額な報酬が得られるカードが含まれるが，しばしば報酬を上回る高額な罰金のカードも含まれている。したがって，この2つの山を選ぶと，大きな報酬が得られるものの長期的には損をすることになる。残りの2つのカードの山には，少額の報酬が得られるカードとより少額の罰金カードが含まれており，長期的には得をするようにできている。正常だと，一度大きな罰金のカードを引くと，そのカードの山からカードを引くときには冷や汗をかき皮膚抵抗値が下がり，次第にそのカードの山を選ばなくなる。しかし，前頭葉眼窩回を障害された患者では皮膚抵抗値の低下がみられず，いつまでも危険なカードの群を選び続ける。前頭葉眼窩回には，かつて意思決定し行動を選択したときに感じた感情の情報があり，同じような状況下で自律神経系の情動反応を生じさせ意思決定に導くと考えられる。前頭葉眼窩回が障害されて自律系の警戒反応がないと，情報が不確かな段階において適応的で正しい意思決定ができなくなると説明されている（ソマティック・マーカー仮説）（Damasio, 2003）。通常の社会的な状況下では，将来の予測が不確かな段階で意思決定をしなければならないことが多い。前頭葉眼窩回が障害されるといつまでも意思決定できなくなったり，あるいは危険で衝動的な行動選択をしてしまう。

12.7　条件情動反応

多数ある感情の中で，恐怖の神経機構についてはかなり詳細に明らかにされている。これは恐怖条件づけという単純な古典的条件づけにより動物実験が可能であるからである。

12.7.1　条件情動反応の脳機構

恐怖を感じたときの体験は，強く記憶にとどまる。恐怖を感じたときと同様の状況に置かれる，あるいは置かれそうになると，恐怖を感じる。この能力は，動物がわが身の危険を避けるために必要なことと思われる。これは恐怖条件づけのパラダイムで再現できる。動物（ラット，マウス）をある実験ケージに入れ，足掌部の皮膚表面に電気刺激（フットショック）を加える。この経験をした動物は，そのケージに入れられると電気ショックを受けることを覚える。すると，次からはそのケージに入れられるだけで，ショックが実際に加えられなくともショックを経験した記憶がよみがえ

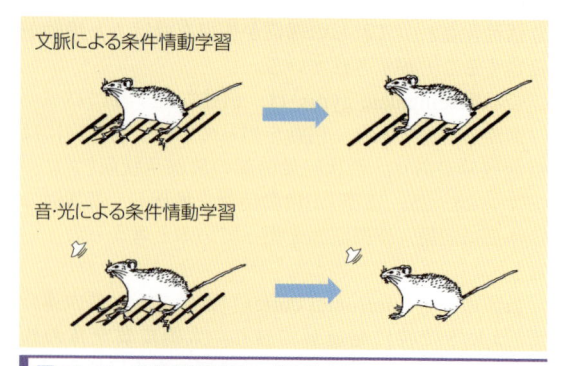

図 12-11　条件情動学習のパラダイム
- 文脈による条件情動学習 (contextual conditioned fear)：電気ショックを与えられた場所に動物を戻すと条件恐怖反応が生じる。海馬と扁桃体が関与している。
- 音・光による条件情動学習 (explicit conditioned fear)：音あるいは光を予告信号として電気ショックを与える（音・光と電気ショックを組み合わせて与える）と，音・光を与えただけで条件恐怖反応が生じる。扁桃体が関与している。

り，恐怖反応を引き起こす。げっ歯類ではショックを受けて1日～1ヶ月後，ショックを受けた同じケージに入れられると，恐怖行動であるすくみ行動（呼吸運動以外の運動を示さず，無動の状態）を示す。げっ歯類が恐怖の状況下ですくみ行動をとるのは，小動物の場合，捕食動物と対面して逃げ切れないときには，じっと息を潜めて静止していることが，生き延びるうえで有利な行動であったからかもしれない。また，このとき脱糞し，排尿する。さらに，血圧上昇，HPA 軸の活性化，下垂体後葉からはオキシトシン放出を促進し，バソプレシン放出は抑制するといった神経内分泌反応が生じる。

環境や音・光のようにそれだけでは生体に恐怖反応を誘発しない中性刺激（条件刺激）と，電気ショックのように単独で恐怖反応を誘発する刺激（無条件刺激）を組み合わせて与えると，環境や音・光といった条件刺激を加えるだけで恐怖反応が誘発されるようになる。条件刺激として環境を用いた場合，文脈条件恐怖（contextual conditioned fear）と呼ばれ，音や光を条件刺激とした場合は explicit conditioned fear と呼ばれている（図 12-11）。連合記憶はいくつかの過程に分けられる。時間経過に従って，まず連合記憶を獲得する段階，獲得後しばらく続く記憶が不安定な段階，そして固定化され安定する段階がある。さらに，記憶を再生したときにはいったん不安定になる時期があり，そしてその後，再固定化される。

この神経機構について多数の報告がなされている。その結果，特に扁桃体が条件恐怖記憶の首座であること，すなわち扁桃体が条件恐怖の記憶の獲得，貯蔵，表出を担っていることが示されている。条件刺激（聴・視覚刺激）と無条件刺激（痛覚刺激）の結びつきが，どこで，どのように行われるかがこの記憶の機構

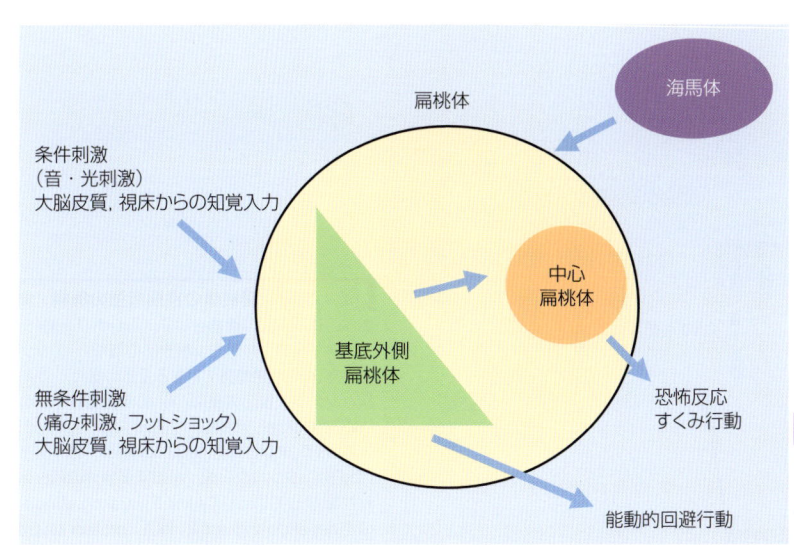

図 12-12 扁桃体への入出力 条件刺激の情報と無条件刺激の情報が扁桃体に集まり，条件情動学習が行われ，基底外側扁桃体あるいは中心扁桃体から出力され条件情動反応が生じる。

を考えるうえで重要である。理論的には，この条件刺激と無条件刺激の2つの知覚入力をともに受けている細胞で連合学習が起きていると予想される。外側扁桃体は，条件刺激と無条件刺激による入力を，視床あるいは皮質を介して受けている（図12-12）。すなわち，外側扁桃体のニューロンは聴・視覚刺激と痛覚刺激の両方の入力を受けている。しかし，その2つの入力の強さが異なる。痛みなどの無条件刺激は訓練をしていない動物においても外側扁桃体を活性化し恐怖反応を誘発することができる。それに対して音や光などの条件刺激は，訓練をしていない動物では外側扁桃体のニューロンをあまり活性化することができない。痛み刺激（無条件刺激）と音・光刺激（条件刺激）を組み合わせて同時に加える訓練を行うと，次第に，音・光刺激（条件刺激）を単独で加えただけで，外側扁桃体のニューロンを活性化することができるようになる。このデータは音・光の知覚受容器から扁桃体へ入力するまでのどこかで，神経伝達の亢進が起こったこと示している。これまでの研究でこの神経伝達の亢進が外側扁桃体で起きていることが示されている。すなわち，外側扁桃体においてシナプス入力の長期増強（long term potentiation：LTP）が起こり，その結果，音・光刺激が単独で扁桃体を活性化できるようになる。長期増強とは，シナプス伝達の効率が長期間にわたって上昇する現象のことをいう。

長期増強は，外側扁桃体のニューロンを脱分極させておいた状態で，外側扁桃体への視床あるいは皮質からの入力線維を刺激することで実験的に誘発することができる。入力線維の刺激に対する外側扁桃体ニューロンの反応が長期間にわたって増強する。脱分極刺激は痛み刺激（無条件刺激）の代わり，外側扁桃体への入力線維の刺激は音・光などの条件刺激の代わりである。また，恐怖条件づけを行った動物において，外側扁桃体への聴覚入力のシナプス伝達が亢進していること，すなわち，長期増強が生じていることが示されている。

長期増強の機構には，シナプス前とシナプス後の2つの可塑的変化が考えられている。シナプス前の可塑的変化としては，視床あるいは皮質から外側扁桃体へ入力する線維からの神経伝達物質の放出が増加することが考えられている。シナプス後の可塑的変化としては，外側扁桃体のシナプス後膜においてAMPA受容体の組み込みが生じ，長期増強が成立することが示されている。この長期増強の形成と維持に，NMDA受容体の活性化，電位依存性Ca^{2+}チャネルの活性化が必要で，Ca^{2+}流入のあと，プロテインキナーゼ（CAMKⅡ〈Ca^{2+}/calmodulin-dependent protein kinase Ⅱ〉，PKA〈protein kinase A〉，PKC〈protein kinase C〉，MAP〈mitogen-activated protein〉kinase），転写因子（特にCREB〈cyclic AMP response element binding protein〉），RNA合成，タンパク合成が関係していることが示されている（図12-13）。

長期増強と恐怖条件づけの関係については，前述したように条件恐怖学習を行った動物で長期増強が観察されるし，逆にNMDA受容体阻害剤の局所投与，AMPA受容体の組み込みの阻害，あるいはMAP kinaseの阻害により長期増強を起きなくすると，in vivoにおける条件恐怖学習もできなくなる。このように，シナプスレベルの可塑性と行動レベルの学習がよく一致している（Phelps & LeDoux, 2005）。外側扁桃体で条件恐怖の学習が行われ，外側扁桃体から基底扁桃体と中心扁桃体へと情報が流れ，中心扁桃体から視床下部や脳幹への投射を介して条件恐怖反応を生じさせる。

このように扁桃体で条件恐怖学習が行われていると考えられているが，扁桃体のほか，海馬体の関与も指

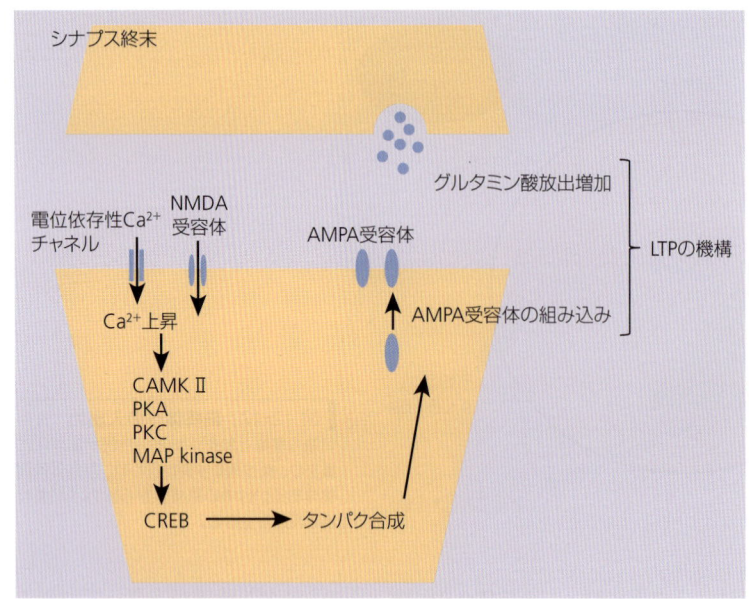

図12-13 扁桃体の長期増強の機構 扁桃体の長期増強の機構として，①シナプス前（シナプスからのグルタミン酸放出の増加），②シナプス後（神経伝達物質に対する反応の増大），がある．シナプス後の機構に，NMDA受容体，電位依存性Ca^{2+}チャネル，プロテインキナーゼ（CAMKⅡ，PKA，PKC，MAP kinase），転写因子（CREB），タンパク合成，AMPA受容体の組み込みが関与している．CAMKⅡ：Ca^{2+}/calmodulin-dependent kinaseⅡ，PKA：protein kinase A，PKC：protein kinase C，MAP kinase：mitogen-activated protein kinase，CREB：cyclic AMP response element binding protein

摘されている．ケージに入れるという環境刺激を条件刺激とした文脈条件恐怖は，学習成立後2週間以内であれば海馬体を破壊すると阻害される．学習して2週間後に海馬体を破壊してもすくみ行動は生じる．これに対し，音刺激をフットショックの予告刺激として成立させた条件恐怖（explicit conditioned fear）は，海馬体を破壊しても阻害されない．したがって，海馬体には2週間程度はフットショックを受けた環境の記憶が貯蔵されており，2週間程度の近い過去の経験に照らし合わせて，空間，場所といった"文脈"を認知するには海馬体が必須であることがわかる．この"文脈"情報は扁桃体に送られ，扁桃体で意味と価値を評価していると考えられている．実際，扁桃体を破壊しておくと，文脈による条件恐怖反応も光・音を使用した条件恐怖反応も両方とも阻害される．

ヒトにおいても，扁桃体が障害されていると条件づけ反応が学習できなくなるが，海馬が障害されていなければ，何が条件刺激で何が無条件刺激か（何が起こったか）を説明することができる．逆に，海馬が障害されて扁桃体が正常であれば条件刺激の提示で末梢臓器の条件反応は生じるが，何が起こったかを説明することはできない．

12.7.2 条件情動反応の消去学習

条件恐怖学習を行った後に，条件刺激のみを与えると初めは"すくみ行動"などの条件反応が誘発される．しかし，条件刺激のみを繰り返し与えていると，しだいに条件反応が観察されなくなる．これは消去学習と呼ばれている．危険な状況を覚え，これにうまく対処することも大切だが，危険でなくなった場合にはもはやその状況は危険ではないということを新たに覚える

ことも生きていくうえで重要なことである．いつまでも過去の強烈な情動体験を想起してしまうPTSDの一因として，消去の障害が考えられている．したがって，この情動記憶の消去の研究がPTSDの治療に応用できるだろうということで注目を集めている（Milad et al, 2006）．

消去学習は単に記憶が薄れていくというのではなく，条件刺激がきても"無条件刺激がこず，安全である"ということを新たに学習するものであると考えられている．というのは，消去により条件刺激と無条件刺激の結びつきが切れるのであれば，一度その結びつきが切れれば，その後は条件刺激により条件反応が生じなくなるはずである．しかし，実際はそうではない．条件刺激を単独で何度も与えて，もはや条件反応が出なくなった後でも，時間を経てもう一度条件刺激を与えたり，異なる状況下で条件刺激を与えると再び条件反応が出現する．一見，条件反応が観察されなくなっていても記憶は残っており，消去学習という別の学習の結果，条件反応の出現が抑えられていると考えられる．この消去学習には新たにタンパク質を合成することが必要なことが示されている．タンパク質合成阻害剤アニソマイシン投与により消去学習が阻害される．

この消去学習に内側前頭前野-扁桃体回路が重要であることが示されている．内側前頭前野を刺激すると条件反応が減弱し，逆に破壊すると消去学習が障害される．また，消去学習の際に，前頭前野のニューロンが活性化される．前頭前野のニューロンは扁桃体に投射しており，扁桃体の抑制性ニューロンを活性化する．その結果，扁桃体中心核からの出力が抑制されるという回路が想定されている．

消去学習の物質的基盤の一つとして，カンナビノイ

ドが注目されている。マリファナの内因性の受容体であるカンナビノイド受容体CB1受容体遺伝子を欠損したマウスは，他の学習成績は変わらないのに，この条件恐怖の消去学習ができない。

12.8　快の情動とストレス反応系

情動・感情は，喜びに代表される快（報酬）系と，悲しみ，怒り，恐怖といった不快（嫌悪）系とに分けられる。前述した条件性情動反応は動物における嫌悪の情動反応を測定する指標の一つである。一方，動物を用いて快の情動反応を測定するのに，薬物依存研究の実験パラダイムが用いられている。ヒトと同様に，動物も依存性薬物を繰り返し摂取しようとする行動を示すが，これは薬物によって快の情動が生じ，薬物摂取行動が強化されたと考えられている。ラットやサルなどの動物を用いた薬物依存の研究では，主に自己投与実験モデルが用いられている。あらかじめ静脈内にカテーテルを埋め込んであるラットやサルを実験箱内に入れ，動物が特定の行動（レバー押しや鼻つつきなど）をすることによって，一定量の薬物がカテーテルを介して静脈内に注入される。覚醒剤やコカイン，モルヒネといった依存性薬物を，動物は頻繁に自発摂取する。

この自己投与行動を動物が習得するまでには，スキナー箱のような餌を報酬としたレバー押しと同様に，ある程度の訓練が必要である。薬物によってその習得までの過程が異なる（依存性の強い薬物ほど早く習得する）が，個体間においても早く習得する個体とそうでない個体が存在する。Piazzaら（1991）は，この個体差は個体のストレス反応としてのコルチコステロンの増加量によって予測でき，コルチコステロンの増加量が多い個体ほど，自己投与を早く習得することを見出した。また仔ラットのコルチコステロン反応を増強する妊娠後期の母ラットへの拘束ストレス負荷によって，仔ラットのアンフェタミン自己投与が高レベルに保たれるようになる。自発的にアンフェタミンの自己投与を習得しないラットに対して，コルチコステロンを投与することによってその習得を可能にできることも明らかにされている。したがって，アンフェタミンの自己投与の個体差の背景には，HPA軸の活動の違いが関与している可能性が示唆されている。

アンフェタミンの自己投与を自発的に習得できる個体とできない個体のHPA軸の機能の違いに関して，Rougé-Pontら（1993）はHPA軸のネガティブフィードバック機能に深く関与している海馬のグルココルチコイド受容体に注目した。自発的に習得できる個体とそうでない個体の間には，海馬のグルココルチコイド受容体の親和性に違いがあり，習得できる個体の方が親和性が低く，ネガティブフィードバック機能が作動しにくい状態にある。胎児期にストレスに曝されたり，生後慢性的なストレスに曝されると，このネガティブフィードバック機能が損なわれ，コルチコステロンは高レベルに維持される。その結果，アンフェタミンの強化効果が増強されると考えられる。

同様の研究知見は，コカインに関しても数多く報告されている。ストレスを受けたラットのほうが受けていないラットに比べてコカインに対する感受性が高く，自己摂取回数も多い。またストレスに対するコルチコステロン反応の大きさとコカインの摂取回数には正の相関がみられ，副腎摘除やグルココルチコイド合成阻害剤投与によって，コカインの自己投与は抑制される。

一般的に，快の情動，特に依存性薬物や脳内自己刺激による報酬性にはドーパミン作動性神経系が関与していることが知られている。コルチコステロンは様々な神経伝達物質を調節していると考えられており，ドーパミン作動性神経系もその一つである。マイクロダイアリシス法を用いた研究では，副腎摘除によりコルチコステロン放出をなくしたラットで，脳内報酬系として知られる内側前脳束への自己刺激時にみられる側坐核のドーパミン放出の増加か抑制されると報告されている（Nakahara et al, 2000）。したがって，薬物依存の形成時にみられる中脳辺縁ドーパミン系および中脳皮質ドーパミン系の変化において，コルチコステロンを中心とするHPAストレス反応系が深く関与している可能性が考えられ，今後そのような研究から薬物依存治療の新たな方法論の確立が期待できる。

12.9　情動に関与する神経伝達物質

情動に関与する神経伝達物質としては，ノルアドレナリン，ドーパミン，セロトニンといったモノアミンが考えられている。ノルアドレナリンニューロンの細胞体は青斑核（A6領域），延髄の弧束核（A2領域），延髄腹外側部（A1領域）に局在する。ドーパミン作動性ニューロンの細胞体は腹側被蓋野と黒質に存在する。セロトニン作動性ニューロンの細胞体は中脳縫線核に局在する。これらのモノアミン作動性ニューロンは，情動回路に投射している。情動刺激によりモノアミン作動性ニューロンは活性化され，情動回路を修飾している。

モノアミンの神経伝達が障害されるとうつ病が生じるという"モノアミン仮説"がある（加藤，2009）。モノアミンを枯渇させるレゼルピン投与によりうつ病が惹起される。また逆に，モノアミン取り込み阻害剤を投与したり，シナプス前の抑制性の受容体であるα_2アドレナリン受容体の阻害剤を投与することでモノアミン神経伝達を亢進させると，抗うつ作用が生じる。また，中枢神経系におけるセロトニンの合成酵素であるトリプトファン水酸化酵素2の機能を障害し，セロトニン

合成が低下した動物では，うつ様行動が観察される。ドーパミンのみを欠損させたマウスでは自発行動量が減少し，うつ様の症状を示す。これらはモノアミン神経伝達が低下すると，うつ状態になるということを示唆している。

実際，うつ病患者で神経系におけるノルアドレナリンとドーパミンの代謝が低下していると報告されている。PET（陽電子放出断層撮影〈positron emission tomography〉）研究では，うつ病患者においてモノアミンを代謝する酵素であるモノアミン酸化酵素MAO-Aの分布体積が増加していることが報告されており，モノアミンによる神経伝達が減少していると考えられる。さらにセロトニン受容体結合能を調べた研究では，うつ病患者の海馬と扁桃体においてセロトニン1A受容体が低下し，セロトニントランスポーターが増加していると報告されている。これらは，うつ病患者ではセロトニン作動性神経伝達が低下していることを示唆している。しかし一方で，うつ病患者ではセロトニン代謝回転が増加しているという矛盾したデータも報告されている。また，抗うつ薬によるモノアミン神経伝達の亢進作用は，投与後ただちに現れるはずなのに，実際のうつ症状の改善は，投与後数週間経ってから初めて現れるといった説明がつかない現象もあり，今後の研究が必要である。

ドーパミン作動性ニューロン，セロトニン作動性ニューロンに対し，外側手綱核から抑制の入力が入るが，手綱核は負の報酬情報をドーパミン作動性ニューロンに伝えると考えられている。うつ病患者では手綱核の活動が亢進しており，うつ病モデル動物において手綱核を破壊するとうつ様行動が改善されることが報告されている。また，オキシトシンに不安緩解作用があることなども報告されており（Onaka & Takayanagi, 2019），これらについても今後のさらなる検討が必要である。

12.10 卵巣ホルモンと不安・うつ

うつや不安障害の発症率には性差があり，女性は男性の2倍程度このような障害に罹患しやすいとされる（Cloitre et al, 2004；Pigott, 2003）。また，女性は特に閉経期周辺（更年期）で，不安・うつなどの精神症状を訴えることが多く，また排卵から月経開始までの間に不安・うつなどの精神症状が示されることがある（月経前症候群）。さらに，妊娠中や出産後の女性では，気分障害の発症率が増加する（いわゆるマタニティブルー）。このような女性に特有の情動的問題の発生には，エストロゲンやプロゲステロンなどの卵巣ホルモンが関係していると考えられている。

乳癌治療に用いられるエストロゲン阻害剤であるタモキシフェンの副作用としてうつ症状がある。癌の手術や治療に伴って，急激に体内のエストロゲンが低下した場合にも，うつ症状が生じることもある。また，ラットやマウスの雌は，発情期よりも非発情期のほうが，高架式十字迷路などにおいて不安関連行動を示す傾向にあり，卵巣を切除すると不安関連行動が増大する。したがって，エストロゲン機能の低下は不安・うつの亢進をもたらすと考えられる。

一方，低下したエストロゲンを補充した場合の不安・うつに対する効果は，必ずしも一致していない。一般に，閉経後の更年期障害に対するホルモン補充療法は，精神症状の改善にも有効であるとされるが，効果がなかったり逆に不安を増大させたとの報告もある（例えば，Girdler et al, 1999）。動物実験においても，多くの研究はエストロゲンの投与が不安・うつを減少させることを示しているが，逆に増大させるという報告もある（Morgan & Pfaff, 2001, 2002）。これらの相違は，投与されるエストロゲンの量や期間，あるいはエストロゲンが低下していた期間の長さなどによって，エストロゲンの不安・うつに対する効果が異なるためと考えられる。例えば，発情期と同等の循環レベルのエストロゲンを投与することは，不安・うつの抑制に有効であるが，生理的レベルを大きく超えるエストロゲンは，効果がないか逆に不安・うつを亢進するようである（Walf & Frye, 2006；Tomihara et al, 2009）。

エストロゲンの不安調節効果に対しては，2種類のエストロゲン受容体（estrogen receptor：ER），ERαとERβも異なる役割を果たしているようである。ERβ遺伝子を欠損させたマウスは高い不安傾向を示し（Krezel et al, 2001），エストロゲンを投与しても不安を抑制しない（Imwalle et al, 2005；Rocha et al, 2005）。しかし，ERα遺伝子欠損マウスでは，このような変化は認められない。また，卵巣切除ラットにERβ選択的アゴニスト（diarylpropionitrile：DPN）を皮下投与すると，不安関連行動が減少する（Lund, 2005；Walf & Frye, 2005）。したがって，エストロゲンの不安抑制効果には，ERβが主要な役割を果たしていると考えられる。

ERβの活性化は，HPA軸の調節メカニズムに影響を与える。視床下部室傍核ではERβ mRNAのレベルが高く，またコルチコトロピン放出ホルモン（CRH）（コルチコトロピン放出因子〈CRF〉）産生ニューロンにERβが共発現することが報告されている（Isgor et al, 2003；Suzuki & Handa, 2004）。また，卵巣切除ラットに対するERβ選択的アゴニストの投与は，ストレスによるコルチコステロン放出を抑制する（Lund, 2005）。また，前述したように，腹側海馬の破壊は不安行動の減少やHPA軸のストレス反応の減少をもたらす。海馬にはER発現細胞が多く存在しており，卵巣切除ラットの海馬に直接エストラジオールやERβ選択的アゴニストを微量投与すると不安・うつ

関連行動が減少する(Walf & Frye, 2007)。したがって，エストロゲンの不安・うつ抑制効果は，海馬におけるERβの活性化を介するものかもしれない。

エストロゲンの抗不安作用には，セロトニン系の関与も示唆されている。マウスでは，背側縫線核のERβ免疫反応細胞の90％以上が，セロトニンの合成酵素であるトリプトファン水酸化酵素を共発現しており(Nomura et al, 2005)，卵巣摘出ラットへのエストロゲンの投与は縫線核におけるトリプトファン水酸化酵素2のmRNA発現を増大させる(Hiroi et al, 2006)。また，ERβ遺伝子欠損マウスの雌は，側坐核，分界条床核，視索前野，海馬におけるセロトニンの濃度が野生型雌よりも低い(Imwalle et al, 2005)。したがって，エストロゲンがトリプトファン水酸化酵素を介してセロトニンの合成を促進することで，不安・うつを抑制している可能性もある。セロトニン系のほか，ドーパミン系やグルタミン酸系の関与も示されている。

このほかにも，エストロゲンによる扁桃体のエンケファリンや視床下部のオキシトシンなどの増加，そしてエストロゲンの免疫系に対する作用も抗不安・抗うつ作用と関係があると考えられている。さらには，エストロゲンの膜受容体を介してのタンパク合成を介さない抗不安・抗うつ作用も示唆されており，今後の研究が待たれる。

一方，エストロゲンによる不安・うつ促進効果については，そのメカニズムがほとんど明確にされていない。ERβ遺伝子欠損マウスでもエストロゲンを長期間多量に投与すると不安行動が増大し(Tomihara, 2009)，ERα選択的アゴニストであるPPT (propyl pyrazole triol)を投与された雌ラットでは，ERβ選択的アゴニストを投与された雌と比較して，恐怖反応が増大すること(Toufexis, 2007)などから，エストロゲンによる不安促進効果にはERαが重要な役割を果たして

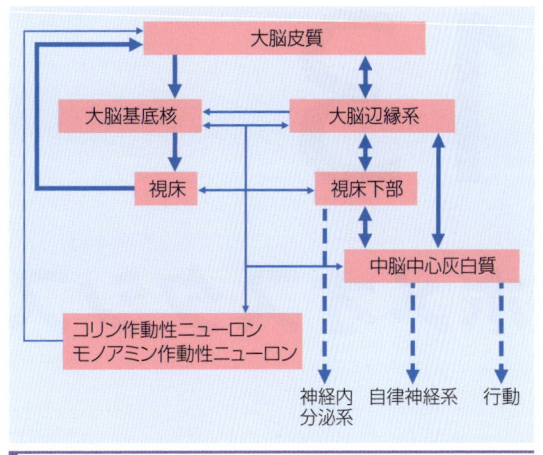

図 12-14　情動の回路　大脳辺縁系-視床下部-中脳中心灰白質を経て情動反応が出力される。大脳皮質とモノアミンあるいはコリン作動性ニューロンからの情報が修飾する。これらの部位は双方向性に繋がっている。その結果，情動体験と情動反応とが互いに修飾し合う(図12-5を参照)。

いると考えられる。今後さらに検討が必要である。

12.11　おわりに

以上見てきたように，情動により自律神経系，内分泌系，行動系と様々な反応が生じる。情動は適応的な行動をするうえで重要で，記憶とも密接に関係している。この情動の神経回路として，大脳辺縁系-視床下部-中脳中心灰白質が考えられている(図12-14)。このうち大脳辺縁系は，記憶を担っている回路でもある。上行性のモノアミン作動性神経線維はこれらの領域に投射しており，情動を修飾している。これらの情動回路の活動の過活動，低下により様々な情動異常が生じる。

13 ホメオスタシスと行動

ホメオスタシス(恒常性)の維持と行動

ホメオスタシス(恒常性)とは，生物の持つ重要な性質の一つであり，生体の内部や外部の環境因子の変化にかかわらず，生体の状態が一定に保たれることをいう。すなわち，いくつかの組織あるいは器官の基本的な機能がうまく組み合わされ，その結果，高次の機能が調和してほぼ一定に保持されている状態をいう。19世紀にクロード・ベルナール(Claude Bernard)が生体の組織液を内部環境とし，20世紀初めにアメリカの生理学者であるウォルター・キャノン(Walter B. Cannon)が同一の状態を意味するギリシア語からホメオスタシス(homeostasis)と命名した。

恒常性の保たれる範囲は，体温や血圧，体液の浸透圧やpHなどをはじめとし，病原微生物の排除，創傷の治癒過程など生体機能全般に及ぶ。ここでは主に体液バランスについて述べる。

13.1 体液バランス

全身の総水分(TBW)量は成人男性の平均では体重の60%である。脂肪組織は含有水分が低く，したがって，総水分の比率は女性では平均よりやや低く(55%)，肥満の人や高齢者はかなり低くなる。一方，組織間液の多い乳児は水分量の比率が高い。総水分の約2/3は細胞内液(ICF)のものであり，1/3は細胞外のものである。細胞外液(ECF)の約3/4は間質空間および細胞を取り巻く結合組織にあるが，約1/4は血管内にある(表13-1)。

体液バランスの調節は水と電解質の出納によって行われている。通常，水分は口から体内に入り，食道・胃を通過して腸壁から吸収されて血管に入る。まず，飲料水として通常の状態で約1,500 mL，食品や調理された食物中の水分として約700 mL，その食物が消化管中で消化されて体内に吸収された後に体内で燃焼してできる代謝水が300 mL，計2,500 mLが水分として体内に吸収される。水分として体外に出る方法としては，尿1,500 mL，糞便中100 mL，呼吸と皮膚からの不感蒸泄が900 mLで計2,500 mLとなる(表13-2)。

体液バランスに関係する代表的な電解質であるナトリウムイオン(Na^+)で考えてみると，ナトリウムは主に食塩として食餌に含まれて体内に入り，ナトリウムとして吸収される。その濃度は約58 mEq/kg体重である。このうち骨に含まれてほとんど交換されない部分を除く，約40 mEq/kg体重が入れ替わることになる。成人の体液の吸収されたナトリウムは内部環境の恒常性維持に関与し，体内で他の物質に変換されることはない。

13.1.1 浸透圧・血圧調節

浸透圧受容器

細胞内液と細胞外液のイオン組成には重要な相違がある(表13-3)。主な細胞内液陽イオンはカリウム(K)で，平均濃度は約160 mEq/Lである。細胞外液のカリウム濃度は非常に重要であり厳格に調節されているが，かなり低く，3.5〜5 mEq/Lである。主な細胞外液陽イオンはナトリウム(Na)で，平均濃度は140

表13-1 全身の体液区分(男性60 kgの場合)

全身の総水分	細胞内液	細胞外液 20%(12 L)	
		血漿	組織液
60%(36 L)	40%(24 L)	4%(2.4 L)	16%(9.6 L)

表13-2 成人の1日の水分出納

水の摂取(mL)		水の排泄(mL)	
飲水	1,500	尿	1,500
食物	700	糞便	100
代謝水	300	不感蒸泄	900
合計	2,500	合計	2,500

表13-3 体液のイオン組成(mEq/L)

	Na$^+$	K$^+$	Ca^{2+}	Mg$^+$	Cl$^-$	HCO$_3-$	タンパク
細胞内液	10	159	1	40	3	7	(45〜75)
細胞外液	142	4	5	2	103	28	(2〜20)

mEq/Lである。細胞内液のナトリウム濃度はかなり低く，約12 mEq/Lである。実際にはほとんどすべての細胞の細胞膜に位置するNa$^+$，K$^+$-ATPaseポンプによって，こうした相違が維持されている。このエネルギー要求性ポンプは，ATPに貯蔵したエネルギーを用いて，細胞から出るナトリウムの移動と細胞へ入るカリウムの移動を連動させている。

細胞内と細胞外の水の移動は各区画の浸透圧によって制御されている。正常ならば，細胞外液の浸透圧（290 mOsm/kg水）は細胞内液の浸透圧にほぼ等しい。よって血漿の浸透圧は，細胞内浸透圧の適切で正確な基準となる。次のような式で体液の浸透圧を計算することができる。

$$血漿浸透圧(mOsm/kg) = 2[血清(ナトリウム)] + \frac{[ブドウ糖]}{18} + \frac{[BUN]}{2.8}$$

ここで，血清（ナトリウム）はmEq/Lで，ブドウ糖と血液尿素窒素（BUN）はmg/dLで表される。この式が示すように，ナトリウム濃度が血漿浸透圧の主な決定要因である。すなわち，血清のナトリウムの濃度は体液の浸透圧を表していることが理解できる。したがって，高ナトリウム血症は血漿と細胞の高張性（脱水）を示し，水不足を意味する。低ナトリウム血症は通常は血漿と細胞の低張性を示し，水過剰の病態を意味している。血漿浸透圧が変化するのは以下のような場合が考えられる。

● 血漿浸透圧が高くなる場合
1) 水の喪失がナトリウムの喪失を上回るとき：〔主な病態〕浸透圧利尿
2) 水だけが喪失するとき：〔主な病態〕中枢性尿崩症
3) ナトリウムが増加する，もしくはナトリウムの増加が水の増加を上回ったとき：〔主な病態〕高張NaCl液の注入，高アルドステロン症

● 血漿浸透圧が低くなる場合
1) ナトリウム喪失が水の喪失を上回るとき：〔主な病態〕副腎皮質不全（アジソン病）
2) 水だけが貯留したとき：〔主な病態〕SIADH
3) 水の貯留がナトリウムの貯留を上回ったとき：〔主な病態〕肝硬変，心不全

ヒトの浸透圧変化は脳室周囲器官の一つである終板脈絡器官や視索上核に存在する浸透圧受容器（osmoreceptor）でモニターされる。浸透圧受容器は，血漿浸透圧が高まると，その情報を視索上核や室傍核に存在する大細胞性神経分泌ニューロンに送り，ニューロンを興奮させることにより抗利尿ホルモン（ADH）であるバソプレシン産生が増加し，産生されたバソプレシンは軸索を経由し下垂体後葉から循環血液中に分泌される。この浸透圧受容器は1〜2％の浸透圧の変化にも反応するくらいに敏感である。

痛みの受容体として有名なTRPV1（カプサイシン受容体）が，体温付近の温度環境下では浸透圧上昇の刺激によっても活性化することから，TRPV1が生体内の高浸透圧センサーとして機能していることなども明らかになってきている。また，高浸透圧時，CD38が働き，これによってTRPM2ΔCチャネルが細胞の外から内へイオン（Na$^+$）を流し，細胞が持続的な収縮を防いでいることもわかった。このほか，オキシトシンニューロンも浸透圧感受性を持つことも報告されている。

また，血管内を循環している血漿は細胞外液の一部であり，したがって細胞外液量が減少すれば血圧も低下する方向に変化する。このとき生体では，血圧を一定に維持しようとし，細胞外液量の変化に対しては血圧調節系も同時に働くことも忘れてはならない。

伸展受容器と圧受容器

血圧は圧受容器によって察知されている。圧受容器は一種の伸展受容器（stretch receptor）であり，血圧の上昇によって周囲組織が伸展し，圧受容器からのインパルスが増大することによってフィードバックシステムを形成して，急速に血圧調節をする役割を担っている。圧受容器は頸動脈洞，大動脈弓に存在する動脈系の受容器（高圧受容器による血圧調節系）と，心房壁に存在する心肺受容器（低圧受容器による血圧調節系）が存在する。

動脈系受容器

動脈圧受容器からの一次求心性線維（頸動脈洞圧受容器は舌咽神経の枝である頸動脈洞神経，大動脈圧受容器は迷走神経の枝である大動脈神経）は延髄孤束核に投射し，孤束核からの二次ニューロンが尾側延髄腹外側部のニューロンを介して吻側部のニューロンに達し，吻側延髄腹外側部から脳幹を下行する遠心性の神経回路へとつながる。尾側延髄腹外側部から上行する軸索は視床下部に投射されバソプレシン分泌ニューロンに達する。遠心路は交感神経，交感神経副腎系，副交感神経，バソプレシン系を介して心臓，血管，腎臓に作用する。

H-Cys-Tyr-Phe-Gln-Asn-Cys-Pro-Arg-Gly-NH$_2$
(S—S 結合: Cys-Cys)

図13-1　バソプレシンの構造　9個のアミノ酸で構成されたペプチドホルモンであり，脳底部に位置する視床下部内の室傍核（paraventricular nucleus：PVN）および視索上核（supraoptic nucleus：SON）に局在する大細胞性神経分泌ニューロンの細胞体で産生される。これらのニューロンの軸索は正中隆起（median eminence：ME）内層を通り下垂体後葉に投射しており，軸索終末よりバソプレシンが血中に分泌される。

Asp-Arg-Val-Tyr-Ile-His-Pro-Phe

図13-2　アンジオテンシンIIの構造　8個のアミノ酸からなるレニン-アンジオテンシン系で最も生理活性の強いペプチド。アンジオテンシンIがアンジオテンシン変換酵素（ACE）やキマーゼによってアンジオテンシンIIへと変換される。

心肺受容器

左右の心房とその周辺に分布し，その存在部位から心肺部受容器，またその部位の圧が低いことから低圧受容器ともいわれる。この部位の圧は血液量の変化を反映し，この部位の反射により血液量調節機構が誘起されることから容量受容器ともいわれるが，壁の伸展を感知していることに変わりはない。受容器が循環血液量の減少を捉えると受容器からの迷走神経求心性線維は，動脈圧受容器と同様に延髄孤束核に投射する。孤束核から後の経路は，延髄腹外側部，中間外側柱を介して交感神経へ出力される経路と，視床下部視索上核，室傍核を介してバソプレシン分泌を調節する経路がある。遠心路は主に腎交感神経とバソプレシン系を介して作用する。

神経液性シグナル

動脈系および心肺受容器による高圧・低圧のフィードバックシステムは，体液量維持に関係する神経液性シグナルを産生するため，その効果は一体となって現れる。代表的な調節系としてバソプレシン，レニン-アンジオテンシン-アルドステロン系，ナトリウム利尿ペプチド，腎交感神経などが挙げられる。バソプレシン，レニン-アンジオテンシン系，腎交感神経は血管内容量の減少状態において活性化し，ナトリウム利尿ペプチドは血管内容量の増加状態に反応して分泌される。

バソプレシン（図13-1）

バソプレシンは前述したとおり，血漿浸透圧の上昇または重度の循環血液量不足に対して下垂体後葉から循環血液中に分泌される。バソプレシンは末梢血管を収縮させ，腎集合管における水の再吸収を促進させる作用をもつ。これらのことから抗利尿ホルモン（antidiuretic hormone：ADH）とも呼ばれている。バソプレシンの2つの作用は，血管平滑筋細胞に存在するV1受容体を介する血管収縮作用と，腎集合管主細胞に存在するV2受容体を介した水分再吸収促進作用である。V1受容体の作用はGタンパク共役型受容体のGqを介した機構で血管を収縮させる。一方，V2受容体の作用はGタンパク共役型受容体のGsを介しており，活性化されたPKAは，アクアポリン2含有小胞の頂端膜への輸送に関与するタンパク質をリン酸化することで活性化する。頂端膜へのアクアポリン2発現上昇は水分の再吸収を増加させる。腎集合管における水分再吸収によって，尿や血漿浸透圧が調節し血管内容量を増加させるための貯蔵機構として働いている。

レニン-アンジオテンシン系

循環血液量の低下（腎血流量の減少）は腎臓に存在する傍糸球体細胞に感知され，傍糸球体細胞から血中にレニンが分泌される。レニンは腎臓の傍糸球体細胞で産生される分子量42000の酵素で，傍糸球体細胞のレニン分泌は，①輸入細動脈による圧感知機構，②傍糸球体細胞の交感神経支配がβ_1アドレナリン受容体のシグナル伝達を介した分泌，③尿細管糸球体フィードバック，の3つの機序によって制御されている。血漿レニンは肝臓のプロホルモンであるアンジオテンシノーゲンを切断し，アンジオテンシンIが生成される。アンジオテンシンIはさらにアンジオテンシン変換酵素（ACE）（またはキマーゼ〈ヒト〉）によってアンジオテンシンIIへと変換される（図13-2）。アンジオテンシンIIはこの系で最も強力な生理活性ペプチドであり，特異的な受容体（AT$_1$～AT$_4$）を介して血管の収縮や水・電解質の再吸収促進など様々な生理機能を発揮し，血圧の上昇を引き起こす。また，脳内には末梢と独立したレニン-アンジオテンシン系が存在し，脳内に産生されたアンジオテンシンIIも血圧調節や体液および電解質バランスの調節に関わっているほか，飲水行動の誘起を引き起こす（図13-3, 図13-4）。

体液調節において，アンジオテンシンIIは，①副腎の球状体細胞によるアルドステロン分泌の促進，②近位尿細管での塩化ナトリウム（NaCl）再吸収の増加，③口渇およびバソプレシン分泌の促進，④細動脈収縮，という生理作用で血管内容量を維持している。現在知られているアンジオテンシンIIの生理作用の多くはAT1受容体を介して発現されている。AT1受容体はGタンパク質共役型受容体で，ホスホリパーゼCを活性化させ，細胞内貯蔵部位からのカルシウムイオン（Ca^{2+}）放出とプロテインキナーゼC活性化をもたらす。

アンジオテンシンIIと下垂体前葉から分泌されるACTHの作用によってアルドステロンが副腎皮質か

ら分泌され，腎の遠位尿細管に作用してナトリウムの再吸収を促進することで結果として体内に水分を貯留する．

ナトリウム利尿ペプチド

ナトリウム利尿ペプチドは体内に備わるホルモンで，心臓や血管，体液量の恒常性維持に重要な役割を担っている．現在，ナトリウム利尿ペプチドは心房筋から分泌されるA型（A-type natriuretic peptide：ANP）（図13-5），主に心室筋から分泌されるB型（B-type natriuretic peptide：BNP），血管内皮細胞から分泌されるC型（C-type natriuretic hormone：CNP）のリガンドと3種類の受容体（GC-A，GC-B，クリアランス受容体）が存在しており，血管内容量の増加に反応して作用することがわかっている．ナトリウム利尿ペプチドはうっ血性心不全を含めた水分過剰状態の調節に効果を示し，治療の現場ではANP，BNPが使用されている．ANPは主に心房筋の伸展刺激により分泌が増加し，BNPは心室筋の伸展や圧上昇などの刺激によって量の増加に反応して産生が亢進する．分泌されたANP，BNPはナトリウム利尿ペプチド受容体のGC-A受容体に結合する．この受容体は内因性のグアニル酸シクラーゼ活性を有する膜貫通タンパク質であり，これらの受容体の活性化によって細胞内サイクリックGNP（cGNP）濃度が上昇する．これはミオシン軽鎖の脱リン酸化，それに引き続く血管緊張性低下を引き起こすことにより，血管平滑筋を弛緩させる．また，毛細血管内皮の透過性を亢進させ，血漿から間質への水分濾過の促進によって血圧を低下させる．

腎臓においては，ANPは輸入細動脈を拡張させ，輸出細動脈を収縮させる結果，糸球体内圧上昇，濾過係数の増加により利尿に働く．また，集合管においては，管腔側Na^+チャネル阻害，血管側Na^+，K^+-ATPase阻害によりナトリウム利尿をもたらす．このほか，レニン分泌・アルドステロン産生抑制作用，交感神経抑制作用などを有することがわかっている．

腎交感神経

腎交感神経は，局所的な調節において腎血流量を調節する．血管内容量の減少に反応して，腎交感神経は輸出細動脈よりも輸入細動脈の収縮を強くすることで糸球体濾過率（GFR）を低下させる．この輸入細動脈の選択的収縮は，最終的にはナトリウム利尿を減少させる．このほか，腎交感神経は糸球体外メサンギウム細胞のβ_1アドレナリン受容体を刺激することによりレニンの産生を増加させ，近位尿細管でのNaClの再吸収を増加させる．

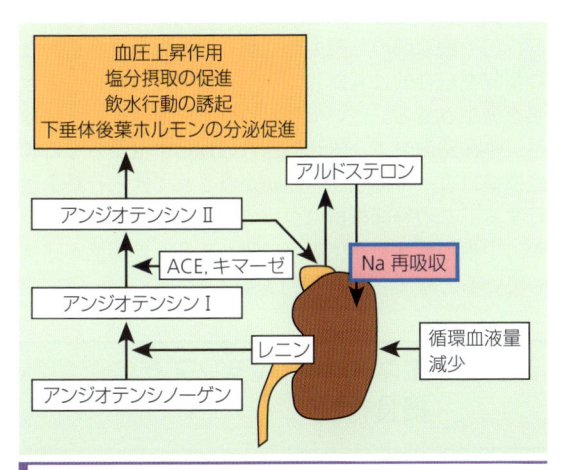

図13-3 レニン-アンジオテンシン系のはたらき 循環血液中のレニン-アンジオテンシン系に加えて，脳内には独立したレニン-アンジオテンシン系が存在して，ともに血圧調節や体液・電解質バランスの調節を行っている．

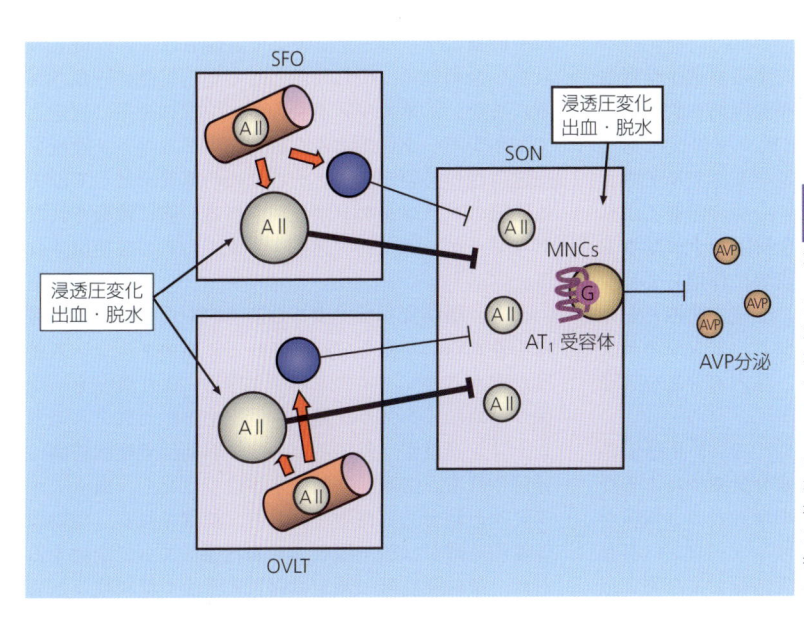

図13-4 脳内のアンジオテンシンⅡによるバソプレシンの分泌促進機序 浸透圧変化や出血・脱水のとき，脳弓下器官（SFO），終板器官（OVLT）のアンジオテンシンⅡ含有ニューロンの神経終末からアンジオテンシンⅡが視索上核（SON）内に分泌される．SFO，OVLTには血液由来のアンジオテンシンⅡに対する受容部位が存在しており，その情報がSONに伝達されることも知られている．さらにSONにはアンジオテンシン1型（AT_1）受容体が存在することも知られている．これらの作用によって大細胞性神経分泌ニューロン（MNCs）でバソプレシン（AVP）が産生され軸索を経由して下垂体後葉から循環血液中に分泌される．G：Gq（またはGi）．

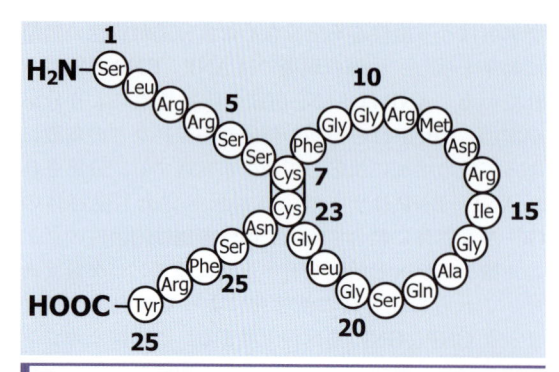

図 13-5 ANP の構造式　アミノ酸28個からなるペプチドであり，心房筋細胞内の顆粒に存在し，静脈圧の上昇による心房伸展が引き金となって血液中に分泌される。血管弛緩，腎臓でのナトリウム排泄促進，利尿，レニン分泌抑制，アルドステロン分泌抑制，飲水行動抑制などの作用がある。いずれもグアニル酸シクラーゼ活性化による細胞内cGMPの増加を介した反応である。

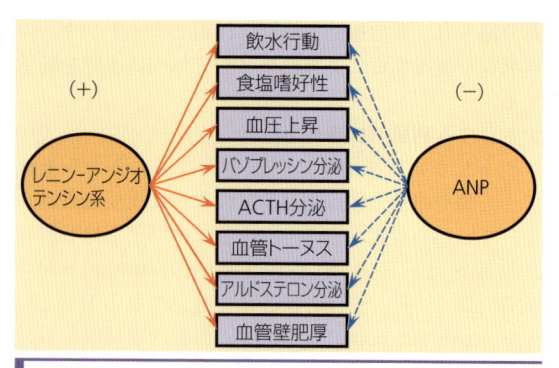

図 13-6 レニン-アンジオテンシン系と ANP の拮抗関係　レニン-アンジオテンシン系とANPは中枢および末梢においてそれぞれ拮抗した作用を持ち，様々な環境下で血圧調節や体液・電解質バランスの調節を行っている。

13.1.2 飲水行動

体内には大量の水分があるにもかかわらず，その量は一定に保たれている。前述したように，体外に排泄された水分は主に飲水，摂食，食物の酸化分解により生じる水（代謝水）によって補充することにより，水分出納を平衡に保ち体内水分量を一定に維持している。

飲水中枢は破壊実験や電気刺激などにより視床下部外側野の脳弓背側から不確帯を含む部位とされている。この飲水中枢領域には浸透圧およびアンジオテンシンⅡ受容ニューロンの存在が各種実験で明らかになっており，この領域と密接な線維連絡をしている視床下部の視索上核や室傍核にも浸透圧やアンジオテンシンⅡまたはバソプレシンに感受性を持つニューロンが存在する。これらのことから飲水の調節に重要なホルモンとしてはバソプレシンとアンジオテンシンⅡ，アルドステロンが考えられる。

また，胃や小腸，肝臓などに存在する浸透圧受容器や，循環血液量の変動を感知する頸動脈洞や大動脈弓の伸展受容器などの情報も視索上核や室傍核に送られ，バソプレシンやアンジオテンシンⅡ，アルドステロンの分泌を調節している。また，心房の伸展により心房から分泌されるANPは強力な利尿とナトリウム排泄を引き起こすと同時に，副腎皮質に作用してアルドステロンの分泌を抑制するほか，脳室周囲器官を介して飲水行動を調節するバソプレシン，アンジオテンシンⅡと反対の作用を引き起こし，体内水分量を調節している（図13-6）。

飲水中枢は，浸透圧やアンジオテンシンⅡ感受性ニューロンを介して，直接に体内水分量減少による浸透圧上昇やアンジオテンシンⅡ量の増加という情報を受容するほか，バソプレシン感受性ニューロンの存在する視索上核や室傍核からの中枢性情報および胃・小腸の浸透圧受容体，頸動脈洞や大動脈などの伸展受容器，口や咽頭部の粘膜の受容器などといった末梢からの情報を統合的に判断して飲水行動開始のための渇き感を発生させる。ついで飲水中枢，前頭連合野，辺縁系，錐体路系および錐体外路系の運動中枢からなる神経機構によって渇き感の認知がなされて飲水行動を遂行する。この神経機構についてはまだ不明な点が多いが，中枢の飲水や血圧調節に関わる多くの部位が連携していると考えられる（表13-4）。

13.2 エネルギーバランスと摂食行動

13.2.1 エネルギーの貯蔵と消費

生体が生存していくうえでのエネルギーは糖質と脂肪から供給される。糖質食を摂ると血中グルコース濃度が上昇する。これらはインスリンの作用により，筋肉や肝臓にグリコーゲンとして貯蔵される。貯蔵しきれない余剰分は，中性脂肪として脂肪組織に貯蔵される。また，エネルギー消費の多い中枢神経系に安定してエネルギーを供給するため，血中グルコース濃度を一定に保つ必要がある。そのための糖質源としては主に肝臓のグリコーゲンが使用される。筋に貯蔵されたグリコーゲンは，筋の運動エネルギーとして使用される。

一方，脂肪食を多く摂ると筋肉内や皮下，内臓組織に中性脂肪のかたちで貯蔵される。血中グルコース濃度が下がると，フィードバック作用により濃度を一定保つためにインスリン濃度が低下する。これよりアドレナリン濃度が上昇すると，中性脂肪は遊離脂肪酸に分解される。遊離脂肪酸は水溶性ではなく，血清アルブミンと結合して血中を移動し，消費される。血中の遊離脂肪酸量は糖や脂質の代謝状態によって変動するため，遊離脂肪酸の測定は脂質異常症や糖尿病などの

表13-4 飲水・血圧の中枢調節に関わる主な部位

	部位	主な機能
間脳	扁桃体	情動反応の発現
	第三脳室前壁腹側部	循環・体液調節の高次統合
	終板器官	中枢性浸透圧受容器の局在
	脳弓下器官	末梢性アンジオテンシンⅡ, ANPなどの受容部位
	視索前野	飲水行動, 体温に関与
	室傍核	AVP分泌ニューロンの局在部位, 内分泌系と自律神経系の統合部位
	視索上核	AVP分泌ニューロンの局在部位
	前視床下部	交感神経抑制領域（降圧領域）
	後視床下部	交感神経促進部位（昇圧領域）
	視床下部外側野	飲水中枢
脳幹	結合腕傍核	循環・体液調節情報の伝達
	青斑核	ノルアドレナリン作動性ニューロン群
	延髄尾側・吻側腹外側部	心血管運動中枢
	疑核	降圧領域, 循環系情報の伝達部位
	迷走神経背側運動核	迷走神経節前ニューロンの所在部位
	孤束核	循環系圧・体積・化学受容器からの一次求心性線維の投射部位
	最後野	アンジオテンシンⅡなどの液性情報受容
小脳	室頂核	起立性循環反射の中枢
脊髄	中間質外側核	交感神経節前ニューロンの所在部位

代謝疾患の診断基準となる。

13.2.2 エネルギーの欠乏信号

ラットやネコの視床下部外側野を両側破壊すると摂食行動がみられなくなり, 同部位に刺激を与えると満腹状態であっても摂食行動を開始する。また, 視床下部腹内側核を両側破壊すると摂食が亢進し肥満になり, 同部位に刺激を与えると食事中でも摂食行動は停止し摂食量は減少する。これらのことから視床下部外側野は摂食を促進する摂食中枢であり, 視床下部腹内側核は摂食を抑制する満腹中枢であると考えられている（図13-7）。両部位は一方が賦活すればもう一方が抑制されるという相反的活動により摂食を調節しているが, 後述するレプチンやグレリンなどの発見, 機能解析から, 多くの摂食調節因子が関与することが明らかとなってきている。

これらの中枢活動の調節には空腹時および満腹時に起きる体内の様々な状態変化が関与している。状態変化の例としては,
1) 血中グルコース, 遊離脂肪酸, アミノ酸などの代謝産物の濃度

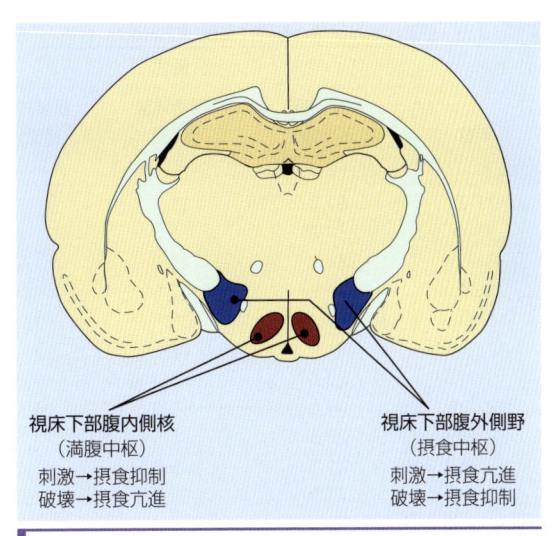

図13-7 ラットの視床下部腹内側核および視床下部外側野
視床下部腹内側核を刺激すると摂食行動が抑制され, 破壊すると摂食が亢進し肥満になる。一方, 視床下部外側野は刺激すると摂食が亢進し, 破壊すると摂食行動がみられなくなる。

視床下部腹内側核（満腹中枢） 刺激→摂食抑制 破壊→摂食亢進
視床下部腹外側野（摂食中枢） 刺激→摂食亢進 破壊→摂食抑制

2) 血中インスリン, グルカゴン, 副腎皮質ホルモン, 副腎皮質刺激ホルモン（ACTH）, 成長ホルモンなどのホルモン濃度
3) 食物の消化時の特異動的作用による体温上昇
4) 胃の空腹痛とそれに伴う律動的空腹収縮

などが挙げられる。これらの変化が中枢の化学受容器および温度受容器に伝えられ, 摂食行動の促進, 抑制が調節されている。

13.2.3 基礎代謝と性差

呼吸, 循環, 排泄, 体温の維持, 脳などの生理機能を営んで, 生命を維持するために必要な最小限のエネルギーを基礎代謝量という。具体的には, ヒトの場合, 食後12～15時間経過した朝の空腹時に, 室温20℃前後の部屋で安静にしている状態の消費エネルギーをいう。基礎代謝は, 年齢, 性, 体格などによって異なるが, 同性同年齢であれば, 体表面積にほぼ正比例するといわれている（日本人成人男子の平均体表面積は1.59 m^2, 女子では1.43 m^2である）。

成人男子1日あたりの平均基礎代謝量は1,300～1,600 kcalで, 女子では1,100～1,200 kcal程度である。年齢・性別ごとの標準的な1日あたりの基礎代謝量は基礎代謝基準値×体重で求めることができる（表13-5）。なお1日の必要エネルギー量（消費量）は, 身体活動レベルに応じて基礎代謝量の1.5～2倍程度となる。

13.2.4 視床下部と摂食行動

私たちの"食欲"は, 前述したように視床下部の摂食中枢（外側野）と満腹中枢（腹内側核）で調節されている。この部位での神経回路網には, ノルアドレナリン,

表13-5 基礎代謝基準値と基礎代謝量（厚生労働省，日本人の食事摂取基準，2010年版より）

年齢	男性 基礎代謝基準値(kcal/kg/日)	男性 基準体重(kg)	男性 基準体重での基礎代謝量(kcal/日)	女性（妊婦，授乳婦を除く）基礎代謝基準値(kcal/kg/日)	女性 基準体重(kg)	女性 基準体重での基礎代謝量(kcal/日)
1～2	61.0	11.7	710	59.7	11.0	660
3～4	54.8	16.2	890	52.2	16.2	850
6～7	44.3	22.0	980	41.9	21.6	920
8～9	40.8	27.5	1,120	38.3	27.2	1,040
10～11	37.4	35.5	1,330	34.8	34.5	1,200
12～14	31.0	48.0	1,490	29.6	46.0	1,360
15～17	27.0	58.4	1,580	25.3	50.6	1,280
18～29	24.0	63.0	1,510	22.1	50.6	1,120
30～49	22.3	68.5	1,530	21.7	53.0	1,150
50～69	21.5	65.0	1,400	20.7	53.6	1,110
70以上	21.5	59.7	1,280	20.7	49.0	1,010

基礎代謝は，年齢，性，体格などで異なる．年齢・性別ごとの標準的な1日あたりの基礎代謝量は，基礎代謝基準値×体重で求めることはできる．

表13-6 摂食関連ペプチド

摂食促進	摂食抑制
AgRP	アドレノメデュリン
ガラニン	ボンベシン
GH	カルシトニン
グレリン	CART
GHRH	CCK
MCH	CRH
NPY	GLP-1, -2
オピオイド	GRP
（β-エンドルフィン）	インスリン
オレキシン-A, -B/	レプチン
ヒポクレチン-1, -2	メラノコルチン
ペプチドYY	α-MSH
プロラクチン	ニューロメジンU
	ニューロテンシン
	オキシトシン
	PACAP
	POMC
	ソマトスタチン
	TRH
	ウロコルチン，ウロコルチンⅡ，Ⅲ
	VIP

摂食調節に関連する神経ペプチドを摂食亢進作用を持つものと摂食抑制作用を持つものに大別した．摂食抑制作用を持つ神経ペプチドのほうが多いことに注目したい．

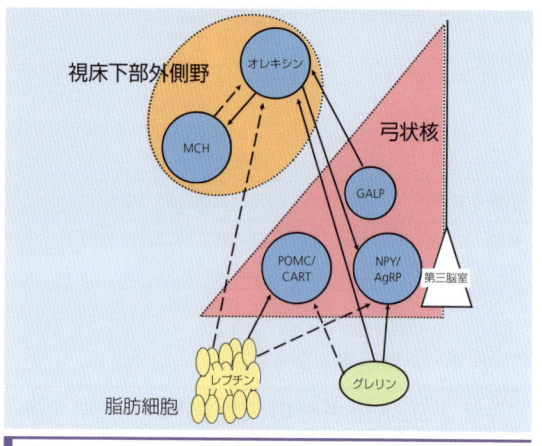

図13-8 視床下部におけるGALPのネットワーク　脂肪細胞から分泌されたレプチンは視床下部弓状核のNPY/AgRP産生ニューロンに抑制性に作用し，POMC/CART産生ニューロンに興奮性に作用して，摂食を抑制する．グレリンは逆の作用を有する．

ドーパミン，セロトニンといった古典的神経伝達物質とともに数多くの神経ペプチドが関与している（表13-6）．視床下部弓状核内側部には，摂食を強力に誘起するニューロペプチドY（neuropeptide Y：NPY）を含有するニューロンが多数存在する（図13-8）．このニューロンにはNPYとともにアグーチ関連タンパク（agouti-related protein：AgRP）が共存している．弓状核外側部にはα-メラノサイト刺激ホルモン（melanocyte stimulating hormone：α-MSH）の前駆体であるプロオピオメラノコルチン（pro-opiomelanocortin：POMC）を含有するニューロンが存在し，摂食抑制系として働いている．摂食中枢である視床下部外側野には，オレキシン（orexin）／ヒポクレチン（hypocretin），メラニン凝集ホルモン（melanin-concentrating hormone：MCH）を含有するニューロンがそれぞれ独立して存在し，摂食促進系として働いている．満腹中枢である視床下部腹内側核は，神経ペプチドの含有ニューロンはあまり知られていないが，グルコース濃度の変化に応答するグルコース受容ニューロンが存在

している。またレプチン受容体が発現していることも報告されている。

摂食抑制系

レプチン

レプチン(leptin)は1994年，遺伝性肥満ob/obマウスの病因遺伝子として発見された。レプチンという名前はギリシャ語で「やせ」を意味するレプトス(leptos)」に由来する。レプチンは脂肪細胞で産生され，血中に分泌される。レプチンは弓状核，視床下部腹内側核，視床下部背内側核に作用して摂食を抑制すると考えられており，これらの部位にはレプチン受容体が存在する。弓状核を介する経路はレプチンによる摂食抑制作用に特に重要であると考えられている。弓状核の摂食亢進作用を持つNPYニューロンと摂食抑制作用を持つPOMCニューロンは，双方ともレプチン受容体(OB-Rb)を持ち，レプチンで前者は抑制，後者は賦活化されることが明らかになっている(図13-9)。レプチンが欠乏すると，視床下部のNPYとAgRPのmRNA量が増加し，POMCとコカイン-アンフェタミン調節転写産物(cocaine and amphetamine-regulated transcript：CART)のmRNA量が減少する。また，レプチンはエネルギー消費を増加させる。これは，脊髄中間質外側核の交感神経節前ニューロンに投射している視床下部のニューロンがレプチンによって活性化されるためと考えられている。

α-メラノサイト刺激ホルモン，プロオピオメラノコルチン

プロオピオメラノコルチン(pro-opiomelanocortin：POMC)はメラノコルチンの前駆体となるポリペプチドであり，視床下部弓状核の外側部や下垂体前葉に産生細胞が存在する。メラノコルチンとはα-メラノサイト刺激ホルモン(melanocyte stimulating hormone：α-MSH)，β-MSH，γ-MSH，副腎皮質刺激ホルモン(ACTH)の4つのペプチドの総称である。メラノコルチンの受容体には5つのサブタイプ(MC1R〜MC5R)があり，脳，下垂体，その他の末梢組織に分布している。これらの中で摂食に関係するのはα-MSHと4型メラノコルチン受容体(MC4R)であり，摂食抑制系として働く。レプチンに変異があり2型糖尿病および肥満モデルマウスであるob/obマウスにおいて，POMC mRNA量が低下しており，レプチン投与により増加することからPOMCはレプチンの下流で働いていると考えられる。

コカイン-アンフェタミン調節転写産物

コカイン-アンフェタミン調節転写産物(cocaine and amphetamine-regulated transcript：CART)はコカインまたはアンフェタミンの急性投与によって増加することから発見・命名された。CARTはPOMCと共存しており，産生細胞も視床下部弓状核に存在する。ラットにおいて，CARTの脳室内投与は食物摂取を減

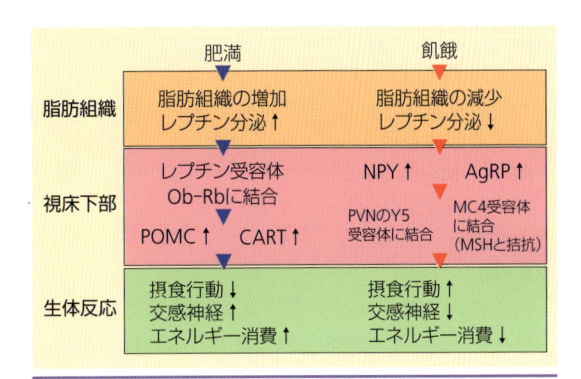

図13-9 レプチンの作用と生体の反応 レプチン分泌は肥満と飢餓の状態では逆であり，視床下部の異なったペプチド産生ニューロンに作用して異なった生体反応を引き起こしている。

少させ，CART抗体の脳室内投与は摂食を増加させることが示された。また，視床下部弓状核におけるCART陽性細胞は，NPY神経末端に取り囲まれていることがわかり，CARTとNPYとの相互作用があることが示唆された。レプチンを末梢投与するとCART mRNAは増加することから，POMC同様，CARTもレプチンの下流で働いていると考えられる。

コレシストキニン

食後，十二指腸から分泌されるコレシストキニン(cholecystokinin：CCK)を代表とする消化器ホルモンは，肝門脈や胃・十二指腸に分布する腹部迷走神経を介して延髄孤束核，脳内神経回路を中継して視床下部に満腹の神経性情報として伝達される。代表的な反応として，CCKによるオキシトシン分泌調節がよく調べられている。

オキシトシン

オキシトシン(oxytocin)は視床下部の室傍核と視索上核の神経分泌細胞で合成され，下垂体後葉から分泌されるホルモンであり，9個のアミノ酸からなる。分娩時の子宮筋収縮作用や乳腺の筋線維を収縮させて乳汁分泌を促進させる働きがよく知られており，近年では他者への信頼感や愛情を形成するうえでも重要な役割を果たしていることが明らかとなっている。

オキシトシンをラット脳室内に投与すると摂食が抑制される。また，下垂体後葉からオキシトシン分泌を促進させるような処置(例えば，ストレス刺激，塩化リチウムの末梢投与，CCKの末梢投与，胃の拡張刺激)は，摂食量を抑制させる。下垂体後葉からオキシトシン分泌が促進されたときには同時に，脳内でのオキシトシン放出が高まっている。末梢ではなくこの脳内で放出されたオキシトシンが摂食抑制に働いているとされている。また，摂食抑制ペプチドであるCART，プロラクチン放出ペプチド(PrRP)を含む神経線維が視床下部オキシトシンニューロンにシナプス結合していることが示唆されており，さらにCARTあるいは

PrRP投与により，オキシトシンニューロンが活性化される。また，POMCニューロンが放出する摂食抑制因子であるα-MSHも，オキシトシンニューロンを活性化することが示されている。したがって，CART, PrRP, α-MSHによる摂食抑制にオキシトシンが関与している可能性がある。

摂食亢進系
グレリン
　内因性の成長ホルモンアナログ(GHS)受容体の内因性リガンドとして同定されたグレリン(ghrelin)は，主に胃で大量に産生されているが，その他大腸，下垂体，腎臓，胎盤，視床下部における産生も見出されている。グレリンは，成長ホルモン放出促進作用を有しているが，それとは別にヒトで空腹感を誘発し摂食を亢進させる。肥満あるいは摂食により，血中グレリンは減少し，逆に空腹時，飢餓，神経性無食欲症で増加する。グレリンが視床下部に作用して摂食亢進させることは，グレリンを弓状核，視床下部室傍核，視床下部背内側核，視床下部腹内側核に微量投与すると摂食が亢進することからも明らかである。一方で，グレリンは迷走神経を介して視床下部に作用していることも示唆されている。グレリン投与により弓状核のNPY/AgRPニューロンが活性化され，グレリンの摂食亢進作用がNPYのY1受容体アンタゴニスト，あるいはNPYに対する抗体，またAgRPに対する抗体で阻害されることが明らかにされている。これらのことからグレリンの摂食亢進作用は弓状核のNPY/AgRPニューロンを介していると考えられる。しかし，NPYノックアウトマウスでもグレリンの作用は観察されている。

　脳内のグレリン受容体は，視床下部のほか，海馬，黒質，腹側被蓋野，縫線核と広く分布している。腹側被蓋野はドーパミン作動性ニューロンの起始部であり，この部位の賦活により報酬回路と呼ばれる経路が活性化され，摂食による快感が脳への報酬として知覚されることが示唆されている。また，グレリンは，摂食のみならず，代謝に対してもレプチンと逆の作用がある。グレリンは脂肪の酸化を減少させ，脂肪を蓄積させる。

ニューロペプチドY, アグーチ関連タンパク
　ニューロペプチドY(neuropeptide Y：NPY)は36のアミノ酸からなるペプチドで，ペプチドYY，膵ポリペプチドとともにファミリーを形成している。中枢神経系に広範囲に分布しており，特に視床下部弓状核，室傍核，視交叉上核などに多く発現している。受容体は7回膜貫通型のGタンパク質共役型受容体で，6つのサブタイプ(Y1～Y6)が同定されており，摂食亢進に関与するのはY1とY5受容体である。

　アグーチ関連タンパク(agouti-related protein：AgRP)も弓状核に発現しており，NPYと共存している。AgRPはα-MSHの受容体の一つであるMC4Rに結合し，α-MSHの摂食抑制作用を拮抗阻害して摂食を亢進させる。NPYは短期間(数時間)の摂食亢進作用を持つのに対し，AgRPは長期間(数日～1週間)にわたる摂食亢進作用を持つことが報告されている。

オレキシン／ヒポクレチン
　オレキシン(orexin)-A，-BはHFGAN72と呼ばれているGタンパク共役型受容体の内因性リガンドとして発見された。一方，同時期に別のグループによってヒポクレチン(hypocretin)-1，-2が同定された。これらは同一のペプチドであったため名前が併記されることがあるが，日本ではオレキシンの呼称が一般的である。

　オレキシン受容体にはオレキシン1型受容体(OX1R)，オレキシン2型受容体(OX2R)の2種類のサブタイプが存在する。OX1Rはオレキシン-Aに親和性が高く，OX2Rはオレキシン-A，-Bともに同程度の親和性を持つ。これらの受容体は脳内分布も異なっており，ラット脳内ではOX1Rは扁桃体，海馬，視床下部(前部)，青斑核などに分布している。一方，OX2Rは弓状核，結節乳頭体核，視床下部(特に室傍核，外側野および背内側野)，縫線核などに分布している。オレキシンが発見された当初，摂食中枢である視床下部外側野とその周辺部に局在することから，摂食に関連する研究が数多く行われた。ラットやマウスの脳室内にオレキシンを投与すると摂食を誘起すること，絶食によりオレキシンmRNAが増加すること，オレキシン遺伝子ノックアウトマウスの食餌量が減少すること，などが報告されている。オレキシンの摂食促進作用は，オレキシンニューロンの投射先の一つである弓状核NPY産生ニューロンの活動亢進によりなされると考えられている。また，オレキシン産生ニューロンの多くはレプチン受容体を発現しており，レプチンによりオレキシン産生ニューロンの活動が抑制されることが明らかとなっている。

　なお，オレキシンは脳の覚醒維持に大きく関与することが明らかとなっており，現在，その受容体アンタゴニストは睡眠薬として利用されている。

メラニン凝集ホルモン
　メラニン凝集ホルモン(melanin-concentrating hormone：MCH)はサケの下垂体から同定されたペプチドで，サケでは皮膚を白色にする働きを持つが，哺乳類ではその機能は失われている。哺乳類では視床下部外側野にて産生され，脳内の広範囲にわたって投射されている。MCHノックアウトマウスにおいて摂食量・体重ともに減少することから摂食を亢進させるホルモンであることが明らかとなった。同領域に存在するオレキシンとは共存していないが，オレキシン神経細胞の興奮を調整していることが明らかとなっている。近年では光遺伝学的手法を用いて，MCHがレム

睡眠とノンレム睡眠の切り替えに関わっているという報告がなされ，オレキシンとともに睡眠の分野でも注目されている。

ガラニン，ガラニン様ペプチド

ガラニン(galanin)は29アミノ酸からなるペプチドで，視床下部に高濃度に存在する。ガラニンのラット脳室内投与や，室傍核への微量注入を行うと摂食が誘起され，特に脂肪摂取を増加させる。ガラニンにはこの脂肪食の摂食促進作用のほかに胃壁伸展能の亢進による胃排出能抑制作用，褐色脂肪組織に分布する交感神経活動の抑制作用があり，これらが協調的に働き，摂食促進，脂肪蓄積に関与する。中枢での作用部位としては視床下部腹内側核，外側野，室傍核などがある。末梢で脂肪蓄積が起こると，レプチンによって中枢でのガラニンの作用が抑制され，脂肪蓄積が抑制されることも報告されている。また，ガラニンには胃酸などの分泌抑制作用，腸液分泌亢進作用があり，消化管疾患との関連も示唆されている。

ガラニン受容体には3つののサブタイプ(GALR1, 2, 3)が存在する。このうちGALR2の内因性リガンドとしてガラニン様ペプチド(galanin-like peptide：GALP)が同定された。中枢神経系におけるGALP産生ニューロンは視床下部弓状核および正中隆起に限局して存在する。これらのGALP産生ニューロンの約85%以上はレプチン受容体を持つ。また，GALP産生ニューロンの約10%にはOX1Rが発現している。さらには，摂食抑制作用を持つPOMCとも約7%共存していることが報告されている。

弓状核に存在するGALP産生ニューロンからの神経線維は内側視索前野，腹外側中隔核，分界条，視索上核，室傍核，視床下部室周囲核，視床下部外側野など脳内に幅広く投射している。特に視床下部外側野ではオレキシンおよびMCH産生ニューロンにGALP神経線維が投射していることが確認されている。一方，GALP産生ニューロンへの入力系としてはオレキシンおよびNPY産生ニューロンからの投射があることが明らかになっている。GALPはオレキシン産生ニューロンおよびNPY産生ニューロンを活性化して摂食行動を誘発させることが報告されている。

13.3 体温調節行動

ヒトをはじめ恒温動物では，外部環境の温度が変化しても，生体の体温調節機構によりその核心温度(core temperature)は一定の範囲内に保持されている。

体温調節機構は，意識にのぼらない自律性体温調節(autonomic temperature regulation)と意識的に行う行動性体温調節(behavioral temperature regulation)(体温調節行動とも呼ばれる)とに大別される。

自律性調節とは，具体的には，熱産生(ふるえおよび

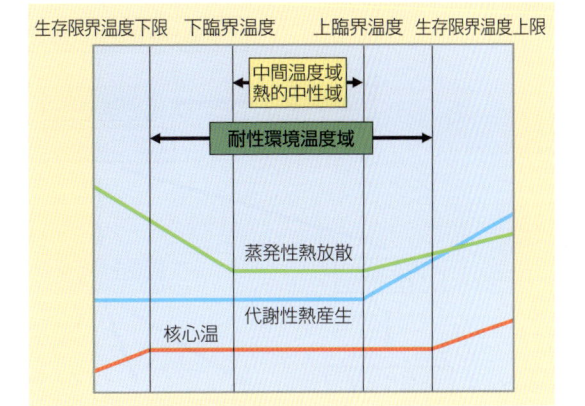

図13-10　自律性体温調節の調節域　(入來，体温生理学テキスト，2003より)

非ふるえ)，熱放散(皮膚血流の変化，発汗，浅速呼吸〈パンティング〉など)のバランスによって行われる。ふるえ熱産生では，屈筋と伸筋が同時に収縮するため収縮エネルギーのほとんどが熱となる。非ふるえ熱産生は，主に褐色脂肪組織である。$β_3$受容体に交感神経由来のノルアドレナリンが作用することで脂肪を分解し，ミトコンドリア内の脱共役タンパク(uncoupling protein 1：UCP1)を介して熱産生を行う。褐色脂肪組織は新生児にのみ存在するとされていたが，近年，成人においても肩甲骨周囲などに存在することが明らかとなった。また，長期の寒冷刺激により白色脂肪細胞からベージュ細胞が誘導されてUPC1を発現して熱産生を行うことが報告されて話題となっている。自律性体温調節の調節域には限界があり，環境温度によって決められている(図13-10)。

一方，行動性体温調節とは，ヒトでは衣服の着脱，冷暖房装置(扇風機やクーラー)を使用する，水浴びなどであり，動物では暑いところから日陰に移動する，体表面を唾液でぬらす，季節で体毛をかえる(夏に脱毛)など，多様な体温調節行動が挙げられる。

13.3.1 体温調節中枢

体温調節中枢(thermoregulatory center)とは，体温を一定に調節するために，生体内外の温度情報を受け取り，情報処理を行い，神経系や内分泌系を介して体温を調節する反応を引き起こす統合中枢のことである。具体的には，その最高指令中枢は視床下部に存在しており，延髄，脊髄レベルでの階層支配を制御している。

視床下部の中でも，特に視索前野-視床下部前野(preoptic anterior hypothalamic area：PO/AH)が体温調節に重要な役割を担っている。例えば，PO/AH領域を破壊すると熱放散機構が正常に働かず高温環境下では体温が上昇する。また，PO/AH領域を加温する

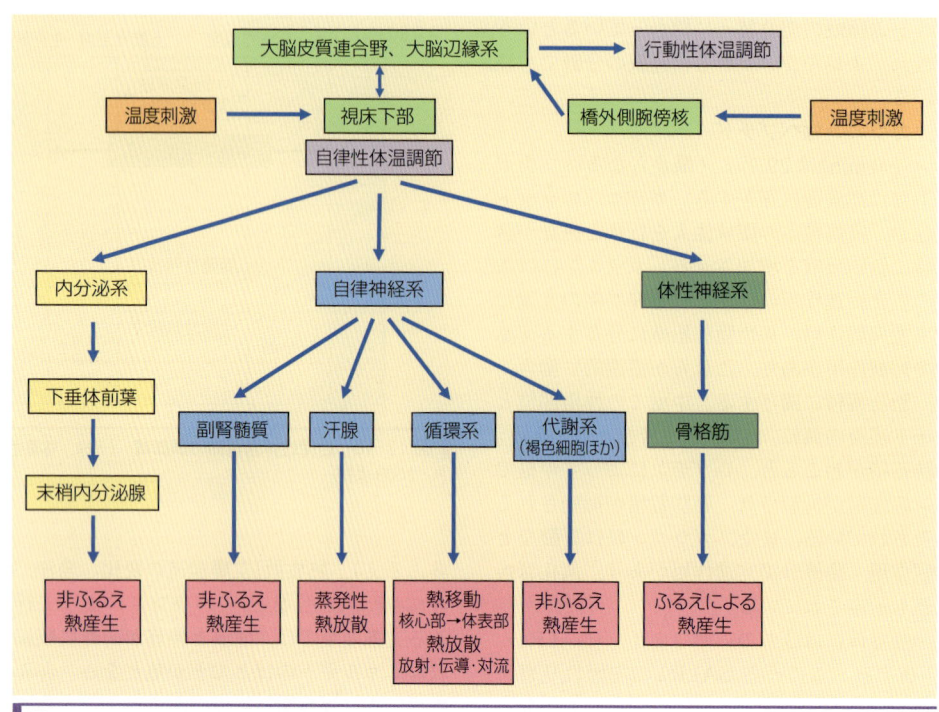

図 13-11　体温調節に関与する調節系の大要　(宇尾野，入來監修，最新自律神経学，2007 より改変)

と皮膚血管の拡張など(放熱反応)が起こり，逆に冷却すると皮膚血管の収縮や熱産生(ふるえおよび非ふるえ)が起こる。

PO/AH ニューロンは温度感受性があり，温度上昇に反応して放電頻度を増やす温ニューロンと温度低下に反応して放電頻度を増やす冷ニューロンが存在する。PO/AH の温度感受性ニューロンに末梢温度受容器からの情報が入力し，他の視床下部の部位や大脳辺縁系および大脳皮質連合野との情報交換を行い，それらが統合されて，自律神経系，体性神経系および内分泌系を介して自律性体温調節ならびに行動性体温調節を行い，体温を一定に保とうとするのである(図 13-11)。

近年，環境温度の皮膚感覚情報を大脳皮質に伝達する脊髄視床皮質路とは独立して，皮膚からの環境温度の感覚情報が橋外側腕傍核を介して上位脳に伝達されて快・不快の情動を引き起こし，行動性体温調節を引き起こすことがラットの実験で証明されて，話題となっている。

13.3.2　行動性体温調節

行動性体温調節は体温調節行動とも呼ばれる。動物では，場所の移動，巣作り，体表の湿潤化，摂食・飲水などの行動をとり，ヒトではさらに文化的行動(着衣，空調など)が加わる。

体温調節行動を動物実験で研究する場合，動物の多様な行動を客観的に定量化することにしばしば困難を伴う。そこで，体温調節行動を客観的に定量化する方法としてオペラント行動を用いる方法が開発された。

例えば，動物を冷風が流れているボックスに入れて，ボックスの中にセットされたバーを動物が押すと一定時間冷風が止まり，温風が流れ込むようにしておく。動物は，温風にあたりたいためにだんだんとバー押し回数が多くなる。このバー押し行動をオペラント行動と呼び，この行動の頻度が増加することをオペラント条件づけと呼ぶ。

より簡便な実験方法として，傾斜的に環境温の温度差を生じる長いチャンバーを用意してその中で動物がどの温度帯を好むかを観察する，チャンバー内に動物が入ると温風または冷風を送ることができる装置を用いてどちらを好むかを観察する，などが考案されている。

13.4　特殊飢餓—ナトリウム欠乏とナトリウム飢餓

脱水になると渇きの感覚が生じることはいうまでもないが，ナトリウム欠乏が起こっていてもナトリウムを摂取したいという感覚(ナトリウム嗜好もしくはナトリウム飢餓)は生じにくい。例えば，発汗では水分とナトリウムを失うので，水とナトリウムの補充が必要となる。逆に，絶水では体液中のナトリウム濃度は上昇するため，ナトリウムの摂取を抑制しなければならない。したがって，生体には体液のナトリウム濃度を

監視している部位およびナトリウム飢餓を生じる機構が存在していることになる(ナトリウムと水バランスおよびその病態については，13.1.1「浸透圧・血圧調節」の項に詳しい)。

Andersson の有名な実験として，ヤギの視床下部に少量の高張食塩水を注入すると，そのヤギは十分な水を飲んでいるにもかかわらず階段を上ってまで大量の水を飲むようになった。脳内(おそらく髄液中の)ナトリウム濃度を感知しているというナトリウム説が提唱されていたが，その後，ナトリウム濃度自体を感知するのではなく浸透圧そのものを感知する機構があると考えられている。

新たな脳内ナトリウム受容機構として，血液脳関門が欠如している脳室周囲器官，特に脳弓下器官のグリア細胞に発現している Na^+ チャネルの一つである Nax が注目されている。Nax は膜電位変化には依存せず細胞外液のナトリウム濃度変化を感知して開閉し，その後グリア細胞で産生された乳酸を介して GABA ニューロンとの間でナトリウム濃度変化の情報をやりとりすることが明らかとなった。Nax 遺伝子ノックアウトマウスでは，脱水後の水分摂取行動と塩分摂取の回避行動が障害される。脳弓下器官で感知された脱水の情報(血漿浸透圧の上昇および血中アンギオテンシンIIの増加)は，終板器官への情報伝達により飲水行動が引き起こされ，一方，分界条床核腹側部への情報伝達により塩分摂取行動が引き起こされるという神経回路の存在が明らかとなった。

生体は体液ナトリウム濃度の恒常性をナトリウムの経口摂取と腎臓からのナトリウム排泄・再吸収のバランスで維持している。腎臓におけるナトリウム排泄・再吸収には神経性調節と液性調節がある。13.1.1「浸透圧・血圧調節」の項でも述べたように神経性調節としては交感神経系の調節機序があり，液性調節としては，レニン-アンジオテンシン-アルドステロン系が重要である。仮に，副腎機能不全によりアルドステロンが分泌されず腎臓でのナトリウムの再吸収が行われないと大量のナトリウムを失うことになり，過度のナトリウム飢餓状態となることが知られている。

13.5 性ステロイドホルモンとエネルギーバランス

性ステロイドホルモンとは性腺で合成・分泌されるステロイドホルモンであり，男性ホルモン活性を持つアンドロゲン，卵胞ホルモン活性を持つエストロゲン，黄体ホルモン活性を持つプロゲステロンの総称である。いずれも生殖器の分化・発達，第二次性徴，性行動に重要なホルモンである。

アンドロゲンは，主に精巣の間質細胞から分泌され，90％以上がテストステロンである。核内に存在するアンドロゲン受容体を介して男性内外性器の分化，第二次性徴，タンパク同化作用などを発揮する。

エストロゲンは 17β-エストラジオール，エストロン，エストリオールの3種類からなり，主に卵巣(卵胞の顆粒膜細胞，黄体)や胎盤で産生・分泌される。エストロゲンはアロマターゼの作用により，テストステロンからエストラジオールが，アンドロステンジオンからエストロンが生成される。また，エストロゲンの生物活性を示す天然および合成エストロゲンは多数存在する。

13.5.1 アンドロゲンのタンパク同化作用

アンドロゲンはタンパク質の合成を増加させ，分解を抑制する。この骨格筋などに対するタンパク同化作用は，アンドロゲンの主成分であるテストステロンがそのまま核内のアンドロゲン受容体に結合して作用を発揮する。一方，性分化や第二次性徴の発現には，テストステロンの還元酵素によってジヒドロテストステロン(dihydrotestosterone：DHT)に変換され，DHT がアンドロゲン受容体に結合することによりその作用を発揮する。

13.5.2 エストロゲンによる摂食抑制

エストロゲン受容体(estrogen receptor：ER)には ERα と ERβ が同定されており，いずれも核内に存在する。一方，細胞膜に存在する膜受容体の存在も示唆されている。エストロゲンの一般的な作用としては，女性の第二次性徴，成熟女性の性周期，子宮内膜の増殖や膣粘膜の変化を引き起こす。

満腹中枢として知られる視床下部腹内側核(VMH)にはエストロゲン受容体が豊富に存在しており，雌ラットの VMH にエストロゲンを注入するとロードーシス反射(雌の性行動)を引き起こすことができる。また，排卵前の発情期に摂食が抑制されるが，血中に増加したエストロゲンが VMH に作用した結果と考えられる。

13.6 摂食障害とホルモン

やせ願望や肥満を病的に恐れるなどのために自ら飢餓状態に陥ることを特徴とする障害を摂食障害と呼ぶ。思春期の女性に多く，体重や体型についての認識の障害がみられる。

摂食障害を大別すると，神経性無食欲症(anorexia nervosa：AN)と神経性大食症(bulimia nervosa：BN)となる。

摂食障害の発症には心理的誘因が大きく，食行動異常や慢性的なストレスにより種々の神経内分泌異常がみられる。例えば，視床下部機能異常による続発性無月経，視床下部-下垂体-副腎(HPA)軸の亢進などであ

る。神経性食欲不振症の場合，著しいいそうの状態のため，摂食抑制作用を持つレプチン量が低下している。一方，摂食促進作用を持つグレリンの血中濃度は増加しており，病状の改善とともに低下する。このようにレプチンやグレリンの変化は摂食亢進の方向に変化しているにもかかわらず極度の拒食となっているのは，大脳辺縁系や大脳皮質連合野におけるやせ願望や肥満に対する恐怖心がより上流の摂食調節（摂食抑制機構）としてはたらいているのかもしれない。

摂食障害の診断基準は，DSM-5（米国精神医学会）の「神経性食欲不振症および神経性大食症の診断基準」を参照のこと。

14 行動の周期性

14.1 行動の周期性と生物時計

　多くの生物の行動や生理機能には1日を周期とするリズムがみられる。それは生物が昼夜サイクルに伴う環境の周期的な変化に対応して効率よく生命活動を行っているからにほかならない。しかし、こうした日周リズムのほとんどは、生物が環境の変化に直接反応する結果として現れるのではない。照度や温度などの周期的な変化を取り除いた恒常的な条件下でも、生物は依然として約24時間周期のリズムを示す。つまり生物は、1日の長さを測定する仕組み、すなわち生物時計を体の中に備えているのである。同様に、冬眠、鳥の渡り、換羽(毛)など1年を周期とするリズムの中にも、1年の長さを測定することのできる生物時計に支配されていると考えられるものがある。例えば、マントハタリスの冬眠とそれに先立つ摂食量や体重の増加は、動物を温度が一定で日長変化のない実験室に飼育しても、約1年の周期で繰り返される(図14-1)。これらの事実は、地球上における進化の過程で生物が環境変化の周期にあわせた自律振動機能を獲得したことを意味する。言い換えれば、このような機能によって環境の変化を正確に予測して、これに適切に対応できることが生存に有利であったといえる。しかし、環境の周期的な因子を取り除いた条件下では、生物が示すリズムの周期は正確に24時間あるいは1年にはならず、それよりやや長いか短いのが普通である。つまり生物は、昼夜の明暗サイクルや日長の季節的な変化などを手がかりにして、自分自身の生物時計を補正しつつ、正確に24時間あるいは1年といった周期のリズムを刻んでいるのである。このように生物時計や生物時計が作り出すリズム(生物リズム)が環境サイクルに周期をあわせることを同調、あるいはエントレインメント(entrainment)と呼び、同調を起こさせる周期的な環境因子を同調因子(zeitgeber)(あるいは entraining agent)と呼んでいる。

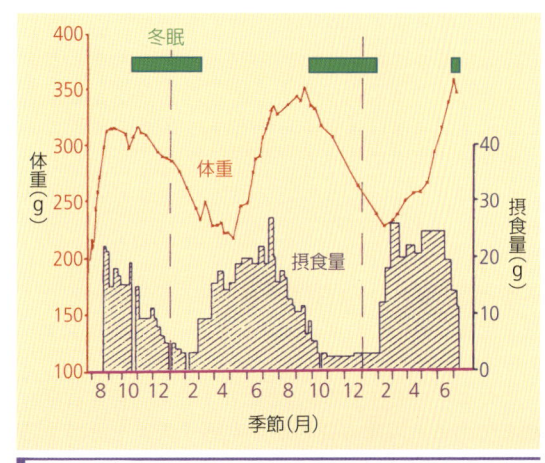

図14-1 マントハタリスにみられる冬眠，体重および摂食量のリズム 動物は温度を21℃に保ち，明期と暗期がそれぞれ12時間ずつの明暗サイクルの下で飼育されている。(Pengelley & Fisher, 1963より改変)

14.1.1 生物リズムの種類

　生物リズムには様々な周期のものが知られている。約1日周期のリズムは"概ね1日のリズム"という意味で概日リズムと呼ばれ、英語では、ラテン語の circa (約)と dian (1日の)を連ねた造語 circadian を使ってサーカディアンリズム(circadian rhythm)と呼ばれる。また、前述したマントハタリスの冬眠リズムのような約1年のリズムは概年リズムと呼ばれ、英語ではサーカニュアルリズム(circannual rhythm)という。このほかに、満月から次の満月までの時間である太陰月(29.53日)に近い周期を持つ概月リズム(circalunar rhythm)もあり、このリズムは、月の満ち欠けによる夜間の明るさの周期的な変化を同調因子としている。また、海辺に生息する生物では、1日に2回ずつある満潮と干潮の周期に関係する概潮汐リズム(circatidal rhythm)を示すものもある。このリズムの同調因子は

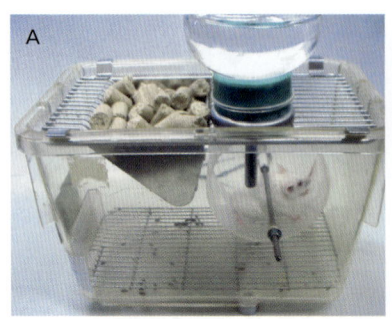

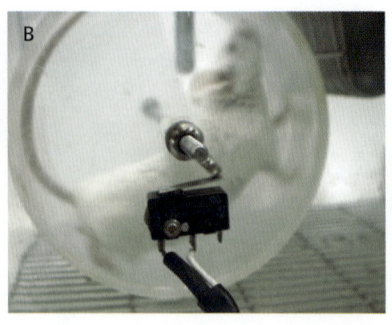

図14-2 マウスの輪回し行動量を測定するための飼育ケージ A：餌と水が自由に摂取できる飼育ケージ内に回転輪が設置されている。B：マウスが輪を回転させると回転軸についた爪も回転し，マイクロスイッチを作動させる。

12.4時間周期の潮位変化のリズムである。採餌や生殖活動に夜間の月光や潮位の変化を頼りとしている動物にとっては，これらの同調因子は昼夜サイクル以上に重要であるといえる。

しかし生物リズムの中には，このような地球，太陽，月の天体運動によってもたらされる環境の周期的な変化と関連づけることのできない周期を持つものもある。例えばヒトの睡眠においては約90分の周期でレム睡眠が出現するし，また黄体形成ホルモン（LH）やコルチコステロンのような種々のホルモンのパルス状分泌にも30分〜3時間くらいの周期がみられる。性周期（月経周期）はヒトではほぼ1ヶ月（28〜35日）であるが，これは月の公転周期とは無関係で，それぞれの種に固有なものである。例えばラットの性周期は4〜5日である。

このように生物リズムは多岐にわたり，その周期も様々である。周期の長さから生物リズムを分類すると，概日リズムとは周期が24±4時間のものをいい，これより周期の短いものをウルトラディアンリズム（ultradian rhythm），長いものをインフラディアンリズム（infradian rhythm）と呼んでいる。概潮汐リズム，睡眠パターンや多くのホルモンの分泌リズムはウルトラディアンリズムに属し，概年リズム，概月リズム，性周期などはインフラディアンリズムに属する。これらの生物リズムの中で，これまでに行われている研究のほとんどは概日リズムに関するものであり，多くの知見が得られているので，以下に概日リズムについて概説する。

14.1.2 概日リズムの基本的性質

概日リズムは原核生物のシアノバクテリアから動物，植物を問わず，ほとんどすべての生物にみられる最も基本的な生物リズムである。概日リズムを発振する生物時計（概日時計〈circadian clock〉）の働きは，観察される様々な周期的な現象（表現型のリズム）をその指標としてうかがい知ることができる。哺乳類では一般にはマウス，ラット，ハムスターなどのげっ歯類が研究に用いられているが，これらの動物では輪回し行動量のリズムが概日時計の指標として観察されること

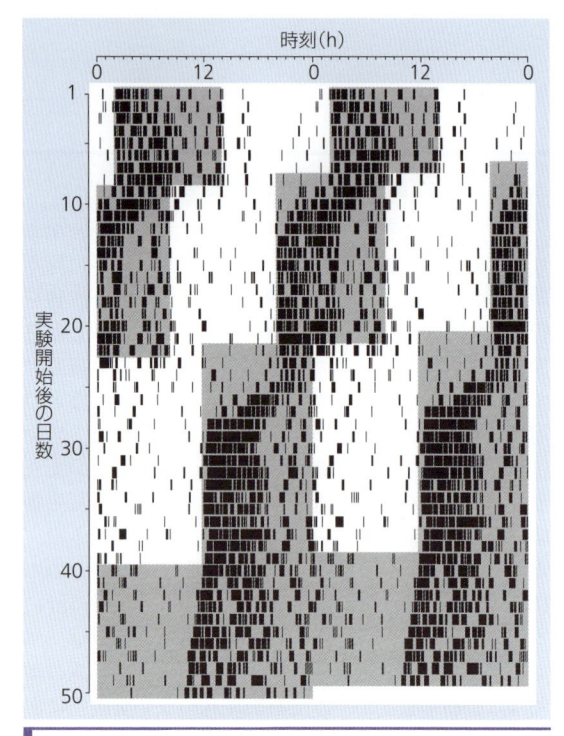

図14-3 マウスの輪回し行動リズム 輪回し行動量は図14-2の測定用ケージを用いて記録された。行動がさかんになると図の横軸（1日の時間軸）上の縦線の密度が濃くなる。図の網掛け部分は暗期，その他の部分は明期を示している。実験開始9日目に6時間，22日目に8時間，明暗サイクルの位相を前進させ，40日目からは恒暗とした。ダブルプロット法により表示してある。

が多い。このような行動量のリズムは，動物の総合的な生理状態を反映しているだけでなく，実験動物に負担をかけず，自動記録装置により長期間連続観測ができる点で研究上有用な指標となっている。

図14-2はマウスの輪回し行動量の測定に用いられる回転輪付きの飼育ケージの例である。また図14-3はこのケージを用いて実際に記録された輪回し行動量のリズムをダブルプロット法で示したものである。ダブルプロット法とは，連続した2日分の記録を1日分ずつずらして順次下に並べて表示する方法である。1日目と2日目のデータの下に2日目と3日目のデータ，次に3日目と4日目のデータ……という順に表示

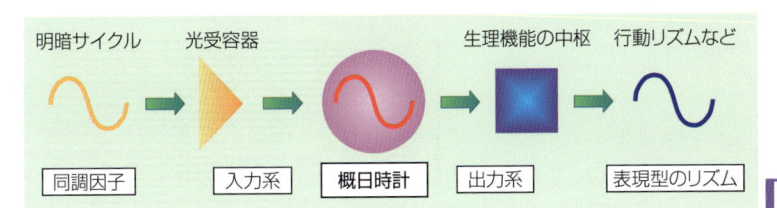

図14-4 概日時計機構の概念図

していくので，図の右半分に左半分と同じデータを1日分だけ上にずらしてプロットする形になる。周期が24時間とはかなり異なるリズムや，位相変位の様子を長期間途切れずに表示できるので，概日リズムの研究ではよく用いられている。図14-3の記録の最初の8日間は明期と暗期がそれぞれ12時間ずつの24時間周期の明暗サイクルに同調する行動リズムを示している。マウスは夜行性であるので輪回し行動は暗期を中心に観察できる。しかし，明暗サイクルの位相を数時間前進させると行動リズムはすぐに新しい明暗サイクルにあわせた位相にシフトせず，再同調までに数日の移行期を要していることがわかる。これは概日時計があまり急激な位相変位を起こせないことによるもので，観察される日周リズムが周期的な環境因子に対する直接的な反応の結果ではなく，概日時計の支配を受けていることを示す一つの証拠となる。我々が東西の海外旅行で経験する時差ぼけは概日時計のこのような性質によるものである。

　同調因子としての明暗サイクルを取り除いた恒暗あるいは恒明条件下では，本来その個体の持っている概日時計の周期を反映する行動リズムが現れてくる。このようなリズムを自由継続リズム，あるいはフリーランニングリズム（free-running rhythm）と呼び，その周期を自由継続周期（free-running period）と呼んでいる。図14-3の例では，恒暗条件下での活動の開始時刻が毎日少しずつ前進しているので，このマウスの行動のリズムが24時間より若干短い周期の概日時計に支配されていることがわかる。もし，明暗条件下で観察される行動や生理機能の日周リズムが概日時計に支配されていなければ，恒暗あるいは恒明条件下では無周期となり自由継続リズムは観察されない。ほとんどの動物にとって概日リズムの最も強力な同調因子は明暗サイクルであるが，明暗サイクルがないときには周期的な温度変化，給餌，社会的接触，騒音や振動なども同調因子となりうる（このような光以外の同調因子による同調を非光同調と呼ぶ）ので，図14-3のような行動リズムは，温度を一定にし，餌と水を自由に摂取させ，動物を1匹ずつ飼い，できる限り騒音や振動のない部屋で記録する必要がある。

　概日リズムの大きな特徴の一つに，温度による自由継続周期の変化がきわめて小さいことが挙げられる。化学反応を伴う生理現象の多くは温度に依存し，その反応速度は温度が10℃上昇すると2～3倍になる。温度を10℃上昇させたときの反応速度の増加率を温度係数（Q_{10}）と表し，この場合，$Q_{10}=2$～3ということになる。しかし，自由継続周期は環境温度の影響をほとんど受けず，そのQ_{10}は0.85～1.15である。つまり，温度の上昇に伴って周期が短くなることはない。この性質を自由継続周期の温度補償性（temperature compensation）といい，概日振動が単純な化学反応では説明できない機構で作り出されていることを意味している。哺乳類や鳥類のような恒温動物は体温が環境の温度にあまり左右されないが，それ以外の生物では外温変化に対して周期がほぼ一定に保たれるこの性質は特に重要な意味を持つ。

　以上，概日リズムの基本的性質として，①24時間周期の明暗サイクルに同調する，②恒常的条件下では約24時間周期の自由継続リズムを示す，③その自由継続周期は温度補償されている，などが挙げられる。

14.1.3 脊椎動物の概日時計

　ゾウリムシなどの原生動物は1細胞が1個体として生活している単細胞生物である。このような生物は1つの細胞の中に概日時計が存在するため，古くから細胞レベルでの概日リズムの解析がなされてきた。一方，多細胞生物においては，行動や生理機能のリズムを制御する概日時計の所在を決め，その機能を明らかにするための解剖学的，生理学的研究が，昆虫や脊椎動物を中心になされてきた。個体レベルの概日リズムを作り出す機構（概日時計機構）には，その中心となる概日時計のほかに，明暗サイクルなどの環境の同調因子の情報を概日時計に伝える入力系と，概日時計の情報を様々な生理機能の中枢に伝える出力系が含まれていなければならず，概念図としては図14-4のようになる。概日時計の"針"にあたる表現型のリズムには，行動量やホルモン分泌量のリズムなど比較的簡単に測定できる指標が多く用いられてきた。中枢神経系あるいは内分泌系の一部を切除したり移植したりして，これらの指標がどのように変わるかを観察し，それを手がかりに概日時計の場所が推測された。最初に概日時計の局在が明らかにされたのはゴキブリで，視葉に行動のリズムを支配する概日時計が存在することが示された。その後多くの昆虫で概日時計の所在が調べられ，脳の一部や脳以外の場所にも存在することがわ

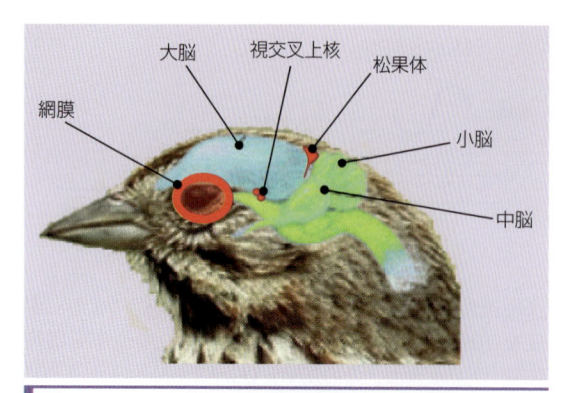

図 14-5 脊椎動物の概日時計の所在 鳥類を例に松果体, 網膜, 視交叉上核の位置を示してある。

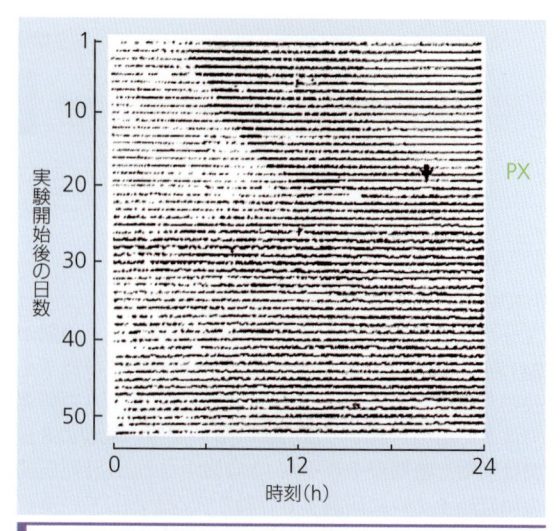

図 14-6 松果体除去のスズメの行動リズムへの影響 恒暗条件下で観察されるスズメの行動(止まり木移動行動)リズムは松果体除去(矢印)により消失した。(Gaston & Menaker, 1968 より改変)

かってきた。脊椎動物では松果体(pineal gland), 眼の網膜(retina), 視床下部の視交叉上核(suprachiasmatic nucleus : SCN)に概日時計があるとされている(図 14-5)。ここでは脊椎動物の概日時計について説明する。

松果体

松果体は脊椎動物に広く存在する間脳の背面に突出した器官で, 夜間に高く昼間に低い明瞭なメラトニン(松果体ホルモン)の合成・分泌のリズムがあることが知られている。また, 哺乳類以外の脊椎動物では光受容能を持っている。1968 年, Gaston と Menaker は, スズメの松果体を除去すると行動の概日リズムが消失することを見出した(図 14-6)。さらに, Zimmerman と Menaker(1979)は, 松果体を摘出して行動リズムが消失したスズメに, 他の個体から松果体を移植すると概日リズムが回復することを報告した。しかも, その概日リズムの位相は松果体を提供した個体の位相に一致していた(図 14-7)。また同年, 出口(1979a, b)は, 松果体の器官培養および解離細胞培養実験によって, メラトニン合成の律速酵素であるアリルアルキルアミン N-アセチルトランスフェラーゼ(AANAT)の活性の概日リズムが恒暗下で維持できること, またそのリズムが明暗サイクルに同調できることを明らかにした。これらの一連の研究は, 鳥類の松果体が概日リズムの発振機能と明暗サイクルへの同調機能を持ち, しかも実際に個体の概日リズムを制御する概日時計として機能していることを強く示唆した。その後, 鳥類をはじめとして, 哺乳類以外の脊椎動物の多くの種で, 培養松果体におけるメラトニン分泌の概日リズムの存在とそのリズムの明暗サイクルへの同調(図 14-8)が確認された(哺乳類では松果体自体には概日時計機能はなく, 後述するように松果体のメラトニンリズムは視交叉上核の概日時計の支配下にある)。しかし, 松果体除去による行動リズムへの影響については, 種によって, あるいは時には同一種内でさえも個体によって, まちまちであった。例えば同じ鳥類でも, スズメと同様に松果体除去によって行動の概日リズムの消失がみ

られる種がある一方で, リズムがやや不明瞭になったり, 周期の変化やスプリッティング(活動期が 2 つ以上に分離する現象)などは観察されるものの, 概日リズムそのものは消失しない種も多かった。また, 中にはウズラのように影響がほとんどみられない種もあった。このような多様な結果は爬虫類のトカゲの仲間や魚類でも報告された。このことは, 松果体の概日時計が行動の概日リズムを一義的に支配しているのではないことを示唆している。

網膜

網膜は発生学的には松果体と同じ間脳第三脳室背側壁に由来し, 光受容器であるばかりでなく, メラトニン合成の日周リズムがあることは古くから知られていた。1983 年, Besharse と Iuvone は, アフリカツメガエルで培養条件下の網膜から AANAT 活性の概日リズムを測定することに初めて成功した。以来現在までに, 魚類から哺乳類にいたるまで培養下の網膜でメラトニン合成の概日リズムがあることが示され, 脊椎動物の網膜に概日リズムの発振機能があること, すなわち概日時計が存在することが確実となった。哺乳類以外の脊椎動物では, 眼球除去はしばしば松果体除去と同様に行動の概日リズムの消失や周期の変化などを引き起こす。しかし, 松果体除去の影響と眼球除去のそれとは, 多くの種で異なっていることが多い。例えば, ウズラでは松果体除去は行動の概日リズムにほとんど影響を与えないが, 眼を除去すると概日リズムが消失する(Underwood et al, 1990)。両生類のイモリでは松果体除去は行動の概日リズムを消失させるが, 眼球除去では周期は変化するが概日リズム自体が消失することはない(Chiba et al, 1993)。

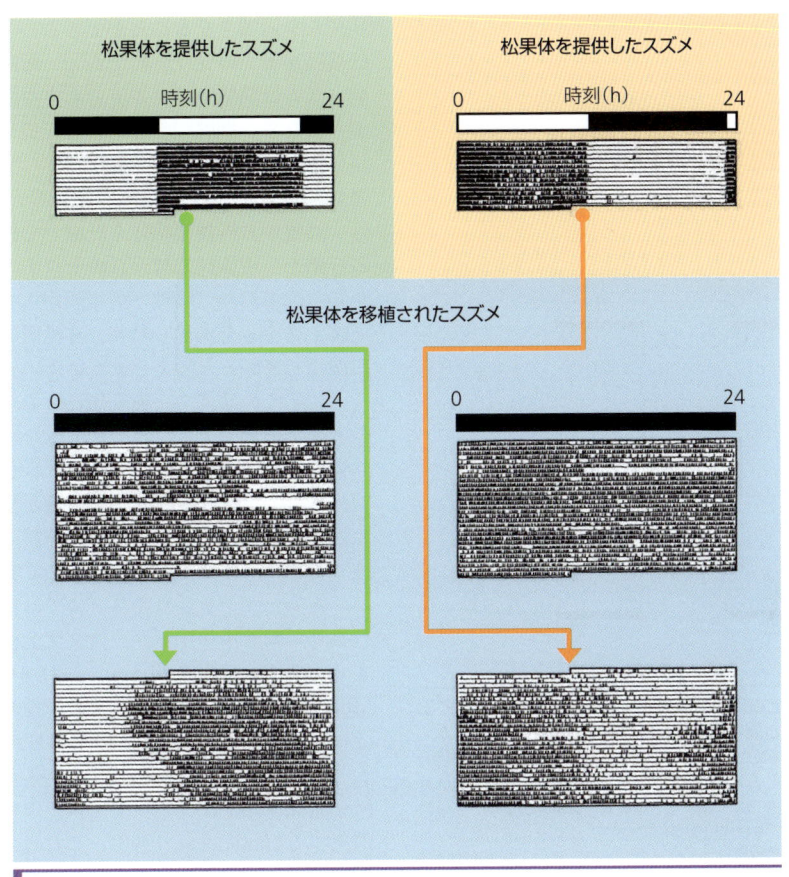

図14-7　松果体移植によるスズメの行動リズムの復活　松果体除去により恒暗条件下での行動リズムが消失している個体(図の中段)の前眼房に，健常なスズメ(上段)の松果体を移植すると，松果体を提供した個体の行動リズムの位相を引き継いだかたちで概日リズムが復活した(下段)。行動図の上部の帯は明暗条件を示し，白は明期，黒は暗期を表している。(Zimmerman & Menaker, 1979 より改変)

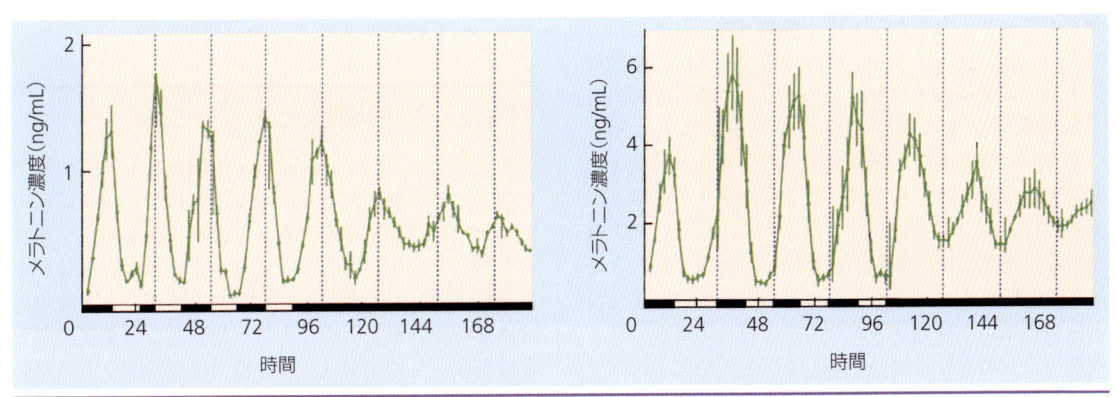

図14-8　分散培養したヒヨコの松果体細胞からのメラトニンの分泌リズム　A：明暗サイクルの位相を2日目に6時間前進させて3日間，その後恒暗条件下で4日間観察した。B：Aとの比較のため明暗サイクルの位相を2日目に6時間後退させた。恒暗条件下でもAとBの間で約12時間ずれた位相でメラトニンリズムが観察される。横軸の帯は明暗条件を示し，白は明期，黒は暗期を表している。(Takahashi et al, 1989 より改変)

視交叉上核

哺乳類では松果体や眼球の除去は行動の概日リズムに影響しない。しかし，1972年，Moore と Eichler および Stephan と Zucker の2つのグループによって，ラットの視床下部の視交叉上核を破壊すると血中コルチコステロン量，輪回し行動，飲水行動の概日リズムが完全に消失することが報告された。視交叉上核は視交叉のすぐ背側，第三脳室をはさむように位置する一

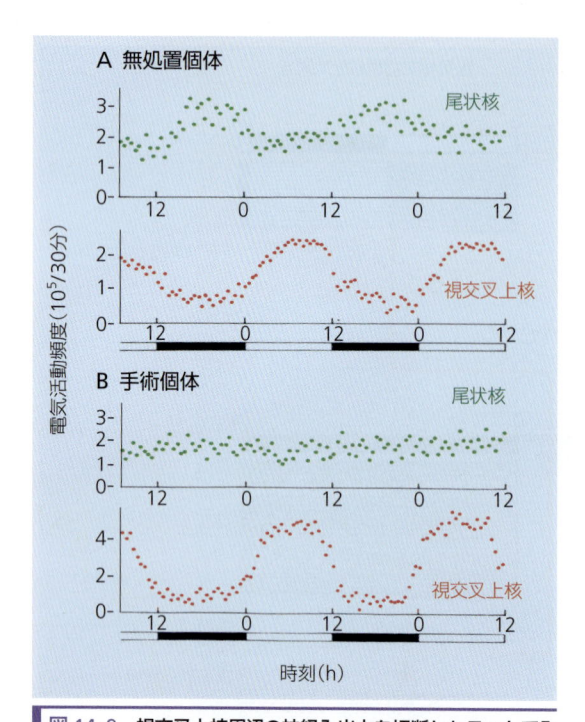

図14-9 視交叉上核周辺の神経入出力を切断したラットでみられる視交叉上核と尾状核（視交叉上核外）の電気活動リズム

明暗条件下無麻酔無拘束の状態で，脳に埋め込んだ慢性電極から神経の自発的発火頻度を記録した。無処置のラット(**A**)では，視交叉上核は昼に高く夜に低いリズムを示し，尾状核ではそれとは反対の位相で振幅の小さいリズムを刻んだ。視交叉上核周辺の神経入出力を切断したラット(**B**)では，視交叉上核の概日リズムは持続したのに対し，尾状核のリズムは消失した。時間軸の下の帯は明暗条件を示す。(山崎と井上, 1993より改変)

リズムを同調させることができる。しかし，哺乳類では網膜が唯一の光受容器であり，両眼を除去すると行動リズムは明暗サイクル下でも自由継続リズムを示すようになる。網膜で受容された光情報は網膜視床下部路(retinohypothalamic tract)を介して視交叉上核に伝達される。このほかの視交叉上核への入力系としては，網膜から外側膝状体を経由して視交叉上核にいたる経路や，中脳縫線核からのセロトニン神経投射などが知られており，薬理学的実験からこれらの経路は光同調シグナルを調節したり，非光同調のシグナル伝達に関係していると考えられている。

これまでの研究で，哺乳類だけでなく鳥類や爬虫類のトカゲの仲間でも，視交叉上核を破壊することにより恒常条件下での行動の概日リズムが消失することが報告されている。視交叉上核破壊が松果体や眼の除去と異なる点は，これまでに破壊を試みられたすべての種で行動リズムがただちに，そして完全に消失することである。ブンチョウやスズメでは松果体除去により行動リズムが消失するが，視交叉上核の破壊でも消失する(Ebihara & Kawamura, 1981；Takahashi & Menaker, 1982)。またトカゲの一種のサバクイグアナでは，哺乳類と同様に，松果体と眼の両方を除去しても行動の概日リズムには影響しない(Janik & Menaker, 1990)が，視交叉上核を破壊するとリズムは消失する(Janik et al, 1990)。これらの結果から，哺乳類だけでなく鳥類や爬虫類でも行動の概日リズムが視交叉上核の時計によって制御されていることが示唆された。魚類や両生類でも，視床下部に概日時計が存在する可能性は高いが，哺乳類の視交叉上核と相同な脳領域についての解剖学的，生理学的知見はまだほとんど得られていない。

対の小さな神経核であり，網膜からの信号が視覚野を介さずに直接入力される。げっ歯類ではこれまでに，視交叉上核の破壊により，行動のほか，体温，脳内電気活動，松果体のメラトニン分泌などの概日リズムもすべて消失することがわかっている。井上と川上(1979)は，外科的に周囲の組織との間の神経連絡を切断して視交叉上核を島状に孤立させたラットでは，電気活動(スパイク発射頻度)の概日リズムは視交叉上核内では持続するが，脳の他の部位では消失することを示した(図14-9)。その後，Ralphら(1990)は，視交叉上核破壊により概日リズムが消失したハムスターに，周期の長さの著しく短いミュータントの胎児の視交叉上核を移植すると，移植された動物にはミュータントが示す特徴を持ったリズムが戻ってくることを報告した。さらにWelshら(1995)は，分散培養した1個1個の視交叉上核の細胞が電気活動の概日リズムを示すことを明らかにした。これらの事実は哺乳類にとっては視交叉上核が個体レベルでの概日リズムを制御する唯一の概日時計であることを示唆している。

哺乳類以外の脊椎動物では，網膜に加えて松果体に光受容能があり，さらに脳深部でも光を受容して概日

14.2　概日時計とメラトニン

前述したようにZimmermanとMenakerは，松果体を摘出して行動の概日リズムが消失したスズメに他の個体から松果体を移植すると行動リズムが回復することを報告した(図14-7)が，このとき彼らは松果体を本来の場所ではなく角膜と虹彩の間の空間である前眼房に移植している。このことは行動リズムの発現に関わる松果体からの情報は，神経性ではなくメラトニンのような液性の因子によって伝達されることを示している。松果体で合成されたメラトニンは血中に放出されるが，網膜で合成されたメラトニンは種により血中に放出される場合と眼球内でその働きを終えて代謝される場合とがある。ハトではメラトニンは松果体と網膜の両方から血中に放出されるため，血中メラトニンのリズムは松果体と眼の両方を除去しないとなくならない(図14-10)(Oshima et al, 1989)。同様に恒常条件下での行動の概日リズムも松果体あるいは眼だけを除去

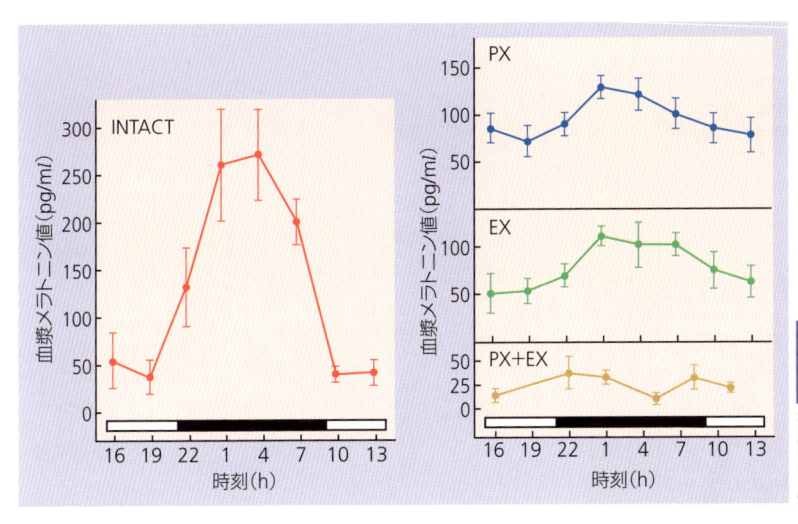

図14-10 松果体，眼球，あるいはその両方の除去がハトの血中メラトニンリズムに与える影響 時間軸上の帯は白は明期，黒は暗期を示す．INTACT：無処置，PX：松果体除去，EX：眼球除去，PX+EX：松果体および眼球除去．(Oshima et al, 1989より改変)

しても消失しないが，松果体と眼球の両方を除去すると消失する(Ebihara et al, 1984)．このようにして行動リズムの消失したハトに，毎日一定時刻にメラトニンを投与すると行動リズムが再現する(図14-11)(Oshima et al, 1989)．このとき，ハトはメラトニンの投与時刻を夜の始まりと認識している．すなわち，昼行性のハトでは毎日の行動の開始時刻が投与時刻から12時間前後遅れることになる．このことはメラトニンが夜間に増加するホルモンであることとよく符合する．少なくともこれらの結果から判断する限りでは，松果体と網膜の概日時計の出力はともにメラトニンであり，松果体除去と眼球除去が行動リズムの発現に与える影響が種によって異なるのは，これらの器官から放出されるメラトニンが血中のメラトニンリズムの形成にどれだけ寄与しているかが，種によって異なるということに起因しているようにみえる．

恒常条件下での周期的なメラトニン投与が，投与時刻を"主観的な"夜の始まりとして行動の概日リズムを同調させることは，両生類のイモリ(Chiba et al, 1995)や爬虫類のトカゲ(Underwood & Harless, 1985)のほか，哺乳類のラット(図14-12)(Cassone et al, 1986a)でも観察されることから，脊椎動物に共通にみられる現象であると考えられる．このことは松果体や網膜からの周期的なメラトニン分泌が，松果体と網膜以外の場所にあって行動リズムを直接制御する概日時計(おそらく視交叉上核の概日時計)を同調させる可能性を示唆している．実際，哺乳類では脳内のメラトニン受容体は視交叉上核に高密度に発現していることがわかっているし，視交叉上核を破壊することによって消失したラットの輪回し行動の概日リズムは，周期的なメラトニン投与によって回復させることができない(Cassone et al, 1986b)．哺乳類以外の多くの種では視交叉上核の概日時計としての機能が不十分であるため，松果体や網膜の概日時計はメラトニンの周期

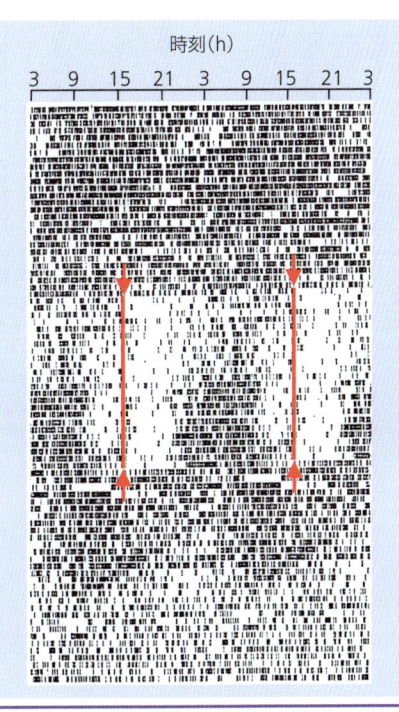

図14-11 松果体と眼の両方を除去したハトに毎日一定時刻にメラトニンを投与したときの行動リズム 松果体と眼の両方を除去したハトは恒薄明条件下(0.3 lux)で行動リズムを示さないが，メラトニン(500 µg/kg)を毎日一定時刻(赤い縦線で示した時間)に投与すると，その投与期間には行動リズムが再現する．ダブルプロット法により表示してある．(Oshima et al, 1989より改変)

的な分泌を介して視交叉上核の概日時計のペースメーカーとして機能し，行動の概日リズムの発現に寄与しているのではないかと考えられる．

しかし，網膜の概日時計がメラトニン分泌以外の方法で視交叉上核の時計に作用して，行動リズムの発現に影響を与えることを示す実験結果も報告されている．例えば，メラトニンが網膜から血中に放出される

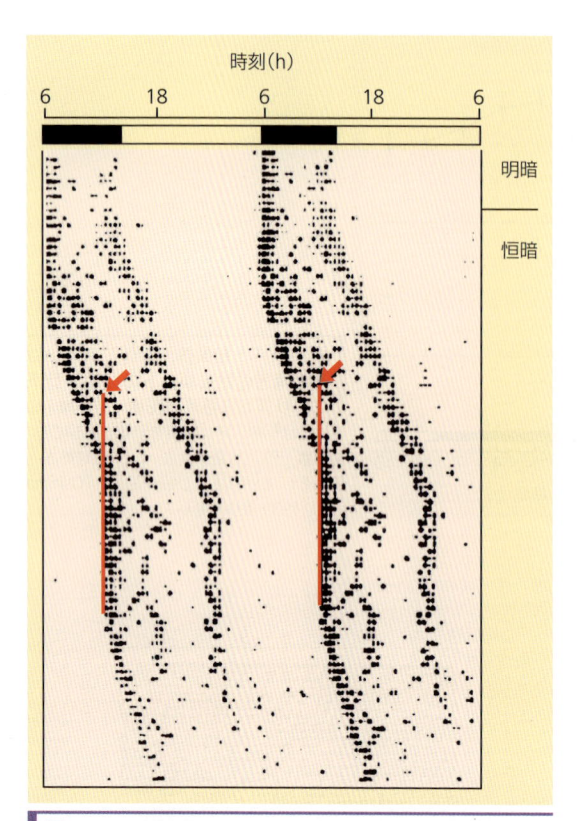

図 14-12　周期的なメラトニン投与によるラットの輪回し行動リズムの同調　明暗条件下(上部の帯で示す)から恒暗条件下に移した後，輪回し行動の自由継続リズムを示すラットに，メラトニン(250 μg/kg)を毎日一定時刻(赤い縦線で示した時間)に投与すると，その投与期間には行動リズムがこれに同調する。投与時刻を夜の始めと認識して同調するため，図 14-11 のハト(昼行性)とは異なり，夜行性のラットでは投与時刻付近から活動が始まっている。ダブルプロット法により表示してある。(Cassone et al, 1986a より改変)

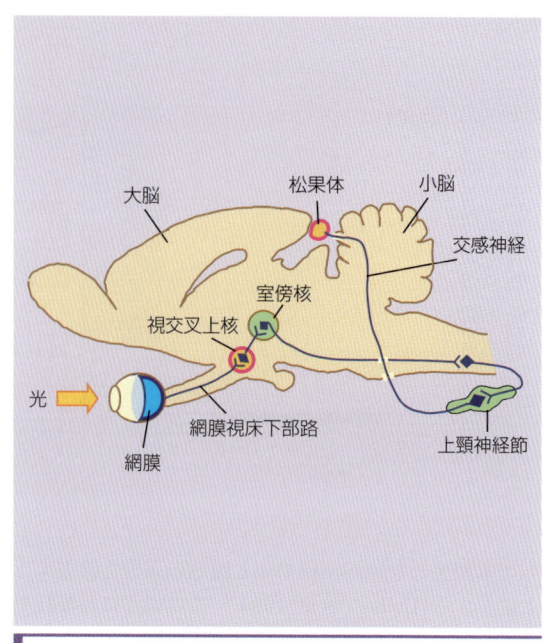

図 14-13　視交叉上核による松果体の支配(ラット)　視交叉上核からの神経出力は上頸神経節の交感神経を介して松果体のリズムを支配している。また，網膜からの光情報は網膜視床下部路を介して視交叉上核に入力し，視交叉上核の概日時計を同調させる。

ウズラでは，行動の概日リズムは，眼球の除去により消失するが，眼球を除去せず網膜のメラトニンリズムが維持されていても，視神経を切断するだけでも消失する(Underwood et al, 1990)。このことから網膜の概日時計は，網膜視床下部路を介して視交叉上核の概日時計を神経支配している可能性が考えられる。一方，松果体の概日時計の出力は主としてメラトニンであると考えられるが，魚類や両生類では松果体は形態的にも機能的にも内分泌器官というよりも光受容器官としての性質が強く，松果体の光受容細胞は多くの神経節細胞(求心性二次ニューロン)にシナプス接続している。したがって，松果体の時計がこの神経性の出力を介して直接的あるいは間接的に視交叉上核と相同な脳領域と連絡していることも考えられる。以上のような眼と松果体からの神経出力の調節にそれぞれの器官内で周期的に合成されるメラトニンが関係している可能性もある。

これまで行動のリズムを中心に松果体や眼の概日時計と視交叉上核の概日時計との関係を述べてきたが，特に哺乳類以外の脊椎動物においては，様々な表現型の概日リズムがすべて視交叉上核の概日時計を介して発現されるものであるとは限らない。例えば，爬虫類のグリーンイグアナでは松果体を除去しても行動リズムは消失しないが体温のリズムは消失する(Tosini & Menaker, 1998)。このことは，グリーンイグアナでは行動のリズム発現には松果体の時計はあまり貢献していないが，体温のリズムは松果体の時計に直接支配されている可能性を示唆している。

一方哺乳類では，視交叉上核は非常に強固で安定した概日振動機能を発達させ，ほとんどすべての概日リズムを支配しており，もはや松果体や網膜の概日時計の助けを必要としない。松果体の光受容能と自律振動能はともに失われており，逆に松果体のメラトニンリズムは視交叉上核からの神経出力によって交感神経を介して支配されている(図 14-13)。視交叉上核の概日時計は，このようにしてつくられたメラトニンリズムによって時刻情報を自分自身にフィードバックさせているものと考えられる(鳥類でも松果体は交感神経を介して視交叉上核からの支配を受けていることがわかっているが，松果体の光受容能と自律振動能は失われていない)。また網膜は，網膜視床下部路を介して視交叉上核の時計を同調させる光受容器としての役割を果たしているが，網膜の概日時計が個体レベルの概日リズムの発現に影響することを示す実験結果は哺乳類では得られていない。

以上をまとめると，脊椎動物の概日時計機構は図

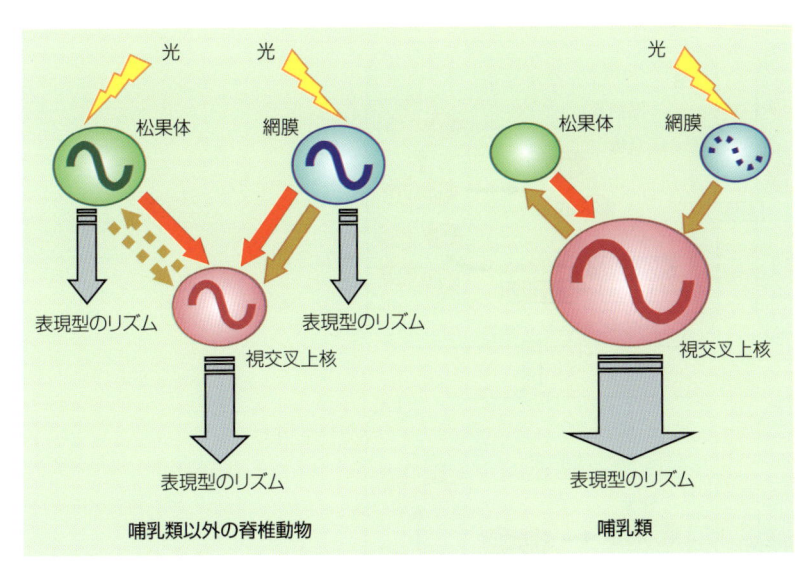

図 14-14 脊椎動物の概日時計機構
哺乳類以外の脊椎動物（左）と哺乳類（右）に分けて示している。図の記号（∿）は概日時計であることを示す。ただし破線（⌇）は個体レベルの概日リズムには寄与していない概日時計であることを示す。赤い矢印はメラトニンによる出力，薄茶色の矢印は神経性の出力を示す。ただし，薄茶色の矢印のうち，視交叉上核から松果体に向かう破線の矢印は主に鳥類，逆向きの破線の矢印は主に両生類や魚類で考えられる神経出力である。哺乳類以外では概日時計が松果体，眼，視交叉上核に分散しているが，哺乳類では視交叉上核に集中している。

14-14 のようになるだろう。系統発生の観点から考えると，松果体，網膜および視交叉上核の3ヶ所に概日時計が存在し，これらの時計が液性（メラトニン）および神経性の因子によって機能的に結びついている。哺乳類以外ではそれぞれの概日時計の重要度は種によって異なり，また，観察するリズムによっても異なるが，哺乳類へと向かう脊椎動物の進化の過程で概日時計機能は視交叉上核に集中していったと考えられる。

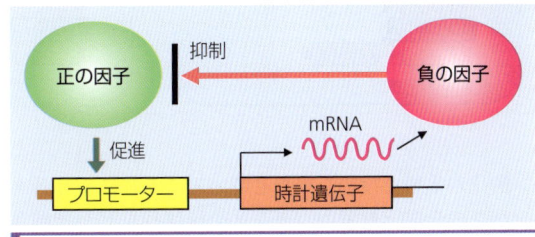

図 14-15 概日時計の基本振動を司る負のフィードバックループ

14.3　時計遺伝子

生理学的，解剖学的研究により昆虫や脊椎動物の概日時計の所在と役割が明らかになってきたが，近年の分子生物学的な研究は概日時計の発振機構そのものの解明に向けて大きな進展をもたらした。その発端となったのは，1971年，Konopka と Benzer によって羽化や歩行活動の概日リズムが無周期，長周期（29時間），短周期（19時間）に変化した3系統のリズム変異体がショウジョウバエで分離されたことである。この原因遺伝子は *period*（*per*）と名づけられ，1984年にはクローニングされて分子レベルの研究がスタートした（Bargiello et al, 1984；Zehring et al, 1984）。哺乳類では1997年になって *Clock*（King et al, 1997），およびショウジョウバエの *per* のホモログである *Per1*（Tei et al, 1997）という2つの時計遺伝子が相次いで同定され，これをきっかけに脊椎動物の時計遺伝子の解析が飛躍的に進展した。ショウジョウバエと脊椎動物以外に，これまでに原核生物であるシアノバクテリアや菌類のアカパンカビなどでも一群の時計遺伝子が発見されている。現在ではこれらの生物の概日時計は，その基本振動を司る時計遺伝子（ショウジョウバエの *per* 遺伝子や哺乳類の *Per1* および *Per2* 遺伝子など）の転写，翻訳を介する共通の振動原理で発振していること

が明らかになっている。それは，これらの時計遺伝子から産生された時計タンパク（負の因子）が，自分自身の転写を活性化するタンパク（正の因子）に抑制をかけるというもので，この負のフィードバックループ（コアループ）によって，概日振動が作り出される（図 14-15）。

哺乳類ではこのコアループを構成する時計遺伝子は *Per*，*Cryptochrome*（*Cry*），*Bmal1*，*Clock* である。*Bmal1* から作られた BMAL1 タンパクと，*Clock* から作られた CLOCK タンパクとが複合体（正の因子）を形成し，*Per* 遺伝子（*Per1*，*Per2*，*Per3*）と *Cry* 遺伝子（*Cry1*，*Cry2*）のプロモーター領域の E ボックス配列に結合することで転写を促進する。その翻訳産物である PER タンパク（PER1，PER2，PER3）と CRY タンパク（CRY1，CRY2）は，細胞質で複合体（負の因子）を形成して核に移行し，CLOCK-BMAL1 複合体に結合して転写促進活性を抑制するため，自らの遺伝子転写を負に制御することになる。自身の転写の抑制により PER-CRY 複合体の量が減少してくると転写抑制が解け *Per* および *Cry* の転写が再開される（図 14-16）。この負のフィードバック機構によって約24時間という長い周期の遺伝子発現リズムを作り出すためには，生産されたタンパクの時刻依存的な翻訳後修飾，特にリ

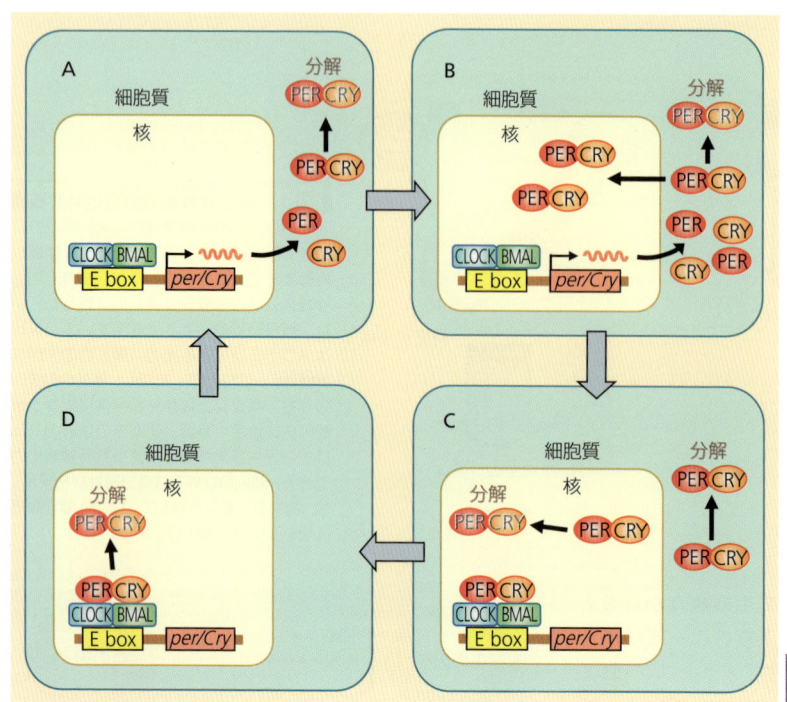

図14-16 哺乳類時計遺伝子の負のフィードバックループ

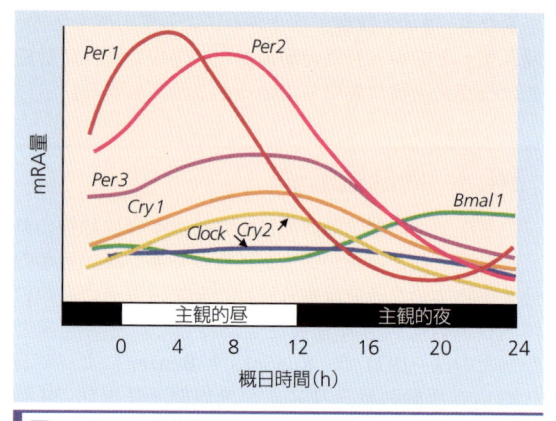

図14-17 恒常条件下での哺乳類時計遺伝子発現プロフィール　横軸は概日時間(約24時間の概日リズムの周期を，ちょうど24時間に見立てて，それを24等分した時間制)で示してある。時間軸上の横帯は，白い部分は主観的昼を，黒い部分は主観的夜を表している。(沼野と程，2001より改変)

ン酸化が重要な役割を果たしている。これにより各タンパクの合成・分解のバランスや核移行などが制御されることによって時間的な遅延が生み出されるのである。すなわち，産生されたPERタンパクやCRYタンパクはリン酸化酵素(キナーゼ)によってリン酸化され分解されるため，転写の初めの段階ではこれらのタンパクはできても次々に分解され，いっこうに蓄積しないといった状態が続く(図14-16A)。ところが転写が刻々と増大してRERタンパクやCRYタンパクの生産がキナーゼによる分解を上回るようになると，PERとCRYは複合体(負の因子)を形成して核内に移行できるようになる(図14-16B)。この複合体が正の因子であるCLOCK-BMAL1複合体に結合して転写促進活性を抑制し，PERとCRYの生産が減少する(図14-16C)。やがてこの負の因子も分解される(図14-16D)と，Per, Cry遺伝子の転写が再開されることになる(図14-16A)。現在では，このようなコアループに連結してこれを補佐する転写調節フィードバックループの存在も知られており，リズム発振は一層精度の高い周期を持つ安定なものとなっている。

哺乳類の視交叉上核ではPer1, Per2が明期にピークを持つ非常に強い日内振動を示し，恒常条件下でも主観的昼に高いピークを持ち主観的夜にはほとんど発現しない。Bmal1は逆位相のリズムを示し，Clockはリズムを示さない(図14-17)。視交叉上核のほかにも，ニワトリの松果体，アフリカツメガエルの網膜など，概日時計が存在するとされる組織では多くの時計遺伝子のmRNA量が恒常条件下で顕著な概日振動を示すことがわかっている。これらの時計組織では光シグナルによってPer遺伝子を中心とするいくつかの時計遺伝子の発現が誘導される(Albrecht et al, 1997；Yamamoto et al, 2001；Steenhard & Beshares, 2000)ことから，外界の明暗周期に概日時計の位相が同調する過程においては，これらの時計遺伝子の転写の光誘導が重要な役割を果たすと考えられている。時計遺伝子産物のリズムが視交叉上核の神経活動のリズムや松果体や網膜のメラトニンリズムのような出力系とどのようにリンクしているのかは，現在の重要な研究課題の一つである。

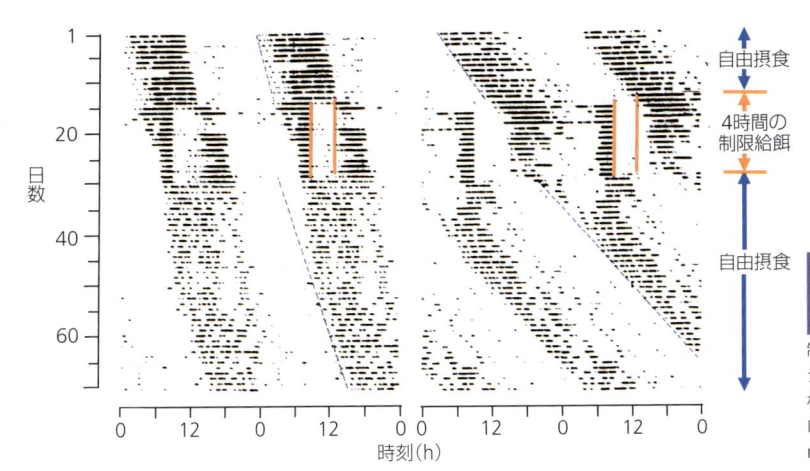

図14-18 恒常条件下で自由継続するラットの行動リズムに及ぼす周期的制限給餌の影響　1日4時間の周期的制限給餌の始まりと終わりの時刻をオレンジ色の線で，自由継続リズムの活動開始位相を青色の破線で，それぞれのダブルプロットの片側にだけ表示してある。(Homma et al, 1983 より改変)

14.3.1 中枢時計と末梢時計

1998年，Balsalobreらは，ラット由来培養細胞である線維芽細胞を血清処理すると，その細胞の時計遺伝子の発現に数周期の概日リズムが出現することを発見した。以来，視交叉上核ばかりでなく，中枢神経系のほとんどのニューロン，そして骨格筋，肝臓，心臓，肺，腎臓などの末梢組織の細胞にも，時計遺伝子発現に概日リズムが存在することが明らかになっている。これらのリズムも基本的には視交叉上核の概日時計と同様の負のフィードバックループ機構によって生み出されていると考えられている。末梢組織の概日リズムの研究では，時計遺伝子のプロモーター領域の下流にルシフェラーゼ（ホタルの発光反応を司る酵素）遺伝子を連結し，その配列を導入した遺伝子組換え動物の発光リズムをリアルタイムで測定する研究が大きな成果を挙げている。Yooら(2004)は，このルシフェラーゼ発光を測定することにより，*Per2*遺伝子の発現をマウスの様々な培養組織で調べた。その結果，下垂体，肝臓，腎臓，肺などの末梢臓器の組織でも視交叉上核と変わりなく長期にわたって*Per2*遺伝子発現の概日リズムが継続することを見出した。また，視交叉上核を破壊して行動の概日リズムが消失したマウスの組織でもこの遺伝子発現のリズムは消失していなかった。これらの結果は，視交叉上核以外の組織も視交叉上核と同様に概日時計を備えており，これらの時計は視交叉上核の非存在下でも減衰することなく概日リズムを刻み続けることができることを示唆している。

それでは視交叉上核の概日時計の役割とは何であろうか？　上記の実験でYooらは，視交叉上核を破壊したマウスでは各組織のリズムの位相が個体内あるいは個体間で正常のマウスのそれとはかなり違っていることを見出した。このことから視交叉上核は，それ以外の組織の時計（末梢時計）がそれぞれ勝手に振動しないように（一定の位相関係を保って振動するように），周期と位相を調節する中枢時計としての役割を持つと考えられる。しかしこのような長期間にわたり自律的な振動機能を維持できる末梢時計が，すべての組織に存在するかどうかは現在のところ不明である。組織によっては末梢時計が自律的なリズムを刻み続けることができない減衰振動体である可能性もある。そのような場合は，視交叉上核はこれらの末梢時計のリズムを維持し駆動するペースメーカーとしての役割を果たしているであろう。また，視交叉上核の中枢時計は外界の光情報の入力系を持ち，この点が末梢時計と大きく異なる点である。明暗サイクル下では視交叉上核の時計がまずこれに同調し，さらに末梢時計が視交叉上核の時計に同調することによって個体レベルでの明暗サイクルへの同調が完了するのである。このように，中枢時計としての視交叉上核からの指令が脳の末梢時計へ，そして脳の末梢時計からの指令がさらに全身の組織の末梢時計に伝達されるような階層的な時計制御機構によって，個体として統合された概日リズムが維持されると考えられる。

ところで，以前から光に同調する視交叉上核の概日時計とは別に，周期的給餌刺激に同調する概日時計が存在することを示す多くの実験結果が得られていた。すなわち，視交叉上核を破壊して行動の概日リズムが消失した動物でも，1日の一定の時間帯にのみ給餌する制限給餌を行うと，輪回し行動，肝臓などの代謝酵素の活性やホルモン濃度にこれに同調するリズムが出現するというものである。このリズムは制限給餌を停止して自由摂食条件に戻しても数日間は継続する。図14-18はラットに制限給餌を行って輪回し行動を記録した結果を示している。この個体では視交叉上核を破壊していないので，自由摂食の間は恒常条件下で自由継続リズムが観察される。制限給餌を始めると，毎日の給餌時間の少し前から行動量が増加する行動リズムが形成される。制限給餌をやめると，行動リズムの位相は数日の移行期を経てほぼもとの自由継続リズムの

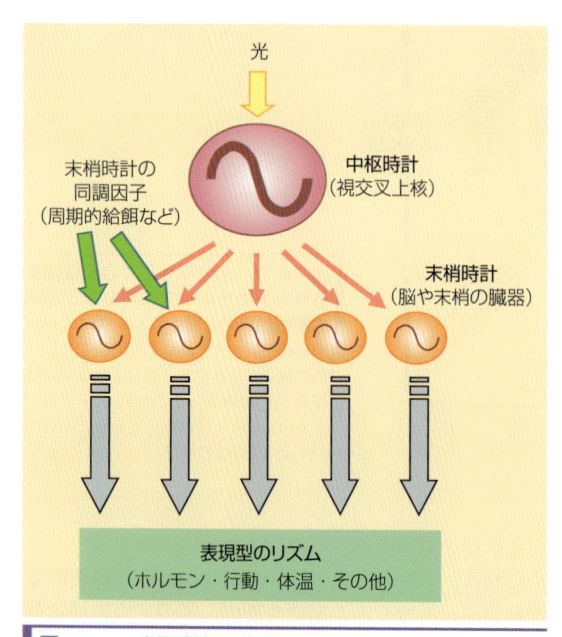

図14-19 中枢時計と末梢時計の関係

14.3.2 中枢時計からの出力系

　中枢時計から末梢時計にはどのように時刻シグナルが伝達されるのであろうか？　Silverら(1996)は視交叉上核を破壊したハムスターに，他の個体の視交叉上核を特殊な半透膜に包んで移植しても，行動リズムが不明瞭ながら回復することを明らかにした。この半透膜は，液体成分は通すが神経線維は通さないので，視交叉上核からの出力の少なくとも一部は液性因子である可能性が示唆された。しかし一方で，外科的に視交叉上核を周囲の組織から孤立させた個体では，視交叉上核外の脳部位の電気活動のリズムが消失する(図14-9を参照)ので，出力系として神経線維による連絡が重要な役割を果たしていることは間違いない。視交叉上核からは，室傍核下部領域(subparaventricular zone)，視索前野，腹内側核，背内側核，床室傍核，外側中隔核などへの直接投射が認められていて，このうち最も主要なものが室傍核下部領域に投射する線維である。この領域は自律神経系や内分泌系の最高位中枢である視床下部の諸核と密な連絡があり，視交叉上核はこれらの核を介して内分泌および自律神経の調節を行っている可能性が高い。

　一般に，動物の行動パターンには，昼行性，夜行性の別があるが，視交叉上核の電気活動のリズムには，昼行性・夜行性の区別がなく，常に昼に高いことが知られている。しかし図14-9Aに示したように，尾状核をはじめとして視交叉上核外の脳部位の活動は，夜行性のラットでは夜に高い。これに対して，昼行性のチョウセンシマリスではこれらの脳部位の活動は視交叉上核と同様に昼に高い(Sato & Kawamura, 1984)。夜行性動物で視交叉上核と視交叉上核外のリズムの位相がどのようにして逆転するのかはまだよくわかっていない。

　中枢時計である視交叉上核から遠心性線維を介して出力される時間情報は，概日リズムばかりでなく，性周期や光周性(日長による生殖機能などの季節性の調節)にも深く関わっている。ハムスター，ラットなどの性周期は4〜5日であるが，このリズムは概日時計と密接に関係している。視交叉上核から視索前野に投射する線維の一部はこの領域の性腺刺激ホルモン放出ホルモン(GnRH)ニューロンにシナプスを作っており，発情前期の午後に起こる黄体形成ホルモン(LH)のサージとそれに続く排卵は，環境の明暗サイクルと常に一定の位相関係を保っている。また，前述したように視交叉上核からの神経出力は，上頸神経節の交感神経を介して松果体のメラトニンリズムを制御している(図14-13を参照)。視交叉上核からのシグナルによって作られる夜に高い松果体のメラトニン分泌リズムは，視床下部-下垂体-性腺(HPG)軸にも作用して，ここでは高いメラトニンレベルの持続時間が夜の長さを

延長線上に戻っていく。これらのことから，制限給餌により同調する概日時計があること，この時計は通常は末梢時計の一つとして視交叉上核の支配下にあること，また，行動リズムは一時的に制限給餌に同調するが，この間に視交叉上核の時計は制限給餌の影響をほとんど受けていないこと，などが示唆される。近年，ラットで視床下部背内側核内の特定のニューロンの破壊により，行動や体温のリズムが制限給餌に同調できなくなること(Gooley et al, 2006)，さらにマウスを使った実験で，常に餌のある自由摂食条件下では視床下部背内側核の*Per1*の発現リズムがみられないが，制限給餌下におくと給餌に同期した*Per1*の発現リズムがみられるようになること，そして一度このリズムが確立すると制限給餌を停止しても少なくとも2日間はリズムが維持されること(Mieda et al, 2006)，などが相次いで報告された。しかもこの制限給餌は，視交叉上核での時計遺伝子の発現リズムの位相には影響を与えなかった。これらの事実は，視床下部の背内側核が制限給餌リズムに同調する末梢時計である可能性を示唆している。

　中枢時計と末梢時計の関係をまとめると，少なくとも哺乳類では図14-19のようになるであろう。末梢時計は，通常は視交叉上核(中枢時計)により同調され，統合されていると考えられる。しかし，これらの末梢時計の多くは視交叉上核に由来しない同調シグナルも受けていることがある。例えば制限給餌のような同調因子が与えられているときは，少なくとも一部の末梢時計は，一時的に視交叉上核の支配を免れてこれに同調する。その結果，視交叉上核の時計とは異なる周期，位相の表現型のリズムが発現すると考えられる。

示すシグナルとなり，これにより長日，短日が判断され，季節繁殖動物の繁殖機能の光周性をもたらしている。

14.4 性周期のメカニズム

哺乳動物の動物種による性周期のタイプは，おおよそ 3 つのタイプに分類される（詳細は 14.4.3「視床下部による調節」を参照）。その中でネコやウサギなど一部の交尾排卵動物を除いては，性周期は規則的に回帰する。ただし，性周期の長さは動物種によって大きく異なる。雌はこの性周期中において，成熟した卵胞から多量に分泌されるエストロゲンの作用により特異的な行動，いわゆる発情行動を示し，この期間のみ雄との交尾を許容する。この時期が動物の発情期に相当する。雌の発情に付随して雄も特有の求愛行動や交尾行動を示す。

動物種によって性周期の回帰機構には若干の相違があるものの，基本的には視床下部-下垂体-卵巣軸のホルモンによるフィードバック機構によって制御されている。視床下部では下垂体からの黄体形成ホルモン（LH）や卵胞刺激ホルモン（FSH）の分泌，あるいは排卵性サージ（急激な分泌上昇）を支配する性腺刺激ホルモン放出ホルモン（GnRH）パルスジェネレーターやGnRHサージジェネレーターが性周期の回帰に重要な役割を果たしている。また，ホルモンのフィードバックとは別に，ある種の動物では光情報も性周期の回帰影響を及ぼしている。この光情報の性周期回帰への影響に関しては生体時計部位の視交叉上核が役割を演じている。例えば，12 時間明：12 時間暗（あるいは 14 時間明：10 時間暗）などの規則正しい明暗条件下で飼育されているラットやマウスなどは 4〜5 日のきわめて短いインターバルで性周期を繰り返し，その間，排卵もきわめて限局した時間帯に規則正しく行われる。視交叉上核を破壊すると，この規則正しい性周期は乱れ，排卵時刻も不規則になる（Murakami et al, 1987）。また，毎日の明暗条件を連続照明条件に変えれば，視交叉上核の自由継続リズムの周期は著しく長く（あるいは短く）なり，それに伴って次第に性周期は不規則になり，最終的には連続発情を示す。このような状態ではラットやマウスは自然排卵の性格を失い，交尾排卵型の動物となる。

14.4.1 性周期と行動

動物の性周期の行動は雌の限られた発情期間に雄と交尾し，子孫を残すことを目的としたものであり，他の種々の行動と区別して性行動として特徴づけられる。

雌性行動の中で最も特徴的な行動が発情期間の発情行動（雄を許容する行動）であり，動物種によって特異的な行動がみられる。発情行動には勧誘行動（求愛行動の一つ）と，交尾行動がある。例えば，ラットでは交尾前の誘惑行動として，しきりに頭を振り耳を小刻みに振動させる行動や，雄の前で飛び跳ねるホッピング行動がある（8 章を参照）。ウシでは群れから離れて雄を求めるようになり，落ち着きを失してしきりに歩き回る（近年ではウシに歩行計をつけて歩数によってウシの発情期と排卵日を確定する試みが行われているほどである）。雄ウシが近寄ると頻繁に誘惑行動としての排尿行動がみられる。雌ウマは雄の存在下で後脚を広げ，尾を上げて頻繁に排尿しながら陰核を露出するライトニングが起こる。交尾行動では雌ラットは雄ラットがマウントすると脊柱を湾曲させ臀部を上げるロードーシス行動がみられる。ウシやヒツジでも雄が射精して降りた直後に背を曲げて尾を上げる行動をとる。これら発情期の雌の性行動は，排卵可能なステージになった胞状卵胞から大量に分泌されるエストロゲンの作用にある。また非発情中に性行動が抑制されるのは，エストロゲンの低下とともに黄体から旺盛に分泌されるプロゲステロンによる。エストロゲンによる発情行動は主に視索前野（特に内側視索前野）および腹内側核に対しての作用と思われる。これらの部位の破壊は性行動を消失させ，エストロゲンを投与しても回復しない。また，雌の発情行動は雄のフェロモンの影響を受ける場合もある。例えば，マウスでは，雄のフェロモンが雌の発情を誘起する（Whitten 効果）。発情したブタは雄ブタの顎下腺由来の 5α-andorst-16-en-3-one に反応して交尾行動をとることもあり，また雌ヤギが雄の頸部や頭皮の皮膚腺からの分泌物で発情が強まることが知られている。

雄の性行動は季節繁殖動物の一部を除いてはほぼ常時発情状態と考えてもよいが，一般的には雌雄が群れで同居している場合には常に雌の発情状態を観察し，発情期の雌がいれば同伴行動をとる。これを監視行動（guarding）というが，雌の股間に頭を押しつけたり，舐めたりして発情状態を調べる。発情中のものがいれば，それに対して様々な求愛行動をとる。求愛行動には外陰部のにおいを嗅いだり，舐めたり，踊ったり，奇声を発したり，排尿したり，体の一部を噛んだり，動物種によって様々である。雄の性行動はテストステロンの中枢作用によるものであるが，雌と同様に内側視索前野が作用部位と考えられる。エストロゲンによる性行動誘発は短時間で作用するのに対し，テストステロンによる雄の性行動の誘発には中枢が長時間テストステロンにさらされる必要がある。またテストステロンはニューロンでエストラジオールに変換されて作用する。そのため，精巣を摘出した雄でもエストラジオールの投与で雄の性行動が回復する。脊髄は勃起の中枢として重要である。扁桃体にもテストステロン受容体が多く，主に嗅覚情報の中継点として雄の性行動に機能している。

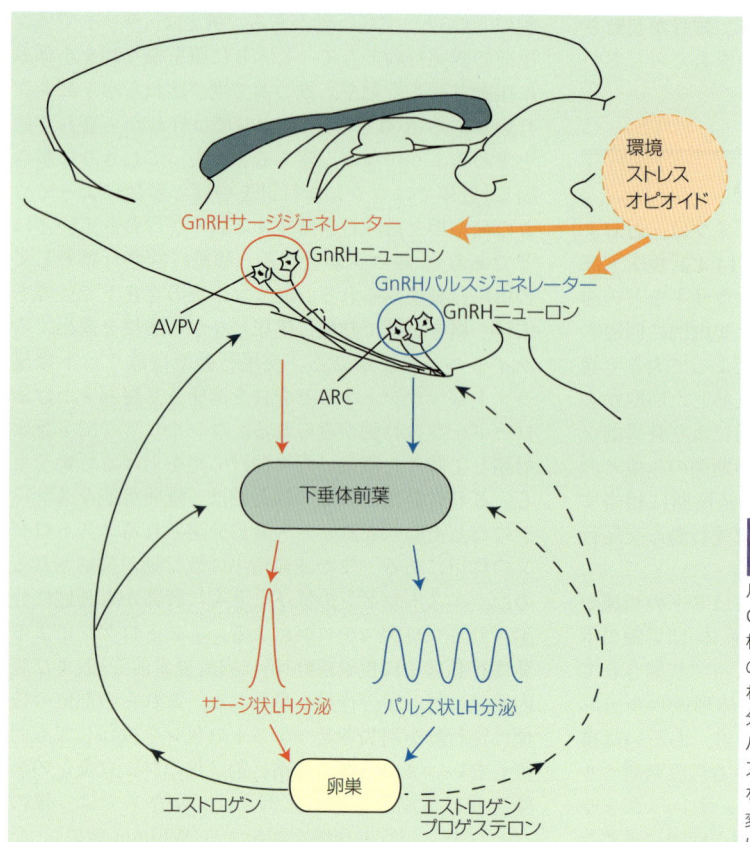

図 14-20 GnRH パルスジェネレーターと GnRH サージジェネレーター GnRH パルスジェネレーターは視床下部弓状核(ARC)に，GnRH サージジェネレーターは前腹側脳室周囲核(AVPV)に局在すると推測されている。これらの部位の神経発火活動は GnRH の分泌に反映されパルス状やサージ状に分泌される。この GnRH 分泌は下垂体からの LH 分泌に反映する。GnRH パルスジェネレーターはエストロゲンやプロゲステロンのフィードバックでパルス頻度や振幅を変化させる。これらのジェネレーターは環境の変化やストレス，疾病などの影響を受けるとともに生体時計の制御も受けている。

14.4.2 GnRH のパルス状分泌

　GnRH は視床下部ホルモンの一つでアミノ酸 10 個からなる単純ペプチドであり，アミノ酸配列は動物種間でよく保存されている。下垂体に作用して LH や FSH の合成と分泌を促進する。最近，これとは逆に LH の分泌を抑制する性腺刺激ホルモン放出抑制ホルモン(GnIH)が同定されている(Tsutsui et al, 2000)。下垂体から分泌される LH は排卵前の一過的多量分泌の LH サージを除けば，雄，雌ともに通常パルス状に分泌されている。FSH も多少の違いはあるが，基底値レベルではパルス状であり，排卵前にはサージ状である。末梢血中で測定される LH のパルスと下垂体門脈血中の GnRH の濃度変化を比較すると，GnRH のパルスと LH のパルスが 1：1 に対応しており，LH のパルスが GnRH のパルスに起因することがわかる。FSH も GnRH と対応しているが，対応しない分泌もみられる。GnRH の抗血清投与は LH のパルスを消失させるが，FSH のパルスを完全には消失させないので，FSH パルスは GnRH 以外にインヒビンなどを含めた制御もあると思われる。LH パルスの頻度は動物種によって異なり，また同一動物種でも性周期によって異なる。特に，性周期の期間ではパルスの頻度や大きさは卵巣から分泌されるエストロゲンやプロゲステロンの分泌に影響される(Kato et al, 1994)。LH や FSH のパルス頻度の増加は卵胞の発育に必要であり，パルス的な，いわゆる間欠的作用はホルモン受容体の脱感作(down regulation)を防ぎ，より効率的にホルモンが作用するうえで重要である。

　視床下部に存在する GnRH ニューロンの神経終末は正中隆起に広く投射しているにもかかわらず，下垂体門脈血中の GnRH がパルス状に分泌されるためには，GnRH ニューロンの発火が同期化していなければならない(図 14-20)。このような GnRH ニューロンが同期化して GnRH のパルス状分泌を起こしている神経機構を GnRH パルスジェネレーターといい，この制御機構などがさかんに研究されている(船橋と貴邑，2004；佐久間，2004)。この GnRH パルスジェネレーターは視床下部弓状核(ARC)に存在し(Nakamura et al, 2012)，その領域の室傍核-正中隆起部から多ニューロンの発火活動(multiunit activity)として LH パルスと対応した電気活動パルスを記録することができる(Wilson et al, 1984)。一方，LH のサージ状の分泌を起こす GnRH サージ状の分泌を支配するものを GnRH サージジェネレーターといい，前腹側脳室周囲核(AVPV)を中心に分布している(Nakamura et al, 2012)。この両者が別々の機構であることは，ヤギにおいて LH サージが出現している間でも，視床下部弓

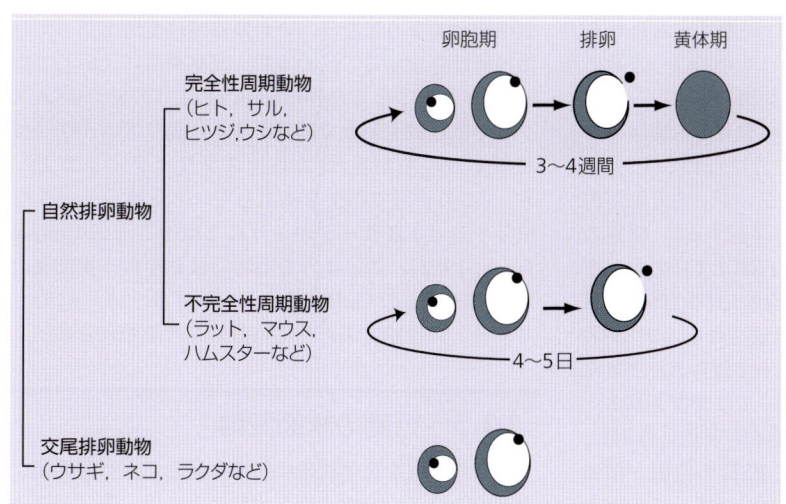

図 14-21 哺乳動物の性周期 自然排卵動物は性周期を回帰するが、性周期の中に活発な黄体相を組み込んでいるか否かで完性周期と不完全性周期に分かれる。（高橋、哺乳類の生殖生物学、1999より改変）

状核のパルスジェネレーターから発する神経発火のパルスを持続的に記録することができることからも証明されている。

ラット、サルおよびヤギでGnRHパルスジェネレーターの研究は進んでいるが、パルスジェネレーターの本体はいまだ不明である。一般的には発信体を構成する個々の細胞の自然発火頻度の周期は異なっても、細胞どうしがギャップ結合などを介することで、最も周期の短いパルスに同期化し、大きなパルスを形成すると予想されるが、GnRHパルスジェネレーターの場合には、GnRHニューロン自体に発信機構が備わっているのか否かはいまだ不明である。しかし、視床下部弓状核に存在するGnRHニューロンの細胞体にパルスジェネレーターを担当するものがあるといわれていることや、GnRH不死化細胞株であるGT1-7細胞もパルス状にGnRHを分泌することから、GnRH細胞自体にパルス発信機構が備わっている可能性が高い（Wetsel et al, 1992）。

GnRHパルスジェネレーターは神経活動のパルス現象をGnRHというホルモン分泌に置き換え、さらにそれによって下垂体からのLHパルスを通して卵巣や精巣の機能を調節している。すなわち、神経活動の発火頻度や振幅を多用に変化させることにより巧妙に生殖機能を操れることになる。このことは生殖機構が様々な神経性調節の支配下にあることを意味する。環境の変化、ストレス、精神状況、栄養状態および病気などが性周期や排卵などに影響を与えることはよく知られており、例えば、慢性的なストレスは性周期を不規則にし、排卵停止や生殖器の萎縮を起こす。これらは、種々の神経機構がGnRHパルスジェネレーターにリンクしているためと考えられる（村上、1999）。例えば、ストレスの種類や継続時間、強度、あるいは種々の環境変化や病気により、インターロイキン、腫瘍壊死因子、HPA軸ホルモン（CRH、ACTH、グルココルチコイド）、オピオイドや様々な神経伝達物質が単独であるいは複合して、最終的にはGnRHパルスジェネレーターに作用する。拘束ストレスはGnRHパルスを抑制し、拘束への慣れはこれを解除する。10〜30％の血糖低下はGnRHパルスを抑制する。ストレスのGnRHパルスの抑制はオピオイドの拮抗物質であるナロキソンによって解除される。ストレス時に分泌されるコルチコトロピン放出ホルモン（CRH）（コルチコトロピン放出因子〈CRF〉）はGnRHパルスを抑制する。しかしこれらの種々の要因によるGnRHパルスジェネレーターへの促進や抑制作用は複雑で、卵巣の摘出した動物、動物種間あるいは雌雄で逆の場合もある。

14.4.3 視床下部による調節

哺乳動物の生殖周期には妊娠が入る過程と入らない過程が存在し、前者を完全生殖周期、後者を不完全生殖周期と呼ぶ。後者の不完全生殖周期を一般的には性周期というが、この性周期には霊長類やウシ、ヒツジなどのように排卵後に比較的長い黄体期を有する完性周期、ラットやマウスなどのように黄体期がほとんどない不完全性周期、およびウサギやネコのように黄体期に加えて排卵も欠如する不完全性周期に分けられる（図14-21）。完性周期動物は排卵後に交尾や妊娠の有無にかかわらず黄体が形成され、基礎レベルのLHによる刺激によってプロゲステロンの分泌が行われ、その黄体が退行するまでの数週間は次回の発情-排卵は抑制されている。一方、不完全性周期動物では先に記したように2つのタイプがあるが、ラットやマウスなどは交尾刺激がない場合には排卵後の黄体は交尾刺激に伴うプロラクチンサージが形成されないため機能化されず、ただちに次の発情を迎えて排卵することになる。ところがウサギやネコなどは交尾刺激がない限り排卵もしないため、常時卵巣には成熟卵胞が存在する。これらは交尾排卵動物（反射排卵動物）と呼ば

れる(ただし，ネコでは卵胞発育に周期性がみられるため発情に周期性がみられるが，ウサギでは一定数の成熟卵胞が常時存在するため持続発情を示す)。

性周期中の卵巣の形態は，卵胞の発育する卵胞期と黄体が形成された黄体期に大きく分けられる(不完全性周期動物では機能黄体は存在しないが，内分泌学的には黄体期に相当する短い期間が存在する)。卵胞の発育は下垂体前葉から分泌されるFSHとLHの共同作用による。発育初期の内卵胞膜細胞のLH受容体にLHが作用すると，テストステロンが合成される。これが卵胞顆粒膜細胞に移行してFSHによって作られたアロマターゼの作用によりエストラジオールに変換される。このエストラジオールがさらに卵胞顆粒細胞に作用し，FSHの受容体数を増加させると，FSHの作用が増強し，卵胞の成長を促し，卵胞は胞状化する。このときFSHはこの胞状卵胞の顆粒細胞のLH受容体に作用してさらに卵胞の成長を促進し，排卵可能な卵胞となる。この成熟した卵胞は多量のエストラジオールを分泌し，このエストラジオールは正のフィードバックで視床下部のGnRHサージジェネレーターに作用すると一過性多量のGnRH放出(サージ)が起こり，これを受けて下垂体前葉からLHサージが起こる。成熟卵胞はエストロゲン以外にインヒビンを分泌し，インヒビンはFSHの分泌を阻止するため排卵時にはFSHの分泌は低下する。成熟した卵胞がLHサージを受けると形態は急変し，卵胞顆粒細胞の増殖が起こる。この卵胞顆粒細胞は血管内皮増殖因子を含む種々の成長因子や増殖因子を分泌し，細胞分裂を促進するとともに血管の新生や誘導を行い黄体化が終了する。下垂体からのLHの作用を受けて黄体からはプロゲステロンが分泌される。このプロゲステロンはGnRHパルスジェネレーターに作用し，GnRHに対して抑制効果を示す。黄体は子宮内膜から分泌されるプロスタグランジン$F_{2\alpha}$($PGF_{2\alpha}$)によって退行する。この黄体の退行にはその他にエンドセリンも関与している。また，$PGF_{2\alpha}$の作用を受けた黄体はオキシトシンを分泌し，このオキシトシンがさらに子宮に作用して$PGF_{2\alpha}$の分泌を増加させるフィードバックシステムが存在している。黄体の形態的退行には腫瘍壊死因子-α(TNF-α)やインターフェロンγなどが関与し，アポトーシスを誘導する。黄体の退行と並列して，次の卵胞の発育が開始する。動物の中にはウシ，ウマ，モルモットなどのように，黄体期においても数回の卵胞発育を繰り返すものもいる。

以上のように，性周期の視床下部による調節は卵巣と視床下部のフィードバック機構によって内分泌学的に制御されているが，冒頭にも記したように，不完全性周期動物のラットなどでは明暗条件とそれに同調した視交叉上核による制御が重要となる。連続照明下にラットを移して飼育すると，膣スメアの周期は不規則となる。約1～2週間程度で常時，膣スメアは角化細胞像を示すようになり，いわゆる連続発情となって自然排卵は停止する。代わって，交尾刺激に反応して排卵するようになる(Murakami et al, 1978)。ハムスターでは連続照明下で飼育すると行動リズムが2つに解離する現象が現れ(これをスプリッティングという)，この状態で卵巣を摘出してエストラジオールを投与するとLHサージが1日に2回起こる(Swann & Turek, 1985)。このような動物ではおそらく視交叉上核は視床下部のGnRHサージジェネレーターに対してゲートの役割を果たしているものと思われる。

14.5 行動の季節変動

体内の様々な生理現象の制御を通じて，行動発現に周期的なリズムを引き起こす仕組みには，概日リズムに加え，環境の季節変化に応じた季節リズムが知られている。環境の季節変化は，地球の公転面に対して地軸が傾いているために，地球上のある地点に降り注ぐ光エネルギー量が1年を通じて変化することで生じる。このような光エネルギー量の季節変化は暑熱や寒冷などの物理的環境条件と食物量の著しい季節変動を引き起こす。したがって，動物は，1年を通じて体内のエネルギーバランスの収支を保ちやすくかつ余剰エネルギーを蓄積しやすい季節と生存のために耐えしのばなくてはならない季節を経験することになる。このような環境の季節変化は生存や繁殖に強い影響を与えるため，これらに関わる形質への強い選択圧になる。そのため，動物は様々な生理機能や行動を季節的に変えるよう進化してきた。代表的な季節適応として，季節繁殖，休眠，わたり，換毛(換羽)などが知られている。これらの季節適応はタイミングが重要で，器官への投資を変えるには準備期間が必要となることから，季節変化を予測する仕組みが古くから注目されてきた。季節的に変化する様々な環境要因の中でも，毎年同じように変化する日長は最も信頼性の高い季節指標になると考えられる。そのため，日長の変化に応答する光周性が季節応答を引き起こす原動力であるというパラダイムが広く受け入れられている(Rowan, 1925)。一方で，野生動物に目を向けると，行動の季節変動は局所環境で経験する他の環境条件や社会関係に応じて調整されていることがうかがえる。以下，季節繁殖と休眠を具体的に取り上げる。

14.5.1 季節繁殖

動物の繁殖行動は，自身の子(遺伝子)を残すための適応的行動である。植食動物では，餌となる植物の生育が季節によって変わり，また肉食動物にとっては，餌となる植食動物の個体数に季節変動があることから，不適な時期に繁殖すると自然選択上不利になる。例えば，冬は餌となる草が少なく気温が低いために，

14.5 行動の季節変動　215

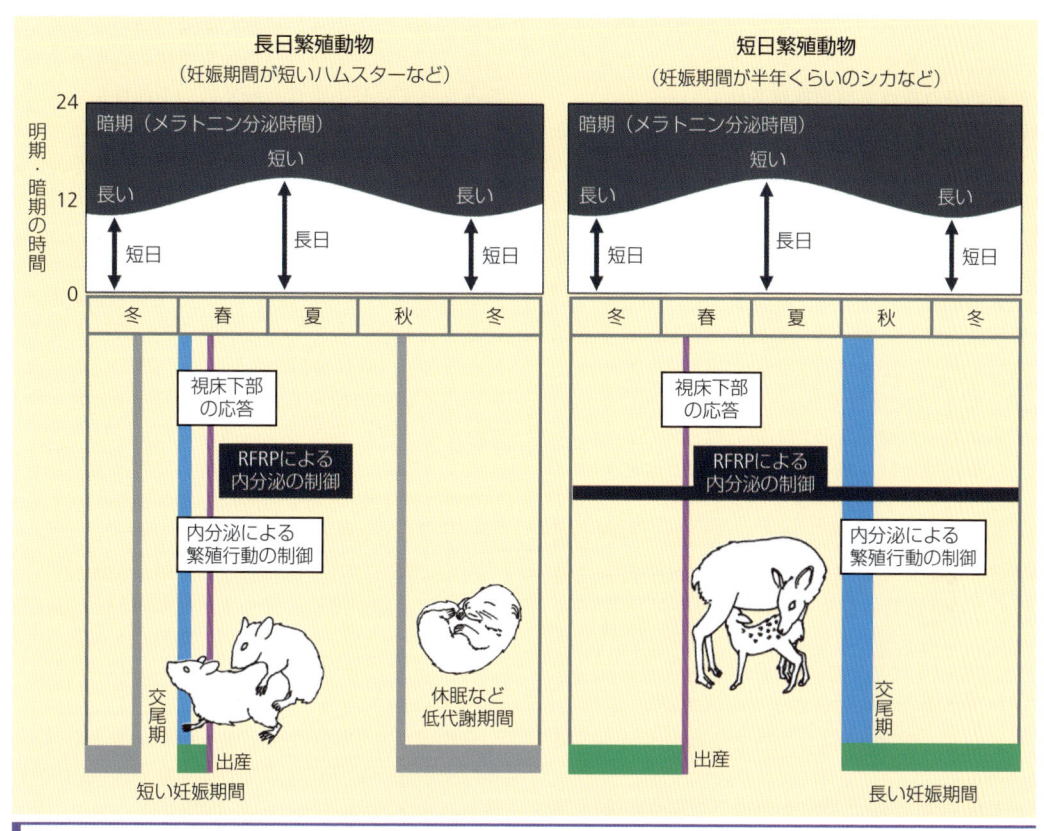

図14-22　長日繁殖動物と短日繁殖動物の繁殖制御に関わる神経内分泌機構のタイムライン　長日繁殖動物と短日繁殖動物では，交尾期は異なるが，出産は暖かく，食物が多い春や夏に行う集団が多い。いずれの動物も，日長情報（1日の暗期の長さ）を松果体からのメラトニンの分泌時間に変換し，このメラトニンの作用を利用して，特定の季節に性腺を活発にしたり，不活発にしたりする。現時点では，視床下部の応答までのプロセスには両者間で相違はなく，これより下位の内分泌による制御のタイミングが両者で大きく異なることで，交尾行動を行う季節の相違が生じていると考えられている。RFRPは両方の動物で夏の間により高いレベルで発現することが示唆されている。ただし，その発現の役割と段階は明確ではなく，おそらく両者で反対の作用機序を示すことが予測されている。(Hut et al, 2014をもとに作成)

草食動物の子の生育にとって不利である。そのため，動物の繁殖行動の進化においては，子が成長しやすい時期に出産することに強い選択圧がかかる。実際に，野生動物の多くは1年のうちの一定期間内に繁殖を行っており，このような繁殖を季節繁殖という。寒帯地域から温帯地域にかけては春から夏に，また熱帯や乾燥帯地域では雨季に出産するなど，いずれの地域でも餌が豊富になる時期と子の成長時期が重なっている。子を適した時期に出産するには雌雄で交尾のタイミングをあわせる必要がある。そして，基本的には，ある集団の個体が経験する環境条件はよく似ており，さらに，動物によっては集団繁殖の利点が大きいため，集団内の性成熟に十分な成長を遂げた成体間で，繁殖開始時期は揃う傾向にある。この繁殖のタイミングの予測にも動物は季節的に変化する日長を手がかりにしていると考えられている。日照時間が12時間を超える時期，つまり春から夏にかけての長日条件下で繁殖が始まる動物を長日繁殖動物といい，逆に日照時間が12時間より短くなる時期，つまり秋から冬にか

けての短日条件下で繁殖が始まる動物を短日繁殖動物という。ウマのように妊娠期間が長くて1年近い動物種や，妊娠期間が短くて数週間の小型げっ歯類あるいは抱卵期間の短い鳥類は，春から交尾を始め，春から初夏にかけて出産する。一方，妊娠期間が半年程度の動物は秋から交尾を始め，春から初夏にかけて出産する（図14-22）。つまり，特定の季節に子を生むために必要な妊娠期間を遡って交尾をしている。哺乳類の場合，妊娠期間は概ね体サイズに依存しており，動物種間で妊娠期間の長さが異なることから，長日繁殖動物と短日繁殖動物という違いが生じたと考えられる(Gerlach & Aurich, 2000)。このようなプロセスを考えると各動物種の繁殖のタイミングが進化的にどのように決まっているかを整理しやすい。前者にはウマ，ロバ，スカンク，オオカミ，キツネ，ハムスター，ウズラなどが含まれ，後者にはヒツジ，ヤギ，シカ，カモシカ，イノシシ，ニホンザルなどが含まれる。室内実験では，長日と短日の境界は12時間を基準にされてきたが，実際には，例えば長日繁殖動物は日長が12

時間を超えるより早い時期に繁殖の準備を開始している。そのため，近年では，このようなタイミングを模した季節繁殖の誘導実験が推奨されている。

　季節繁殖に対して，1年を通じて繁殖行動を行える動物を周年繁殖動物といい，主に家畜化や品種改良の結果，季節繁殖性が消失したか希薄になった動物が当てはまる。例えば，野生の水牛などは季節繁殖動物であるが，家畜化された牛では季節繁殖性が失われている。イヌ科動物ではキツネ，オオカミ，タヌキなどは季節繁殖動物であるが，伴侶動物のイヌは明確な季節繁殖性を示さなくなってきている。実験動物のラットも元来，季節繁殖動物であったが，改良を加えるに従って周年繁殖動物となった。同じげっ歯類のハムスターには季節繁殖性は残っているが，愛玩用のハムスターでは冬眠性が失われてきている。屋外でも活動するイエネコ（ノネコ，ノラネコを含む）では，雄ネコの生殖機能には季節変動はなく1年中繁殖が可能であるが，雌ネコは季節繁殖性を示すため，日本では1〜8月が一般的な繁殖季節である。一方で，実験用のネコを1日12時間以上の照明下で飼育すると周年繁殖を示し，家屋内で飼育されているネコも周年繁殖を示すものが多いなど，やはり飼育下では季節繁殖性が弱まる傾向にある。

　季節繁殖動物の雌は繁殖季節のみに発情が訪れるが，この発情が繁殖季節の間に一度だけ訪れるものと，何度も繰り返し訪れるものがいる。前者を単発情動物といい，キツネ，ミンクなどがそれに該当する。ただし，この単発情動物という定義については，必ずしも季節繁殖動物に限られたものではなく，1回の繁殖期に発情周期が1回だけ現れる動物という意味である。そのため，季節繁殖をしないイヌも単発情動物である。多発情動物は受胎しないかぎり発情周期を繰り返すもので，ウシやブタのような周年繁殖動物やウマ，ヒツジ，ヤギなどの季節繁殖動物が該当する。いずれも発情は胞状卵胞からのエストロゲン分泌の上昇によってもたらされる。季節繁殖動物の雄では，交尾期に向けて血中テストステロン濃度が上昇する。例えば，ウマの交尾期（繁殖期）に当たる春から初夏にかけて，下垂体からのFSHやLHの濃度が上昇し，これを受けて雄ではテストステロンが，また雌ではエストロゲンが上昇する。非繁殖期ではこれらのホルモンは減少し，性腺機能の活動は休止する。

　前述したように，季節繁殖のタイミングは一般には日長により制御されていると考えられているが，様々な環境に生息する脊椎動物の繁殖パターンを見渡すと，特に哺乳類において多様な繁殖パターンがみられる（Bronson, 1985）。これは季節繁殖性を示す家畜でも同様であり，短日繁殖動物であるヒツジでは，高温下よりも低温下で飼育されるほうが早く繁殖を開始するなど，環境温度による影響も知られている。また，前述したネコのように雌雄で季節繁殖性が異なる例もある。動物の季節繁殖は絶滅危惧種の保全や家畜生産のみならず，ヒトを含む哺乳類の季節性疾患に関わる表現型形質として注目されており，特に，地球温暖化が動物の繁殖に与える影響は生態学的な観点からも重要性が高いことから，現在，研究が進められている。

14.5.2 季節繁殖の神経内分泌基盤

　脊椎動物の繁殖は視床下部-下垂体-性腺（HPG）軸によって制御されている（図14-23）。視床下部GnRHによって，下垂体前葉からLHとFSHの分泌が刺激され，生殖腺に作用することでその発達を促す。この生殖腺の発達が特定の時期に限って起こると季節繁殖をすることになる。日長時間を計る機構を光周性機構といい，光の持続時間や照度などに影響を受けて，種々のホルモンや器官の形態・機能が変動することを光周性反応という。近年，光周性を利用した季節繁殖の制御に関わる仕組みは，様々な脊椎動物でよく似ていることが明らかになってきたが，光信号を受容し体内で液性情報へと変換するまでのプロセスは動物間で異なっている。

　鳥類は，人工環境下で日長を制御すると数週間のうちに生殖腺が急速に発達することから，光周性研究の優れたモデルとされてきた（Follett & Sharp, 1969）。鳥類では，光受容器が網膜，松果体，脳深部など複数の領域に局在しており，種類によって，概日リズムを生み出すペースメーカーとしてのこれらの光受容器の相対的重要性が異なっている。例えば，ウズラでは網膜（Steele et al, 2003），スズメでは松果体（Takahashi & Menaker, 1982），ハトでは脳の深部にある視床下部の視交叉上核（SCN）と網膜および松果体（Yoshimura et al, 2001）が重要な役割を果たしている（14.1.3「脊椎動物の概日時計」を参照）。そして，光周性による生殖腺反応において脳深部光受容器が主導的役割を担うことが示唆されている。Ikegami & Yoshimura（2017），中山ら（2019）によると，脳深部光受容器で感知された光情報は視床下部へ伝わり，長日条件に曝露されると，甲状腺刺激ホルモン放出ホルモン（TRH）が分泌される（図14-23）。これはすぐ下にある下垂体隆起葉（PT）にはたらきかけ，PTでは甲状腺刺激ホルモン（TSH）の生産と分泌が誘導されるようになる（Nakao et al, 2008）。PT由来のTSHは視床下部内側基底部（mediobasal hypothalamus：MBH）内のTSH受容体を介して，2型脱ヨウ素酵素（DIO2）遺伝子の発現を誘導し，3型脱ヨウ素酵素（DIO3）遺伝子の発現を減少させる（Yoshimura et al, 2003；Yasuo et al, 2005）。DIO2遺伝子は甲状腺ホルモン活性化酵素をコードしており，甲状腺から分泌される低活性型の甲状腺ホルモンのチロキシン（thyroxine：T_4）を活性型ホルモンのトリヨードサイロニン（triiodothyronine：T_3）に変換する酵

14.5 行動の季節変動

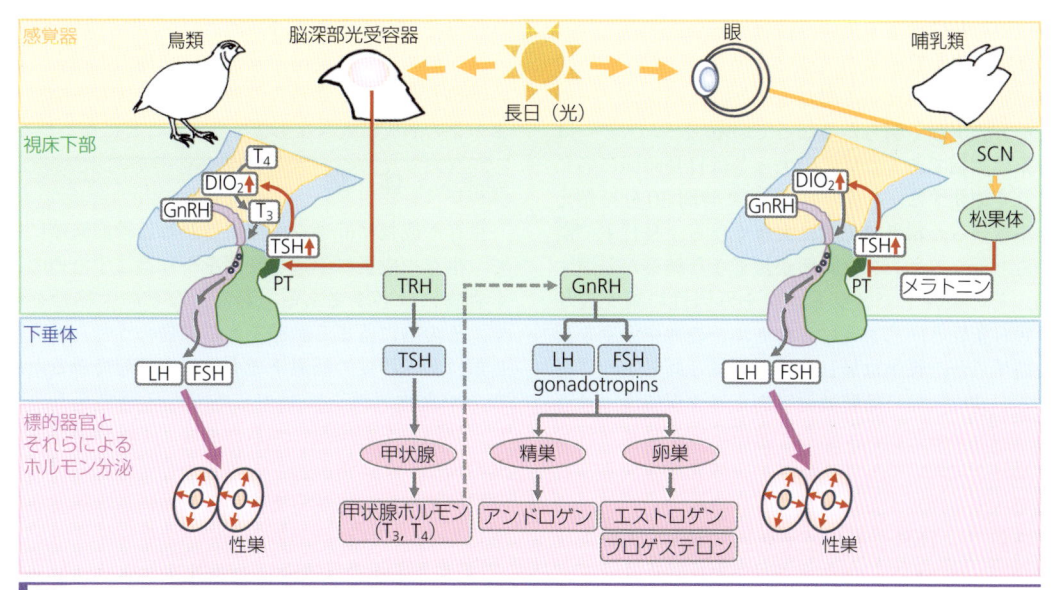

図 14-23　長日繁殖動物の鳥類および哺乳類における光周性を制御する情報伝達経路　鳥類と哺乳類で，光受容器の種類およびメラトニンの利用の有無については異なるが，日長情報を利用して，非常によく似た経路で繁殖の誘導が制御されている。（Ikegami & Yoshimura, 2017；Moeller et al, 2022 をもとに作成）

素である。一方，DIO3 遺伝子は甲状腺ホルモン不活性化酵素をコードしており，T_4，T_3 をそれぞれ不活性型のリバース T_3，T_2 へと変換する。つまり長日条件下では，MBH で T_3 が合成される。MBH の最下部で下垂体と接している正中隆起（median eminence：ME）には，GnRH ニューロンの神経終末が投射している。短日条件では GnRH ニューロンの神経終末はグリア細胞によって包まれているが，長日条件ではグリア細胞の包み込みが減少し，GnRH ニューロンの神経終末が下垂体門脈と隣接する基底膜に直接接するようになる（Yamamura et al, 2004）。短日条件で飼育したウズラの脳内に T_3 を投与したところ，これらの脳の形態変化と精巣の発達を誘起することができたことから，MBH で局所的に合成された T_3 が ME の形態を変化させ，GnRH が分泌されることで，精巣の発達が起こることが明らかとなった。つまり，春から夏にかけて MBH において起こる DIO2 と DIO3 のスイッチングにより活性型甲状腺ホルモンである T_3 の MBH における局所的な濃度上昇が光周性制御の鍵となっている（中山ほか, 2019）。以上のように，長日刺激によって PT で産生された TSH がウズラの脳に春を知らせ，季節繁殖の開始の引き金となる「春告げホルモン」（中山ほか, 2019）としてはたらき，これが MBH での T_3 合成を介し，この T_3 が GnRH ニューロンの神経終末およびグリア細胞の形態変化を誘導することで，GnRH の分泌を促進することが明らかとなった。この反応の調節にメラトニンが重要な役割を果たしていない点が哺乳類とは大きく異なる。

一方で，繁殖状態の抑制には RFamide ペプチドの生腺刺激ホルモン放出抑制ホルモン（GnIH）が関わっており，メラトニンは視床下部の室傍核にある GnIH ニューロンに発現しているメラトニン受容体（Mel1c）を介して GnIH の発現を誘導する（Ubuka et al, 2005）。GnIH ニューロンは GnIH 受容体を介して ME および GnRH ニューロンに投射しており，GnIH ニューロンの終末から分泌された GnIH は下垂体と GnRH ニューロンにはたらきかけ，GnRH の分泌を抑制する（Ubuka et al, 2008）。このように，鳥類の繁殖の抑制においてはメラトニンが機能していることが示唆されている。

哺乳類では，網膜が唯一の光受容器官であると考えられており，概日リズムを生み出すペースメーカーの中枢は脳の深部にある視床下部 SCN にある。網膜から入った光の信号は視神経を経て SCN に伝えられ，そこから上頸神経節を介して松果体に伝達される（図14-23）。この神経経路では，夜行性，昼行性を問わず，暗期になると上頸神経節からの交感神経節後線維の終末からノルアドレナリンが分泌され，これが松果体の β 受容体に作用し，メラトニンの合成を促す。一方，光はノルアドレナリンの分泌を阻止し，メラトニンの分泌低下を起こす。この分泌低下作用はきわめて迅速に起こり，数秒の光照射でもメラトニンの急激な低下が起こるので，暗期の長さがメラトニン分泌の持続時間に一致し，明期の時間がメラトニン分泌阻止時間に一致する。つまり，メラトニンの分泌量よりも分泌の持続時間が重要な要素となる。このように，哺乳類の季節繁殖の制御にはメラトニンが重要な役割を果たしている（Reiter, 1980）。この過程で，神経を伝わる物理的情報が血液を通して体内のすみずみまで伝達可

能な液性の化学物質を用いた情報へと変換される。

哺乳動物の季節繁殖の誘導にメラトニンが日長時間のメディエーターとして関わることは，ハムスターやヤギなどの実験で明らかになっている。ハムスターは長日繁殖動物であり，精巣の大きさは日長時間に応じて著しく変化する。1日の明期が12時間30分を超えると小さかった精巣は急激に大きくなる。長日下で飼育するとメラトニン分泌時間が短くなり精巣が発達するが，その条件下でメラトニンを外因性に補充投与し，短日条件と同じようにメラトニンの血中濃度を長く持続すると，精巣は短日条件下飼育と同じように萎縮する。逆に，短日繁殖動物であるヒツジでは，メラトニンの分泌時間が長くなると繁殖状態が誘起されるが，長日下においてもメラトニンを補充投与することで繁殖状態を誘起することができる。

哺乳類ではTSH受容体ノックアウトマウスおよびメラトニン受容体ノックアウトマウスを用いて，DIO2/DIO3のスイッチングに対するメラトニンの影響が検討されている。TSH受容体またはMT1メラトニン受容体がノックアウトされたマウスでは，メラトニンによるDIO2/DIO3のスイッチングが起こらないことが報告されている。以上の結果から，哺乳類では網膜で受け取った光情報がメラトニンの分泌パターンへと変換された後，メラトニンがPTのMT1メラトニン受容体に結合することで，PTからの春告げホルモン(TSH)の分泌を制御し，DIO2/DIO3のスイッチングが制御されることが明らかとなった(中山ほか，2019)。一方で，哺乳類の繁殖の抑制にはGnIHとこれとほぼ同様のはたらきをするRFamide関連ペプチド(RFRP)の作用が知られており(Hinuma et al, 2000)，GnIHおよびRFRPはハムスター(Kriegsfeld et al, 2006；Gibson et al, 2008)，ラット(Johnson et al, 2007, Murakami et al, 2008)，ヒツジ(Clarke et al, 2008)などでGnRHの放出を抑制することが明らかになっている。このように，哺乳類ではメラトニンが重要な役割を果たしているものの，長日繁殖動物の季節繁殖の制御は鳥類とよく似ている。一方で，短日繁殖動物が長日条件に曝露されると，DIO2の機能が抑制される可能性があるという説(Yasuo et al, 2006)と長日繁殖動物と同様にPTからのTSHの分泌，T_3のMBHにおけるDIO2の機能とT_3の濃度上昇が起こるものの，それより下位のプロセスで，繁殖が抑制されるという説が提案されており，後者では，長日繁殖動物を短日条件に曝露したときと同様に，GnIHおよびRFRPによる作用が示唆されている(Hut et al, 2014)。さらに，RFRPの発現はストレスにより著しく増大することが明らかになっており，RFRPニューロンには糖質コルチコイド受容体が発現する(Kirby et al, 2009)。様々なストレス要因が副腎皮質ホルモンであるグルココルチコイドを介したRFRPの発現誘導のプロセスを経て，繁殖を抑制していることが示唆される。このストレス要因が季節的に変動する場合，繁殖の誘導だけでなく繁殖の抑制のプロセスも季節繁殖パターンの形成に大きな影響を与えることになるだろう。

14.5.3 休 眠

生存や成長に好適な季節に行われる季節繁殖に対して，生存や成長に不適な時期をやり過ごすための適応も動物には必要である。わたりなどの大移動を伴わず，その場に留まる戦略をとる動物のうち，哺乳類や鳥類はある程度の低温下でも体温を調節できるため，寒さや食物欠乏を経験する冬でも活動できる。ただし，熱損失を最小限にするために，①脂肪や毛皮の密度の増加，②体重あたりのエネルギー要求量を減らす冬季体重減少，③ふるえ産熱の利用による熱産生の効率化，そして体温調節のための熱産生を抑える，もしくはほぼ停止する休眠，④支出エネルギーとエネルギー要求を減らす活動量の低下，⑤断熱された微小生息環境の選択，⑥他個体と体を重なり合わせるハドリングの利用など様々な生理的・行動的応答を示す。これらのうち，休眠は熱産生を抑えることで代謝を抑制し体温を低下させて消費エネルギーを節約できる応答で，一般的に，厳しい寒冷に曝され食物資源が限られる期間を克服するために，霊長類を含む様々な分類群の哺乳類や鳥類によって用いられている。休眠のうち，休眠持続時間が24時間を超えるものは冬眠(hibernation)と呼ばれ，オオヤマネ(*Glis glis*)(Bieber & Ruf, 2009)などいくつかの例外を除いて，冬季にのみ発現する。冬眠時の体温低下が氷点下になる種もいる(Barnes, 1989)が，多くの種では環境温度付近までの低下に留まる。ただし，クマなどにみられる冬眠では，体温は30度近くに維持され，循環器系，呼吸器系などの生理機能は若干低下するもののほぼ正常に維持されている。一方，休眠のうち，休眠持続時間が24時間を超えない日周性の休眠は日内休眠(daily torpor)と呼ばれ，多くの場合，体温低下の程度は数℃から十数℃に留まる。冬眠ほど大きな生理的変化や行動変容が必要なく，より多くの種で確認されている。悪天候や一時的な食物欠乏など予測できない環境変動に迅速に応答できるという利点があるが，このような条件は冬季に起こりやすいので，日内休眠も冬季に観察例が多い傾向にある。

冬眠動物にとって，冬季は食物を獲得するのが困難になるかまたは完全に利用できなくなる。したがって，日長の短縮を手掛かりに予測して冬季が本格的に到来する前に，大幅な脂肪蓄積か食物貯蔵によってエネルギーを蓄えて冬眠に入る。冬眠動物たちはこの蓄えたエネルギーを利用することで冬眠巣を離れることなく数ヶ月間生存している。ただし，冬が近づくにつれて深い冬眠に入り，春が来るまで一度も目覚めない

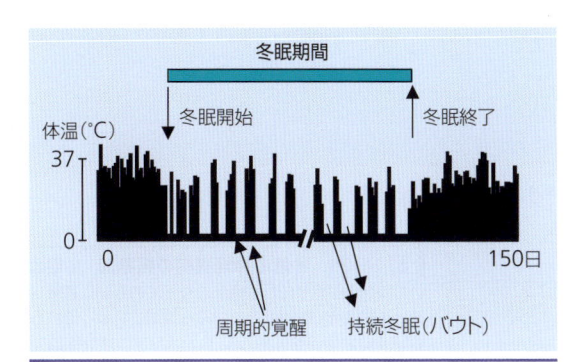

図 14-24　シマリスの冬眠期間での持続冬眠(バウト)と周期的覚醒　数ヶ月間の冬眠期間に周期的な覚醒と短い冬眠を交互に繰り返す。図は体温の変動を示す。

ような冬眠パターンは，実は自然環境下では認められていない。体温が0度近くに低下した状態でも動物は自発的に体温を上昇させ一時的に覚醒し(中途覚醒)，そして再び冬眠状態に戻る(図14-24)。つまり数ヶ月の冬眠中に中途覚醒(周期的覚醒〈periodic arousal〉)と周期的な短い持続冬眠(1回の持続単位を1バウトという)を何度も繰り返すのである。例えばシマリスの場合には，個体差はあるものの，1回のバウトの長さは約3〜7日間で，1回の中途覚醒は十数時間〜2日間程度である。これを数ヶ月の冬眠期間中交互に繰り返す。冬眠の引き金となる一義的な環境要因は冬眠動物の種によって異なるが，その中でも日長条件(短日条件)，気温低下あるいは餌や水の不足が主な要因と考えられている(Murakami et al, 2000)。これまで，冬眠に関する心臓の維持機構，低酸素下での呼吸器系の維持機構，低エネルギーを維持するための代謝機構，そして，冬眠へ入る神経機構や周期的覚醒の神経内分泌機構を含め多くの研究が展開されてきた。一方で，冬眠を制御する特殊な冬眠物質や遺伝子の探索も行われてきた。しかし，現在でも冬眠機構の多くは未解明な状態にある。ここでは紙面の関係上，冬眠の神経機構と内分泌機構についてのみ解説する。各種の冬眠動物の特徴や，冬ごもりする冬眠動物については別の解説書(川道ほか，2000)を参照していただきたい。

14.5.4 冬眠の神経機序

げっ歯類の脳波の研究ではノンレム睡眠中に冬眠へ移行することが示されており，冬眠がノンレム睡眠の延長にあると考えられてきた。しかし，現在では体温低下による冬眠は睡眠の状態とは明らかに異なると考えられている。脳の温度が低下するにつれて脳波のパワースペクトラムは減少し，頻度(frequency)も激減する(Deboer, 1998)。またレム睡眠は21℃近くで観察されなくなる。冬眠中でも姿勢や感覚(例えば聴性脳幹反応)はある程度保持されており，周期的に覚醒することができる。それでも最も深い冬眠中には神経の発火活動やシナプス伝達は抑制され，また種々の刺激伝達系も抑制されている。例えば冬眠中の動物から調整した視交叉上核のスライスでの自発的電気活動や海馬のスライスでの長期増強などは16〜22℃で認められなくなる(Miller et al, 1994)。冬眠を制御している部位は特定されていないが，少なくとも視床下部，海馬，中隔野-対角帯を含む回路は重要な部位と推定されている。また自律神経系が中枢と末梢を同調して制御するうえで重要だと思われる。例えば，視床下部では冬眠の年周リズムを支配する視交叉上核や体温中枢としての視索前野・視床下部前野が含まれる。視交叉上核の破壊は冬眠のタイミングをくずす(Ruby et al, 1996)。深い冬眠中でも視交叉上核のグルコース利用は他の部位に比較してきわめて高く，また，周期的覚醒時にはこの視交叉上核にまず，神経活動の指標となるcFosが発現する。一方，内側視索前野には体温中枢があり，この部位を冷やすと震えや発熱反応が起こる。この体温中枢の体温維持機構ではセットポイントの設定が重要な役割であり，セットポイントを下げれば，体温が低下してもセットポイント以下にならない限り発熱反応は起こらなくなる。つまり冬眠に入るため，あるいは冬眠を維持するためにはこの体温中枢のセットポイントを下げる必要がある。海馬は冬眠に入った後，他の部位の脳波が記録されなくなった状態でも比較的長く脳波が記録できること，また覚醒時に最初に脳波が記録できることから，古くから冬眠の制御に重要と考えられてきた(Heller, 1979)。近年では冬眠中に海馬の神経線維，特に樹状突起やシナプス構築が一時的に変化すること，またこのシナプスの可塑性は急速かつ可逆的に起こることが相次いで報告されており，この海馬の温度依存性シナプス可塑性変化が冬眠を誘導したり維持することに関係するのではないかといわれている(Magariños et al, 2006；von der Ohe et al, 2006)。自律神経系は冬眠中の体温低下にもかかわらず機能は維持されている。冬眠に入るときや冬眠中には交感神経系は抑制され，副交感神経系が活発化する。一方，周期的覚醒や冬眠終了時には交感神経系が優位に立つ。冬眠中でも迷走神経／副交感神経系機能は維持されていることが多くの報告で示されている(Harris & Milsom, 1995)。

これまで多くの神経伝達物質や神経伝達に関わるタンパクの冬眠への関与が報告されてきたが，ここではそのなかから特に興味あるいくつかを紹介する。抑制性神経伝達物質あるいは神経調節物質であるアデノシンは脳室内投与で中枢の温度を下降させる。特に，ハムスターでの実験においてアデノシンA_1受容体のアゴニストの脳室内投与は冬眠中の体温低下に近い温度まで下降させる。逆にアデノシンのアンタゴニスト(拮抗剤)の脳室内投与は低酸素で誘導した体温低下を阻止する。このことからアデノシンは冬眠に入ると

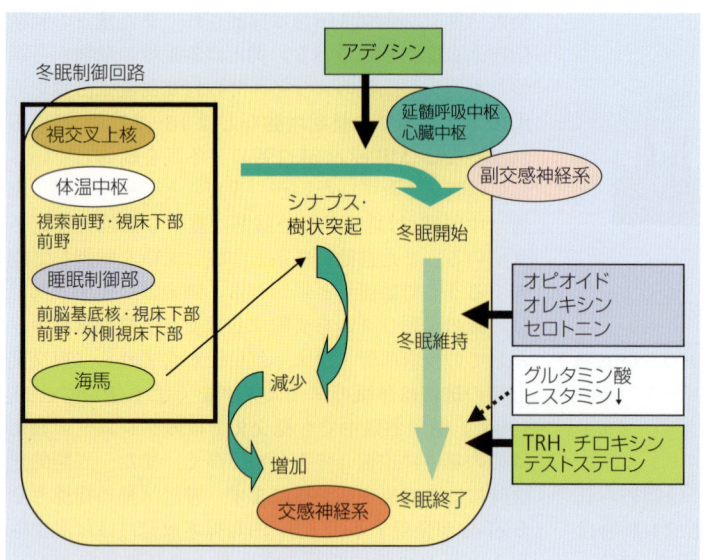

図14-25 冬眠の神経機構の概略図 冬眠はいくつかの中枢部位が回路をつくってお互いに連絡しあい，総合的に制御されていると推測される。それらのいくつかの部位に対してアデノシン，オレキシン(ヒポクレチン)，オピオイド，セロトニンなどが作用し，冬眠の開始や維持に働いていると推測される。中枢と末梢の同期化(低体温状態でのホメオスタシスの維持)には自律神経系が重要である。冬眠からの覚醒の一部の機序にグルタミン酸やヒスタミン，甲状腺刺激ホルモン放出ホルモン，チロキシンあるいはテストステロンの中枢作用が関与している。また近年では冬眠中に海馬の樹状突起やシナプスの数が急激に変化することが示されている。

き，あるいは冬眠初期の体温調節に重要な役割を果たしていると推測されている。事実，アデノシン A_1 受容体アンタゴニストを冬眠中に投与すると冬眠が中断され覚醒する(Tamura et al, 2005)。ただし，この覚醒作用は持続冬眠(バウト)の初期にしか認められない。アデノシンの冬眠への関与は体温中枢への作用のみでなく睡眠関連中枢への作用も含まれる。近年の報告(Liu & Gao, 2007)では，アデノシンは前脳基底核や視床下部前野に作用して睡眠を促進するだけでなく，オレキシン神経の抑制を通して外側視床下部にも作用するらしいことが示されている。オレキシンは，睡眠-覚醒に関与し，その欠如はナルコレプシーを起こす。冬眠中には中枢神経系の活動と温度が低下しているため，興奮性神経伝達物質のグルタミン酸などは低下している。一方で，この冬眠中の中枢においてオピオイド系ホルモンが重要な役割を果たしているらしい。以前からオピオイドの非選択性アンタゴニストであるナロキソンの投与が冬眠を阻害することや，持続冬眠(バウト)の期間を短縮することが知られていたが，近年の研究で，μオピオイド受容体系が冬眠の維持に重要であることが明らかになってきた(Tamura et al, 2005)。この受容体は脳に広く分布し，視床下部や海馬に多く存在するが，特に脳幹の呼吸制御中枢部に分布しているため，オピオイドが冬眠時の呼吸低下にも重要であると推測されている。甲状腺刺激ホルモン放出ホルモン(TRH)もまた，冬眠に重要な神経物質と推測される。冬眠しているシリアンハムスターの脳室内へTRHを投与すると覚醒が誘起される。この覚醒効果は冬眠開始時のみならず深い冬眠中でも起こるらしい。図14-25は以上の神経伝達系物質の冬眠への関与についての仮説の一つを紹介している。

さらに最近の研究で，マウス視床下部外側野のピログルタミル化アミドペプチド(QREP)を発現するニューロンを特異的に刺激すると，体温や酸素消費レベルは低下するが代謝調節能力は維持されているという冬眠と類似の反応を示すことが報告された(Takahashi et al, 2020)。この冬眠様状態から回復させた後でも，行動や臓器，組織に何ら異常を認められなかった。現在のところ，QRFP神経に続く反応系は不明であるが，マウスのように本来は冬眠を示さない哺乳類においても，冬眠の生理機構を潜在的に持っていることを示している。

14.5.5 冬眠のホルモン機構

冬眠中に体温が低下しているにもかかわらず生体の恒常性は維持されているため，自律神経系とは別に内分泌系の関与も推測され，多くの血中ホルモンが測定された。しかし，ほとんどのホルモンは冬眠中には低下しており，体温低下時には内分泌器官は機能を減退していると思われた。また，ストレスに関係する視床下部-下垂体-副腎(HPA)軸も機能を低下しており，冬眠とストレスは直接関係ないと考えられた。そのようななかで，ある種の冬眠動物の甲状腺機能は冬眠中も活性を維持しており，トウブシマリスやブラントハムスターでは冬眠中もチロキシンの血中レベルは低下しなかった(Hudson, 1980)。また，リチャードソンジリスではむしろ冬眠中に数倍の増加を示した(Demeneix & Henderson, 1978)。ジリス類においては覚醒前にテストステロンの上昇が認められ，テストステロンの投与は覚醒を早めることが報告されている(Jansky et al, 1984)。ホルモンの研究とは別に冬眠制御物質や冬眠誘導物質の研究もさかんに行われてきたが，そのなかで冬眠特異的タンパク(hibernation-specific protein：HP)の冬眠への関与が注目されている。HPは1992年

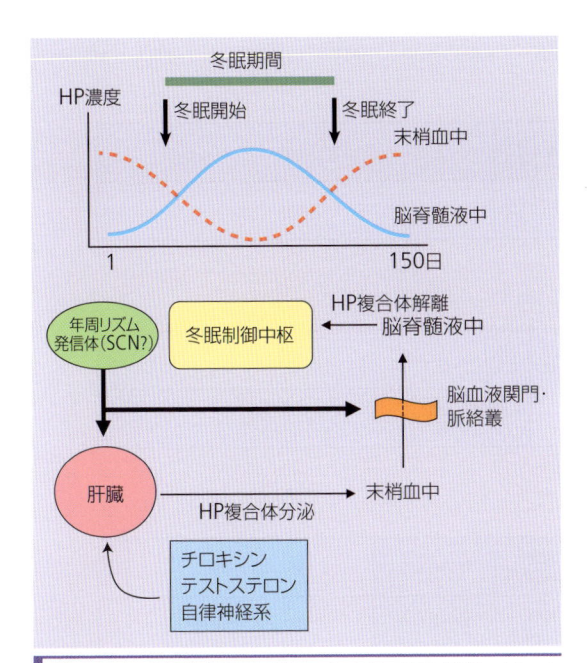

図 14-26　冬眠特異タンパク HP による冬眠の制御　中枢の年周リズムの発信体（おそらく視交叉上核〈SCN〉にある）からのリズムの支配を受けて肝臓から HP 複合体が合成され分泌される。活動期にはこれらの複合体は血液脳関門の通過は制御されているが，冬眠開始が近くにつれて脳への移行が可能となる。脳脊髄液中では HP 複合体は解離しているため，単独での作用が可能となる。冬眠終了時には脳脊髄液中の HP は減少する。

に冬眠シマリスの血中から同定されたもので，肝臓で合成され3種のファミリータンパク（HP20，HP25，HP27）とこれらに結合している HP55 の複合体である（図 14-26）。HP55 はプロテアーゼ阻害因子の仲間であるが，HP 複合体であるため作用は発揮できない可能性が高い（Kondo & Kondo, 1992）。シマリスの活動期には HP レベルは高く維持されているが，冬眠前から低下し始め，冬眠中には5%程度まで低下する。周期的覚醒時に上昇することはなく，冬眠終了時に増加してくる。この HP は年周リズムを示し，冬眠を起こさせない環境下でも年周変動リズムは認められる。近年，シマリスの冬眠研究においてこの HP は脳脊髄液中でも変動しており，そのリズムは血中でのリズムと位相が逆であることが判明している（Kondo et al, 2006）。冬眠中は血中レベルが低下するのに対し，脳脊髄液中では増加し，冬眠中にピークを示す。さらに興味深いことに，血中では HP は複合体を形成しているのに対し，脳脊髄液中では解離しているらしく，そのためタンパクは機能を発揮できるようになると推測される。すなわち血中の HP が脳へ移行し，解離することで冬眠を誘導あるいは維持しているのかもしれない。しかし，血中 HP の変動と脳脊髄液中の変動が逆であることは，脳への通過が制御され冬眠時期にのみ通過できるようにしている可能性が高い。また，HP が冬眠に関与していることを裏づけるものとして，冬眠シマリスに HP の抗体を脳室内投与すると冬眠期間が短縮することが挙げられる。さらに，冒頭に記したチロキシンやテストステロンも HP の濃度に影響を及ぼすことが判明している。

14.5.6　行動の季節変動の多様性

　同じ分類群の動物でも季節適応行動の発現には種間差や雌雄差が観察されている。アラスカマーモット（*Marmota broweri*）（図 14-27A）は8ヶ月近くに及ぶ冬眠期間を含め一年中家族群で生活しており，ペアとなる雌雄の間で冬眠への導入と冬眠からの覚醒のタイミングが同調的である（Lee et al, 2009, 2016）。これに対して，単独で冬眠に入るホッキョクジリス（*Urocitellus parryii*）（図 14-27B）では，冬眠に入るタイミングと冬眠期間に雌雄差がみられる。雌のホッキョクジリスは離乳後の比較的短い期間に脂肪を蓄積し，その後すぐに地下巣で冬眠に入る。これに対し，雄は遅れて脂肪を蓄積し始め，さらに食料を貯食してから冬眠に入る。これに加え，雌よりも早く覚醒するため，雄のほうが雌よりも冬眠期間が短い。交尾後に雌雄のつがい関係が一度解消されるホッキョクジリスでは，雄は春になると未交尾の雌を巡って競争しなくてはならない。そこで，雌が冬眠から覚醒後に地上部に出てくるのを待ち構えるために，雌より早く目覚める必要がある。このとき，地上部にはまだ積雪が残っており，寒冷下で活動できるほど十分な餌を得にくいため，より暖かい地下巣で食べるための餌をあらかじめ貯食しておくようになったと考えられている（Williams et al, 2011, 2012; Sheriff et al, 2013）。カオジロガン（*Branta leucopsis*）（図 14-27C）とホオジロガモ（*Bucephala clangula*）（図 14-27D）はいずれも長距離のわたりを行う水鳥である。カオジロガンは一夫一妻であり，雄と雌が共同で仔の世話をするが，ホオジロガモは母親のみが仔の世話をする（Poysa et al, 1997; Jonker et al, 2011）。その結果，カオジロガンでは越冬場所へのわたりのときまで家族群で移動するなど，雌雄が季節適応行動を示すタイミングが同調する（Owen & Black, 1989; Black, 2001）。一方で，ホオジロガモでは，脂肪蓄積や秋のわたりの前に起こる換羽のための中継地への移動のタイミングが雌雄で異なる（Jehl, 1990; Eadie et al, 1995）。このように，同居期間が長く共同で仔の世話をするなど，雌雄の結びつきが強い種では，雌雄の季節適応行動の発現が同調しやすく，繁殖における投資に雌雄差がある種では，雌雄の季節適応行動の発現のタイミングがずれやすいようである。以上のことから，ある動物集団の季節適応行動の制御には，その動物集団の社会行動に関連して，季節的なタイミングが調整されるプロセスが関わっており，特に，集団内での雌雄の繁殖をめぐる戦略はこの調整に大きな影響を及ぼすと考えられる。

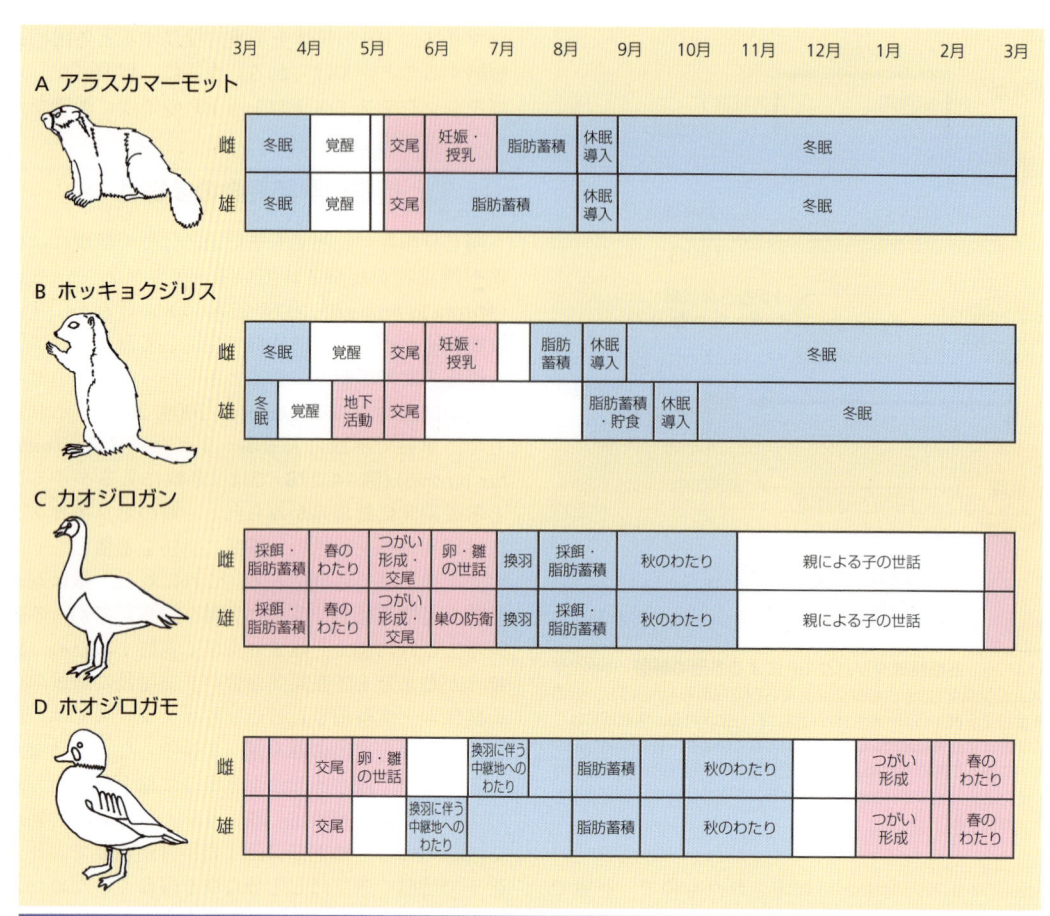

図 14-27　環境の季節変動に対する動物の応答の種間差と雌雄差　アラスカマーモット(A)とホッキョクジリス(B)およびカオジロガン(C)とホオジロガモ(D)はそれぞれ比較的近縁なげっ歯類および鳥類であり、1年を通した環境の季節変動に対してよく似た季節適応行動を示す。ただし、雌雄の社会関係は種間で大きく異なっており、ペアとなる雌雄の結びつきが強く、雌雄の同居期間が長いアラスカマーモットや、親による子の世話を雌雄で共調して行うカオジロガンでは、季節適応行動を発現するタイミングが雌雄で同調的になる。（Williams et al, 2022 をもとに作成）

　近年、多様な動物群で、動物が季節を感じる仕組みの共通点と多様性が明らかになってきた。これに加えて、実際に観察される行動の季節的パターンにはさらに複雑な多様性がみられる。したがって、現時点では、ある動物集団の季節適応行動は特定の生理学的な仕組みによって制御されているが、実際にその行動がいつ発現するのかは、局所的な環境要因への適応のための他の生理学的機構によって調整されていると考えるのがリーズナブルであろう。動物が示す行動の季節変動がどのように制御されているのかを調べることは生物の多様性を探る面白さに溢れている。「ティンバーゲンの4つのなぜ」に立ち返り、動物生理学、動物行動学、動物生態学の視点から、ある行動を引き起こす生理学的な仕組みを調べるとともに、その行動が発現する際の生態学的背景を観察することで、多様な行動の季節変動についての理解が進むであろう。

15 ホルモンと睡眠

15.1 行動としての睡眠

　睡眠を行動学の視点から説くには，まず"睡眠"の存在意義について考えなければならない。存在意義と書くと，堅苦しくて少し文学的でもあるが，要は"我々はなぜ眠るのか？"という当たり前の疑問に向き合うことが必要になる。一生のうち約3分の1を，ヒトは眠りに費やしている。"無駄な時間なのでは？"と感ずることも多々あるが，睡眠不足が続いては日中のパフォーマンスに冴えがみられないのも，我々は経験的に知っている。一体，睡眠は何のためにあり，どんな機能を持っているのか？　本来，行動という面から観れば睡眠中は身体の動きがないため，行動の一種としては扱われないと思われがちである。しかし逆に，睡眠中は行動が積極的に抑制されていると考えることもできる。行動を静止して，身体全体の活動を最小限にとどめる技として獲得した行動様式が睡眠といえる。仮死(植物)状態とは性質がまったく異なるといえよう。

　睡眠とは，命あるものが恒常性を保つためにとる(または，とらざるを得ない)最も基本的な高次行動とみなされる。したがって，睡眠はヒトだけにではなく，広く動物界に普遍的に存在する現象である。だがここで注意すべきは，"眠っている"という行動は何を基準にそう判断するかである。無脊椎動物のゴキブリや，変温性の下等脊椎動物であるワニなどがじっと動かずにしていると主観的には眠っているようにも見えるのだが，それを睡眠と呼べるのか。実は，これらは行動睡眠(behavioral sleep)と定義されるもので，便宜的に睡眠様状態(sleep-like state)または休息状態(resting state)として区別したものである。本来は，脳波(electroencephalogram：EEG)を計測しなければ睡眠が定義できない。睡眠は，脳の高次中枢神経系に支配される行動である。それゆえ，脳が充分に発達した動物群では意識レベルを反映した脳波がみられ，ヒトと同じ基準で睡眠と覚醒が判別できるのは，いわゆる恒温動物である鳥類と哺乳類に限られる。しかしながら，現在の科学の発展で遺伝子情報が明らかになるなか，ショウジョウバエやゼブラフィッシュ，はたまた線虫にまでも睡眠(sleep)という言葉をあてはめた論議があるが，厳密には睡眠ではないことを言及しておく。

15.2 レム睡眠とノンレム睡眠

　レムとは急速眼球運動(rapid eye movement：REM)を意味し，このレムが睡眠中に出現する状態を，そうでないとき(ノンレム睡眠〈non-REM sleep〉)と区別してレム睡眠(REM sleep)と名づけた。レム睡眠とノンレム睡眠の2種類の睡眠がはっきり区別されたのは，1953年のREM発見後(Aserinsky & Kleitman, 1953)のことではあるが，REM以外にもこの2つの睡眠型には特徴的な違いがある。例えば，REMよりも先に観察されていたことに，外見上はよく眠っているように見えるのに，脳波上には覚醒時に近い周波数の早い脳波像が記録されること。そのため，レム睡眠は動物実験などでは逆説睡眠(paradoxical sleep：PS)と呼ばれることも多い。また，レム睡眠の出現にはヒトの場合約90分間隔の周期性がある(図15-1)。その際，被

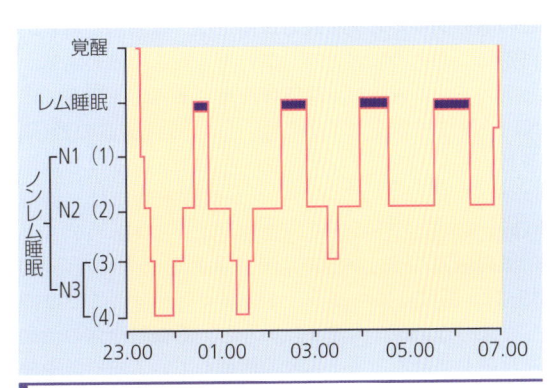

図 15-1　健常成人の睡眠周期例

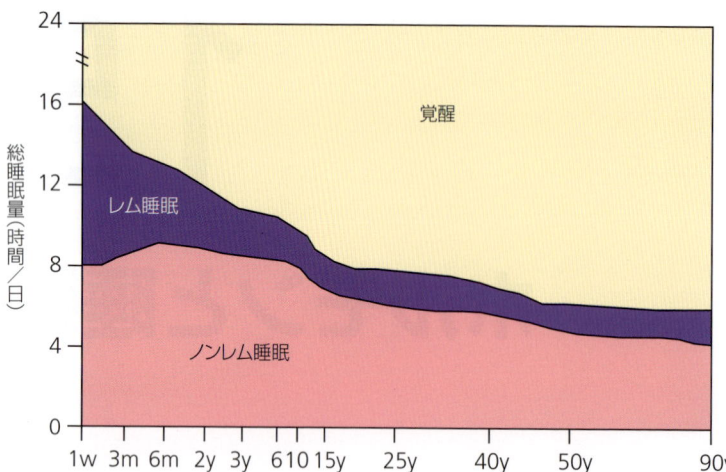

図15-2 加齢に伴う睡眠量の変化 (Roffwarg et al, 1966)

験者を覚醒させると，夢を見ていることがノンレム睡眠時よりも多いことも観察されていた。ヒトの場合，明け方の眠りはレム睡眠が優勢である。したがって朝起きたとき，夢の記憶が比較的はっきりしているのはそのためでもある。また男性の場合，朝の覚醒時に陰茎の勃起がみられるのは，レム睡眠に連動した神経反射が不随意の刺激を送ることから引き起こされる現象だからである。しかし同時に，レム睡眠時には筋弛緩（muscle atonia）が付随する。すなわち，骨格筋の緊張がなくなった状態で全身がぐったりし，姿勢は保てない。このような特徴から，レム睡眠は身体の眠りであって，脳は反って活発だと考えられる。また脳の発達に関係してか，新生児にはレム睡眠の割合が高いのも特徴である（図15-2）。

一方，ノンレム睡眠は脳の眠りと考えることができる。図15-2 に示すように，ヒトは出生後，成人に達するまでノンレム睡眠の比率が拡充する（Roffwarg et al, 1966）。これは次第に増大する言語や視界からの情報処理能力をサポートするため，脳を休める時間が必要になってくるからである。後に述べるが，実際，成長や代謝に関係するホルモンにはその動態がノンレム睡眠と連動しているものが多い。大脳が発達した動物種にノンレム睡眠の割合が多いことからも示唆される。この脳の眠りと考えられる理由には，客観的な解釈のほかに，当然，脳波像から裏打ちされる根拠がある。ヒトのノンレム睡眠は睡眠の深度によって，現在ではN1～N3までに分けられるが，これらは脳波の形（周波数の違い）によって分別される。深くなるほど数字は増し，最も深い段階のノンレム睡眠時には，徐波（slow wave）と呼ばれる周波数が 0.5～4 Hz のデルタ帯域の脳波（δ 波）が 50％以上を占めるようになる（図15-3）。脳波自体がどうして発現するかはここでは詳しく述べないが，大まかにいうと，脳細胞全体の活動を反映していると考えられ，活動している細胞数や発火頻度が多いほど脳波像全体は脱同期し（desynchro-nization），活動している細胞が少なければ脳波は同期（synchronization）しやすい。したがって，覚醒時の脳波は β 波優位の脱同調型を示すが，覚醒レベルが下がり（α 波の出現）睡眠がさらに深まると，脳波の周波数も下がって同調波（θ，δ 波優位）をみせるようになる（図15-3）。したがって，深いノンレム睡眠時には脳細胞は比較的休んでいることになるわけで，脳血流も減少し，まさに省エネタイプの行動パターンといえるのである。

15.3 眠る脳と眠らせる脳

15.3.1 睡眠の神経機構

眠りを引き起こす場所はどこにあるのか？ 活動を停止する部位はどこなのか？ 実は，どちらも脳である。睡眠は，脳が脳を眠らせている状態なので，実際，睡眠中は1つの脳の中に"眠る脳"と"眠らせる脳"が同時に存在することになる。そうすると次なる疑問は，どこが"眠る脳"でどこが"眠らせる脳"であるかだが，それらの場所はノンレム睡眠とレム睡眠では微妙に仕組みが異なっている。

脳のおおまかな構造を思い出してみよう（図15-4）。脊椎動物であれば下等でも高等でも脊髄（spinal cord）の先頭に脳幹（brainstem）が存在する。その上位に前脳（間脳と終脳）が位置するが，動物種が進化するほど，下位脳を覆うように終脳である大脳皮質が発達している。この大脳皮質も上位と下位に分かれ，より原始的な大脳辺縁系（limbic system）（扁桃核や海馬を含む）は本能や感情など"心"の働きを受け持ち，より上位の新皮質（neocortex）は知能中枢として言語などの知識情報を扱う。覚醒時，我々はあらゆる情報に取り巻かれている。したがって，大脳皮質で裁かれる情報量は膨大で，この部分のニューロンはエネルギー消費もきわめて高く，連続運転をするとオーバーヒートし

15.3 眠る脳と眠らせる脳   225

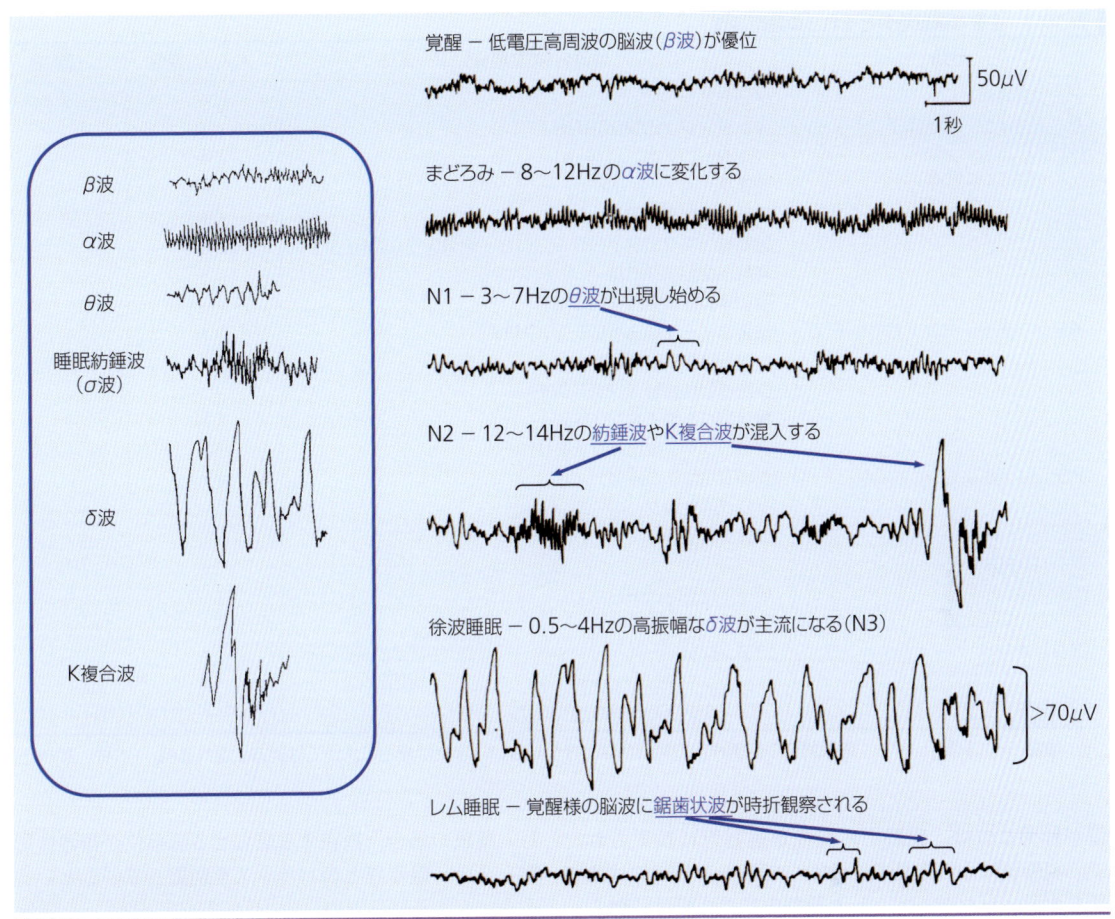

図 15-3　脳波の主要な成分および睡眠レベルによる脳波の変化　覚醒レベルが下がる，すなわち睡眠が深くなるにつれて，低周波の脳波に変化し電圧は高くなる。

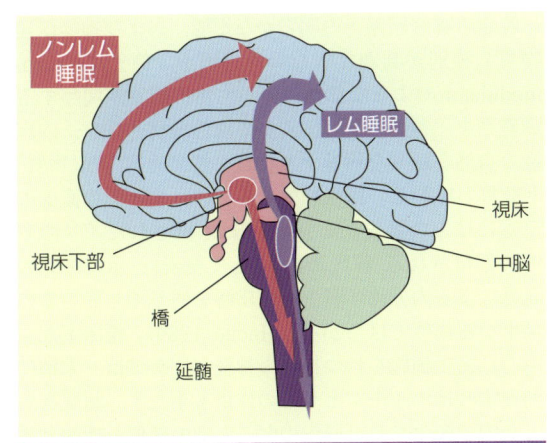

図 15-4　ノンレム・レム睡眠に重要な脳の構造（模式図）　ノンレム睡眠の調節に関わる部位は視床下部を含む前脳基底部周辺の上位脳に位置する。一方レム睡眠は中脳・橋を中心に比較的下位背側部で制御される。

かねない。したがって，この大脳皮質を休ませる（あるいは眠らせる）手段が必要なのだが，ノンレム睡眠がその役割を担い，その中枢の"眠らせる脳"は主には間脳の一部，視索前野や視床下部などを含む前脳基底部（basal forebrain）にあると考えられている（Saper et al, 2005）。そしてこの場合，大脳が"眠る脳"である。ノンレム睡眠の発現は，Economo（1930）による嗜眠性脳炎の病変部位の発見（視床下部前部の病変で不眠）や離断脳ネコによる実験結果（脳幹とを切り離したネコでは徐波が続く）などから，これまでわりと消極的に前脳基底部の関与が示唆されてきた。しかし近年では，徐波睡眠中に活動の高まるニューロンが視索前野に確認され，それらがGABAなど抑制性の物質を放出することによって，ヒスタミンニューロンやオレキシンニューロンなどの覚醒系を抑制してノンレム睡眠が引き起こされるという経路が明らかになっている（Scammell et al, 2017）。

　それでは，レム睡眠の場合はどうなっているのだろう。眠る場所はやはり大脳ではないのだろうか。先に，レム睡眠時に夢が多く出現することを述べた。夢の記

表 15-1 主要な睡眠物質とそれらの睡眠活性

分類	物質名(英文略称)	ノンレム睡眠	レム睡眠
アミン誘導体	メラトニン	+	+
サイトカイン・増殖因子	インターフェロンα(INFα)	+	+/−
	インターロイキン-1(IL-1)	+	−
	腫瘍壊死因子-α(TNF-α)	+	−
	線維芽細胞増殖因子(aFGF)	+	−
	顆粒球・マクロファージーコロニー刺激因子(GM-CSF)	+	+
	神経成長因子(NGF)	+	+
	脳由来神経栄養因子(BDNF)	+	+
神経ペプチド・ペプチドホルモン	成長ホルモン放出ホルモン(GHRH)	+	+
	ソマトスタチン(SST)	−	+
	血管作動性腸管ペプチド(VIP)	+/−	+
	酸化型グルタチオン(GSSG)	+	+
	プロラクチン放出ペプチド(PrRP)	+	+
ステロイドホルモン	グルココルチコイド	+/−	−
	プレグネノロン	+	+/−
	プロゲステロン	+	+/−
タンパク質ホルモン	インスリン	+	+/−
	成長ホルモン(GH)	+/−	+
	プロラクチン(PRL)	+/−	+
ヌクレオシド	アデノシン	+	+
	ウリジン	+	+
プロスタグランジン類	プロスタグランジンD_2(PGD$_2$)	+	+

＋：増加，－：抑制，＋/－：睡眠誘発・阻害作用の特性がはっきりしない，または場合によっては両方に現れる例．(木村，2004)

憶が鮮明なのは，睡眠中に映像が視覚野に投影されて，実際脳はそれを見ているからで，さらに時には会話もする．したがって，レム睡眠中には大脳は活動しており，脳波的に覚醒に近い状態であることも理解できる．数ある神経伝達物質のうち，覚醒とレム睡眠の両方に関係するのは，アセチルコリンである．実際，アゴニストであるカルバコールを脳幹に直接投与するとレム睡眠が現れる．現在様々な研究が進んでおり，レム睡眠の実行系は脳幹にあるといって間違いないが，コリン作動性ニューロンだけでなくモノアミン系やグルタミン酸系，さらにはGABAの抑制系も加わって，レム睡眠の発現にはそれらのバランスが重要な決め手となる(flip-flop説)．脳幹部には中脳の青斑核を含み，レム睡眠時に活動を高める，または中止するREM-on，REM-off(同様にPS-on：PS-off)ニューロン群が散在し，前者はコリン作動性やグルタミン酸作動性，後者はノルアドレナリン作動性やGABA作動性で構成される．これらのニューロンに覚醒やノンレム睡眠の長い負荷がかかると，興奮性や抑制性の信号が流れてレム睡眠がはさみ込まれることになる(Scammell et al, 2017)．ごく最近の研究では，さらに下位の延髄に局在するGABA作動性ニューロンにレム睡眠の強固な実行系が発見される一方で(Weber et al, 2015)，神経ペプチドでもあるニューロテンシンを産生する脳幹のニューロン(神経細胞)群がレム睡眠の抑制に関わることが示された(Kashiwagi et al, 2020)．

レム睡眠の場合，散在する眠らせる脳部位が複雑に影響し合い，眠る脳とのバランスを制御しているといえよう．

15.3.2 睡眠の液性機構—睡眠物質による調節

特定の神経回路への明らかな影響，および神経伝達物質の種別が判別できない作用因子，例えばneuromodulatorのような部類に入る生体内物質が関与する調整系を，神経系とは区別して液性機構と呼び，内因性で自然な眠りを促進する物質を便宜的に"睡眠物質"と総称している．睡眠物質そのもの，またその概念の発端には古い歴史があり(当初は断眠されたイヌの脳内に蓄積される"睡眠毒素"として発表)，ホルモンの発見による内分泌学誕生とほぼ時を同じくしているのは単なる偶然ではなかろう(Inoué, 1989)．視床下部を中心に産生細胞を持つ様々な神経ペプチドは，末梢に到達すればホルモンとしての作用も果たす．睡眠物質は脳内で産生され，脳内のどこか別の部位を標的とするホルモン様物質と考えられた．現在では，脳細胞自身から産生されなくても，睡眠に直接または間接的に影響を及ぼす中枢神経性作用のある物質はこの部類に属する．成長ホルモンやプロラクチンなどのペプチドホルモン，性ホルモンやコルチコイドなどのステロイドホルモンも睡眠の液性因子である．

表15-1に主要な睡眠物質を示す(木村，2004)．ほ

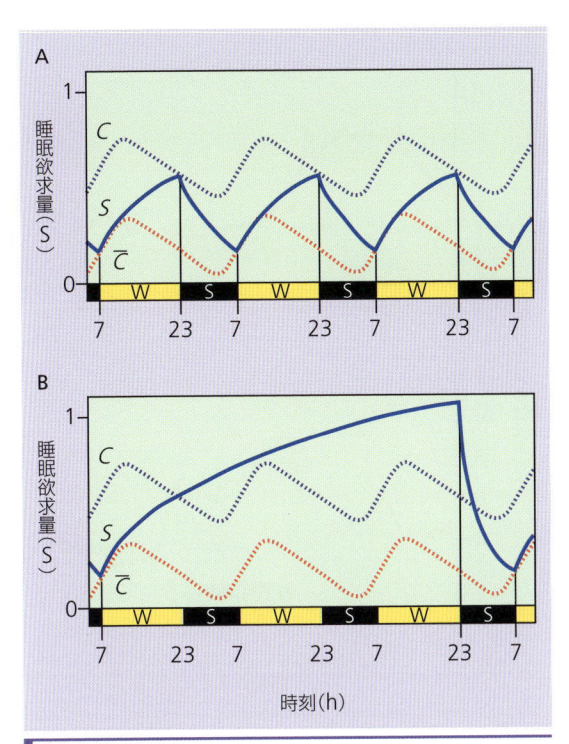

図 15-5　睡眠-覚醒リズムの2プロセスモデル　A：規則的に毎晩8時間寝ている場合。B：徹夜をした場合。破線はプロセスCおよびC̄を，実線はプロセスSを示す。Sは覚醒時間の長さに依存して増加する眠りやすさを表す。そのため，入眠のタイミングを引き起こす睡眠物質の蓄積に置き換えて解釈することもできる。(Borbély, 1982)

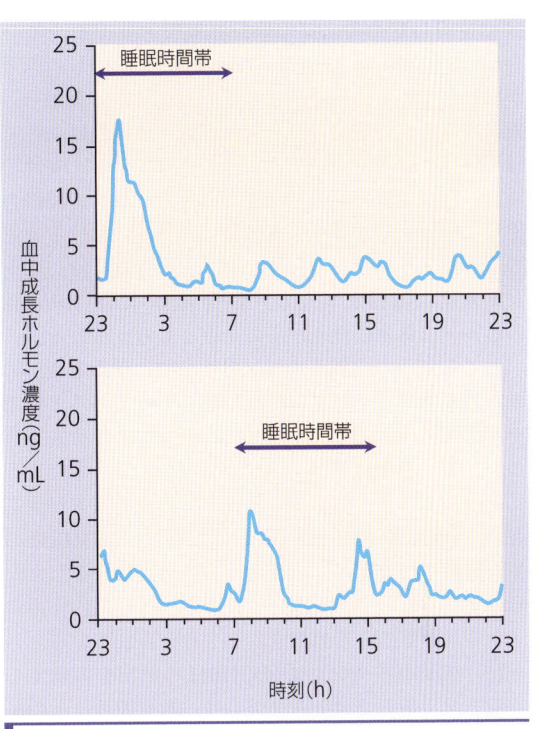

図 15-6　成長ホルモンと睡眠相との関係　成長ホルモンの分泌は夜間の深睡眠に同調して起こることが観察されており，その現象は睡眠相をずらしても同様にみられるが，血中濃度は夜間睡眠時ほど上昇しない。(Brandenberger, 1997)

とんどが内分泌系にも影響を及ぼす物質であることがわかる。これらの物質はそれぞれ特徴的な睡眠修飾作用を示すのだが，特筆すべきことは，レム睡眠だけを増加させる物質というのは極端に限定される。しかしこの見解には問題があり，睡眠物質の検定は多くの場合が従来脳室内投与で行われたため，レム睡眠中枢のある脳幹部へは到達しにくい。現在では，ウィルスベクターなどを用いた脳部位特異的な遺伝子操作が可能となったため，今後はレム睡眠制御に限定される物質が数々報告されるのではと期待される。

検定法に問題はあるにせよ，そもそも脳内由来の睡眠物質とは，覚醒が長く続くと脳内にたまってくるもので，その量がある程度に達すると眠りが誘発され，そのたまった物質が使われた結果，次の覚醒が導かれる，といった概念に基づく。睡眠物質の蓄積と消費は，いわば睡眠欲求の増減とも解釈することもできよう（2プロセスモデル）（図15-5）。しかし，この2プロセスモデル（Borbély, 1982）で説明される睡眠の恒常性制御機構はレム睡眠の周期性には当てはまらないことから，やはり内因性の液性調節因子は主にノンレム睡眠に関与すると考えられ，レム睡眠に特異な作用を持つ物質の作用機序をモデルで説明するのは難しい。一方，近年の順遺伝学アプローチにより，睡眠欲求が常に高い *Sleepy* マウス（*Sik3* 遺伝子変異）やレム睡眠が極端に少ない *Dreamless* マウス（*Nalcn* 遺伝子変異）が見つかっている（Funato et al, 2016）。これらの動物モデルで研究することによって，睡眠の恒常性については今後より理解が進むと予測される。

15.4　睡眠と同調する下垂体ホルモン

15.4.1　成長ホルモン

"寝る子は育つ"ということわざは真実か否か。この疑問は，高橋らが1968年に報告した研究により事実であることが証明された（Takahashi et al, 1968）。周期的な成長ホルモン（growth hormone：GH）の分泌はヒトでは夜間睡眠中に起こり，しかもノンレム睡眠の徐波睡眠に同調し，最大のピークは寝入りばなの第一周期の深睡眠時（N3）に特徴的に現れる（図15-6）。逆に，夜更かしや徹夜などで睡眠相をシフトさせ，満足な深睡眠が確保されなくなってしまうと，成長ホルモンの分泌量は全体に低下し，メリハリのない分泌パターンとなる（Brandenberger et al, 1997）。夜間睡眠を分断化させても，ピーク値は後退する。成長ホルモンの血中濃度は加齢とともに減少するため，高齢者で中途覚醒や早期覚醒などが起こり早起きになりやすいのは，成

長ホルモンやその上位の成長ホルモン放出ホルモン（growth hormone releasing hormone：GHRH）の低下が関係しているとも考えられている。しかしながら，成長ホルモンの分泌パターンと睡眠の相関性は女性では男性ほど顕著でないことが報告されている。女性の場合，成長ホルモンの分泌周期は夜間ノンレム睡眠の出現に相同するがピーク値は低く，男性における分泌のようなメリハリはみられない。この背景には，ストレス反応に関係する視床下部-下垂体-副腎（HPA）軸のホルモン体系に性差があるためとも考えられる。

　ところがこの成長ホルモンを外来的に与えると，ヒトでも動物でもノンレム睡眠に対してはほとんど作用を示さず，レム睡眠を特異的に増加させる効果を持つ。一方，GHRHをラットには脳室内投与，またヒトには静注すると，ノンレム睡眠とレム睡眠両方が促進される（Obál & Krueger, 2004）。実際には，GHRHのレム睡眠への作用は，成長ホルモン分泌誘発をしたために起こるもので，GHRH本来の中枢神経系内作用はノンレム睡眠のみを修飾するとも考えられている。さらに，成長ホルモンおよびGHRHの放出を抑制するホルモンであるソマトスタチンは，数日間ラットの脳室内に注入するとレム睡眠だけを増加させるが，ヒトではレム睡眠にはほとんど影響を及ぼさず，ノンレム睡眠の劣化をもたらす。このような統一しない結果の背景には，動物種のほかに投与量や投与経路の違いによる負のフィードバックの影響差が考えられる。

15.4.2 プロラクチン

　成長ホルモンと同じく下垂体前葉ホルモンであるプロラクチン（prolactin）も，その分泌パターンが睡眠相に同期することが報告されている（Sassin et al, 1972）。ただし，これらのヒト実験で成長ホルモンと異なるのは，夜間睡眠が進むにつれてプロラクチンの血中濃度は上昇する点にある。深睡眠（N3）の出現とはっきりした相関を持つ成長ホルモンに対し，プロラクチン濃度は夜間睡眠の後半の方が高い（図15-7）。したがって，プロラクチンはむしろレム睡眠の出現と相関があるようにもみてとれる。しかし，断眠させた場合のその後の分泌パターンにはノンレム睡眠との相関がみられ（図15-7），プロラクチンも成長ホルモン同様，睡眠のホメオスタシスに準じたホルモンであるといえる。また，プロラクチン腺腫の患者には徐波睡眠のみの増加が観察されている。

　このように状況証拠はそろっているにもかかわらず，いまだプロラクチンのノンレム睡眠・レム睡眠における直接作用の見解ははっきりしないままである。脳内への直接投与を行ったラットの実験では，レム睡眠だけが増加する（Roky et al, 1995）。だが，近年発見されたプロラクチンの唯一の上位ホルモンであるプロラクチン放出ペプチド（PrRP）には，ノンレム・レム睡

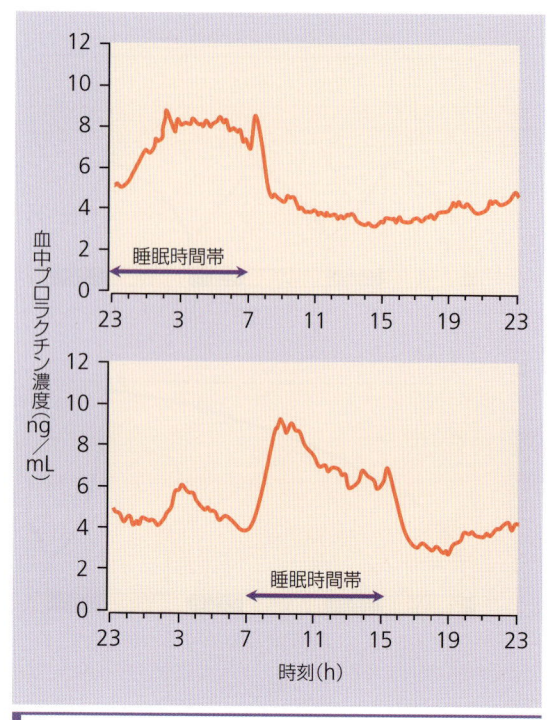

図 15-7　プロラクチン分泌と睡眠相　プロラクチンも成長ホルモンと同様に，睡眠時間帯に同期した分泌パターンを示す。（Brandenberger, 1998）

眠の両方に誘発効果が認められたものの，その活性はわずかであった。さらには，プロラクチン濃度の変動が激しくなる性周期下では，睡眠量と血中プロラクチン量との一次相関はみられず，ドーパミンアゴニストでプロラクチン分泌を抑制しても，睡眠パターンには変化は起こらない。ヒト実験ではプロラクチンのノンレム睡眠への影響が示唆されてはいるが，動物実験の結果には明らかな証拠が報告されていないため，特にノンレム睡眠に対するプロラクチンの作用については明言を避けねばならない。

　一方，レム睡眠への関与については興味深い知見がある。プロラクチンの分泌は意外にもストレス下で誘発される。ストレスは睡眠を妨げるように思われがちだが，ストレスの種類や持続期間によっては，レム睡眠が増強される場合がある。これが血中プロラクチンの上昇と相関しており，ストレス下での睡眠変動にプロラクチンが一役担うことが示唆されている（Meerlo et al, 2001）。

15.4.3 副腎皮質刺激ホルモン

　ストレスと睡眠といえば，ストレスホルモンの中核である副腎皮質刺激ホルモン（adrenocorticotropic hormone：ACTH）の関与が考えられるが，睡眠に対するそれほど重要な作用はACTHには発見されていない。しかし，同じくプロオピオメラノコルチン（副腎皮質

刺激ホルモン-β-リポトロピン前駆体)(POMC)を前駆体として産生され，ACTHの後半部でもあるCLIP (corticotropin-like intermediate lobe peptide : $ACTH_{18-39}$)は，脳室内投与後選択的にレム睡眠を増加させる作用があると報告されており，ストレスとレム睡眠の関係がたいへん興味深いところである(Chastrette & Cespuglio, 1985)。その他のHPA軸のホルモンについては，15.5「ストレス(HPA軸)と睡眠」で説明したい。

15.4.4 甲状腺刺激ホルモン

甲状腺刺激ホルモン(thyroid-stimulating hormone : TSH)は成長ホルモンやプロラクチンと同様，代謝に関わるホルモンであり，そのパルス状の分泌パターンは先の2つと一見類似する。ヒトの場合，血中濃度は睡眠中に増加し，日中の活動期に最低値を示すところは同様である。しかしながら，睡眠相がずれた場合，TSHの分泌はその睡眠相に追従せず，夜間に相変わらず血中値のピークを迎える(図15-8)。この現象は，TSHの分泌パターンが概日リズムに則っていることを深く証拠づけているが，TSHの分泌パターンはノンレム睡眠中の徐波活動と反比例の関係があることも示唆されている(Brandenberger et al, 1997)。夜間睡眠中に増えるTSHは，次の覚醒のタイミングを決定するのに一役買っているとも解釈できる。

15.4.5 性腺刺激ホルモン（黄体形成ホルモン）

性腺の発達に欠かせない性腺刺激ホルモン（ゴナドトロピン）の分泌は，第二次性徴の始まる思春期に増加する。興味深いことに，性腺刺激ホルモンの一種である黄体形成ホルモン(luteinizing hormone : LH)は，その特徴的なパルス状分泌を思春期に限り夜間睡眠時のみに示す(図15-9)(Boyar et al, 1973)。この事実は，成長途上にある青少年期に夜間睡眠の重要性を訴えるものではなかろうか。この時期睡眠不足に陥ると，成長ホルモンだけでなく性ホルモンまでもが充分に分泌されず，身体の成長および性的成熟が妨げられると危惧される。

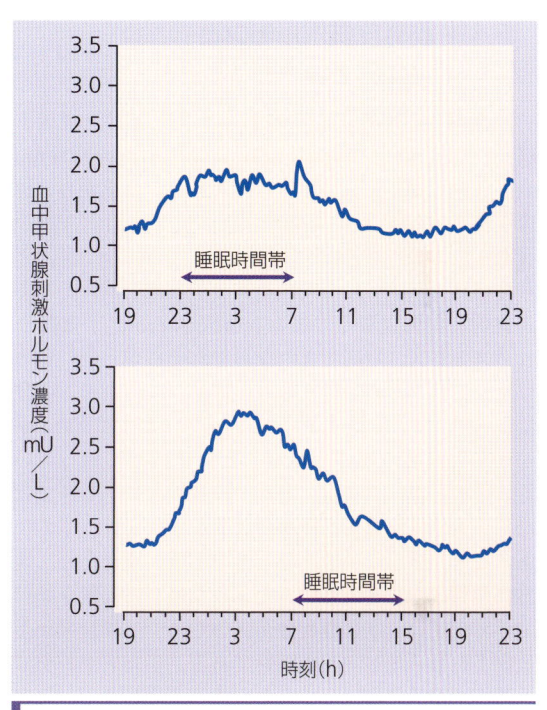

図15-8 甲状腺刺激ホルモン(TSH)と睡眠相 TSHの血中濃度も夜間睡眠中に高まるが，睡眠相をずらした場合ではその上昇は同期しない。したがって，TSHの分泌は睡眠よりも概日リズムの影響を強く受けると考えられる。(Brandenberger, 1998)

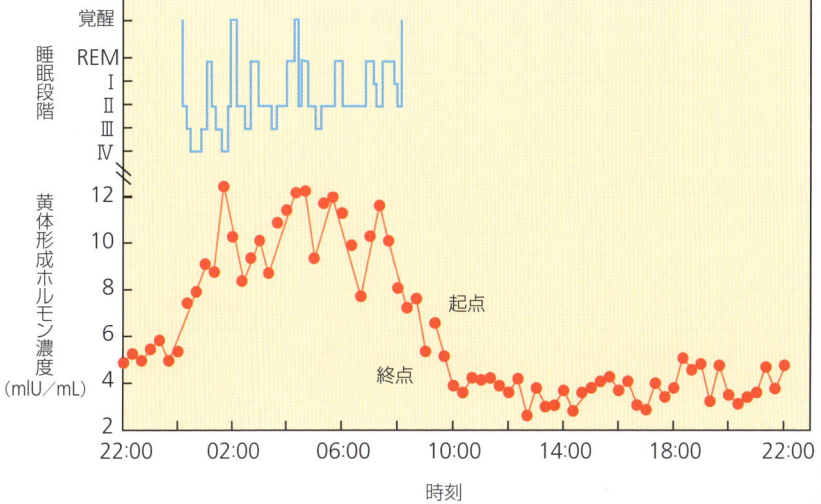

図15-9 思春期に特有な性腺刺激ホルモンの夜間分泌パターン 第二次性徴の開始は，LHのパルス状分泌の振幅が大きくなることで起こる。この特徴的な分泌パターンは，思春期の間は睡眠中に限定されるが，性腺が発達すると日中・夜間とも同じようにみられる。(Boyar et al, 1973)

15.5 ストレス（HPA軸）と睡眠

　ストレス刺激を体感すると，感覚神経によりその情報が脳に伝わり，大脳皮質の前頭葉や情動を司る辺縁系の海馬や扁桃体といった部位により，その刺激の快・不快が判断される。ストレス反応に関する詳細は16章「ストレス応答と行動」を参考にしていただき，ここではストレス系に介在するそれぞれのホルモンに睡眠を変動させる作用があることを紹介したい。

15.5.1　副腎皮質ホルモンとノルアドレナリン

　ストレスに対処するため働くホルモンは，視床下部-下垂体-副腎（hypothalamic-pituitary-adrenal axis：HPA）軸を主軸に順次分泌される。上位から，視床下部の室傍核よりコルチコトロピン放出ホルモン（CRH）（コルチコトロピン放出因子〈CRF〉），次に下垂体前葉より副腎皮質刺激ホルモン（ACTH），そして最終的に副腎皮質ホルモン（corticosteroid）が遊離され，ストレスに対応できたならそれぞれが上位に負のフィードバックの信号を送り，ストレスホルモンの分泌は抑制され，反応も終了する。我々は，ストレスがかかると睡眠が妨げられることを日常的に知っている。このときのストレスとは，一過性のストレスではなく，長期にわたる心配事のような不安を伴うものであることが多い。一方，子どものときの遠足とか，翌日に結婚式を控えてといったような場合に入眠を妨げている因子は，主に興奮性が高いため交感神経系から放出されるノルアドレナリンである。ノルアドレナリン神経の賦活化によってもたらされる覚醒作用および緊張は比較的短時間しか持続せず，いい意味で刺激に対処するための覚醒レベルを上げる効果があると考えられる。

　深刻なのは，長期にわたる慢性ストレス下で陥る睡眠障害である。これまでの研究では，ストレス下で入眠困難や中途覚醒が起こる素因は，HPA軸最後のホルモンである副腎皮質ホルモンの過剰分泌にあると示唆する報告が多い（Dresler et al, 2014）。免疫抑制剤や抗炎症剤としても使用されるグルココルチコイド（ハイドロコルチゾンやデキサメタゾンなど）には睡眠パターンを劣化させる副作用も知られており，また，コルチコステロンが慢性的に上昇した値を示すストレス負荷をかけられた動物モデルでは，コントロール群と比べてノンレム睡眠・レム睡眠量に有意な差が生じる例もみられている（Dugovic et al, 1999）。副腎皮質ホルモンは概日リズム（サーカディアンリズム）に則った分泌パターンを示す。ヒトの場合，コルチゾールの血中濃度は日中に最低量を示し，夜間睡眠の後半から覚醒のタイミングに向けて上昇するため，睡眠相との相関では成長ホルモンとの反比例の関係がみられる（Steiger, 2002）。ところが，うつ病などの気分障害を患っている場合，この反比例の関係がくずれ，血中コルチゾール値は入眠時から比較的高く，ピーク時とのメリハリが弱くなる（図15-10）。似た現象は加齢の場合にもみられ，エイジングに伴う睡眠障害にも不均衡なHPA軸が関係すると考えられている。

15.5.2　コルチコトロピン放出ホルモンと睡眠障害

　ストレスに対処するHPA軸の最も上流に位置するホルモンがコルチコトロピン放出ホルモン（corticotropin-releasing hormone：CRH）（コルチコトロピン放出因子〈corticotropin-releasing factor：CRF〉）であり，神経伝達物質としての作用を持つ神経ペプチドでもある。下垂体からACTH分泌を刺激するCRHは視床下部の室傍核より放出されるが，それを促すのは大脳辺縁系からのCRHニューロンの信号による。ACTHにはっきりとした睡眠抑制の作用がみられないことは前述したが，ストレスによる睡眠障害には副腎皮質ホルモンよりも，この上位のホルモンが根本原因であることを示す報告も増している（Steiger, 2002；Dresler et al, 2014）。

　HPA軸はストレスに対応するホルモン群の調整に関わる一方，免疫活性や成長ホルモン分泌を促す軸（somatotropic axis）を抑制するためにも重要な役割を果たす。次項で説明する感染時の睡眠増加は，CRHの投与によって常態化することが可能であり，CRH自体にはラットへの脳室内投与で覚醒効果があることがすでに明らかにされている。ただしCRHの直接投与でみられる効果とは，実際CRHそのものの作用なのか，順次活性化されるHPA軸由来のホルモンの中枢作用であるかは不明である。CRH受容体に特異的なアンタゴニストを使用した動物実験では，一部覚醒の抑制などがみられ，自然睡眠の調節にもCRHが関与することを示唆した結果もみられるが（Chang & Opp, 2001），ヒトの実験系ではストレス負荷時またはうつ病患者などのようにHPA軸が活性化されている以外の状態ではアンタゴニストの効果がみられず，CRHの睡眠調節への関与はストレス下においてのみとの拮抗した見解もみられる。脳部位特異的にCRHの過剰産生が起こるトランスジェニックマウスを用いた近年の研究では，覚醒促進効果よりもレム睡眠増加にCRHの作用が強く見出された（Kimura et al, 2010）。これはうつ病患者にみられるレム睡眠が前倒しになって現れる傾向に類似しており，CRHと副腎皮質ホルモンは睡眠-覚醒リズムの周期に異なる影響をもたらすものと考えられる。

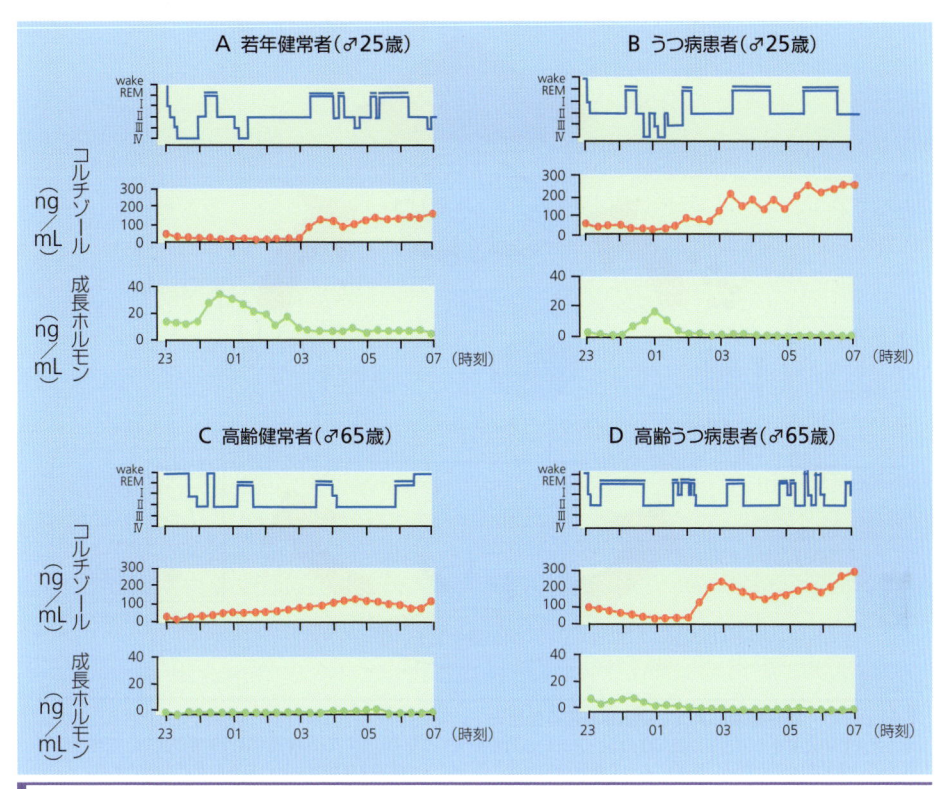

図 15-10　**加齢およびうつ病が及ぼす睡眠とホルモン分泌への影響**　コントロールの若年健常者（A）と比較すると，若年うつ病患者（B）では成長ホルモンの分泌が減り，逆にコルチゾールの分泌が増える．このとき特徴的な変化が睡眠パターンにも起こり，深睡眠減少などの睡眠障害が観察される．同じような傾向は高齢健常者（C）にもみられ，高齢うつ病患者（D）ではこれらのホルモン分泌と睡眠パターンの劣化はさらに有意な現象となる．（Steiger, 2002）

15.6　免疫反応と睡眠

15.6.1　感染時の眠気

　風邪をひくと眠くなる．医師でなくとも誰もが経験したことがあるだろう．薬を服用する／しないにかかわらず，眠気は発熱とともに上昇する．そして耐え切れずに眠った後は，不思議なことに熱は下がり，身体も楽になっていたりする．また，このときとった睡眠は，普段より深かったような気さえする．反対に，睡眠不足が続いたときには，疲労回復機能が劣り，病気になりやすいように思える．これらの現象は，睡眠が生体防御系と深く関わっていることを示す例の一部であり，脳と身体のホメオスタシスを保つ生体機能が睡眠にあると提唱されるきっかけにもなった．細菌やウイルス感染時に睡眠-覚醒パターンが変化するのは，病原体によって活性化されるあらゆる免疫・非免疫反応に関わるサイトカインやホルモンに睡眠調節作用が伴うからである（Krueger et al, 2003）．発熱しているときに身体を安静に保ち，血圧降下も促すノンレム睡眠は，動物の生存を支える意味でも理に適った行動パターンであることがわかる．
　免疫活性時のノンレム睡眠増加が確認されたのは，そもそも 1970〜80 年代に睡眠液性調節因子が世界でさかんに探求されていた際，当時免疫アジュバンドとして使用されていたムラミルペプチドを米国のグループが覚醒直後の動物サンプルから単離・同定したことが発端となっている．ここで発見されたムラミルペプチドはグラム陽性細菌の細胞壁を構成する物質であったため，その他の細菌種やウイルス由来の物質でも睡眠増加作用の有無が確かめられ，急性感染直後の眠気は免疫系の物質の作用に由来するという概念が浸透する根拠となった．感染によってノンレム睡眠が増える仕組みを図 15-11 に示す．

15.6.2　サイトカイン

　多くが白血球より産生される免疫活性物質（サイトカイン）に睡眠修飾を含む中枢作用があることが知られている．成長因子などを含めて称されるサイトカインにはホルモン様作用があるため，ホルモンの仲間としても受け入れられており，そのためサイトカインの作用も神経内分泌の一環としてここに言及することにした．
　種々のサイトカインは，大きく 2 つに分類することができる．増殖性の性質を持つものと，抑制性の性質を持つものがあり，インターロイキン（IL-1）や腫瘍壊

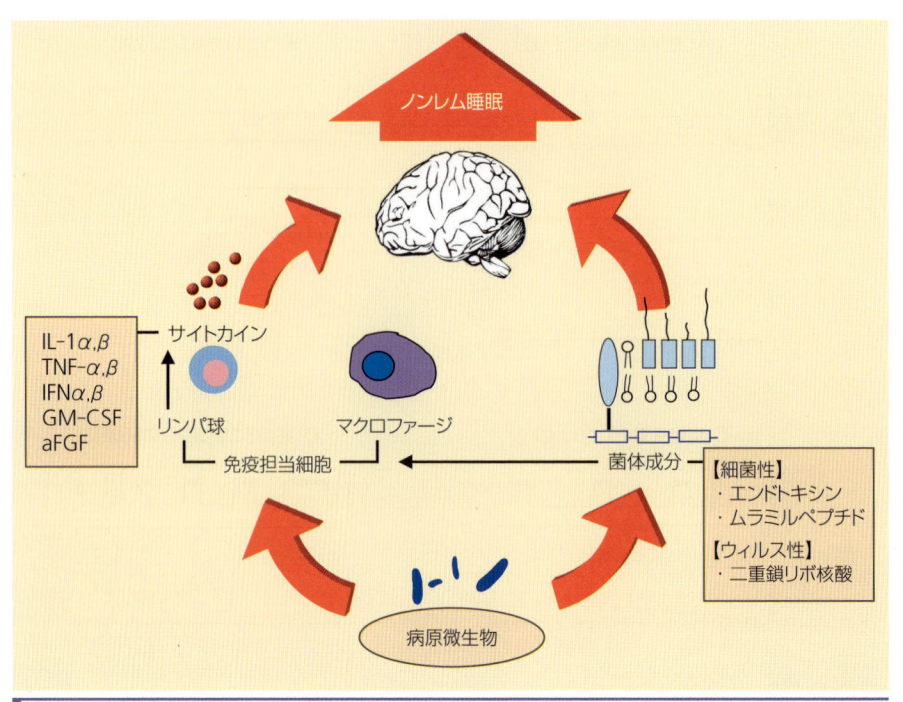

図 15-11 急性感染によって眠気が高まる仕組み　病原微生物の侵入によって免疫機能が活性化され，その結果，産生されたサイトカインが脳に作用し，ノンレム睡眠を増加させる。ノンレム睡眠中は行動量が抑制され体温低下などの効果もあることから，感染によって睡眠増加が起こるのは，一種の生体防御反応ともみなすことができる。

死因子（TNF-α）など炎症性サイトカインに代表される前者の多くに強いノンレム睡眠誘発作用があるのに対し，IL-4，IL-10やトランスフォーミング成長因子（TGFβ）などの後者には増えた睡眠量を減少させる効果がみられる（Krueger et al, 2001）。炎症性サイトカインの示す睡眠誘発作用の特徴は，体温上昇と同期して，高振幅徐波の脳波を伴う深いノンレム睡眠を起こすことである。これらの作用はウサギやラットへの脳室内投与で確かめられているが，用量依存的にレム睡眠が抑制されたり，高用量ではノンレム睡眠が逆に阻害されることもある。この現象は，ヒトに細菌毒を投与した際の反応にも類似しており，高用量でノンレム睡眠が抑制される際には，IL-6やコルチゾールの有意な増加が伴う（Mullington et al, 2000）。

末梢で産生されたサイトカインが中枢神経系へどのような影響を及ぼすかは，いまだ議論が残るところである。血液脳関門を通過しにくいサイトカインは脳内に微量透過するか，脳室周囲器官の脈絡叢でサイトカインの産生が起こって脳脊髄液に溶出し，さらに周辺のグリア細胞が刺激を受けて複次的に信号を伝達すると考えられる（Imeri & Opp, 2009）。近年では，末梢に発生したサイトカインは迷走神経内の受容体を介し，大脳辺縁系・視床下部などに情報伝達をするという説も支持を得ている。またIL-1やTNF-αなど炎症性のサイトカインは，視床下部のCRH，GHRHやソマトスタチン，さらには下垂体ホルモンの分泌にも直接作用を及ぼす（Obál & Krueger, 2003）。したがって最終的にサイトカイン類は，ホルモン分泌に関わる細胞内セカンドメッセンジャーまたは転写因子との相互作用を含めた結果，睡眠パターンに影響をもたらすと解釈できよう（図15-12）。

15.7 睡眠と性差

15.7.1 性ホルモン（排卵周期）と睡眠

性ホルモンとは，下垂体より分泌される性腺刺激ホルモンを含み，生殖腺より直接分泌される，いわゆるアンドロゲン，エストロゲン，プロゲステロンを指す。男性や雄動物と比較すると，女性や雌動物では劇的かつ周期的な性ホルモンの変動に，生殖可能な年齢では常時さらされている。睡眠パターンに性差が生じるのは，この周期的な女性ホルモンの分泌に依存するもので，排卵前と排卵後，および妊娠時を比較すると，女性の睡眠感はそれらホルモンのバランスの違いに多大な影響を受ける（木村，2005）。ヒトの場合，もちろん個人差によるばらつきはあるが，普段以上の眠気を感じるのは高体温を示す黄体期に同調することが多い。女性の黄体期は，いわゆる排卵をしない不妊期間であり，子宮内膜の肥厚など，妊娠に伴う準備としての体内変化が起こることから，動物における偽妊娠期間に相似する。ラットの偽妊娠中には妊娠開始と同様な睡

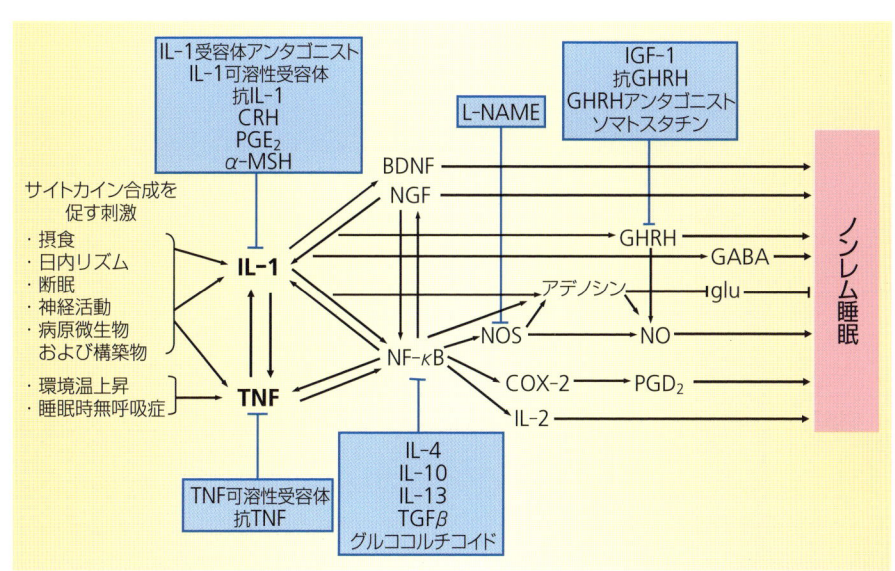

図15-12 IL1およびTNFを中心としたサイトカインの睡眠調節機構　CRH：コルチコトロピン放出ホルモン、α-MSH：α-メラノサイト刺激ホルモン、NF-κB：転写因子-κB、TGFβ：トランスフォーミング増殖因子、L-NAME：アルギニンアナログ、GABA：γ-アミノ酪酸、glu：グルタミン酸、NOS：一酸化窒素合成酵素、COX-2：シクロオキシゲナーゼ-2、IGF-1：インスリン様増殖因子-1（他の略称は表15-1を参照）。(Krueger et al, 2001より改変)

眠増加が観察されるため，ヒトにおける黄体期の睡眠欲求はそれに準じたものとも考えられる。また，超短時間睡眠覚醒スケジュール（sleep propensity test）を施行した結果，健常女性では脳波的にも自覚的にも睡眠傾向が高いのは黄体期であり，その傾向は特に日中に著しい。

繁殖力の強いげっ歯類などでは，排卵周期はヒトよりずっと短く，偽妊娠期に相当するような非効率な黄体期は存在しない。雌ラットにおける排卵周期，およびホルモン変動を図15-13に示す（木村，2005）。ラット・マウスの類は4ないし5日の性周期を持ち，発情期・発情前期・発情期・発情後期に区別される（8章「雌性行動」を参照）。実験動物舎では環境光の明暗条件を12時間ごとの周期に設定している施設が多く，その場合，排卵は発情前期の夜間前半に起こるため，ほとんどの交尾は発情期に移る前に行われる。実験室でよく使われるラットやマウスは夜行性であるが，夜間でも雄は昼間の30%ほどの睡眠量を確保する。一方，性周期を持つ雌ラットの場合，発情前期の暗期の睡眠量は極端に制限され（図15-13），特に暗期前半におけるレム睡眠の出現頻度はかなり低い。8章に解説されているように，発情前夜は雌ラットの輪回し行動が著しく増える。そのため，発情前期にみられる睡眠時間の減少は，排卵と連動した活動量の増加が二次的に睡眠誘発機構を抑えた結果とも考えられるが，果たしてどの性ホルモンがこの調節に起因しているのか，いまだ明確な解釈は得られていない。卵巣摘出した雌ラットにおける実験でも，極端な行動量の変動はみられなくなるが，総睡眠量に有意な変化は起こらない。

15.7.2 妊娠中の睡眠変動

妊娠に気づく前から，眠気の増加を体験する女性は多い。妊娠に伴う睡眠や気分の変化には，発達した胎盤由来のプロゲステロンに原因があるという説が有力だが，性ホルモンの影響だけでなく母体の免疫機能が関係していることが近年の動物実験で明らかにされている（木村，2005）。

ラットの妊娠期間は21日前後である。着床は交尾より5日目ぐらいに完了し，妊娠を確認できる膣垢スメアの出血は10日後にみられることを目安に，交尾が確認された当日から4日目までを妊娠初期，10日からの4日間を妊娠中期，出産日から遡った4日間を妊娠末期と便宜的に呼ぶ。妊娠以前の同じラットから記録した4日間の排卵期間中の睡眠量と比較したとき（図15-14），交尾直後の夜間睡眠は劇的に増加することが確認されている。レム睡眠は直後の明期から増加がみられたが，その後しばらく明期の睡眠量には妊娠前との差はみられない。暗期レム睡眠の劇的な増加がみられたのは妊娠初期の間だけで，暗期ノンレム睡眠に関しては，妊娠中期および末期にわたり増加が継続する。ただし，妊娠末期の明期における睡眠量はノンレム・レム睡眠ともに減少し，睡眠量の昼夜の差が比較的浅い。いずれにせよ，睡眠パターンの変化が最も著しいのは妊娠初期のようである（Kimura et al, 1996）。

この時期母体で何が起こっているかというと，胎盤の形成ならびに受精卵の成長・着床である。受精卵が発育していくうえでまず必要になる栄養素が，生殖器官内で供給される様々な成長因子であり，これらの中には炎症反応で馴染みの深いIL-1やTNF-αなども含まれる（Hill, 1992）。着床の際にどうしてこのような

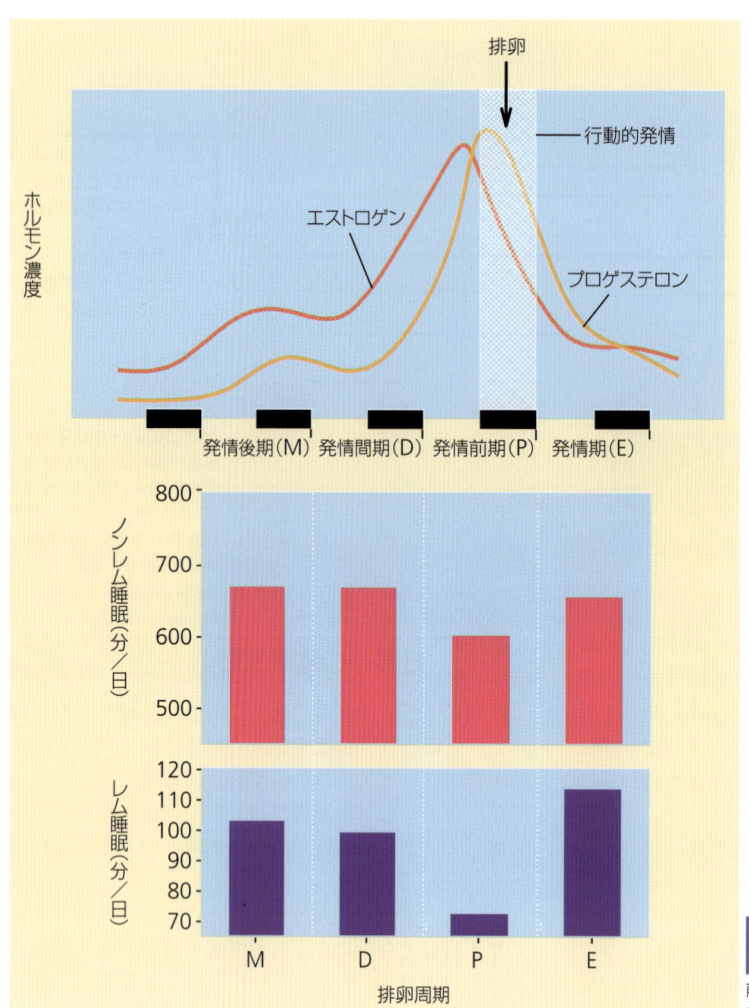

図 15-13　排卵（性）周期に影響される雌ラットの睡眠パターン　排卵が起こる発情前期の夜間には睡眠が抑制され，特にレム睡眠量は極端に低下する。（木村，2005）

炎症性のサイトカインが産生されるかというと，受精卵は母体にとってはまさしく異物であり，これが母体の一部として取り入れられるためには一連の免疫反応が起こるからである。炎症性のサイトカインには睡眠誘発作用があり，風邪などの急性感染時に経験されるノンレム睡眠の増加を促す物質なので，これらのサイトカインが妊娠初期の母体の睡眠量を上昇させるのに一役買っていると考えられる。逆に，着床がうまくいかず免疫抑制の強い母体では流産が引き起こされる。残念ながら流産を経験した女性には，妊娠初期に眠気の増加は特に感じられなかったという報告がある。

15.7.3 睡眠の性差

睡眠感には明らかに性差があり，思春期以降どの年代をとっても女性のほうが男性より不眠の訴えが多い（Mong et al, 2011）。また，寝不足の解消が困難だと思っているのも女性に多い。しかし，睡眠検査室で脳波の測定を行うと，睡眠の質のマーカーともいえる徐波のレベルは睡眠愁訴を訴える女性のほうが男性より高く（Dijk et al, 1989），断眠後にみられる徐波の上昇も男性より女性のほうがより優位である（Armitage et al, 2001）。どうして，こういった実際の客観値と主観的評価の食い違いが女性に起こりやすいのか。もしくは，女性のほうがよりよい睡眠を求めている（必要としている）のか。今のところ，これに対する明確な答えは見つかっていない。しかしながら，この差は重要な注意点であり，無視できない。女性のほうが明らかにSleep Loss に対する脆弱性が高いと認識すべきであり，睡眠衛生を管理することで高血圧やメタボリックシンドロームのような生活習慣病へのリスクも下げられると示唆されている。不眠だけでなく，うつ病などの気分障害も男性と比較して女性の罹患率が高い。閉経後の女性でも率は上回ることから，メンタルの問題は単に性ホルモンのせいとはいいがたいが，生殖系のホルモンバランスが気分に影響を及ぼしている可能性は高く，どの性ホルモンというよりも，ホルモン分泌のホメオスタシス全体が気分の性差には深く関係していると推測される。

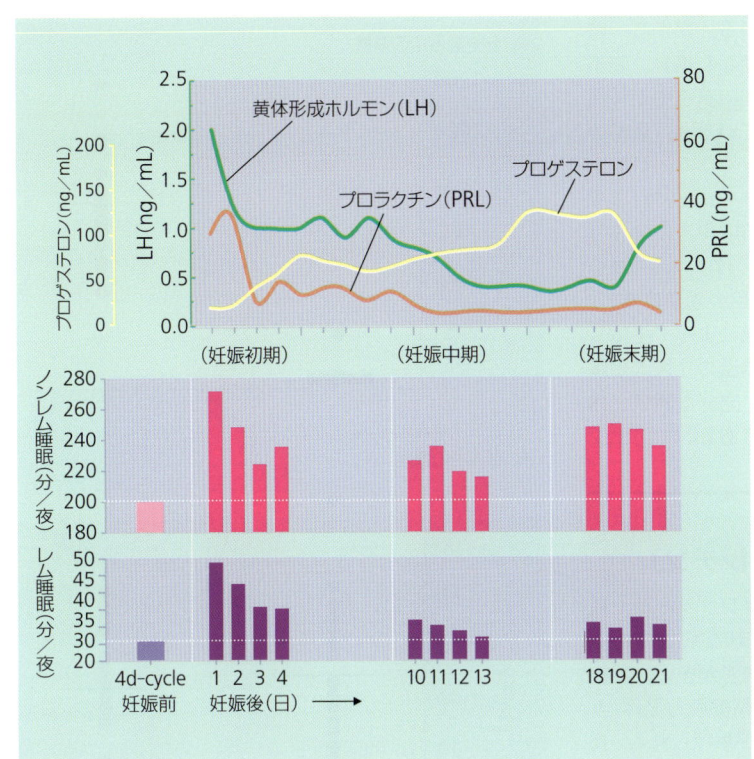

図15-14 雌ラット妊娠中のホルモンバランスと睡眠量の変化 妊娠中に最も睡眠が増えるのは、交尾後数日間の妊娠初期に観察され(着床以前)、従来妊婦の睡眠変化に影響を与えると考えられていたプロゲステロンとは、妊娠ラットの睡眠量増加とあまり相関がみられない。(木村, 2005)

15.7.4 雄性ステロイドと睡眠

男性の場合、生殖機能の低下は女性と比較して発生が遅く、またスピードも緩慢である。女性のように周期的な激しいホルモン変動による調節を受けていないため、男性のその低機能化はわかりにくく、それが与える睡眠への影響は老化によるものとの区別が難しい。主な男性ホルモンであるテストステロンは、覚醒時は低く睡眠時に上昇するサーカディアンリズムを持った分泌パターンを示すが(Axelsson et al, 2005)、近年の研究では短時間(5時間)の睡眠制限を加えた場合、10時間のベッドレスト時と比較して日中のテストステロン量が10～15%ほど落ち込むことが報告された(Leproult & Van Cauter E, 2011)。この値は、加齢によって減少する率(1～2%/年)に対して著しく、現代社会にありがちな生活パターンの弊害が生殖機能にも影響しうることを示唆している。また男性に多い睡眠障害である睡眠時無呼吸症の患者では、血中テストステロン量の低下が目立つ。この現象には低酸素症以外に肥満や老化も関係するのだが、雄性ステロイドに起因する睡眠量および質の低下(Andersen et al, 2011)についてのメカニズム解明にはさらなる研究が待たれるところである。

15.8 メラトニンと時差ぼけ

松果体ホルモンのメラトニンは、光の影響に左右され概日リズムを持つ分泌パターンを示す。詳しい作用や分泌機序については前章を参考にしていただき、ここではヒト睡眠との相関について簡単に解説するにとどめたい。

夜間睡眠の進行とともに血中濃度のピークを迎えるメラトニンは、夜の暗さだけではなく、日中の環境光の照度にも著しい影響を受ける。例えば、冬の方が夜が長くてメラトニンの分泌はさかんのように思えるが、かえって日照時間の長い夏(長日条件)の方がピーク時の濃度は高まり、午前中の最低値との差を比較すると、夏場の方がそのメリハリは大きい。加齢によるメラトニン濃度の低下も知られているが、この現象は高照度光療法によって改善することができる。光には生体リズムをリセットさせる働きがあり、それがメラトニンリズムを整えるのに役立っているように思われる。メラトニンサプリメントなどの効き目には個人差があるが、高齢者では睡眠導入剤的な効果が期待できるのも、睡眠に対する直接作用よりも入眠リズムを補うような作用があるからではないかと推測できる。

メラトニンの分泌は、光のサイクル(概日リズム)と睡眠のサイクル(ホメオスタシス)といった2つの振動体が一致したときに都合よく制御されるわけだが(14.2「概日リズムとメラトニン」を参照)、四季の変化などでこれらが乖離したときには体調が損なわれやすい。その著しい例が時差ぼけである。時差がつらいのは、睡眠のリズムと体温やメラトニンのリズムが一致しなくなるからである(内的脱同調)。ヒトは体温が下

がるときに眠気を催すようになっている。だから，時差のある地域へ飛行機で短時間に移動した場合，寝不足や疲労が蓄積していても，現地時刻の真夜中が体温の上昇する日本時間の日中に当たっていると，最初の数日間は自然に眠りに陥ることは難しくなる。日本から東回りの米国行きでも，西回りのヨーロッパ行きでも，メラトニンリズムが現地時間に順応するには5日以上を要し，時差が大きいほうが（例えば，ニューヨークよりもロサンゼルス）メラトニン服用の効果は高い。メラトニン補填や起床時の自然光刺激によって生体リズムのリセットを矯正することで，体温のリズムが睡眠リズムと近づき（振動子の同期化），充分な睡眠と休息を次第に体感できるようになるのである。

15.9 ナルコレプシーとオレキシン（ヒポクレチン）

慢性の過眠症として知られるナルコレプシーは，罹患率が数千人に1人ぐらいの大変まれな病気であるが，世界的にみると日本人に最も有病者が多い。特徴的な症状として，日中の過度の眠気，情動脱力発作（カタプレキシー），入眠時レム睡眠などが挙げられる。長年，家族性の遺伝的発症が追究され，日本での有名な研究ではヒト主要組織適合性抗原（HLA）との連鎖が報告されて自己免疫疾患との関与が指摘されていたが（Juji et al, 1984），ようやく重要な要因の一つが発見された。それは，オレキシンという比較的新しい神経ペプチドである

オレキシンは，1998年に米国の2つの研究チームが別々に発見してほぼ同時期に報告された，視床下部に基始核を持つ神経ペプチドである（De Lecca et al, 1998；Sakurai et al, 1998）。発見当初，その機能は食欲促進であると説明された。ところが，リガンドノックアウトマウスや受容体ノックアウトマウスなどを用いた研究が進むうち，これらの遺伝子改変マウスにカタプレキシー様行動が観察できることが示され，またこれも同時期にナルコレプシー犬で原因遺伝子としてオレキシン受容体2型の変異が証明された。そして極めつけには，ヒトナルコレプシー患者の脳脊髄液中にはオレキシンAの濃度が検出限界値であることが示され（図15-15）（Dalal et al, 2001），患者の死後脳からもオレキシンmRNAやオレキシン含有ニューロンが欠如していることが報告された。これらを総括すると，ナルコレプシーという疾患はオレキシンの神経伝達異常で起こると考えられる（Hungs & Mignot, 2001）。一連の新事実発見をきっかけに，睡眠研究者はオレキシンに多大な感心を寄せるようになった。

オレキシンには覚醒を誘発し，睡眠を抑制，特にレム睡眠発現を阻害する作用があり，これらの作用を伝達する受容体（1型・2型）は，ヒスタミン，ドーパミ

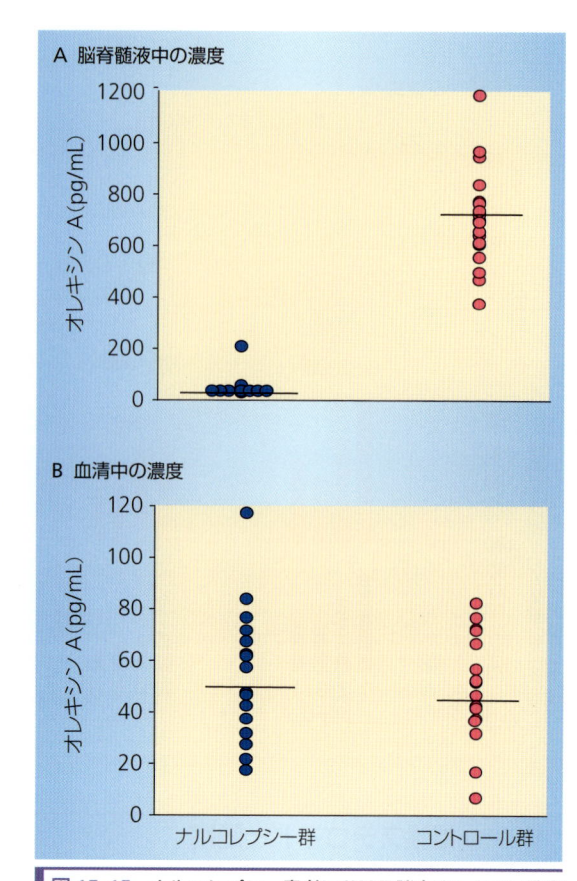

図 15-15 ナルコレプシー患者における脳内オレキシン濃度
血清中のオレキシン濃度は患者群（11名）とコントロール群（20名）で有意な差がないにもかかわらず，脳脊髄液内の濃度は患者群できわめて低い。この特性は，現在ナルコレプシーの診断にも用いられている。(Dalal et al, 2001)

ン，セロトニン，ノルアドレナリンなどのモノアミン作動性およびコリン作動性ニューロンに存在し，これらを介して睡眠調節機構に関わると考えられている（Nishino, 2007）。また，オレキシンの神経活動はストレスによっても増強されることがわかっており，HPA軸上のCRHをはじめとするストレスホルモンの分泌にも関係することが示されている。ホルモン分泌との関わりは，オレキシン自身が正中隆起に，また受容体1型が下垂体前葉に存在していることからも無視できない（Date et al, 2000）。ナルコレプシーの患者では，夜間の血中成長ホルモン濃度の推移がなだらかで，日中にも有意な分泌が認められる。これが，日中の眠気の原因になっているとの指摘もある。ナルコレプシーの患者では，その発症が思春期に重なるケースが多い。そのため，性腺刺激ホルモンとの関連にも注目されてはいるが，明らかなことはまったくわかっておらず，オレキシンの神経内分泌学的研究はこれからも注目される課題であることに違いない（Inutsuka et al, 2013）。

16

ストレス応答と行動

16.1 ストレスとは何か

"ストレス(stress)"という言葉が生命科学の領域で市民権を得たのは20世紀初頭のことである。元来ストレスは材料工学の専門用語であり，金属などの物体に外力が加わったとき，物体内部で単位面積あたりに作用する応力(stress)のことである。応力によって物体に"ひずみ"="ストレイン(strain)"が生じる。アメリカの生理学者 Walter B. Cannon はこの用語を生体に当てはめ(Cannon, 1935)，恒常性(ホメオスタシス)を脅かす外界からの侵襲をストレス，それによって引き起こされる生体内因子(例えば，体温，組織内酸素分圧，体液 pH，循環血液量など)の変位をストレインと呼んだ。特に Cannon は緊急時の生体反応である"闘争か逃走か反応"(fight or flight response)(または緊急反応〈emergency reaction〉)に着目して実験動物を用いた詳細な検討を行い，副腎髄質を含む交感神経系や消化器系，循環器系などの応答を明らかにした。後にスイスの生理学者 Walter R. Hess は防御反応(Abwehrreaktion = defense reaction)という言葉を fight or flight response とほぼ同義語で用いた(Hess, 1956)。

ストレスという言葉が今日広く用いられるようになったのはウィーンで生まれカナダで活躍した Hans Selye の功績によるところが大きい(Selye, 1936)。Selye はストレスを引き起こす外因をストレッサー(stressor)と名づけたが，現在ストレスとストレッサーは厳格に使い分けられておらず，用語としての明瞭さに欠ける。Selye は実験病理学的検討によりストレス(ストレッサー)の種類によらず生体に惹起される応答(消化性潰瘍，副腎腫大，胸腺萎縮)を見出し，これを汎適応症候群(general adaptation syndrome)と名づけた。汎適応症候群は，警告反応(alarm reaction)から抵抗期(resistance)を経て疲弊期(exhaustion)にいたる3段階からなる(図16-1)。警告反応では全身の防御力が動員され，例えば副腎皮質からホルモンが分泌さ

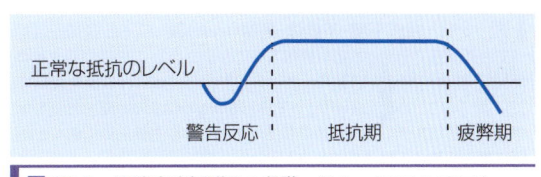

図 16-1 汎適応症候群の3段階 (Selye, 1967 より改変)

れ分泌顆粒が減少する。抵抗期にはホルモン合成能の増加により副腎皮質の分泌顆粒が増加し環境への適応が進む。疲弊期には再び分泌顆粒が減少するが，もはや非可逆的であり遂には死にいたる。Selye は汎適応症候群で観察された副腎皮質の形態変化に加え，外因性グルココルチコイド投与により胸腺萎縮が惹起されることを見出し，ストレス(汎適応症候群)の顕著な効果は視床下部-下垂体-副腎(HPA〈hypothalamic-pituitary-adrenal〉)軸(後述)の働きにより媒介されると考えた(図16-2)。

生体のストレス応答を制御する中枢は脳内に存在する。それは視床下部(hypothalamus)と呼ばれる領域で脳のほぼ中心部にある視床の下(腹側)に位置する。イギリスの生理学者 Geoffrey Harris は視床下部で産生される化学物質(放出因子〈releasing factors〉)によって下垂体前葉からのホルモン分泌が促されることを明らかにしたことから"神経内分泌学の父"と呼ばれている(Raisman, 1997)。Harris 自身はこれらの化学物質を同定することはできなかったが，その後，カリフォルニアにある Salk 研究所の Roger Guillemin や New Orleans にある Tulane 大学の Andrew Schally らによって，視床下部組織中から甲状腺刺激ホルモン放出ホルモン(thyrotropin-releasing hormone：TRH)(3アミノ酸残基からなる)(Burgus et al, 1969；Boler et al, 1969)や性腺刺激ホルモン放出ホルモン(gonadotropin-releasing hormone：GnRH)(10アミノ酸残基からなる)が発見された(Burgus et al, 1972；Matsuo et al, 1971)。下垂体前葉から副腎皮質刺激ホルモン(adre-

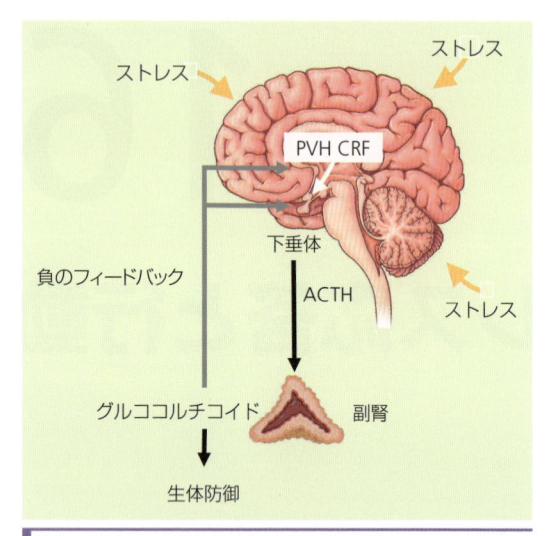

図16-2 視床下部-下垂体-副腎(HPA)軸 ストレス情報はすべて視床下部で統合される。視床下部で合成されるCRF（図16.3を参照）は下垂体前葉でACTHの合成・分泌を促し，ACTHは副腎皮質におけるグルココルチコイド（ヒトではコルチゾール）の合成・分泌を促す。グルココルチコイドは様々な生理作用により生体防御に働くと同時に視床下部と下垂体を抑制する。PVH：視床下部室傍核。

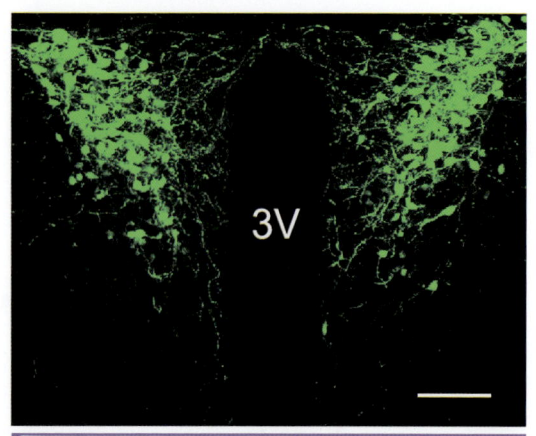

図16-3 マウス視床下部室傍核のCRFニューロンの分布 相同組換えにより，マウスCRF遺伝子に強化型黄色蛍光タンパク質(Venus)をノックインした遺伝子改変動物を作製した(Itoi et al, 2014；Kono et al, 2017)。このマウスではCRFニューロン選択的にVenusが発現する。抗緑色蛍光タンパク質抗体を用いた免疫蛍光法によってVenus発現ニューロンを同定した。CRFニューロンの細胞体は第三脳室(3V)の両側に分布しており，ここから軸索が弧を描くように正中隆起外層に達し，毛細血管壁に終末を形成する。スケールバー＝100μm。(Kono et al, 2017より改変)

nocorticotropin hormone：ACTH)とβエンドルフィンの分泌を刺激する放出因子であるコルチコトロピン放出因子(corticotropin-releasing factor：CRF)は41個のアミノ酸残基からなるペプチドで，1981年Wylie Valeらによって発見され(Vale et al, 1981)，コルチコトロピン放出ホルモン(CRH)とも呼ばれる（図16-2，図16-3）。CRFは視床下部室傍核(paraventricular nucleus of the hypothalamus：PVH)の小型神経細胞(parvocellular neurons)で産生され(Swanson et al, 1983)，Harrisが提唱したとおり正中隆起（霊長類では漏斗部と呼ばれる）の毛細血管内に分泌され下垂体門脈を経由して下垂体前葉に到達する。CRFは下垂体前葉でACTH産生細胞(corticotroph)からACTHの分泌を促すと同時にACTHをコードするPOMC(pro-opiomelanocortin)遺伝子の発現を刺激する。ACTHは副腎皮質の束状層においてグルココルチコイド（ヒトを含め霊長類ではコルチゾール〈cortisol〉，げっ歯類ではコルチコステロン〈corticosterone〉）の合成を促す。視床下部から下垂体を経て副腎皮質にいたるグルココルチコイド合成制御系(HPA軸)は前述したように生体をストレス侵襲から防御するために重要である（図16-2）。グルココルチコイドは様々な生理活性を有しており生体防御に不可欠のホルモンであるが(16.2.4「ホルモン」を参照)，負のフィードバック機構(negative feedback mechanism)により下垂体および視床下部に抑制的に働きHPA軸を抑制する（図16-2）。海馬を介して間接的に視床下部を抑制する負のフィードバックも知られている。

CRFが発見される前から，バソプレシン（ブタでは側鎖部分にリジン残基を有するリジンバソプレシン〈lysine vasopressin：LVP〉，ヒトやげっ歯類を含めその他の哺乳動物ではアルギニン残基を有するアルギニンバソプレシン〈arginine vasopressin：AVP〉）がACTH分泌活性を有することが知られていたが，その後の研究により，ヒトやラットのCRFニューロンの一部にAVPが共存することが明らかにされた（図16-4）[1]。AVPはPOMC遺伝子発現増強作用を有しない。CRFとAVPが共存することの生理的意義は明らかでないが，ACTH産生細胞に両者を作用させると相乗的なACTH分泌増加が認められることから，過大なストレスに曝されるような緊急時には両者が同時に分泌されることによりACTH分泌を強く促しグルココルチコイド合成を高めるのではないかと考えられている。特に，副腎皮質機能不全によるグルココルチコイド欠乏状態ではCRFニューロンに共存するAVPの合成が著しく増大する。

以上のようにストレス応答はストレッサーから生体を防御するプロセスのことであり，CannonやSelyeなどの先駆者に導かれ個体レベルでの研究がさかんに行

---

[1] AVPは下垂体後葉から分泌され腎尿細管で水輸送を促す抗利尿ホルモンである。下垂体後葉にいたるAVP含有線維の起始核はPVH大細胞領域および視索上核である。これら大細胞で産生されるAVPとPVH小細胞領域のAVPとは同一遺伝子にコードされ，前駆体タンパクも最終産物のAVP(9個のアミノ酸残基からなる)もまったく同じ化学構造を有するが，遺伝子発現調節メカニズムが異なる。大細胞のAVP発現は体液量や浸透圧で調節されるが，小細胞のAVP遺伝子は（CRFと共存する）グルココルチコイドにより調節される。通常小細胞において AVP遺伝子は生理的血中濃度のグルココルチコイドにより強く抑制されておりAVPペプチド含量は少ないが，副腎不全時にはAVP発現が著増する。

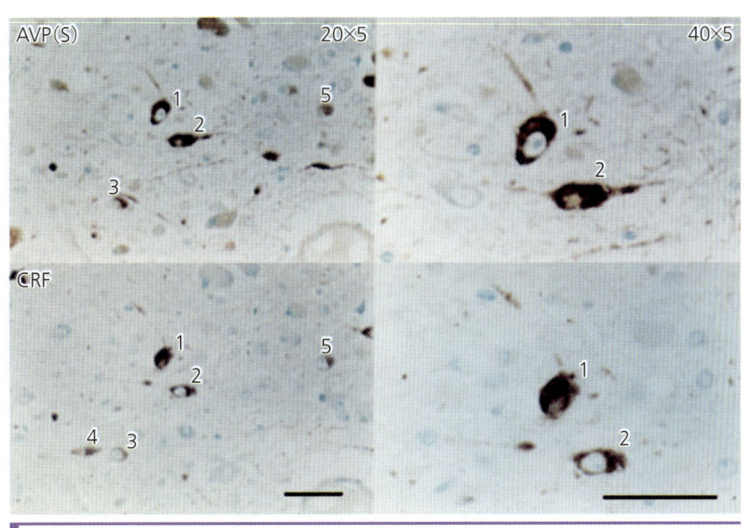

図 16-4　ヒト視床下部室傍核における CRF と AVP の共存　CRF は CRF に特異的な抗体，AVP は AVP の側鎖に特異的な抗体 AVP(S) を用いて免疫染色した。CRF は小細胞に局在するが(1〜5)，AVP は小細胞と大細胞の両者に発現する。CRF ニューロンには AVP が共存することがわかる。上下の写真は連続切片で，左半は弱拡大，右半は強拡大の顕微鏡写真である。スケールバー＝50 μm。(Mouri et al, 1993 より改変)

われてきた。しかしながら近年，ストレスという概念は個体レベルばかりでなく細胞レベルでも用いられ，種々の細胞障害性侵襲への防御機構に関する研究が著しい発展を遂げつつある。細胞レベルでのストレス応答については 16.3「細胞性ストレス応答」で解説する。現代社会はストレスに満ちているといわれるが，16.4「社会的ストレスと依存症」では社会的ストレスと依存症について解説する。

16.2　個体としてのストレス応答

16.2.1　実験室におけるストレス負荷モデル

　ここでは実験動物のうち，げっ歯類を用いたストレス負荷モデルについて解説する。ストレスは恐怖や不安と密接に関連しており，動物実験モデルにおいてもこれらを切り離して評価することはできないが，情動，内分泌系，自律神経系のいずれに注目するかにより選択すべきモデルが異なる。例えば，恐怖条件づけ (fear conditioning) 実験は恐怖・不安に関わる脳内領域の同定に威力を発揮したモデルである。また，オープンフィールドテスト，高架式十字迷路，明暗箱などが不安の実験モデルとして頻繁に用いられる。これらの実験モデルは 5 章(図5-2, 図5-3)でも解説されているので，本章では HPA 軸の応答を惹起させるための実験モデルを取り上げる。これらのモデルではほとんどの場合，交感神経系の応答も認められるが，それらの計測方法については 16.2.3「自律神経系」で解説する。

- **フットショックストレス**：グリッド上に動物を置き，これに通電することにより四肢に痛み刺激を与える。条件刺激として音と組み合わせて上記の恐怖条件づけに用いる場合もある。
- **エーテルストレス**：ジエチルエーテルで飽和した容器に動物を入れてエーテルを吸引させると HPA 軸が強く刺激される。延髄から視床下部への上行性ノルアドレナリン作動性神経系が関与するといわれる。
- **拘束ストレス**：種々の形状，素材の拘束装置が用いられているが，一定時間ラット，マウスを拘束し種々のストレス応答パラメータを評価する。拘束時間により応答が異なり，10 分程度から数時間まで目的に応じて選択される。
- **強制遊泳ストレス**：通常温水中 (26℃) でラット，マウスを遊泳させる。遊泳時間は 5〜15 分程度が多いが，短時間でも視床下部 CRF ヘテロ核 RNA (heteronuclear RNA：hnRNA) 発現 (16.2.2「脳内応答」を参照) を強く刺激する。Roger D. Porsolt ら (1977) はラットやマウスが初めは必死で泳ごうとするが，一定時間後には手足を動かすのを止め，無為に浮かんでいる状態に着目し，これを無動時間として計測した (Porsolt et al, 1977)。興味深いことに，抗うつ薬投与後，無動時間の短縮が認められることから，抗うつ薬のスクリーニング試験として用いられている。
- **出血ショックストレス**：右房内などにカテーテルを留置し，循環血液量の 10〜20% 程度の血液を 5〜10 分間で吸引する。出血に伴う低血圧 (出血性ショック) は視床下部の CRF ニューロンを介し HPA 軸を

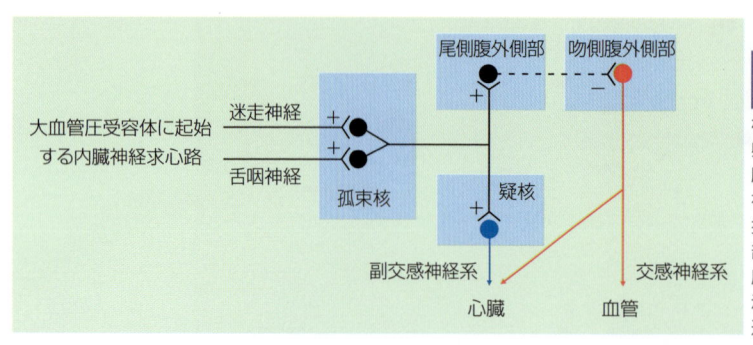

図 16-5　圧受容体反射に関与する延髄の神経回路　圧受容体からの求心性神経は孤束核に入力し，ここから疑核および尾側腹外側部へ興奮性の2次ニューロンが投射する．疑核には心臓に投射する副交感神経の節前ニューロンが存在する．一方，尾側腹外側部から吻側腹外側部に抑制性の介在ニューロンが入力する．吻側腹外側部には交感神経前運動ニューロンが存在する．血圧上昇は内臓神経求心路の発火を高め，この図に示された延髄内回路を介し心拍数を減少させる．逆に血圧下降は心拍数を増加させる．

刺激する．出血に伴いストレス系を賦活する脳内経路に関しては延髄から上行するノルアドレナリン作動性神経系の関与が提唱されている．一方，低血圧と循環血液量減少は腎からのレニン分泌を促し，その結果，血中アンジオテンシンⅡ濃度が高まる．この液性情報は視床下部吻側の血管終板器官（organum vasculosum laminae terminalis：OVLT）経由でPVHに伝達される（16.2.2「脳内応答」を参照）．

延髄への内臓神経求心路は大血管の圧受容体から，迷走神経（vagal nerve）および舌咽神経（glossopharyngeal nerve）経由で孤束核（nucleus of the solitary tract：NTS）に入力する（図 16-5）．NTSから迷走神経の運動核である疑核（nucleus ambiguus）および延髄尾側腹外側部（caudal ventrolateral medulla：CVL）に刺激性介在ニューロンが入力するが，CVLから延髄吻側腹外側部（rostral ventrolateral medulla：RVL）にはさらにγ-アミノ酪酸（γ-aminobutyric acid：GABA）作動性の抑制性ニューロンが介在する．血圧上昇は内臓神経求心路の神経発火頻度を上げるので心拍数を低下させ，逆に血圧下降は心拍数を増加させる（図 16-5）．この機構を圧受容体反射（baroreceptor reflex）と呼ぶ．この圧受容体反射により，出血性ショックでは血圧低下に伴い頻脈が惹起される．

- **寒冷または温熱被曝ストレス**：寒冷も温熱もHPA軸を刺激する．寒冷被曝では交感神経系の活性化に伴い血圧が上昇するが，末梢脂肪組織では脂肪分解が促進され熱産生にはたらく．温熱ストレスでも交感神経系が活性化され血圧上昇が認められるが，下肢と尾静脈の血管拡張を伴い熱放出にはたらく．
- **免疫ストレス**：Tリンパ球，マクロファージや血管内皮で産生される炎症性サイトカイン（インターロイキン-1〈IL-1〉，インターロイキン-6〈IL-6〉，腫瘍壊死因子-α〈tumor necrosis factor-α：TNF-α〉など）は中枢性にストレス系を賦活することが知られる．実験的にサイトカインを投与する場合は留置カテーテルを介して経静脈的にあるいは直接腹腔内に投与する．大腸菌の菌体内毒素であるリポ多糖（lipopolysaccharide：LPS）は，末梢（通常腹腔内）投与後，炎症性サイトカインの放出を促すことから，しばしばサイトカイン投与に代えて用いられる．サイトカインは高分子タンパクであり血液脳関門を通過できないため，OVLTなど血液脳関門を欠く脳室周囲器官（circumventricular organs）から脳内にアクセスする可能性もあるが，OVLT周囲にIL-1受容体が乏しいなどの理由からこれには異論もある．他にIL-1は延髄の毛細血管周囲から脳内にアクセスし上行性ノルアドレナリン作動性神経系を介して視床下部に伝達されるという説がある．
- **母子分離ストレス**：幼少期の虐待体験と成人になって発症する心的外傷後ストレス障害（post-traumatic stress disorder：PTSD）との関連性が指摘されているが，実験動物でも生後まもなく母親から引き離すことにより成長してから脳内CRF遺伝子発現増加やストレス時のACTH分泌増加などHPA軸の亢進が認められる．

16.2.2 脳内応答

ストレス応答に関与する脳内部位を同定するために用いられる方法の一つは，最初期遺伝子（immediate early genes，たとえば，c-fos, fosB, junB, NGFI-A, NGFI-B, fra-2）のmRNAあるいはタンパク質発現分布の検討である．ストレスにより種々の最初期遺伝子が脳内領域に広く発現するが，最初期遺伝子の種類により発現部位に不一致が認められる．もう一つの方法は特定の脳領域を破壊し，ストレス応答が減弱するか否かを検討することである．扁桃体，海馬や脳幹部のストレス応答への関与はこのようにして明らかにされてきた．

ストレス情報はすべてPVHのCRFニューロンに入力し，ここで統合され，HPA軸の出力状態が決定される．多様なストレスは様々な求心路を経てPVHに伝達されるが，便宜上これらをいくつかのカテゴリーに分類して述べる．第1は情動的（心理的）ストレスを伝達するものである．情動応答は痛みなどの体性感覚情報や，嗅覚，聴覚，視覚情報などの特殊感覚によって惹起される．条件づけされた動物（ヒト）では，本来それ自体はストレッサーにならないような感覚情報に

よってもストレス応答が惹起される。情動応答に関与する脳内回路の全貌は明らかでないが, 大脳皮質のほか, 扁桃体, 海馬などの大脳辺縁系諸領域から分界条床核(bed nucleus of the stria terminalis：BST)などを経由してPVHに入力する経路が知られている。青斑核(locus coeruleus：LC)(A6)は注意集中や覚醒に関与し, ストレスによって活動性が高まる。

第2は内臓神経求心路を介するストレス情報で, 前述したように(16.2.1「実験室におけるストレス負荷モデル」), 延髄のNTSに一次性シナプスを形成する。NTSからは上行性のカテコールアミン作動性神経路(NTSのA2ノルアドレナリン細胞群, C2アドレナリン細胞群に起始する)がPVHに直接投射するが, 腹外側網様体(ventrolateral reticular formation：VLR)(A1/C1)経由でPVHに投射する経路も報告されている。C1, C2(アドレナリン作動性)やA1(ノルアドレナリン作動性)のニューロンにはニューロペプチドY(NPY)が共存する。また近年, A1, A2ノルアドレナリン作動性ニューロンの一部にプロラクチン放出ペプチド(prolactin releasing peptide：PrRP)が共存することが明らかにされ, ストレス応答への関与が示唆されている(Uchida et al, 2010)。

第3は循環血液中の液性因子や浸透圧を介するストレス情報である。液性因子としてはグルココルチコイドのほか, 末梢で合成・分泌される炎症性サイトカイン, アンジオテンシンⅡ, レプチン, グレリン, エストロゲンなどが挙げられる。

第4はグルタミン酸, GABAを神経伝達物質とする視床下部内局所神経回路である。グルタミン酸やGABA作動性ニューロンの多くはBST経由でPVHに入力するが(Ulrich-Lai & Harmum, 2009), 視床下部内にもグルタミン酸あるいはGABA作動性介在ニューロンがある。これら以外にも様々な神経伝達物質や修飾物質に媒介される多数の入力路が存在する(表16-1)(Mukai et al, 2020)。

このように視床下部CRFニューロンは様々な調節系により制御されているが, CRFニューロンの活動をモニターするための指標として, c-Fosなどのニューロン活性化マーカーを用いる方法と, CRF遺伝子応答をCRF mRNAあるいはhnRNAを用いて評価する方法がある。c-Fosは急性ストレス応答の指標として優れているが, 発現が一過性であるため慢性的な指標としては適さない。c-Fosよりも長期間活性が持続するものとしてFosBがある(Das et al, 2009)。CRF mRNAやhnRNAは急性応答の指標として威力を発揮する。CRF mRNAは非ストレス時でも細胞内プールが存在するのに対しCRF hnRNAはCRF遺伝子転写が活性化されたときのみ発現し, しかも半減期が短いため転写レベルの鋭敏な指標である(図16-6)。CRF遺伝子応答は反復あるいは慢性ストレスによりしだいに応答が減弱する傾向がある。

16.2.3 自律神経系

前述したように(16.1「ストレスとは何か」), 防御反応は動物が敵に遭遇し"闘争か逃走か"を迫られたときの反応で, 即時的な(秒単位以下の)応答は主として交感神経系の興奮によってもたらされる(内分泌系の応答には少なくとも分単位の時間が必要である)。循環器系の応答として, 血圧上昇, 心拍数増加, 心拍出量増加, および骨格筋血流増加と内臓血流減少(血流の再分布)などが認められ, これらは一括して心血管系防御反応(cardiovascular defense reaction)と呼ばれる。防御反応が惹起された際には16.2.1「実験室におけるストレス負荷モデル」で述べた圧受容体反射が抑制されるので, 血圧上昇と心拍数増加が同時に惹起される(図16-7)。他に交感神経を介して, 散瞳, 立毛筋収縮, 冷汗などが起こる。また, 副腎髄質から分泌されるアドレナリンは血糖値を上昇させる。一方, 副交感神経系は抑制され, 消化管運動や胃酸の分泌は低下する。

血圧, 心拍数の計測には観血的方法と非観血的方法がある。観血的方法は動脈内に留置したカテーテル内圧の変動を圧力トランスジューサーでアナログ電気信号に変換し記録する。平均血圧と心拍数は出力波形から計算される(図16-7)。最近は動物をまったく拘束せずに血圧を測定する目的で皮下植え込み式送信機を用いたテレメトリーシステムが普及してきており, 何日間にもわたり連続して計測することが可能である。非観血的方法はラットやマウスの場合, 動物を短時間拘束し, カフを用い尾動脈の血圧を測定するものである。簡便であり手術侵襲もないが精度に劣り, 拘束の影響も無視できない。心拍出量, あるいは腎動脈や大腿動脈などの血流量は通常ドップラー法を用いて計測される。また, 開腹手術により直接腹腔交感神経, 腎交感神経, 副腎交感神経などに電極を留置し, それぞれの神経活動を計測することができる。ラットでは, 静脈内(あるいは右房内)留置カテーテルから採血し, 血中アドレナリン, ノルアドレナリンの測定が可能である。マウスでは断頭により躯幹血を採取し測定する以外ないが, ストレスの影響を最小限にするためすばやく断頭しなければならない。

16.2.4 ホルモン

ストレス応答で中心的役割を演じるのは, 副腎皮質から分泌されるグルココルチコイドである(16.1「ストレスとは何か」を参照)。前述したSelyeによる"汎適応症候群"は主にグルココルチコイドの過剰分泌に起因するが, グルココルチコイドには次のような重要な生理作用がある。まず, 肝臓での糖新生と末梢組織中の脂肪やタンパク質などの異化作用によりブドウ糖

16章 ストレス応答と行動

表 16-1　視床下部 CRF ニューロンを調節する神経伝達物質／修飾物質および液性因子

	分泌	合成	産生細胞の存在する領域
神経伝達物質／調節物質			
ノルアドレナリン	↑	↑	A1，A2
アドレナリン	↑	(↓)	C1，C2，C3
アセチルコリン	↑	↑	背側被蓋核外側部，脚被蓋核
セロトニン	↑	↑	縫線核
ヒスタミン	↑		視床下部後核
GABA	↓		分界条床核，視索前野，視床下部背内側核，室傍核周囲領域，視床下部内の介在ニューロン
グルタミン酸	↑		分界条床核，視床下部背内側核，孤束核，視床下部内の介在ニューロン
グリシン	↓		
アンジオテンシン II	↑	↑	脳弓下器官
サブスタンス P	↓		視床下部，背側被蓋核外側部，脚被蓋核，延髄腹外側部
ガラニン	↓		A1，A6，視床下部内側核
TRH	↑		視床下部室傍核
CRF	↑		視床下部室傍核
オレキシン A，B	↑		視床下部外側核
ニューロメジン U	↑		弓状核，視交叉上核，視床下部背内側核
ニューロメジン S	↑		視交叉上核
ニューロンメジン C	↑		
α-MSH	↑	↑	弓状核
ニューロペプチド Y	↑		弓状核，A1，C1，C2，C3
β エンドルフィン	(↑)(↓)	↓	弓状核
エンケファリン	↑		孤束核
ダイノルフィン	↓		孤束核
ノシセプチン	↓		
アクチビン	↑		孤束核
コレシストキニン	↑		孤束核
ソマトスタチン	↓		孤束核
GLP-1	↑		孤束核
プロラクチン放出ペプチド	↑		孤束核
液性因子			
グルココルチコイド	↓	↓	副腎皮質束状層
インターロイキン-1α，β	↑	↑	マクロファージ，血管内皮細胞
インターロイキン-6	↑		マクロファージ，T リンパ球，血管内皮細胞
TNF-α	↑		マクロファージ，T リンパ球
レプチン	↑		脂肪細胞
グレリン	↑		胃腺 X/A-like 細胞
エストラジオール		↑	卵胞

A1，2，6：ノルアドレナリン作動性ニューロン，C1-3：アドレナリン作動性ニューロン。↑は刺激性，↓は抑制性の効果を示す。異説のあるものはカッコつきで示した。

遊離脂肪酸とグリセロール，アミノ酸を循環血中に放出させる。これらは細胞内エネルギー源として利用される。また，末梢血管平滑筋への作用により，カテコールアミン，AVP，アンジオテンシン II など血管収縮因子の作用を増強させ，逆にプロスタグランジン E_2 や一酸化窒素など血管拡張因子の合成を抑制することにより血圧を上昇させる。グルココルチコイド受容体（glucocorticoid receptor：GR）は脳内にも広く分布し，認知，記憶，情動，睡眠など多彩な生理機能に関与する。これらの作用が相まってストレスからの防御作用を発揮すると考えられている。グルココルチコイドは一定の閾値以上では強力な免疫抑制作用（16.2.5「免疫系」を参照），骨芽細胞の増殖抑制とプログラムされた細胞死（アポトーシス〈apoptosis〉）促進作用を有する。

下垂体から分泌された ACTH は副腎皮質に発現する 2 型メラノコルチン受容体を介してグルココルチコイドの合成・分泌を促す。血中に分泌されたグルココルチコイドが標的細胞の細胞質に存在する GR に結合すると，GR の核内移行を促し種々の遺伝子転写を活性化あるいは抑制することにより，前述した生理作用を発揮する。ただし，遺伝子発現調節を介さないグルココルチコイドの作用メカニズムも知られている。

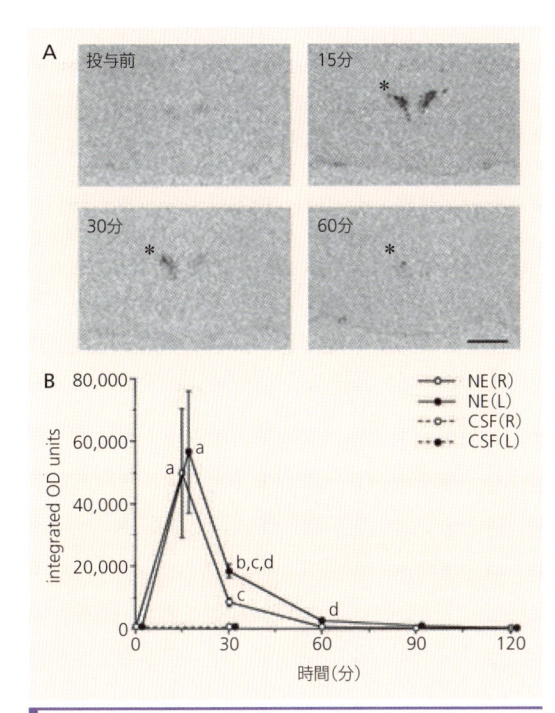

図16-6 **無麻酔ラットPVH内にNE注入後のCRF hnRNAの変動** A：代表的なオートラジオグラムを示す。NEは片側（図中向かって左側，＊で示す）に注入し，CRF hnRNAは[35S]標識RNAプローブを用いた in situ hybridization 法で検出した。CRF hnRNAは15分後に頂値を示し1時間でほぼ消退した。B：デンシトメトリーで定量した結果を示す。Lは注入側，Rは対側。NE：ノルアドレナリン，CSF：対照（人工脳脊髄液）。スケールバー＝1.0 mm。a：$p<0.01$（vs. time=0），b：$p<0.05$（vs. time=0），c：$p<0.01$（vs CSF(L)），d：$p<0.01$（vs NE(R)），e：$p<0.01$（vs CSF(R)）。(Itoi et al, 1999より改変)

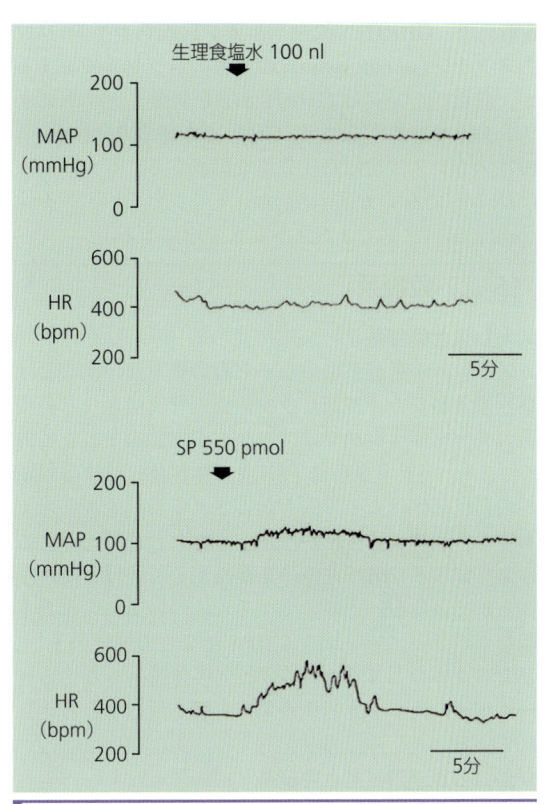

図16-7 **無麻酔無拘束ラットの血圧，心拍数測定** 留置したガイドカニューラから微細針を用いて視床下部前野に微量注入を行った。上段はコントロールで，100 nLの生理食塩水投与では応答が得られない。サブスタンスP(SP)投与（下段）により平均血圧(MAP)と心拍数(HR)が増加した。ここには示さないがSP脳室内投与により心拍出量増加，腎血流量低下と下肢(骨格筋)血流量の増加が認められる。このようにSP脳内投与は心血管系防御反応を惹起する。bpm：beats per minute（1分あたりの心拍動数）。(Itoi et al, 1991より改変)

血中コルチゾール（コルチコステロン）はストレス応答の指標として有用であるが，最近，より簡便な唾液中コルチゾールの計測が臨床的にも用いられるようになった。ストレスの指標として同時に唾液中アミラーゼも測定されることが多い。血中（唾液中）コルチゾールはうつ病患者で増加し，うつ病寛解時には正常化する。したがって，うつ病の病態にはHPA軸の偏移を伴うが，病因的意義は不明である。

ヒトでもげっ歯類でも最も強いミネラロコルチコイド活性を有するのはアルドステロンである。ACTHはグルココルチコイドとともに副腎皮質におけるアルドステロンの合成・分泌を刺激するがアルドステロン調節にはレニン-アンジオテンシン系のほうがより重要である。アルドステロンの働きは細胞質のミネラロコルチコイド受容体(mineralocorticoid receptors：MR)を介するが，MRはアルドステロンとコルチゾール（コルチコステロン）両者に同程度の親和性を有し，しかも血中コルチゾール（コルチコステロン）濃度はアルドステロン濃度より1,000倍程度（血中タンパクとの結合による遊離型の減少を勘案しても100倍程度）高

いため，化学平衡論的にMRはほとんどすべてコルチゾール（コルチコステロン）により飽和してしまう。しかしながら実際は，アルドステロンがMRを介し生理活性を示すための細胞内メカニズムが存在する。アルドステロン感受性の細胞にはコルチゾール（コルチコステロン）代謝酵素（11β-HSD〈hydroxysteroid dehydrogenase〉type 2）が存在し，細胞質のグルココルチコイドはすみやかに不活化される（ヒトの場合，コルチゾールがコルチゾンに変換される）。11β-HSD type 2の発現は遠位尿細管，大腸，脳内の一部など，限られた組織のみで認められる。アルドステロンは遠位尿細管や大腸でNa^+とK^+の輸送を調節しNa^+と水の保持に働くが，脳内での役割は明らかでない。

ACTH以外の下垂体前葉ホルモン分泌も，ストレスによる影響を受ける。甲状腺刺激ホルモン(thyroid-stimulating hormone：TSH)分泌は寒冷被曝で増加するが，その他のストレスでは減少する。成長ホルモン(growth hormone：GH)分泌は視床下部で合成される成長ホルモン放出ホルモン(growth hormone releasing hormone：GHRH）と成長ホルモン抑制ホルモン（ソマトスタチン〈somatostatin〉）の両者のバランスで決まるが，急性ストレスは GHRH 分泌を刺激しソマトスタチン分泌を抑制する結果，GH 分泌を促す方向に働く．慢性ストレスは逆に GH 分泌を抑制する．メカニズムは明らかでないが乳汁分泌ホルモン（プロラクチン〈prolactin〉）分泌もまたストレスで増加する．

16.2.5 免疫系

ストレスと免疫系

ストレスが免疫系に少なからぬ影響を及ぼすことは疑う余地がない．関節リウマチや気管支喘息など免疫系の異常を伴う疾患ではストレスが増悪因子として働く．また，バセドウ病は TSH 受容体抗体に対する刺激性の自己抗体によって引き起こされる自己免疫疾患であるが，戦時に発症率が増加するといわれている．このようにストレスが免疫系を攪乱することは古くから知られているが，そのメカニズムについてはいまだ不明な点が多い．ストレスは HPA 軸などの液性因子（主としてグルココルチコイド）と交感神経系を介する神経性因子の両者を介し免疫系に影響を及ぼすと考えられている．

グルココルチコイドと免疫系

グルココルチコイドは免疫系において複雑な働きを有するが，閾値以上ではおしなべて抑制性に働く．その作用は大別すると，①炎症性メディエーターの抑制，②単球や顆粒球などの遊走抑制，③細胞性免疫の抑制，である．炎症性メディエーターにはプロスタグランジン，ヒスタミン，インターロイキン，TNF-α，一酸化窒素，プラスミノゲン活性化因子などが含まれる．グルココルチコイドはこれらメディエーターの働きや分泌，合成を抑制し発赤，浮腫，疼痛など急性炎症反応を減弱させる．また，細胞間接着因子 1（intercellular adhesion molecule 1）発現抑制により単球，顆粒球などの運動を抑制する．さらに，T リンパ球への抗原提示を担う樹状細胞数を減少させ，サイトカイン類を介し CD4$^+$T 細胞の Th1 への分化を抑制し Th2 分化を促進する．肥満細胞や好酸球が媒介する IgE 惹起性のアレルギー反応も抑制される．

交感神経系と免疫系

一次リンパ組織（T 細胞が成熟分化する胸腺と B リンパ球が成熟分化する骨髄），二次リンパ組織（成熟リンパ球が免疫反応をおこなうリンパ節や脾臓など）のいずれにおいても交感神経節後線維が密に分布している．しかしながら，これらの臓器には副交感神経の分布は認められない（Nance & Sanders, 2007）．免疫系細胞ではアドレナリン作動性受容体のうち β$_2$ アドレナリン作動性受容体が顕著に発現し，ヒトでもマウスでも成熟した T リンパ球と B リンパ球ではいずれも β$_2$ アドレナリン作動性受容体発現が認められる．マウスではナイーブ CD4$^+$T 細胞と Th1 細胞に β$_2$ アドレナリン作動性受容体が発現するが，Th2 細胞には認められない．交感神経節後線維の神経伝達物質ノルアドレナリンを投与することにより，脾マクロファージからの TNF-α 分泌が抑制される．また，フットショックなどのストレス被曝でも同様に TNF-α 分泌抑制が認められる．ストレス負荷による TNF-α 分泌抑制は，両側副腎摘出，脾神経切断のいずれによっても抑制されないが，これらを同時に行うことにより抑制された．また，副腎髄質の核出術（髄質からカテコールアミンは分泌されなくなるが皮質からのグルココルチコイド分泌は保たれる）および脾神経切断を同時に行うことによっても抑制された．したがって，ストレスによる TNF-α 分泌抑制はグルココルチコイドではなく，交感神経系によって媒介されるものと考えられる．このように，免疫系細胞は交感神経系によって抑制されることが示唆されるが，生理的な役割や病態における意義については今後さらに研究が必要である．近年，迷走神経（副交感神経）遠心路を介して免疫系細胞が抑制される（脾臓からの TNF-α 分泌が抑制される）という説があるが（Borovikova et al, 2000），前述したように免疫系臓器には副交感神経の投射は認められないため，さらに検討が必要である．

16.2.6 生殖機能

女性生殖機能

ストレスにより無月経（amenorrhea），稀少月経（oligomenorrhea）や無排卵（anovulation），あるいは黄体機能不全が惹起されることがある．具体例としては，トレーニング期間中の長距離ランナー，治療効果の不十分な 1 型糖尿病，人口透析導入が必要な末期腎不全，絶食，神経性食欲不振症などが挙げられる．ストレスによる性腺機能不全では GnRH のパルスジェネレーター出力が抑制されるが，その脳内メカニズムは複雑で，種々の脳内神経路（神経伝達物質／調節物質）や液性因子を介するものと考えられている．CRF，AVP，オキシトシン，β エンドルフィン，IL-1 などが GnRH パルスジェネレーター抑制に働くが病態との関連性は明らかでない．ストレスは妊婦に対しても影響を及ぼすことが知られ，早流産や胎児死亡が増加する．

男性生殖機能

ストレスはホルモン分泌異常，精子形成異常，あるいは勃起不全の原因になりうる．ストレス被曝による男性ホルモン合成（分泌）低下はヒトでも実験動物でも共通して認められる現象である．また，繰り返し拘束ストレスを与えると生殖細胞の変性（ラット）や輸精管の変性（宇宙飛行訓練中のサル）が認められ，ヒトでもストレスにより精子数や精子運動能の減少が報告されている．ラットではストレス被曝が性行為回数を減少させるが，ヒトでは一致した見解が得られておらず，

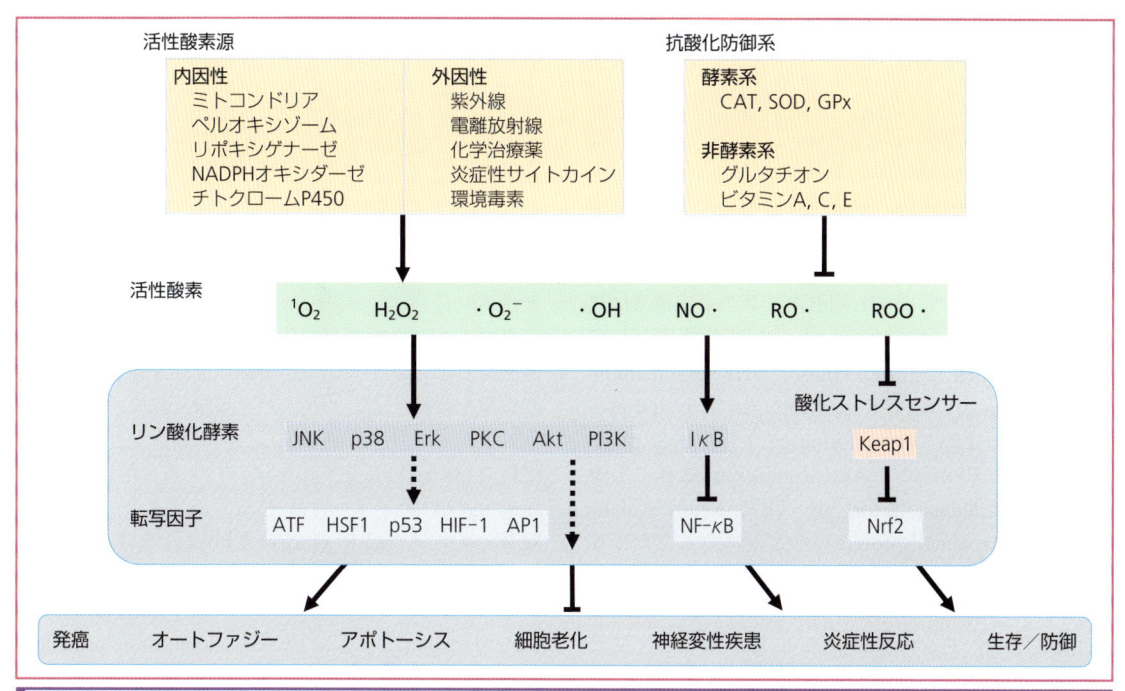

図 16-8 活性酸素ストレス

活性酸素源には内因性のものと外因性のものがある。一方、活性酸素の消去や酸化物の還元にあずかる防御系には酵素系と非酵素系とがある。活性酸素は種々の細胞内シグナル伝達系を介して多彩な応答を惹起し、炎症、発癌、老化、神経変性疾患などの誘因となる。特にNF-κBは炎症性遺伝子発現を活性化する転写因子である。また、Nrf2は通常はKeap1と結合しているためすみやかに分解されるが、酸化ストレスに曝されるとKeap1のシステイン残基が修飾されてNrf2が分解されなくなり、核内に移行して解毒酵素遺伝子を誘導する。Keap1はこのように酸化ストレスセンサーとして働き、Nrf2を介する防御機構を調節する。略語は本文を参照のこと。

勃起を強めるという報告と弱めるという報告がある。

16.3 細胞性ストレス応答

16.3.1 細胞性ストレス応答とは

　細胞の生存や正常な機能に不可欠な大分子(DNA、タンパク質、脂質など)を傷害する様々な因子(活性酸素、虚血、低酸素、熱ショック、糖やアミノ酸飢餓、紫外線、電離放射線、化学物質、遺伝子変異など)が細胞内あるいは細胞を取り巻く環境に存在する。このような因子(ストレッサー)から細胞を防御するための反応が細胞性ストレス応答(cellular stress response)である。DNAやタンパク質の損傷が感知されると、これらを修復する機構が働くが、修復不能な場合はアポトーシスへと導かれる。次に述べる活性酸素ストレス(Martindale & Holbrook, 2002)および小胞体ストレス(Lemmer et al, 2021)は癌や変性疾患をはじめ種々の疾病との関連性が指摘されており、近年研究の進歩が目覚ましい。

16.3.2 活性酸素ストレス

　活性酸素(reactive oxygen species：ROS)とはヒドロキシラジカル(・OH)、過酸化水素(H_2O_2)、一重項酸素($^1O_2$)、およびスーパーオキシドイオン(・O_2^-)であるが、広義には一酸化窒素(NO・)や有機化合物の酸素中心ラジカル(RO・、ROO・)も含まれる。好気的条件下で生きる生物はミトコンドリアにおいて酸素(O_2)を水(H_2O)に変換する過程でエネルギーを得ており、ROSが不可避的に産生される。ペルオキシゾームや細胞内の酵素系でも活性酸素は産生される。また紫外線、電離放射線、化学療薬、サイトカイン、環境毒素など細胞外からの刺激によってもROSが発生する(図16-8)。ROSは細胞内でDNAの損傷、タンパク質、リン脂質や炭水化物の酸化などの反応を引き起こす。DNA損傷は突然変異を引き起こし発癌の原因となる場合がある。タンパク質損傷のうち最も頻度が高いのは、システイン側鎖のスルフェン酸、スルフィン酸、スルホン酸への酸化やメチオニン側鎖のスルホキシドへの酸化である。

　生体には酸化された分子を還元する抗酸化防御機構が備わっており、これには酵素反応によるもの(カタラーゼ〈catalase：CAT〉、スーパーオキシドジスムターゼ〈superoxide dismutase：SOD〉、グルタチオンペルオキシダーゼ〈glutathione peroxidase：GPx〉)と抗酸化物質(グルタチオンやビタミンA、C、E)によるものがある(図16-8)。このように活性酸素ストレスの程度はROS産生と抗酸化防御のバランスにより決まる。酸化ストレスは発癌のほか、炎症、老化や神経変性疾患のメカニズムの一つとみなされている。しかしながら、

活性酸素は生体にとって一概に悪影響を及ぼすばかりではない。マクロファージにおいて産生されるROSは感染防御にはたらくし，成長因子の刺激でROSが発生し細胞増殖制御に関与する。

酸化ストレス被曝に際し傷害された分子を修復し，あるいは新しい分子に入れ替えることができれば細胞は生き残ることができる。Selyeにならえば，これが"抵抗期"に相当するであろう。

酸化ストレスを媒介する細胞内シグナル伝達系は複雑で，これまでに知られているリン酸化酵素としてErk(extracellular regulated kinase)，JNK(c-Jun amino terminal kinase)，MAPK(p38 mitogen activated protein kinase)，PKC(protein kinase C)，PI(3)K(phosphoinositide 3 kinase)，Akt(protein kinase B)，IκB(inhibitor of nuclear factor(NF)-κB)，Keap1(Kelch-like ECH-associated protein1)などがある。また転写因子としてATF(activating transcription factor)，HSF1(heat shock factor 1)，p53，HIF-1(hypoxia inducible factor-1)，AP-1(activator protein-1)，NF-κB，Nrf2(nuclear factor-E2-related factor 2)などがある。

NF-κBはIκBとの結合により核移行が抑制されているが，酸化ストレスによりIκBの抑制性サブユニットがリン酸化されて分解され，NF-κBの核移行シグナルが露出する。その結果，NF-κBは核内に移行して炎症性反応関連遺伝子を活性化する(Sies et al, 2017)。

転写因子Nrf2はKeap1と直接結合して複合体を形成するが，非ストレス環境下ではこの複合体はすみやかにユビキチン化を受けて分解されるため，Nrf2の転写活性は発現しない。酸化ストレス環境下では，Keap1のシステイン残基が修飾されてユビキチン化されなくなるためNrf2が細胞質内で増加する。Nrf2は核内に移行し生体防御因子遺伝子の発現を誘導する。このようにしてKeap1は酸化ストレスセンサーとしてはたらく(Yamamoto et al, 2018)。

これらの経路が活性化される仕組みについては不明な点が多くいまだ研究途上にあるが，細胞内経路のうちいずれが活性化されるかは，ストレスの種類や持続時間に依存すると考えられる。最終的には細胞内シグナル伝達経路の活性化状態のバランスによって，オートファジー，アポトーシス，炎症性反応，細胞老化といった運命が決定されるものと考えられている(図16-8)。

16.3.3 小胞体ストレス

リボソームで合成されたタンパク質前駆体のうちおよそ1/3は，小胞体内で様々な化学的修飾を受け成熟したタンパク質となる。タンパク質が固有の生理機能を発揮するためには正しい立体構造を有することが不可欠である。そのためS-S結合や糖鎖の付加反応を介してタンパク質の折りたたみ(folding)が行われるが，これには分子シャペロンというタンパク質の助けが必要である。細胞内外のストレス(酸化還元異常，飢餓，虚血，低酸素，遺伝子変異，ウイルス感染，小胞体内カルシウム調節異常など)により小胞体内の系が妨害されると折りたたみ不全の異常タンパク質(unfolded protein)が蓄積する。異常タンパク質蓄積は細胞の生死に関わる重大な結果をもたらし，種々の変性疾患の原因と考えられることから，これを"小胞体ストレス"と呼ぶ。

異常タンパク質の小胞体内蓄積を回避するための防御機構として，①タンパク質翻訳開始を阻害し小胞体の負荷を軽減する，②タンパク質折りたたみに関与する分子シャペロンを誘導する，③異常タンパク質を小胞体外(細胞質)に送り出しタンパク質分解経路(ユビキチン-プロテアソーム系)により処理する，④ER(小胞体)ファジー(ER-phagy)と呼ばれるオートファジーのメカニズムによって小胞体を除去する，の4つが知られている。①と②はあわせてUPR(unfolded protein response)，③はERAD(endoplasmic reticulum associated degradation)と呼ばれる。

UPRは小胞体を貫通する3つのタンパク質，PERK(protein kinase R-like ER kinase)，IRE1α(inositol-requiring enzyme 1 alpha)，ATF6(activating transcription factor 6)，によって媒介される(図16-9)。これらのタンパク質は折りたたみ異常タンパク質のセンサーとして働き，その情報が細胞質内のシグナル伝達系に伝達される。PERKはeIF2α(eukaryotic translation initiation factor 2 alpha)をリン酸化し，リン酸化eIF2αはATF4などの転写因子の翻訳を促す。IRE1αは転写因子XBP1s(X-box-binding protein-1 spliced form)の合成を促すとともにRIDD(regulated IRE1-dependent decay)と呼ばれるメカニズムにより特定のmRNAやmicroRNAを選択的に分解しタンパク質の発現を抑制する(図16-9)。小胞体ストレスはATF6(90 kD)をゴルジ体に移行させるが，ATF6はゴルジ体でタンパク質分解を受けて50 kDのATF6になり，これが核移行して転写因子として働く。ATF4，XBP1s，ATF6はいずれもタンパク質折りたたみに必要なシャペロンタンパク質の転写を促進する(図16-9)。

ERADは，折りたたみ異常タンパク質がユビキチン化を受けプロテアソームによって分解される機構である。この際，折りたたみ異常タンパク質はSEL1L(SEL1L adaptor subunit of ERAD E3 ubiquitin ligase)とHRD1(hydroxymethylglutaryl reductase degradation protein 1)の複合体を介して小胞体から細胞質へ移行する(図16-9)。また，ユビキチン化されたタンパク質がプロテアソームの処理能を越えて増加するとNFE2L1(NFE2 like BZIP transcription factor 1，Nrf1ともいう)を介してプロテアソームサブユニットなどのタンパク質遺伝子転写が活性化される(図16-9)。

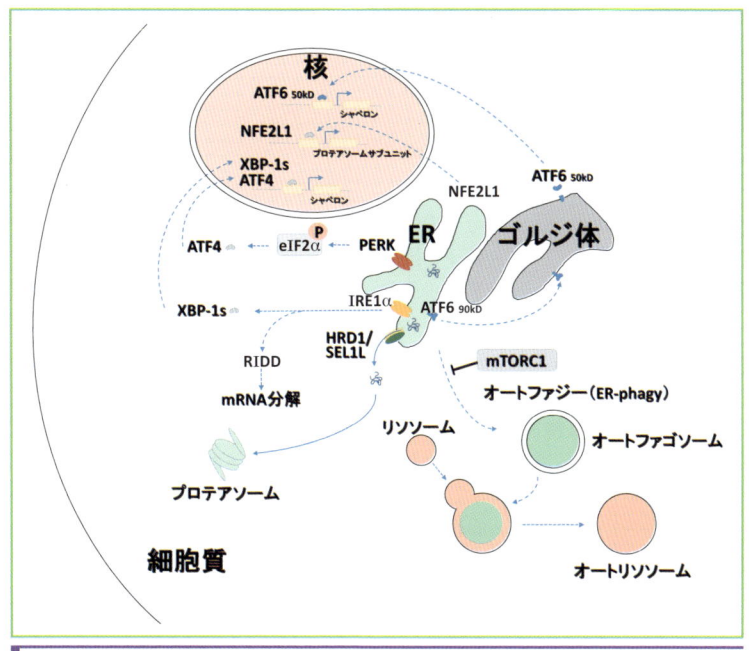

図16-9 小胞体ストレス 様々なストレスにより小胞体内に高次構造異常タンパク質が蓄積される。このような異常タンパク質によって引き起こされる現象を小胞体ストレスと呼ぶ。小胞体ストレスからの防御機構には，UPRとERAD（本文参照）があるが，近年これらの機構に加え，小胞体の一部がオートファジーによって分解される仕組み（ER-phagy）が注目されている。詳細は本文を参照のこと。ER：小胞体。

NFE2L1は小胞体膜に局在しているが，複雑なタンパク質修飾を受けた後核内に移行し転写因子として働く。

オートファジーは過剰なタンパク質や細胞内小器官を処理するメカニズムとして重要である。オートファジーによって小胞体の小区画を断片化して除去する機構は，特にER-phagyと呼ばれる（図16-9）。mTORC1（mammalian target of rapamycin complex 1）はオートファジーの主要な抑制因子であるが，栄養飢餓などに陥るとmTORC1による抑制が解除されオートファジーが誘導される。飢餓時には不要なタンパク質をすみやかに分解してリサイクルすることは生命体の生存に不可欠である。また，アルツハイマー病では異常タンパク質（アミロイドβおよびタウタンパク質）蓄積と発症との間に深い関係があることから，オートファジーによる折りたたみ異常タンパク質の分解は生体防御にはたらいている可能性がある。

16.4 社会的ストレスと依存症

16.4.1 ストレス耐性

ストレスに曝されたときの反応の仕方はその人の性格，精神的あるいは肉体的状態や置かれた状況（立場や環境）などに左右される。性格には生得的（遺伝的）なものと生後の体験によって形成されたものがあるが，一般に両者を区別することは困難である。ストレス耐性（壮健さ〈hardiness〉あるいは復元力〈resilience〉）は遺伝的要因にも左右されるが，幼少期の体験が成人になってから大きな影響を及ぼすといわれる。

心臓病専門医のMeyer FriedmanとRay Rosenmanは心疾患外来の患者に特徴的な性向に気づき，"タイプA行動パターン"と名づけた（Friedman & Rosenman, 1959）。タイプA行動パターンは過度の競争心，攻撃性，性急さ，時間的切迫感などを特徴とするもので，彼らは冠動脈性心疾患との関連性を指摘した。その後半世紀に及ぶ疫学調査の結果は必ずしも彼らの見解と一致したものではないが，性格と特定の疾病発症のリスクとの関連性に着目した点は現在でも高く評価されている。Jerrold S. Greenbergは心理学者の立場からストレスを乗り越えるための重要な要素として，現状にとらわれないものの見方，感謝の気持ち，ユーモア，自尊心，不安のマネジメントなどを挙げている（Greenberg, 2004）。またSuzanne Kobasaは，ストレスに強い壮健な人の条件として，コミットメント（commitment），コントロール（control），チャレンジ（challenge）の3つを挙げている（Kobasa, 1979）。コミットメントは仕事，家庭をはじめ自分の行う行為に積極的に関与すること，コントロールは行動や生活の成り行きを自分が掌握できていると感じること，チャレンジは生活中の出来事を自分の成長の糧として捉えることである。

16.4.2 職業的ストレス

職業上のストレスは仕事の能率や仕事による満足感などに大きな影響を与え，職業人の健康状態を左右する．職場のストレッサーとしては，職場環境（照明，換気，気温，騒音，粉塵，その他の危険因子など），労働条件（労働時間，仕事の困難さ，賃金，意思決定への関与の度合い），役職や組織内での役割，上司，部下，同僚との人間関係，職場の規律や雰囲気などが挙げられる．男女間の賃金格差や機会の不平等，セクシャルハラスメントなどはジェンダー特異的なストレス要因である．職場における個人のストレス状態は職場外（家庭を含む）のストレッサーによっても修飾される．

職業的ストレスと関連する疾病として，高血圧，糖尿病，消化性潰瘍などが挙げられる．ワーカホリック（仕事中毒）は次に述べる行為依存と共通する心理的機転を含んでいるが，過重労働や過度の欲求不満が"燃えつき症候群"につながり士気の低下，体調不良，情緒不安定，抑うつなどをきたし，就業不能から場合によっては自殺につながる危険性がある．日本では長時間の時間外労働に伴ういわゆる"過労死"が社会的な問題として取り上げられている．

職場の物理的労働条件は労働基準法や労働安全衛生法により規制されているが，生産性の向上という要求からことに大企業では環境改善や従業員の健康管理を積極的に行う事業主が増えている．就業員数 50 名以上の事業所では産業医を選任し，労働者の健康管理などを行わせることが義務づけられており，産業医は職務として職場の健康管理，作業管理，作業環境管理と労働衛生教育および労働衛生管理の基盤整備と，そのための助言を事業者に与える．

16.4.3 依存症

薬物依存

アルコール依存症とストレスの関連性はすでに第二次大戦直後から報告されているが，その後アルコールのみならず大麻（マリファナ），コカイン，ヘロイン，覚醒剤，あるいはマイナートランキライザー（ベンゾジアゼピン）への薬物依存（drug addiction）とストレスの関連性について，今日まで数多くの報告がなされてきた．

思春期は人生のうちで特にストレスに曝されやすい時期であり，薬物依存に陥るリスクも高い．肉体的な変化に伴い大人の社会に適応していかなければならないことが思春期における精神的負荷である．老齢期には肉体的健康，独立した生活，経済状態などが脅かされ，様々な喪失体験を余儀なくされる．したがって，思春期とならび老齢期もまた人生の中で最もストレスの大きい時期で，薬物依存の危険性が高い．

職業上のストレス（16.4.2「職業的ストレス」を参照）と薬物依存の間にも高い相関性が認められる．肉体的，心理的な要求度が高く自己裁量権の少ない仕事ほどストレスが大きく依存症のリスクが高い．教員，医師，弁護士などの専門職でも過重労働や責任の重さなどが薬物依存のリスクにつながるといわれる．

行為依存

行為依存（behavioral addiction）は衝動制御障害（impulse-control disorders）とも呼ばれ，強い衝動に駆られて特定の行為を繰り返し行い，その結果，不利益や不都合が生じることがわかっていても抑制できない．ギャンブル癖（pathological gambling），買い物癖（compulsive buying），盗癖（kleptomania），頭髪抜去癖（trichotillomania），強迫的性行動／性嗜好障害（compulsive sexual behavior/paraphilia）などが知られるが，近年，インターネット依存（compulsive internet use）が問題化している．行為依存の原因は明らかでないが，アルコールその他の薬物依存を伴う率が高い．ギャンブル癖や買い物癖は深刻な家庭問題，経済問題につながる危険性があり，その他の行為も健全な社会生活を破壊する場合が少なくないので，積極的な治療が必要である．

17 高次神経機能とホルモン

17.1 2種類の学習

これまで多くの研究によって，内分泌系，すなわちホルモンが学習・記憶に影響を及ぼすことが明らかにされている。学習とは，心理学では"経験によって生じる行動の比較的永続的な変化"と定義されている。我々ヒトを含む動物は，何らかの経験をすることによって，その後の行動を適応的に変化させることができる。この学習過程において不可欠なのが，記憶である。経験を何らかのかたちで記憶することによって，その後の行動的変化，すなわち学習が成立する。ここではまず，学習と記憶について，それぞれの基本的なタイプを紹介する。

まず学習は2種類，非連合学習と連合学習に分類される。非連合学習の例としては，馴化(habituation)や鋭敏化(sensitization)が挙げられる。ある刺激を経験することによって，その刺激に対する反応が弱まる現象が馴化(慣れ)であり，逆に強まる現象が鋭敏化である。

一方，連合学習は条件づけとも呼ばれ，その一つがかの有名なPavlov(パブロフ)の古典的(レスポンデント)条件づけである。Pavlovは，イヌに餌を与えるときにベルの音を聞かせた。イヌはそもそも餌を与えられると唾液を分泌させるが，餌とベルの音を同時に繰り返し提示すると，その後ベルの音だけでも唾液を分泌させるようになった。

古典的条件づけでは，特定の刺激によって引き起こされる反応が，元来そのような効果を持たなかった刺激によっても引き起こされるようになる。言い換えれば，ここでの学習は2つの刺激間の連合の形成である。第一の刺激(Pavlovの犬の例では餌)は特定の反応(唾液分泌)を経験なしでも引き起こす。ここでの刺激-反応連合は生得的な反射であり，刺激は無条件刺激(unconditioned stimulus：US)，反応は無条件反応(unconditioned response：UR)と呼ばれる。次に第二の刺激(ベルの音)は元来URに何ら影響を及ぼさない刺激であり，条件刺激(conditioned stimulus：CS)と呼ばれる。Pavlovのイヌは，ベルの音(CS)と餌(US)を対提示されることで，CSの単独提示によってもURと同様の反応を誘発するようになる。この反応は条件反応(conditioned response：CR)と呼ばれる。

古典的条件づけの代表例として，恐怖条件づけパラダイムがある。まず動物，特にラットやマウスに対して光や音といった中性的な刺激(後に条件刺激〈CS〉となる)を電気ショック(無条件刺激〈US〉)と対提示すると，その後CSは条件性恐怖反応(例えばフリージング)を誘発するようになる。CSによって条件性恐怖反応がどの程度誘発されるかは，条件づけ時のUSの強度に依存し，USの強度が強いほど，誘発される条件性恐怖反応は大きい。

また光や音のような刺激だけでなく，ラットはUSが提示された環境のような文脈(context)とも同時に連合学習することが知られている。特定の文脈で音CSに対して恐怖条件づけした後，異なる文脈で音CSを提示し，それに対する恐怖反応を測定することで，文脈CSと切り離して音CSに対する情動記憶を測定することも可能である。逆に，条件づけ時に用いた文脈に音CSなしで再度さらすことによって，文脈CSに対する情動記憶を単独で測定することもできる。図17-1は代表的な恐怖条件づけ装置である。装置Aは四角いアクリル製の箱であり，床は足への電気ショックを与えるためのグリッドが並べられている。一方，装置Bは三角のアクリル製の箱であり，床も平らなアクリル板でできている。実験時には，それぞれの装置において異なる照度および背景音が用いられる。まず装置Aで音や光のCS(手がかりCS)と電気ショックのUSを対提示することで条件づけを行い，その後それぞれの装置においてフリージング反応を測定するテストを行う。条件づけ時と同じ装置Aでテストを行う場合には，音や光といったCSを提示せず，装置自体(文脈CS)に対する反応を測定する。一方，装置Bでテス

図17-1 ラット用の代表的な恐怖条件づけ装置　装置AとBでは文脈(装置の形状や色,明るさ等)が異なる。まず装置Aにおいて,音(CS)とフットショック(US)を対提示することで条件づけを行うが,その際ラットは,音だけでなく文脈(音とは異なるCS)とフットショックの連合も学習する。その後,装置Bにおいて音を提示することで,音CSのみに対する条件性恐怖反応を測定することができる。また装置Aに音なしでさらすことによって文脈CSに対する条件性恐怖反応を測定することもできる。

装置A
- 透明アクリル製
- 床はグリッド
- 防音箱の内壁は白色
- 55dBのWhite Noise
- 照度 200 lux

装置B
- 黒色と透明アクリル製
- 床面は三角形
- 床はアクリル製
- 防音箱の内壁は黒色
- 55dBのWhite Noise
- 照度 50 lux

トを行う場合には,手がかりCSを提示し,それに対する反応を測定できる。多くの先行研究によって,手がかりCSに対する条件づけと文脈に対する条件づけは,異なる脳部位で処理されていることが示唆されている。手がかりCSに対する条件づけに関しては扁桃体の関与が,文脈CSに対する条件づけに関しては扁桃体および海馬の両方の関与が有力である。例えば,扁桃体を破壊すると,手がかりCSと文脈CSどちらに対する条件性恐怖反応も消失するのに対し,海馬破壊では,文脈CSに対する条件性恐怖反応は消失するが,手がかりCSに対する反応には影響しない(Phillips & LeDoux, 1992)。これら手がかりCS,文脈CSに対するどちらの条件性恐怖反応についてもかなり長期間持続することが知られており,嫌悪性情動記憶の動物モデルとして適しているといえる。

もう一つの条件づけが,オペラント(道具的)条件づけである。特定の反応に対して強化(報酬や罰)が与えられることで,その反応の生起頻度が変化する。動物のオペラント条件づけ実験で用いられる代表的な装置のスキナー箱の壁にはレバーがあり,動物がこのレバーを押すと報酬である餌が与えられる。動物は最初からレバーを押すわけではなく,探索行動をしている間にレバーに接近したり,触ったりした場合に餌を与え(これをシェーピングという),レバー押し反応と報酬との連合を何度も繰り返す(強化する)ことによって,レバー押し反応の生起頻度を高めることができるようになる。逆にある反応が生起した後に罰を与えることで,その反応の生起頻度を低下させることもできる。このオペラント条件づけの理論は,我々の日常生活の様々な場面で応用されている。また,オペラント条件づけパラダイムを用いて,目標指向行動と習慣行動のそれぞれを分離して評価することも可能である。動物が報酬を得ることを目的としてレバー押しをすることが目標指向行動であるが,レバー押し反応を長期間続けているうち,そのレバー押しは目標指向行動から反射的な行動,すなわち習慣行動に移行する。動物のレバー押し行動が目標指向行動であるのか習慣行動であるのかは,事前に無条件で報酬を与えることで報酬の価値を下げる(価値低減法)ことによって評価できる。報酬の価値が下げられた後でも出現するレバー押し行動は習慣行動であると考えられる。

17.2　記憶の分類

学習が成立するためには,経験や知識が何らかの形で記憶される必要がある。記憶はまず,経験や知識が保持される期間によって,短期記憶と長期記憶に分けられる。一般に,短期記憶は数秒間保持され,この情報がリハーサルされることで長期記憶へと移行すると考えられている。さらに長期記憶には,その内容によって宣言的および非宣言的記憶の2つに分類される(図17-2)。宣言的記憶とは,知識のような言語化できる意味記憶であり,いつどこで何をしたかといった個人的な出来事の記憶であるエピソード記憶も含まれ

17.2 記憶の分類

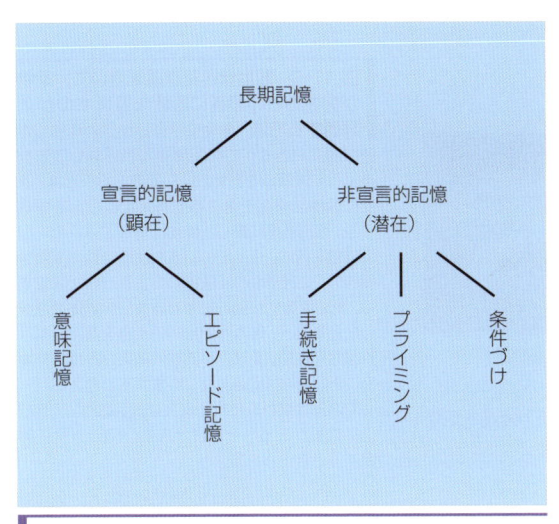

図 17-2　長期記憶の分類例

（長期記憶 → 宣言的記憶（顕在）／非宣言的記憶（潜在）；宣言的記憶 → 意味記憶／エピソード記憶；非宣言的記憶 → 手続き記憶／プライミング／条件づけ）

図 17-3　ラット用の高架式8方向放射状迷路装置　空間記憶能力を評価できると考えられている。中央のプラットホームから8本の走路が放射状に設置されており，装置の周囲には様々な視覚的手がかりが置かれる。走路の先端には報酬を入れるための窪みがある。また一般的にプラットホームと走路の間にはギロチンドアが設置されており，ラットが報酬を取り終えてプラットホームに戻ってきた際，次の走路の選択までに5秒程度の遅延を挿入するのが一般的である。これはラットが隣接した走路を連続して選択することを防ぐためである。

る。非宣言的記憶は，言語化できない潜在的な記憶であり，自転車の乗り方やピアノの弾き方といった手続き記憶が含まれる。

　また別の分類として，参照記憶と作業記憶という分類もある。参照記憶とは，普遍的な長期的記憶であり，作業記憶は一時的な短期記憶を指す場合が多い。例えば我々が本を読む場合，その内容に関する記憶が参照記憶であり，本の文章を読むこと自体に必要な記憶（文章を理解するには，直前の単語や文字を一時的に記憶しておく必要がある）が作業記憶である。

　図17-3は，ラットの空間記憶を調べる場合によく用いられる放射状迷路学習課題である。中央のプラットホームから放射状に8本（12本の場合もある）の走路（アーム）が伸びた高架式の迷路である。各アームの先端には窪みがあり，そこに報酬となる餌を置く。空腹のラットを中央のプラットホームに置き，自由に迷路内を探索させると，ラットはいずれかのアームを選択し，先端にある餌を取り，プラットホームに戻るという行動を繰り返すようになる。まだ進入していないアームに進入する反応が強化され（正反応），2度目以降の進入は強化されない（誤反応）とし，ラットがすべてのアームの先端の餌を取り終えると試行終了とする。このような試行を繰り返すことで，そのうちラットは一度入ったアームに再度入ることなく，すべての餌を取り終えることができるようになるのである。迷路の周囲には様々な視覚的手がかりが設置されており，ラットはこれらの空間的手がかりを利用することで，この迷路学習課題を解決していると考えられている。

　この放射状迷路学習課題において，8本のアームのうち4本のみに餌を置くとする。餌が置かれるアームは，試行を通じて一定とする。このような状況において，ラットが犯す誤反応は2種類ある。一つは本来餌が置かれていないアームに進入する誤反応であり，もう一つはその試行内でのすでに進入したアームへの再進入する誤反応である。餌がどのアームに置かれているのかに関する知識は試行を通じて常に一定であり，したがって前者の誤反応が参照記憶エラーとされる。一方，その試行内でどのアームにすでに進入したかの知識は，その試行内でしか必要とされず一時的に記憶されるものであり，この知識に関する後者の誤反応は作業記憶エラーとされる。

　またホルモンや薬物などの記憶に対する影響を研究する際に配慮すべきことの一つに，それら物質の投与時期がある。記憶には3過程（あるいは4過程）が存在することが知られており（図17-4），それらのうちのどの時期に影響を及ぼすのかを見極める必要がある。ホルモンや薬物によっては記憶の特定の過程のみに作用する。視覚，聴覚などの感覚受容器を介して得られた情報を記憶するためには，まずその情報を記銘（encoding）しなければならない。記銘された情報は次に長期記憶として固定（consolidation）される。情報が記憶されるためにはこの固定過程が必要であることは，学習後の様々な遅延時間後に電気痙攣ショック（electroconvulsive shock：ECS）を与えることによっ

記銘 ➡ （固定） ➡ 保持 ➡ 再生

図 17-4　記憶が成立するために必要な3過程　固定を含めて4過程とされることもある。

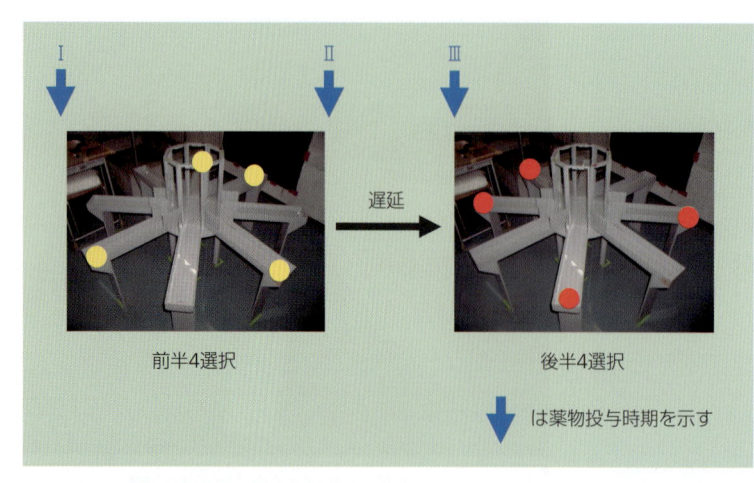

図17-5 放射状迷路課題を用いて，薬物が記憶のどの過程に影響を及ぼすのかを評価する方法 動物にはあらかじめ8本の走路に置かれたすべての報酬をエラーなしで取れるように訓練しておく。ここでのエラーとは，すでに報酬を得た走路に再度進入することを意味する。習得基準に達した動物に対して遅延挿入型の課題を行い，Ⅰ～Ⅲのいずれかの時期に薬物を投与し，試行後半の4選択でのエラー数を評価する。例えば動物が試行前半で黄色印の走路を選択したとすると，後半は赤色印の走路を選択しなければならない。Ⅰでのみ薬物の効果がみられた場合，その薬物は記銘過程に影響すると考えられ，Ⅱでのみ効果がみられた場合は固定過程に，Ⅲでのみ効果がみられた場合は再生(検索)過程に影響すると考えられる。

て，学習からの時間が短いほど健忘効果が大きいという事実から導き出された。記銘され，固定された情報は脳内で保持(retention)されることになるが，記憶が成立するためには保持された情報を再生(retrieval)しなければならない。これら3つ(あるいは4つ)の過程は，それぞれ関係する脳部位や神経伝達物質，内分泌系が異なっていると考えられている。どの神経系，内分泌系がどの過程に関与しているのかを知るためには，薬物等を投与する時期を変数としてその効果を検討しなければならない。学習前の投与の影響は記銘あるいは固定過程への影響と推測でき，テスト前の投与の影響は再生過程への影響と推測できよう。ラットの放射状迷路学習では，ラットが8本のアームのうち4本のアームに置かれた報酬を取った後遅延を挿入し，その後残りの4本を選択させるという手続きをとることで，上記の検討が可能になる(図17-5)。

17.3 ストレスホルモンと学習・記憶

現代社会において，ストレスはもはや社会問題として万人に認識されているといっても過言ではない。ストレスに関する研究は世界中で精力的に行われており，我々にとっては，胎児期から死を迎えるまで生涯にわたって関わる重要な問題である。

生体が様々なストレッサーにさらされた場合に，ストレス反応といわれる視床下部-下垂体-副腎(HPA)軸とそれに誘発される免疫系と消化器系など種々の反応を示す。ストレス反応の詳細については，16章「ストレス応答と行動」で詳細に解説されている。

様々なストレス反応のうちで最もよく研究されているのはHPA軸である。ラットは電気ショックや拘束といった物理的・身体的ストレッサーや，隔離飼育や条件性恐怖反応のような心理的ストレッサーにさらされると，まず視床下部室傍核からコルチコトロピン放出ホルモン(CRH)(コルチコトロピン放出因子〈CRF〉)が放出される。このホルモンが下垂体前葉を刺激し，副腎皮質刺激ホルモン(ACTH)を分泌させ，さらにACTHは副腎皮質からグルココルチコイドであるコルチコステロン(あるいはコルチゾール)を放出させる。これらのホルモンは，生体の環境への行動的適応において重要な役割を担っており，生体のホメオスタシスを調節し，環境的要求に最適に対処できる体内環境を作り出すように作用する。

17.3.1 副腎皮質刺激ホルモン

HPA軸のホルモンが学習・記憶に影響を及ぼすという可能性は，de Wied(1964)によって初めて報告された。彼はラットの回避学習が下垂体前葉除去によって阻害され，副腎皮質刺激ホルモン(adrenocorticotropic hormone：ACTH)投与により回復することを見出した。その後の研究で，ACTHが様々なタイプの学習に影響を及ぼすことが明らかとなった。

しかし興味深いことに，ACTHは学習・記憶を促進するだけでなく，阻害することもあるという知見が報告されてきた。これはACTHに限らず，その他学習・記憶に影響するとされるストレスホルモンの多くに一貫した現象である。例えば，副腎髄質から放出されるストレスホルモンであるアドレナリンも学習・記憶に影響する代表的なホルモンであるが，その作用は逆U字型を描く(図17-6)。ストレスホルモンの学習・記憶への効果は様々な要因に左右されると考えられるが，それら要因のうちの一つが，ホルモン投与時のそのホルモンの生体内レベルである。このことを示す代表例として，ACTHの学習・記憶への効果に関する古典的な研究を紹介する。

ラットの受動的回避学習課題では，訓練直後のACTH投与が，24時間後の保持テストの成績に影響を及ぼすが，低用量投与の場合には成績を向上させたが，逆に高用量投与の場合には低下させる(Gold & Buskirk, 1976)。受動的回避課題では，明暗(あるいは

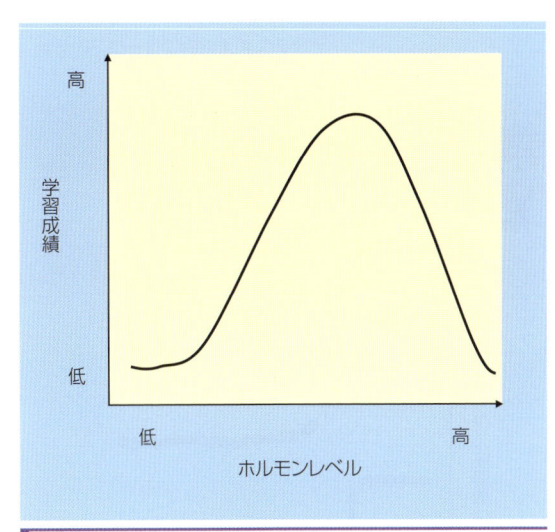

図 17-6 ホルモンの投与量と学習成績の逆 U 字関係 様々なホルモンが学習・記憶に影響を及ぼすが，その多くは促進および阻害効果のどちらも示す。学習・記憶を促進するか否かはそのホルモンの内的レベルと投与量に依存し，それぞれのホルモンで最適なレベルがあると考えられる。

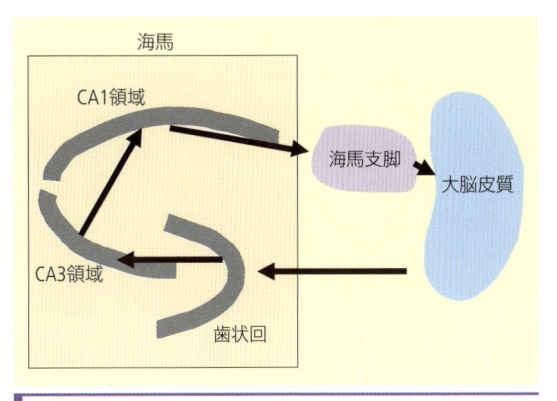

図 17-7 海馬の神経回路 側頭葉から海馬の歯状回へ入力された情報は，時計回りで海馬内を伝わり，その後再び側頭葉へと出力される。慢性ストレスやグルココルチコイド慢性投与は，海馬の CA3 領域の錐体細胞に影響し，その結果として学習・記憶機能を阻害すると考えられる。

大小) の 2 部屋からなる装置を用いて，まずラットを明るい (大きい) 部屋に入れる。ラットは生得的に暗いところを好むため，すぐに暗い (小さい) 部屋に進入する。そこで電気ショックを与えて，その数時間後に再びそのラットを明るい部屋に入れると，ラットは暗い部屋に入らなくなる。このラットは暗い部屋で電気ショックを受けたことを記憶しているわけである。動かないことで電気ショックを回避できることから，受動的回避学習と呼ばれる。逆に動物が動くことによって電気ショックを回避できるような場面は，能動的回避学習と呼ばれている。

ACTH の効果に関する研究の多くは，電気ショックのような嫌悪刺激を用いた，それ自体がストレッサーになりうる嫌悪性学習課題を用いてきた。したがって動物を学習場面におくだけで内因性 ACTH レベルは上昇する。強いショックで条件づけられたラットに対する訓練後の ACTH 投与は，たとえ低用量でも記憶を阻害し (Izquierdo & Dias, 1985)，ACTH の効果は訓練で用いられた電気ショックの強度に依存する。強い電気ショックで訓練された場合は，ラットのストレス反応が大きく，下垂体から放出される内因性 ACTH 量が多くなる。記憶障害を引き起こすことが知られている電気痙攣ショックや痙攣誘発剤などは，ACTH の過剰放出を誘発することも報告されている。したがって，ACTH の健忘効果は，内因性 ACTH レベル，ストレス反応としての ACTH 放出量および投与された ACTH 量との相乗あるいは相加効果による ACTH レベルの過剰な上昇に起因し，記憶を促進する最適な ACTH レベルが存在すると考えられる。

17.3.2 グルココルチコイド

前述したようにグルココルチコイドは，HPA 軸の最終反応として，副腎皮質から放出される。ヒトではコルチゾール，ラットではコルチコステロンで，これらのホルモン自体には抗炎症作用がある。

またグルココルチコイドは生体がストレス状態にあるときにだけ放出されるのではなく，日常生活においても常に血中に存在し，その動態はサーカディアンリズムを示す。夜行性のラットの場合，活動期である暗期に血中レベルが高くなり，逆に明期は低い。

グルココルチコイド受容体は，脳内では海馬 (図 17-7) に最も多く存在し，ストレス状況に置かれることで増加したグルココルチコイドは，海馬の受容体を刺激し，結果的にはネガティブフィードバック機能により血中レベルは正常レベルに回復する (Feldman & Conforti, 1980)。したがって，HPA 軸の制御において海馬は重要な役割を担っている。

一方，Landfield ら (1981) の研究によって，グルココルチコイドの海馬組織に対する影響が注目され始めた。彼らは若齢期に副腎除去されたラットでは，加齢に伴う海馬のニューロンの減少が抑制されていることを見出した。その後 Sapolsky ら (1985) が，ラットに毎日コルチコステロンを皮下投与すると，老齢ラットでみられるものと同様の海馬 CA3 領域のニューロンの減少がみられることを発見した。コルチコステロン慢性投与後の海馬 CA1 および CA3 領域の錐体細胞と歯状回の顆粒細胞の形態的変化を観察した後の研究では，CA3 領域の錐体細胞のみに尖頂樹上突起の変性，すなわち枝数の減少および全体的な長さの短縮がみられることが明らかにされた。

海馬組織が形態的に変性した場合，その機能にも影響が出ることは想像に難くない。海馬の機能として最

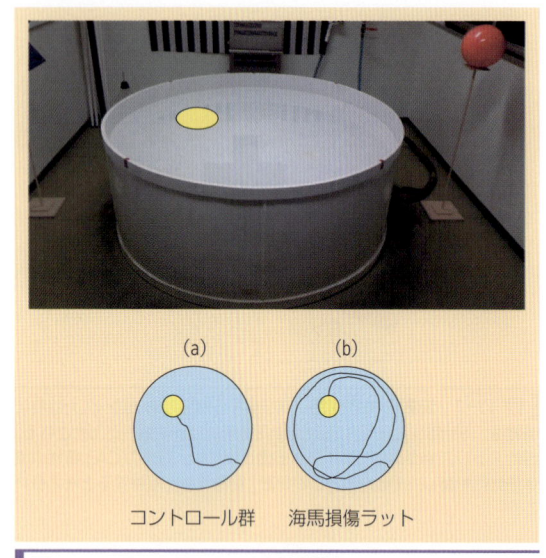

図17-8 ラット用のモリス型水迷路 プール内にプラットホーム（黄色印）が置かれているが、それは水面下にあり、遊泳中のラットには見えない。ラットは外的手がかりを利用して、プラットホームの位置を学習することが求められることから、この課題は空間記憶課題の一つである。正常なラット（a）では数回の訓練によって、スタート位置から短時間でプラットホームにたどり着けるようになるが、海馬損傷されたラット（b）はプラットホームの位置が覚えられない。

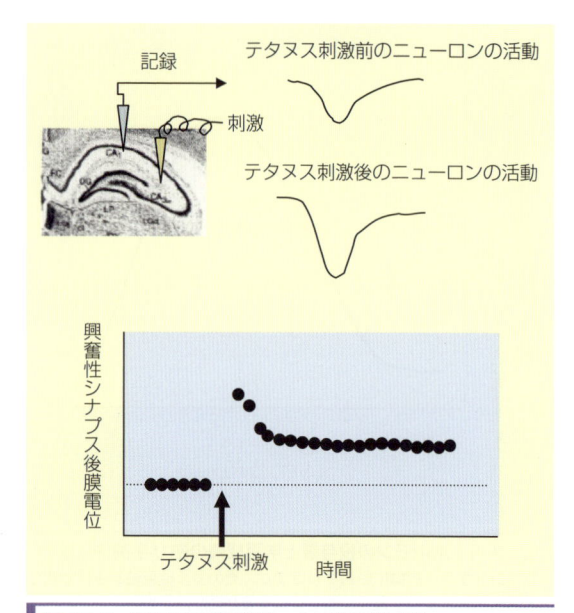

図17-9 海馬の長期増強（LTP）の実験結果例 高頻度（テタヌス）刺激を与えると、その後はニューロンの活動が大きくなり、その現象は長時間持続する。学習・記憶の生物学的基盤として考えられている。

も重要視されているのが学習・記憶である。なかでも空間記憶に海馬が関与していることを示唆する研究が数多く報告されている。de Wiedに始まる古典的研究において、HPA軸との関与が研究されてきた嫌悪性学習課題に代わって、その後は空間記憶課題を用いた検討が行われるようになった。

例えばArbelら（1994）は、やや老齢といえる12ヶ月齢のラットを用いて、まずモリス型水迷路課題の成績によって、ラットを高成績群と低成績群に分類した。モリス型水迷路は放射状迷路と同様に、ラットやマウスの空間記憶を評価するためによく用いられている学習課題である（図17-8）。円形のプールの水面下に小さなプラットホームが置かれており、プールに入れられた動物が水から逃れるためには、プラットホームの位置をプールの周辺に置かれた手がかりを利用して記憶する必要がある。海馬損傷や、海馬にアセチルコリン系受容体あるいはグルタミン酸受容体遮断薬を局所投与されたラットでは、プラットホームの場所を覚えられなくなる。

12ヶ月齢になると、ラットの学習能力の個体差が大きくなり、その学習成績はばらつく。彼らはそれらの2群間で、海馬CA1およびCA3領域の損傷を受けているニューロン数を比較したところ、学習成績が悪いラットほど海馬の両領域において損傷された細胞数が多いことを発見した。さらに成績の悪いラットではHPA軸の活動が亢進していた。一般に老齢ラットでは、コルチコステロンのネガティブフィードバック機能の減退により、HPA軸の活動が高まっており、その結果、血中のコルチコステロンレベルは高い。これらのことから、老化に伴うHPA軸の亢進により空間記憶が阻害されることが示唆された。

これらの研究成果を受け、若齢のラットに対し、コルチコステロン慢性投与の空間記憶に対する影響が検討されてきた。Dachirら（1993）は、9週間のコルチコステロン慢性投与によって、放射状迷路学習の習得が阻害されることを見出した。またLuineら（1993）も同様の結果を得ている。彼らの報告では、放射状迷路学習での正選択数および誤反応数に顕著な影響はみられないが、最も成績の悪い3匹のラットはコルチコステロン投与群であった。また彼らの用いた慢性投与の方法が飲み水を介した方法であったため、個体ごとの飲水量と学習成績との関連をみたところ、成績の悪かったラットは他のラットと比較して飲水量が多かったことがわかった。その後McLayら（1998）もコルチコステロンの慢性投与がラットの空間記憶を阻害することを報告している。

以上の研究から、コルチコステロンの慢性投与は空間学習を阻害することは明白である。コルチコステロンの慢性投与が食欲といった学習課題遂行の動機づけを変化させ、その結果として学習成績に影響している可能性もあるが、コルチコステロン慢性投与後に十分な回復期間をおいて体重を回復させてからテストしても同様な学習成績の低下がみられたため、これらはコルチコステロンの学習能力に対する直接作用と考えられる。また、これらの処置が自発活動性に対しては効果がないことも確かめられている。

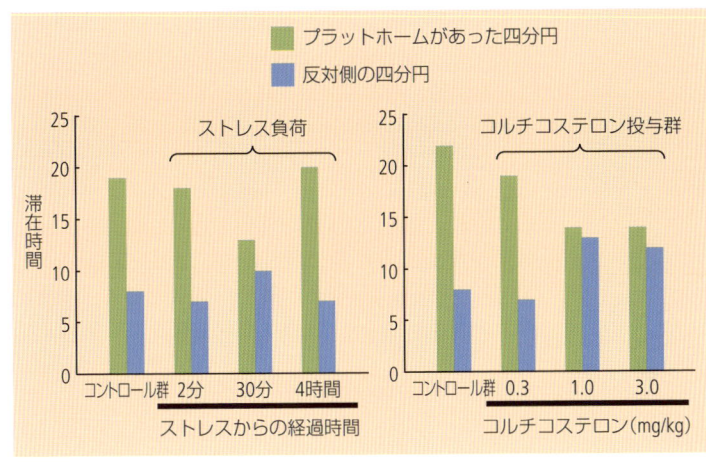

図17-10 モリス型水迷路学習に及ぼすグルココルチコイド急性投与の効果 この実験では，ラットにプラットホームの位置を覚えさせる訓練を数日間行った後に，プローブテストを行っている。プローブテストでは，プラットホームがプールから取り除かれた状態でラットを一定時間泳がせる。グルココルチコイドはこのプローブテスト前に投与された。コントロール群では，訓練時にプラットホームが置かれていた四分円内をより長く泳いでいたが，グルココルチコイド投与群では，用量依存的にそこでの遊泳時間が短くなった。したがって，グルココルチコイドの急性投与は空間記憶を阻害したといえる。

　海馬の長期増強（long term potentiation：LTP）が学習・記憶の生理学的基礎であるということは幅広く受け入れられているが，慢性ストレスやコルチコステロンの慢性投与によって海馬のLTPは減弱する（Pavlides et al, 1993）。LTPはニューロンの可塑性を示す代表的な現象であり，ウサギの海馬で初めて発見された（Bliss & Lomo, 1973）。LTPは，興奮性の入力線維束を高頻度で刺激（テタヌス刺激）すると，その後長期間にわたってシナプスにおける伝達効率が上昇することである（図17-9）。我々が行った研究では，海馬の歯状回とCA1領域において，ストレス負荷から1時間後と4時間後のコルチコステロン増加がLTPにどのように影響するかを検討した（Yamadaら，2003）。まずラットを副腎除去群とコントロール群に分け，さらに下位グループとして，ストレスによるコルチコステロン反応を抑制するために，拘束ストレスの4時間前に低用量のデキサメタゾン（グルココルチコイド受容体アゴニスト）を投与する群としない群に分け，ストレスの1時間後と4時間後に歯状回およびCA1領域におけるLTPを記録した。その結果，副腎除去された群ではストレスによるLTPの抑制はみられなかった。歯状回では，ストレスは1時間後のLTP誘発に対して効果がなかったが，4時間後には有意に抑制した。さらにデキサメタゾンを投与された群では，歯状回の急性ストレスによるLTP抑制は阻害された。一方，CA1領域においては，ストレスはLTPに対して何ら影響しなかった。これらの結果は，海馬の2領域においてストレスがニューロンの可塑性に異なる効果を持つこと，そしてその効果は時間依存的であり，ストレス誘発性のコルチコステロン増加が関与していることを示唆している。

　さらにコルチコステロンの慢性投与は，中隔海馬アセチルコリン系神経の変性，海馬の局所脳血流量の減少などを引き起こす。これらはどちらも学習・記憶障害との関連が知られているものである。

　しかしながらその一方で，グルココルチコイドの急性投与が学習・記憶を促進することを示す研究もある。例えば，急性ストレスはラットの古典的条件づけを促進する効果を持つ（Shors et al, 1992）。この効果は，副腎除去によって阻害されることから，ストレス誘発性のグルココルチコイドを介していると考えられる。

　このグルココルチコイドの記憶促進効果には，扁桃体外側基底核が関与していると考えられる。扁桃体外側基底核を損傷すると，グルココルチコイドの記憶促進効果は阻害される（Roozendaal, 2003）。ただこれらの研究は恐怖条件づけ課題を用いて行われていることから，空間記憶とは異なるメカニズムが関与しているのかもしれない。その証拠として，de Quervainら（1998）は，グルココルチコイドの急性投与や急性ストレスがモリス型水迷路課題での学習成績を低下させることを報告している（図17-10）。

17.4　認知機能の性差と性ステロイドホルモン

17.4.1　ヒトの研究

　生体が持つ様々な構造や機能において性差がみられることは周知の事実である。学習・記憶もまた例外ではなく，一般的に空間学習能力は男性優位であり，言語学習能力は女性優位であるといわれている。図17-11は心的回転（mental rotation）と呼ばれる課題である。この課題では被験者は与えられた形を頭の中で回転させ，別の角度からの見え方を想像することが求められ，一般的に男性の方が成績がよい。一方，単語や文章，数字などを覚えさせる言語記憶課題では逆に女性の方が成績は良い。図17-12はいくつかの認知機能における性差の大きさを比較したものである。心的回転などの空間的認知機能とボキャブラリーの豊富さ

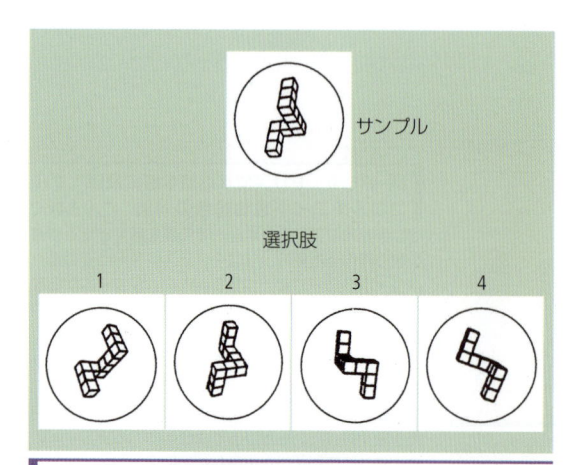

図17-11 心的回転テスト このテストではサンプルの図形と同じものを選択肢から選ばせる。空間認識能力を測定できると考えられ，一般的にこのような課題は男性優位である。

どの言語的認知機能について，比較的性差が大きいことがわかっている"身長や幼児期の遊び方の性差"と比較している。

空間学習能力の性差の生物学的背景に関しては，これまでにいくつかの仮説が提唱されてきた。その一つであるX染色体関連説は，X染色体上の遺伝子が空間学習能力を低下させるため，X染色体が2つある女性は1つしかない男性に比べて空間学習能力が劣るという考えである。この仮説については過去にいくつかの研究が検証しているが，一貫した結果は得られていない。さらに，X染色体を1つしか持たないターナー症候群の患者を対象とした研究では，X染色体関連説を支持しない結果が得られている。X染色体関連説から予想される結果とは異なり，空間学習能力に関するテスト課題において，健常な女性と比べて患者の方が成績は悪い。

認知能力の性差がどのように生じるのかに関して最も説得力のある考え方は，胎児期における性ステロイドホルモンの形成効果の影響である。先天性副腎過形成症(congenital adrenal hyperplasia：CAH)の女児では，胎児期に過剰に分泌された副腎由来のアンドロゲン(dehydroepiandrosterone：DHEA)に曝されることにより生殖器が不完全に男性化するだけでなく(半陰陽)，認知機能にも男性化の影響が現れることが示されている。例えばCAHの女児の描く絵は，一般的に男児が描くような絵の特徴を多く含む(Iijima et al, 2001)。男児の描く絵の一般的な特徴として，"中央に対象を大きく描く"，"自動車や飛行機などを好んで描く"，"上から見下ろした視点で描く"，"寒色系の色を好んで使う"などが挙げられ，一方女児の描く絵の特徴としては，"草花，人物(女性)，太陽などを好んで描く"，"横から見た視点で描く"，"暖色系の色を好んで使う"などが挙げられる。しかしながら，図17-13に示すように，CAHの女児が描く絵は明らかに男児が描く絵と類似している。

ところでげっ歯類では，アンドロゲンが脳内で芳香化され，エストロゲンに変換されて作用していることがよく知られている。ではヒトの認知能力の男性化に関わっているのは，アンドロゲン自体なのであろうか？ それとも芳香化された後のエストロゲンなのであろうか？ 精巣性女性化症(testicular feminization：Tfm)と呼ばれる遺伝病がある。アンドロゲン受容体の機能不全のために遺伝的にはXY性染色体を持つ男性型であるにもかかわらず，残存活性によりレベルの違いはあるものの表現型は女性となる。アンドロゲン受容体が機能しないため，ネガティブフィードバックが働かず血中テストステロンは高値になり，テストステロンから合成されるエストロゲンの血中レベルも正常男性よりも高くなる。しかし，Tfmの女性は，健常女性と同様に運動性知能指数よりも言語性知能指数で高いスコアを示すことから，ヒトにおいてエストロゲンは脳の男性化にあまり寄与していないという指摘がある。また妊娠中にエストロゲンやプロゲス

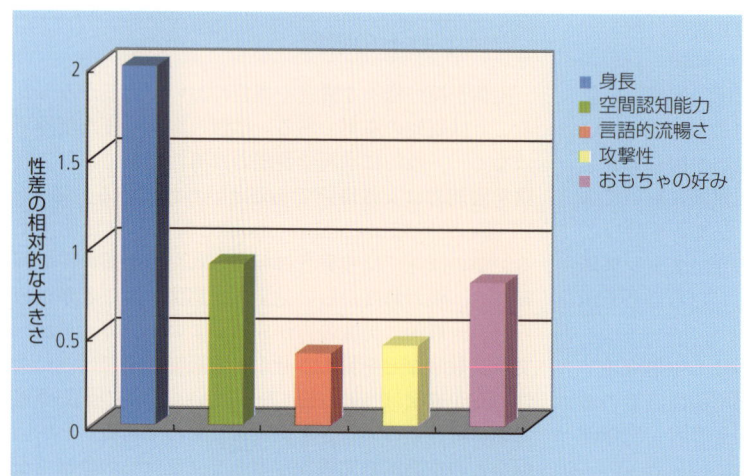

図17-12 代表的な特徴や能力における性差の大きさの比較 身長のような身体的特徴において性差が最も大きい(Hines, 2004を改変)。

17.4 認知機能の性差と性ステロイドホルモン　257

図 17-13　健常な幼稚園児と先天性副腎過形成（CAH）の女児が描いた絵の比較研究　Aは健常な女児が描いた絵．Bは健常な男児が描いた絵．CとDはCAHの女児が描いた絵で，男児の描く絵の要素を多く含んでいる．

テロンに曝露された母親から生まれた女性でも，空間学習能力に変化が認められていないことから，ヒトの胎児期においてはエストロゲンではなくアンドロゲンが空間学習能力に影響を及ぼしているのかもしれない．

このように，性ステロイドホルモンの形成作用により特定の認知機能の性差が生み出されると考えられるが，この見解はすべての研究者に受け入れられているわけではない．誕生時のアンドロゲンレベルと，成長後（6歳半）の認知機能の関係について調査した研究では，男女どちらにおいても有意な関係性は見出せていない．一方，二卵性双生児が同性である場合と異性である場合の認知機能の比較研究においては，異性の兄弟を持つ女児の方が同性の姉妹を持つ女児に比べて空間認知能力が優れている．このアプローチ法は，げっ歯類において胎児の子宮内位置によって生後の性特異的な行動に差がみられるという事実に基づいている（詳細は5章で解説されている）．ただし兄弟が異性の場合と同性の場合では，胎内でのホルモン環境の違いだけではなく，生育環境の違いによる影響も大きいと考えられ，いまだ明確な結論は得られていない．

一方，性ステロイドホルモンの活性作用により認知機能に影響を及ぼすということを示唆する研究もある．空間認知能力など一部の認知機能に関しては，幼少期に比べて成人のほうが性差が大きいという報告もあり，性差におけるそれらホルモンの活性効果の影響は完全には無視できない．認知機能に対するアンドロゲンの活性効果に関しては，古くから多くの研究が行われてきたが，そのほとんどが否定的な結果に終わっている．性腺が機能低下した男性および健常男性のどちらに対するテストステロン投与によっても，学習・記憶成績には影響しない（Alexander et al, 1998）．

エストロゲンの活性効果による影響については，成人女性を対象として月経周期を利用した比較研究が行われている．内因性エストロゲンレベルが高い時期では，女性優位の認知課題における成績は向上し，逆に男性優位の認知課題の成績は低下する．またエストロゲンレベルが低い時期ではその逆の現象がみられる（Hampson, 1990）．ただこのような研究では，実際に被験者のホルモンレベルを測定しておらず，被験者自身による月経周期の自己申告に基づいてホルモンレベルを推測しているにすぎない．ヒトの認知機能に対するエストロゲンの影響についての結論を得るためには，さらなる研究が必要である．

17.4.2　ラットの研究

ヒト同様ラットのような動物においても，学習・記憶能力の性差を示す研究が数多く報告されている．例えば能動的回避学習成績は雌のほうが優位であるが，逆に受動的回避学習成績は雄のほうが優位である．しかしながら，これらの差が本当に学習・記憶能力の差なのかどうかは議論の余地がある．例えば，運動能力，活動性，情動性などの性差が学習成績に影響している可能性も高い．雄は雌よりも情動性が高く，オープンフィールドのような不安が惹起される場面において移動活動量が少ないなど，学習課題遂行に影響を及ぼしうる要因に性差が認められているのである．したがって，学習・記憶の性差を検討する際には，それらの要因をできるだけ排除できるものが好ましい．

このような背景から，近年では放射状迷路学習課題がよく用いられている．放射状迷路学習課題の成績には，活動量の違いが影響しにくいと考えられる．放射状迷路課題を用いた研究では，一貫して雄の方が雌よりも学習成績がよいという結果が示されており，これはヒトでの空間学習能力が男性優位であることを示唆する多くの実験結果と一致している．そこで，ラットの放射状迷路学習にみられる性差は，ヒトの空間学習能力の性差形成要因を明らかにするための動物モデルとして用いられている．

これまでにラットを対象とした研究では，新生仔期の精巣摘出によりその後の空間学習能力が阻害され，新生仔期の雌に対するエストロゲンの投与は逆に成績を改善することが明らかにされている（Williams et al, 1990）．また，性成熟後の去勢が空間学習能力の雄性優位性に影響を与えないことから，ヒトのCAHの女児を対象にした研究と一致して，ラットの空間学習能力の性差形成には性ステロイドホルモンの活性作用ではなく形成作用が重要であることが示唆される．さらに，新生仔期の雄にアロマターゼ阻害薬を投与するとその後の空間学習能力が阻害されることから，ヒトとは異なり，ラットでは周産期アンドロゲンの直接的な影響ではなく，アロマターゼによって芳香化されエストロゲンとして認知能力に影響を及ぼしていると考えられる．

性ステロイドホルモンの活性作用によるラットの認知機能への影響については，ヒトの場合と同様にまだ明確な結論にいたっていない。ただアンドロゲンについていえば，20～170日齢のいずれかの時期に去勢された雄ラットでは空間学習に何ら影響しないことが報告されたのをはじめとして，去勢は認知能力に影響しないと結論づけられている。一方，エストロゲンの効果については，記憶改善効果があるという研究もあれば，逆に阻害するあるいは効果がないという研究もあり，結果は一致してない。どうやらエストロゲンの効果は，学習課題の種類，ホルモン投与の時期，投与時の個体の内的ホルモン状態など，多くの要因によって左右されるようである。

例えば，学習課題の難易度が高い場合にのみエストロゲンの効果がみられるという報告がある（Luine et al, 1998）。この研究では，去勢された雄ラットに対してエストロゲンを慢性投与し，放射状迷路課題の成績を評価した。その結果，標準的な手続き（8本のアームに置かれた餌をすべて取らせる）ではエストロゲンの効果はみられなかったが，第4選択と第5選択の間に1時間の遅延を挿入した場合にはエストロゲンの記憶改善効果がみられている。さらに去勢雌ラットに対するエストロゲン投与は，放射状迷路課題における作業記憶を改善するが，参照記憶には影響しない。

また雌の性周期に伴う認知機能の変動を検討した研究では，モリス型水迷路課題の成績が性周期によって変動し，排卵後期の方が排卵期よりも成績がよいことが明らかとなっている。性周期の変化によって空間記憶学習も変化し，特に，性周期の各時期の中でも比較的エストロゲンレベルの低い時期にある雌ラットのほうがエストロゲンレベルの高い時期にある雌ラットよりも空間記憶学習が優れているといえる。しかしながら，標準的な水迷路課題を短時間に集中的に行わせることによって，より短時間での空間記憶学習について検討した実験では，性周期の影響はみられず（Berry et al, 1997），放射状迷路課題では性周期は成績に影響しないという報告（Stackman., 1997）もある。

このようなエストロゲンの空間記憶に及ぼす効果は，海馬に多く存在するエストロゲン受容体を介していると思われる。モリス型水迷路課題において，訓練直後にエストロゲンを去勢ラットの海馬内に局所投与すると成績が向上する。エストロゲン受容体は，海馬のCA1およびCA3，歯状回のそれぞれに存在し，とりわけCA1領域で多いことが知られている。さらに高レベルの内因性エストロゲンは，海馬CA1領域の樹状突起数を増加させ，LTPを増強する。エストロゲン受容体のサブタイプERαおよびERβそれぞれの空間記憶への関与についてはまだ十分研究が行われていないが，ノックアウトマウスを用いた研究により，ERαは空間記憶に対して抑制的に作用することが示

唆されている（Rissman et al, 2002）。

近年，学習・記憶以外で性差がみられる認知機能として，意思決定（decision making）が注目されている。我々は日常的に様々な場面で意思決定を行っているが，不適応的な意思決定の代表が薬物依存やギャンブル依存である。そのような依存症では，社会的損失が大きいことがわかっているにもかかわらず，薬物やギャンブルをやめることができない。また様々な精神疾患の患者においても不適応的な意思決定がみられる。個人の意思決定を評価する方法としてアイオア・ギャンブリング課題（Iowa Gambling Task：IGT）がよく知られているが，統合失調症の患者では，眼窩前頭皮質（orbitofrontal cortex）（前頭前皮質〈prefrontal cortex〉腹内側部）を損傷された患者と同様に，IGTにおいて不利なデッキからカードを引くという意思決定の障害がみられる。

このIGTの遂行には性差がみられ，男性のほうが女性よりも有利なデッキからカードを引くことができ，ルールの理解も早い（Reavis & Overman, 2001）。このような性差には，性ホルモンの影響を受ける眼窩前頭皮質の発達の性差が関与していると考えられている（Welborn et al, 2009）。

意思決定の性差はラットでもみられる。ラットやマウスにおいて意思決定を評価するには，オペラント課題や放射状迷路課題を用いたラット版アイオア・ギャンブリング課題，報酬が得られる確率とリスクを受ける確率が変動する確率割引課題や遅延割引課題などが用いられる。ただし，ヒトと同様にラットにおいても雄のほうが雌よりも早く有利な選択をするようになることを示した研究（van den Bos et al, 2012）がある一方で，逆に雌のほうが早く有利な選択を学習することを示す研究（Peak et al, 2015；Orsini et al, 2016）もあり，結果は一貫していない。

17.5 バソプレシンと学習・記憶

バソプレシンは，主に視床下部視索上核および室傍核で合成され，下垂体後葉から分泌される。またそれ以外にも，分界条床核や扁桃体内側核，視交叉上核にもバソプレシンを含有する細胞が存在する。1950年以降，特異的アゴニストやアンタゴニストの開発に伴って，バソプレシンの中枢および末梢神経系での役割の解明が進められてきた。近年ではノックアウトマウスなどを用いた研究も数多く行われている。

17.5.1 社会的記憶・認知

他個体が自分の味方であるのか敵であるのかを見分けることは，動物が生存していくために欠かせない能力である。この社会的認知・記憶は霊長類では視覚および嗅覚手がかりに，げっ歯類ではフェロモンを含む

嗅覚手がかりに依存しており，嗅覚手がかりの処理や嗅覚記憶においてバソプレシンが重要な役割を担っている。

ラットを用いた社会的認知テストでは，ラットは馴染みのある同種他個体よりも新奇な他個体に対してより探索行動を行う習性を用いる。一般に，社会的認知テストは2種類あり，その一つは，感作-脱感作法（habituation-dishabituation）と呼ばれるものである（図17-14A）。まず被検体に対し，同一他個体に繰り返しさらすことで，その刺激個体に対する探索行動を減少させ，その後に新奇な他個体と出会わせ，新奇個体に対する探索時間の増加を観察する方法である。もう一つの方法は，社会的弁別テスト（social discrimination test）である（図17-14B）。ここでは，被験体はまず他個体（刺激動物）にさらされ，一定の遅延時間後に刺激動物と新奇な個体に同時に出会わせ，刺激動物と比較して新奇な個体に対してどれだけ多く探索を行うかが測定される。

これらの社会的認知テストを用いて，バソプレシンの社会的認知・記憶における役割が研究されてきた。例えば，バソプレシンを脳内に局所投与すると社会的認知テストの成績が促進されるが，バソプレシン受容体のアンタゴニストを投与すると逆に阻害される。さらに近年になって行われるようになったバソプレシン受容体ノックアウトマウスを用いた研究では，社会的認知におけるバソプレシンの役割がより強調されている。これらの研究結果から，バソプレシン受容体のサブタイプであるV1aRは主嗅覚情報の統合に関与しており，V1bRは鋤鼻器を介したフェロモン性の嗅覚情報と関与した記憶の形成に関与していることが示唆されている（Caldwell et al, 2008）。

17.5.2 非空間学習と空間学習

前述したACTHやコルチコステロンと同様に，バソプレシンもまたラットの回避学習に影響を及ぼすことが知られている。受動的回避学習課題においては，バソプレシンは訓練前投与あるいはテスト前投与のいずれにおいても促進的な効果を持つ。とりわけ背側海馬や歯状回へのバソプレシン抗血清の投与により回避学習が阻害されることから，海馬のバソプレシン活性は嫌悪的なショックの記憶を促進するようである。

回避学習以外の課題を用いた研究としては，Go-No Go視覚弁別課題がある。この課題では，2本の走路のうち片方に常に報酬が置かれ，もう一方には報酬は置かれない。ラットは視覚手がかりを用いて，報酬が得られる走路とそうでない走路を弁別することが求められるのである。Alescio-Lautierら（1995）の行った実験では，それら2つの走路を交互に走らせ，報酬のある走路でいかに速く走るかが学習・記憶の指標として用いられた。そして海馬にバソプレシンを投与したとこ

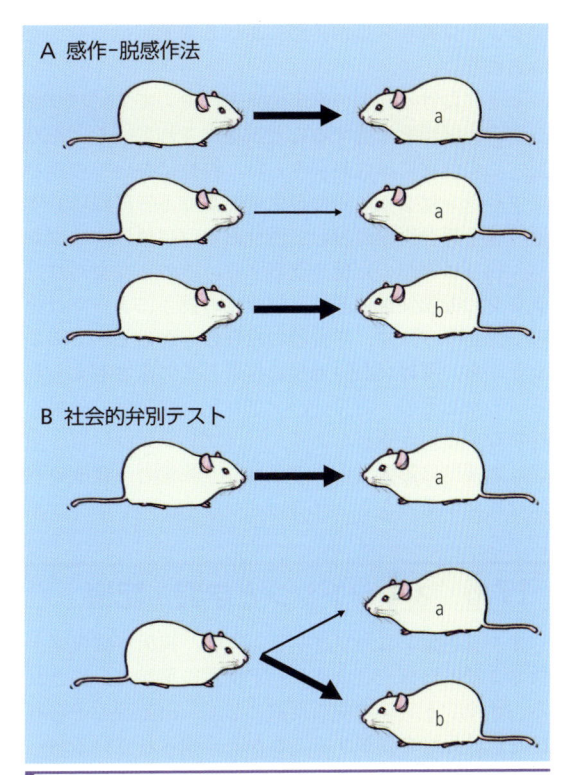

図17-14 ラットの社会的認知テスト A：感作-脱感作法：まず被験体を他個体aと出会わせ，そこでの相手に対する探索時間を測定する。その手続きを繰り返すと，被験体は他個体aに慣れる（感作）ことで，探索時間は減少する。その後新奇な他個体bと出会わせ，bに対する探索時間が増加する（脱感作）かどうかで，被験体がa, bを弁別できているかどうかを評価する。B：社会的弁別テスト：被験体を他個体aと出会わせた後に，新奇個体bと同時に出会わせる。aと比較してbに対する探索時間がどれだけ長いかでa, bを弁別できているかどうかを評価する。

ろこの学習の促進がみられたが，回避学習とは異なり，背側ではなく腹側海馬への投与の方がより効果的であった。同様にバソプレシンの抗血清投与でも，腹側海馬への投与のみで学習阻害効果がみられている（Alescio-Lautier & Soumireu-Mourat, 1998）。

空間記憶に関しても，バソプレシンは促進効果を持つようである。放射状迷路課題における参照記憶および作業記憶のいずれに対しても，バソプレシンは促進する（Dietrich & Allen, 1997）。興味深いことに，放射状迷路学習はアセチルコリン受容体遮断薬であるスコポラミンによって阻害されるが，バソプレシンはそれを改善する。遺伝的にバソプレシンが不足した動物では空間記憶課題の成績が悪いことから，内因性バソプレシンが空間記憶に重要な役割を担っていることが示唆される。

より最近の遺伝子改変動物を用いた研究では，V1aRノックアウトマウスは放射状迷路学習での作業記憶が阻害されていることから，V1aRの空間記憶への関与が示唆されている。一方，V1bRノックアウト

マウスではモリス型水迷路における空間記憶の障害がみられない。

ヒトにおける初期の臨床的研究においても、バソプレシンは記憶を増強することが報告されている。ただし、この作用には性差がみられ、男性においてのみバソプレシンは文や単語の再生率を高める。同様に、学習障害を持つ男児において慢性あるいは急性バソプレシン投与は物語の記憶を改善する。このようなバソプレシンの記憶促進効果は、学習後の投与によってはその効果がみられず、学習前の投与のみが効果的であることから、習得（記銘）過程に作用していると考えられる。しかしその一方で、バソプレシンが記憶に効果を持たないという報告もあり、バソプレシンは学習・記憶に直接的に影響するのではなく、注意力や覚醒レベルを増強するのかもしれない。

17.6 オキシトシンと学習・記憶

オキシトシンはバソプレシン同様、視床下部視索上核および室傍核で合成され、下垂体後葉から分泌される。オキシトシンの主な役割として、出産時の子宮収縮や乳汁分泌を促進することがよく知られているが、それ以外にも母性行動、性行動、摂食行動など様々な行動を調節していると考えられている。また学習・記憶に関しても、バソプレシン同様に、オキシトシンは社会的記憶・認知に影響を及ぼすが、一般的にその効果の方向はバソプレシンとは逆であり、忘却・抑制効果を持つとされている。この現象の解釈の一つとして、オキシトシンはバソプレシンと協働してきずなの形成を促進しているのではないかということがある。すなわちオキシトシンは、他個体とのきずな形成の第一段階である、初対面の他個体からの回避行動を抑制するのかもしれないという考えである。ラットを用いた実験結果では、通常未経産雌ラットは仔ラットを避ける傾向があるが、出産後のオキシトシンレベルの高い時期や、オキシトシンを投与された直後では、その回避傾向を抑制し、母性行動を開始させる（Pedersen et al, 1994）。また別の解釈としては、オキシトシンの忘却効果が出産時に痛み経験の記憶を抑制することで、再び出産を繰り返す可能性を高め、子孫を繁栄させるという適応的な機能があるのかもしれない。

一方で、オキシトシンが記憶を増強する効果を持つことを示す研究もある。生殖が成功するかどうかは、子どもが生き残るために必要な一連の行動を母親が学習できるかどうかに左右される。母性行動の習得は、初めての妊娠や出産後に起こる体内の劇的な内分泌的変化に関係していると考えられ、その結果として母親には永続的な神経的変化が生じているのかもしれない。これらの母性行動は一度獲得されると将来の育児機会まで維持され、その後の生殖経験によってより洗練されていくのであろう。そう考えると、妊娠や出産によってその分泌が大きく変化するオキシトシンは、母性行動の学習・記憶に関与している可能性が高い。この見解を指示する証拠として、海馬依存性の空間学習・記憶やオキシトシン誘発性の長期増強は、母親において増強されることが示されている。出産経験のないラットに比べて、複数回の出産経験のあるラットは作業記憶課題遂行に優れており、一度だけ出産を経験したラットは参照記憶課題遂行に優れている（Kinsley, 1999）。さらにオキシトシンは、出産経験のないマウスに比べて複数回の出産経験があるマウスの海馬における長期増強をより大きく増強する（Tomizawa et al, 2003）。また、オキシトシンはラットの副嗅球におけるLTPを増強する作用を持つことから、交尾相手の匂いの記憶形成に関与していることが示唆されている（Fang et al, 2008）。

ヒトにおいては、出産直後の記憶は阻害されやすいといわれている。その記憶障害の程度はわずかなものであるが、記憶障害が出産後ある程度の期間持続することもあるという。しかしこれまでにそれを支持するような動物研究はないことから、その真偽は明らかではない。

18

行動の比較神経内分泌学

18.1 魚類

18.1.1 魚類の分類

「魚類」は3万種以上の種を含む多様な生物集団であり，淡水，汽水，海洋（浅海〜深海）と地球上に広く分布している（Nelson, 2006）。そのような「魚類」とはなんだろうか？　分類学上，「魚類」という単系統群は存在しない。「魚類」は，無顎類，軟骨魚類，硬骨魚類からなる生物の集団である。

脊椎動物の系統関係を考えてみよう。実験モデルとして使われる小型のコイ科魚類ゼブラフィッシュ*Danio rerio* とヒト *Homo sapiens* の分類系統をNCBIのTaxonomy databaseで比較すると，Cellular organisms；Eukaryota；Opisthokonta；Metazoa；Eumetazoa；Bilateria；Deuterostomia；Chordata；Craniata；Vertebrata；Gnathostomata；Teleostomi；Euteleostomi までが共通で，以下，ゼブラフィッシュはActinopterygii；Actinopteri；Neopterygii；Teleostei；Osteoglossocephalai；Clupeocephala；Otomorpha；Ostariophysi；Otophysi；Cypriniphysae；Cypriniformes；Cyprinoidei；Danionidae；Danioninae；Danio，ヒトは，Sarcopterygii；Dipnotetrapodomorpha；Tetrapoda；Amniota；Mammalia；Theria；Eutheria；Boreoeutheria；Euarchontoglires；Primates；Haplorrhini；Simiiformes；Catarrhini；Hominoidea；Hominidae；Homininae；Homo と記載されている（*日本語訳については p.277 を参照）。ゼブラフィッシュもヒトもEuteleostomi，すなわち硬骨を持つ脊椎動物であり，四肢動物は肉鰭類（Sarcopterygii）に分類されるので，四肢動物はすべて分類学上「魚類」の一系統となる。

無顎類（ヤツメウナギなど）がその他の魚類と分岐したのが約5億年前，その後，軟骨魚類が分岐したのが約4億6000万年前，さらに条鰭類（Actinopterygii；いわゆる普通の硬骨魚類）と肉鰭類（Sarcopterygii；シーラカンスやハイギョ）の共通祖先からの分岐は約4億2000万年前と推定されているのに対して，哺乳綱が爬虫綱との共通祖先からの分岐したのは約3億1000万年前，鳥綱と爬虫綱が共通祖先からの分岐したのは2億7000万年前と推定されている（Inoue et al, 2015）。様々な側系統からなる魚類の多様性は，哺乳綱内および鳥綱内の多様性よりもはるかに大きくなっていると予測される。「魚類」というとすべて共通であるかのように捉えられがちであるが，動物の種間比較を行う際には，分岐年代の違いに注意し，共通祖先から受け継いだ普遍的形質と種分化の過程で新たに獲得し特殊化した形質があることを忘れてはならない。

分岐年代が遅い哺乳類のような脊椎動物を「高等脊椎動物」，魚類を「下等脊椎動物」と呼ぶ風潮があるが，現存するすべての生物種は約38億年前に誕生した共通祖先から種分化を繰り返し，環境の変化に耐えて生き残ってきたものである。この点において，すべての生物は平等であり，高等も下等もないことをここで強調しておきたい。

脊椎動物の共通祖先は進化適応の過程で2回のゲノム倍数化を繰り返してきた。さらに真骨魚では特異的ゲノム倍数化が起こっている（佐藤と西田，2009；Inoue et al, 2015）。サケ目魚類ではさらにもう一度ゲノム倍数化が生じている（Hermansen et al, 2016）。よって，魚類の多様性成立には分岐してからの年月の経過に加えて，ゲノムの多様化による寄与もあるものと考えられる。

魚類の行動に関する研究対象は多岐にわたる。体内時計に制御された遊泳行動・摂餌行動，回遊，繁殖，生殖行動など様々な行動に神経内分泌系は関与している。本項では，条鰭類の行動に関する神経内分泌機構についていくつかの例を取り上げ紹介する。

18.1.2 魚類の神経内分泌系

他の脊椎動物群と同様に，条鰭類の生理や行動を制

御する神経内分泌系で最もメジャーなものは視床下部-下垂体前葉系である。哺乳類などでは視床下部ホルモンが正中隆起で下垂体門脈に放出され，血管を通じて放出ホルモンおよび抑制ホルモンが下垂体前葉に届くが，条鰭類の場合には，視床下部の神経分泌細胞が直接下垂体前葉に投射して視床下部ホルモンが放出される点に形態上の特徴がある（会田ほか，1991；Zohar et al, 2010）。

魚類の成熟や成長を司るホルモンに関する研究は，様々な魚種からホルモンを単離精製して，抗体を作成し，ラジオイムノアッセイによるホルモン測定系の樹立や免疫組織化学を用いた細胞の同定などが行われた。例えば，性腺刺激ホルモンに関しては，卵胞刺激ホルモン（FSH）と黄体形成ホルモン（LH）は，哺乳類では同一の性腺刺激ホルモン産生細胞から分泌されるが，魚類では，別の細胞から分泌されることが報告されている（Suzuki et al, 1988abc）。しかしながら，生物の系統関係が遠くなるとタンパク質のアミノ酸配列の変異も増えていくので，抗体の交差性は小さくなっていくことが多い。この点に魚類の神経内分泌研究に抗体を用いる難しさがある。cDNA クローニングの後，演繹アミノ酸配列から合成ペプチドを作製し，これを免疫して抗体を作製することも広く行われている。一方，甲状腺ホルモン，ステロイドホルモン，カテコールアミン類，メラトニンなどの低分子化合物は構造が共通なので，哺乳類の研究で使用されていた抗体をそのまま流用することが可能である。

魚類で初めて同定されたホルモンとして，メラニン凝集ホルモン（MCH）（Kawauchi et al, 1983）とソマトラクチン（Rand-Weaver et al, 1991）が挙げられる。前者は，サケの下垂体から黒色素胞のメラノソームを凝集させ，体色を黒化させるホルモンとして単離された。その後の研究の進展により，MCH は哺乳類の食欲や睡眠の制御に関わることが判明し注目を浴びている（Al-Massadi et al, 2021）。一方，ソマトラクチンはタラの下垂体から単離精製された成長ホルモン／プロラクチンファミリーに属するホルモンである（Rand-Weaver et al, 1991）。サケ科魚類では下垂体中葉に多く存在し，成熟，Ca 代謝，ストレス反応，浸透圧調節など様々な生理機能に関わると考えられている（Kaneko, 1996）。

下垂体前葉ホルモンの視床下部ホルモンによる分泌制御については概ね哺乳類と同一と考えられてきたが，根拠は希薄であった。例えば，甲状腺刺激ホルモン放出ホルモン（TRH）は甲状腺刺激ホルモン（TSH）分泌を促進せず，コルチコトロピン放出ホルモン（CRH）が TSH 分泌を促進するという報告がある（Larsen et al, 1998；De Groef et al, 2006）。また，キンギョでは，通常，下垂体からの生性腺刺激ホルモン分泌を促進する性腺刺激ホルモン放出ホルモン（GnRH）が成長ホルモン分泌も促進する（Marchant et al, 1989）。進化の過程で種によって異なる分泌制御系を獲得しているケースも多々あり，研究を進めていく際に偏見を捨てて冷静に見極める必要がある。また，近年のトピックスとして，視床下部のキスペプチンによる GnRH 分泌制御が挙げられる。哺乳類においてキスペプチンは GnRH を介して下垂体前葉からの FSH と LH の分泌を制御する（Uenoyama et al, 2018）が，メダカにおいては GnRH ニューロン上にキスペプチン受容体遺伝子（GPR54）の発現はみられず，その近傍のニューロンに発現しているという。GPR54 を発現しているのはニューロペプチド B ニューロンであり，下垂体後葉（神経葉）ホルモンであるバソトシン（哺乳類のバソプレシンのオーソログ）とイソトシン（哺乳類のオキシトシンのオーソログ）の放出を制御することが示唆されている（Nakajo et al, 2018）。キスペプチンをコードする Kiss 遺伝子は鳥類以外の脊椎動物に広く保存されているが，生殖制御に直接関与することが明確に示されているのは哺乳類のみである。

18.1.3　季節繁殖を制御する神経内分泌機構

魚類には，周年繁殖可能な種もあれば，春に日長が長くなったときに繁殖する長日繁殖型の種，秋に日長が短くなったときに繁殖する短日繁殖型の種など，様々な繁殖パターンを示す種がいる。季節性を示す魚種においては，日長と水温の変化が生殖腺発達の引き金になっている（羽生，1991）。魚類の成熟には，多くの脊椎動物と同様に視床下部の GnRH が下垂体における FSH と LH の分泌を刺激し，これらのホルモンが生殖腺に作用することにより制御されている（会田ほか，1991）。しかしながら，環境情報がどのようにして視床下部-下垂体前葉系に伝達されるのかについては長年の謎となっていた。

メラトニンは松果体から分泌されるホルモンである。環境の明暗条件と体内時計の制御により分泌リズムが制御されており（Iigo et al, 1994, 1997；Falcón et al, 2007），季節繁殖を行うハムスター，ヒツジ，ヤギなどの哺乳類では，日長の変化はメラトニン分泌亢進時間帯の長さによって伝達される。しかしながら，魚類においてメラトニン投与の実験で安定した一定の結果は得られていなかった（Falcón et al, 2007）。鳥類（ウズラ）を対象とした季節繁殖脳内機構の研究により，鍵分子として甲状腺ホルモンの活性化酵素 2 型脱ヨード酵素（DIO2）と TSH が同定された（Yoshimura et al, 2003；Nakao et al, 2013）。DIO2 の発現を短日繁殖型魚類であるサクラマスの早熟雄を対象に調べた結果，脳の下部に位置する血管嚢に DIO2 が発現することが判明した。血管嚢は Collins（1685）により解剖学的に存在が記載されたが，機能不明の器官であった。ロド

プシン，メラノプシンなどの光受容体遺伝子，時計遺伝子，TSH，TSH受容体の発現も確認された。培養された血管嚢も日長の変化に応答してDIO2を発現し，外科的に血管嚢を除去すると成熟の光周反応が消失することから，サクラマスの血管嚢は季節センサーとして機能することが判明した（Nakane et al, 2013）。左右の眼球の網膜，第3の目である松果体，第4の目である副松果体，血管嚢はいずれも脳の表面から発生する脳室周囲器官であり（Vigh and Vigh-Teichmann, 1998），血管嚢が「第5の目」として機能することが300年以上の年月を経て明らかにされたことになる。今後は，長日繁殖型魚類と短日繁殖型魚類の季節繁殖制御機構の共通点と相違点を解明するため，他の魚種，特に長日繁殖型魚類の季節繁殖における血管嚢の機能を明らかにする必要があろう。また，興味深いことに，真骨魚の中には血管嚢を持つ種と持たない種が存在する。それはなぜなのか？ ここにも魚類の多様性の一面がうかがわれる。

18.1.4　今後の魚類研究

これまでトラフグ（Brenner et al, 1993），メダカ（Kasahara et al, 2007），ゼブラフィッシュ（Howe et al, 2013）などの全ゲノムがモデル生物としてシーケンスされ，研究対象となってきた。「魚類」の多様性とその中に秘められた普遍性の解明を進めるためには，より多くの種を比較して研究を進めていく必要がある。次世代シーケンサーの普及に伴い，全ゲノム解析やトランスクリプトーム解析など遺伝子レベルでの研究は飛躍的にスピードアップし，費用は低下した。個々の細胞の遺伝子発現などを解析できるシングルセル技術の進展も著しい。最新の技術を導入して古典的研究手法と組み合わせることにより，今後の魚類研究がさらに進展することが期待される。

18.2　両生類

18.2.1　両生類の分類と特徴

両生類は脊椎動物の中で初めて四肢を備え（両生類以上の脊椎動物を四足類〈Tetrapoda〉という），本格的に陸上進出を果たした分類群である。古生物学的知見や現生両生類の形態的・生理的・生態的特徴はいずれも，両生類が魚類と爬虫類以上のより進化的に高い位置にある脊椎動物（これらは羊膜に包まれて胚発生を行い有羊膜類〈Amniota〉と呼ばれる）へつながる系統群であることを裏づけている。こういった，両生類の進化的背景を理解することは，形態・生理だけでなく，それらに裏づけられる生態・行動を学ぶうえで大きな手助けとなるはずである。

両生類（Amhibia）はその名のとおり，水中と陸上の両方（Amphi-）に生きるもの（-bia）であるが，これは陸棲生活に適応したものの，かれらの卵は前述したとおり羊膜に包まれておらず，ほとんどの種で水中に産卵する必要があり，生まれてきた子も幼生（カエル類ではいわゆるオタマジャクシ）として水棲生活をおくる必要があることを意味している。すなわち，両生類のモデル生物としてよく利用されるツメガエル類（アフリカツメガエル〈*Xenopus laevis*〉やネッタイツメガエル〈*X. tropicalis*〉）や一般には俗称の"ウーパールーパー"として知られるメキシコサンショウウオ（*Ambystoma mexicanum*）のように一生涯を水中で生活するものもいるが，一般的に両生類は水中で生まれ水棲動物としてその幼生期を送り，変態（metamorphosis）によって四肢と肺を備えた成体へと著しい形態・生理の変化を呈したのちに性成熟を迎え，繁殖に際して再び水域に戻るというのが基本的な生活史となっている。

現生両生類は，カエル類の属する無尾目（Anura），イモリ・サンショウウオ類の属する有尾目（Urodela），アシナシイモリ類の属する無足目（Gymnophiona）で構成されている。このうち，無尾類が最も繁栄していて汎世界的に4,000種ほどが分布し，有尾類もアフリカ・オーストラリア大陸，ユーラシア大陸の熱帯地域を除く世界中に400種ほどがみられ，両者は日本にも多くの種が生息しているため比較的馴染みのある動物である。一方で，無足目は，南米・アフリカ・インド・東南アジアの赤道付近の地中や水中にのみ160種ほどが生息する巨大なミミズ型の動物で，四肢がなく，尾端に魚類のような鱗を持つなど現生両生類では最も原始的な特徴を持つ，学術的には興味深いものの不明な点の多い動物群である（松井，1996）。

18.2.2　変態の内分泌的メカニズムと"ネオテニー"

両生類の生活史において，四肢動物として最も特長的なイベントは変態であろう。いくつかの種では直性発生（direct metamorphosis）といって，水棲生活段階を卵中で終えて成体となって生まれてくることもあるが，両生類の多くは鰓やひれを持った幼生で孵化する。孵化後の幼生はしばらくの水棲生活を経て，変態期に入り，短期間のうちに四肢の形成など骨格の著しい変化やひれの退行などによる移動様式の変化，鰓の消失と肺や喉頭・表皮粘膜の発達による呼吸様式の変化，幼生期からの食性変更に伴った消化管の再構築などの著しい生理・形態・行動的変化を示す（Brown & Cai, 2007；Denver, 1996, 2013；Kikuyama et al, 1993；Norris & Dent, 1989）。変態期に起こる体の変化には，新たな舌の形成のほか眼や鼻腔といった感覚受容器の大規模な構造変化だけでなく中枢神経系の変化さえ含まれるが，その度合いは動物種ごとに多様で

ある。有尾類では無尾類にみられる尾の消失は起こらず，尾に付属したひれが退縮する程度であるし，無足類では変態しても四肢が形成されることはない。また，通常は変態によって外鰓に変わって肺を備える有尾類であってもアメリカサンショウウオ科（Plethodontidae）やハコネサンショウウオ属（Onychodactylus）の成体は肺を持たず，呼吸は皮膚・咽頭粘膜に依存していたり，水棲のツメガエル類などでは変態後も幼生期同様に水圧や水流の変化を感じとる機械受容器である側腺器官を残し，成体型の舌が形成されず味蕾は口腔粘膜に散在した状態が続くなど，それぞれの生育環境に応じて変態における変化の度合いは異なっているようだ。

　メキシコサンショウウオは，成熟しても十分な変態を起こさないサンショウウオの仲間であることが知られている。このように幼生の特徴が性成熟後も続いている状態を幼形成熟（ネオテニー〈neoteny〉）という。無尾類・無足類では幼形成熟する種は知られていないが，有尾類では多くの種において幼形成熟が観察されている。北海道に生息するエゾサンショウウオにおいても幼形成熟13個体の捕獲例が明治時代にあったが（Sasaki, 1924），近年では観察されていない。

　両生類の変態誘起は，変態期に甲状腺の分泌する甲状腺ホルモン（thyroid hormone：TH）が幼生の体の各所に発現する甲状腺ホルモン受容体に作用することで促進的に制御されている。この甲状腺ホルモンは他の脊椎動物と同様に下垂体前葉から分泌される甲状腺刺激ホルモン（thyroid-stimulating hormone：TSH）によって分泌が促進されるが，メキシコサンショウウオの幼生ではTSH，TH（T_4〈thyroxine〉およびT_3〈triiodothyronine〉）のいずれも分泌レベルが低く，変態に必要な閾値レベルに達しないことでメキシコサンショウウオの変態が抑制されていると考えられている。一方で，甲状腺ホルモン受容体は正常に機能しているようで，変態できる同属他種のトラフサンショウウオの下垂体を移植したり，T_4を投与するなどの処置によって人為的に変態を誘導することができる（Taurog, 1974；Rosenkilde & Ussing, 1996）。

　甲状腺からTH分泌を引き起こす下垂体前葉ホルモンTSHは，哺乳動物では間脳視床下部で合成される甲状腺刺激ホルモン放出ホルモン（thyrotropin-releasing hormone：TRH）によって分泌が促進されるが，ウシガエル（Rana catesbeiana）幼生のTSH放出はTRHによっては促進されず，成体・幼生ともにコルチコトロピン放出ホルモン（corticotropin-releasing hormone：CRH）（コルチコトロピン放出因子〈CRF〉）によって促進されることがわかっている（Okada et al, 2004, 2005）。CRHは，哺乳類ではその名のとおり，高い副腎皮質刺激ホルモン（adrenocorticotropic hormone：ACTH）放出活性を示すホルモンで，その作用はアルギニンバソプレシン（AVP）との相乗効果によって高まることが知られている。ところが，両生類のCRHはACTH放出活性がかなり低く，むしろAVPの相同ホルモンであるアルギニンバソトシン（AVT）単独できわめて強いACTH放出活性を示すことがわかった（Okada et al, 2016）。このように相同なホルモンが脊椎動物門内で異なる役割を担っている事実は，動物進化に伴ってこれらの因子の機能が入れ替わってきたこと連想させ，ホルモンの役割と行動を含んだ生体制御を考えるうえで大変興味深い。

　さらに，変態に関わるホルモンとして，哺乳類の副腎皮質に相当する間腎腺（interrenal gland）から分泌される副腎皮質ホルモンや下垂体前葉ホルモンであるプロラクチンが挙げられ，甲状腺ホルモンとともに変態の進行を複合的に制御していると考えられている（Kikuyama et al, 1993；Denver, 2013）。

18.2.3 繁殖に伴う生息域の移動と嗅覚機能の変化

　両生類の多くが水棲幼生として生まれ，変態を経て陸上生活を送ることを述べてきたが，陸に上がった両生類は性的に発達すると繁殖に際して再度水域に訪れるようになる。このときの水棲適応への度合いは動物種によって様々である。水域近くの湿った土壌や樹上に産卵をする種では成体はほとんど水に触れることはないが，水中で産卵を行うヒキガエル（Bufo japonicus）やアカハライモリ（Cynops pyrrhogaster）では，繁殖期に性的に発達した状態になると長時間水に浸かるようになる。この水棲移行は哺乳動物では乳汁分泌ホルモンとして知られるプロラクチンによって誘起されることが古くから知られている（Chadwick et al, 1941；Ishii et al, 1989）。生息域の移動に際してプロラクチンが中心的な役割を担うことは，両生類の他では，鳥類の渡り行動（Meier & Farner, 1964；Maier & Davis, 1967）や魚類の母川回帰に伴う浸透圧調節（Sakamoto, 2006；Bhandari, 2003；Onuma, 2003）などにもみられ，ここでも特定のホルモンの作用が系統進化に伴って変化してきたことがうかがえる。

　特に性成熟したイモリ類では，この二次的な水棲化に伴って活発に水中を泳ぐようになり，索餌活動も水中で多く行われるようになる。このときに変態時に退行した背びれや尾びれが再び伸長することが知られている（Taylar, 2013）。この変化は変態に次いで大きな形態・生理的変化を引き起こす意味で二次的変態（secondary metamorphosis）と呼ばれることがある。水棲化に伴って性的に発達したイモリの嗅覚機能は大きく変化することがわかっている。ヨーロッパ産のイモリ（Triturus vulgaris や T. alpestris）は変態後に陸上生活をおくるが，秋から春の繁殖シーズンには数ヶ月に渡って水棲生活を送るようになる。この時期のイモリ

は索餌においても（Matthes, 1924a, 1927），求愛行動においても（Halliday, 1977），水中での嗅覚行動を見せるようになる。形態的には水棲生活中のイモリの嗅上皮は性的に未発達な陸棲期に比べ，感覚上皮を分断する非感覚性上皮のひだが多くでき，嗅細胞の鼻腔内側に備える嗅小体の突起（微絨毛や嗅線毛とみられる）が短いことが観察されている（Matthes, 1927）。さらに面白いことに，陸棲期のイモリに目隠しをして水中で餌を与えると，すぐに嗅小体の突起は短くなり餌にありつけるようになるが，水棲期のイモリに同様な目隠しをして陸上で餌を与えても，数日間は突起が長くならず餌を見つけることができない。このとき，鋤鼻器（vomeronasal organ）から脳へ投射する鋤鼻感覚神経を切断しても索餌能に変化がないことから，イモリの鋤鼻器は索餌には特に重要なはたらきを持っていないことがうかがえる。

水中での繁殖活動に際して両生類が性フェロモンを用いていることが，有尾類（Arnold, 1977；Kikuyama et al, 1995；Dawley, 1998；Nakada et al, 2017），無尾類（Wanbitz et al, 1999）ともに知られており，有尾類の鋤鼻器はいくつかの研究から求愛行動中に異性の発した性フェロモンの受容を担っていることが明らかになっている（Toyoda & Kikuyama, 2000；Iwata et al, 2013；Schubert et al, 2006；Wilburn et al, 2017）。これらの性フェロモンはいずれも不揮発性の分子であり，性フェロモンは口腔内より口蓋側面の溝を伝って内鼻孔を経て，鼻腔側面に位置する鋤鼻器へ輸送されると予測されている（Seydel, 1895；Reiss & Eisthen 2008）。鋤鼻器に加えてアカハライモリでは腹側嗅上皮においてもいくらかの性フェロモンによる神経応答が観察されているが，鋤鼻器と腹側嗅上皮には特定の種類の嗅細胞がともに観察されている。この嗅細胞は嗅小体に短い微絨毛を備えている感覚細胞で，他の脊椎動物と同様に嗅覚受容体タンパク質として2型鋤鼻受容体（V2R）を持っていると考えられている（Nakada et al, 2014）。魚類や哺乳類で2型鋤鼻受容体はアミノ酸やペプチド性フェロモン分子の受容を担うことが知られており（Speca et al, 1999；Kimoto et al, 2005），両生類で2型鋤鼻受容体が性フェロモン受容を担うという予測は，アカハライモリの性フェロモンがペプチド（次項の「ソデフリン」と「アイモリン」を参照）である点と矛盾しない。さらに，アカハライモリのペプチド性フェロモンの受容細胞の数や，性フェロモンに対する受容動物の行動学的な応答は，性ならびにホルモン依存的にその数が制御されていることがわかっている（Toyoda & Kikuyama, 2000；Iwata et al, 2013；Nakada et al, 2017）（詳細は次項を参照）。すなわち，性フェロモンに応答する感覚受容細胞は，行動的に性フェロモンに誘引される水棲期の成熟異性の個体で多く，性フェロモンに行動応答を示さない未成熟個体や性的成熟度にかかわらず性フェロモンを分泌する側の同性個体ではほとんど観察されない。

一方，陸棲状態の両生類は，口を閉じて喉元を"ふいご"のように振動させて外鼻孔より鼻腔および口腔に揮発性分子を含んだ新鮮な空気を取り入れている（Jorgensen, 2000）。両生類には筋性の横隔膜がないので，呼吸の際には，新鮮な空気を鼻腔や口腔に貯めた状態で外鼻孔を閉じてから再度喉元をしぼませることで新鮮な空気を肺に送り込んでいる。陸棲状態で両生類が主に利用している嗅物質は揮発性分子であると推測できるが，陸棲のアメリカサンショウウオ科（Plethondae）では上唇に外鼻孔へとつながる溝が備わっていて，例外的に不揮発性の性フェロモン（Rollmann et al, 1999）を鋤鼻器へ輸送している（Dawley & Bass, 1989）。さらに無足類（アシナシイモリ類）では外鼻孔と眼の中間あたりの上唇部に触手を備えており，機械的に鋤鼻器へ不揮発性分子を送るはたらきをしているらしい（Schmid & Wake, 1990；Himstedt & Simon, 1995）。

すなわち，両生類における嗅覚受容のメカニズムは主に水溶性分子を利用する水棲状態と揮発性分子を利用する陸棲状態の2つの状態を潜在的に有しており，水棲生活から陸棲生活へ移行する際に変態を通じて変化するのみでなく，性成熟に伴って繁殖を水域で行う種では再度繁殖行動に必要なフェロモン受容機能を備えるようになり，繁殖期が終わって陸棲化する際には揮発性分子を索餌に再度利用できるよう季節的に変化することがある。

18.2.4 性行動と種内コミュニケーション

両生類は繁殖のために水域に移動することを前項に示したが，結果として繁殖地では一時的に多くの個体が集うこととなり，配偶者を巡って競争がみられるようになる。特に卵巣を発達させて繁殖地を訪れる雌個体は，多くの卵を産卵できる可能性を有していることから雄個体にとって自身の遺伝子を残すための貴重な資源として捉えることができ，事実繁殖期間中に多くの種で雄は雌よりも積極的に求愛行動を行い，より多くの雌を獲得しようとする。無尾目ではよく発達した声門や鳴嚢（音声を効率的に響かせるために喉や頬に発達した薄い袋状の器官）を持ち，繁殖なわばりの誇示のための発声（territorial call）や，雌への求愛発声（courtship call），競争相手への発声（encounter call），さらには雄が誤って別の雄に抱きつかれた際に解放を促す発声（release call）など，種特異性の高い様々な発声を行う（Zug et al, 2001；Duellman & Trueb, 1994）。例えばアマガエルの仲間（*Hyla ebraccata*）では，雌は多数のパルスやトリルを含んだ音を高頻度で発声する同種の雄に誘引され，雄同士のコミュニケーションにおいても距離が近くにつれ発声の第一音の長さが増加

することが観察されている。こういった雄ガエルの発声は，競争相手の発声があるときに変化し，双方向の音声コミュニケーションとして成立することを示している(Wells, 1988)。昼行性の無尾類では視覚コミュニケーションが発達した種が知られており，ブラジルの熱帯雨林に生息するコガネガエル(*Brachycephalus ephippium*)という山吹色の美しい 10 mm ほどのカエルは鼓膜を持たない。求愛時に小さな発声をするが，自種の発声を聞くことはできず(Goutte et al, 2017)，発声に伴う体の膨らみや上腕を上げ下げする視覚的な求愛や縄張り誇示を行っていると考えられている(Pombal et al, 1994)。

　両生類の雄による求愛コミュニケーションは，有尾目と無尾目とで大きく異なっている。無尾目が音声コミュニケーションが発達しているのに対し，鼓膜や発達した声門を持たない有尾目では主にフェロモンと呼ばれる化学物質を介して求愛コミュニケーションを行っている。例えば，春に繁殖期を迎えるアカハライモリは繁殖水域に集まるようになるが，雄が他個体と出会うと接近して鼻を相手の総排出腔(哺乳類以外の大部分の脊椎動物では，生殖孔と排尿孔・直腸が一つの内腔へ開口している)付近に近づけて雌雄を鑑別する。雄イモリは相手が成熟雌であると雌の進行方向へ移動して雌をその場に留まらせた後，体側に沿って尾を屈曲させ激しく揺らし，総排出腔付近の水を雌の鼻先へ送って求愛を行う(図18-1A)。その間，雄の総排出腔に多数みられる毛様突起からは，成熟雌を引きつける 10 個のアミノ酸残基からなる性フェロモンペプチド(Ser-Ile-Pro-Ser-Lys-Asp-Ara-Leu-Leu-Lys)が放出されていることが発見された。この雄性ペプチドフェロモンは，万葉集に収められた額田王の和歌——「あかねさす 紫野行き 標野行き 野守は見ずや 君が袖振る」に詠まれた大海人皇子が額田王に好意を伝える所作「そでふる」に因んでソデフリン(sodefrin)と名づけられた(Kikuyama et al, 1995)。

　前述したようにアカハライモリの雄は，求愛の開始前に雌の総排出腔に近づきその相手が雌であるかを入念に鑑別しているかに見える(マウスの雌雄を同居させても同様の行動が観察される)。実際，性的に発達した雌イモリを一定期間飼育した水は，雄イモリを誘引する効果を持ち，事前に雌の卵管を除去しておくと飼育水の雄の誘因効果は消失することが確かめられている(Toyoda et al, 1994)。そこで最近，繁殖期の雌の卵管から分泌される雄誘引物質の同定を試みた結果，成熟雄に対して誘引活性を持つ 3 つのアミノ酸残基からなるフェロモンペプチド(Ara-Glu-Phe)が見出された。この雌性ペプチドフェロモンは，ソデフリンの名の由来となった額田王の歌に対する大海人皇子の返歌——「紫草の にほへる妹を 憎くあらば 人妻ゆゑに 我恋ひめやも」の愛しい女性を意味する古語の「いも」

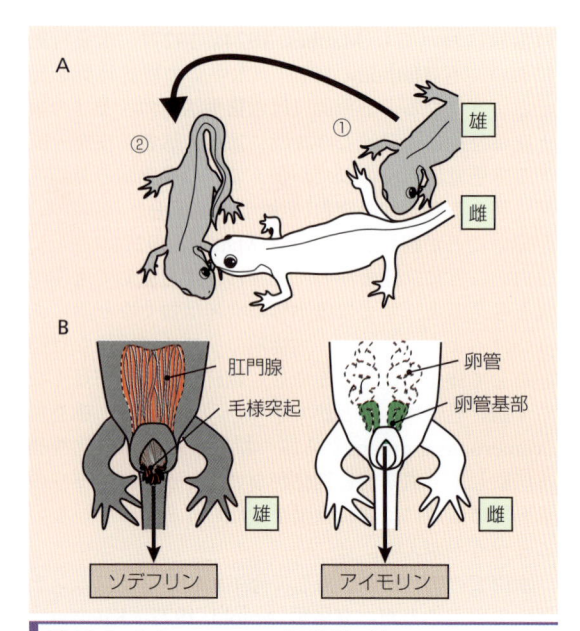

図 18-1　アカハライモリの求愛行動と性フェロモン　A：①雄は求愛に先立ち雌の総排出口に鼻を近づけ，対象が雌であれば，②前方に移動して水中で尾を振り，自身のフェロモンを雌にとどける。B：(左)性成熟した雄は下腹部の皮下から総排出腔にかけて巨大な肛門腺を有する。肛門腺はソデフリンというペプチドフェロモンを合成し，その末端に位置する毛様突起から放出することで雌を誘引する。(右)成熟雌は腹腔内に発達した卵管を持ち，その基部で合成されるアイモリンというペプチドフェロモンを放出することで雄を誘引する。

からアイモリン(imorin)と名づけられた(Nakada et al, 2017)。

　ソデフリンは，巨大な外分泌腺組織である肛門腺(腹腺)で生成されて腺細胞内の小胞体に貯蔵され，刺激に応じて大量に分泌する調整性分泌の様式をとるのに対し，アイモリンは繁殖期の雌の卵管基部の上皮に分布する繊毛細胞中に存在し，生成後，卵管腔から総排出腔を経て体外へ間断なく放出される構成分泌様式をとるらしい。

　いずれにしても，繁殖期のアカハライモリは雌雄がともに性フェロモン分子を分泌し合うことで，互いを引きつけ合い，前述したような複雑な求愛行動と生殖を成立させていることが明らかになった(図18-1)。

　雄によるソデフリンの生成・分泌と雌の受容能は，繁殖期特異的にみられる求愛に関わることから予想されるとおり，内分泌的な調節を受けている(Iwata et al, 1999；Toyoda & Kikuyama, 2000；Kikuyama et al, 2009；Iwata & Nakada et al, 2013)。これらの研究の結果，ソデフリンの生成に特に重要なホルモンは，繁殖期に発達した雄の性腺から分泌されるテストステロンと，繁殖期のイモリを水中移行に促すことが古くより示されてきたプロラクチン(Chadwick et al, 1941)であり，雌のソデフリンに対する反応性も発達した卵巣から分泌されるエスラジオール(E_2)とプロラクチ

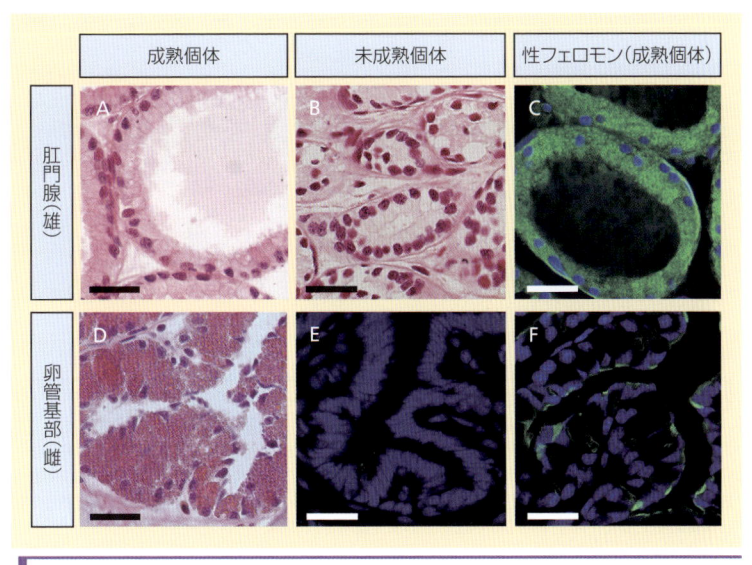

図 18-2　フェロモン分泌組織の内分泌学的発達　A～C：雄の肛門腺は生殖期間(A)に著しく発達し，管腔ならびに細胞質が非生殖期(B)に比べ拡張する。生殖期の腺細胞質内には雄性フェロモンソデフリン抗体による免疫陽性シグナル(C〈緑色〉)が確認される。D～F：雌の卵管基部は生殖期間(D)に著しく発達し，細胞質が非生殖期(E)に比べ著しく大きくなる。生殖期の卵管上皮細胞には雌性フェロモンアイモリン抗体による免疫陽性シグナル(F〈緑色〉)が確認される。スケールバーはいずれも 50 μm。(D～F：Nakada et al, 2017)

ンによって高まることが明らかになった(Iwata & Nakada et al, 2013)。すなわち，繁殖期の雄では，テストステロンとプロラクチンの血中濃度が上昇し，ソデフリンの分泌器官である肛門腺の組織が発達する(図 18-2A～C)。そして分泌細胞内ではソデフリン前駆体の mRNA ならびにタンパク質発現量が増加し，前駆体からソデフリンを生成するプロセシング酵素の活性が上昇し，結果として多量のソデフリン成熟ペプチドが肛門腺内で生成されるようになる(Nakada et al, 2007)。さらにこれらのホルモンは，アルギニンバソトシンとともに中枢神経系に作用して雄の求愛行動の発現を促進する(Toyoda et al, 2003)。

ソデフリンの受け手側である雌では，繁殖期におけるエストラジオールとプロラクチンの血中濃度の上昇によりソデフリン応答細胞数が増加するという季節性調節を受けていることが強く示唆された(図 18-3A,B)。実験的に脳下垂体と卵巣を外科的に除去してこれらのホルモン放出を止めると，ソデフリン受容細胞が観察できなくなり，行動学的にも応答性が消失する。一方，これらの雌にプロラクチンとエストラジオールを投与すると，ソデフリンに対する応答性が維持されることがわかっている。

以上に述べてきたソデフリンと同様，雌の性フェロモンであるアイモリンの生成や雄の受容能も，やはり性ならびにホルモン依存的に制御されている。すなわち，卵管上皮に存在するアイモリン産生細胞の免疫陽性反応は非繁殖期の性的に未発達な卵管ではほとんど観察されず，繁殖期のプロラクチンやエストラジオールの影響で発達・肥厚した卵管の基部において多く検出される(図 18-2D～F)。一方，雄でも非繁殖期にはほとんど観察されないアイモリン応答細胞が繁殖期の鋤鼻器で観察されるようになる(図 18-3C)。したがって，繁殖期には両性とも性フェロモン分泌が促進され，かつ異性の性フェロモンに対する受容能がともに向上することがわかる。

ソデフリンやアイモリンといった性フェロモン分子の応答細胞を持つイモリの鋤鼻器の感覚細胞を調べてみると，観察されるほとんどすべての細胞は，脊椎動物で知られる嗅覚関連 G タンパク質 α サブユニットのうち Gαo と呼ばれる特定のサブタイプのみを発現している(Nakada et al, 2014)。この G タンパク質サブユニットは，哺乳動物の鋤鼻器に発現する 2 型鋤鼻受容体タンパク質と共役しており，その機能もソデフリンと同様にペプチドなど水溶性フェロモン・アミノ酸の受容を担っていることが報告されている(Kimoto et al, 2005)。さらにイモリでは，鋤鼻器以外でソデフリン受容細胞が存在することがわかっている腹側嗅上皮においても Gαo 陽性細胞が多数見つかっており，これらのソデフリン受容を担うと考えられる鋤鼻器・腹側嗅上皮の Gαo 陽性細胞のほとんどは，ヒトにおいていわゆる"におい"を処理している嗅覚の一次中枢である主嗅球ではなく副嗅球へ投射することも確かめられた(Nakada et al, 2014)。副嗅球は，他の四肢動物ではほとんど鋤鼻器の感覚神経のみから投射を受けている脳

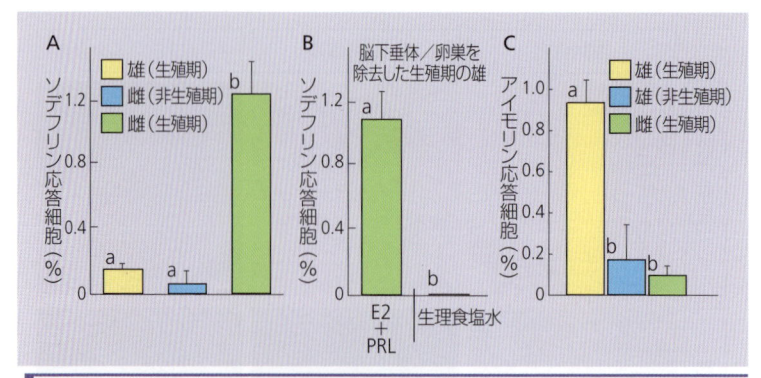

図 18-3　フェロモン感受性の内分泌学的調節　A〜B：雄性フェロモンであるソデフリンに対する感覚応答性は，性成熟した雌の鋤鼻細胞で多く，非生殖期の雌や雄ではあまり観察されない(A)。性成熟した雌に脳下垂体および卵巣の除去を施した場合ソデフリンに対する鋤鼻細胞の応答性は失われるが，エストラジオール(E_2)およびプロラクチン(PRL)を投与することで応答性が維持される(B)。C：同様に雌性フェロモンであるアイモリンに対する感覚応答性は，性成熟した雄の鋤鼻細胞で多く，非生殖期の雄や雌ではあまり観察されない。

領域であり，副嗅覚系(鋤鼻系)と呼ばれる特殊な嗅覚を司る神経系の一次中枢である。副嗅覚系で処理される嗅覚情報は，その軸索投射パターンから大脳皮質に到達されない点，すなわち知覚されないと考えられている点で主嗅覚系のそれとは大きく異なっている。ソデフリンにかかわらず副嗅球に入った嗅覚信号は副嗅球の糸球体で二次ニューロンに情報を伝達することになるが，副嗅球からの神経線維は，情動などを司る扁桃体を経て生理・内分泌機能や本能行動の中枢たる視床下部に到達することで，生殖機能や性行動を調節すると考えられる。

18.2.5　これからの両生類研究

これまで述べてきたように，両生類はその進化的地位や生理・行動の面で魚類から陸棲四足類をつなぐ動物群であり，脊椎動物の内分泌現象や行動の適応進化を考えるうえで魅力的な実験動物である。これまでマウスに代表されるモデル生物の独占してきた，ゲノム情報や遺伝子組換え生物などのバイオリソースの利用も，次世代シーケンサーの登場ゲノム編集技術の発達に伴ってイモリなどの非モデル生物でもその整備が進みつつある。

変態など，四肢動物で唯一両生類にのみみられる生命現象の解明や，脊椎動物に共通な生殖行動や生殖機能を支える生物学的基盤を理解する研究対象として，両生類がその価値を今後さらに高めることを期待している。

18.3　爬虫類

18.3.1　爬虫類の生殖とホルモン

現生爬虫類は，カメ目，ワニ目，有鱗目(トカゲ亜目，ヘビ亜目，ミミズトカゲ亜目に分かれる)，ムカシトカゲ目の4つの群に分類される。10,000種を超えているとされる爬虫類は多様であり，一般化することは難しい。近年の分子系統解析から，爬虫類を含む羊膜類の系統関係が明らかになりつつある。例えば鳥類は，哺乳類や他の爬虫類と比べてワニ類に最も近い。また比較的原始な爬虫類と考えられてきたカメ類は，トカゲやヘビより鳥類やワニ類に系統的に近いことが明らかになっている。羊膜類として初めて陸上への本格的な進出を果たした爬虫類は，このように脊椎動物の系統的な位置からいっても興味深い動物群であるが，他の脊椎動物と比べ研究室で実験動物として使用される機会が限られている。したがって，行動の分子基盤ともいうべきホルモンに関する知見はまだ少なく，爬虫類の研究の多くは生態学的な記載に留まっているのが現状である。しかしながら，厳しくも多様な環境条件の中で爬虫類が自らの行動をコントロールするメカニズムが解明されれば，比較的飼育が可能な哺乳類などの実験動物では得られない示唆に富む知見を得られるであろう。この節では，爬虫類の繁殖と生殖様式に関する行動とホルモンとの関連を紹介する。

18.3.2　爬虫類の生殖様式

すべてのワニ，カメ，ムカシトカゲおよび大部分の有鱗類(〜80％)は卵生だが，胎生の種もいる。胎生は，進化の過程で繰り返し出現し，羊膜類の複数の系統で独立的に獲得されたものと考えられている。特に有鱗目では，独立的に頻繁に胎生化と卵生化を繰り返している。実際のところ，爬虫類における卵生と胎生の区別は曖昧である。アメリカアオヘビ(*Opheodrys vernalis*)，ヒメハブ(*Ovophis okinavensis*)などのヘビやニワカナヘビ(*Lacerta agilis*)は，孵化する直前まで卵を保持し，仔は卵の中で大部分の発生を完了する。

これらの種では，仔は産み落とされた卵から数日内に孵化する（Vitt & Caldwell, 2014）。胎生の種でも，仔が卵管内で孵化してから産み出すニホンマムシ（*Gloydius blomhoffii*）のようないわゆる卵胎生（卵を胎内で孵化させるが，仔が利用する栄養は卵黄である）のものから，簡単な胎盤を形成するヨルトカゲ（*Xantusia*）の例まで様々である。一般的には寒冷な気候に生息する種のほうが，胎生である傾向が強い。例えばヨーロッパのコモチカナヘビ（*Lacerta vivipara*）は，一般的に胎生であるが，ピレネー山脈の南部のより低緯度の群では卵生を行う。オーストラリアに生息するイエローベリー・スリートード・スキンク（*Saiphos equalis*）も，海岸沿いの温暖な低地に生息する個体群は卵生だが，寒冷な山岳地域の個体群は卵ではなく仔を産む。より過酷な気候条件下において，雌が日光浴などにより発生に必要な卵の温度を調節することは適応的であるといえる。しかしながら，温暖な地域に生息するトカゲも胎生である種は多く，胎生化の一般的な要因であるとは一概にはいえない。

ムカシトカゲを除く多く現生爬虫類では，雄は陰茎を持ち，交尾をし，体内受精するのが一般的である。ワニやカメのペニスは総排泄腔の腹壁後端に格納されている。哺乳類のペニスと構造的に類似しており，海綿体構造を有し，充血により体外に突出する。しかしこれらの種の陰茎は管状構造をとっておらず，精子は精溝という溝を伝って雌の総排泄腔に注入される。一方，有鱗類はヘミペニス（半陰茎）という，普段は尻尾の付け根付近に格納されている左右一対の交接器官を持つ。袋状の構造であり，総排泄腔から反転するかたちで押し出され，体外に突出する。ムカシトカゲは雌雄が総排泄腔を接し合ってこすり合わせることで体内受精を行う（松井，2006）。ヘビやカメは交尾後，雌は精子嚢に精子を蓄えることが知られている。ニホンマムシは8〜9月に交尾し，雌は精子嚢に蓄えた精子を使って翌年の6月に受精する（遅延受精）。カメも雌は精子を体内に数年間保存することができ，数年にわたって受精と産卵をすることができる（疋田，2002）。

18.3.3 親の養育行動

一般的に，親の養育行動は仔の生存率を高めることで適応度を増加させるため，多くの種でみられる。特に鳥類や哺乳類では仔への養育行動は，給餌や哺乳に関して，仔の生存に必要不可欠である。爬虫類の中では，特にワニは顕著な養育行動を行うことが知られている。雌のワニは，卵が孵化するまで巣の近くにいて捕食者から卵を守る。また，鳴き声に反応して卵から孵化した仔を掘り出し，口にくわえて水辺まで運ぶこともある。さらに孵化後，数週間から数ヶ月の間，母親は仔と行動しており，特に仔が助けを呼ぶ鳴き声は，捕食者に対する攻撃行動の引き金となる（Gunhter, 2005）。このようにワニには，鳥類と同じように発声による高度に発達した個体間のコミュニケーションがあるようである。これらの養育行動は基本的には雌がとるものではあるが，雄と雌がつがいで生活をしている場合や，雌がいなくなった場合，雄が仔を守ることもある（Huchzermeyer, 2003）。ワニ類は鳥類とともに主竜類（恐竜も含む分類群）を構成しており，化石の記録から，恐竜も簡単な産卵巣を作り，さらに養育行動をもしていたことが示唆されている（Horner & Makela, 1979；Horner, 1984）。

卵生のトカゲ類やヘビ類は，産卵後にしばらく巣の近くに留まり，捕食者から卵を守る行動をとるものがいる。ヒロズトカゲ（*Eumeces septentrionalis*）の雌は卵が孵化するまで産卵した穴に留まって外敵から卵を守る。さらに，破損した巣を修理するほか，温度や湿度が適切でなくなった場合，新しい巣を作って卵を移す。飼育環境下のヨロイハブ（*Trimeresurus flavomaculatus halieus*）は，19個の卵を巻き上げ，53日間という孵卵期間中，そこから離れなかったという。巣を守るという行動は他のヘビでもみられるが，標高の高い寒冷地域に住むニシキヘビ属の中には卵に巻きついて温めるという行動をとるヘビ（インドニシキヘビ〈*Python molurus*〉やカーペットニシキヘビ〈*Morelia spilota*〉）もいる。これらの種では卵を抱くようにとぐろを巻き，筋肉を小刻みに収縮することによって熱を産生することで卵を温める（Gunhter, 2005）。また，雌のマレーマムシ（*Calloselasma rhodostoma*）は，必要な湿度が70%以下のときは卵に巻きつき完全に覆うが，100%に達したときは巻きつけを緩めることで，卵の湿度を調節する（Gunhter, 2005）。このような養育行動は，基本的に仔の生存率を上げることが予想されるが，他の戦略をとる爬虫類もいる。ニホントカゲ（*Plestiodon japonicus*）は産卵した卵が孵化するまで巣穴に留まり，卵を舐めたりして世話をするが，ニホンカナヘビ（*Takydromus tachydromoides*）は産卵しても世話はしない（関，2016）。ニホントカゲは各年の繁殖期に一度しか産卵しないが，卵を放置するニホンカナヘビは年に2〜3回は産卵する。つまりカナヘビは卵の保護にかかるコストの代わりに，産卵機会を増やすことで適応度を高めている。なおトカゲやヘビは，一般的に孵化後に仔の世話をすることはないが，胎生のトカゲやヘビの中には，仔が胎盤膜を破るのを助けるなどの養育行動を示すものがある（Vitt & Caldwell, 2014）。

カメはすべて卵生であり，簡単な巣穴を作って卵を産んだ後は巣を守ったり，卵の世話をしたりする例は知られていない。一般的に，温暖な環境に生息する爬虫類は春から初夏にかけて産卵し，卵は夏から初秋に孵化する。産まれた仔は，冬に備えて成長し，エネルギーを蓄えるために，ただちに食餌する必要がある。

数種のカメでは，秋に生まれ，そのまま冬を巣の中で過ごし，春になってから巣から出てくる。ニシキガメ(*Chrysemys picta*)は地域によって秋に巣から出てくる場合と，春になってから出てくる場合がある(Vitt & Caldwell, 2014)。なお，爬虫類では胚と卵膜は癒着して発生が進むので，鳥類のように転卵する必要はなく，産卵後に卵の位置を変えたりすることはない(爬虫類の卵にはカラザがないので，特に発生初期で転卵すると卵黄につぶされて胚は死んでしまう)。

産卵場所の環境は，仔の生存率だけではなく，孵卵期間，発生速度，胚の大きさ，そして仔の質に大きな影響を与える。多くの場合，卵の中で発生中の期間は，産まれた後よりも死亡する確率が高い。ムラリスカベカナヘビ(*Podarcis muralis*)では，32℃で孵卵すると発生は早く進むが，28℃で孵卵したときのほうが孵化率は高い。さらに28℃で孵卵された仔のほうが，大きく，早く成長するとともに運動能力も秀でる。32℃で孵卵された仔は，発生は早く進むが，孵化後の成長は遅いのである。すなわち，おのおのの生物種にとって，孵卵期間と仔の質のバランスが最も優れた，すなわち適応度が最も高くなるような条件が存在する。適切な産卵場所は，卵を捕食者から守り，日々変動する乾燥や極端な温度環境など，様々な環境要因の変動を和らげるためにも重要である。ミスジドロガメ(*Kinosternon baurii*)は，開けた場所よりも，草木の茂った砂地に産卵する傾向にある。実際，草木の茂った場所は，開けた場所よりも温度が安定しており孵化率は高くなる。ミスジドロガメは比較的浅い穴を掘って産卵するので，温度変化が安定する場所に産卵することは重要である。また，一般的に体長の大きなカメは，長い後肢で深い穴を掘ることができるので，砂地の深部の比較的安定な温度環境下に孵卵することができる。なお，ワニやほとんどのカメ，さらに一部のトカゲは，雄と雌の性決定が発生時の温度環境に依存する温度依存性性決定を行う(3章「性の決定」を参照〈なお，ヘビはすべて遺伝的に性が決まる〉)。このように爬虫類において温度は，繁殖と生殖に深く関わっている。

哺乳類のバソプレシンと，哺乳類を除いた脊椎動物でのホモログであるバソトシンは，多くの種で養育行動との関連が示されている。爬虫類でも，胎生のカロライナヒメガラガラヘビ(*Sistrurus miliarius*)のバソトシン受容体を薬理学的に阻害すると，養育行動が弱まることが報告されている(Lind et al, 2017)。しかしながら，他の多くの爬虫類では，養育行動の基盤となるシグナル物質などはまだ調べられていない。

18.3.4 繁殖行動

求愛行動と交尾行動は他の動物種同様，爬虫類でも多様化している。聴覚，視覚，触覚のほか，フェロモンを利用した求愛行動も知られている。ガーターヘビ(*Thamnophis sirtalis parietalis*)の雌は，皮膚からフェロモンを分泌し，雄との交尾を誘因して交尾ボールを形成する(6章「種内コミュニケーション」を参照)。もつれ合ったヘビの中で，雄は雌の皮膚から分泌されるフェロモンによって雌を認識する(Mason et al, 1989)。一度交尾に成功すると，雌は別のフェロモンを分泌することで雄の交尾行動を停止させる。また，一部のヘビでは繁殖期に雄が雌をめぐってコンバットダンスという闘争行動を行う。雄同士は絡み合って争い，相手より高い位置に出て上から押さえつけようとする(ただし，かみつく行動はしない)。したがって一般的には体の大きい個体が勝利する。この争いに負けた個体は逃走し，数日間は闘争行動や性行動もとらない。このとき，敗者の血中コルチコステロン濃度は有意に高い(Schuett et al, 1996)。ワニも，音声に加えて，化学物質を介した個体間のコミュニケーションをとっているようだが，具体的なシグナル化学物質を含め，その詳細はわかっていない。ワニは捕食時に集団で狩りをすることもしばしば観察されることから，集団行動についても高度に社会化されているといえる。

ムチオトカゲ属(*Cnemidophorus*)に属するトカゲは，3分の1の種が雌のみで構成されている。*C. unioarens*は単為生殖を行うが，この種は，通常の有性生殖を行う*C. burti*と*C. inornatus*との2種の雑種から派生した種であると考えられている(*C. unioarens*は3倍体〈3n〉であり，*C. burti*から2本，*C. inornatus*から1本のゲノムを引き継いでいる)。*C. unioarens*は単為生殖であるため，本来性行動は必要ないが，雌の受け入れ行動と雄の交尾行動を繰り返すという，疑似交尾行動をとる。このような性行動をしないと仔を産めないため，疑似交尾行動が産卵に対する何らかの刺激となっている可能性がある。雌の受け入れ行動とエストラジオール濃度には正の相関がある。また，雌として排卵したのち，他の個体に対して雄のマウンティング行動や偽射精行動をとるようになるが，エストロゲンレベルが低くなると同時にプロゲステロン濃度が上昇する(Crews, 1988)。これらの刺激とホルモン変動を誘発するシグナル物質は同定されていない。

トカゲやヘビでは，化学受容器としてヤコブソン器官(Jacobson's organ)が発達している。特にヘビではこの感覚器が発達しており，二叉に分かれた細長い舌の先で捉えた化学物質を捉えて，それを口腔内のヤコブソン器官に運び，餌動物の捕食や，同性か異性か，同種かどうかの認識に利用している。さらにヘビ類の中には，ピット器官(pit organ)という赤外線を感知する器官を有する種がある。ピット器官は，温度感受性タンパク質であるTRPA1(transient receptor potential ankyrin 1)を介して正確な温度を感知できる優れた感覚器であり(Gracheva et al, 2010)，この赤外線感知機能は，恒温動物の捕食に威力を発揮している。

18.3.5 繁殖とホルモンの季節変動

ホルモン分泌と生殖活動には季節変動がある。熱帯地域に住む一部の爬虫類を除き，一般的な爬虫類の精子形成は繁殖期の直前に開始し，冬期に来る前に終了する。繁殖期に排精や排卵を行う動物（ワニ，多くの有鱗類や一部のカメ）では，血中のアンドロゲンレベルはこの繁殖期に年に1回のピークがあり，この時期に精巣や精管も最も大きくなる（associated reproductive pattern）。一方，一部の爬虫類は繁殖期以外に精子や卵形成を行う。例えば，ガーターヘビ（*T. sirtalis*）は春先に雌と交尾する際は，まだ精巣は小さく精子を形成しておらず，またテストステロンレベルも低い（dissociated reproductive pattern）。前年度の秋に産生した精子を使うのである。また，去勢しても交尾行動をとることから，アンドロゲンは，交尾行動に関与していない。副腎や下垂体を除去しても交尾行動は起こるが，内側視索前野（mPOA）の破壊や松果体除去により交尾行動が起きなくなることから，これらの2つの領域が何らかの環境情報を統合して，繁殖時期の確認と交尾行動を惹起することが推察される（Nelson & Kriegsfeld, 2016）。

爬虫類の甲状腺機能は，生殖，環境温度，活動レベルと関係するが，因果関係は不明な点が多い。甲状腺機能と季節変動は，トカゲやヘビ，カメなどで，生殖活動との正の相関があることが示唆されている。甲状腺機能の活性化は精子形成や排卵や交尾と関連している（Norris & Carr, 2013）。一般的に甲状腺機能は温度変化と密接に関連している。トカゲでは甲状腺切除により脱皮が妨げられるが，例えば哺乳類の甲状腺刺激ホルモン（TSH）やプロラクチンを投与すると，脱皮が回復する。一方ヘビでは，甲状腺を切除すると脱皮の回数が増え，甲状腺ホルモンを与えると脱皮が止まる。

下垂体および性腺刺激ホルモンは生殖サイクルの中で生殖腺に強く関連する。このような内在的な制御に加え，環境要因にも注意を払う必要がある。特に温度は生殖腺の成熟と機能に最も影響を与える環境因子であろう。例えばセイブガラガラヘビ（*Crotalus viridis*）は光周期にかかわらず，温度のみが精巣の発達や精子形成に影響を与える（Aldrige, 1975）。アノールトカゲも，温度の低下（とおそらく短日条件）は精巣の退縮の原因となる（Licht & Gorman, 1975）。したがって精巣の発達には動物種によって異なるが，一定以上の温度条件が必要であり，それが何らかの内在的なトリガーのスイッチをコントロールしているのであろう。トカゲ類には，松果体と対になる器官として考えられている頭頂眼（parietal eye）という器官が頭頂部にある。松果体が光を感受する機能を失って内分泌器官となったのに対し，頭頂眼は眼と同じように，水晶体，硝子体，視細胞，視神経を備えており，光を感受すると推測されているが，その機能は不明である。頭頂眼を外科的に切除したヨルトカゲ（*Xantusia vigilis*）は，より光を浴びるようになり，結果として生殖サイクルが促進される（Harold, 1977）。ウエスタンフェンスリザード（*Sceloporus occidentalis*）の雌でも同様の結果が得られている。しかしながら，アノールトカゲでは，同じ外科処置をしても精巣の発達などの影響はみられない。

18.4 鳥類

18.4.1 はじめに

鳥類（鳥綱に属する動物）は，二足性，恒温性，卵生の脊椎動物である。およそ10,000種ある現生鳥類は大きく古顎類と新顎類に分けられる（Harshman, 2006）。古顎類は，ダチョウ，エミュ，キーウィなどが属するのみであり，現生鳥類のほとんどの種は新顎類に含まれる。新顎類の鳥は，キジ目（シチメンチョウ，ライチョウ，ニワトリ，ウズラ，キジなど）とカモ目（カモ，ガン，ハクチョウなど）からなるキジカモ類とネオアヴェス（Neoaves）に分けられる。ネオアヴェスは，ハト目（ハトなど）やスズメ目（すべての鳴鳥を含む）を含む24目からなり，スズメ目は現生鳥類の半数以上の種を含む（Sibley & Monroe, 1991）。

鳥類の生活史は種によって様々であるが，典型的には雄が精巣の発達を開始すると縄張りを確立して雌とつがう。その後，雄と雌はそれぞれの生殖器官を発達させ，雄は求愛行動を行い，雌単独または雌と雄が共同して巣作りを行い，交尾し，雌は排卵し，産卵する。雌単独または雌と雄が共同して抱卵し，雛に食べ物を与え，雛は自立するが，次第に親鳥の生殖器官は退行し，換羽を行う（Wingfield et al, 1999）。高緯度で生活する多くのスズメ目の鳥では，繁殖期と非繁殖期の間に春および秋の渡りを行う（Wingfield & Farner, 1980）。

他の脊椎動物と同様，鳥類の行動は究極的に神経内分泌機構により制御される。鳥類の神経内分泌機構は，視床下部-下垂体-内分泌腺より構成される（図18-4）。視床下部のニューロン（神経細胞）は，体内および体外の情報を統合し，下垂体ホルモンの分泌を促進または抑制することにより末梢内分泌腺を制御し，鳥類の様々な行動の発現を制御する。また，視床下部の神経細胞間の神経連絡による情報の統合や視床下部神経による行動制御機構が存在する（Ubuka & Bentley, 2011）。神経内分泌機構による鳥類の行動制御機構を詳しく研究することにより，分子・細胞レベルから鳥類の行動を理解することが可能になると考えられる。

18.4.2 鳥類の神経内分泌機構

鳥類の下垂体は，隆起葉，前葉，後葉からなり，中

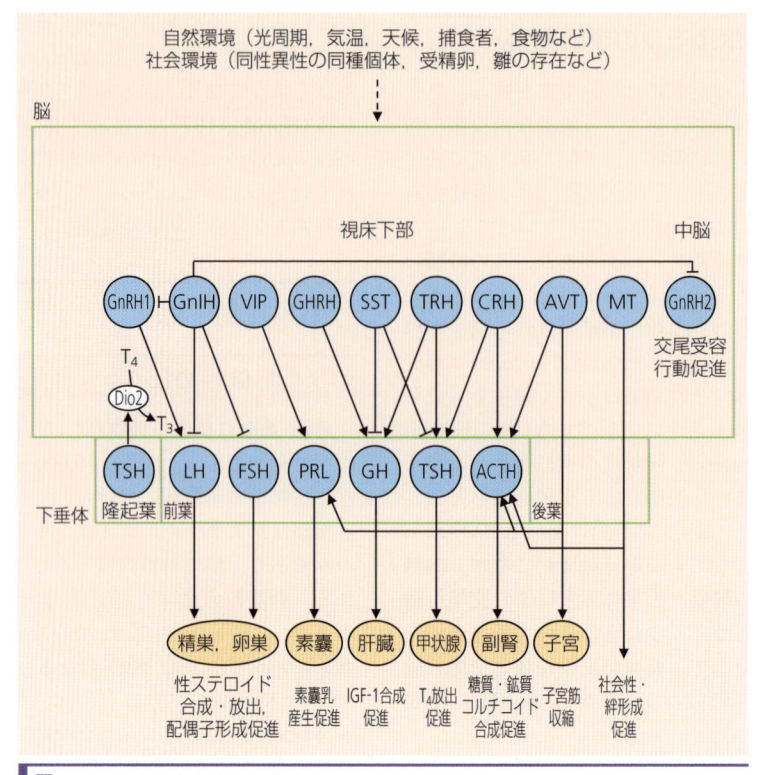

図18-4 鳥類の神経内分泌機構 GnRH1：性腺刺激ホルモン放出ホルモン1，GnIH：性腺刺激ホルモン放出抑制ホルモン，VIP：血管作動性腸管ペプチド，GHRH：成長ホルモン放出ホルモン，SST：ソマトスタチン，TRH：甲状腺刺激ホルモン放出ホルモン，CRH：コルチコトロピン放出ホルモン，AVT：アルギニンバソトシン，MT：メソトシン，GnRH2：性腺刺激ホルモン放出ホルモン2，T_4：チロキシン，T_3：トリヨードサイロニン，Dio2：2型ヨードチロニン脱ヨード酵素，TSH：甲状腺刺激ホルモン，LH：黄体形成ホルモン，FSH：卵胞刺激ホルモン，PRL：プロラクチン，GH：成長ホルモン，ACTH：副腎皮質刺激ホルモン，IGF-1：インスリン様増殖因子-1。↓：合成・放出の促進作用，⊥：合成・放出の抑制作用。詳細は本文を参照のこと。

葉はない(Scanes, 2015)。下垂体前葉には，黄体形成ホルモン(LH)産生細胞，卵胞刺激ホルモン(FSH)産生細胞，プロラクチン(PRL)産生細胞，成長ホルモン(GH)産生細胞，甲状腺刺激ホルモン(TSH)産生細胞，副腎皮質刺激ホルモン(ACTH)産生細胞がある(図18-4)。下垂体前葉ホルモンの分泌は，視床下部の神経分泌細胞で産生される下垂体前葉ホルモン放出・抑制ホルモンが正中隆起に放出され，視床下部-下垂体門脈系で下垂体に運ばれ，下垂体前葉ホルモン放出・抑制ホルモン受容体を発現する下垂体細胞に作用することにより制御される(図18-4)(2章「ホルモン分泌の神経調整」を参照)。下垂体隆起葉においても下垂体前葉と同様のホルモンが産生されるが，下垂体隆起葉は視床下部と下垂体前葉との相互連絡に関わると考えられている。鳥類の下垂体後葉には，アルギニンバソトシン(AVT)またはメソトシン(MT)を産生する視床下部神経分泌細胞の終末があり，循環系にAVTやMTが直接放出される(図18-4)。以下，それぞれの下垂体ホルモンごとにその生理作用や合成・放出制御機構を記す。

性腺刺激ホルモンであるLHとFSHは糖タンパク質であり，LH，FSH，TSH共通のαサブユニットとそれぞれLHβまたはFSHβサブユニットが結合したものである。LHとFSHは下垂体前葉の前部でも後部でも産生されるが，ニワトリを用いた研究では別々の細胞で産生されるようである(Proudman et al, 1999)。LHは，雌では卵巣にはたらきプロゲステロン，テストステロン，エストラジオールなどの性ステロイドの合成・放出，排卵を促進し，雄では精巣にはたらきテストステロンの合成・放出を促進する。FSHは，雌では卵巣において性ステロイド合成・放出を促進し，卵母細胞を発達させ，雄では精巣において精子形成を促進する(図18-4)。LHの放出は，視床下部の視索前野に細胞体を有する性腺刺激ホルモン放出ホルモン1(GnRH1)産生ニューロンから正中隆起に放出される神経ペプチドGnRH1(表18-1)により促進される(図18-4)(Sharp et al, 1990)。GnRH1のFSH放出促進作用は弱い(Hattori et al, 1986)。一方，GnRH2産生ニューロン体は中脳に存在し，GnRH2にもLH放出促進作用は認められるが，その神経線維の正中隆起へ

表 18-1 鳥類の主な視床下部神経ペプチドの構造

和名（英名，略語）	構造（文献）
性腺刺激ホルモン放出ホルモン 1 (gonadotropin-releasing hormone 1：GnRH1)	pEHWSYGLQPG-NH$_2$［ニワトリ(King & Millar, 1982；Miyamoto et al, 1982；Dunn et al, 1993)，シチメンチョウ(Kang et al, 2006)，ガン(Huang et al, 2008)，ハト(Mantei et al, 2008)，キンカチョウ(Ubuka & Bentley, 2009；Stevenson et al, 2009)，ホシムクドリ(Sherwood et al, 1988；Ubuka et al, 2009；Stevenson et al, 2009)］
性腺刺激ホルモン放出ホルモン 2 (gonadotropin-releasing hormone 2：GnRH2)	pEHWSHGWYPG-NH$_2$［ニワトリ(Miyamoto et al, 1984)］
性腺刺激ホルモン放出抑制ホルモン (gonadotropin-inhibitory hormone：GnIH)	SIRPSAYLPLRF-NH$_2$［ニワトリ(McConn et al, 2014)］ SIKPSAYLPLRF-NH$_2$［ウズラ(Tsutsui et al, 2000；Satake et al, 2001)］ SIKPFANLPLRF-NH$_2$［ミヤマシトド(Osugi et al, 2004)，キンカチョウ(Tobari et al, 2010)］ SIKPFSNLPLRF-NH$_2$［ホシムクドリ(Ubuka et al, 2008)］
血管作動性腸管ペプチド (vasoactive intestinal peptide：VIP)	HSDAVFTDNNYSRFRKQMAVKKYLNSVLT-NH$_2$［ニワトリ(Nilsson, 1975；Talbot et al, 1995)，シチメンチョウ(You et al, 1995)］
成長ホルモン放出ホルモン (growth hormone releasing hormone：GHRH)	HADAIFTDNYRKFLGQISARKFLQTIIGKRLRNSESSPGEGVHKLLT［ニワトリ(Wang et al, 2006, 2007)］
ソマトスタチン(somatostatin：SST)	AGCKNFFWKTFTSC［ニワトリ(Hasegawa et al, 1984)，ハト(Spiess et al, 1979)］
甲状腺刺激ホルモン放出ホルモン (thyrotropin-releasing hormone：TRH)	pEHP-NH$_2$［ニワトリ(Aoki et al, 2007)］
コルチコトロピン放出ホルモン (corticotropin-releasing hormone：CRH)	SEEPPISLDLTFHLLREVLEMARAEQLAQQAHSNRKLMEII［ニワトリ(Vandenborne et al, 2005)］
アルギニンバソトシン(arginine vasotocin：AVT)	CYIQNCPRG-NH$_2$［ニワトリ(Acher et al, 1970)，ガン(Acher et al, 1970)，シチメンチョウ(Acher et al, 1970)，ダチョウ(Rouillé et al, 1986)］
メソトシン(mesotocin：MT)	CYIQNCPIG-NH$_2$［ニワトリ(Acher et al, 1970)，ガン(Acher et al, 1970)，シチメンチョウ(Acher et al, 1970)］

の投射は少ないことから下垂体制御に大きくは関わらないと考えられている（図 18-4）（Van Gils et al, 1993）。視床下部室傍核に細胞体を有する性腺刺激ホルモン放出抑制ホルモン（GnIH）（表 18-1）は，LH や FSH の合成，LH の放出を抑制する（図 18-4）（Tsutsui et al, 2000；Ubuka et al, 2006）。GnIH の発現はストレスにより著しく高まることから，ストレスによる性腺刺激ホルモンの抑制に関わっていると考えられる（Son et al, 2014）。LH や FSH の合成・放出は，雌の排卵時以外は，性ステロイドによるネガティブフィードバックを受けるため，去勢を行うと LH や FSH の血中濃度が著しく高まる（Davies et al, 1980）。

TSH は，LH，FSH，TSH 共通の α サブユニットと TSHβ サブユニットが結合した糖タンパク質である。TSH 産生細胞は下垂体前葉の前部に存在する。TSH は，甲状腺の発達と甲状腺からのチロキシン（T$_4$）の放出を促進する。TSH は，甲状腺からのトリヨードサイロニン（T$_3$）の放出は直接制御しないようである（McNichols & McNabb, 1988）。TSH の下垂体からの放出は，視床下部神経ペプチドである甲状腺刺激ホルモン放出ホルモン（TRH）（表 18-1）およびコルチコトロピン放出ホルモン（CRH）（コルチコトロピン放出因子〈CRF〉）（表 18-1）により促進され，ソマトスタチン（SST）（表 18-1）により抑制される（図 18-4）。また，TSH の放出は T$_3$ によりネガティブフィードバックを受ける（Sharp et al, 1979）。寒さは，TSH および T$_4$ の血中濃度を急性的に上昇させる（Herbute et al, 1984）が，これは寒さのストレスが視床下部の TRH の放出を促進するからと考えられている（Wang & Xu, 2008）。

PRL は，グリコシル化，リン酸化を含むタンパク質ホルモンである。PRL 産生細胞は，下垂体前葉の前部に存在する。PRL は，鳥類の抱卵行動と就巣性を促進する。血中 PRL 濃度は，抱卵中に著しく高いが，人為的に抱卵を阻止すると血中 PRL 濃度が急に下がる（El Halawani et al, 1980）。ハトでは，素嚢における素嚢乳の産生を促進する。シチメンチョウでは，LHβ の発現を抑制する（You et al, 1995）。PRL の合成・放出は，視床下部に細胞体を有する血管作動性腸管ペプチド（VIP）（表 18-1）産生ニューロンから正中隆起に放出される VIP により促進される（図 18-4）。視床下部の VIP 含量は抱卵時に著しく高まる（Rozenboim et al, 1993）。ドーパミン（Youngren et al, 1996）やセロトニ

ン(El Halawani et al, 1995)は，VIP 放出を促進することにより PRL 分泌を高める。

GH は，グリコシル化，リン酸化されたものを含むタンパク質ホルモンである。また，ニワトリでは切断された分子や二量体といったバリアントもあることが報告されている。GH バリアントの頻度は成長によって変化する(Arámburo et al, 2000)。GH 産生細胞は，下垂体前葉の後部に存在する。GH は，孵化後の成長に必要である。GH による鳥類の成長促進作用は，哺乳類と同じく肝臓におけるインスリン様増殖因子-1(IGF-1)の合成促進を介するものと考えられている(図 18-4)。GH は，脂肪組織にも直接作用し脂質代謝を制御する。その他，GH には免疫促進作用，卵巣発達促進作用，コルチコステロン合成促進作用がある。下垂体からの GH 分泌は，視床下部ニューロンにより促進的または抑制的な制御を受ける(図 18-4)。ニワトリを用いた研究では，下垂体からの GH 分泌を最も促進する効果があるのは TRH である(図 18-4)(Harvey et al, 1978；Fehrer et al, 1985)。TRH の GH 放出促進作用が生理的に機能していることは，雛に TRH 抗体を投与すると血中 GH 濃度が著しく下がることからもわかる(Klandorf et al, 1985)。成長ホルモン放出ホルモン(GHRH)(表 18-1)にも GH 放出促進作用がある(図 18-4)。GHRH と同じ前駆体から切り出される下垂体アデニル酸シクラーゼ活性化ポリペプチド(PACAP)にも GH 放出促進作用がある。一方，SST は GH 放出を抑制する(図 18-4)。GH 分泌は，視床下部や末梢器官で生合成されるグレリン(Kaiya et al, 2002)によっても促進され(Ahmed & Harvey, 2002)，IGF-1 や T_3 からはネガティブフィードバックを受ける。また，短期間の絶食やタンパク質欠乏は血中 GH 濃度を上昇させる。

ACTH は，前駆体プロオピオメラノコルチン(POMC)から切り出されるアミノ酸 39 残基からなるペプチドであるが，POMC からは β エンドルフィン，メラニン細胞刺激ホルモン(MSH)などの神経ペプチドも切り出される。ACTH 産生細胞は，下垂体前葉の前部に存在する。ACTH は，副腎皮質の細胞にはたらき，鳥類の主要なグルココルチコイドであるコルチコステロン，主要なミネラロコルチコイドであるアルドステロンなどのステロイドホルモンの合成を促進する。下垂体からの ACTH の放出は，ストレス時に CRH の作用により促進される(図 18-4)。下垂体後葉ホルモンである AVT と MT にも ACTH 放出促進作用がある(図 18-4)(Castro et al, 1986)。また，コルチコステロンは視床下部および下垂体に作用して ACTH 放出のネガティブフィードバック作用を及ぼす。

AVT と MT(表 18-1)は，どちらも室傍核に細胞体を有する視床下部ニューロンで産生され下垂体後葉から放出されるが，大部分は別々のニューロンで産生される(図 18-4)。AVT は哺乳類のバソプレシンと同族のペプチドであり，MT は哺乳類のオキシトシンと同族のペプチドである。AVT は鳥類の主要な抗利尿ホルモンである(Goldstein et al, 2006)。また，血管収縮作用もある。AVT は，血液の浸透圧が高いときに放出される。雌においては，AVT は子宮にはたらきプロスタグランジンの生合成を高めて子宮筋収縮を促進することにより産卵を誘導する(図 18-4)。AVT はまた，PRL(El Halawani et al, 1992)や ACTH(Castro et al, 1986)の放出も促進する(図 18-4)。一方，MT の鳥類における生理的役割は明確ではないが，同種個体間の社会性やつがい形成を促進すると考えられている(Goodson et al, 2009, 2012)。

18.4.3 鳥類の性決定と脳の性分化

鳥類の行動には性差があるが，それはどのようなメカニズムに基づくものなのだろうか。まず，鳥類の性は性染色体の組み合わせで決定される(3 章「性の決定」を参照)。哺乳類の性決定とは異なり，鳥類ではZ染色体を2本持つと雄になり，Z染色体とW染色体を1本ずつ持つと雌になる。Z染色体はW染色体より大きい。鳥類の性決定の仕組みには，Z染色体上の遺伝子量が未分化生殖腺を精巣にするというZ遺伝子量説とW染色体上の性決定遺伝子が未分化生殖腺を卵巣にするというWドミナント説とがあるが，ニワトリにおける研究で，Z染色体に存在する精巣の発生に関連する遺伝子である *dmrt1* をノックダウンすると雄から雌に性転換し(Smith et al, 2009)，*dmrt1* は雄の初期生殖腺で高い発現を示す(Lambeth et al, 2014)ことからZ遺伝子量説が優勢である。生殖腺の性決定が行われると精巣または卵巣分化にはたらく遺伝子がそれぞれの生殖腺に発現する。卵巣の形成には，アンドロゲンからエストロゲンを合成する酵素であるアロマターゼをコードする遺伝子である *cyp19* の発現を促す遺伝子である *foxl2* が重要なはたらきをする(Loffler et al, 2003；Govoroun et al, 2004；Hudson et al, 2005)。

成熟した鳥の行動に性差があるのは，精巣や卵巣から分泌される性ステロイドの違いに基づくものなのであろうか，脳に性差があるためなのであろうか。孵卵12日より前にウズラの遺伝的雄にエストロゲンを与えると成熟後に雄の交尾行動が著しく減少すること(Adkins-Regan, 1987)，孵卵9日より前にウズラの遺伝的雌にエストロゲン阻害物質を与えると成熟後に雄の交尾行動が現れる(Adkins-Regan & Garcia, 1986)ことから，鳥類では孵卵初期に卵巣から分泌されるエストロゲンが脳を雌性化するものと考えられている。しかし，雄が求愛のために歌をさえずる鳴鳥の脳の歌制御核では状況が異なる。鳴鳥の一種であるキンカチョウの歌制御核である HVc および RA は雄のほうが大きいという性差がある。キンカチョウの雌に孵化

前後にエストロゲンまたはテストステロンを与え，成熟後にテストステロンを与えると歌をさえずらせることができる(Gurney & Konishi, 1980)．これは，脳の発達期に性ステロイドが歌制御核を雄性化することを示す．ウズラにはHVcやRAはないが，ウズラにおけるエストロゲンによる脳の雌性化およびキンカチョウにおける性ステロイドによる脳の雄性化が種の違いによるものなのか脳の部位の違いによるものなのか明らかではない．さらに，性染色体上の遺伝子の脳における性特異的発現や，脳で合成されるニューロステロイドによる脳の性差形成作用が研究されている．

18.4.4 季節繁殖を制御する神経内分泌機構

鳥類が季節繁殖を行うのは，子孫を残すための繁殖活動を，巣作りに適しており，雛が発達するために十分な食べ物が得られ，捕食される恐れが少ない季節にあわせるためと考えられている．しかし，これら季節繁殖の究極要因は，生殖活動に必要な神経内分泌機構を活性化する直接の近接要因ではないと考えられている．なぜなら，生殖器官の発達から子育てにいたるまでには数週間から数ヶ月の期間を要するため，巣作りや子育てに最適な季節に生殖活動に必要な神経内分泌機構を活性化したのでは遅いからである．中緯度から高緯度で生活する鳥では，年間の日長の変化(光周期)が生殖活動に必要な神経内分泌機構を活性化する主要な近接要因であると考えられている(14章「行動の周期性」を参照)．雄のウズラを短日(明期8時間：暗期16時間)から長日(明期20時間：暗期4時間)に移すと，1週間でLHおよびFSH濃度が著しく上昇し，およそ5週間で精巣が十分に発達する(Follett & Robinson, 1980)．短日条件下の鳥を恒暗条件に移し，様々な時間に光を与える実験から，鳥は内在する生物時計を使って光周期を計測していると考えられる(Follett et al, 1974)．メラトニンは，松果体や網膜から暗期に分泌されるホルモンであるため，哺乳類と同じように光周期に応じたメラトニン分泌リズムによる生殖活動制御機構が考えられたが，鳥類では哺乳類のような明確な答えは得られていない．一方，甲状腺ホルモンによる生殖活動制御機構が考えられている．短日条件下のウズラに明期開始から11～16時間に光を与えると明期開始から22時間くらいからLHの上昇がみられることが知られている(Follett & Sharp, 1969)．吉村らは，短日条件下のウズラを長日条件に移したときに視床下部内側基底部で発現が変化する遺伝子を探索し，明期開始から14時間くらいに$TSH\beta$の発現が，18～19時間にT_4をT_3に変換する酵素をコードする$dio2$の発現が著しく高まることを見出した(Yoshimura et al, 2003；Nakao et al, 2008)．$TSH\beta$発現の上昇は下垂体隆起葉でみられ，$dio2$発現の上昇は視床下部

脳室上衣層の細胞でみられた．また，下垂体隆起葉にはLH-FSH-TSH共通αサブユニットが発現しており，メラトニンがその日周リズムを抑制的に制御する(Kameda et al, 2002；Arai & Kameda, 2004)．また，TSHを脳室に投与すると$dio2$の発現が高まる(Nakao et al, 2008)．さらに，T_3は正中隆起におけるGnRH1神経終末を取り囲むグリア細胞の形態を変化させ，GnRH1の放出を促進する可能性がある(Yamamura et al, 2006)．これらのことから主観的暗期に動物に光が与えられると下垂体隆起葉でTSHが合成され，TSHが視床下部脳室上衣層の細胞における$dio2$の発現を高め，$dio2$がT_3濃度を高めることによりGnRH1の放出が増加し，LH分泌が高まる可能性がある(図18-4)．また，メラトニンはGnIHの発現(Ubuka et al, 2005)や放出(Chowdhury et al, 2010)を高めることから，光周期がメラトニン，GnIHを介してLHやFSHの分泌を制御する可能性も考えられる．さらに，成熟した雄の存在による雌の卵巣の発達の促進作用(Cheng, 1979)や気温(Perrins, 1973)，雨(Leopold et al, 1976)などの環境要因が，光周期により誘導された生殖器官の発達を促進したり妨げたりすることが知られている(Farner & Follet, 1979)．

18.4.5 攻撃行動，性行動の制御

先の脳の性分化の説明で，孵化前後までの脳の発達期における性ステロイドが脳の性差形成に重要であると述べたが，これを性ステロイドによる脳の形成作用という．しかし，鳥の成熟後に雌雄特異的な行動が発現するためにはさらに性成熟に伴う性ステロイドの分泌が必要であり，これを性ステロイドによる脳の活性作用という．例えば，成熟したキンカチョウの雄を去勢するとさえずりの頻度は著しく減少するが，去勢した雄にテストステロンを与えるとさえずりを再度行うようになる．成熟した雄ウズラは，成熟した雄ウズラに対する攻撃行動において威嚇の後，雌ウズラに対する交尾行動とほとんど同じ一連の行動を示す(Mills et al, 1997)．すなわち，相手の後頭部をつつき，後頭部や首をくわえ，背部に乗りかかり，総排出口腺を接合する．このような成熟した雄ウズラの攻撃行動，交尾行動は，去勢により消失するが，去勢した雄にテストステロンやエストラジオールを投与すると回復する．しかし，去勢した雄にテストステロンとともにアロマターゼ阻害剤を与えると雄の攻撃行動や交尾行動が回復しないことから，精巣から分泌されたテストステロンが脳のアロマターゼのはたらきによりエストラジオールに変換されて雄の脳が活性化されると考えられている(Schlinger & Callard, 1990；Balthazart et al, 2009, 2011)(7章「雄性行動」を参照)．脳の神経核の破壊実験，アロマターゼ阻害剤や性ステロイドの脳部位特異的投与実験の結果から，内側視索前核(POM)

が雄ウズラの攻撃行動や交尾行動の発現に重要であると考えられている(Ball & Balthazart, 2017)。雄のPOMは，雌より著しく大きくアロマターゼを多く発現している(Viglietti-Panzica et al, 1986；Balthazart et al, 1996)。産賀らは，雄ウズラの脳においてGnIH神経線維はPOMのアロマターゼニューロンに投射しアロマターゼニューロンはGnIH受容体を発現すること，GnIHはアロマターゼを活性化し脳のエストラジオール(ニューロエストロゲン)の濃度を増加させることにより雄の攻撃行動を抑制することを見出した。様々な濃度のエストラジオールを雄ウズラの脳室に投与し雄ウズラの攻撃行動の頻度を計測する実験から，エストラジオールによる雄の脳の活性作用には最適濃度があり，脳のエストラジオール濃度がその最適濃度を超えると雄の脳の活性作用は失われることがわかった(Ubuka et al, 2014)。

先の鳥類の神経内分泌機構の説明で，GnRH2は下垂体制御に関わらないと記したが，GnRH2はエストロゲンで脳を活性化された雌のミヤマシトド(Zonotrichia leucophrys)において，雄のさえずりに対応した雌の交尾受容行動を促進することが知られている(Maney et al, 1997)。Bentleyらは，エストロゲンによって脳が活性化された雌のミヤマシトドでは，GnIHが雄のさえずりに対する雌の交尾受容行動を抑制することを見出した(Bentley et al, 2006)。GnIH神経線維はGnRH2ニューロンにも投射し，GnRH2ニューロンにはGnIH受容体が発現している(Ubuka et al, 2008)ことから，GnIHはGnRH2ニューロンの働きを抑制することによって雌の性行動の発現を抑える可能性がある。さらに，RNA干渉法によりGnIH発現を抑制するとミヤマシトド(Ubuka et al, 2012)やウズラの活動性が高まり，反対にGnIHの脳室投与は鳥の活動性を低下させることが示された(Ubuka et al, 2014)。GnIH発現はストレスにより著しく高まることから(Son et al, 2014)，GnIHは生殖活動だけでなく，動機づけ行動全般のストレスによる抑制を媒介している可能性がある(Ubuka et al, 2016, 2018)。

18.4.6　子育て行動の制御

巣作りは，種により雌のみ，雄のみ，または雌雄のつがいで行う。一般的に雄も抱卵を行う種は雄も巣作りを手伝う(Vleck & Vleck, 2011)。多くの種において適切な巣がない場合には雌は産卵を行わないため，巣は排卵を行うための必要条件と考えられている(Wingfield & Farner, 1993)。ジュズカケバトを用いた実験で，去勢された雌ではエストロゲンとプロゲステロンの投与が(Cheng & Silver, 1975)，去勢された雄ではテストステロンの投与が(Martinez-Vargas, 1974)，巣作り行動を回復させるために必要だった。以後の研究で，一般的に求愛行動や性行動を促進する

ホルモンは巣作りも促進することがわかった(Vleck & Vleck, 2011)。

多くの鳥は，繁殖期において1日に1回産卵を行う。通常，2〜10個の卵を連続して産卵し(産卵周期)，1日以上産卵を休止し再開する(Follet, 1984)。ニワトリでは，排卵の6〜8時間前にLHサージがあり，排卵された卵はほぼ24時間かけて卵管で発達し産卵される。次の排卵は，産卵周期の途中では産卵から15〜75分後に行われる。LHサージはプロゲステロンの投与で誘導できるが，GnRH1抗体の同時投与がLHサージを妨げることから，プロゲステロンサージがGnRH1ニューロンにはたらき，GnRH1を介してLHサージが起こると考えられている(Fraser & Sharp, 1978)。

産卵時には，下垂体後葉からAVTが血中に放出され(Nouwen et al, 1984；Tanaka et al, 1984；Sasaki et al, 1998)，子宮筋が著しく収縮することから(Shimada et al, 1986)，AVTが卵巣のホルモンやプロスタグランジンと共同して産卵を誘導すると考えられている。また，ウズラを用いた研究で，子宮筋に投射する交感神経がガラニンを神経伝達物質として産卵を誘導することがわかった(Li et al, 1996；Sakamoto et al, 2000)。子宮筋に投射する交感神経におけるガラニンの発現は，卵巣から分泌されるエストロゲンやプロゲステロンにより誘導される(Ubuka et al, 2001)。

産卵された卵の中の胚の発達には外部から熱を与えてやることが必要であるが，通常胚の発達に必要な熱は，巣の中で親鳥が抱卵し抱卵斑を介して親鳥から卵に与えられる。抱卵斑とは，親鳥の腹部にある羽が抜けて皮膚が露出した部分であり，PRLと性ステロイドの相乗作用で形成される(Jones, 1971；Drent, 1975)。また，PRLをニワトリに投与すると抱卵行動を誘導することができる(Riddle et al, 1935；Sharp et al, 1988)。しかし，雌でも雄でも抱卵に失敗するとPRLは上昇しない(Goldsmith & Williams, 1980)。PRLは抱卵だけでなく，産卵後の子育てにも重要である。早熟性の雛を孵す種ではPRLレベルは産卵後急に下がるが，晩熟性の雛を孵す種ではPRLレベルは産卵後も下がらず，巣の中で雛に食べ物を与えている間，親鳥は高いPRLレベルを維持する(Goldsmith, 1982)。ハト目の鳥では，素嚢という器官の内壁から分泌される液体(素嚢乳)を雛に吐き戻して与えるが，PRLはこの素嚢腺の発達と素嚢乳の形成を促し，雛に素嚢乳を与えている間，PRLが高いレベルを維持する(Goldsmith et al, 1981)。多くの種で，PRLレベルのピークはLHレベルの減少および生殖腺の退行と同時期に起こる(Sharp & Sreekumar, 2001)。

18.5　おわりに

以上，鳥類の神経内分泌機構による鳥の行動の制御

を概観したが，神経内分泌機構は鳥の生存や成長だけでなく子孫を残すための繁殖行動に大きな役割を果たすことがわかる．視床下部ニューロンによる下垂体ホルモンの制御，下垂体ホルモンの作用，内分泌腺から分泌されるステロイドホルモンや甲状腺ホルモンなどの作用はかなり詳しく解明されているが，ステロイドホルモンや甲状腺ホルモンが脳や下垂体に具体的にどのような作用を及ぼすのかについてはまだわからないことが多い．また，内分泌腺から分泌されるステロイドホルモンや甲状腺ホルモンは脳でさらに代謝されて様々な作用を及ぼすようである．視床下部ニューロンが自然環境や社会環境の情報をいかに統合するのか，視床下部ニューロン間および脳の他のニューロンとの神経連絡はどのようになっているのかなど，今後さらに研究を進めていくことが必要である．哺乳類において乳腺の発達や母性行動を促進するプロラクチンが，ハトでは素嚢腺の発達や抱卵行動を促進するなど，一見哺乳類と鳥類の形態は大きく異なるが，分子レベル，細胞レベルに遡るとその生理や行動を制御するシステムには共通性がある．鳥類などを用いて比較生物学的研究を精力的に進めることにより，哺乳類全般，さらにヒトの生理や行動の理解も深まるものと考えられる．

*

- Cellular organisms：細胞生物
- Eukaryota：真核生物
- Opisthokonta：オピストコンタ（後方鞭毛生物）
- Metazoa：後生生物
- Eumetazoa：真正後生動物
- Bilateria：左右相称動物
- Deuterostomia：後口動物
- Chordata：脊索動物
- Craniata：頭殻綱
- Vertebrata：脊椎動物
- Gnathostomata：顎口類
- Teleostomi：真口類
- Euteleostomi：真正真口類
- Actinopterygii：条鰭類
- Actinopteri：条鰭亜綱
- Neopterygii：新鰭亜綱
- Teleostei：真骨下綱
- Osteoglossocephalai：アロワナ巨区
- Clupeocephala：ニシン上区
- Otomorpha：骨鰾区
- Ostariophysi：骨鰾亜区
- Otophysi：骨鰾系
- Cypriniphysae：コイ上目
- Cypriniformes：コイ目
- Cyprinoidei：コイ亜目
- Danionidae：ダニオ科
- Danioninae：ダニオ亜科
- Danio：ダニオ属
- Sarcopterygii：肉鰭類
- Dipnotetrapodomorpha：肺魚四肢動物類
- Tetrapoda：四肢動物
- Amniota：有羊膜類
- Mammalia：哺乳類
- Theria：獣亜綱
- Eutheria：真獣下綱
- Boreoeutheria：北方真獣類
- Euarchontoglires：真主齧上目
- Primates：霊長目
- Haplorrhini：直鼻亜目
- Simiiformes：真猿型下目
- Catarrhini：狭鼻小目
- Hominoidea：ヒト上科
- Hominidae：ヒト科
- Homininae：ヒト亜科
- Homo：ヒト属

19

人間の性行動における生物学的基盤

19.1　行動の性差の現れに生物学的基盤は実在するか？――「マネーの双子」の悲劇

　1972年，ヒトが男性として生活するようになるか女性として生活するようになるかは，生まれた後の生育環境の操作によって変更しうるとする当時の主張を決定づける症例が発表された（Money, 1975；Money & Ehrhardt, 1972）。ジョンズ・ホプキンス大学で医学心理学科と小児科の教授を勤めていた John Money は，インターセックス／体の性の様々な発達（differences of sex development：DSD）を持つ子どもたちの性別適合手術や教育についての大家であり，胎生期や出生後における性ホルモンが行動へ及ぼす影響についての動物実験やヒト臨床上の知見も，同じ書籍の中で紹介している。一方で，外性器の外見や幼少期の経験がヒトのあり方に決定的に影響を及ぼすという精神分析学的，もしくは行動主義的な人間観にも深く依拠していた。個人のアイデンティティ形成への言語の役割を重視し，子どもが自己の性別に適した行動を示し始めるのは生後18ヶ月〜2歳頃であると観察し，ヒトのジェンダー・アイデンティティの方向性が決まる臨界期は2歳半〜3歳であると明言している。

　この主張を検証する機会は，割礼用電気ゴテによる事故にあい生後8ヵ月でペニスを焼失した定型発達の男児（行動学者にとっては好都合なことに，男児は一卵性双生児であり，比較対象となる兄弟児がいた）をみることになったときに訪れた。Money は両親を説得して生後17ヶ月目からこの男児を女児として養育させ，生後22ヶ月で精巣摘出手術を受けさせたのである。後に Diamond の検証論文で John/Joan 症例として知られるようになるこの子どもは，お転婆ではあるものの女の子として問題なく成長していると報告され，「ジェンダーの可塑性」を裏づける証拠として繰り返し広められた。こうした考え方に基づけば，ヒトのジェンダーや性行動の傾向は生まれたときには中性で，世の中に存在する「性差」は文化的に植えつけられたものであり，教育によっていくらでも転換可能である。本症例は，曖昧な外観の外性器を持つインターセックス／DSD の子どもたちに対しては，できるだけ早くどちらかの性に近づける手術を施し，その性別にふさわしい社会化が行われるように小さなときから養育すべきであるという，1955年から世界的に影響を及ぼしていたジョンズ・ホプキンス大学によるインターセックス治療プロトコル（Redick, 2005）の権威を決定的にした。またこの結論は，トランスジェンダーや同性愛者の存在に関しても，「親の育て方の間違い」によるものであるという想定への支持を与えうるものであった。

　Money の報告の再現性に疑問を呈したのが，Goy らとともに動物の胎仔期における性ホルモン操作が出生後の性社会行動を制御することを研究していた Milton Diamond である。学位取得後は自らもインターセックス／DSD の子どもたちを診療し，胎児期に高濃度の男性ホルモンに曝された女児や，ペニスの発達が悪いために女児として育てられてきた男性で，たとえ表面的には養育者の意向に従ってきたように見えていても，本人の中核的なジェンダー・アイデンティティが割り当てられた性と合致しないケースを複数知っていた。インターセックス／DSD や同性愛者の発達を追っていた一部の研究者たちも Money の主張に疑念を表していた。長じて同性愛者になる男児は，幼少期に女性的な行動傾向を示していた場合が多い。ヒトのジェンダー・アイデンティティや性的指向は出生後の養育方針でいかようにも変えられるようなものではなく，出生前のホルモン環境や遺伝的特性が，どのように生きたいかというもともとの個性をある程度形作っているのではないか。Diamond の努力により，Money によって性別転換された双子の実情は報告とは異なり，割り当てられた性（女性）に対して幼少期から深刻

な性別違和があったことが明らかになった(Colapinto & Nelson, 2000；Diamond & Sigmundson, 1997)。この症例や1955年のインターセックス治療プロトコルを根拠として幼少期に性器の外観をいずれかの性に合致させ，性別を割り当てられた子どもたちの多くが，性機能不全と性別違和に苦しんでいた。

ジェンダー・アイデンティティは外性器の外観のみによって決まるわけではない。胎児期の男性ホルモンの脳内への作用によって基本的な性社会行動の方向性ができる。典型的な男性としてのアンドロゲンの影響を胎内で受けている場合，たとえ外性器の発育が悪かったり事故でペニスを失っていたりしたとしても，女性として成長させることは困難であることが現在では知られている(Erickson-Schroth, 2013)。一般に性差の大きい特性として性的指向(性行動の相手としていずれの性を選択するか)とジェンダー・アイデンティティ(自分自身をどちらの性別として認識するか)が挙げられるが，それらが内分泌的・社会的にどのように確立していくかを論じたうえで，男女における性行動の内分泌学的背景について示す。

19.2 性的指向とジェンダー・アイデンティティ

19.2.1 行動生物学および人類学的観点—「性的指向」の出現

同性間で行われる性行動は，貴重な繁殖資源の浪費であって生物にあっては避けられる営為であると考えられがちだが，そうした見方は正しくないことが現在では認識されている。線虫やトカゲに始まり，同性間での性行動が知られている種は1,500以上にのぼる。十分な記載があるものは500種ほどである(Bagemihl, 1999；Bailey & Zuk, 2009；Monk et al, 2019)。トンボ，イルカ，ボノボなど，同性との性行動の頻度が異性との性行動と同程度か，むしろより頻繁にみられる種もある。すなわち，様々な生物において性行動は必ずしも直接的な繁殖成功を目指したものではない。性行動のパターンは，生育期や性成熟期における周囲の雌雄の数の比率など，個体の置かれている生態環境によって変化する。ラットやイヌといった実験動物を用いて性ホルモンが性行動に及ぼす影響を検討したFrank Beachも，哺乳類の多くの種において，「まったく正常な」雌雄の動物が状況によっては自発的に同性と性行動を行い，反対の性にとって典型的な性反応を見せることがしばしば観察される，と言及している(Beach, 1975；Beach Jr, 1938)。行動生物学において「性的指向」とは，その個体が相手として雌雄のいずれも選択可能な状態であった際に，どちらか一方の性を性行動の相手として選択する長期的な傾向を示すこと

を意味する。すなわち，異性が見つかりにくいなどの理由で偶発的に同性と性行動をとることは「同性愛傾向を持つ」とはいわないし，その種において同性と性行動をとることがごく一般的にみられる行動であるならば，「同性愛傾向を持つ」という定義は成立しない。そのため，同じ個体の性的な行動の傾向を追跡することが難しい野生動物においては特に，「同性愛の性的指向を持つ」個体について記述されることはほとんどない。ヒト以外の動物で例外的に十分な記述がある例として，家畜化されたヒツジが挙げられる。雄のうち雌を継続的に交尾相手として選択する個体は7割であり，2割は雌雄のいずれをも選択し，8～9%は雄のみを選択する個体である(Roselli et al, 2004)。その個体差を生じさせる神経学的背景はヒトと近似している(Roselli et al, 2011)(19.2.4「多様な性分化—神経核」を参照)。

ヒトの様々な伝統社会において，同性間性行動への参加は成人への通過儀礼として性教育的な役割を担っていたケースが多い(Neill, 2009；礫川, 2003)。「性的な対象としてもっぱら同性を選ぶ個人」の定義がされたのには，同性間での性行動が犯罪化されていた近代ヨーロッパにおいて，「同性愛者」としてのアイデンティティを自然な多様性の中の一つとして確立する必要があったという事情がある(LeVay, 1996)。同性間性行動の犯罪視がされていない文化では，男性の中で同性との性行動において女性的な役割をとる者については特定の名称が与えられたが，男性側の役割をとる側については特別な言及はされないのが通例であった(Nanda, 1999)。すなわち，男性においても女性においても，その社会における典型的な性役割と反転することについては特別視されたが，「同性と性的関係を持つ人」自体が特別なカテゴリーと見なされていたわけではない。

19.2.2 個人の特性としての同性愛概念の確立

社会的な弾圧が存在したことによって，そうした状況下であっても性行動の対象として同性を指向する者が一定の割合で存在することが洗い出され，現代的なゲイやレズビアンに相当する概念が生じ，さらに身体的な性分化の非典型性(インターセックス)や，自己認識としての性自認(ジェンダー・アイデンティティ)とは分離して論じられる素地が19世紀後半に生じた(Krafft-Ebing & Chaddock, 1893；Singy, 2021)。その後20世紀初頭における精神分析や優生学を通じて同性間性行動は逸脱視される中で，膨大なインタビュー調査をもとに，一般人男性の約半数が成長の過程で同性との何らかの性的接触を経験していると主張したKinseyレポートは物議をかもした(Kinsey et al, 1948)。Kinseyは，性的に引きつけられる方向性とし

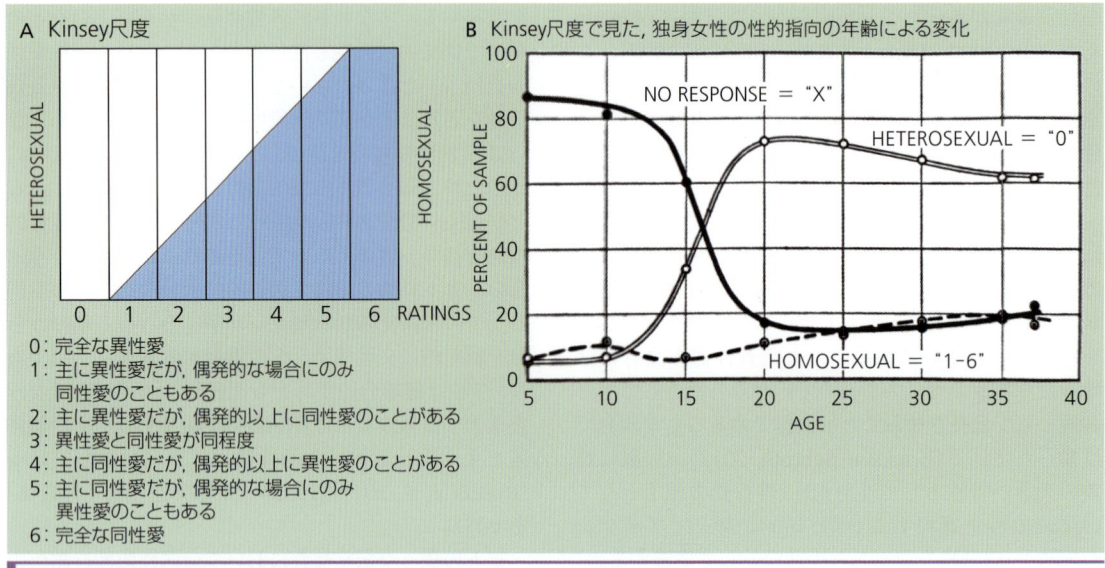

図 19-1　Kinsey 尺度　A：性的および心理的な反応や性行動をとったことがある対象が異性であるか，同性であるかを 0～6 までの尺度で示した。さらに，異性・同性いずれの刺激に対しても性的な反応を示さず，身体的な接触も持たないケースを X と分類した。B：一定数は成人後に性的指向の変化を示す。(Kinsey et al, 1948, 1953) (Elsevier より許可を得て転載)
HETEROSEXUAL：異性愛，HOMOSEXUAL：同性愛，RATINGS：評定値，PERCENT OF SAMPLE：サンプル内分布割合，NO RESPONSE：反応しない。

ての性的指向を，異性愛と同性愛とに単純に 2 分するのではなく，連続的な値を持つ個人差として表現した。また性反応の発達過程を明らかにする手掛かりを示した（図 19-1A）(Kinsey et al, 1953)。

　Kinsey レポートは受刑者を対象とした報告を多く含むなど，サンプリングの方法に問題があり，同性間性行動の生起率を過大報告していた(Diamond, 1993)。しかし，パーソナリティーの個人差としての同性愛が定義されることで，その後の調査で，様々な社会の平均において同性愛者と両性愛者をあわせて男性 5～6％，女性 2～3％(Diamond, 1993)，アメリカ合衆国男女で 3％(Kendler et al, 2000)，オーストラリア男女で 8％(Bailey et al., 2000)，スウェーデンで男性 5.6％，女性 7.8％(Långström et al, 2010)，日本で男性 2.4％，女性 2.0％(Hiramori & Kamano, 2020) という存在確率を推定することが可能になった。2005 年にイギリス BBC 放送によってアジアを含む 28 ヶ国を対象に行われた調査では，自らを同性愛者であると「認識」している者の平均は男性 4.9％，女性 2.1％であり，両性愛者と認識している者は男性 5.1％，女性 7.2％であった。同じ調査で性的な関心の方向性としてたずねた場合は，「異性のみ（異性愛者に相当）」という回答の比率は低くなっており，女性で平均 66.2％だった(Rahman et al, 2020)。

　複数の報告が，女性で完全な同性愛者の比率は小さく，異性愛者と連続的に両性愛者が存在することを示している。行動遺伝学的な検討においても，女性の性的指向に及ぼす相加的遺伝の影響は男性と比較して小さく，同じ家庭に育ったことによる共有環境の影響が強めに現れる。女性では，ライフコース上で異性愛の時期と同性愛の時期の間を揺れ動くケースが少なからずみられる(Diamond, 2003；Kitzinger & Wilkinson, 1995；Ott et al, 2011)。性的な動画刺激を提示された場合の興奮度の測定においても，男性は自らの性的指向に合致する刺激に対してのみ反応するが，女性では刺激が自らの指向に合致していなかったり，あるいはヒト以外の動物の交尾シーンであったりしても興奮がみられ，生理的な反応と本人の性的指向とは結びつきが乏しい。女性では性的欲求や主観的な興奮は自然発生するよりも，社会的な刺激によって誘発される傾向が強いことと関係するのかもしれない（坂口，2012）(19.4.1「性的欲求と興奮の円環モデル」を参照)。

　さらに，Kinsey 尺度から派生して「男女のいずれにも性的に惹かれない」行動特性として無性愛／アセクシュアルを定義することができる。男女のいずれに対しても性的な興奮は覚えないとする女性が 15％にのぼるとする研究もある(Bogaert, 2015；Kinsey et al, 1953)。近年の日本の調査では，男性の 0.3％，女性の 1.1％が自身は長期的な特性としてアセクシュアルであると回答している。さらに，性的指向を決めていない，もしくは質問の意味がわからないという回答が，同性愛あるいは両性愛であるという回答よりもはるかに多かったことは特筆すべき点である(Hiramori & Kamano, 2020)。

19.2.3 性自認と性別違和，トランスジェンダー

性自認（ジェンダー・アイデンティティ〈gender identity〉）とは，男性あるいは女性，あるいはそのどちらとも規定されないものとする社会的アイデンティティのカテゴリーである。性別違和（gender dysphoria）とは個人が割り当てられた性に対して少なくとも6ヶ月以上感情的・認知的に不満であるという状態を示し，DSM-5（精神疾患の診断・統計マニュアル〈American Psychiatric Association, 2013〉）における診断名でもある。トランスセクシュアル（transsexualism〈性転換症〉）はその中でも社会的な性別移行を望む者であり，多くが自らの身体的性徴に対する嫌悪感を持ち，ホルモン療法や性別適合手術などを望んでいる。これに対し，トランスジェンダーはより広い定義で，一時的もしくは継続的に，出生時に割り当てられた性とは異なるジェンダーと同一化しようとする人を指す。

小児期に，自らに割り当てられた性に対する持続的で強い苦悩を示すものを子どもの性別違和（gender dysphoria in children）と呼ぶ。割り当てられた性に非典型的な服装やごっこ遊び，玩具を好み，異性の子どもたちを遊び相手として選択する。胎児期に通常とは異なる性ホルモン環境下にあったインターセックス／DSDの子どもは，非典型的なジェンダー関連行動を示す傾向が高いことが知られている（Rosenthal, 2014）。性別違和を持つ子どものうち，思春期後も性別違和が継続する割合は12～27％である（Drummond et al, 2008；Wallien & Cohen-Kettenis, 2008）（ただし，年齢が高いグループほど性別違和該当者が多かったという日本の横断的研究もある〈Sasaki et al, 2016〉）。小児期に性別違和の程度が強かった場合に「継続者」となる可能性が高い。成長に従い性別違和が解消したケースの3～5割は，同性愛もしくは両性愛者となり，その比率は男性においてより高いと考えられている。

過去には性別違和者の人口比率が，医療機関にサポートを求めて訪れるトランスセクシュアルの計上に基づいていたため，非常に低く（0.002～0.014％）算出されており（American Psychiatric Association, 2013），またどちらの性に性別移行を望む者が多いかという出現性比は文化的環境によって逆転することもあるとされていた。近年では地域標本調査が行われており，アメリカ合衆国の成人で0.5％（Conron et al, 2012），日本では0.7～0.8％で出現性比に大きな差はみられない（Hiramori & Kamano, 2020）。さらに，アメリカ合衆国の2014年の国勢調査では，トランスセクシュアルに相当する人が0.1％，男性の異性装者が1％であり，男女をあわせた人口比率では0.45％であった。広義のトランスジェンダーやインターセックスを含めると2.91％を占めている（Doan, 2016）。

以上のように定義によって幅はあるものの，性別違和は同性愛性的指向と比べてとても特殊であるといった，これまでの認識は改めざるをえない。

19.2.4 多様な性分化—神経核

ヒトにおいては，男児は受精後胎齢[1] 7週に性決定遺伝子（sex-determining region Y：SRY）が発現し精巣が形成される。胎齢11～17週に男性胎児では血清中テストステロン（代表的アンドロゲン）濃度の上昇がみられるため，ヒトの脳の性分化に最も重要な臨界期もこの時期であると考えられている（Reyes et al, 1974）。この時期を中心として，ホルモンや遺伝子，化学物質の影響により胎児の遺伝的性に典型的ではない作用を受けると，性分化がモザイク状に起こり同性愛やトランスジェンダーの傾向を含め，心理学的・解剖学的に中性的な特徴を示すようになるというのが一般的な生物学上の想定である（Balthazart, 2020；Swift-Gallant et al, 2019；Wang et al, 2019）。

前視床下部間質核（interstitial nucleus of the anterior hypothalamus：INAH）には4つの亜核があり，特にINAH-3は男性のほうが女性よりも体積が大きく，ニューロン数も多いという性的二型が明確であり（Allen et al, 1989；Byne et al, 2001），げっ歯類における性的二型核（sexually dimorphic nucleus of the preoptic area：SDN-POA）に相当すると考えられた（4.5「中枢神経系の構造の性差と形成」を参照）。SDN-POAはアンドロゲンの作用を受けて雄の性行動を制御していることが知られている部位である。男性同性愛の動物モデルとされるヒツジにおいても，性的指向と対応してSDN-POAと相同なoSDN（ovine sexual dimorphic nucleus）の体積および神経細胞数が異なり（Roselli et al, 2004），体積の違いは胎仔期におけるアンドロゲン作用に依存することが確かめられている（Roselli, 2020；Roselli et al, 2011）。またLeVay（1991）は，ヒトの男性同性愛者ではINAH-3は異性愛男性より体積が小さく，女性の大きさに近いことを死後脳の剖検により示し，同性への性的指向に生物学的基盤があることを示唆する重要な根拠を与えた。しかし，その後の追試では男性の性的指向による統計的な有意差は確認できていない（Byne et al, 2001）。

性的指向の個人差と対応すると想定されたINAHに対し，性自認の非典型性と関連するのが分界条床核中心核（central subdivision of the bed nucleus of the stria terminalis：BSTc）の大きさであるとされた（Kruijver et al, 2000；Zhou et al, 1995）。しかしながら，分界条

---

[1] 胎齢は，受胎（受精）日から計算する。産婦人科領域における妊娠週数は最終生理日を1日目として計算するため，胎齢に2週間足した値となる。

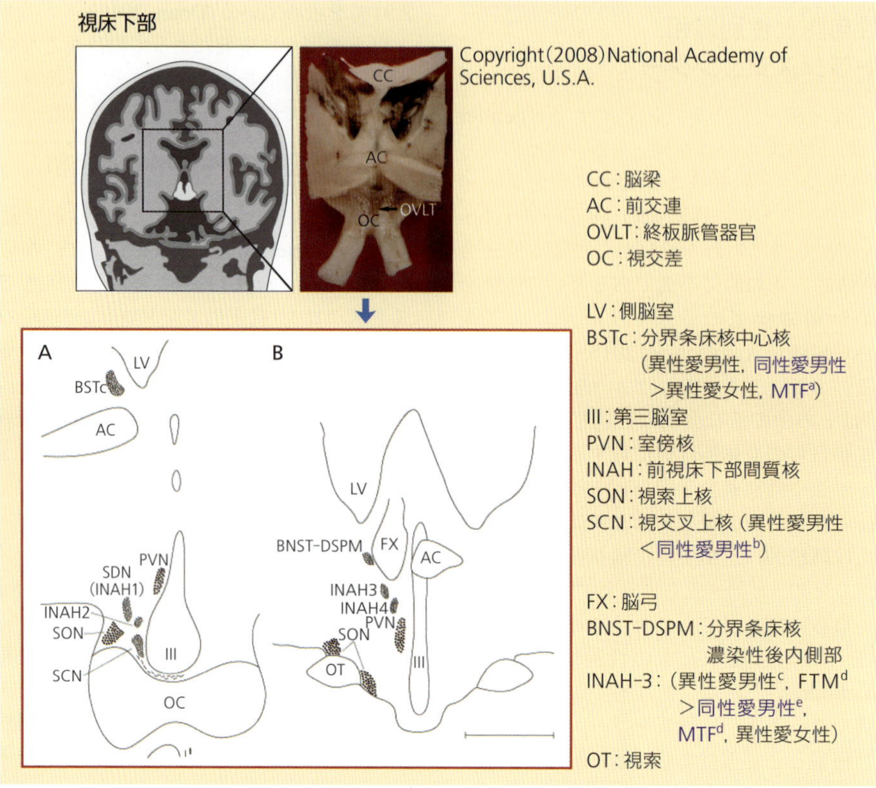

図19-2 性的指向や性自認の違いと関連する神経核 視床下部視索前野に位置するINAH1-4、および周囲の部位を示す（Swaab, 1999、2008）。AはBより吻側（顔側）の断面に相当する。前交連は性的指向と関係すると報告されたが（Allen & Gorski, 1992）、その後追認されていない（Lasco et al, 2002）。近年、視床の灰白質部は同性愛男性で異性愛男性よりも大きいと報告された（Votinov et al, 2021）。MTF：male to female トランスセクシュアル、FTM：female to male トランスセクシュアル。(a：Kruijver et al, 2000；Zhou et al, 1995。b：Swaab & Hofman, 1990、ただしVotinov et al, 2021。c：Allen et al, 1989。d：Garcia-Falgueras & Swaab, 2008。e：LeVay, 1991、有意傾向：Byne et al, 2001)（Elsevierより許可を得て転載）

床核の性的二型が生じるのは思春期以降であるため（Chung et al, 2002）、胎児期の性ホルモン濃度の影響や幼児期における非典型的ジェンダー行動との関連については説明が困難であった。その後、INAH-3は男女のトランスセクシュアルにおいて、神経核の体積およびニューロンの数が当事者自身の認識する性に相応するものであることが報告された（図19-2）（Garcia-Falgueras & Swaab, 2008）。同性愛者や両性愛者の中でも性行為における役割の違いに応じて心身の特性が異なることが指摘されてきており、自らと異なる性にとって典型的な役割をとる者（同性愛男性のうち、受動的役割を取る側など）は身体に対する満足度が低く、性別違和のスコアも高いことが示されている（Moskowitz et al, 2021；Swift-Gallant et al, 2019）。すなわち、性的指向と性別違和は、近代以降の欧米文化視点に依存する現象の切り口によっては異なる概念であるが（van Anders, 2015）、より広範な伝統社会での視点からの分類、および成因を考えると、その差はそれほど明確ではない可能性を視野に入れるべきである。

19.2.5 出生順位効果と遺伝子

胎児期における性分化プロセスの阻害が、男性の性的指向および性自認の特異性に影響することを示唆する再現性の高い現象が、母親を同じくする兄を多く持つほど同性愛者になる確率が高くなるという兄弟出生順位効果（fraternal birth order effect）である。男性の兄が1人増えるごとに、その男性が同性愛者になる確率は33％上昇し、男性同性愛者の中で兄弟出生順位効果を要因とするものの割合は15～29％ほどと推定されている（Blanchard, 2018；Blanchard & Bogaert, 1996）。

脊椎動物では異型配偶子を持つ側の性に性特異的な抗原が広く分布している。哺乳類ではH-Y抗原（Y染色体組織適合性抗原）として知られており、性分化に何らかの役割を果たしていると考えられている。母親の身体は男児を妊娠するごとに、男児のH-Y抗原に対するH-Y抗体を作り蓄積する。このH-Y抗体が胎児の未成熟な血液-脳関門を通って胎児の脳細胞におけるH-Y抗原のはたらきを部分的に阻害することに

より，男児の脳の性分化プロセスに影響を与え，同性愛傾向を示す者が現われやすくなると考えられている．近年，この抗原として NLGN4Y が同定された (Bogaert et al, 2018)．兄弟出生順位効果は男性同性愛者の中でも女性的なタイプの人の成因を説明するとされる (Swift-Gallant et al, 2019)．非欧米圏では，男性を性的に指向する，性別違和のある男性に兄弟出生順位効果がみられることが確かめられている (Bozkurt et al, 2015；Khorashad et al, 2020；Poasa et al, 2004)．

関連遺伝子について，同性愛者は同じ家系に現れる傾向があるという観察から遺伝的影響が想定され，X染色体長腕上の Xq28 領域を通じた伴性遺伝の可能性が指摘されていた (Hamer, 1999；Hamer et al, 1993)．本領域の関与を追認できないとする報告もあるが，ゲノムワイド関連解析 (genome-wide association study：GWAS) によって Xq28 および 8 番染色体上のセントロメア付近に位置する 8p12 領域が同性愛性的指向の関連領域として指摘された (Sanders et al, 2015)．げっ歯類から得られた知見では，Xq28 にはバソプレシン受容体 (AVPR2) をはじめ他個体との社会関係を調整する遺伝子が複数含まれている．

その後の GWAS 研究でも性的指向と関連する領域が複数指摘されたが，Xq28 はその中に含まれていない (Ganna et al, 2019；Hu et al, 2021)．UK バイオバンクおよび商用遺伝解析サービスである 23andMe 利用者の 477,522 名を対象としたこれまでで最大規模の調査 (Ganna et al, 2019) では，性的指向に及ぼす遺伝的影響の割合は，GWAS で測定された一般的一塩基多型 (single nucleotide polymorphism：SNP) に基づく推定では 8～25% であった．これに対し，双子など親族間の類似性に基づいた家族法での遺伝率の推定は 32% となり，SNP 推定の 3 倍近くにのぼる．この差異の傾向は他の様々な行動特性と同様であり，ジェノタイピングアレイにより同定されない多型や，非相加的遺伝，表現型の異質性 (phenotypic heterogeneity) などの影響によると考えられる．この研究では同性間性行動に関わる遺伝子座が 5 つ同定された．特に，多くの嗅覚受容体遺伝子を含む 11q12.2 と，性分化に関わる遺伝子を含む 15q21.3 は，男性の同性間性行動との関連が示された．ただし，今回同性愛に関わると同定された SNP の寄与の総和であるポリジェニックスコアによる性的指向の説明率は 1% 以下とごく低値に留まった．この研究では，全遺伝データベースのうちデータ分析に同意した対象者が各サンプル内の 6% 未満 (US バイオバンク)，2% 未満 (23andMe) とごく少数であり，かつ中高年が中心であった．そのため，性行動を尋ねる調査に対して自分の遺伝情報を提供してもよいと感じた人たちにサンプリングが偏っていた可能性や (Diamond, 2021)，トランスジェンダーやインターセックスが分析対象から除外されているなどの問題点が指摘されている．

Hu らの研究では中国の漢民族男性を対象とした調査で，Xq27.3 に存在する FMR1NB 上の SNP と，19q12 上の ZNF536 という同性愛に関わる 2 つの要因遺伝子を新たに見出した．FMR1NB はドーパミンやセロトニンの代謝に関わっており，ノックアウトされた雄マウスは雌への選択的な性的指向を失う．FMR1NB は，これまで失読症 (dyslexia) の発達と関係すると指摘されてきた遺伝子である．男性同性愛者ではセロトニンの代謝に特異性があり，選択的セロトニン再取り込み阻害剤 (selective serotonin reuptake inhibitor：SSRI) が投与された際の脳活動の反応性が，異性愛者とは異なっている (Kinnunen et al, 2004)．げっ歯類の研究では，中枢神経におけるセロトニン神経の欠落は，雌雄それぞれにおいて異性に対する性的選択性を失わせることが確かめられている (Wang et al, 2019)．

ZNF536 は主に脳内で発現している転写因子である．視交叉上核 (suprachiasmatic nucleus：SCN) におけるニューロンの細胞質および核，グリア細胞に発現しており，同性愛男性では異性愛男性と比較して発現が有意に少ない (Hu et al, 2021)．これは男性同性愛者においてバソプレシンを発現する領域が増大していることと対応すると考えられる．実は，男性の性的指向に関連する脳の解剖学的な違いとして初めて指摘されたのは，体内のマスタークロックとしての役割を持つ視交叉上核の大きさであり，一般的には女性よりも男性が大きいが，同性愛男性では異性愛男性よりも大きい (Swaab & Hofman, 1990)．これは一見，同性愛男性が異性愛男性よりも男性化が強くなっているかのように見えたものの実情は逆であり，発達初期の脳に対する雄性化作用 (この場合は，テストステロンがエストラジオールに転換して作用したもの) が阻害されることによりバソプレシン作動性ニューロンの数が増えることが，ラットを用いて確認されている (Swaab et al, 1995)．

「男性同性愛者は胎児期におけるアンドロゲン作用が低めである」という前提に対して，マウスに対する実験研究やヒトの調査より，とても高いアンドロゲン作用を受けた個体は社会行動が男性的である一方，性的に能動的な役割をとる側の同性愛者となりやすいという指摘もある (Balthazart, 2020；Swift-Gallant, 2019)．すなわち，発生初期のアンドロゲンが性的指向に及ぼす影響は非線形の可能性があり，性行動時の役割の違いにより分けて検討を行うことが望ましい．

19.2.6 胎児期のアンドロゲンの影響

1940 年代後半から 1970 年代初頭にかけて，流産や早産の防止を期待して合成エストロゲンであるジエチルスチルベストロール (diethylstilbestrol：DES) が妊

婦に広く投与された。胎児期に DES に曝露された女性は同性愛傾向が高まるなど男性化の傾向を示すと報告されたが，大人数を対象とした近年の追試では否定されている（Titus-Ernstoff et al, 2003）。

インターセックス／DSD の人々を対象とした調査で，胎児期のアンドロゲンの影響が最も現れやすい行動形質は，玩具の選好を代表として，遊び仲間の選好，取っ組み合い遊びなどに現れる子どもの頃の遊びのパターンである。ヒト以外のケースでも，アカゲザルの雌が胎仔の間に母親に対して継続的にアンドロゲンを投与すると，出生後の仔の遊びの特徴が雄と類似したパターンに移行することが知られている（Goy et al, 1988）。さらに，ベルベットモンキーやアカゲザルの雌雄は，ヒトで典型的に女児向け・男児向けとされている玩具をそれぞれ好む傾向がある。胎児期に高濃度の内生アンドロゲンに曝された副腎皮質過形成（congenital adrenal hyperplasia：CAH）（常染色体上の酵素遺伝子異常によって生じるインターセックス／DSD）の女性では，一般的な男女差の分散を 100% とするならば，定型発達の女性と比較して遊びの傾向が 60% 男性よりになる一方，性自認や性的指向に関しては 10% 程度男性的にシフトしているに留まる（Hines, 2006）。すなわち，極端に非典型的なアンドロゲン作用や（Meyer-Bahlburg et al, 2006），他の神経学的および社会的影響との相乗作用があって初めて，性自認や性的指向の変化が明白になると考えられる。

そのため，様々なインターセックス／DSD 当事者の中でも 75% が出生児に割り当てられた性別に満足している一方で，24% が両性のジェンダー・アイデンティティを持ち，男女いずれの性自認も持たない者が 3% にのぼっている（Schweizer et al, 2014）。インターセックス／DSD 全般の傾向としては成人期の性自認を最もよく予測するのは幼少期における性別の割り当てであり，それに対して幼少期から継続して性別違和があり，性別移行を行った者の割合は 3.3% であった（Callens et al, 2016）。主たる例外は，冒頭の「マネーの双子」（19.1 を参照）にみられたように胎児期のホルモン環境では典型的な男児であったにもかかわらず，外性器の発育不全などが原因で女児として育てられたケースであり，半数において性別違和が生じている（Erickson-Schroth, 2013）。また性的指向はほとんどが定型発達男性と同様，女性を指向する（Mustanski et al, 2002）。

副腎皮質過形成の女性は通例女性として性別割り当てされ，不足しているホルモンの補充と男性化した外性器を女性的にする手術が行われる。女性として育てられている副腎皮質過形成当事者のうちで，性別違和のある者は 11.3%，非異性愛者の割合は 23.8% であり，一般群と比較するとはるかに高率である（Almasri et al, 2018）。副腎皮質過形成女児は「女の子にとってふさわしい」とされる玩具に対して好意的に反応する割合も低く，自己社会化の非典型性が性自認や性的指向の非典型性を強化する影響が少なくないと考えられる（Hines et al, 2016）。副腎皮質過形成のうち症状が重篤であり外性器の男性化が著しい場合は，男性として養育されることがある。この場合も 1 割強の割合で性別違和，すなわち男性としての割り当てが不適当と感じるケースが生じるが（Dessens et al, 2005），性的指向に関しては男性異性愛者としてのあり方に適合的である（Daae et al, 2020）。男性として生活してきた XX 核型の副腎皮質過形成当事者の中には，女性と問題なく性行動を行うことができるケースがある（Apóstolos et al, 2018）。

子どもの頃の遊びの好みが胎児期におけるアンドロゲン作用の良好な指標であり，「子どもの性別違和」を示唆すること，および成長後の性的指向をよく予測することは以前より指摘されている。子どもの頃の性別非典型的な行動と，成長後の非性愛傾向との関連性は男性においてより明確である（Bailey & Zucker, 1995）。一方で，成人期まで性別違和が継続する割合は，はるかに少ないとされてきており（19.2.3「性自認と性別違和，トランスジェンダー」を参照），アンドロゲン作用以外の要因の関与が推定される。近年注目されているのは，これら非典型的な性分化と自閉症スペクトラム障害（autism spectrum disorder：ASD）との共起である。ASD 者が非異性愛者である確率は定型発達者の 2 倍である（George & Stokes, 2018；Qualls et al, 2018；Rudolph et al, 2018）。さらに性別違和者の中で ASD を持つ者の割合は 7.8% であり，一般群と比較して 7〜10 倍の発生率である（de Vries et al, 2010）。ASD では定型発達者と比較して自らの性別違和感に固着する傾向があること，ならびに ASD 者における同性愛傾向は性別違和より生じているという経路が指摘されている（George & Stokes, 2018）。自己の身体イメージや感覚の非典型性という点で，小児期に限定されない性別違和の神経学的背景は ASD と本質的に類似している可能性が高い。遊びの非典型性といった胎児期アンドロゲンの影響の延長線上に展開する非異性愛性の指向との，ASD の発生機序の同違の解明が今後期待される。

より間接的な胎児期アンドロゲン作用の指標として用いられているのが，手の人差し指と薬指の長さの比（2D：4D）であり，この値が小さい（人差し指が薬指よりも短い）ほど男性化が進んでいるとされる。民族差や個人差，測定誤差が大きく，個人の特性を予測する用途には利用できないが，指の長さの性差は脊椎動物に広くみられることも確認されており，内分泌学的特性が大きく異なると想定される集団間の比較には利用価値があると考えられる（Balthazart, 2020）。2D：4D においても，FTM（生まれたときの性別割り当てが女

性で，男性の性自認を持つ）トランスジェンダーはシスジェンダー（性別割り当てと性自認が一致する）女性と比較して男性的であり，MTF（生まれたときの性別割り当てが男性で，女性の性自認を持つ）トランスジェンダーはシスジェンダー男性と比較して女性的な影響下にあったことが支持される（Sadr et al, 2020）。さらに，25万人を対象としたオンライン調査では，2D：4Dと空間認知能力および性的指向との関連を調査し，胎児期のアンドロゲンが男女の性的指向および空間認知能力に影響を与えるという仮説と整合する結果が得られた（Collaer et al, 2007）。

　胎児期のアンドロゲンの影響を受け，非典型的な性分化の成因とも関連すると考えられているものが利き手の偏りである。一般的に男性は女性と比較して非右利きである割合が20％高く，副腎皮質過形成女児でも左利き率の上昇がみられる。さらに，同性愛男性では異性愛男性と比較して非右利きである割合が35％高く，利き手に対する効果は性行動において女性的な役割をとる側のみにみられた（Balthazart, 2020；Swift-Gallant et al, 2019）。これに対し女性同性愛者が非右利きである割合は，異性愛女性と比較して91％上昇している（Lalumière et al, 2000）。性自認との関連においても，MTFトランスジェンダーにおいて左利き率が上昇していることが繰り返し確認されている（Erickson-Schroth, 2013）。この結果は，脳の初期発達が性的指向や性自認に影響を及ぼしていることを示唆するとともに，男性同性愛者やMTFトランスジェンダーにおける認知発達関連指標は，一般男女の性差の単なる中間形として生じているわけではないことを示している。

　成長後の性ホルモン濃度に関しては，男性同性愛者は異性愛者と差がみられない（Meyer-Bahlburg, 1984）。女性に関しては，性的マイノリティでは男性ホルモン濃度が高い傾向が指摘されている。男性的・能動的性行動をとる女性同性愛者（butch lesbian）は子どもの頃により男性的な行動をとっており，女性的性行動をとる同性愛者（femme lesbian）や異性愛女性と比較して，成人後の唾液中テストステロン濃度が高い（Singh et al, 1999）。メタアナリシスでも，非性愛女性は異性愛女性と比較してテストステロン濃度が高い傾向が示された（Harris et al, 2020）。さらに，FTMトランスジェンダーでは対照群女性と比較してテストステロン濃度が上昇している（Mueller et al, 2008）。

19.2.7　性的多様性の進化

　様々な系統の生物に同性との性行動が広く観察されることが認識されるに伴い，雌雄異体の有性生殖をする生物群の中で，「同性間の性行動がなぜ進化的に保存されているのか」という問いを立てるのではなく，むしろ進化的な初期から異性との性行動と，同性間の性行動は並存しており，性行動の選択制に対する淘汰圧は同性間性行動を制限する／制限を解除するといういずれの方向性にもはたらく可能性があった，というモデルが提案されている（図19-3A）（Monk et al, 2019）。

　継続性のある同性への性的「指向」が集団の中で存在し続けていること，すなわちある程度遺伝性のある行動形質として，異性と子孫を残すことが困難なメンバーが安定した一定数ヒトでみられることについては，様々な仮説が考えられてきた。最も有力なものは，同性愛の要因となる遺伝子は多面発現（特定の遺伝子が複数の異なる作用をもたらすこと）により，同じ遺伝子を持つ親族の繁殖成功度上昇に何らかのかたちで貢献していることによって存続するというものである（Iemmola & Ciani, 2009）。同性愛はありふれた行動形質の個人差であって，非常に多数の遺伝子の多様な組み合わせによって素因が生じると考えられ，少数の遺伝子が決定的な影響を及ぼしているケースは少ないと考えられるようになった。そのような前提のもとでも，性行動のとり方と関連する性格特性を説明要因に組み込んだモデルは「多面発現による拮抗進化」説を支持した（Zietsch et al, 2021）。

　霊長類の中でも，曲鼻亜目（キツネザルやロリス）では同性間性行動はほとんどみられないが，広鼻小目（新世界ザル）ではある程度みられ，狭鼻小目（旧世界ザル，およびヒトを含む類人猿）ではほぼすべての種でみられる。マウスでは，鋤鼻器官で受容されたフェロモンの情報を変換するのに主要なはたらきをする一過性受容体電位陽イオンチャネル2（transient receptor potential cation channel 2：TRPC2）遺伝子のノックアウトにより，同性間性行動の頻度が大幅に上昇することが知られている。狭鼻小目の共通祖先では2500万年前にTRPC2遺伝子の変異が生じており，同性間性行動に対する制限が解除されたと考えられる。発達期におけるTRPC2機能の破壊は，成長したマウスの脳の性差を減少させる効果があると指摘されている（図19-3B）（Pfau et al, 2021）（19.5.2「配偶者選択とその他の化学コミュニケーション」を参照）。

19.3　男性の性行動

19.3.1　性行動の制御

　雄の動物の性行動を発現・制御するにあたって，代表的男性ホルモンであるテストステロンが深く関わっており，ヒトにおいても同様である（Bagatell et al, 1994）。大人における高濃度のテストステロンは，セルトリ細胞に作用して精子を分化成熟させるのに必要である一方，性行動発現に必要な濃度をはるかに超えている（Balthazart, 2020）。去勢した雄ラットは，正常

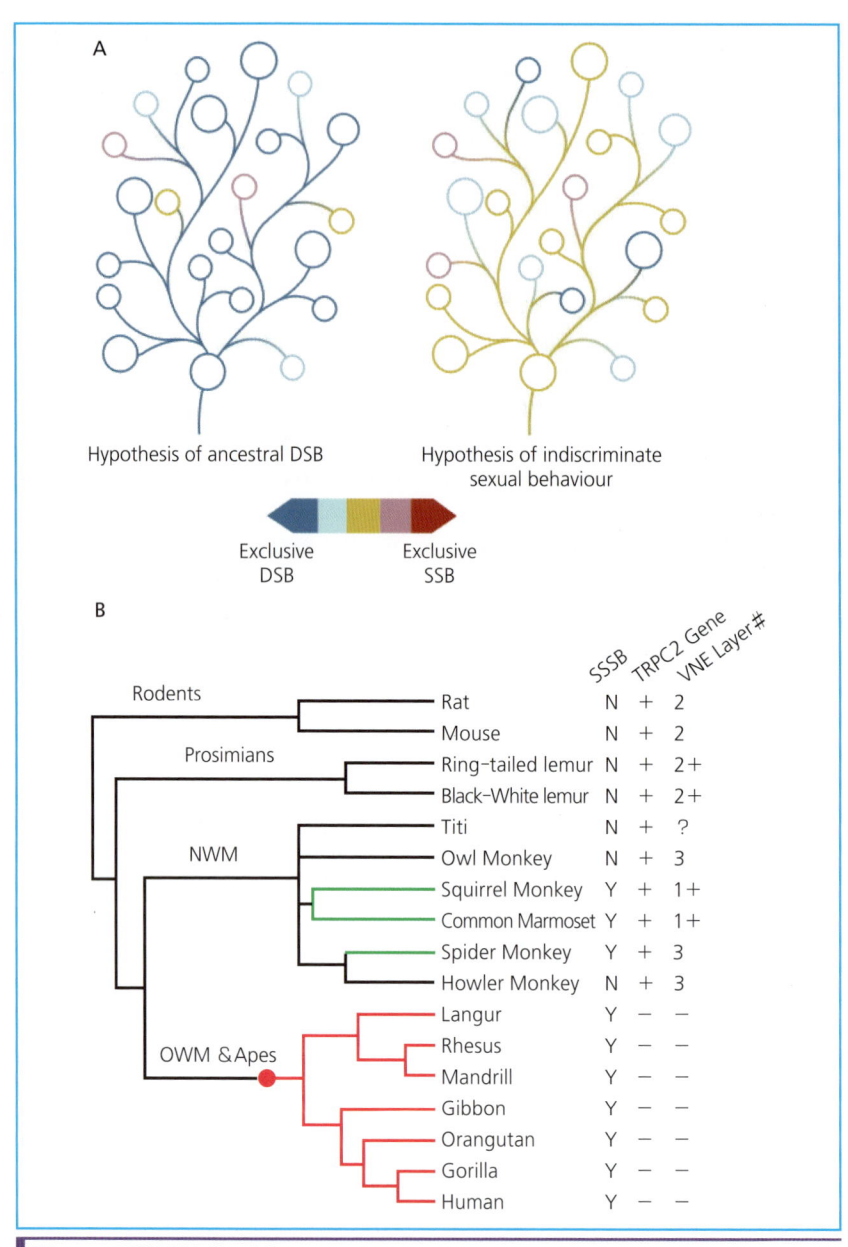

図 19-3　同性間性行動の進化　**A**：ウニ，ヒトデ，イカ，海性の巻貝，カニ，線虫，昆虫，魚類，両生類といった様々な生物の系統で同性間性行動がみられる．性行動をとる生物の進化の直近の共通祖先は厳密な異性間性行動者ではなく，性的指向としては中立であり，同性との性行動も一般的だったのではないかという提案がされている．(Monk et al, 2019)（Elsevier より許可を得て転載）　**B**：哺乳類，両生類，爬虫類，魚類といった脊椎動物で広汎に保存されている TRPC2 遺伝子は，同性間性行動の抑止機構として働いてきた可能性がある．旧世界ザルと類人猿の共通祖先は 2500 万年前に機能する TRPC2 遺伝子を失い（ピンクの丸），同性間性行動が日常的にみられるようになったと考えられる．いくつかの新世界ザルの系統（リスザル，マーモセット）では TRPC2 が機能しているにもかかわらず同性間性行動がみられるが（緑線），これらの種では鋤鼻器神経上皮層が退縮し，感覚組織がまばらになっている．なお，鳥類では TRPC2 遺伝子，偽遺伝子のいずれも存在しない（Silva & Antunes, 2017）．(Pfau et al, 2021)（Elsevier より許可を得て転載）

Hypothesis of ancestral DSB：異性間性行動の祖先種モデル，Hypothesis of indiscriminate sexual behavior：性行動相手の性別を選ばない祖先種モデル，Exclusive DSB：完全な異性間性行動，Exclusive SSB：完全な同性間性行動，Rodents：げっ歯類，Prosimians：原猿，NWM：新世界ザル，OWM & Apes：旧世界ザル・類人猿，Rat：ラット，Mouse：マウス，Ring-tailed lemur：ワオキツネザル，Black-White lemur：シロクロエリマキキツネザル，Titi：ティティモンキー，Owl Monkey：ヨザル，Squirrel Monkey：リスザル，Common Marmoset：コモンマーモセット，Spider Monkey：クモザル，Howler Monkey：ホエザル，Langur：ラングール，Rhesus：アカゲザル，Mandrill：マンドリル，Gibbon：シロテテナガザル，Orangutan：オラウータン，Gorilla：ゴリラ，Human：ヒト，SSSB：同性間性行動，TRPC2 Gene：TRPC2 遺伝子，VNE Layer #：神経上皮層数．

図19-4 最後の王朝の宮廷における宦官（A eunuch of the Imperial court of the last dynasty） 思春期前に去勢されたと思われる宦官の写真．ひげがなく，高身長，アンバランスに長い腕が特徴的である．長い手足は，アンドロゲンから転換してできるエストロゲンの不足で，骨端の成長板閉鎖が遅れたことが原因であり，内分泌疾患の人々の一部にもみられる．(Henri Cartier-Bresson 撮影，1948年12月，北京．©Henri Cartier-Bresson/Magnum Photos)

レベルの1/10以下のテストステロン濃度で性的活動の大半を遂行することができる．また，性行動をもとのレベルに戻すには，正常濃度の1/3以下に達するテストステロン補充で充分である(Damassa et al, 1977)．

前近代社会においては様々な文化的理由により男性に対する去勢が行われた．宦官やカストラートの記録では，去勢の性機能に対する効果は処置が行われた年齢や方法に大きく依存し，個人差が大きかったと報告されている．去勢は性欲をある程度低下させ，思春期前に処置された場合に影響が大きかったものの，多くの去勢経験者は支障なく男性としての通常の性行動を行うことができ，非常に高い性的活動性を誇る者もいた（図19-4）(Aucoin & Wassersug, 2006)．思春期を境に精原細胞の壊死と精巣からの男性ホルモン産生の減少がみられるクラインフェルター症候群（X染色体を2つ以上持つ男性）においても，生涯で自らの核型に気づく割合は1/3〜1/2に留まるといわれていることから，性機能について大きな問題を認識していないケースが多いと考えられる．また，前立腺癌治療に際して行われるアンドロゲン遮断療法では，性機能消失が8割の患者に起こるものの，2割は性行動を継続する．

性犯罪者に対する外科的去勢については，再犯率を劇的に下げる効果があるとされるが(Weinberger et al, 2005)，データ取得の方法に対する批判もある(Lösel & Schmucker, 2005)．性的能力は精巣摘除後時間が経つにつれてより確実に減退するが，施術後長期間経った男性の中にも性交可能な者が少なからず存在するし，中には性行動にまったく影響が生じない者もいる(Heim & Hursch, 1979)．化学的去勢の場合はメドロキシプロゲステロンアセテート(MPA)やサイプロテロンアセテート(CPA)といった合成プロゲステロンの投与が行われ，アメリカ合衆国などで広く採用されている．これらの男性ホルモン抑制薬の効果は主に性的空想やマスターベーション頻度の減少に現れ，性交能力自体への影響は少ないか，ほとんどみられない．すなわち，外科的もしくは化学的な去勢の効果は性交を不可能にすることに起因するというよりも，主に性的な動機づけを低下させることに因っている．

これらに対し，性腺機能低下症(hypogonadism)などで十分な性的動機づけや性交能力が得られない男性に男性ホルモンを投与した場合の効果は，以下のようなものである(Davidson et al, 1982)．

1) 男性ホルモン濃度が低く，性機能の障害を訴える患者に合成テストステロンを投与すると，投与量に依存して性的欲求（リビドー）および勃起能が改善される．勃起能に対するテストステロンの効果は，夜間や起床時など自然発生的な性反応に明白に現れやすい．一方，性的な動画などの刺激に対しては性腺機能低下症の患者も勃起を示すため，テストステロン投与の効果はみられにくい．また，膨張時の最大のペニス径については性腺機能低下症の患者においても正常男性とほとんど差がないものの，勃起までの潜時や，勃起時のペニスの硬度およびその持続時間に関してはテストステロン濃度との関連がみられるとされている(Carani et al, 1995)．

2) 正常な性機能を維持するのに必要なテストステロン濃度の閾値には大きな個人差があり，その閾値は正常な男性の生理的テストステロン濃度よりも低い(Skakkebaek et al, 1981)．正常範囲濃度のテストステロンを分泌していながら，性機能不全（インポテンス）を訴える患者にテストステロンを投与しても改善は期待できない(Carani et al, 1990；Corona et al, 2014)．同様に，正常範囲内におけるテストステロン濃度と性的欲求・性機能の高さとの関連は明白ではない．

以上のようにテストステロンの濃度だけで性機能や行動の変化を説明することは困難だが，作用の違いを生じさせる要因がいくつか明らかになってきている．

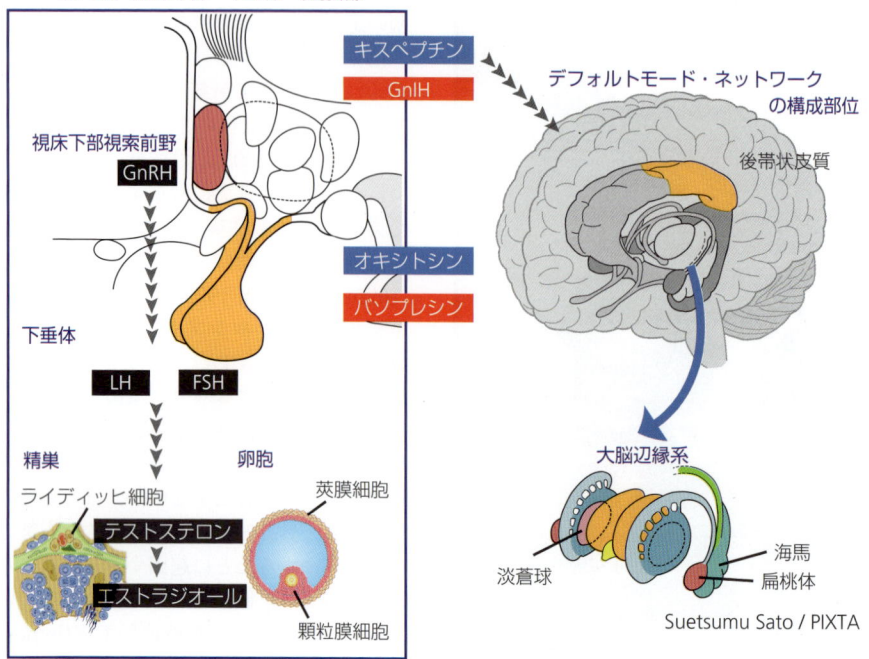

図 19-5　HPG 軸を制御する物質　性腺の機能を制御するのは視床下部で分泌されるゴナドトロピン放出ホルモン（GnRH）であると考えられてきたが，近年 GnRH の分泌を促進するペプチドであるキスペプチン，抑制するゴナドトロピン抑制ホルモン（GnIH）の存在が知られるようになった。オキシトシンも GnRH の分泌に対して促進作用を持ち，バソプレシンは抑制作用を持つ。さらに，これらのペプチドは大脳辺縁系に作用して性行動に対する忌避感情をコントロールしている。キスペプチンは特に行動賦活系の弱い男性において大脳皮質のデフォルトモード・ネットワーク（外界に向けた作業を行っていない，内省時に活動する脳部位からなるネットワーク。後帯状皮質はその主要な構成要素である）の活動を高め，さらに大脳辺縁系の活性化を通して性嫌悪症を和らげ，性的刺激への反応性を高める。（Yang et al, 2018；Comninos et al, 2018）

一つは視床下部-下垂体-性腺（HPG〈hypothalamic-pituitary-gonadal〉）軸の上流にあって GnRH の分泌を制御するペプチドホルモンであるキスペプチン（kisspeptin）である。一般的には，性的な刺激のみならず，相手と結びつきたいという感情的な欲求があって，不安を乗り越えることで性行動にいたる。キスペプチンは，HPG 軸でエストロゲンやテストステロンのフィードバックを受けるとともに，行動の発現を導く情動プロセスや価値判断を行う大脳辺縁系のネットワークを活動させるはたらきを担っている（図 19-5）（Comninos et al 2018；Comninos & Dhillo, 2018；Yang et al, 2018）。さらに，男性ホルモンの作用強度に影響する要因としてアンドロゲン受容体（androgen receptor：AR）遺伝子エクソン 1 領域内の CAG 反復領域の多型が挙げられる。反復領域が短いほどアンドロゲンの作用強度は強くなるとされており，進化的に意味のある繁殖戦略の多様性を生じさせていると考えられる（Butovskaya et al, 2015）。また，アンドロゲンのみならず，エストロゲンの作用も，男性において性的な注意や動機づけの調整に重要な役割を果たしていることがわかってきた。視索前野や視床下部前部には高濃度のアロマターゼと豊富なエストロゲン受容体が発現しており，アンドロゲンと協調して性欲の調整に必要な信号伝達を担っている（Santi et al, 2018）。

19.3.2　配偶努力から養育努力へ ――セックスレスと性機能の低下

性行動の発現はパートナーとの関係性に大きく影響される。挑戦仮説（Challenge hypothesis）は，鳥類の雄の体循環中テストステロン濃度の季節変動パターンが，種によって異なることを説明するために提唱された（Goymann et al, 2007；Wingfield et al, 1990）。雄の精巣は繁殖シーズンに，他の雄との争いや性行動が必要となるのに応じて発達する。ヒトの繁殖には明確な季節性はないが，より長いタイムスパンを見て生活史理論（life history theory）を適用すると，繁殖資源を配偶行動に振り分けるべき時期と，子の養育に振り分けるべき時期とに大別される。性的パートナーを獲得しようとすることは配偶努力に相当し，男性ホルモン濃度の上昇が，性行動およびライバルに対する攻撃行動の上昇を促していると考えられる（Gray et al, 2004, 2017）。

性行動の面では，男女のカップルが成立した際に最初は頻回に性行動を行うが，1 年後には回数が半減し，

子どもの誕生を機にさらに減少し，回復しないケースも多いことが「ハネムーン効果」として知られてきた（James, 1981）。ホルモン濃度の変動に関しては，男子学生の唾液中テストステロンは，交際開始の最初の半年で高値を示すが，その後の半年で大幅に減少する（Gray et al, 2004）。男性に対する縦断調査で，結婚は男性のテストステロン濃度を下げる効果があり，離婚は上げる効果があることが示されている（Holmboe et al, 2017；Mazur & Michalek, 1998）。様々な文化で，一夫一妻的な結婚や乳幼児との同居はテストステロン濃度を低下させることが確かめられている（Gray et al, 2017）。こうした現象は生活史理論（life history theory）では配偶努力の期間から養育努力の期間への移行と対応し，他の生物における父性行動発現のメカニズムと共通するところがあると考えられる。オキシトシンやプロラクチン濃度の上昇が，生活史の変化に伴う内分泌環境の調整に関与している可能性があるが，幼い子どもとの交流セッションによりプロラクチン濃度が下がるという報告もある。これらのホルモン濃度の通常状態における濃度（ベースライン）と，ライフイベントや行動準備に対応した濃度変化のポテンシャル（反応性）の違いが各人における作用の違いをどのように生じさせているかを明らかにするには，さらなる検討が必要である。また，カップルの性交頻度の低下はむしろ女性側の性的欲求の低下によるものであるという示唆もある（19.4.3「女性の性欲変動」を参照）。

婚姻カップルの性行動の頻度は人口学の観点からも着目されてきた。性的パートナーを持つヒトの性行動の頻度の低下には，加齢と相手との同居年数が両方とも要因となる。しかしながら，近年では若年かつ同居の年数が短くてもパートナーと定期的な性行動をとることが困難な人が増えており，不妊治療の計画を立てる際にも大きな問題となっている。日本では1991年に日本性科学会で阿部輝夫医師が，カップルの間で合意した性交もしくはセクシュアル・コンタクトが1ヶ月以上なく，その後も同様な状態が長期にわたることが予想される「セックスレス・カップル」を定義して大きな話題となった（阿部，2004）。1987年から1988年にかけてアメリカ合衆国で既婚者に対して行われた全国調査においても，16％が調査前の1ヶ月間において性的な活動がなかったと報告している（Donnelly, 1993）。日本では，1999年のNHK調査，2001年の朝日新聞でのインターネット調査の後，家族計画研究センターを中心に婚姻カップルのセックスレス率の隔年調査が行われ，セックスレスの比率が増大する一方であることがわかった（図19-6）（NHK「日本人の性」プロジェクト，2002；一般社団法人日本家族計画協会家族計画研究センター，2020；北村，2015, 2017）。性的な活動性の低下は世界的にみられている現象だが，東アジアや東南アジアでは性行動の絶対頻度や満足度

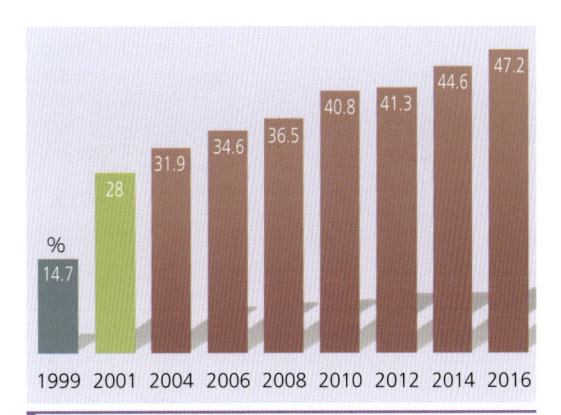

図19-6 日本人のセックスレス割合の上昇 婚姻している生殖年齢男女で，1ヶ月以上特段の理由なく性的接触がない，いわゆるセックスレスの状態にある人の比率は年々上昇している。（1999年：NHK「日本人の性」プロジェクト，2002, 2001年：朝日新聞インターネット調査「夫婦の性 1,000人に聞く」，2004～2016年：家族計画研究センター「男女の生活と意識に関する調査」〈北村，2015, 2017〉より作成）

が低く（Wylie, 2009），日本においては女性パートナーの出産終了や更年期を機に婚姻内の性的な活動は終了するケースが多くなっている（Moriki, 2012；Moriki et al, 2015；北村，2014；森木，2008）。

生理的な背景要因の一つとして，ヒトの精子産生力の20世紀後半以降における減退に代表されるように，内分泌環境に大きな変化が起こっているのではないかという指摘がある。精子の質の劣化が起こっているのではないかという指摘は1974年にアメリカ合衆国の研究者によって初めてなされ（Nelson & Bunge, 1974），その後，多くの追試やメタアナリシスが行われた（Sengupta et al, 2018）。その結果として，①精子数は1950年以前に生まれた男性ではほぼ一定であったが，その後に生まれた男性では年々漸減する傾向にあり（de Mouzon et al, 1996），②その変化は欧米，特にヨーロッパで顕著で，ヨーロッパで年3％，アメリカ合衆国で年1.5％の減少が報告されている（Swan et al, 1997）。③さらにインド（Mishra et al, 2018）やアフリカ（Sengupta et al, 2017）においても精子数の減少や奇形率の上昇が報告された。ただし，これらの分析は不妊治療クリニックで取得されたデータと，一般群データの両方を含んでおり，奇形率上昇の方が明確な傾向としてみられる，④20世紀末および2000年以降の，より統制された条件での経時比較においても精子濃度の漸減が確認されている（Centola et al, 2016；Geoffroy-Siraudin et al, 2012）。

欧米では精子産生能力の低下と並行して精巣癌や出生児の生殖器の奇形（停留精巣や尿道下裂）の発症率が増大しており，「精巣形成不全症候群」として，胎児期に曝露された複数の内分泌撹乱物質といった，環境変化が共通要因にあるのではないかと疑われている。妊

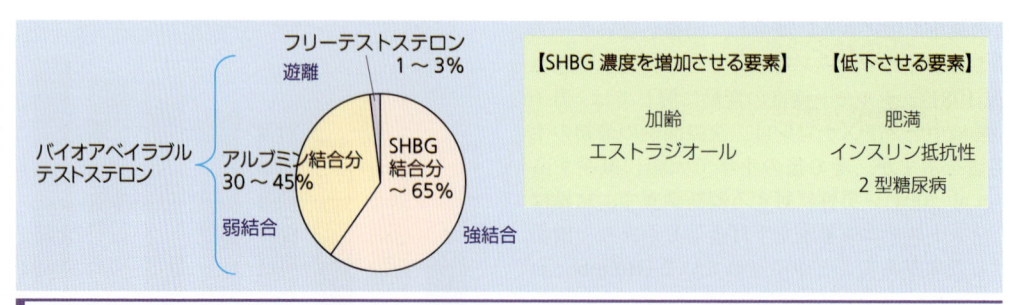

図19-7 体循環中テストステロン組成 血中テストステロンの多くはSHBG(sex hormone binding globulin)やアルブミンといったタンパク質に結合した状態で存在している。SHBGは肝臓で合成され，性ステロイドに選択的に結合する。特にアンドロゲンとの結合力が強く，ステロイドの細胞への作用を阻害する。唾液中テストステロン濃度は唾液腺の毛細血管から透過した部分であり，ほぼフリーテストステロン濃度に相当する。肥満，インスリン抵抗性，2型糖尿病は総テストステロンとSHBG両方の産生を抑制する。血液試料を用いる場合は，SHBG濃度も測定することにより，バイオアベイラブルテストステロンやフリーテストステロン濃度相当分を算出することができる。

孕力のあるアジア人は，ヨーロッパ人と比較して精子濃度が低いにもかかわらず，精巣癌や尿道下裂の発症率は低く，遺伝的な影響の違いが想定される(Lassen et al, 2015)。睡眠相や時間制御遺伝子の変化が生殖機能に及ぼす影響も指摘されている(Santi et al, 2018)。

19.3.3 加齢と性行動

男性では加齢とともにしだいに性的反応性の減弱，勃起不全，精子量の減少，精子の受精能の低下(Jones & Lopez, 2006)など性機能の低下が起こるが，女性と異なりある時を境に完全に妊孕性を失うということはない。80代，90代で子どもをつくる例もある。

血中のテストステロンは，遊離型(フリー)，アルブミン弱結合型，SHBG(性ホルモン結合グロブリン；sex-hormone binding globulin)強結合型の3様態に分類される。これらのうち生理活性を持つのは遊離型とアルブミン結合型のテストステロンで，これらを実際利用可能なバイオアベイラブル(bioavailable)テストステロンと呼ぶ(図19-7)。血中総テストステロン濃度の加齢に伴う変化は必ずしも顕著ではないが，加齢に伴いSHBG濃度が上昇するとフリーテストステロン濃度が低下するため，性的欲求や機能の低下が生じる(Abouroab et al, 2021；Ahn et al, 2002；Cunningham et al, 2015)。ただし，ホルモン濃度の説明力は大きくない。

女性のみならず男性においても，加齢によって性ホルモンの低下とともに心身の不調や性機能の低下を生ずる。男性更年期障害(andropauseもしくはandrogen deficiency in aging male：ADAM)と呼べる症状が存在するとされ，ホルモン補充療法が行われている(Morley & Perry, 2000；Vermeulen, 2000)。しかしながら，中高年における心身症状や性機能の低下はうつなど心理的要因によって引き起こされる場合も多く，類似の症状がみられたとしても男性ホルモン低下が原因であるとは限らない。男性ホルモンの濃度が正常範囲であるのにもかかわらず性的動機づけや性機能の低下が生じている場合，テストステロンなどを投与しても効果は期待できない(Matsumoto, 2002)。性機能は50歳を境に大幅に低下し，運動不足，肥満，飲酒・喫煙，長時間のテレビ視聴といった生活習慣や慢性疾患の存在が大きな影響を及ぼしている(Bacon et al, 2003)。

2000年以降の調査では日本人の性行動頻度の低さは世界でも群を抜いているとされ(Durex Network, 2005)，東アジアや東南アジアの諸国も類似の傾向にあることから(Nicolosi et al, 2004)，もともと性行動に対して消極的であったように考えてしまいがちである。しかし1970～1980年代には，日本人も60代，70代にいたるまで有配偶者の過半数は月に1～2回の性交を行っていたと報告されており(石川ほか，1984；石濱，2008)，過去の産児数の多さから推測しても，日本における性行動頻度の低下はここ半世紀ほどで急速に進んだことがわかる。関東圏を対象とした中高年の性行動に関する調査では，2000年から2012年にかけて夫婦間のセックスレスの割合は増加したものの，性的な欲求自体は減少しておらず，単身者の性生活は同程度に活発であった。さらに，配偶者以外の異性と親密な付き合いのある者の割合は大幅に増加している(荒木，2020)。すなわち，内分泌環境の変化のみならず，婚姻における性的な排他性に対する価値づけの変化といった，社会的影響を十分に考慮して現象を検討する必要がある。男女ともに，性行動を維持することは生殖器の機能を保ち(Levin, 2007)，うつのリスクを下げる効果がある(Ganong & Larson, 2011)とされている。

19.4 女性の性行動

19.4.1 性的欲求と興奮の円環モデル

性に関する女性の様々な問題の中に性的欲求の低下、オルガズム障害、性的興奮の低下、性交痛が挙げられるが、中でも最も広くみられるものが性的欲求の低下である (Hayes et al, 2006)。性的欲求の低下は、アメリカ合衆国では 20 歳から 59 歳にかけて 20〜30% の女性にみられ、この間は加齢の影響はみられない。ヨーロッパでは、20 代の 11% から 50 代の 36% まで年齢とともに低欲求の割合が上昇する傾向がみられる (Stuckey, 2008)。米国在住者の中でも、東アジア系女性では特に性的関心の低さが目立つ (Cain et al, 2003)。しかしながら、大部分の女性はその状態に満足している。DSM-5 診断基準で定義される「女性の性的関心・興奮障害」は持続的な性的関心や反応性の低下に加えて、それによって引き起こされる苦痛の存在を必須条件としている。これは、前版である DSM-IV-TR まで用いられてきた「女性の性的欲求低下障害 (hypoactive sexual desire disorder：HSDD)」と「女性の性的興奮障害」を融合させた概念である。加齢に伴い性的欲求の低下を生活上の問題と捉える人の割合も低下することから、該当する人の割合は年齢を通じてほぼ一定であり、45〜54 歳において最も高く 12.4% と報告されている。(Rosen et al, 2009)

Masters と Johnson による「ヒトの性的反応周期モデル」(Masters & Johnson, 1966) による公式化をベースに DSM-IV-TR までは、性的反応は、欲求-興奮-オルガズム-消退、の順で生じると捉えられてきた。女性における性的興奮の生理的反応は性器の充血膨張や潤滑に現れ、研究上では膣内に脈波計を挿入して膣壁脈波振幅により測定されるのが一般的である。しかし、多くの女性にとって性的欲求と興奮の判別は難しく、自発的な性的欲求をほとんど経験しない女性は閉経前の女性でも 3 割程度に及ぶ。性的欲求や興奮はむしろ性的な空想や行動といった刺激により引き起こされることが多い (Basson, 2008；Graham, 2010)。女性においては性的な刺激に対する性器の神経血管反応はすばやい自律神経反射として生じ、主観的な性的興奮とは関係がない。自分にとって不快な性的刺激であり、主観的興奮はまったく感じられていなかったり、テストステロン濃度が低下した状態であったりしても性器の反応は生じ、かつ自分自身の身体的反応を知覚することも困難である。これらは、男性とは異なる特徴である (Bancroft & Graham, 2011；Laan & Janssen, 2007；Suschinsky & Lalumière, 2011)。

性的な画像などの刺激が与えられた場合、男女ともに後頭側頭皮質、背側前部帯状回、外側前頭前皮質が活動する。皮質下では、視床下部と腹側線条体が活動する。男性では視床下部の活動は女性よりも強く、さらに視床や乳頭体の活動もみられる。視床は扁桃体や前頭眼窩皮質を含む感情処理ネットワークの中継点であるため、男性では生理的性的興奮を認知的に把握できるが、女性にとっては難しいことと対応しているのではないかと考えられる (図 19-8A) (Poeppl et al, 2016；Santi et al, 2018)。視床下部は性行動発現制御の中心部位だが、男性においてのみ、活動と主観的な興奮の高さが正に相関している (Karama et al, 2002)。

性的欲求は反応性のものと自発的なものとに大別されるが、女性はパートナーへの感情的な親しみのような性的に中立な状態から実際の性行動に導かれることが多く、性的な刺激によって引き起こされた性的興奮を認知した結果として性的欲求が生じる (図 19-8B) (Bancroft & Graham, 2011；Basson, 2001b；Kingsberg & Woodard, 2015)。このモデルは特に性機能に問題をかかえる女性によく当てはまる。対照的に、性的活動性の高い女性はパートナーに依らなくても自発的な性的欲求や主観的興奮を得ることができる。彼女たちにとって性は重要な要素であり、快楽のための性行動を楽しむことができる (Cherkasskaya & Rosario, 2019)。

性的欲求とホルモンとの関係の個人差の指標として重要なのが自慰行動である (van Anders, 2012)。女性に対する性的抑圧がゆるめられたことに対応し、ここ半世紀で自慰経験のある女性の割合は大きく上昇した。男性では相手のいる性行動が多いほど自慰の回数は少なく、異性愛男性にとってはセックスの代用であることが示唆される。女性では相手のいる様々な性行動をとっている女性のほうが頻繁に自慰を行っており、性的欲求の高さを示すものであると考えられる。男性においては自慰の開始は最初の精通の前後 2 年以内に生じるのに対し、女性では初潮の年齢前後 9 年にいたるまでピークなく広く開始年齢が分布している。男女ともに思春期の前に副腎皮質徴候発現 (adrenarche) が生じ、副腎皮質から男性ホルモンが分泌されて性腺の活動に向けて身体を準備する。少女における自慰開始年齢の多様性は女性の男性ホルモンへの感受性の多様性を示している可能性がある (Bancroft & Graham, 2011)。

オルガズムに到達できる頻度に関しても、女性では個人差と文化差が大きい。29 ヶ国で 40〜80 歳の 9,000 人の女性を対象として行われた調査では、オルガズムに達することができない女性の割合は北ヨーロッパでの 17.7% から東南アジアでの 41.2% にわたる。一方でアメリカ合衆国の調査では、自慰で 60%、パートナーとの性行動で 29% の女性が通常オルガズムに達することができると報告している。男性ではそれぞれ 80%、75% である。健康な女性の間でも、性交や自慰によってオルガズムに達することができるかには遺伝

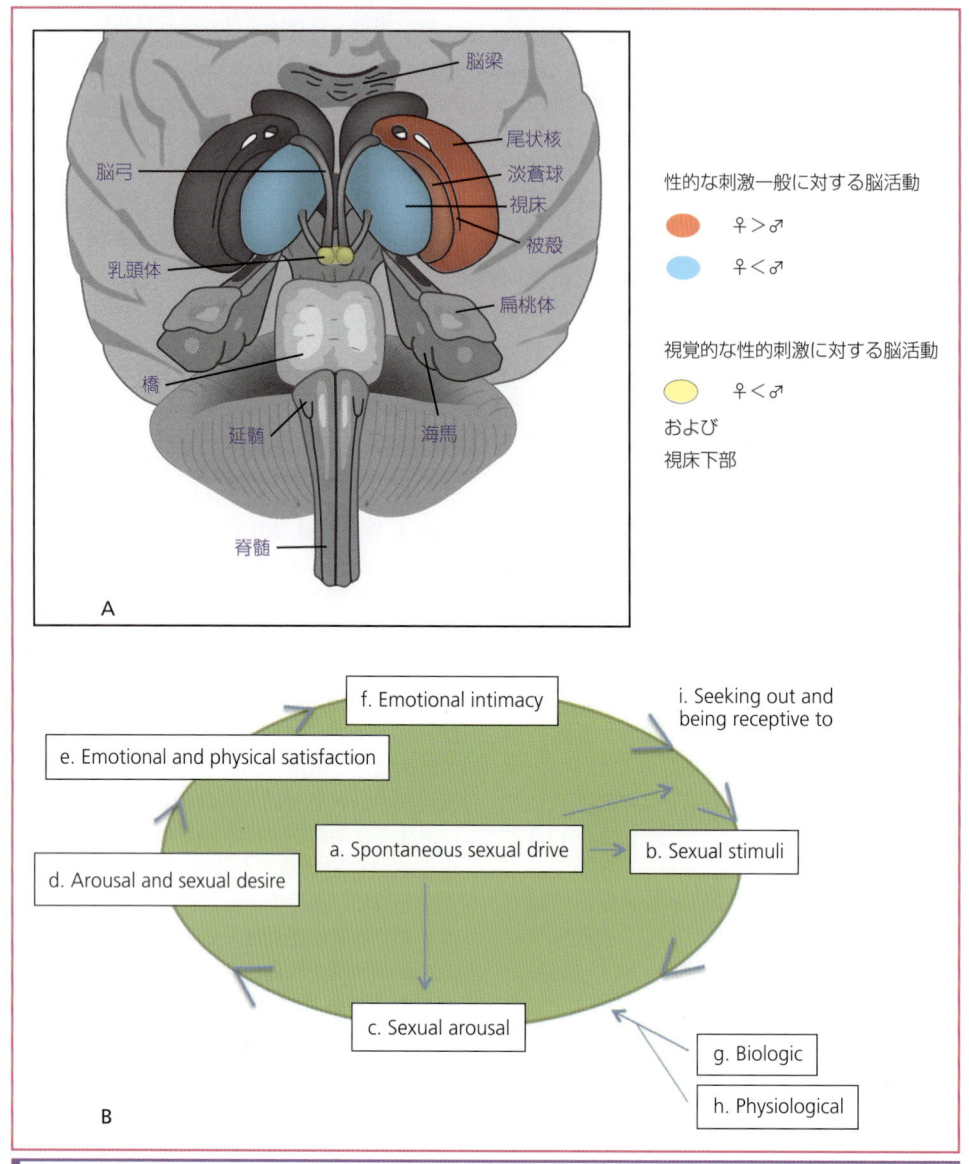

図 19-8　性的な刺激に対する脳活動の性差　A：視床や視床下部の活動が男性で強いことは，男性が自らの性的興奮を自覚しやすいことと対応していると考えられる。(Poeppl et al, 2016)　B：Basson による性的反応の円環モデル(Basson, 2001a)をもとに変更を加えたもの。(Kingsberg & Woodard, 2015)(Kluwer より許可を得て転載)　女性の性的欲求は自発的(a)に生じるとは限らず，内外からの性的刺激(b)によって自律的に生じた興奮(c)を認識することによって生じる(d)ケースが多い。もともと性的な関心を持っていなくても，パートナーとの親密な関係(f)を起点として，与えられた刺激(b)に反応して性的な欲求が生じることがある(c→d)。自らの空想(b)によって性的興奮が生じるのは(b→c)の経路に相当し，興奮と性的欲求(d)の認識に結びつくならば，本人には「自発的性的欲求」であると感じられる(a→b→c→d)。このモデルは DSM-5 の「女性の性的関心・興奮障害」診断基準定義のもととなっている。性機能障害への対処として，パートナーとの関係を修復すること(f)，薬理的な介入(g, h)，マインドフルネスにより性的刺激に注意を向けさせる(b)，認知行動療法により性的興奮(c, d)により生じる否定的な考えや感情を変えさせるといった方略が検討されている(Basson, 2008)。
a：自発的性的欲求，b：性的刺激，c：性的興奮，d：興奮と性的欲求，e：感情的・身体的満足，f：感情的親密性，g：生物学的，h：生理的，i：自ら求める／受容する。

的な関与がある。内向性，情緒不安定性，および開放性の低さといった性格特性がオルガズムの得にくさと関係しているという報告もある(Bancroft & Graham, 2011；Laumann et al, 2005)。

19.4.2　性的関心・興奮障害とその要因

　性行動に対する積極性の違い，もしくは臨床的に意味のある性的関心・興奮の低下がホルモン濃度の違いと対応しているかについて議論が続けられてきた。閉

経後の女性の性的欲求を回復させるためのテストステロンやデヒドロエピアンドロステロン(DHEA)補充の有効性が示されている一方で，性的欲求低下を示す女性とそうでない女性との間では男性ホルモン濃度の違いがみられないことが多い。すなわち，性ホルモンの影響が出やすい女性と，そうでないタイプに分かれるということである(Bancroft & Graham, 2011)。特に症候性(他の複合要因がある)性的関心・興奮障害の場合は，子どもの頃の問題のある親子関係，精神疾患歴，性的なトラウマの影響が大きく，テストステロンの影響は明らかではない(Cherkasskaya & Rosario, 2019)。

対人文脈と個人の特性によって，女性のテストステロン濃度と性行動との関係性は反転するという示唆もある。女性では，高濃度のテストステロンは自慰のような相手を必要としない性的欲求をもたらすが，パートナーとの関係にはむしろネガティブな影響を及ぼすことがある(Edelstein et al, 2014；van Anders, 2012)。性的欲求低下障害を持つ女性とそうでない女性で血中性ホルモン濃度の影響を比較した研究では，障害を持たない女性ではフリーテストステロン濃度と性的な刺激に対する性器の反応および主観的な欲求や興奮は正に相関したが，障害を持つ女性では主観的な欲求や興奮と負に相関していた。性機能障害を持つ女性の多くは抑うつ状態にあり，抗うつ剤の効果により改善することが多い(Pachano Pesantez & Clayton, 2021)。すなわち，自発的性的欲求を示さなかったり，興奮と抑制のバランスが崩れていたりする状態では男性ホルモンによる促進効果は現れにくい。

性的欲求を制御する脳部位は前頭前皮質，青斑核，視床下部の内側視索前野と室傍核，報酬系を構成する腹側被蓋と側坐核である。性的興奮はドーパミン，メラノコルチン，オキシトシン，バソプレシンとノルアドレナリンが視床下部と辺縁系・皮質の経路に作用して性的刺激を処理し，反応を起こすことによって生じる。これに対し，オピオイド，セロトニン，エンドカンナビノイド系は通常性行動後の不応期にはたらくが，性的抑制一般を引き起こすことも知られており，興奮系の活動を起こりにくくする。特にセロトニン2A受容体を通じたセロトニン作用やμ受容体を通じたオピオイドのはたらきが増加することで，性的欲求は抑制される。よって，性的抑制系の過剰作用を抑えることにより，性的興奮の発現を助けることができると期待される。2015年に，アメリカ食品医薬品局(Food and Drug Administration：FDA)によって初めて認可された女性の性的欲求低下障害治療薬はフリバンセリンで，後シナプスセロトニン1A受容体のアゴニストであり，かつセロトニン2A受容体のアンタゴニストである。セロトニンの活動を抑え，その結果，ドーパミンとノルアドレナリンの活動を上昇させる。また，全般性不安障害に対して処方されるブスピロンが用いられることがあるが，この物質はセロトニン1A受容体の部分的アゴニストである。抗うつ剤として多用される選択的セロトニン再取り込み阻害剤(SSRI)は性機能障害を引き起こすことが知られているが，ブスピロンを同時に処方することで性機能障害を起こりにくくする効果がある。

認知行動療法やマインドフルネスも，性行動に対する忌避感をやわらげ，自らの生理的な性的興奮に注意を向けることを学習させることで効果をもたらすとされている(図19-8B)(Goldstein et al, 2017)。

19.4.3　女性の性欲変動

カップルの交際期間が長くなるに従い性行動の頻度が急減することは広く知られているが，この変化は女性側の性的欲求低下の影響を強く受けていることが示唆されている(Klusmann, 2002；Murray & Milhausen, 2012)。性行動を期待することにより性的欲求が生じるのは，女性においては交際期間最初の1年ほどに集中するからである(Basson, 2008；Roney, 2019)。

女性の性ホルモン濃度は性周期内で大きく変動し，妊娠可能性の高い排卵前にテストステロンとエストラジオールの急上昇がみられる。性周期の中での女性の性的欲求や性行動の頻度変化とホルモン濃度との関係，および進化適応的意義が議論されてきた。妊娠可能性の高い時期に女性は普段のパートナー以外の魅力的な男性との性交を求める傾向が高まるという主張があったが，大人数を対象とした近年の調査では，パートナーの有無(Roney & Simmons, 2016)や，カップル内の性行動であるかないかにかかわらず(Arslan et al, 2021；Roney & Simmons, 2016；Shimoda et al, 2018；Shirazi et al, 2019a；Wilcox et al, 2004)，女性の性的欲求は性周期半ばの妊孕性の高い時期に高まることが示された。同性カップルも同様の傾向を示す(Diamond & Wallen, 2011；Matteo, 1984)。黄体期のプロゲステロンの上昇は性的欲求を抑制する効果があり(Roney & Simmons, 2016)，性周期内での性的欲求の変動と正の相関がみられやすいのはエストラジオール濃度である。一方で，健康な女性間で性的欲求の高さの個人差との関連がみられるのはテストステロンである(Shirazi et al, 2019b)。厳密な質量分析測定を用いた調査では，血中アンドロゲン濃度は，性欲の高さやオルガズムを得ることができるかどうかの個人差を説明するものの，寄与率は非常に小さいことが示唆されている(Zheng et al, 2020)。

19.4.4　加齢と性ホルモン補充療法

女性の体循環中テストステロンの50%前後は主に副腎より産生されるデヒドロエピアンドロステロン(DHEA)およびDHEA硫酸塩(DHEAS)からアンドロステンジオンを経て合成される(図19-9)(Parish et al,

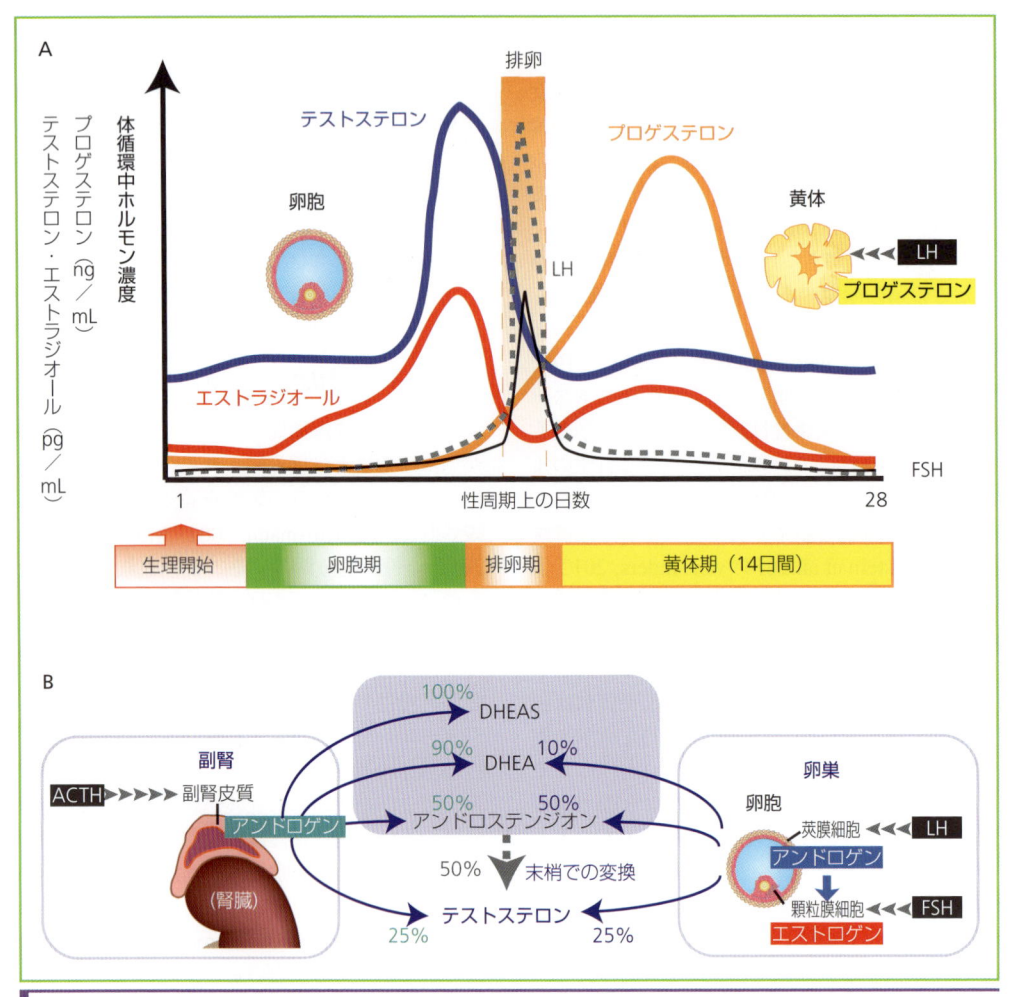

図 19-9 閉経前女性の性周期内ホルモン産生(A)と体循環中アンドロゲンの産出部位(B)　A：典型的なホルモン分泌変動パターンを示す。ホルモン間で濃度単位軸は一致していないことに注意。LHやFSHの刺激により各組織でステロイドホルモンが分泌される。B：体循環中テストステロンの50％は，副腎や卵巣から分泌されたDHEAS，DHEA，アンドロステンジオンといった前駆ホルモンが末梢組織で転換されることによって生じる。各前駆ホルモンも副腎と卵巣から分泌される。（Parish et al, 2021を参考に作成）

2021）。DHEAの産生は加齢とともに線形に減少し（Spark, 2002），それに伴いテストステロン濃度も減少し，40代の健康な女性の卵胞期の24時間平均血中総テストステロン濃度は20代の女性の50％程度に低下している（Zumoff et al, 1995）。また，40代の閉経前の女性は総テストステロン濃度においてはより若年の女性と性周期上どの時期においても差を示さなかったものの，性周期半ばにおけるフリーテストステロンやアンドロステンジオンのサージ（急上昇）が消失しているという報告もある（Mushayandebvu et al, 1996）。

　1年以上月経がないことを持って閉経を定義する。自然閉経はおおむね50歳前後に卵母細胞の枯渇により生じる。卵胞形成がなくなることによりエストラジオール産生は停止し，閉経後のエストロゲンは主にエストロンにより占められるようになる。アンドロゲンは副腎のみならず卵巣からも分泌され続けるため（Fogle et al, 2007；Laughlin et al, 2000），総テストステロン濃度は閉経を境に急激に低下することはない（Davison & Davis, 2011）。アンドロゲンの末梢細胞での活性を示す最適な指標とされているのは，代謝産物であるアンドロステロングルクロニドの血中濃度である。しかし血中総テストステロンやDHEA，アンドロステロングルクロニドの濃度が閉経前後の女性の性機能の状態と対応するという報告は乏しい（Basson, 2008）。自然閉経の場合はフリーテストステロン濃度の低下は急激ではなく，むしろ上昇する場合もある。エストラジオールの濃度減少に伴いSHBGの濃度も減少することにより，フリーテストステロンの濃度が相対的に保たれるためであると考えられている（図19-7を参照）（Burger et al, 2000；Sowers et al, 2009）。

　性機能の低下は最終月経の20ヶ月前から徐々に生じる（Avis et al, 2017）。閉経後の女性では性的な興奮

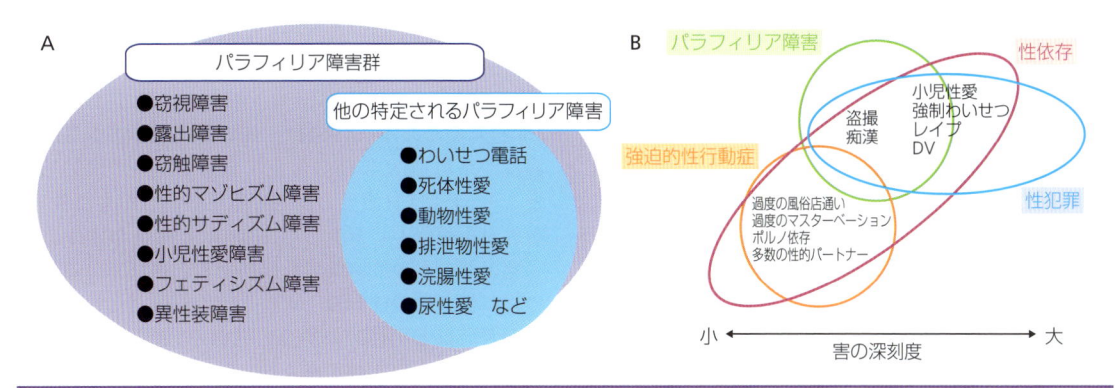

図19-10　DSM-5におけるパラフィリア障害群（性嗜好障害）および性依存とその類似概念の関連　A：これらに対する反復性の強烈な関心が継続すること，およびそれが本人に対する苦痛や他者への危害を及ぼす場合にパラフィリア障害と診断される。過剰性欲とは異なる概念である。B：制御の難しい一連の性行動の問題について，臨床家の多くは依存症モデルが適当であると考えている。（A：American Psychiatric Association, 2013，B：原田，2022より許可を得て転載）

による性器の充血や腟の湿潤が起こりにくく，腟の萎縮や性交痛を生じやすい。腟へのクリームやタブレットによるエストロゲンの補充にはこうした症状を改善する効果がある（Sinha & Ewies, 2013）。アメリカ合衆国では選択的エストロゲン受容体調節剤（selective estrogen receptor modulator：SERM）の適用が承認され（Palacios et al, 2015），レーザー治療も用いられている。しかし，性的欲求やオルガズム頻度との直接的な関係はない（Santoro et al, 2016）。定期的な性交には，閉経を機として進行する腟の萎縮を防ぐ効果がある（Leiblum, 1983）。

女性においても性的欲求や快感の回復にはテストステロンやDHEAといった男性ホルモンが重要な役割を果たすことが確かめられているが，外生的な補充を継続することの安全性については合意が得られていない（Davis & Worsley, 2014；Davison & Davis, 2011；Spark, 2002）。ラット（Jones et al, 2010；Maseroli et al, 2020）やヒト（Davis et al, 2006）を対象とした実験により，性的欲求を回復させる効果はエストロゲン受容体ではなく，アンドロゲン受容体を介した効果であることが示唆されている。

閉経後においても，性行動パターンはパートナーとの関係性，それまでの性行動の習慣や性生活に対する態度から大きな影響を受ける（Westheimer & Lopater, 2005）。また，世代間の差や民族間の差はしばしば加齢そのものの影響よりも大きい（Kellett, 1988；Winn & Newton, 1982）。そのため，対処方法を検討する必要がある場合は，男性ホルモンの低下以外に原因がある可能性を十分に考慮する必要がある。

19.4.5　パラフィリア障害・強迫的性行動症—診断基準改訂に関する議論

非典型的とされる性嗜好（パラフィリア）は，生命のない特定の対象物や身体の部位に対して性的に特別な関心を示すフェティシズム，動物性愛や排泄物愛といったように対象が逸脱しているものと，窃視（のぞき），露出，窃触（痴漢），性的サディズム・マゾヒズムといった性的な欲求を満たすにいたるプロセスが逸脱しているものとに大別される。これらに加えて，他者への加害性はないものの制御困難な過剰性行動のために日常生活が困難となるハイパーセクシュアル障害（hypersexual disorder）／強迫的性行動症（compulsive sexual behavior disorder）が提案されている。診断基準として意見の一致を見ていないために，文献により用語の使用はまちまちである。

逸脱した性的な関心を持ったり，実際に行動を起こしたりするのみではパラフィリア障害とは見なされない。大学生を対象とした調査で，これらの空想や行動の経験がある者は約半数を占め，大きな性差は認められなかった（Castellini et al, 2018）。2013年に改訂されたDSM-5では，少なくとも6ヶ月以上反復性の強烈なパラフィリア性の性的興奮が，空想・衝動・行動に現れ，かつそれが本人に対して苦痛や社会的・職業的な機能障害を引き起こしていたり，他者への危害を及ぼす場合に限って，パラフィリア障害と定義する（図19-10A）（American Psychiatric Association, 2013）。障害基準に該当するのは，性的マゾヒズムを除いてほとんどが男性である。

WHOが作成する診断基準の前版であるICD-10（国際疾病分類〈World Health Organization〉, 1992）では，性機能不全のカテゴリーの中に過剰性欲の診断名が含まれていた。過剰性欲者には2～6％の人々が該当するとされ，8割以上を男性が占め，また性犯罪につながるおそれもある（Walton et al, 2017）。DSMの改訂に際して，類似概念としてハイパーセクシュアル障害の導入が検討されたが最終的には採用されなかった。ICD-11（World Health Organization, 2020）では「強迫的性行動症」として，窃盗症などとともに衝動制御の

障害の中に含まれることとなった(図19-10B)。内容として，社会的機能低下をもたらすほど過度の自慰やポルノの利用，不特定多数の相手との性行動，風俗店やサイバーセックスの過度の利用が挙げられる。これらの行動の継続を単なる性的欲求の高さと区別し強迫性の側面を明確にするため，「これらの性行動から充足感をほとんど得られないにもかかわらず反復してしまうこと」が診断基準に付け加えられている(Gola et al, 2020)。しかしながら，この分野の臨床家の多くは神経科学的根拠に基づき，問題ある過剰性欲について強迫性障害や衝動制御の障害に分類すべきではなく，依存症に類似した現象として理解するほうが適切であると主張している。充足感の低さは依存症モデルにも符合する(Blum et al, 2015；Kowalewska & Lew-Starowicz, 2021；Kraus et al, 2016；柿澤，2021)。

一般人ではストレスを受けると性ホルモンの分泌や性的な欲求が低下するが，強迫的性行動症の人では慢性的に視床下部-下垂体-副腎(HPA〈hypothalamic-pituitary-adrenal axis〉)軸の活動が亢進した状態になっており，うつや不安状態を解消するために，報酬系を活動させる性的行動を用いようとする。ポルノビデオを提示されると前帯状回背側部や腹側線条体(側坐核とその周辺)，扁桃体が強く活動し，薬物依存者にみられるように，依存対象の刺激の顕著性が高まり注意を捕縛することが示されている。また，親族に物質乱用依存や摂食障害，ギャンブル依存症者が多いこと，双生児研究により過度な自慰行為の77%が遺伝的に説明されることが指摘されている。セロトニン機能の不全が要因として考えられ，性ホルモン調整以外の薬物療法としてはSSRIの処方が第一選択肢である(Ciocca et al, 2018)。またオピオイド受容体アンタゴニストのナルトレキソンが症状の緩和に有効であることが実験的に検証されており，依存症モデルに合致する(Kraus et al, 2016)。依存症モデルの問題点とされるのは，薬物依存などと異なり，耐性(刺激への感受性が低下し，強度を上げ続けないと充足できなくなること)と行動を中断させた場合の離脱症状(自律神経機能亢進などの生理的禁断症状)がみられないことである。

強迫的性行動を生じさせる要因は，「性行動の制御不全」，および「高い性的欲求」に大別され(Carvalho et al, 2015)，性的欲求が非常に高い場合はリスクも高くなると考えられる。しかしながら，ベースラインのテストステロン濃度を性犯罪者と非性犯罪者間で比較した横断研究のメタアナリシスでは，テストステロン濃度に差はみられなかった。中でも子どもに対する性犯罪者のテストステロン濃度は非性犯罪者と比較してむしろ低い傾向があった(Wong & Gravel, 2018)。一方で個人内のホルモン濃度の変化に関しては，抗アンドロゲン剤やGnRHアゴニスト[2]を用いたアンドロゲン作用の抑制が欧米では広く用いられており，加齢に

伴うテストステロン濃度の低下とともに，性犯罪の再犯を抑制する効果がある(Assumpção et al, 2014；Thibaut, 2011)。テストステロンおよびゴナドトロピン(卵胞刺激ホルモン〈FSH〉，黄体形成ホルモン〈LH〉)濃度が平均10.9年後の再犯率を予測するか検討したところ，特にLH濃度の高さが敵意の高さをもたらし，それが再犯をよく予測した(Kingston et al, 2012)。

胎児期のホルモン環境を反映するとされている右手の指の長さ比(2D：4D，人差し指の長さと比較して薬指が長いほど男性的であるとされる)は犯罪歴のよい予測要因となることがあり(Hoskin, 2017)，顔輪郭の縦横比(横に広いほど男性的である)は性欲の高さや非一夫一妻的性行動の予測要因として有効であった(Arnocky et al, 2018)。すなわち，一度きりの測定によるテストステロン濃度で個人の性質を予測することは困難だが，男性ホルモン作用のポテンシャルの個人差は，行動特性の個人差と関連づけられる可能性がある。

19.4.6 認知行動療法と被養育経験

問題ある性行動の治療法として，生物／薬理学的アプローチのほかにフロイト理論をもとに発展した精神分析学的アプローチや，認知行動科学的アプローチがある。国際的には，パラフィリア障害の中に含まれる「窃触症(痴漢)」は比較的まれなものであるとされているが，日本においては性犯罪の半数を占める。認知行動療法による再犯防止プログラムは効果が高いとされており，「被害者は性的な接触を受けることを喜んでいる」など性的関係のとり方に関する認知の歪みの変容，対人関係スキルの獲得，共感性の育成，感情のコントロールを目標としたトレーニングを行う(原田, 2019；斉藤, 2017；柿澤, 2021；藤岡, 2006, 2016)。痴漢の多くは通常は家庭生活や職業生活に適応しており，犯行時も性的に興奮しているとは限らないが，ストレスやうつを痴漢行為の刺激で解消するパターンを学習し，その行為に依存している状態であると考えられる。

強迫的性行動は男性においては特に，不安障害，気分障害，飲酒を含む物質濫用，注意欠如・多動症(attention-deficit/hyperactivity disorder：ADHA)と併発しやすい。幼少期の被虐待経験がリスク要因となる程度については，様々な意見がある。旧来の発生機序モデルでは，性犯罪者の大半に性的虐待や機能不全家族でネグレクトを受けた経験があり，愛着障害や心的外傷による解離(自分の心的外傷を引き起こした被害経験や，犯罪実行の様子を覚えていないこと)が犯行

---

[2] GnRHアゴニストは一時的にテストステロン濃度を急上昇させるが，投与し続けることでGnRH受容体が急速に脱感作し，LHとテストステロン濃度の低下をもたらす。

の引き金になるとされた（Bancroft & Vukadinovic, 2004；Chatzittofis et al, 2017；Ellason & Ross, 1999；Giugliano, 2006；Gold & Seifer, 2002；Katehakis, 2009；Whitfield, 1998）。過去の被虐待経験を意識的に捉え，理解することが回復に不可欠であるとされる（Shapiro, 2005）。これに対して現代の状況下では，10歳前後から繰り返しインターネットで性的な刺激に曝されることで，性的な興奮を引き起こす神経学的なセットポイントがオンライン刺激に依存して構築され，通常の性的な関係を楽しむ能力が失われるというモデルが提案されている（Riemersma & Sytsma, 2013；Walton et al, 2017）。

19.5 フェロモン

19.5.1 ヒトに性フェロモンは存在するか

フェロモンとして知られる物質は副嗅覚系の鋤鼻器（vomeronasal organ）により検出されて作用するものが多いため，ヒトにも機能する鋤鼻器があるか否かについて検討が続けられてきた（Witt & Hummel, 2006）。ヒトの胚はすべて鋤鼻器を発達させ（Sherwood et al, 1999），鋤鼻器官を持つ生物と類似した神経細胞も存在するが，そうした神経組織は胎齢30週前後には退縮していく（Boehm & Gasser, 1993）。成人においてもほとんどの人に鋤鼻器の痕跡は存在するが（Bhatnagar & Smith, 2001），感覚信号を中枢に送る神経システムが残っているという証拠は乏しい（Hummel et al, 2011；Meredith, 2001）。

げっ歯類において鋤鼻器上で発現している受容体群はV1r（vomeronasal-type 1 receptors）およびV2rである。V1rは哺乳類の系統と鋤鼻器の重要性に応じて変異が大きく，マウスやラットでは100種以上の遺伝子が存在する一方，ヒトや大型類人猿における機能する相同遺伝子 VN1R は5種にすぎない。ヒトのVN1R1のリガンドとして同定された香料ヘディオン（ジヒドロジャスモン酸メチル，ジャスミン香を持つ）の香りは扁桃体や海馬を活動させ，特に女性の視床下部を活動させる（Wallrabenstein et al, 2015）。これらの遺伝子はヒトでは鼻粘膜上に発現しているが，近年ヒト以外の哺乳類においても，フェロモン物質の受容は必ずしも鋤鼻器を経由するとは限らず，主嗅覚系も利用されていることがわかってきた。むしろ，鋤鼻器でフェロモンが適切に作用するためには，主嗅覚系の嗅上皮での処理を経由することが必要とされる（Keller et al, 2006；Slotnick et al, 2010）。さらに，新たな化学受容体ファミリーとして同定された微量アミン関連受容体（trace amine-associated receptor：TAAR）はマウス主嗅覚系の嗅上皮のニューロンに発現しており，ストレスによって上昇するβ-フェニルエチルアミンや，イソアミルアミン，トリエチルアミンといった雄に特異的なにおいを検知する。イソアミルアミンは雌の性成熟を早めるフェロモンとしてはたらくと考えられる物質である。TAAR遺伝子は魚類・マウス・ヒトで進化的に保存されているため，主嗅覚系を通じたフェロモン作用の仕組みを明らかにする手掛かりになると期待される（Liberles & Buck, 2006）。

ヒトのフェロモン作用として30年以上にわたり議論されてきたのが，共同生活をしていたり，親しい間柄であったりする女性たちの間で生理開始のタイミングが近づくという「ドミトリー（学生寮）効果」と呼ばれる現象である（McClintock, 1971）。SternとMacClintockは，卵胞期女性の腋下からの分泌物を上唇の上に塗布された女性ではベースライン時よりも有意に性周期の長さが短くなり，一方で排卵期女性の腋下からの分泌物を塗布された女性では性周期の長さが長くなるとした（Stern & McClintock, 1998）。しかし，伝統社会のコミュニティ内で生活する女性（Strassmann, 1997）や学生寮（Yang & Schank, 2006；Ziomkiewicz, 2006）における追試で生理の同調は確認されず，フェロモンの存在は疑わしいとされた（Schank, 2006）。

ヒトの性フェロモン物質の候補として，テストステロンからの派生物である16-androstenes（アンドロステン）類が腋下のバクテリア叢によって代謝されて生じる5α-androst-16-en-3-one（アンドロステノン）や5α-androsten-3α-ol（アンドロステノール），4,16-androstadien-3-one（アンドロスタジエノン）が女性の生理周期や気分，注意力に影響を及ぼすと報告されてきた（Havlicek et al, 2010；Mostafa et al, 2012）。アンドロステンの知覚感受性には個人差が大きく，遺伝およびこれらの物質との接触歴が影響を及ぼす。一般的なにおい物質への継続的な曝露は感受性を低下させるが，アンドロステノンやアンドロスタジエノンに関しては，繰り返しの曝露によって感受性が高まる傾向がある。においの評価は，評価者および評価時によって異なり，「尿臭」から「ムスク香」まで様々である。女性では排卵期前後に，アンドロステノンを好意的に捉える傾向がやや上昇する。男性の腋下からの抽出物を女性に嗅がせることで，次のLH分泌のピークのタイミングを早め，気分をリラックスさせる効果がある（Preti et al, 2003）。また，女性の血小板細胞膜上での血中からのセロトニンの再取り込みを促進し，衝動性を下げること，および愛着スタイルへの影響が示唆された（Marazziti et al, 2010）。しかしながら，どの物質が効果を及ぼしたかについては同定されていない。

これらに対し，エストロゲンの派生物である1,3,5,(10),16-estratetraen-3-ol（エストラテトラエノール）は男性に対して性フェロモン様にはたらくとされる。性フェロモン様に作用する物質は，通常のにおい物質と異なり，嗅覚野ではなく視床下部を活動させると考

えられる。アンドロスタジエノンやアンドロステノールは異性愛女性や同性愛男性，MTF トランスジェンダーの視床下部を活動させ，エストラテトラエノールは異性愛男性や同性愛女性の視床下部に作用する（Mantel et al, 2019）。視床下部に対する性特異的なはたらきは物質の濃度に依存するという報告もある（Burke et al, 2012）。

近年はアンドロスタジエノンの，特に男性の感情処理に及ぼす影響が多く検討されている。すなわち，怒りの表情といった，感情情報への注意を高め（Frey et al, 2012；Hornung et al, 2017；Hummer & McClintock, 2009），社会不安の高い男性は視線を回避するようになる（Banner et al, 2019）。ストレス状況下で，特に男性の背外側前頭前皮質を活動させ（Chung et al, 2016），利己性を高める（Banner et al, 2018），などである（反対に協力行動を高めるという報告として〈Hummer & McClintock, 2009；Huoviala & Rantala, 2013〉）。

19.5.2 配偶者選択とその他の化学コミュニケーション

アンドロスタジエノンやアンドロステノールの受容体は OR7D4（olfactory receptor family 7, subfamily D, member 4）であり，主嗅覚系嗅上皮で発現している。*OR7D4* および *VN1R1* 遺伝子多型とヒト男女の配偶行動の個人差との対応を検討したところ，*VN1R1* の多型のみが女性の短期的配偶戦略への指向性（比較的短期間の性的な関係を持つことに対して許容的な傾向）と関連することが示された（Henningsson et al, 2017）。配偶者選択の文脈では，マウスが自らと類似しない主要組織適合遺伝子複合体（major histocompatibility complex：MHC）を持つ相手をにおいを手掛かりに選好することにヒントを得て，ヒトの女性もヒト白血球抗原（human leukocyte antigen：HLA）（ヒトにおける MHC）の類似度が低い男性の体臭を好むと予想され，概ね仮説を支持する結果が得られている（Havlicek & Roberts, 2009；Kromer et al, 2016）。MHC が相違した配偶相手への選好は，多様な病原体に対して頑健な子孫を残すために有利である一方，類似した相手は近親者である可能性を示唆し，妊娠可能性が低い時期には援助をもたらしてくれる相手として好意的に捉えられる。そのため，女性によるにおい評価は性周期の時期，避妊用ピルの使用（ステロイドホルモンレベルを偽妊娠状態に保つ），どのような関係を持つ相手として好ましいと感じるかという社会的文脈，によって変化すると考えられている。

一過性受容体電位陽イオンチャネル 2（TRPC2）は，マウスにおいて鋤鼻器で受容されたフェロモンの化学信号情報を伝達する際に必須の役割を担っており，TRPC2 遺伝子をノックアウトすることによって同性間性行動の可能性が大幅に上昇する。ヒトを含む狭鼻猿類では偽遺伝子となり作用しておらず，狭鼻猿類で同性間性行動が日常的にみられること，および脳や行動の性差が縮小してきたことと対応しているのではないかと提案されている（図 19-3）（19.2.7「性的多様性の進化」を参照）（Pfau et al., 2021；Silva & Antunes, 2017）。フェロモン様物質に限らず，ヒトにおいてもにおいが健康状態や性格，性的指向といった様々な情報伝達に用いられていることが知られてきており（de Groot et al, 2017；Lübke & Pause, 2015），他者の感情推定や感情の伝染に大きな役割を果たしている可能性も指摘されている（Calvi et al, 2020；Smeets et al, 2020）。

文　献

▼ 1章　ホルモンと行動研究

相川浩幸（2001）．マイクロダイアリシス方法およびW-probeを用いたアセチルコリンおよびモノアミンの同時測定．日本比較内分泌学会ニュース，102，29-33．

大西英爾，川島誠一郎（1983）．序―行動のホルモン調節．In：日本比較内分泌学会 編．ホルモンの生化学 8―行動とホルモン．pp1-10．学会出版センター．

川上正澄，貴邑冨久子（1978）．内分泌生理学．南山堂．

セレナ・ナンダ 著，蔦森樹 訳，カマル・シン 原著訳（1999）．ヒジュラー男でも女でもなく．青土社．

松原正毅，楊海英，小長谷有紀（2005）．ユーラシア草原からのメッセージ―遊牧研究の最前線．平凡社．

Armbruster BN, Li X, Pausch MH, et al（2007）. Evolving the lock to fit the key to create a family of G protein-coupled receptors potently activated by an inert ligand. Proc Natl Acad Sci, 104, 5163.

Beach FA（1940）. Effects of cortical lesions upon the copulatory behavior of male rats. J Comp Psychol, 29, 193-245.

Beach FA（1948）. Hormones and Behavior. P. B. Hoeber, New York.

Boyden ES, Zhang F, Bamberg E, et al（2005）. Millisecond-timescale, genetically targeted optical control of neural activity. Nat Neurosci, 8, 1263-1268.

DiGiusto EL, Cairnross K, King MG（1971）. Hormonal influences on fear-motivated responses. Psychol Bull, 75, 432-444.

Miller WL, Auchus R（2019）. The "backdoor pathway" of androgen synthesis in human male sexual development. PLoS Biol, 17, e3000198.

Nelson RJ（2005）. An introduction to behavioral endocrinology, 3rd ed. Sinauer Associates Inc, Sunderland, MA.

Paxinos G, Watson C（2008）. The Rat Brain in Stereotaxic Coordinates：compact, 6th ed. Academic Press, San Diego CA.

Phoenix CH, Goy RW, Gerall AA, et al（1959）. Organizing action of prenatally administered testosterone propionate on the tissues mediating mating behavior in the female guinea pig. Endocrinology, 65, 369-382.

▼ 2章　ホルモン分泌の神経調節

Ganong WF（2005）. Rewiew of medical Physiology, 22nd ed. Lange Medical Books.

Guyton AC, Hall JE（2006）. Textbook of Medical Physiology, 11th ed. Elsevier Saunders.

Landgraf R, Neumann ID（2004）. Vasopressin and oxytocin release within the brain：a dynamic concept of multiple and variable modes of neuropeptide communication. Front Neuroendocrinol, 25, 150-176.

Nelson RJ（2005）. An introduction of behavior endocrinology, 3rd ed. Sinauere Associates Inc publishers.

▼ 3章　性の決定

桑村哲生（2004）．性転換する魚たち．岩波新書．

Agate RJ, Grisham W, Wade J, et al（2003）. Neural, not gonadal, origin of brain sex differences in a gynandromorphic finch. Proc Natl Acad Sci USA, 100, 4873-4878.

Becker JB, Arnold AP, Berkley KJ, et al（2005）. Strategies and methods for research on sex differences in brain and behavior. Endocrinology, 146, 1650-1673.

Carré GA, Siggers P, Xipolita M, et al（2018）. Loss of p300 and CBP disrupts histone acetylation at the mouse Sry promoter and causes XY gonadal sex reversal. Hum Mol Genet, 27, 190-198.

Carrel L, Willard HF（2005）. X-inactivation profile reveals extensive variability in X-linked gene expression in females. Nature, 434, 400-404.

Caterina MJ, Schumacher MA, Tominaga M, et al（1997）. The capsaicin receptor：a heat-activated ion channel in the pain pathway. Nature, 389, 816-824.

Crews D（2005）. Evolution of neuroendocrine mechanisms that regulate sexual behavior. Trends Endocrinol Metab, 16, 354-361.

Davies W, Wilkinson LS（2006）. It is not all hormones：alternative explanations for sexual differentiation of the brain. Brain Res, 1126, 36-45.

Delbridge ML, Graves JA（1999）. Mammalian Y chromosome evolution and the male-specific functions of Y chromosome-borne genes. Rev Reprod, 4, 101-109.

Dewing P, Chiang CW, Sinchak K, et al（2006）. Direct regulation of adult brain function by the male-specific factor SRY. Curr Biol, 16, 415-420.

Elofsson U, Winberg S, Francis RC（1997）. Number of preoptic GnRH-immunoreactive cells correlates with sexual phase in a protandrously hermaphroditic fish, the dusky anemonefish（*Amphiprion melanopus*）. J Comp Physiol, 181, 484-492.

Endo D, Murakami S, Akazome Y, et al（2007）. Sex difference in Ad4BP/SF-1 mRNA expression in the chick-embryo brain before gonadal sexual differentiation. Zoolog Sci, 24, 877-882.

Flores D, Tousignant A, Crews D（1994）. Incubation temperature affects the behavior of adult leopard geckos（*Eublepharis macularius*）. Physiol Behav, 55, 1067-1072.

Fredga K（1983）. Aberrant sex chromosome mechanisms in mammals. Evolutionary aspects. Differentiation, 23（Suppl）, S23-S30.

Ge C, Ye J, Weber C, et al（2018）. The histone demethylase KDM6B regulates temperature-dependent sex determina-

tion in a turtle species. Science, 360, 645-648.
Goth A, Booth DT(2005). Temperature-dependent sex ratio in a bird. Biol Lett, 1, 31-33.
Graves JA(1998). Evolution of the mammalian Y chromosome and sex-determining genes. J Exp Zool, 281, 472-481.
Handley LJ, Ceplitis H, Ellegren H(2004). Evolutionary strata on the chicken Z chromosome: implications for sex chromosome evolution. Genetics, 167, 367-376.
Janzen FJ, Phillips PC(2006). Exploring the evolution of environmental sex determination, especially in reptiles. J Evol Biol, 19, 1775-1784.
Kawahara M, Wu Q, Takahashi N, et al(2007). High-frequency generation of viable mice from engineered bi-maternal embryos. Nat Biotechnol, 25, 1045-1050.
Kimchi T, Xu J, Dulac C(2007). A functional circuit underlying male sexual behaviour in the female mouse brain. Nature, 448, 1009-1014.
Koopman P, Gubbay J, Vivian N, et al(1991). Male development of chromosomally female mice transgenic for Sry. Nature, 351, 117-121.
Kuroki S, Matoba S, Akiyoshi M, et al(2013). Epigenetic regulation of mouse sex determination by the histone demethylase Jmjd1a. Science, 341, 1106-1109.
Lyon MF(1999). X-chromosome inactivation. Curr Biol, 9, R235-R237.
Matsubara K, Tarui H, Toriba M, et al(2006). Evidence for different origin of sex chromosomes in snakes, birds, and mammals and step-wise differentiation of snake sex chromosomes. Proc Natl Acad Sci USA, 103, 18190-18195.
Matsuda M(2005). Sex determination in the teleost medaka, Oryzias latipes. Annu Rev Genet, 39, 293-307.
Miura I, Ohtani H, Hanada H, et al(1997). Evidence for two successive pericentric inversions in sex lampbrush chromosomes of Rana rugosa(Anura : Ranidae). Chromosoma, 106, 178-182.
Miyawaki S, Kuroki S, Maeda R, et al(2020). The mouse Sry locus harbors a cryptic exon that is essential for male sex determination. Science, 370, 121-124.
Moreno-Mendoza N, Harley VR, Merchant-Larios H(2001). Temperature regulates SOX9 expression in cultured gonads of Lepidochelys olivacea, a species with temperature sex determination. Dev Biol, 229, 319-326.
Morrish BC, Sinclair AH(2002). Vertebrate sex determination: many means to an end. Reproduction, 124, 447-457.
Pieau C(1996). Temperature-dependent sex determination in reptiles. BioEssays, 18, 19-26.
Quinn AE, Georges A, Sarre SD, et al(2007). Temperature sex reversal implies sex gene dosage in a reptile. Science, 316, 411.
Schlinger BA(1998). Sexual differentiation of avian brain and behavior : current views on gonadal hormone-dependent and independent mechanisms. Annu Rev Physiol, 60, 407-429.
Sinclair AH, Berta P, Palmer MS, et al(1990). A gene from the human sex-determining region encodes a protein with homology to a conserved DNA-binding motif. Nature, 346, 240-244.

Strussmann CA, Saito T, Usui M, et al(1995). Thermal thresholds and critical period of thermolabile sex determination in two atherinid fishes, Odontesthes bonariensis and Patagonina hatchery. J Exp Zool, 278, 167-177.
Tsai HW, Grant PA, Rissman EF(2009). Sex differences in histone modifications in the neonatal mouse brain. Epigenetics, 4, 47-53.
Veyrunes F, Waters PD, Miethke P, et al(2008). Bird-like sex chromosomes of platypus imply recent origin of mammal sex chromosomes. Genome Res, 18, 965-973.
Watts PC, Buley KR, Sanderson S, et al(2006). Parthenogenesis in Komodo dragons. Nature, 444, 1021-1022.
Wilhelm D, Palmer S, Koopman P(2007). Sex determination and gonadal development in mammals. Physiol Rev, 87, 1-28.
Yatsu R, Miyagawa S, Kohno S, et al(2015). TRPV4 associates environmental temperature and sex determination in the American alligator. Sci Rep, 5, 18581.
Zechner U, Wilda M, Kehrer-Sawatzki H, et al(2001). A high density of X-linked genes for general cognitive ability : a run-away process shaping human evolution? Trends Genet, 17, 697-701.

▼ 4章 哺乳類の性分化

新井康允(1999). 脳の性差 男と女の心を探る. 共立出版.
山内兄人, 新井康允(2006). 脳の性分化. 裳華房.
Ahmed EI, Zehr JL, Schulz KM, et al(2008). Pubertal hormones modulate the addition of new cells to sexually dimorphic brain regions. Nat Neurosci, 11, 995-997.
Allen LS, Hines M, Shryne JE, et al(1989). Two sexually dimorphic cell groups in the human brain. J Neurosci, 9, 497-506.
Arai Y, Sekine Y, Murakami S(1996). Estrogen and apoptosis in the developing sexually dimorphic preoptic area in female rats. Neurosci Res, 25, 403-407.
Arendash GW, Gorski RA(1983). Effects of discrete lesions of the sexually dimorphic nucleus of the preoptic area or other medial preoptic regions on the sexual behavior of male rats. Brain Res Bull, 10, 147-154.
Arnold AP, Chen X(2009). What does the "four core genotypes" mouse model tell us about sex differences in the brain and other tissues? Front Neuroendocrinol, 30, 1-9.
Bakker J, De Mees C, Douhard Q, et al(2006). Alpha-fetoprotein protects the developing female mouse brain from masculinization and defeminization by estrogens. Nat Neurosci, 9, 220-226.
Bakker J, Honda S, Harada N, et al(2002). The aromatase knock-out mouse provides new evidence that estradiol is required during development in the female for the expression of sociosexual behaviors in adulthood. J Neurosci, 22, 9104-9112.
Beyer C, Green SJ, Hutchison JB(1994). Androgens influence sexual differentiation of embryonic mouse hypothalamic aromatase neurons in vitro. Endocrinology, 135, 1220-1226.
Bleier R, Byne W, Siggelkow I(1982). Cytoarchitectonic sexual dimorphisms of the medial preoptic and anterior hypo-

thalamic areas in guinea pig, rat, hamster, and mouse. J Comp Neurol, 212, 118-130.

Bodo C, Kudwa AE, Rissman EF(2006). Both estrogen receptor-alpha and -beta are required for sexual differentiation of the anteroventral periventricular area in mice. Endocrinology, 147, 415-420.

Brand T, Kroonen J, Mos J, et al(1991). Adult partner preference and sexual behavior of male rats affected by perinatal endocrine manipulations. Horm Behav, 25, 323-341.

Breedlove SM, Arnold AP(1980). Hormone accumulation in a sexually dimorphic motor nucleus of the rat spinal cord. Science, 210, 564-566.

Breedlove SM, Jacobson CD, Gorski RA, et al(1982). Masculinization of the female rat spinal cord following a single neonatal injection of testosterone propionate but not estradiol benzoate. Brain Res, 237, 173-181.

Brock O, Baum MJ, Bakker J(2011). The development of female sexual behavior requires prepubertal estradiol. J Neurosci, 31, 5574-5578.

Byne W, Tobet S, Mattiace LA, et al(2001). The interstitial nuclei of the human anterior hypothalamus: an investigation of variation with sex, sexual orientation, and HIV status. Horm Behav, 40, 86-92.

Carruth LL, Reisert I, Arnold AP(2002). Sex chromosome genes directly affect brain sexual differentiation. Nat Neurosci, 5, 933-934.

Christensen LW, Gorski RA(1978). Independent masculinization of neuroendocrine systems by intracerebral implants of testosterone or estradiol in the neonatal female rat. Brain Res, 146, 325-340.

Chung WC, Swaab DF, De Vries GJ(2000). Apoptosis during sexual differentiation of the bed nucleus of the stria terminalis in the rat brain. J Neurobiol, 43, 234-243.

Clarkson J, Herbison AE(2006). Postnatal development of kisspeptin neurons in mouse hypothalamus: sexual dimorphism and projections to gonadotropin-releasing hormone neurons. Endocrinology, 147, 5817-5825.

Claro F, Segovia S, Guilamón A, et al(1995). Lesions in the medial posterior region of the BST impair sexual behavior in sexually experienced and inexperienced male rats. Brain Res Bull, 36, 1-10.

Cox KH, Bonthuis PJ, Rissman EF(2014). Mouse model systems to study sex chromosome genes and behavior: relevance to humans. Front Neuroendocrinol, 35, 405-419.

Davis EC, Popper P, Gorski RA(1996). The role of apoptosis in sexual differentiation of the rat sexually dimorphic nucleus of the preoptic area. Brain Res, 734, 10-18.

De Jonge FH, Louwerse AL, Ooms MP, et al(1989). Lesions of the SDN-POA inhibit sexual behavior of male Wistar rats. Brain Res Bull, 23, 483-492.

del Abril A, Segovia S, Guillamón A(1987). The bed nucleus of the stria terminalis in the rat: regional sex differences controlled by gonadal steroids early after birth. Brain Res, 429, 295-300.

De Vries GJ, Rissman EF, Simerly RB, et al(2002). A model system for study of sex chromosome effects on sexually dimorphic neural and behavioral traits. J Neurosci, 22, 9005-9014.

Dewing P, Chiang CW, Sinchak K, et al(2006). Direct regulation of adult brain function by the male-specific factor SRY. Curr Biol, 16, 415-420.

Dewing P, Shi T, Horvath S, et al(2003). Sexually dimorphic gene expression in mouse brain precedes gonadal differentiation. Mol Brain Res, 118, 82-90.

Feder HH, Whalen RE(1965). Feminine behavior in neonatally castrated and estrogen-treated male rats. Science, 147, 306-307.

Forger NG(2017). Epigenetic mechanisms in sexual differentiation of the brain and behaviour. Phil Trans R Soc B, 371, 20150114.

Forger NG, Rosen GJ, Waters EM, et al(2004). Deletion of Bax eliminates sex differences in the mouse forebrain. Proc Natl Acad Sci USA, 101, 13666-13671.

Gatewood JD, Wills A, Shetty S, et al(2006). Sex chromosome complement and gonadal sex influence aggressive and parental behaviors in mice. J Neurosci, 26, 2335-2342.

Gilmore RF, Varnum MM, Forger NG(2012). Effects of blocking developmental cell death on sexually dimorphic calbindin cell groups in the preoptic area and bed nucleus of the stria terminalis. Biol Sex Differ, 3, 5.

Gladue BA, Clemens LG(1982). Development of feminine sexual behavior in the rat: androgenic and temporal influences. Physiol Behav, 29, 263-267.

Gorski RA, Gordon JH, Shryne JE(1978). Evidence for a morphological sex difference within the medial preoptic area of the rat brain. Brain Res, 148, 333-346.

Goy RW, Deputte BL(1996). The effects of diethylstilbestrol (DES) before birth on the development of masculine behavior in juvenile female rhesus monkeys. Horm Behav, 30, 379-386.

Grgurevic N, Büdefeld T, Spanic T, et al(2012). Evidence that sex chromosome genes affect sexual differentiation of female sexual behavior. Horm Behav, 61, 719-724.

Guillamón A, Segovia S, del Abril A(1988). Early effects of gonadal steroids on the neuron number in the medial posterior region and the lateral division of the bed nucleus of the stria terminalis in the rat. Dev Brain Res, 44, 281-290.

Durazzo A, Morris JA, Breedlove SM, et al(2007). Effects of the testicular feminization mutation(tfm) of the androgen receptor gene on BSTMPM volume and morphology in rats. Neurosci Lett, 419, 168-171.

Harris EP, Abel JM, Tejada LD, et al(2016). Calbindin Knockout Alters Sex-Specific Regulation of Behavior and Gene Expression in Amygdala and Prefrontal Cortex. Endocrinology, 157, 1967-1979.

Hart BL(1968). Neonatal castration: influence on neural organization of sexual reflexes in male rats. Science, 160, 1135-1136.

Henderson RG, Brown AE, Tobet SA(1999). Sex differences in cell migration in the preoptic area/anterior hypothalamus of mice. J Neurobiol, 41, 252-266.

Hisasue S, Seney ML, Immerman E, et al(2010). Control of cell number in the bed nucleus of the stria terminalis of mice: role of testosterone metabolites and estrogen receptor subtypes. J Sex Med, 7, 1401-1409.

Homma T, Sakakibara M, Yamada S, et al (2009). Significance of neonatal testicular sex steroids to defeminize anteroventral periventricular kisspeptin neurons and the GnRH/LH surge system in male rats. Biol Reprod, 81, 1216-1225.

Houtsmuller EJ, Brand T, de Jonge FH, et al (1994). SDN-POA volume, sexual behavior, and partner preference of male rats affected by perinatal treatment with ATD. Physiol Behav, 56, 535-541.

Ingraham HA, Lala DS, Ikeda Y, et al (1994). The nuclear receptor steroidogenic factor 1 acts at multiple levels of the reproductive axis. Genes Dev, 8, 2302-2312.

Ito S, Murakami S, Yamanouchi K, et al (1986). Perinatal androgen decreases the size of the sexually dimorphic medial preoptic nucleus in the rat. Proc Japan Acad Ser, B62, 408.

Juraska JM, Sisk CL, DonCarlos LL (2013). Sexual differentiation of the adolescent rodent brain: hormonal influences and developmental mechanisms. Horm Behav, 64, 203-210.

Kanaya M, Morishita M, Tsukahara S (2018). Temporal Expression Patterns of Genes Related to Sex Steroid Action in Sexually Dimorphic Nuclei During Puberty. Front Endocrinol, 9, 213.

Kanaya M, Tsuda MC, Sagoshi S (2014). Regional difference in sex steroid action on formation of morphological sex differences in the anteroventral periventricular nucleus and principal nucleus of the bed nucleus of the stria terminalis. PLoS One, 9, e112616.

Kauffman AS, Gottsch ML, Roa J, et al (2007). Sexual differentiation of Kiss1 gene expression in the brain of the rat. Endocrinology, 148, 1774-1783.

Kelly DA, Varnum MM, Krentzel AA, et al (2013). Differential control of sex differences in estrogen receptor α in the bed nucleus of the stria terminalis and anteroventral periventricular nucleus. Endocrinology, 154, 3836-3846.

Kinoshita M, Tsukamura H, Adachi S, et al (2005). Involvement of central metastin in the regulation of preovulatory luteinizing hormone surge and estrous cyclicity in female rats. Endocrinology, 146, 4431-4436.

Kondo Y, Shinoda A, Yamanouchi K (1990). Role of septum and preoptic area in regulating masculine and feminine sexual behavior in male rats. Horm Behav, 24, 421-434.

Kruijver FP, Zhou JN, Pool CW, et al (2000). Male-to-female transsexuals have female neuron numbers in a limbic nucleus. J Clin Endocrinol Metab, 85, 2034-2041.

LeVay S (1991). A difference in hypothalamic structure between heterosexual and homosexual men. Science, 253, 1034-1037.

MacLusky NJ, Naftolin F (1981). Sexual differentiation of the central nervous system. Science, 211, 1294-1302.

Matsuda KI, Mori H, Nugent BM, et al (2011). Histone deacetylation during brain development is essential for permanent masculinization of sexual behavior. Endocrinology, 152, 2760-2767.

McCarthy MM, Arnold AP (2011). Reframing sexual differentiation of the brain. Nat Neurosci, 14, 677-683.

McCarthy MM, Nugent BM, Lenz KM (2017). Neuroimmunology and neuroepigenetics in the establishment of sex differences in the brain. Nat Rev Neurosci, 18, 471-484.

MacLusky NJ, Naftolin F (1981). Sexual differentiation of the central nervous system. Science, 211, 1294-1302.

Mohr MA, DonCarlos LL, Sisk CL (2017). Inhibiting Production of New Brain Cells during Puberty or Adulthood Blunts the Hormonally Induced Surge of Luteinizing Hormone in Female Rats. eNeuro, 4, e0133-17.2017.

Mohr MA, Garcia FL, DonCarlos LL (2016). Neurons and Glial Cells Are Added to the Female Rat Anteroventral Periventricular Nucleus During Puberty. Endocrinology, 157, 2393-2402.

Mohr MA, Sisk CL (2013). Pubertally born neurons and glia are functionally integrated into limbic and hypothalamic circuits of the male Syrian hamster. Proc Natl Acad Sci USA, 110, 4792-4797

Morishita M, Maejima S, Tsukahara S (2017). Gonadal Hormone-Dependent Sexual Differentiation of a Female-Biased Sexually Dimorphic Cell Group in the Principal Nucleus of the Bed Nucleus of the Stria Terminalis in Mice. Endocrinology, 158, 3512-3525.

Murray EK, Hien A, de Vries GJ, et al (2009). Epigenetic control of sexual differentiation of the bed nucleus of the stria terminalis. Endocrinology, 150, 4241-4247.

Nugent BM, Wright CL, Shetty AC, et al (2015). Brain feminization requires active repression of masculinization via DNA methylation. Nat Neurosci, 18, 690-697.

Orikasa C, Kondo Y, Hayashi S, et al (2002). Sexually dimorphic expression of estrogen receptor beta in the anteroventral periventricular nucleus of the rat preoptic area: implication in luteinizing hormone surge. Proc Natl Acad Sci USA, 99, 3306-3311.

Orikasa C, Sakuma Y (2010). Estrogen configures sexual dimorphism in the preoptic area of C57BL/6J and ddN strains of mice. J Comp Neurol, 518, 3618-3629.

Patchev AV, Gotz F, Rohde W (2004). Differential role of estrogen receptor isoforms in sex-specific brain organization. FASEB J, 18, 1568-1570.

Pellis SM (2002). Sex differences in play fighting revisited: traditional and nontraditional mechanisms of sexual differentiation in rats. Arch Sex Behav, 31, 17-26.

Phoenix CH, Goy RW, Gerall AA (1959). Organizing action of prenatally administered testosterone propionate on the tissues mediating mating behavior in the female guinea pig. Endocrinology, 65, 369-382.

Pineda R, Garcia-Galiano D, Roseweir A, et al (2010). Critical roles of kisspeptins in female puberty and preovulatory gonadotropin surges as revealed by a novel antagonist. Endocrinology, 151, 722-730.

Pomerantz SM, Goy RW, Roy MM (1986). Expression of male-typical behavior in adult female pseudohermaphroditic rhesus: comparisons with normal males and neonatally gonadectomized males and females. Horm Behav, 20, 483-500.

Roselli CE, Larkin K, Resko JA, et al (2004). The volume of a sexually dimorphic nucleus in the ovine medial preoptic area/anterior hypothalamus varies with sexual partner preference. Endocrinology, 145, 478-483.

Sachs BD, Pollak EK, Krieger MS, et al(1973). Sexual behavior : normal male patterning in androgenized female rats. Science, 181, 770-772.

Sano K, Nakata M, Musatov S, et al(2016). Pubertal activation of estrogen receptor α in the medial amygdala is essential for the full expression of male social behavior in mice. Proc Natl Acad Sci USA, 113, 7632-7637.

Schulz KM, Richardson HN, Zehr JL, et al(2004). Gonadal hormones masculinize and defeminize reproductive behaviors during puberty in the male Syrian hamster. Horm Behav, 45, 242-249.

Schulz KM, Sisk CL(2006). Pubertal hormones, the adolescent brain, and the maturation of social behaviors : Lessons from the Syrian hamster. Mol Cell Endocrinol, 254-255, 120-126.

Schulz KM, Sisk CL(2016). The organizing actions of adolescent gonadal steroid hormones on brain and behavioral development. Neurosci Biobehav Rev, 70, 148-158.

Schulz KM, Zehr JL, Salas-Ramirez KY, et al(2009). Testosterone programs adult social behavior before and during, but not after, adolescence. Endocrinology, 150, 3690-3698.

Scott N, Prigge M, Yizhar O, et al(2015). A sexually dimorphic hypothalamic circuit controls maternal care and oxytocin secretion. Nature, 525, 519-522.

Semaan SJ, Murray EK, Poling MC, et al(2010). BAX-dependent and BAX-independent regulation of Kiss1 neuron development in mice. Endocrinology, 151, 5807-5817.

Sickel MJ, McCarthy MM(2000). Calbindin-D28k immunoreactivity is a marker for a subdivision of the sexually dimorphic nucleus of the preoptic area of the rat : developmental profile and gonadal steroid modulation. J Neuroendocrinol, 12, 397-402.

Simerly RB, Swanson LW, Gorski RA(1985a). The distribution of monoaminergic cells and fibers in a periventricular preoptic nucleus involved in the control of gonadotropin release : immunohistochemical evidence for a dopaminergic sexual dimorphism. Brain Res, 330, 55-64.

Simerly RB, Swanson LW, Handa RJ, et al(1985b). Influence of perinatal androgen on the sexually dimorphic distribution of tyrosine hydroxylase-immunoreactive cells and fibers in the anteroventral periventricular nucleus of the rat. Neuroendocrinology, 40, 501-510.

Simerly RB, Zee MC, Pendleton JW, et al(1997). Estrogen receptor-dependent sexual differentiation of dopaminergic neurons in the preoptic region of the mouse. Proc Natl Acad Sci USA, 94, 14077-14082.

Swaab DF, Hofman MA(1995). Sexual differentiation of the human hypothalamus in relation to gender and sexual orientation. Trends Neurosci, 18, 264-270.

Terasawa E, Wiegand SJ, Bridson WE(1980). A role for medial preoptic nucleus on afternoon of proestrus in female rats. Am J Physiol, 238, E533-E539.

Tsukahara S, Hojo R, Kuroda Y, et al(2008). Estrogen modulates Bcl-2 family protein expression in the sexually dimorphic nucleus of the preoptic area of postnatal rats. Neurosci Lett, 432, 58-63.

Tsukahara S, Kakeyama M, Toyofuku Y(2006). Sex differences in the level of Bcl-2 family proteins and caspase-3 activation in the sexually dimorphic nuclei of the preoptic area in postnatal rats. J Neurobiol, 66, 1411-1419.

Tsukahara S, Tsuda MC, Kurihara R, et al(2011). Effects of aromatase or estrogen receptor gene deletion on masculinization of the principal nucleus of the bed nucleus of the stria terminalis of mice. Neuroendocrinology, 94, 137-147.

Whalen RE, Luttge WG(1971). Perinatal administration of dihydrotestosterone to female rats and the development of reproductive function. Endocrinology, 89, 1320-1322.

Whalen RE, Nadler RD(1963). Suppression of the development of female mating behavior by estrogen administered in infancy. Science, 141, 273-274.

Wiegand SJ, Terasawa E, Bridson WE(1978). Persistent estrus and blockade of progesterone-induced LH release follows lesions which do not damage the suprachiasmatic nucleus. Endocrinology, 102, 1645-1648.

Wittmann W, McLennan IS(2013a). Anti-Müllerian hormone may regulate the number of calbindin-positive neurons in the sexually dimorphic nucleus of the preoptic area of male mice. Biol Sex Differ, 4, 18.

Wittmann W, McLennan IS(2013b). The bed nucleus of the stria terminalis has developmental and adult forms in mice, with the male bias in the developmental form being dependent on testicular AMH. Horm Behav, 64, 605-610.

Yamaguchi S, Abe Y, Maejima S, et al(2018). Sexual experience reduces neuronal activity in the central part of the medial preoptic nucleus in male rats during sexual behavior. Neurosci Lett, 685, 155-159.

Yoshida M, Yuri K, Kizaki Z, et al(2000). The distributions of apoptotic cells in the medial preoptic areas of male and female neonatal rats. Neurosci Res, 36, 1-7.

Zhou JN, Hofman MA, Gooren LJ,(1995). A sex difference in the human brain and its relation to transsexuality. Nature, 378, 68-70.

Zup SL, Carrier H, Waters EM, et al(2003). Overexpression of bcl-2 reduces sex differences in neuron number in the brain and spinal cord. J Neurosci, 23, 2357-2362.

▼ 5章　生育環境と行動

Andrews MW, Rosenblum LA(1991). Attachment in monkey infants raised in variable- and low-demand environments. Child Dev, 62, 686-693.

Anisman H, Zaharia MD, Meaney MJ, et al(1998). Do early-life events permanently alter behavioral and hormonal responses to stressors? Int J Dev Neurosci, 16, 149-164.

Bailey AA, Hurd PL(2005). Finger length ratio(2D : 4D) correlates with physical aggression in men but not in women. Biol Psychol, 68, 215-222.

Barbazanges A, Piazza PV, Le Moal M, et al(1996). Maternal glucocorticoid secretion mediates long-term effects of prenatal stress. J Neurosci, 16, 3943-3949.

Barker D (1992). Fetal and infant origins of adult disease. BMJ Publishing, London.

Barker DJ, Winter PD, Osmond C, et al (1989). Weight in infancy and death from ischaemic heart disease. Lancet, 2, 577-580.

Blumberg M, Sokoloff G, Kirby R, et al (2000). Distress vocalizations in infant rats : what's all the fuss about? Psychol Sci, 11, 78-81.

Bowlby J (1969). Attachment and loss. Vol. 1. Attachment. Hogarth, London.

Brown RE, Milner PM (2003). The legacy of Donald O. Hebb : more than the Hebb synapse. Nat Rev Neurosci, 4, 1013-1019.

Buffington SA, Di Prisco GV, Auchtung TA, et al (2016). Microbial Reconstitution Reverses Maternal Diet-Induced Social and Synaptic Deficits in Offspring. Cell, 165, 1762-1775.

Burd GD, Nottebohm F (1985). Ultrastructural characterization of synaptic terminals formed on newly generated neurons in a song control nucleus of the adult canary forebrain. J Comp Neurol, 240, 143-152.

Burns-Cusato M, Scordalakes EM, Rissman EF (2004). Of mice and missing data : what we know (and need to learn) about male sexual behavior. Physiol Behav, 83, 217-232.

Calamandrei G, Wilkinson LS, Keverne EB (1992). Olfactory recognition of infants in laboratory mice : role of noradrenergic mechanisms. Physiol Behav, 52, 901-907.

Caldji C, Francis D, Sharma S, et al (2000). The effects of early rearing environment on the development of GABAA and central benzodiazepine receptor levels and novelty-induced fearfulness in the rat. Neuropsychopharmacology, 22, 219-229.

Cannon M, Kendell R, Susser E, et al (2003). Prenatal and perinatal risk factors for schizophrenia. In : Robin MM, Peter BJ, Ezra S, et al, eds. The Epidemiology of Schizophrenia. Cambridge University Press.

Carter CS, Altemus M (1997). Integrative functions of lactational hormones in social behavior and stress management. Ann NY Acad Sci, 807, 164-174.

Champagne F, Meaney MJ (2001). Like mother, like daughter : evidence for non-genomic transmission of parental behavior and stress responsivity. Prog Brain Res, 133, 287-302.

Chapman DA, Scott KG (2001). The impact of maternal intergenerational risk factors on adverse developmental outcomes. Dev Rev, 21, 305-325.

Colborn T, Clement C (1992). Chemically-induced alterations in sexual and functional development. In : The wildlife/human connection. pp1-8. Princeton Scientific Publishing, Princeton.

Covington HE 3rd, Kikusui T, Goodhue J, et al (2005). Brief social defeat stress : long lasting effects on cocaine taking during a binge and zif268 mRNA expression in the amygdala and prefrontal cortex. Neuropsychopharmacology, 30, 310-321.

Csatho A, Osvath A, Bicsak E, et al (2003). Sex role identity related to the ratio of second to fourth digit length in women. Biol Psychol, 62, 147-156.

Darwin C (1874). The Descent of Man. p171. AL Burt Co, New York.

Dawkins R (1989). The Selfish Gene, Oxford University Press.

Delville Y, Melloni Jr RH, Ferris CF (1998). Behavioral and neurobiological consequences of social subjugation during puberty in golden hamsters. J Neurosci, 18, 2667.

Diamond MC (1988). Enriching Heredity : The Impact of the Environment on the Anatomy of the Brain. Collier Macmillan.

Drago F, Di Leo F, Giardina L (1999). Prenatal stress induces body weight deficit and behavioural alterations in rats : the effect of diazepam. Eur Neuropsychopharmacol, 9, 239-245.

Farabollini F, Porrini S, Dessi-Fulgherit F (1999). Perinatal exposure to the estrogenic pollutant bisphenol A affects behavior in male and female rats. Pharmacol Biochem Behav, 64, 687-694.

Fish EW, Sekinda M, Ferrari PF, et al (2000). Distress vocalizations in maternally separated mouse pups : modulation via 5-HT(1A), 5-HT(1B) and GABA(A) receptors. Psychopharmacology (Berl), 149, 277-285.

Fujimura KE, Demoor T, Rauch M, et al (2014). House dust exposure mediates gut microbiome Lactobacillus enrichment and airway immune defense against allergens and virus infection. Proc Natl Acad Sci USA, 111, 805-810.

Fujioka T, Fujioka A, Tan N, et al (2001). Mild prenatal stress enhances learning performance in the non-adopted rat offspring. Neuroscience, 103, 301-307.

Grimm VE, Frieder B (1987). The effects of mild maternal stress during pregnancy on the behavior of rat pups. Int J Neurosci, 35, 65-72.

Gross C, Hen R (2004). The developmental origins of anxiety. Nat Rev Neurosci, 5, 545-552.

Hanley NA, Arlt W (2006). The human fetal adrenal cortex and the window of sexual differentiation. Trends Endocrinol Metab, 17, 391-397.

Harlow HF (1958). The nature of love. Am Psychol, 13, 573-685.

Harlow HF, Suomi SJ (1970). Nature of love-simplified. Am Psychol, 25, 161-168.

Harlow HF, Suomi SJ (1971). Social recovery by isolation-reared monkeys. Proc Natl Acad Sci USA, 68, 1534-1538.

Hatch AM, Wiberg GS, Zawidzka Z, et al (1965). Isolation syndrome in the rat. Toxicol Appl Pharmacol, 7, 737-745.

Hebb DO (1949). The organization of behavior. Erlbaum, Lawrence & Associates, Philadelphia.

Henry C, Guegant G, Cador M, et al (1995). Prenatal stress in rats facilitates amphetamine-induced sensitization and induces long-lasting changes in dopamine receptors in the nucleus accumbens. Brain Res, 685, 179-186.

Higley JD, Hasert MF, Suomi SJ, et al (1991). Nonhuman primate model of alcohol abuse : effects of early experience, personality, and stress on alcohol consumption. Proc Natl Acad Sci USA, 88, 7261-7265.

Higley JD, Suomi SJ, Linnoila M (1992). A longitudinal

assessment of CSF monoamine metabolite and plasma cortisol concentrations in young rhesus monkeys. Biol Psychiatry, 32, 127-145.

Horn G(1981). Neural mechanisms of learning : an analysis of imprinting in the domestic chick. Proc R Soc Lond B Biol Sci, 213, 101-137.

Horn G(1998). Visual imprinting and the neural mechanisms of recognition memory. Trends Neurosci, 21, 300-305.

Horn G(2004). Pathways of the past : the imprint of memory. Nat Rev Neurosci, 5, 108-120.

Howdeshell KL, Hotchkiss AK, Thayer KA, et al(1999). Exposure to bisphenol A advances puberty. Nature, 401, 763-764.

Hsiao EY, McBride SW, Hsien S, et al(2013). Microbiota modulate behavioral and physiological abnormalities associated with neurodevelopmental disorders. Cell, 155, 1451-1463.

Jaenisch R, Bird A(2003). Epigenetic regulation of gene expression : how the genome integrates intrinsic and environmental signals. Nat Genet, 33, 245-254.

Johnson RL(1986). Mother-infant contact and maternal maintenance activities among free-ranging rhesus monkeys. Primates, 27, 191-203.

Kaiser S, Kruijver FP, Straub RH, et al(2003). Early social stress in male guinea-pigs changes social behaviour, and autonomic and neuroendocrine functions. J Neuroendocrinol, 15, 761-769.

Kaiser S, Kruijver FP, Swaab DF, et al(2003a). Early social stress in female guinea pigs induces a masculinization of adult behavior and corresponding changes in brain and neuroendocrine function. Behav Brain Res, 144, 199-210.

Kaiser S, Kruijver FP, Swaab DF, et al(2003b). Early social stress in female guinea pigs induces a masculinization of adult behavior and corresponding changes in brain and neuroendocrine function. Behav Brain Res, 144, 199-210.

Kanari K, Kikusui T, Takeuchi Y, et al(2005). Multidimensional structure of anxiety-related behavior in early-weaned rats. Behav Brain Res, 156, 45-52.

Kendrick KM(2004). The neurobiology of social bonds. J Neuroendocrinol, 16, 1007-1008.

Kendrick KM, Da Costa AP, Broad KD, et al(1997). Neural control of maternal behaviour and olfactory recognition of offspring. Brain Res Bull, 44, 383-395.

Keverne EB, Kendrick KM(1994). Maternal behaviour in sheep and its neuroendocrine regulation. Acta Paediatr, Suppl, 397, 47-56.

Khurana S, Ranmal S, Ben-Jonathan N, et al(2000). Exposure of newborn male and female rats to environmental estrogens : delayed and sustained hyperprolactinemia and alterations in estrogen receptor expression. Endocrinology, 141, 4512-4517.

Kikusui T, Isaka Y, Mori Y(2005). Early weaning deprives mouse pups of maternal care and decreases their maternal behavior in adulthood. Behav Brain Res, 162, 200-206.

Kikusui T, Nakamura K, Kakuma Y, et al(2006). Early weaning augments neuroendocrine stress responses in mice. Behav Brain Res, 175, 96-103.

Kikusui T, Takeuchi Y, Mori Y(2004). Early weaning induces anxiety and aggression in mice. Physiol Behav, 81, 37-42.

Koehl M, Darnaudery M, Dulluc J, et al(1999). Prenatal stress alters circadian activity of hypothalamo-pituitary-adrenal axis and hippocampal corticosteroid receptors in adult rats of both gender. J Neurobiol, 40, 302-315.

Kofman O(2002). The role of prenatal stress in the etiology of developmental behavioural disorders. Neurosci Biobehav Rev, 26, 457-470.

Kubo K, Arai O, Ogata R, et al(2001). Exposure to bisphenol A during the fetal and suckling periods disrupts sexual differentiation of the locus coeruleus and of behavior in the rat. Neurosci Lett, 304, 73-76.

Kuroda KO, Meaney MJ, Uetani N, et al(2007). ERK-Fos B signaling in dorsal MPOA neurons plays a major role in the initiation of parental behavior in mice. Mol Cell Neurosci, 36, 121-131.

Lehmann J, Stohr T, Feldon J(2000). Long-term effects of prenatal stress experiences and postnatal maternal separation on emotionality and attentional processes. Behav Brain Res, 107, 133-144.

Lemaire V, Koehl M, Le Moal M, et al(2000). Prenatal stress produces learning deficits associated with an inhibition of neurogenesis in the hippocampus. Proc Nat Acad Sci, USA, 97, 11032-11037.

Lephart ED(1996). A review of brain aromatase cytochrome P450. Brain Res Brain Res Rev, 22, 1-26.

Liu D, Diorio J, Tannenbaum B, et al(1997). Maternal care, hippocampal glucocorticoid receptors, and hypothalamic-pituitary-adrenal responses to stress. Science, 277, 1659-1662.

Maccari S, Piazza PV, Kabbaj M, et al(1995). Adoption reverses the long-term impairment in glucocorticoid feedback induced by prenatal stress. J Neurosci, 15, 110-116.

Malacarne G(1819). Memorie storiche intorno alla vita ed alle opere di V. G. Malacarne. Tipografia del seminario, Padova.

Markey CM, Rubin BS, Soto AM, et al(2002). Endocrine disruptors : from Wingspread to environmental developmental biology. J Steroid Biochem Mol Biol, 83, 235-244.

Matthews SG(2000). Antenatal glucocorticoids and programming of the developing CNS. Pediatr Res, 47, 291-300.

McCormick CM, Smythe JW, Sharma S, et al(1995). Sex-specific effects of prenatal stress on hypothalamic-pituitary-adrenal responses to stress and brain glucocorticoid receptor density in adult-rats. Dev Brain Res, 84, 55-61.

Meaney MJ, Aitken DH, Bodnoff SR, et al(1985). Early postnatal handling alters glucocorticoid receptor concentrations in selected brain regions. Behav Neurosci, 99, 765-770.

Milligan SR, Khan O, Nash M(1998). Competitive binding of xenobiotic oestrogens to rat alpha-fetoprotein and to sex steroid binding proteins in human and rainbow trout (Oncorhynchus mykiss)plasma. Gen Comp Endocrinol, 112, 89-95.

Mizejewski G(1985). New insights into AFP structure and function : potential biomedical applications. In : Mizejew-

ski GJ, Porter IH, eds. α-fetoprotein and Congenital Disorders. pp5-34. Orlando, OR.
Moles A, Kieffer BL, D'Amato FR(2004). Deficit in attachment behavior in mice lacking the mu-opioid receptor gene. Science, 304, 1983-1986.
Moore CL, Power KL(1986). Prenatal stress affects mother-infant interaction in norway rats. Dev Psychobiol, 19, 235-245.
Moriceau S, Sullivan RM(2004). Unique neural circuitry for neonatal olfactory learning. J Neurosci, 24, 1182-1189.
Morris JA, Jordan CL, Breedlove SM(2004). Sexual differentiation of the vertebrate nervous system. Nat Neurosci, 7, 1034-1039.
Nakamura K, Kikusui T, Takeuchi Y, et al(2007). Changes in social instigation- and food restriction-induced aggressive behaviors and hippocampal 5HT1B mRNA receptor expression in male mice from early weaning. Behav Brain Res, 187, 442-448.
Nelson EE, Panksepp J(1998). Brain substrates of infant-mother attachment : contributions of opioids, oxytocin, and norepinephrine. Neurosci Biobehav Rev, 22, 437-452.
Noirot E(1972). Ultrasounds and maternal behavior in small rodents. Dev Psychobiol, 5, 371-387.
O'Mahony SM, Marchesi JR, Scully P, et al(2009). Early life stress alters behavior, immunity, and microbiota in rats : implications for irritable bowel syndrome and psychiatric illnesses. Biol Psychiatry, 65, 263-267.
Ottem EN, Zuloaga DG, Breedlove SM(2004). Sexual differentiation of the vertebrate nervous system. Nat Neurosci, 7, 570-572.
Palanza P, Howdeshell KL, Parmigiani S, et al(2002). Exposure to a low dose of bisphenol A during fetal life or in adulthood alters maternal behavior in mice. Environ Health Perspect, 110, 415-422.
Pollard I(1986). Prenatal stress effects over two generations in rats. J Endocrinol, 109, 239-244.
Porter RH, Winberg J(1999). Unique salience of maternal breast odors for newborn infants. Neurosci Biobehav Rev, 23, 439-449.
Poutahidis T, Kearney SM, Levkovich T, et al(2013). Microbial symbionts accelerate wound healing via the neuropeptide hormone oxytocin. PLoS One, 8, e78898.
Rosenblatt JS(1967). Nonhormonal basis of maternal behavior in the rat. Science, 156, 1512-1154.
Rubin BS, Murray MK, Damassa DA, et al(2001). Perinatal exposure to low doses of bisphenol A affects body weight, patterns of estrous cyclicity, and plasma LH levels. Environ Health Perspect, 109, 675-680.
Salm AK, Pavelko M, Krouse EM, et al(2004). Lateral amygdaloid nucleus expansion in adult rats is associated with exposure to prenatal stress. Brain Res Dev Brain Res, 148, 159-167.
Seckl JR(2001). Glucocorticoid programming of the fetus : adult phenotypes and molecular mechanisms. Mol Cell Endocrinol, 185, 61-71.
Seckl JR, Meaney MJ(2004). Glucocorticoid programming. Ann NY Acad Sci, 1032, 63-84.
Serpell J(1995). The Domestic Dog : Its Evolution, Behaviour, and Interactions with People. Cambridge University Press.
Silva E, Rajapakse N, Kortenkamp A(2002). Something from "nothing"—eight weak estrogenic chemicals combined at concentrations below NOECs produce significant mixture effects. Environ Sci Technol, 36, 1751-1756.
Singh PJ, Hofer MA(1978). Oxytocin reinstates maternal olfactory cues for nipple orientation and attachment in rat pups. Physiol Behav, 20, 385-389.
Sisk CL, Foster DL(2004). The neural basis of puberty and adolescence. Nat Neurosci, 7, 1040-1047.
Smith EFS(1991). The influence of nutrition and postpartum mating on weaning and subsequent play behavior of hooded rats. Anim Behav, 41, 513-524.
Spurzheim JG(1815). The Physiognomical System of Drs. Gall and Spurzheim ; Founded on an Anatomical and Physiological Examination of the Nervous System. Baldwin, Cradock, and Joy.
St James-Roberts I, Halil T(1991). Infant crying patterns in the first year : normal community and clinical findings. J Child Psychol Psychiatry, 32, 951-968.
Stein Z(1975). Famine and Human Development : The Dutch Hunger Winter of 1944-1945. Oxford University Press.
Sudo N, Chida Y, Aiba Y, et al(2004). Postnatal microbial colonization programs the hypothalamic-pituitary-adrenal system for stress response in mice. J Physiol, 558, 263-275.
Suomi SJ(1997). Early determinants of behaviour : evidence from primate studies. Br Med Bull, 53, 170-184.
Suomi SJ(2003). Gene-environment interactions and the neurobiology of social conflict. Ann NY Acad Sci, 1008, 132-139.
Szuran TF, Pliska V, Pokorny J, et al(2000). Prenatal stress in rats : effects on plasma corticosterone, hippocampal glucocorticoid receptors, and maze performance. Physiol Behav, 71, 353-362.
Takahashi LK, Baker EW, Kalin NH(1990). Ontogeny of behavioral and hormonal responses to stress in prenatally stressed male rat pups. Physiol Behav, 47, 357-364.
Takahashi LK, Turner JG, Kalin NH(1992). Prenatal stress alters brain catecholaminergic activity and potentiates stress-induced behavior in adult rats. Brain Res, 574, 131-137.
Trivers RL(1974). Parent-offspring conflict. Int Comp Biol, 14, 249-264.
Uematsu A, Kikusui T, Kihara T, et al(2007). Maternal approaches to pup ultrasonic vocalizations produced by a nanocrystalline silicon thermo-acoustic emitter. Brain Res, 1163, 91-99.
vom Saal FS(1989). Sexual differentiation in litter-bearing mammals : influence of sex of adjacent fetuses in utero. J Anim Sci, 67, 1824-1840.
Weaver IC, Cervoni N, Champagne FA, et al(2004). Epigenetic programming by maternal behavior. Nat Neurosci, 7, 847-854.
Weinstock M, Fride E, Hertzberg R(1988). Prenatal stress

effects on functional development of the offspring. Prog Brain Res, 73, 319-331.
Welberg LA, Seckl JR (2001). Prenatal stress, glucocorticoids and the programming of the brain. J Neuroendocrinol, 13, 113-128.
Weller A, Glaubman H, Yehuda S, et al (1988). Acute and repeated gestational stress affect offspring learning and activity in rats. Physiol Behav, 43, 139-143.
Winslow JT, Hearn EF, Ferguson J, et al (2000). Infant vocalization, adult aggression, and fear behavior of an oxytocin null mutant mouse. Horm Behav, 37, 145-155.
y Cajal RS (1909-1911). Histologie du systeme nerveux de l' homme et des vertébrés. Paris：Maloine.
Zijlmans MA, Korpela K, Riksen-Walraven JM, et al (2015). Maternal prenatal stress is associated with the infant intestinal microbiota. Psychoneuroendocrinology, 53, 233-245.

▼6章　種内コミュニケーション

アゴスタ 著，木村武二 訳（1995）．フェロモンの謎 生物のコミュニケーション．東京化学同人．
スレイター 編，日高敏隆 監修（1991）．動物大百科 第16巻．平凡社．
ティンバーゲン 著，永野為武 訳（1976）．本能の研究．三共出版．
長田俊哉，市川眞澄，猪飼篤編 著（2007）．フェロモン受容にかかわる神経系．森北出版．
ハート 著，森 裕司 訳（1995）．動物行動学入門．チクサン出版社．
マクファーランド 編，木村武二 監訳（1993）．オックスフォード動物行動学事典．どうぶつ社．
山崎邦夫 著（1999）．においを操る遺伝子．工業調査会．
Ai H, Kai K, Kumaraswamy A, et al (2017). Interneurons in the Honeybee Primary Auditory Center Responding to Waggle Dance-Like Vibration Pulses. J Neurosci, 37, 10624-10635.
Bekoff M, ed (2004). Encyclopedia of Animal Behavior. Vol. 1. Greenwod Press.
Bruce HM (1959). An exteroceptive block to pregnancy in the mouse. Nature, 229, 244-246.
Buck LI, Axel R (1991). A novel multigene family may encode odorant receptors：a molecular basis for odor recognition. Cell, 65, 175-187.
Butenandt A, Beckmann R, Hecker E (1961). On the sexattractant of silk-moths. I. The biological test and the isolation of the pure sex-attractant bombykol. Hoppe Seylers Z Physiol Chem, 324, 71-83.
Dulac C, Axel R (1995). A novel family of genes encoding putative pheromone receptors in mammals. Cell, 65, 195-206.
Gelez H, Fabre-Nys C (2004). The "male effect" in sheep and goats：a review of the respective roles of the two olfactory systems. Horm Behav, 46, 257-271.
Haga S, Hattori T, Sato T, et al (2010). The male mouse pheromone ESP1 enhances female sexual receptive behaviour through a specific vomeronasal receptor. Nature, 466, 118-122.
Hattori T, Osakada T, Matsumoto A, et al (2016). Self-Exposure to the Male Pheromone ESP1 Enhances Male Aggressiveness in Mice. Curr Biol, 26, 1229-1234.
Hudson R, Distel H (1986). Pheromonal release of suckling in rabbits does not depend on the vomeronasal organ. Physiol Behav, 37, 123-128.
Inagaki H, Kiyokawa Y, Tamogami S, et al (2014). Identification of a pheromone that increases anxiety in rats. Proc Natl Acad Sci USA, 111, 18751-18756.
Jacobson L, Troiter D, Doving KB (1998). Anatomical description of a new organ in the nose of domesticated animals by Ludvig Jacobson (1813). Chem Sence, 23, 743-754.
Kaba H, Nakanishi S (1995). Synaptic mechanisms of olfactory recognition memory Rev Neurosci, 6, 125-141.
Kanda S (2018). Evolution of the regulatory mechanisms for the hypothalamic-pituitary- gonadal axis in vertebrates-hypothesis from a comparative view. Gen Comp Endocrinol, S0016-6480 (18) 30494-5.
Karlson P, Luscher M (1959). Pheromones'：a new term for a class of biologically active substances. Nature, 183, 55-56.
Kikuyama S, Toyoda F, Ohmiya Y, et al (1995). Sodefrin：a female-attracting peptide pheromone in newt cloacal glands. Science, 267, 1643-1645.
Lin DY, Zhang SZ, Block E, et al (2005). Encoding social signals in the mouse main olfactory bulb. Nature, 434, 470-477.
Ma W, Miao Z, Novotny MV (1998). Role of the adrenal gland and adrenal-mediated chemosignals in suppression of estrus in the house mouse：the lee-boot effect revisited. Biol Reprod, 59, 1317-1320.
Novotony M, Harvey S, Jemiolo B, et al (1985). Synthetic pheromones that promote inter-male aggression in mice. Proc Natl Acad Sci USA, 82, 2059-2061.
Overath P, Sturm T, Rammensee HG (2014). Of volatiles and peptides：in search for MHC-dependent olfactory signals in social communication. Cell Mol Life Sci, 71, 2429-2442.
Roberts SA, Simpson DM, Armstrong SD, et al (2010). Darcin：a male pheromone that stimulates female memory and sexual attraction to an individual male's odour. BMC Biol, 8, 75.
Schaal B, Coureaud G, Langlois D, et al (2003). Chemical and behavioural characterization of the rabbit mammary pheromone. Nature, 424, 68-72.
Takahashi Y, Kiyokawa Y, Kodama Y, et al (2013). Olfactory signals mediate social buffering of conditioned fear responses in male rats, Behav. Brain Res, 240, 46-51.
Uenoyama Y, Pheng V, Tsukamura H, et al (2016). The roles of kisspeptin revisited：inside and outside the hypothalamus. J Reprod Dev, 62, 537-545.
Vandenbergh JG (1969). Male odor accelerates female sexual maturation in mice. Endocrinolog, 84, 658-660.
von Frisch K (1967). The tail-wagging dance as a means of communication when food sources are distant. In：The dance language and orientation of bees. von Frisch K, ed.

pp 57-235. Harvard UP.

Wedekind C1, Seebeck T, Bettens F, et al(1995). MHC-dependent mate preferences in humans. Proc Biol Sci, 260, 245-249.

Whittaker DJ, Hagelin JC(2020). Female-based patterns and social function in avian chemical communication. J Chem Ecol, 47, 53-62.

Whitten WK(1956). Modification of the oestrous cycle of the mouse by external stimuli associated with the male. J Endocrinol, 13, 399-404.

Whitten WK, Bronson FH, Greenstein JA(1968). Estrus-inducing pheromone of male mice : transport by movement of air. Science, 161, 584-585.

Wyatt TD(2003). Pheromones and Animal Behavior. Cambridge University Press.

Yamaguchi M, Yamazaki K, Beauchamp GK, et al(1981). Distinctive urinary odors governed by the major histocompatibility locus of the mouse. Proc Natl Acad Sci USA, 78, 5817-5820.

Yokosuka M(2012). Histological properties of the glomerular layer in the mouse accessory olfactory bulb. Exp Anim, 61, 13-24.

▼ 7章 雄性行動

Agmo A, Villalpando A(1995). Central nervous stimulants facilitate sexual behavior in male rats with medial prefrontal cortex lesions. Brain Res, 696, 187-193.

Ahlenius S, Larsson K, Svensson L, et al(1981). Effects of a new type of 5-HT receptor agonist on male rat sexual behavior. Pharmacol Biochem Behav, 15, 785-792.

Arendash GW, Gorski RA(1983). Effects of discrete lesions of the sexually dimorphic nucleus of the preoptic area or other medial preoptic regions on the sexual behavior of male rats. Brain Res Bull, 10, 147-154.

Argiolas A, Melis MR(2005), Central control of penile erection : role of the paraventricular nucleus of the hypothalamus. Prog Neurobiol, 76, 1-21.

Argiolas A, Melis MR(2013). Neuropeptides and central control of sexual behaviour from the past to the present : a review. Prog Neurobiol, 108, 80-107.

Band LC, Hull EM(1990). Morphine and dynorphin(1-13) microinjected into the medial preoptic area and nucleus accumbens : effects on sexual behavior in male rats. Brain Res, 524, 77-84.

Baum MJ, Everitt BJ(1992). Increased expression of c-fos in the medial preoptic area after mating in male rats : role of afferent inputs from the medial amygdala and midbrain central tegmental field. Neuroscience, 50, 627-646.

Baum MJ, Tobet SA, Starr MS, et al(1982). Implantation of dihydrotestosterone propionate into the lateral septum or medial amygdala facilitates copulation in castrated male rats given estradiol systemically. Horm Behav, 16, 208-223.

Beach FA(1940). Effects of cortical lesions upon the copulatory behavior of male rats. J Comp Psychol, 29, 193-245.

Benassi-Benelli A, Ferrari F, Quarantotti BP(1979). Penile erection induced by apomorphine and N-n-propyl-nora-pomorphine in rats. Arch Int Pharmacodyn Ther, 242, 241-247.

Bergan JF, Ben-Shaul Y, Dulac C(2014). Sex-specific processing of social cues in the medial amygdala. Elife, 3, e02743.

Beyer C, Morali G, Naftolin F, et al(1976). Effect of some antiestrogens and aromatase inhibitors on androgen induced sexual behavior in castrated male rats. Horm Behav, 7, 353-363.

Bialy M, Sachs BD(2002). Androgen implants in medial amygdala briefly maintain noncontact erection in castrated male rats. Horm Behav, 42, 345-355.

Brackett NL, Edwards DA(1984). Medial preoptic connections with the midbrain tegmentum are essential for male sexual behavior. Physiol Behav, 32, 79-84.

Christensen LW, Clemens LG(1975). Blockade of testosterone-induced mounting behavior in the male rat with intracranial application of the aromatization inhibitor, androst-1,4,6,-triene-3,17-dione. Endocrinology, 97, 1545-1551.

Christensen LW, Nance DM, Gorski RA(1977). Effects of hypothalamic and preoptic lesions on reproductive behavior in male rats. Brain Res Bull, 2, 137-141.

Clark JT, Smith ER, Davidson JM(1985). Evidence for the modulation of sexual behavior by alpha-adrenoceptors in male rats. Neuroendocrinology, 41, 36-43.

Coolen LM, Peters HJ, Veening JG(1996). Fos immunoreactivity in the rat brain following consummatory elements of sexual behavior : a sex comparison. Brain Res, 738, 67-82.

Dail WG, Walton G, Olmsted MP(1989). Penile erection in the rat : stimulation of the hypogastric nerve elicits increases in penile pressure after chronic interruption of the sacral parasympathetic outflow. J Auton Nerv Syst, 28, 251-257.

Davidson JM(1966). Activation of the male rat's sexual behavior by intracerebral implantation of androgen. Endocrinology, 79, 783-794.

Dhungel S, Rai D, Terada M, et al(2019). Oxytocin is indispensable for conspecific-odor preference and controls the initiation of female, but not male, sexual behavior in mice. Neurosci Res, 148, 34-41.

Di Sebastiano AR, Yong-Yow S, Wagner L, et al(2010). Orexin mediates initiation of sexual behavior in sexually naive male rats, but is not critical for sexual performance. Horm Behav, 58, 397-404.

DiBenedictis BT, Cheung HK, Nussbaum ER, et al(2020). Involvement of ventral pallidal vasopressin in the sex-specific regulation of sociosexual motivation in rats. Psychoneuroendocrinology, 111, 104462.

Dominguez J, Riolo JV, Xu Z, et al(2001). Regulation by the medial amygdala of copulation and medial preoptic dopamine release. J Neurosci, 21, 349-355.

Fernandez-Guasti A, Rodriguez-Manzo G(1997). 8-OH-DPAT and male rat sexual behavior : partial blockade by noradrenergic lesion and sexual exhaustion. Pharmacol Biochem Behav, 56, 111-116.

Ferrari F, Giuliani D(1996). Behavioral effects induced by the dopamine D3 agonist 7-OH-DPAT in sexually-active

and-inactive male rats. Neuropharmacology, 35, 279-284.
Fiorino DF, Coury A, Phillips AG (1997). Dynamic changes in nucleus accumbens dopamine efflux during the Coolidge effect in male rats. J Neurosci, 17, 4849-4855.
Garduno-Gutiérrez R, León-Olea M, Rodriguez-Manzo G (2018). Opioid receptor and beta-arrestin2 densities and distribution change after sexual experience in the ventral tegmental area of male rats. Physiol Behav, 189, 107-115.
Giantonio GW, Lund NL, Gerall AA (1970). Effect of diencephalic and rhinencephalic lesions on the male rat's sexual behavior. J Comp Physiol Psychol, 73, 38-46.
Gil M, Bhatt R, Picotte KB, et al (2011). Oxytocin in the medial preoptic area facilitates male sexual behavior in the rat. Horm Behav, 59, 435-443.
Giuliani D, Ferrari F (1996). Differential behavioral response to dopamine D2 agonists by sexually naive, sexually active, and sexually inactive male rats. Behav Neurosci, 110, 802-808.
Giuliano F, Bernabe J, Brown K, et al (1997). Erectile response to hypothalamic stimulation in rats: role of peripheral nerves. Am J Physiol, 273, R1990-R1997.
Gulia KK, Mallick HN, Kumar VM (2003). Orexin A (hypocretin-1) application at the medial preoptic area potentiates male sexual behavior in rats. Neuroscience, 116, 921-923.
Hansen S, Kohler C (1984). The importance of the peripeduncular nucleus in the neuroendocrine control of sexual behavior and milk ejection in the rat. Neuroendocrinology, 39, 563-572.
Hart BL (1968). Sexual reflexes and mating behavior in the male rat. J Comp Physiol Psychol, 65, 453-460.
Hayashi H, Kumagai R, Kondo Y (2021). Why does castrated male odor attract sexually active male rats?-Attractivity induced by hypothalamus-pituitary-gonad axis block. Physiol Behav, 230, 113288.
Heimer L, Larsson K (1964). Mating Behaviour in male rats after destruction of the mamillary bodies. Acta Neurol Scand, 40, 353-360.
Hosokawa N, Chiba A (2005). Effects of sexual experience on conspecific odor preference and estrous odor-induced activation of the vomeronasal projection pathway and the nucleus accumbens in male rats. Brain Res, 1066, 101-108.
Hsu JH, Shen WW (1995). Male sexual side effects associated with antidepressants: a descriptive clinical study of 32 patients. Int J Psychiatry Med, 25, 191-201.
Hull EM, Bitran D, Pehek EA, et al (1986). Dopaminergic control of male sex behavior in rats: effects of an intracerebrally-infused agonist. Brain Res, 370, 73-81.
Hull EM, Eaton RC, Moses J, et al (1993). Copulation increases dopamine activity in the medial preoptic area of male rats. Life Sci, 52, 935-940.
Keller M, Douhard Q, Baum MJ, et al (2006). Sexual experience does not compensate for the disruptive effects of zinc sulfate—lesioning of the main olfactory epithelium on sexual behavior in male mice. Chem Senses, 31, 753-762.
Kim C (1960). Sexual activity of male rats following ablation of hippocampus. J Comp Physiol Psychol, 53, 553-557.
Kondo Y (1992). Lesions of the medial amygdala produce severe impairment of copulatory behavior in sexually inexperienced male rats. Physiol Behav, 51, 939-943.
Kondo Y, Hayashi H (2021). Neural and hormonal basis of opposite-sex preference by chemosensory signals. Int J Mol Sci, 22, 8311.
Kondo Y, Sachs BD, Sakuma Y (1997). Importance of the medial amygdala in rat penile erection evoked by remote stimuli from estrous females. Behav Brain Res, 88, 153-160.
Kondo Y, Shinoda A, Yamanouchi K, et al (1990). Role of septum and preoptic area in regulating masculine and feminine sexual behavior in male rats. Horm Behav, 24, 421-434.
Kondo Y, Sudo T, Tomihara K, et al (2003). Activation of accessory olfactory bulb neurons during copulatory behavior after deprivation of vomeronasal inputs in male rats. Brain Res, 962, 232-236.
Kondo Y, Yamanouchi K (1997). Potentiation of ejaculatory activity by median raphe nucleus lesions in male rats: effect of p-chlorophenylalanine. Endocr J, 44, 873-879.
Kunkhyen T, McCathy EA, Korzan W, et al (2017). Optogenetic activation of accessory olfactory bulb input to the forebrain differentially modulates investigation of opposite versus same-sex urinary chemosignals and stimulates mating in male mice. eNeuro, 4.
Kurtz RG, Adler NT (1973). Electrophysiological correlates of copulatory behavior in the male rat: evidence for a sexual inhibitory process. J Comp Physiol Psychol, 84, 225-239.
Larsson K (1964). Mating Behavior in Male Rats after Cerebral Cortex Ablation. Ii. Effects of Lesions in the Frontal Lobes Compared to Lesions in the Posterior Half of the Hemispheres. J Exp Zool, 155, 203-213.
Liu Y, Jiang Y, Si Y, et al (2011). Molecular regulation of sexual preference revealed by genetic studies of 5-HT in the brains of male mice. Nature, 472, 95-99.
Liu YC, Salamone JD, Sachs BD (1997). Lesions in medial preoptic area and bed nucleus of stria terminalis: differential effects on copulatory behavior and noncontact erection in male rats. J Neurosci, 17, 5245-5253.
Lorrain DS, Matuszewich L, Friedman RD, et al (1997). Extracellular serotonin in the lateral hypothalamic area is increased during the postejaculatory interval and impairs copulation in male rats. J Neurosci, 17, 9361-9366.
Lorrain DS, Riolo JV, Matuszewich L, et al (1999). Lateral hypothalamic serotonin inhibits nucleus accumbens dopamine: implications for sexual satiety. J Neurosci, 19, 7648-7652.
Maejima S, Abe Y, Yamaguchi S, et al (2018). VGF in the medial preoptic nucleus increases sexual activity following sexual arousal induction in male rats. Endocrinology, 159, 3993-4005.
Malsbury CW (1971). Facilitation of male rat copulatory behavior by electrical stimulation of the medial preoptic area. Physiol Behav, 7, 797-805.
Manzo J, Cruz MR, Hernandez ME, et al (1999). Regulation of

noncontact erection in rats by gonadal steroids. Horm Behav, 35, 264-270.

Markowski VP, Eaton RC, Lumley LA, et al(1994). A D1 agonist in the MPOA facilitates copulation in male rats. Pharmacol Biochem Behav, 47, 483-486.

Martel KL, Baum MJ(2009). A centrifugal pathway to the mouse accessory olfactory bulb from the medial amygdala conveys gender-specific volatile pheromonal signals. Eur J Neurosci, 29, 368-376.

Matuszewich L, Dornan WA(1992). Bilateral injections of a selective mu-receptor agonist(morphiceptin)into the medial preoptic nucleus produces a marked delay in the initiation of sexual behavior in the male rat. Psychopharmacology(Berl), 106, 391-396.

McIntosh TK, Barfield RJ(1984). Brain monoaminergic control of male reproductive behavior. III. Norepinephrine and the post-ejaculatory refractory period. Behav Brain Res, 12, 275-281.

McKenna KE, Chung SK, McVary KT(1991). A model for the study of sexual function in anesthetized male and female rats. Am J Physiol, 261, R1276-R1285.

Meisel RL, O'Hanlon JK, Sachs BD(1984). Differential maintenance of penile responses and copulatory behavior by gonadal hormones in castrated male rats. Horm Behav, 18, 56-64.

Melis MR, Argiolas A, Gessa GL(1986). Oxytocin-induced penile erection : site of action in the brain. Brain Res, 398, 259-265.

Melis MR, Argiolas A, Gessa GL(1987). Apomorphine-induced penile erection and yawning : site of action in brain. Brain Res, 415, 98-104.

Melis MR, Argiolas A, Gessa GL(1989). Evidence that apomorphine induces penile erection and yawning by releasing oxytocin in the central nervous system. Eur J Pharmacol, 164, 565-570.

Miura T, Kondo Y, Akimoto M, Sakuma Y(2001). Electromyography of male rat perineal musculature during copulatory behavior. Urol Int, 67, 240-245.

Moan CE, Heath RG(1972). Septal stimulation for the initiation of heterosexual behavior in a homosexual male. J Behav Therap Exp Psychiat, 3, 23-30.

Nutsch VL, Will RG, Hattori T, et al(2014). Sexual experience influences mating-induced activity in nitric oxide synthase-containing neurons in the medial preoptic area. Neurosci Lett, 579, 92-96.

Ogawa S, Chan J, Chester AE, et al(1999). Survival of reproductive behaviors in estrogen receptor beta gene-deficient (betaERKO)male and female mice. Proc Natl Acad Sci USA, 96, 12887-12892.

Ogawa S, Lubahn DB, Korach KS, et al(1997). Behavioral effects of estrogen receptor gene disruption in male mice. Proc Natl Acad Sci USA, 94, 1476-1481.

Oti T, Satoh K, Uta D, et al(2021a). Oxytocin Influences Male Sexual Activity via Non-synaptic Axonal Release in the Spinal Cord. Curr Biol, 31, 103-114 e5.

Oti T, Ueda R, Kumagai R, et al(2021b). Sexual Experience Induces the Expression of Gastrin-Releasing Peptide and Oxytocin Receptors in the Spinal Ejaculation Generator in Rats. Int J Mol Sci, 22, 10362.

Pankevich DE, Baum MJ, Cherry JA(2004). Olfactory sex discrimination persists, whereas the preference for urinary odorants from estrous females disappears in male mice after vomeronasal organ removal. J Neurosci, 24, 9451-9457.

Park JH, Takasu N, Alvarez MI, et al(2004). Long-term persistence of male copulatory behavior in castrated and photo-inhibited Siberian hamsters. Horm Behav, 45, 214-221.

Pfaus JG, Damsma G, Nomikos GG, et al(1990). Sexual behavior enhances central dopamine transmission in the male rat. Brain Res, 530, 345-348.

Rodriguez-Manzo G(1999). Yohimbine interacts with the dopaminergic system to reverse sexual satiation : further evidence for a role of sexual motivation in sexual exhaustion. Eur J Pharmacol, 372, 1-8.

Roselli CE, Larkin K, Resko JA, et al(2004). The volume of a sexually dimorphic nucleus in the ovine medial preoptic area/anterior hypothalamus varies with sexual partner preference. Endocrinology, 145, 478-483.

Saito TR(1986). Induction of maternal behavior in sexually inexperienced male rats following removal of the vomeronasal organ. Nippon Juigaku Zasshi, 48, 1029-1030.

Sakamoto H(2012). Brain-spinal cord neural circuits controlling male sexual function and behavior. Neurosci Res, 72, 103-116.

Sakamoto H, Matsuda K, Zuloaga DG, et al(2008). Sexually dimorphic gastrin releasing peptide system in the spinal cord controls male reproductive functions. Nat Neurosci, 11, 634-636.

Sakamoto H, Matsuda K, Zuloaga DG, et al(2009). Stress affects a gastrin-releasing peptide system in the spinal cord that mediates sexual function : implications for psychogenic erectile dysfunction. PLoS One, 4, e4276.

Sala M, Braida D, Leone MP, et al(1990). Central effect of yohimbine on sexual behavior in the rat. Physiol Behav, 47, 165-173.

Salis PJ, Dewsbury DA(1971). p-chlorophenylalanine facilitates copulatory behaviour in male rats. Nature, 232, 400-401.

Shimizu K, Nakamura K, Yokosuka M, Kondo Y(2018). Modulation of male mouse sociosexual and anxiety-like behaviors by vasopressin receptors. Physiol Behav, 197, 37-41.

Shimura T, Shimokochi M(1991). Modification of male rat copulatory behavior by lateral midbrain stimulation. Physiol Behav, 50, 989-994.

Stowers L, Holy TE, Meister M, et al(2002). Loss of sex discrimination and male-male aggression in mice deficient for TRP2. Science, 295, 1493-1500.

Szechtman H, Caggiula AR, Wulkan D(1978). Preoptic knife cuts and sexual behavior in male rats. Brain Res, 150, 569-595.

Thor DH, Flannelly KJ(1977), Peripheral anosmia and social investigatory behavior of the male rat. Behav Biol, 20,

128-134.

Truitt WA, Coolen LM (2002). Identification of a potential ejaculation generator in the spinal cord. Science, 297, 1566-1569.

Tsutsui Y, Shinoda A, Kondo Y (1994). Facilitation of copulatory behavior by pCPA treatments following stria terminalis transection but not medial amygdala lesion in the male rat. Physiol Behav, 56, 603-608.

Valcourt RJ, Sachs BD (1979). Penile reflexes and copulatory behavior in male rats following lesions in the bed nucleus of the stria terminalis. Brain Res Bull, 4, 131-133.

Vega-Matuszczyk J, Larsson K, Eriksson E (1998). The selective serotonin reuptake inhibitor fluoxetine reduces sexual motivation in male rats. Pharmacol Biochem Behav, 60, 527-532.

Wersinger SR, Kelliher KR, Zufall F, et al (2004). Social motivation is reduced in vasopressin 1b receptor null mice despite normal performance in an olfactory discrimination task. Horm Behav, 46, 638-645.

Wersinger SR, Rissman EF (2000). Dopamine activates masculine sexual behavior independent of the estrogen receptor alpha. J Neurosci, 20, 4248-4254.

Whishaw IQ, Kolb B (1983). Can male decorticate rats copulate? Behav Neurosci, 97, 270-279.

Whishaw IQ, Kolb B (1985). The mating movements of male decorticate rats: evidence for subcortically generated movements by the male but regulation of approaches by the female. Behav Brain Res, 17, 171-191.

Wood DA, Kosobud AE, Rebec GV (2004). Nucleus accumbens single-unit activity in freely behaving male rats during approach to novel and non-novel estrus. Neurosci Lett, 368, 29-32.

Wood RI (1996). Estradiol, but not dihydrotestosterone, in the medial amygdala facilitates male hamster sex behavior. Physiol Behav, 59, 833-841.

Wood RI, Coolen LM (1997). Integration of chemosensory and hormonal cues is essential for sexual behaviour in the male Syrian hamster: role of the medial amygdaloid nucleus. Neuroscience, 78, 1027-1035.

Xiao K, Chiba A, Sakuma Y (2015). Transient reversal of olfactory preference following castration in male rats: Implication for estrogen receptor involvement. Physiol Behav, 152, 161-167.

Xiao K, Kondo Y, Sakuma Y (2004). Sex-specific effects of gonadal steroids on conspecific odor preference in the rat. Horm Behav, 46, 356-361.

Yamanouchi K, Arai Y (1992). Possible role of cingulate cortex in regulating sexual behavior in male rats: effects of lesions and cuts. Endocrinol Jpn, 39, 229-234.

Yamaguchi S, Abe Y, Maejima S, et al (2018). Sexual experience reduces neuronal activity in the central part of the medial preoptic nucleus in male rats during sexual behavior. Neurosci Lett, 685, 155-159.

Yao S, Bergan J, Lanjuin A, et al (2017). Oxytocin signaling in the medial amygdala is required for sex discrimination of social cues. Elife, 6.

8章　雌性行動

下河内 稔 (1992). シリーズ〈脳の科学〉脳と性. 朝倉書店.

山内兄人, 新井康允 編著 (2001). 性を司る脳とホルモン. コロナ社.

山内兄人, 新井康允 編著 (2006). 脳の性分化. 裳華房.

Bakker J, Pierman, S, Gonzalez-Martinez D (2010). Effects of aromatase mutation (ArKO) on the sexual differentiation of kisspeptin neuronal numbers and their activation by same versus opposite sex urinary pheromones. Horm Behav, 57, 390-395.

Bullivant SB, Sellergren SA, Stern K, et al (2004). Women's sexual experience during the menstrual cycle: identification of the sexual phase by noninvasive measurement of luteinizing hormone. J Sex Res, 41, 82-93.

Coirini H, Schumacher M, Flanagan LM, et al (1991). Transport of estrogen-induced oxytocin receptors in the ventromedial hypothalamus. J Neurosci, 11, 3317-3324.

Eckel LA, Houpt TA, Geary N (2000). Spontaneous meal patterns in female rats with and without access to running wheels. Physiol Behav, 70, 397-405.

Gonzalez-Flores O, Camacho FJ, Dominguez-Salazar E, et al (2004). Progestins and place preference conditioning after paced mating. Horm Behav, 46, 151-157.

Guarraci FA, Megroz AB, Clark AS (2004). Paced mating behavior in the female rat following lesions of three regions responsive to vaginocervical stimulation. Brain Res, 999, 40-52.

Haga S, Hattori T, Sato T, et al (2010). The male mouse pheromone ESP1 enhances female sexual receptive behaviour through a specific vomeronasal receptor. Nature, 466, 118-122.

Hattori T, Osakada T, Matsumoto A, et al (2016). Self-Exposure to the Male Pheromone ESP1 Enhances Male Aggressiveness in Mice. Curr Biol, 26, 1229-1234.

Hellier V, Brock O, Candlish M, et al (2018). Female sexual behavior in mice is controlled by kisspeptin neurons. Nat Commun, 9, 400.

Inoue S, Yang R, Tantry A, et al (2019). Periodic Remodeling in a Neural Circuit Governs Timing of Female Sexual Behavior. Cell, 179, 1393-1408.e16.

Ishii KK, Osakada T, Mori H, et al (2017). A Labeled-Line Neural Circuit for Pheromone-Mediated Sexual Behaviors in Mice. Neuron, 95, 123-137.e8.

Kimoto H, Haga S, Sato K, et al (2005). Sex-specific peptides from exocrine glands stimulate mouse vomeronasal sensory neurons. Nature, 437, 898-901.

Mackay-Sim A, Rose JD (1986). Removal of the vomeronasal organ impairs lordosis in female hamsters: effect is reversed by luteinising hormone-releasing hormone. Neuroendocrinology, 42, 489-493.

McCarthy MM, Becker JB (2002). Neuroendocrinology of sexual behavior in the female. In: Becker JB, et al, eds. Behavioral Endocrinology, 2nd ed. pp117-151. MIT Press, Cambridge.

McGill TE (1962). Sexual behavior in three inbred strains of mice. Behaviour, 19, 341-350.

Mendelson SD, Gorzalka BB (1987). An improved chamber

for the observation and analysis of the sexual behavior of the female rat. Physiol Behav, 39, 67-71.

Ogawa S, Chan J, Chester AE, et al(1999). Survival of reproductive behaviors in estrogen receptor beta gene-deficient (beta ERKO)male and female mice. Proc Natl Acad Sci USA, 96, 12887-12892.

Ogawa S, Eng V, Taylor J, et al(1998). Roles of estrogen receptor-alpha gene expression in reproduction-related behaviors in female mice. Endocrinology, 139, 5070-5081.

Osakada T, Ishii KK, Mori H, et al(2018). Sexual rejection via a vomeronasal receptor-triggered limbic circuit. Nat Commun, 9, 4463.

Pfaus JG, Smith WJ, Coopersmith CB(1999). Appetitive and consummatory sexual behaviors of female rats in bilevel chambers. I. A correlational and factor analysis and the effects of ovarian hormones. Horm Behav, 35, 224-240.

Rajendren G, Dudley CA, Moss RL(1990). Role of the vomeronasal organ in the male-induced enhancement of sexual receptivity in female rats. Neuroendocrinology, 52, 368-372.

Saito TR, Moltz H(1986). Sexual behavior in the female rat following removal of the vomeronasal organ. Physiol Behav, 38, 81-87.

Satou M, Yamanouchi K(1996). Inhibitory effect of progesterone on sexual receptivity in female rats : a temporal relationship to estrogen administration. Zool Sci, 13, 609-613.

Satou M, Yamanouchi K(1999). Effect of direct application of estrogen aimed at lateral septum or dorsal raphe nucleus on lordosis behavior : regional and sexual differences in rats. Neuroendocrinology, 69, 446-452.

Whalen RE(1974). Estrogen-progesterone induction of mating in female rats. Horm Behav, 5, 157-162.

Xiao K, Kondo Y, Sakuma Y(2004). Sex-specific effects of gonadal steroids on conspecific odor preference in the rat. Horm Behav, 46, 356-361.

▼ 9章　子育て行動

Amano T, Shindo S, Yoshihara C, et al(2017). Development-dependent behavioral change toward pups and synaptic transmission in the rhomboid nucleus of the bed nucleus of the stria terminalis. Behav Brain Res, 325(Pt B), 131-137.

Andrews MW, Rosenblum LA(1991). Attachment in monkey infants raised in variable- and low-demand environments. Child Dev, 62, 686-693.

Bayless DW, Yang T, Mason MM, et al(2019). Limbic Neurons Shape Sex Recognition and Social Behavior in Sexually Naive Males. Cell, 176, 1190-1205.e20.

Blumberg M, Sokoloff G, Kirby R, et al(2000). Distress vocalizations in infant rats : what's all the fuss about? Psychol Sci, 11, 78-81.

Bridges RS, DiBiase R, Loundes DD, et al(1985). Prolactin stimulation of maternal behavior in female rats. Science, 227, 782-784.

Bridges RS, Ronsheim PM(1990). Prolactin(PRL)regulation of maternal behavior in rats : bromocriptine treatment delays and PRL promotes the rapid onset of behavior. Endocrinology, 126, 837-848.

Bridges RS, Russell DW(1981). Steroidal interactions in the regulation of maternal behaviour in virgin female rats : effects of testosterone, dihydrotestosterone, oestradiol, progesterone and the aromatase inhibitor, 1,4,6-androsta-triene-3,17-dione. J Endocrinol, 90, 31-40.

Bucher K, Myers RE, Southwick C(1970). Anterior temporal cortex and maternal behavior in monkey. Neurology, 20, 415.

Calamandrei G, Wilkinson LS, Keverne EB(1992). Olfactory recognition of infants in laboratory mice : role of noradrenergic mechanisms. Physiol Behav, 52, 901-907.

Carcea I, Caraballo NL, Marlin BJ, et al(2021). Oxytocin neurons enable social transmission of maternal behaviour. Nature, 596, 553-557.

Carter CS, Altemus M(1997). Integrative functions of lactational hormones in social behavior and stress management. Ann NY Acad Sci, 807, 164-174.

Champagne F, Diorio J, Sharma S, et al(2001). Naturally occurring variations in maternal behavior in the rat are associated with differences in estrogen-inducible central oxytocin receptors. Proc Natl Acad Sci USA, 98, 12736-12741.

Davis HP, Squire LR(1984). Protein synthesis and memory : a review. Psychol Bull, 96, 518-559.

Dixson AF, George L(1982). Prolactin and parental behaviour in a male New World primate. Nature, 299, 551-553.

Esposito G, Yoshida S, Ohnishi R, et al(2013). Infant calming responses during maternal carrying in humans and mice. Curr Biol, 23, 739-745.

Fang YY, Yamaguchi T, Song SC, et al(2018). A Hypothalamic Midbrain Pathway Essential for Driving Maternal Behaviors. Neuron, 98, 192-207.

Ferris CF, Kulkarni P, Sullivan JM Jr, et al(2005). Pup suckling is more rewarding than cocaine : evidence from functional magnetic resonance imaging and three-dimensional computational analysis. J Neurosci, 25, 149-156.

Fish EW, Sekinda M, Ferrari PF, et al(2000). Distress vocalizations in maternally separated mouse pups : modulation via 5-HT(1A), 5-HT(1B)and GABA(A)receptors. Psychopharmacology(Berl), 149, 277-285.

Fleming A, Vaccarino F, Tambosso L, et al(1979). Vomeronasal and olfactory system modulation of maternal behavior in the rat. Science, 203, 372-374.

Fleming AS, O'Day DH, Kraemer GW(1999). Neurobiology of mother-infant interactions : experience and central nervous system plasticity across development and generations. Neurosci Biobehav Rev, 23, 673-685.

Fleming AS, Rosenblatt JS(1974). Olfactory regulation of maternal behavior in rats. I. Effects of olfactory bulb removal in experienced and inexperienced lactating and cycling females. J Comp Physiol Psychol, 86, 221-232.

Fleming AS, Ruble D, Krieger H, et al(1997). Hormonal and experiential correlates of maternal responsiveness during pregnancy and the puerperium in human mothers. Horm

Behav, 31, 145-158.
Fukui K, Uki H, Minami M, et al (2019). Effect of gonadal steroid hormone levels during pubertal development on social behavior of adult mice toward pups and synaptic transmission in the rhomboid nucleus of the bed nucleus of the stria terminalis. Neurosci Lett, 708, 1343575.
Gonzalez-Mariscal G, Chirino R, Hudson R (1994). Prolactin stimulates emission of nipple pheromone in ovariectomized New Zealand white rabbits. Biol Reprod, 50, 373-376.
Gonzalez-Mariscal G, McNitt JI, Lukefahr SD (2007). Maternal care of rabbits in the lab and on the farm : endocrine regulation of behavior and productivity. Horm Behav, 52, 86-91.
Gonzalez-Mariscal G, Poindron P (2002). Parental care in mammals : immediate internal and sensory factors of control. Horm Brain Behav, 1, 215-298.
Grattan DR, Pi XJ, Andrews ZB, et al (2001). Prolactin receptors in the brain during pregnancy and lactation : implications for behavior. Horm Behav, 40, 115-124.
Gubernick DJ, Nelson RJ (1989). Prolactin and paternal behavior in the biparental California mouse, *Peromyscus californicus*. Horm Behav, 23, 203-210.
Hartung TG, Dewsbury DA (1979). Paternal behavior in six species of muroid rodents. Behav Neural Biol, 26, 466-478.
Herrenkohl LR, Rosenberg PA (1972). Exteroceptive stimulation of maternal behavior in the naive rat. Physiol Behav, 8, 595-598.
Horn G (1981). Neural mechanisms of learning : an analysis of imprinting in the domestic chick. Proc R Soc Lond B Biol Sci, 213, 101-137.
Horn G (1998). Visual imprinting and the neural mechanisms of recognition memory. Trends Neurosci, 21, 300-305.
Horn G (2004). Pathways of the past : the imprint of memory. Nat Rev Neurosci, 5, 108-120.
Johnson RL (1986). Mother-infant contact and maternal maintenance activities among free-ranging rhesus monkeys. Primates, 27, 191-203.
Kendrick KM, Da Costa AP, Broad KD, et al (1997). Neural control of maternal behaviour and olfactory recognition of offspring. Brain Res Bull, 44, 383-395.
Keverne EB, Kendrick KM (1992). Oxytocin facilitation of maternal behavior in sheep. Ann NY Acad Sci, 652, 83-101.
Keverne EB, Kendrick KM (1994). Maternal behaviour in sheep and its neuroendocrine regulation. Acta Paediatr Suppl, 397, 47-56.
Kinsley CH, Madonia L, Gifford GW, et al (1999). Motherhood improves learning and memory. Nature, 402, 137-138.
Klampfl SM, Brunton PJ, Bayerl DS, et al (2014). Hypoactivation of CRF receptors, predominantly type 2, in the medial-posterior BNST is vital for adequate maternal behavior in lactating rats. J Neurosci, 34, 9665-9676.
Kohl J, Babayan BM, Rubinstein ND, et al (2018). Functional circuit architecture underlying parental behaviour. Nature, 556, 326-331.
Leblond CP, Nelson WO (1937). Maternal behavior in hypophysectomized male and female mice. Am J Physiol, 120, 167-172.
Lee A, Clancy S, Fleming AS (1999). Mother rats bar-press for pups : effects of lesions of the mpoa and limbic sites on maternal behavior and operant responding for pup-reinforcement. Behav. Brain Res, 100, 15-31.
Lonstein JS, Rood BD, De Vries GJ (2002). Parental responsiveness is feminized after neonatal castration in virgin male prairie voles, but is not masculinized by perinatal testosterone in virgin females. Hormones and behavior, 41, 80-87.
Lucas BK, Ormandy CJ, Binart N, et al (1998). Null mutation of the prolactin receptor gene produces a defect in maternal behavior. Endocrinology, 139, 4102-4107.
Lukas D, Huchard E (2014). Sexual conflict. The evolution of infanticide by males in mammalian societies. Science, 346, 841-844.
Maestripieri D, Zehr JL (1998). Maternal responsiveness increases during pregnancy and after estrogen treatment in macaques. Horm Behav, 34, 223-230.
Mak GK, Weiss S (2010). Paternal recognition of adult offspring mediated by newly generated CNS neurons. Nat Neurosci, 13, 753-758.
Marlin BJ, Mitre M, D'amour JA, et al (2015). Oxytocin enables maternal behaviour by balancing cortical inhibition. Nature, 520, 499-504.
Mayer AD, Freeman NC, Rosenblatt JS (1979). Ontogeny of maternal behavior in the laboratory rat : factors underlying changes in responsiveness from 30 to 90 days. Dev Psychobiol, 12, 425-439.
Moles A, Kieffer BL, D'Amato FR (2004). Deficit in attachment behavior in mice lacking the mu-opioid receptor gene. Science, 304, 1983-1986.
Moltz H, Lubin M, Leon M, et al (1970). Hormonal induction of maternal behavior in the ovariectomized nulliparous rat. Physiol Behav, 5, 1373-1377.
Moriceau S, Sullivan RM (2004). Unique Neural Circuitry for Neonatal Olfactory Learning. Journal of Neuroscience, 24, 1182-1189.
Murphy MR, MacLean PD, Hamilton SC (1981), Species-typical behavior of hamsters deprived from birth of the neocortex. Science, 213, 459-461.
Nelson EE, Panksepp J (1998). Brain substrates of infant-mother attachment : contributions of opioids, oxytocin, and norepinephrine. Neurosci Biobehav Rev, 22, 437-452.
Nishimori K, Young LJ, Guo Q, et al (1996). Oxytocin is required for nursing but is not essential for parturition or reproductive behavior. Proc Natl Acad Sci USA, 93, 11699-11704.
Noirot E (1972). Ultrasounds and maternal behavior in small rodents. Dev Psychobiol, 5, 371-387.
Numan M (1994). A neural circuitry analysis of maternal behavior in the rat. Acta Paediatr Suppl, 397, 19-28.
Numan M, Fleming AS, Levy F (2006). Maternal Behavior.

In: Neill JD, ed. Knobil and Neill's Physiology of reproduction. pp1921-1993. Plenum Press, New York.

Numan M, Numan MJ, English JB (1993). Excitotoxic amino acid injections into the medial amygdala facilitate maternal behavior in virgin female rats. Horm Behav, 27, 56-81.

Numan M, Sheehan TP (1997). Neuroanatomical circuitry for mammalian maternal behavior. Ann NY Acad Sci, 807, 101-125.

Ogawa S, Taylor JA, Lubahn DB, et al (1996). Reversal of sex roles in genetic female mice by disruption of estrogen receptor gene. Neuroendocrinology, 64, 467-470.

Pedersen CA, Caldwell JD, Walker C, et al (1994). Oxytocin activates the postpartum onset of rat maternal behavior in the ventral tegmental and medial preoptic areas. Behav Neurosci, 108, 1163-1171.

Pedersen CA, Prange AJ Jr (1979). Induction of maternal behavior in virgin rats after intracerebroventricular administration of oxytocin. Proc Natl Acad Sci USA, 76, 6661-6665.

Porter RH, Winberg J (1999). Unique salience of maternal breast odors for newborn infants. Neurosci Biobehav Rev, 23, 439-449.

Rosenblatt JS (1967). Nonhormonal basis of maternal behavior in the rat. Science, 156, 1512-154.

Sairenji TJ, Ikezawa J, Kaneko R, et al (2017). Maternal prolactin during late pregnancy is important in generating nurturing behavior in the offspring. Proc Natl Acad Sci USA, 114, 13042-13047.

Sato K, Hamasaki Y, Fukui K, et al (2020). Amygdalohippocampal Area Neurons That Project to the Preoptic Area Mediate Infant-Directed Attack in Male Mice. J Neurosci, 40, 3981-3994.

Scanlan VF, Byrnes EM, Bridges RS (2006). Reproductive experience and activation of maternal memory. Behav Neurosci, 120, 676-686.

Schaal B, Coureaud G, Langlois D, et al (2003). Chemical and behavioural characterization of the rabbit mammary pheromone. Nature, 424, 68-72.

Schneider JS, Stone MK, Wynne-Edwards KE, et al (2003). Progesterone receptors mediate male aggression toward infants. Proc Natl Acad Sci USA, 100, 2951-2956.

Serpell J (1995). The Domestic Dog: Its Evolution, Behaviour, and Interactions with People. Cambridge University Press.

Singh PJ, Hofer MA (1978). Oxytocin reinstates maternal olfactory cues for nipple orientation and attachment in rat pups. Physiol Behav, 20, 385-389.

Smith EFS (1991). The influence of nutrition and postpartum mating on weaning and subsequent play behavior of hooded rats. Anim Behav, 41, 513-524.

Soloff MS, Alexandrova M, Fernstrom MJ (1979). Oxytocin receptors: triggers for parturition and lactation? Science, 204, 1313-1315.

St James-Roberts I, Halil T (1991). Infant crying patterns in the first year: normal community and clinical findings. J Child Psychol Psychiatry, 32, 951-968.

Stagkourakis S, Smiley KO, Williams P, et al (2020). A Neuro-hormonal Circuit for Paternal Behavior Controlled by a Hypothalamic Network Oscillation. Cell, 182, 960-975.e15.

Tachikawa KS, Yoshihara Y, Kuroda KO (2013). Behavioral transition from attack to parenting in male mice: a crucial role of the vomeronasal system. J Neurosci, 33, 5120-5126.

Takayanagi Y, Yoshida M, Bielsky IF, et al (2005). Pervasive social deficits, but normal parturition, in oxytocin receptor-deficient mice. Proc Natl Acad Sci USA, 102, 16096-16101.

Tanaka M, Hayashida Y, Iguchi T, et al (2002). Identification of a novel first exon of prolactin receptor gene expressed in the rat brain. Endocrinology, 143, 2080-2084.

Terkel J, Bridges RS, Sawyer CH (1979). Effects of transecting lateral neural connections of the medial preoptic area on maternal behavior in the rat: nest building, pup retrieval and prolactin secretion. Brain Res, 169, 369-380.

Terkel J, Rosenblatt JS (1972). Humoral factors underlying maternal behavior at parturition: corss transfusion between freely moving rats. J Comp Physiol Psychol, 80, 365-371.

Trainor BC, Marler CA (2002). Testosterone promotes paternal behaviour in a monogamous mammal via conversion to oestrogen. Proc Biol Sci, 269, 823-829.

Trivers R (1974). Parent-offsprings conflict. Am Zool, 14, 249-264.

Trivers RL (2001). Parent-offspring conflict. Integ Comp Biol, 14, 249-264.

Tsuneoka Y, Tokita K, Yoshihara C, et al (2015). Distinct preoptic-BST nuclei dissociate paternal and infanticidal behavior in mice. EMBO J, 34, 2652-2670.

Uematsu A, Kikusui T, Kihara T, et al (2007). Maternal approaches to pup ultrasonic vocalizations produced by a nanocrystalline silicon thermo-acoustic emitter. Brain Res, 1163, 91-99.

Unger EK, Burke KJ Jr, Yang CF, et al (2015). Medial amygdalar aromatase neurons regulate aggression in both sexes. Cell Rep, 10, 453-462.

Uvnas-Moberg K, Eriksson M (1996). Breastfeeding: physiological, endocrine and behavioural adaptations caused by oxytocin and local neurogenic activity in the nipple and mammary gland. Acta Paediatr, 85, 525-530.

vom Saal FS, Howard LS (1982). The regulation of infanticide and parental behavior: implications for reproductive success in male mice. Science, 215, 1270-1272.

Wang Z, De Vries GJ (1993). Testosterone effects on paternal behavior and vasopressin immunoreactive projections in prairie voles (*Microtus ochrogaster*). Brain Res, 631, 156-160.

Wang Z, Storm DR (2011). Maternal behavior is impaired in female mice lacking type 3 adenylyl cyclase. Neuropsychopharmacology, 36, 772-781.

Wang Z, Young LJ, De Vries GJ, et al (1998). Voles and vasopressin: a review of molecular, cellular, and behavioral studies of pair bonding and paternal behaviors. Prog Brain Res, 119, 483-499.

Wei YC, Wang SR, Jiao ZL, et al (2018). Medial preoptic area in mice is capable of mediating sexually dimorphic behaviors regardless of gender. Nat Commun, 9, 279.

Winslow JT, Hearn EF, Ferguson J, et al (2000). Infant vocalization, adult aggression, and fear behavior of an oxytocin null mutant mouse. Horm Behav, 37, 145-155.

Wu R, Song Z, Tai F, et al (2013). The effect of alloparental experience and care on anxiety-like, social and parental behaviour in adult mandarin voles. Animal Behave, 85, 161-169.

Wu Z, Autry AE, Bergan JF, et al (2014). Galanin neurons in the medial preoptic area govern parental behaviour. Nature, 509, 325-330.

Yoshihara C, Tokita K, Maruyama T, et al (2021). Calcitonin receptor signaling in the medial preoptic area enables risk-taking maternal care. Cell Rep, 35, 109204.

Yu GZ, Kaba H, Okutani F, et al (1996). The olfactory bulb: a critical site of action for oxytocin in the induction of maternal behaviour in the rat. Neuroscience, 72, 1083-1088.

Ziegler TE, Wegner FH, Carlson AA, et al (2000). Prolactin levels during the periparituritional period in the biparental cotton-top tamarin (*Saguinus oedipus*): interactions with gender, androgen levels, and parenting. Horm Behav, 38, 111-122.

▼ 10 章　攻撃行動

Balázsfi D, Zelena D, Demeter K, et al (2018). Differential roles of the two raphe nuclei in amiable social behavior and aggression-An optogenetic study. Front Behav Neurosci, 12, 163.

Blanchard RJ, Blanchard DC (1989). Attack and defense in rodents as ethoexperimental models for the study of emotion. Prog Neuropsychopharmacol Biol Psychiatry, 13 (Suppl), S3-S14.

Blanchard RJ, Griebel G, Farrokhi C, et al (2005). AVP V1b selective antagonist SSR149415 blocks aggressive behaviors in hamsters. Pharmacol Biochem Behav, 80, 189-194.

Bosch OJ, Kromer SA, Brunton PJ, et al (2004). Release of oxytocin in the hypothalamic paraventricular nucleus, but not central amygdala or lateral septum in lactating residents and virgin intruders during maternal defence. Neuroscience, 124, 439-448.

Bosch OJ, Meddle SL, Beiderbeck DI, et al (2005). Brain oxytocin correlates with maternal aggression: link to anxiety. J Neurosci, 25, 6807-6815.

Bowden NJ, Brain PF (1978). Blockade of testosterone-maintained intermale fighting in albino laboratory mice by an aromatization inhibitor. Physiol Behav, 20, 543-546.

Brain PF (1980). Adaptive aspects of hormonal correlates of attack and defence in laboratory mice: a study in ethobiology. Prog Brain Res, 53, 391-413.

Brain PF, Haug M (1992). Hormonal and neurochemical correlates of various forms of animal "aggression". Psychoneuroendocrinology, 17, 537-51.

Broida J, Michael SD, Svare B (1981). Plasmin prolactin levels are not related to the initiation, maintenance, and decline of postpartum aggression in mice. Behav Neural Biol, 32, 121-125.

Broida J, Svare B (1983). Mice: progesterone and the regulation of strain differences in pregnancy-induced nest building. Behav Neurosci, 97, 994-1004.

Chiavegatto S, Dawson VL, Mamounas LA, et al (2001). Brain serotonin dysfunction accounts for aggression in male mice lacking neuronal nitric oxide synthase. Proc Natl Acad Sci USA, 98, 1277-1281.

Chiavegatto S, Nelson RJ (2003). Interaction of nitric oxide and serotonin in aggressive behavior. Horm Behav, 44, 233-241.

Consiglio AR, Bridges RS (2009). Circulating prolactin, MPOA prolactin receptor expression and maternal aggression in lactating rats. Behav Brain Res, 197, 97-102.

Consiglio AR, Lucion AB (1996). Lesion of hypothalamic paraventricular nucleus and maternal aggressive behavior in female rats. Physiol Behav, 59, 591-596.

Demas GE, Eliasson MJ, Dawson TM, et al (1997). Inhibition of neuronal nitric oxide synthase increases aggressive behavior in mice. Mol Med, 3, 610-616.

Demas GE, Kriegsfeld LJ, Blackshaw S, et al (1999). Elimination of aggressive behavior in male mice lacking endothelial nitric oxide synthase. J Neurosci, 19, RC30.

Edwards DA (1968). Mice: fighting by neonatally androgenized females. Science, 161, 1027-1028.

Edwards DA (1971). Neonatal administration of androstenedione, testosterone or testosterone propionate: effects on ovulation, sexual receptivity and aggressive behavior in female mice. Physiol Behav, 6, 223-228.

Ferrari PF, van Erp AM, Tornatzky W, et al (2003). Accumbal dopamine and serotonin in anticipation of the next aggressive episode in rats. Eur J Neurosci, 17, 371-378.

Ferris CF (2005). Vasopressin/oxytocin and aggression. Novartis Found Symp, 268, 190-198.

Ferris CF, Foote KB, Meltser HM, et al (1992). Oxytocin in the amygdala facilitates maternal aggression. Ann NY Acad Sci, 652, 456-457.

Ferris CF, Lu SF, Messenger T, et al (2006). Orally active vasopressin V1a receptor antagonist, SRX251, selectively blocks aggressive behavior. Pharmacol Biochem Behav, 83, 169-174.

Fish EW, De Bold JF, Miczek KA (2002). Aggressive behavior as a reinforcer in mice: activation by allopregnanolone. Psychopharmacology (Berl), 163, 459-466.

Gammie SC, Auger AP, Jessen HM, et al (2007). Altered gene expression in mice selected for high maternal aggression. Genes Brain Behav, 6, 432-443.

Gammie SC, Huang PL, Nelson RJ (2000b). Maternal aggression in endothelial nitric oxide synthase-deficient mice. Horm Behav, 38, 13-20.

Gammie SC, Nelson RJ (1999). Maternal aggression is reduced in neuronal nitric oxide synthase-deficient mice. J Neurosci, 19, 8027-8035.

Gammie SC, Olaghere-da Silva UB, Nelson RJ (2000a). 3-bromo-7-nitroindazole, a neuronal nitric oxide synthase inhibitor, impairs maternal aggression and citrulline immunoreactivity in prairie voles. Brain Res, 870, 80-86.

Golden SA, Heins C, Venniro M, et al(2017). Compulsive addiction-like aggressive behavior in mice. Biol Psychiatry, 82, 239-248.

Golden SA, Heshmati M, Flanigan M, et al(2016). Basal forebrain projections to the lateral habenula modulate aggression reward. Nature, 534, 688-692.

Hashikawa K, Hashikawa Y, Tremblay R, et al(2017). Esr1+ cells in the ventromedial hypothalamus control female aggression. Nat Neurosci, 20, 1580-1590.

Hong W, Kim D, Anderson DJ(2014). Antagonistic control of social behaviors by inhibitory and excitatory neurons in the medial amygdala. Cell, 158, 1348-1361.

Jones RB, Nowell NW(1973). Aversive and aggression-promoting properties of urine from dominant and subordinate male mice. Animal Learning & Behavior, 1, 207-210.

Kimchi T, Xu J, Dulac C(2007). A functional circuit underlying male sexual behaviour in the female mouse brain. Nature, 448, 1009-1014.

Kriegsfeld LJ, Dawson TM, Dawson VL, et al(1997). Aggressive behavior in male mice lacking the gene for neuronal nitric oxide synthase requires testosterone. Brain Res, 769, 66-70.

Lee H, Kim DW, Remedios R, et al(2014). Scalable control of mounting and attack by Esr1+ neurons in the ventromedial hypothalamus. Nature, 509, 627-632.

Lin D, Boyle MP, Dollar P, et al(2011). Functional identification of an aggression locus in the mouse hypothalamus. Nature, 470, 221-226.

Mann M, Michael SD, Svare B(1980). Ergot drugs suppress plasma prolactin and lactation but not aggression in parturient mice. Horm Behav, 14, 319-328.

Mann MA, Konen C, Svare B(1984). The role of progesterone in pregnancy-induced aggression in mice. Horm Behav, 18, 140-160.

Motelica-Heino I, Edwards DA, Roffi J(1993). Intermale aggression in mice : does hour of castration after birth influence adult behavior? Physiol Behav, 53, 1017-1019.

Moyer KE(1976). The Psychobiology of Aggression. Harper & Row, New York.

Muroi Y, Ishii T(2019). Glutamatergic signals in the dorsal raphe nucleus regulate maternal aggression and care in an opposing manner in mice Neuroscience, 400, 33-47.

Nelson RJ(2005). An Introduction to Behavioral Endocrinology, 3rd ed. Academic Press, New York.

Nelson RJ, Chiavegatto S(2001). Molecular basis of aggression. Trends Neurosci, 24, 713-719.

Nelson RJ, Demas GE, Huang PL, et al(1995). Behavioural abnormalities in male mice lacking neuronal nitric oxide synthase. Nature, 378, 383-386.

Nelson RJ, Trainor BC, Chiavegatto S, et al(2006). Pleiotropic contributions of nitric oxide to aggressive behavior. Neurosci Biobehav Rev, 30, 346-355.

Newman SW(1999). The medial extended amygdala in male reproductive behavior. A node in the mammalian social behavior network. Ann N Y Acad Sci, 877, 242-257.

Nomura M, Andersson S, Korach KS, et al(2006). Estrogen receptor-beta gene disruption potentiates estrogen-inducible aggression but not sexual behaviour in male mice. Eur J Neurosci, 23, 1860-1868.

Nomura M, Durbak L, Chan J, et al(2002). Genotype/age interactions on aggressive behavior in gonadally intact estrogen receptor beta knockout(betaERKO)male mice. Horm Behav, 41, 288-296.

Ogawa S, Chan J, Chester AE, et al(1999). Survival of reproductive behaviors in estrogen receptor beta gene-deficient (betaERKO)male and female mice. Proc Natl Acad Sci USA, 96, 12887-12892.

Ogawa S, Chester AE, Hewitt SC, et al(2000). Abolition of male sexual behaviors in mice lacking estrogen receptors alpha and beta(alpha beta ERKO). Proc Natl Acad Sci USA, 97, 14737-14741.

Ogawa S, Lubahn DB, Korach KS, et al(1997). Behavioral effects of estrogen receptor gene disruption in male mice. Proc Natl Acad Sci USA, 94, 1476-1481.

Ogawa S, Makino J(1984). Aggressive behavior in inbred strains of mice during pregnancy. Behav Neural Biol, 40, 195-204.

Ogawa S, Washburn TF, Taylor J, et al(1998). Modifications of testosterone-dependent behaviors by estrogen receptor-alpha gene disruption in male mice. Endocrinology, 39, 5058-5069.

Sano K, Nakata M, Musatov S, et al(2016). Pubertal activation of estrogen receptor α in the medial amygdala is essential for the full expression of male social behavior in mice. Proc Natl Acad Sci USA, 113, 7632-7637.

Sano K, Tsuda MC, Musatov S, et al(2013). Differential effects of site-specific knockdown of estrogen receptor α in the medial amygdala, medial pre-optic area, and ventromedial nucleus of the hypothalamus on sexual and aggressive behavior of male mice. Eur J Neurosci, 37, 1308-1319.

Sato T, Matsumoto T, Kawano H, et al(2004). Brain masculinization requires androgen receptor function. Proc Natl Acad Sci USA, 101, 1673-1678.

Scott JP(1966). Agonistic behavior of mice and rats : a review. Am Zool, 6, 683-701.

Simon NG, Mo Q, Hu S, et al(2006). Hormonal pathways regulating intermale and interfemale aggression. Int Rev Neurobiol, 73, 99-123.

Simon NG, Whalen RE(1987). Sexual differentiation of androgen-sensitive and estrogen-sensitive regulatory systems for aggressive behavior. Horm Behav, 21, 493-500.

Svare B, Gandelman R(1976). Postpartum aggression in mice : the influence of suckling stimulation. Horm Behav, 7, 407-416.

Svare B, Mann M, Samuels O(1980). Mice : suckling stimulation but not lactation important for maternal aggression. Behav Neural Biol, 29, 453-462.

Takahashi A, Lee RX, Iwasato T, et al(2015). Glutamate input in the dorsal raphe nucleus as a determinant of escalated aggression in male mice. J Neurosci, 35, 6452-6463.

Takayanagi Y, Yoshida M, Bielsky IF, et al(2005). Pervasive

social deficits, but normal parturition, in oxytocin receptor-deficient mice. Proc Natl Acad Sci USA, 102, 16096-16101.

Toda K, Saibara T, Okada T, et al(2001). A loss of aggressive behaviour and its reinstatement by oestrogen in mice lacking the aromatase gene(Cyp19). J Endocrinol, 168, 217-220.

Todd WD, Fenselau H, Wang JL, et al(2018). A hypothalamic circuit for the circadian control of aggression. Nat Neurosci, 21, 717-724.

Trainor BC, Finy MS, Nelson RJ(2008). Rapid effects of estradiol on male aggression depend on photoperiod in reproductively non-responsive mice. Horm Behav, 53, 192-199.

Trainor BC, Lin S, Finy MS, et al(2007). Photoperiod reverses the effects of estrogens on male aggression via genomic and nongenomic pathways. Proc Natl Acad Sci USA, 104, 9840-9845.

van der Vegt BJ, Lieuwes N, van de Wall EH, et al(2003). Activation of serotonergic neurotransmission during the performance of aggressive behavior in rats. Behav Neurosci, 117, 667-674.

van Erp AM, Miczek KA(2000). Aggressive behavior, increased accumbal dopamine, and decreased cortical serotonin in rats. J Neurosci, 20, 9320-9325.

Winslow JT, Hearn EF, Ferguson J, et al(2000). Infant vocalization, adult aggression, and fear behavior of an oxytocin null mutant mouse. Horm Behav, 37, 145-155.

Wersinger SR, Caldwell HK, Christiansen M, et al(2007). Disruption of the vasopressin 1b receptor gene impairs the attack component of aggressive behavior in mice. Genes Brain Behav, 6, 653-660.

Wersinger SR, Caldwell HK, Martinez L, et al(2007). Vasopressin 1a receptor knockout mice have a subtle olfactory deficit but normal aggression. Genes Brain Behav, 6, 540-551.

Wersinger SR, Kelliher KR, Zufall F, et al(2004). Social motivation is reduced in vasopressin 1b receptor null mice despite normal performance in an olfactory discrimination task. Horm Behav, 46, 638-645.

Wong LC, Wang L, D'Amour JA et al(2016). Effective modulation of male aggression through lateral septum to medial hypothalamus projection. Curr Biol, 26, 593-604.

Yang CF, Chiang MC, Gray DC, et al(2013). Sexually dimorphic neurons in the ventromedial hypothalamus govern mating in both sexes and aggression in males. Cell, 153, 896-909.

Yu Q, Teixeira CM, Mahadevia D, et al(2014). Dopamine and serotonin signaling during two sensitive developmental periods differentially impact adult aggressive and affective behaviors in mice. Mol Psychiatry, 19, 688-698.

▼ 11章　個体間のきずなの形成と維持

小山幸子(1998). 社会的順位と遊び行動. In：糸魚川直祐, 南徹弘, 編. サルとヒトのエソロジー. pp71-83. 培風館.

R・A・ハインド 著. 桑原万寿太郎, 平井 久 訳(1977). 行動生物学, 上. 講談社.

M・W・フォックス 著. 今泉吉晴 訳(1976). 行動学の可能性. 思索社.

Aragona BJ, Liu Y, Yu YJ, et al(2006). Nucleus accumbens dopamine differentially mediates the formation and maintenance of monogamous pair bonds. Nat Neurosci, 9, 133-139.

Aragona BJ, Wang Z(2004). The prairie vole(Microtus ochrogaster)：an animal model for behavioral neuroendocrine research on pair bonding. ILAR Journal, 45, 35-45.

Beatty WW, Costello KB, Berry SL(1984). Suppression of play fighting by amphetamine：effects of catecholamine antagonists, agonists and synthesis inhibitors. Pharm Biochem Behav, 20, 747-755.

Beatty WW, Dodge AM, Dodge LJ, et al(1982). Psychomotor stimulants, social deprivation and play in juvenile rats. Pharm Biochem Behav, 16, 417-422.

Bethlehem RA, Lombardo MV, Lai MC, et al(2017). Intranasal oxytocin enhances intrinsic corticostriatal functional connectivity in women. Transl Psychiatry, 7, e1099.

Brandt CA(1992). Social factors in immigration and emigration. In：Strenseth NC, Lidicker WZ, Jr, eds. Animal dispesal：small mammals as a model. pp96-141. Chapman & Hall, London.

Burghardt GM(2005). The genesis of animal play. MIT Press, Cambridge.

Burkett JP, Andari E, Johnson ZV, et al(2016). Oxytocin-dependent consolation behavior in rodents. Science, 22, 375-378.

Carter CS, Witt DM, Schneider J, et al(1987). Male stimuli are necessary for female sexual behavior and uterine growth in prairie voles(Microtus ochrogaster). Horm Behav, 21, 74-82.

Cho MM, DeVries AC, Williams JR, et al(1999). The effects of oxytocin and vasopressin on partner preferences in male and female prairie voles(Microtus ochrogaster). Behav Neurosci, 113, 1071-1079.

Chou MY, Amo R, Kinoshita M, et al(2016). Social conflict resolution regulated by two dorsal habenular subregions in zebrafish. Science, 352, 87-90.

Curtis JT, Liu Y, Aragona BJ, et al(2006). Dopamine and monogamy. Brain Res, 1126, 76-90.

Drews C(1993). The concept and definition of dominance in animal behavour. Behaviour, 125, 283-313.

Ebitz RB, Watson KK, Platt ML(2013). Oxytocin blunts social vigilance in the rhesus macaque. Proc Natl Acad Sci USA, 110, 11630-11635.

Ellis L(1995). Dominance and reproductive success among nonhuman animals：a cross-species comparison. Ethology Sociobiol, 16, 257-333.

Everts HGJ, Koolhaas JM(1999). Differential modulation of lateral septal vasopressin receptor blockade in spatial-learning, social recognition, and anxiety-related behavior in rats. Behav Brain Res, 99, 7-16.

Fagen R(1995). Animal play, games of angels, biology, and Brian. In：Pellegrini AD, ed. The future of play theory. pp23-44, State Univ of NY Press, Albany.

Ferguson JN, Aldag JM, Insel TR, et al (2001). Oxytocin in the medial amygdala is essential for social recognition in the mouse. J Neurosci, 21, 8278-8285.

Fry AC, Schilling BK, Fleck, SJ, et al (2011). Relationships between competitive wrestling success and neuroendocrine responses. J Strength Cond Res, 25, 40-45.

Getz LL, McGuire B, Pizzuto T, et al (1993). Social organization of the prairie voles (Microtus ochrogaster). J Mamm, 74, 44-58.

Grosenick L, Clement TS, Fernald RD (2007). Fish can infer social rank by observation alone. Nature, 445, 429-432.

Guastella AJ, Mitchell PB, Dadds MR (2008). Oxytocin increases gaze to the eye-region of human faces. Biol Psychiatry, 63, 3-5.

Johnson ZV, Walum H, Jamal YA, et al (2016). Central oxytocin receptors mediate mating-induced partner preferences and enhance correlated activation across forebrain nuclei in male prairie voles. Horm Behav, 79, 8-17.

Hammock AED, Young LJ (2006). Oxytocin, vasopressin and pair bonding: implications for autism. Phil Trans R Soc B, 361, 2187-2198.

Horie K, Inoue K, Suzuki S, et al (2019). Oxytocin receptor knockout prairie voles generated by CRISPR/Cas9 editing show reduced preference for social novelty and exaggerated repetitive behaviors. Horm Behav, 111, 60-69.

Insel TR (1997). A neurobiological basis of social attachment. Am J Psychiatry, 154, 726-735.

Insel TR, Hulihan TJ (1995). A gender specific mechanism for pair bonding: oxytocin and partner preference formation in monogamous voles. Behav Neurosci, 109, 782-789.

Insel TR, O'Brien DJ, Leckman JF (1999). Oxytocin, vasopressin, and autism: is there a connection? Biol Psychiatry, 45, 145-157.

Isoda M, Noritake A, Ninomiya T (2018). Development of social systems neuroscience using macaques. Proc Jpn Acad Ser B Phys Biol Sci, 94, 305-323.

Kaufmann JH (1983). On the definitions and functions of dominance and territoriality. Biol Rev, 58, 1-20.

Kleiman DG (1977). Monogamy in mammals. Q Rev Biol, 52, 39-69.

Modahl C, Green L, Fein D, et al (1998). Plasma oxytocin levels in autistic children. Biol Psychiatry, 43, 270-277.

Mogi K, Ooyama R, Nagasawa M, et al (2014). Effects of neonatal oxytocin manipulation on development of social behaviors in mice. Physiol Behav, 133, 68-75.

Nair HP, Young LJ (2006). Vasopressin and pair-bond formation: genes to brain to behavior. Physiology, 21, 146-152.

Oettl LL, Ravi N, Schneider M, et al (2016). Oxytocin enhances social recognition by modulating cortical control of early olfactory processing. Neuron, 90, 609-621.

Okuyama T, Kitamura T, Roy DS, et al (2016). Ventral CA1 neurons store social memory. Science, 353, 1536-1541.

Oosugi N, Yanagawa T, Nagasaka Y, et al (2016). Social suppressive behavior is organized by the spatiotemporal integration of multiple cortical regions in the Japanese Macaque. PLoS One, 11, e0150934.

Panksepp J, Beatty WW (1980). Social deprivation and play in rats. Behav Neural Biol, 30, 197-206.

Reinhold AS, Sanguinetti-Scheck JI, Hartmann K, et al (2019). Behavioral and neural correlates of hide-and-seek in rats. Science, 365, 1180-1183.

Renn SC, O'Rourke CF, Aubin-Horth N, et al (2016). Dissecting the transcriptional patterns of social dominance across teleosts. Integr Comp Biol, 56, 1250-1265.

Quintana DS, Guastella AJ, Westlye LT, et al (2016). The promise and pitfalls of intranasally administering psychopharmacological agents for the treatment of psychiatric disorders. Mol Psychiatry, 21, 29-38.

Scheele D, Wille A, Kendrick KM, et al (2013). Oxytocin enhances brain reward system responses in men viewing the face of their female partner. Proc Natl Acad Sci USA, 110, 20308-20313.

Schjelderupp-Ebbe T (1922). Beitrage zur Sozialpsychologie des Haushuhns. Z Psychol, 88, 225-252.

Smeltzer MD, Curtis JT, Aragona BJ, et al (2006). Dopamine, oxytocin, and vasopressin receptor binding in the medial prefrontal cortex of monogamous and promiscuous voles. Neurosci Lett, 394, 146-151.

Song Z, Albers HE (2018). Cross-talk among oxytocin and arginine-vasopressin receptors: Relevance for basic and clinical studies of the brain and periphery. Front Neuroendocrinol. 51, 14-24.

Timmer M, Cordero MI, Sevelinges Y, et al (2011). Evidence for a role of oxytocin receptors in the long-term establishment of dominance hierarchies. Neuropsychopharmacology, 36, 2349-2356.

Uhrich J (1938). The social hierarchy in albino mice. J Comp Physio Psychol, 25, 373-413.

Van Hooff, JARAM (1972). A comparative approach to the phylogeny of laughter and smiling. In: Hinde RA, ed. Non-verbal communication. pp209-240. Cambridge University Press, Cambridge.

Walum H, Young JL (2018). The neural mechanisms and circuitry of the pair bond. Nat Rev Neurosci, 19, 643-654.

Wang Z, Aragona BJ (2004). Neurochemical regulation of pair bonding in male prairie voles. Pheysiol Behav, 83, 319-328.

Williamson CM, Romeo RD, Curley JP (2017). Dynamic changes in social dominance and mPOA GnRH expression in male mice following social opportunity. Horm Behav, 87, 80-88.

Yamasue H, Okada T, Munesue T, et al (2020). Effect of intranasal oxytocin on the core social symptoms of autism spectrum disorder: a randomized clinical trial. Mol Psychiatry, 25, 1849-1858.

Young LJ, Wang Z (2004). The neurobiology of pair bonding. Nature Neurosci, 7, 1048-1054.

Zhou T, Zhu H, Fan Z, et al (2017). History of winning remodels thalamo-PFC circuit to reinforce social dominance. Science, 357, 162-168.

▼ 12章 情 動

加藤忠史 (2009). 脳と精神疾患. 朝倉書店.
堀 哲郎 (1991). 脳と情動. 共立出版.

リサ・フェルドマン・バレット 著，高橋洋 訳（2019）．情動はこうして作られる 脳の隠れた働きと構成主義的情動理論．紀伊国屋書店．

Adolphs R, Anderson DJ（2018）. The Neuroscience of Emotion: A New Synthesis. Princeton University Press, New Jersey.

Adolphs R, Gosselin F, Buchanan TW, et al（2005）. A mechanism for impaired fear recognition after amygdala damage. Nature, 433, 68-72.

Chwalisz K, Diener E, Gallagher D（1988）. Autonomic arousal feedback and emotional experience: evidence from the spinal cord injured. J Pers Soc Psychol, 54, 820-828.

Cornelius RR（1996）. The Science of Emotion: Research and Tradition in the Psychology of Emotions. Prentice-Hall.（ランドルフ・R・コーネリアス 著，齊藤勇 訳（1999）．感情の科学．誠信書房．）

Damasio AR（2003）. Looking for Spinoza Joy, Sorrow, and the Feeling Brain. Harcourt Inc, New York.（アントニオ・R・ダマシオ 著，田中三彦 訳（2005）．感じる脳．ダイアモンド社．）

Darwin C（1872）. Expression of the Emotions in Man and Animals. Chicago.（ダーウィン 著，浜中浜太郎 訳．人及び動物の表情について．岩波文庫．）

de Vignemont F, Singer T（2006）. The empathic brain: how, when and why? Trends Cogn Sci, 10, 435-441.

Devinsky O, Morrell MJ, Vogt BA（1995）. Contributions of anterior cingulate cortex to behavior. Brain, 118, 279-306.

Dranovsky A, Hen R（2006）. Hippocampal neurogenesis: regulation by stress and antidepressants. Biol Psychiatry, 59, 1136-1143.

Dutton DG, Aron AP（1974）. Some evidence for heightened sexual attraction under conditions of high anxiety. J Pers Soc Psychol, 30, 510-517.

Ekman P, Levenson RW, Friesen WV（1983）. Autonomic nervous system activity disinguishes among emotions. Science, 221, 1208-1210.

Feinstein JS, Buzza C, Hurlemann R, et al（2013）. Fear and panic in humans with bilateral amygdala damage. Nat Neurosci, 16, 270-272

Gilbertson MW, Shenton ME, Ciszewski A, et al（2002）. Smaller hippocampal volume predicts pathologic vulnerability to psychological trauma. Nat Neurosci, 5, 1242-1247.

Gray JA, MacNaughton N（2000）. The Neuropsychology of Anxiety, Oxford University Press, Oxford.

Gray MA, Harrison NA, Wiens S, et al（2007）. Modulation of emotional appraisal by false physiological feedback during fMRI. PLoS ONE, 2, e546.

Halgren E, Walter R, Cherlow D, et al（1978）. Mental phenomena evoked by electrical stimulation of the human hippocampal formation and amygdala. Brain, 101, 83-117.

Hohmann GW（1966）. Some effects of spinal cord lesions on experienced emotional feelings. Psychophysiology, 3, 143-156.

Kasai K, Yamasue H, Gilbertson MW, et al（2008）. Evidence for acquired pregenual anterior cingulate gray matter loss from a twin study of combat-related posttraumatic stress disorder. Biol Psychiatry, 63, 550-556.

Lindquist KA, Wager TD, Kober H, et al（2012）. The brain basis of emotion: a meta-analytic review. Behav Brain Sci, 35, 121-143.

Milad MR, Rauch SL, Pitman RK, et al（2006）. Fear extinction in rats: implications for human brain imaging and anxiety disorders. Biol Psychol, 73, 61-71.

Nicotra A, Critchley HD, Mathias CJ, et al（2006）. Emotional and autonomic consequences of spinal cord injury explored using functional brain imaging. Brain, 129, 718-728.

Onaka T, Takayanagi Y（2019）. Roles of oxytocin in the control of stress and food intake. J Neuroendocrinol, 31, e12700.

Phelps EA, LeDoux JE（2005）. Contributions of the amygdala to emotion processing: from animal models to human behavior. Neuron, 48, 175-187.

Russell JA（1980）. A circumplex model of affect. J Pers Soc Psychol, 39, 1161-1178.

Schachter S, Singer J（1962）. Cognitive, social, and physiological determinants of emotional state. Psychol Rev, 69, 379-399.

Sheline YI, Barch DM, Donnelly JM, et al（2001）. Increased amygdala response to masked emotional faces in depressed subjects resolves with antidepressant treatment: an fMRI study. Biol Psychiatry, 50, 651-658.

Siegel EH, Sands MK, Noortgate WV, et al（2018）. Emotion fingerprints or emotion populations? A meta-analytic investigation of autonomic features of emotion categories. Psychol Bull, 144, 343-393.

Uddin LQ（2015）. Salience processing and insular cortical function and dysfunction. Nat Rev Neurosci, 16, 55-61.

Winston JS, Strange BA, O'Doherty J, et al（2002）. Automatic and intentional brain responses during evaluation of trustworthiness of faces. Nat Neurosci, 5, 277-283.

▼13章　ホメオスタシスと行動

入来正躬（2003）．体温生理学テキスト．文光堂．

宇尾野公義，ほか監修（2007）．最新自律神経学．新興医学出版社．

カールソン 著，泰羅雅登，中村克樹 訳（2006）．カールソン神経科学テキスト，原書8版．丸善．

本間研一 監修，大森治紀，大橋俊夫 編（2009）．標準生理学，第9版．医学書院．

Andersson B（1953）. The effect of injections of hypertonic NaCl-solutions into different parts of the hypothalamus of goats. Acta Physiol Scan, 81, 188-201.

Ciura S, Bourque CW（2006）. Transient receptor potential vanilloid 1 is required for intrinsic osmoreception in organum vasculosum lamina terminalis neurons and for normal thirst responses to systemic hyperosmolality. J Neurosci, 26, 9069-9075.

Gao XB（2009）. Electrophysiological effects of MCH on neurons in the hypothalamus. Peptides, 30, 2025-2030.

Hiyama TY, Noda M（2016）. Sodium sensing in the subfornical organ and body-fluid homeostasis. Neurosci Res, 113,

1-11.

Hiyama TY, Watanabe E, Ono K, et al (2002). Na(x) channel involved in CNS sodium-level sensing. Nat Neurosci, 5, 511-512.

Kojima M, Hosoda H, Date Y, et al (1999). Ghrelin is a growth-hormone-releasing acylated peptide from stomach. Nature, 402, 656-660.

Matsuda T, Hiyama TY, Niimura F, et al (2017). Distinct neural mechanisms for the control of thirst and salt appetite in the subfornical organ. Nat Neurosci, 20, 230-241.

Naeini RS, Witty MF, Séguéla P, et al (2006). An N-terminal variant of Trpv1 channel is required for osmosensory transduction. Nat Neurosci, 9, 93-98.

Nakajima K, Cui Z, Li C, et al (2016). Gs-coupled GPCR signalling in AgRP neurons triggers sustained increase in food intake. Nat Commun, 7, 10268.

Nishihara E, Hiyama T, Noda M (2011). Osmosensitivity of transient receptor potential vanilloid 1 is synergistically enhanced by distinct activating stimuli such as temperature and protons. PLoS ONE, 6, e22246.

Numata T, Sato K, Christmann J, et al (2012). The ΔC splice-variant of TRPM2 is the hypertonicity-induced cation channel in HeLa cells, and the ecto-enzyme CD38 mediates its activation. J Physiol, 590, 1121-1138.

Sakurai T, Amemiya A, Ishii M, et al (1998). Orexins and orexin receptors: a family of hypothalamic neuropeptides and G protein-coupled receptors that regulate feeding behavior. Cell, 92, 573-585.

Stachniak TJ, Trudel E, Charles WB (2014). Cell-specific retrograde signals mediate antiparallel effects of angiotensin II on osmoreceptor afferents to vasopressin and oxytocin neurons. Cell Reports, 8, 355-362.

Theilig F, Wu Q (2015). ANP-induced signaling cascade and its implications in renal pathophysiology. Am J Physiol Renal Physiol, 308, F1047-F1055.

Thornton JE, Cheung CC, Clifton DK et al (1997). Regulation of hypothalamic proopiomelanocortin mRNA by leptin in ob/ob mice. Endocrinology, 138, 5063-5066.

Zhang Y, Proenca R, Maffei M, et al (1994). Positional cloning of the mouse obese gene and its human homologue. Nature, 372, 425-432.

▼ 14章　行動の周期性

【14.1〜14.4】

沼野利佳, 程 肇 (2001). 中枢および末梢組織での時計遺伝子発現調節. 神経研究の進歩, 45, 734-743.

山崎 晋, 井上慎一 (1993). 概日リズムの振動機構. Brain Medical, 5, 267-273.

Albrecht U, Sun ZS, Eichele G, et al (1997). A differential response of two putative mammalian circadian regulators, mper1 and mper2, to light. Cell, 91, 1055-1064.

Balsalobre A, Damiola F, Schibler U (1998). A serum shock induces circadian gene expression in mammalian tissue culture cells. Cell, 93, 929-937.

Bargiello TA, Jackson FR, Young MW (1984). Restoration of circadian behavioural rhythms by gene transfer in Drosophila. Nature, 312, 752-754.

Besharse J, Iuvone PM (1983). Circadian clock in Xenopus eye controlling retinal serotonin N-acetyltransferase. Nature, 305, 133-135.

Cassone VM, Chesworth MJ, Armstrong SM (1986a). Dose-dependent entrainment of rat circadian rhythms by daily injection of melatonin. J Biol Rhythms, 1, 219-229.

Cassone VM, Chesworth MJ, Armstrong SM (1986b). Entrainment of rat circadian rhythms by daily injection of melatonin depends upon the hypothalamic suprachiasmatic nuclei. Physiol Behav, 36, 1111-1121.

Chiba A, Kikuchi M, Aoki K (1993). The effects of pinealectomy and blinding on the circadian locomotor activity rhythm in the Japanese newt, Cynops pyrrhogaster. J Comp Physiol A, 172, 683-691.

Chiba A, Kikuchi M, Aoki K (1995). Entrainment of the circadian locomotor activity rhythm in the Japanese newt by melatonin injections. J Comp Physiol, A 176, 473-477.

Deguchi T (1979a). Circadian rhythm of serotonin N-acetyltransferase activity in organ culture of chick pineal gland. Science, 203, 1245-1247.

Deguchi T (1979b). A circadian oscillator in cultured cells of chicken pineal gland. Nature, 282, 94-96.

Ebihara S, Kawamura H (1981). The role of the pineal organ and the suprachiasmatic nucleus in the control of circadian locomotor rhythms in the Java sparrow, *Padda oryzivora*. J Comp Physiol, 141, 207-214.

Ebihara S, Uchiyama K, Oshima I (1984). Circadian organization in the pigeon, Columba livia: the role of the pineal organ and the eye. J Comp Physiol, 154, 59-69.

Gaston S, Menaker M (1968). Pineal function: the biological clock in the sparrow? Science, 160, 1125-1127.

Homma K, von Goetz C, Aschoff J (1983). Effects of restricted daily feeding on freerunning circadian rhythms in rats. Physiol Behav, 30, 905-913.

Inouye ST, Kawamura H (1979). Persistence of circadian rhythmicity in a mammalian hypothalamic "island" containing the suprachiasmatic nucleus. Proc Natl Acad Sci USA, 76, 5962-5966.

Janik DS, Menaker M (1990). Circadian locomotor rhythms in the desert iguana. Ⅰ. The role of the eyes and the pineal. J Comp Physiol A, 166, 803-810.

Janik DS, Pickard GE, Menaker M (1990). Circadian locomotor rhythms in the desert iguana. Ⅱ. Effects of electrolytic lesions to the hypothalamus. J Comp Physiol A, 166, 811-816.

King DP, Zhao Y, Sangoram AM, et al (1997). Positional cloning of the mouse circadian clock gene. Cell, 89, 641-653.

Konopka RS, Benzer S (1971). Clock mutants of drosophila melanogaster. Proc Natl Acad Sci USA, 68, 2112-2116.

Kriegsfeld LJ, Mei DF, Bentley GE, et al (2006). Identification and characterization of a gonadotropin-inhibitory system in the brains of mammals. Proc Natl Acad Sci USA, 103, 2410-2415.

Mieda M, Williams SC, Richardson JA, et al (2006). The dorsomedial hypothalamic nucleus as a putative food-entrainable circadian pacemaker. Proc Natl Acad Sci USA, 103, 12150-12155.

Moore RY, Eichler VB (1972). Loss of circadian adrenal corticosterone rhythm following suprachiasmatic lesions in the rat. Brain Res, 42, 201-204.

Oshima I, Yamada H, Goto M, et al (1989). Pineal and retinal melatonin is involved in the control of circadian locomotor activity and body temperature rhythms in the pigeon. J Comp Physiol A, 166, 217-226.

Pengelley ET, KC Fisher (1963). The effect of temperature and photoperiod on the yearly hibernating behavior of captive golden-mantled ground squirrels (Citellus lateralis tescorum). Canad J Zool, 41, 1103-1120.

Ralph MR, Foster RG, Davis FC, et al (1990). Transplanted suprachiasmatic nucleus determines circadian period. Science, 247, 975-978.

Sato T, Kawamura H (1984). Circadian rhythms in multiple unit activity inside and outside the suprachiasmatic nucleus in the diurnal chipmunk (Eutamias sibiricus). Neurosci Res, 1, 45-52.

Silver R, LeSauter J, Tresco PA, et al (1996). A diffusible coupling signal form the transplanted suprachiasmatic nucleus controlling circadian locomotor rhythms. Nature, 382, 810-813.

Steenhard BM, Beshares JC (2000). Phase shifting the retinal circadian clock : xPer2 mRNA induction by light and dopamine. J Neurosci, 20, 8572-8577.

Stephan FK, Zucker I (1972). Circadian rhythms in drinking behavior and locomotor activity of rats are eliminated by hypothalamic lesions. Proc Natl Acad Sci USA, 69, 1583-1586.

Takahashi JS, Murakami N, Nikaido SS, et al (1989). The avian pineal, a vertebrate model system of the circadian oscillator : Cellular regulation of circadian rhythms by light, second messengers, and macromolecular synthesis. Recent Prog Horm Res, 45, 279-352.

Takahashi M, Menaker M (1982). Role of the suprachiasmatic nuclei in the circadian system of the house sparrow, Passer domesticus. J Neurosci, 2, 815-828.

Tei H, Okamura H, Shigeyoshi Y, et al (1997). Circadian oscillation of a mammalian homologue of the Drosophila period gene. Nature, 389, 512-516.

Tosini G, Menaker M (1998). Multioscillatory circadian organization in a vertebrate, Iguana iguana. J Neurosci, 18, 1105-1114.

Underwood H, Barrett RK, Siopes T (1990). Melatonin does not link the eyes to the rest of the circadian system in quail : a neural pathway is involved. J Biol Rhythms, 5, 349-361.

Underwood H, Harless M (1985). Entrainment of the circadian activity rhythm of a lizard to melatonin injections. Physiol Behav, 35, 267-270.

Welsh DK, Logothetis DE, Meister M, et al (1995). Individual neurons dissociated from rat suprachiasmatic nucleus express independently phased circadian firing rhythms, Neurons, 14, 697-706.

Yamamoto K, Okano T, Fukada Y (2001). Chicken pineal Cry genes : light-dependent up-regulation of cCry1 and cCry2 transcripts. Neurosci Lett, 313, 13-16.

Yoo SH, Yamazaki S, Lowrey PL, et al (2004). PERIOD2 : LUCIFERASE real-time reporting of circadian dynamics reveals persistent circadian oscillations in mouse peripheral tissues. Proc Natl Acad Sci USA, 101, 5339-5346.

Zehring WA, Wheeler DA, Reddy P, et al (1984). P-element transformation with period locus DNA restores rhythmicity to mutant, arrhythmic Drosophila melanogaster. Cell, 39, 369-376.

Zimmerman NH, Menaker M (1979). The pineal gland : a pacemaker within the circadian system of the house sparrow. Proc Natl Acad Sci USA, 76, 999-1003.

【14.5】

川道武男，近藤宣昭，森田哲夫 編 (2000)．冬眠する哺乳類．東京大学出版会．

中山友哉，中根右介，吉村 崇 (2019)．脊椎動物の季節感知機構の解明とその応用 動物たちの季節適応戦略の謎に迫る．化学と生物，57，121-128．

Barnes BM (1989). Freeze avoidance in a mammal : body temperatures below 0 C in an arctic hibernator. Science, 244, 1593-1595.

Bieber C, Ruf T (2009). Summer dormancy in edible dormice (Glis glis) without energetic constraints. Naturwissenschaften, 96, 165-171.

Black JM (2001). Fitness consequences of long-term pair bonds in barnacle geese : monogamy in the extreme. Behav Ecol, 12, 640-645.

Bronson FH (1985). Mammalian reproduction : an ecological perspective. Biol Reprod, 32, 1-26.

Clarke IJ, Sari IP, Qi Y, et al (2008). Potent action of RFRP-3 on pituitary gonadotropes indicative of an hypophysiotropic role in the negative regulation of gonadotropin secretion. Endocrinology, 149, 5811-5821.

Deboer T (1998). Brain temperature dependent changes in the electroencephalogram power spectrum of humans and animals. J Sleep Res, 7, 254-262.

Demeneix BA, Henderson NE (1978). Serum T4 and T3 inactive and torpid ground squirrels, Spermophilis richardsoni. Den Comp Endocrinol, 35, 77-88.

Eadie J, Mallory M, Lumsden H (1995). Common goldeneye (Bu- cephala clangula). In : The birds of North America. Ithaca (NY) : Cornell Laboratory of Ornithology.

Follett BK, Sharp PJ (1969). Circadian rhythmicity in photoperiodically induced gonadotrophin release and gonadal growth in the quail. Nature, 223, 968-971.

Gerlach T, Aurich JE (2000). Regulation of seasonal reproductive activity in the stallion, ram and hamster. Anim Reprod Sci, 58, 197-213.

Gibson EM, Humber SA, Jain S, et al (2008). Alterations in RFamide-related peptide expression are coordinated with the preovulatory luteinizing hormone surge. Endocrinology, 149, 4958-4969.

Harris MB, Milson WK (1995). Parasympathetic influence of heart rate in euthermic and hibernating ground squirrels. J Exp Biol, 198, 931-937.

Heller HC (1979). Hibernation : neural aspects. Ann Rev Physiol, 41, 305-329.

Hinuma S, Shintani Y, Fukusumi S, et al (2000). New neuropeptides containing carboxy-terminal RFamide and their receptor in mammals. Nat Cell Biol, 2, 703-708.

Hudson JW(1980). The thyroid gland and temperature regulation in the prairie vole, Microtus ocheogaster and the chipmunk, Tamias striautus. Com Biochem Physiol, 49, 425-444.

Hut RA, Dardente H, Riede SJ(2014). Seasonal timing: how does a hibernator know when to stop hibernating? Curr Biol, 24, R602-R605.

Ikegami K, Yoshimura T(2017). Molecular Mechanism Regulating Seasonality. In: Kumar, V.(eds) Biological Timekeeping: Clocks, Rhythms and Behaviour. Springer, New Delhi.(https://doi.org/10.1007/978-81-322-3688-7_28.)

Jansky L, Hadded G, Kahlerova Z, et al(1984). Effect of external factors on hibernation of golden hamsters. J Com Physiol B, 154, 427-433.

Jehl J(1990). Aspects of the molt migration. In: Bird migration. pp102-113. Berlin: Springer.

Johnson MA, Tsutsui K, Fraley GS(2007). Rat RFamide-related peptide-3 stimulates GH secretion, inhibits LH secretion, and has variable effects on sex behavior in the adult male rat. Horm Behav, 51, 171-180.

Jonker RM, Kuiper MW, Snijders L, et al(2011). Divergence in timing of parental care and migration in barnacle geese. Behav Ecol, 22, 326-331.

Kirby ED, Geraghty AC, Ubuka T, et al(2009). Stress increases putative gonadotropin inhibitory hormone and decreases luteinizing hormone in male rats. Proc Natl Acad Sci USA, 106, 11324-11329.

Kondo N, Kondo J(1992). Identification of novel blood proteins specific for mammalian hibernation. J Biol Chemi 5, 473-478

Kondo N, Sekijima T, Kondo J, et al(2006). Circannual control of hibernation by HP complex in the brain. Cell, 125, 161-172.

Kriegsfeld LJ, Mei DF, Bentley GE, et al(2006). Identification and characterization of a gonadotropin-inhibitory system in the brains of mammals. Proc Natl Acad Sci USA, 103, 2410-2415.

Lee TN, Barnes B, Buck CL(2009). Body temperature patterns during hibernation in a free-living Alaska marmot (Marmota broweri). Ethol Ecol Evol, 21, 403-413.

Lee TN, Kohl F, Buck CL, et al(2016). Hibernation strategies and patterns in sympatric arctic species, the Alaska marmot and the arctic ground squirrel. J Mammal, 97, 135-144.

Liu Z, Gao XB(2007). Adenosine inhibits activity of hypocretin/orexin neurons via A1 receptor in the lateral hypothalamus: a possible sleep-promoting effect. J Neurophysiol, 97, 837-848.

Magariños AN, McEwen BS, Saboureau M, et al(2006). Rapid and reversible change in intrahippocampal connectivity during the course of hibernation in European hamsters. Proc Natl Acad Sci USA, 103, 18775-18780.

Miller JD, Cao VH, heller HC(1994). Thermal effects on neuronal activity in suprachiasmatic nuclei of hibernators and nonhibernators. Am J Physiol, 266, R1259-1266.

Moeller JS, Bever SR, Finn SL, et al(2022). Circadian Regulation of Hormonal Timing and the Pathophysiology of Circadian Dysregulation. Comprehensive Physiol, 12, 1-30.

Murakami M, Matsuzaki T, Iwasa T, et al(2008). Hypophysiotropic role of RFamide-related peptide-3 in the inhibition of LH secretion in female rats. J Endocrinol, 199, 105-112.

Murakami N, Kono R, Nakahara K, et al(2000). Induction of unseasonable hibernation and involvement of serotonin in entrance into and maintenance of its hibernation of chipmunks T. asiaticus. J Vet Med Sci, 62, 763-766.

Nakao N, Ono H, Yamamura T, et al(2008). Thyrotrophin in the pars tuberalis triggers photoperiodic response. Nature, 452, 317-322.

Owen M, Black JM(1989). Factors affecting the survival of bar-nacle geese on migration from the breeding grounds. J Anim Ecol, 58, 603-617.

Pöysä H, Virtanen J, Milonoff M(1997). Common goldeneyes ad-just maternal effort in relation to prior brood success and not current brood size. Behav Ecol Sociobiol, 40, 101-106.

Reiter RJ(1980). The pineal and its hormones in the control of reproduction in mammals. Endocr rev, 1, 109-131.

Rowan W(1925). Relation of light to bird migration and developmental changes. Nature, 115, 494-495.

Ruby NF, Dark J, Heller HC, et al(1996). Ablation of suprachiasmatic nucleus alters timing of hibernation in ground squirrels. Proc Natl Acad Sci USA, 93, 9864-9868.

Sheriff MJ, Fridinger RW, Tøien Ø, et al(2013). Metabolic rate and prehibernation fattening in free-living arc-tic ground squirrels. Physiol Biochem Zool, 86, 515-527.

Steele CT, Zivkovic BD, Siopes T, et al(2003). Ocular clocks are tightly coupled and act as pacemakers in the circadian system of Japanese quail. Am J Physiol Regul Integr Comp Physiol, 284, 208-218.

Takahashi JS, Menaker M(1982). Role of the suprachiasmatic nucleus in the circadian system of the house sparrow. J Neurosci, 2, 815-828.

Takahashi TM, Sunagawa GA, Soya S, et al(2020). A discrete neuronal circuit induces a hibernation-like state in rodents. Nature, 583, 109-114.

Tamura Y, Shintani M, Nakamura A, et al(2005). Phase-specific central regulatory systems of hibernation in Syrian hamsters. Brain Res, 1045, 88-96.

Ubuka T, Bentley GE, Ukena K, et al(2005). Melatonin induces the expression of gonadotropin-inhibitory hormone in the avian brain. Proc Natl Acad Sci USA, 102, 3052-3057.

Ubuka T, Kim S, Huang YC, et al(2008). Gonadotropin-inhibitory hormone neurons interact directly with gonadotropin-releasing hormone-I and -II neurons in European starling brain. Endocrinology, 149, 268-278.

von der Ohe CG, Darian-Smith C, Garner CC, et al(2006). Ubiquitous and temperature-dependent neural plasticity in Hibernators. J Neurosci, 26, 10590-10598.

Williams CT, Sheriff MJ, Schmutz JA, et al (2011). Data logging of body temperatures provides precise information on phenology of reproductive events in a free-living arctic hibernator. J Comp Physiol B, 181, 1101-1109.

Williams CT, Barnes BM, Richter M, et al (2012). Hibernation and circadian rhythms of body temperature in free-living arctic ground squirrels. Physiol Biochem Zool, 85, 397-404.

Yamamura T, Hirunagi K, Ebihara S, et al (2004). Seasonal morphological changes in the neuro-glial interaction between gonadotropin-releasing hormone nerve terminals and glial endfeet in Japanese quail. Endocrinology, 145, 4264-4267.

Yasuo S, Nakao N, Ohkura S, et al (2006). Long-day suppressed expression of type 2 deiodinase gene in the mediobasal hypothalamus of the Saanen goat, a short-day breeder: implication for seasonal window of thyroid hormone action on reproductive neuroendocrine axis. Endocrinology, 147, 432-440.

Yasuo S, Watanabe M, Nakao N, et al (2005). The reciprocal switching of two thyroid hormone-activating and -inactivating enzyme genes is involved in the photoperiodic gonadal response of Japanese quail. Endocrinology, 146, 2551-2554.

Yoshimura T, Yasuo S, Suzuki Y, et al (2001). Identification of the suprachiasmatic nucleus in birds. Am J Physiol Regul Integr Comp Physiol, 280, 1185-1189.

Yoshimura T, Yasuo S, Watanabe M, et al (2003). Light-induced hormone conversion of T4 to T3 regulates photoperiodic response of gonads in birds. Nature, 426, 178-181.

▼ 15章　ホルモンと睡眠

川道武男, 近藤宣昭, 森田哲夫 編 (2000). 冬眠する哺乳類. 東京大学出版会.

木村昌由美 (2005). 睡眠調節機構における性差. 性差と医療, 2, 29-35.

早石 修 監修, 井上昌次郎 編著 (2002). 快眠の科学. 朝倉書店.

Aserinsky E, Kleitman N (1953). Regularly occurring periods of eye motility, and concomitant phenomena during sleep. Science, 118, 273-274.

Andersen ML, Alvarenga TF, Mazaro-Costa R, et al (2011). The association of testosterone, sleep, and sexual function in men and women. Brain Res, 1416, 80-104.

Axelsson J, Ingre M, Akerstedt T, et al (2005). Effects of acutely displaced sleep on testosterone. J Clin Endocrinol Metab, 90, 4530-4535.

Borbely A (1982). A two process model of sleep regulation: physiological basis and outline. Hum. Neurobiol, 1, 195-204.

Boyar RM, Finkelstein JW, David R, et al (1973). Twenty-four hour patterns of plasma luteinizing hormone and follicle-stimulating hormone in sexual precocity. N Engl J Med, 289, 282-286.

Brandenberger G, Gronfier C, Weibel L, et al (1997). Modulatory role of sleep on hormonal pulsatility. In: Hayaishi O, Inoue S, eds. Sleep and Sleep Disorders: From Molecule to Behavior. pp198-208. Academic Press.

Chang FC, Opp MR (2001). Corticotropin-releasing hormone (CRH) as a regulator of waking. Neurosci Biobehav Rev, 25, 445-453.

Chastrette N, Cespuglio R (1985). Influence of proopiomelanocortin-derived peptides on the sleep-waking cycle of the rats. Neurosci Lett, 62, 365-370.

Dalal MA, Schuld A, Haack M, et al (2001). Normal plasma levels of orexin A (hypocretin-1) in narcoleptic patients. Neurology, 56, 1749-1751.

Date Y, Mondel MS, Matsumura S, et al (2000). Distribution of orexin/hypocretin in the rat median eminence and pituitary. Mol Brain Res, 76, 1-6.

De Lecca L, Kilduff TS, Peyron C, et al (1998). The hyocretins: hypothalamus-specific peptides with neuroexcitatory activity. Proc Natl Acad Sci USA, 95, 322-327.

Demeneix BA, Henderson NE (1978). Serum T4 and T3 inactive and torpid ground squirrels, *Spermophilis richardsoni*. Den Comp Endocrinol, 35, 77-88.

Dijk DJ, Beersma DG, Bloem GM (1989). Sex differences in the sleep EEG of young adults: visual scoring and spectral analysis. Sleep, 12, 500-507.

Dresler M, Spoormaker VI, Beitinger P, et al (2014). Neuroscience-driven discovery and development of sleep therapeutics. Pharmacol Ther, 141, 300-334.

Dugovic C, Maccari S, Weibel L, et al (1999). High corticosterone levels in prenatally stressed rats predict persistent paradoxical sleep alterations. J Neurosci, 19, 8656-8664.

Funato H, Miyoshi C, Fujiyama T, et al (2016). Forward-genetics analysis of sleep in randomly mutagenized mice. Nature, 539, 378-383.

Harris MB, Milson WK (1995). Parasympathetic influence of hear rate in euthermic and hibernating ground squirrels. J Exp Biol, 198, 931-937.

Heller HC (1979). Hibernation: neural aspects. Ann Rev Physiol, 41, 305-329.

Hill JA (1992). Cytokines considered critical in pregnancy. Am J Reprod Immunol, 28, 123-126.

Hudson JW (1980). The thyroid gland and temperature regulation in the prairie vole, *Microtus ocheogaster* and the chipmunk, Tamias striautus. Com Biochem Physiol, 49, 425-444

Hungs M, Mignot E (2001). Hypocretin/orexin, sleep and narcolepsy. Bioessays, 23, 397-408.

Imeri L, Opp MR (2009). How (and why) the immune system makes us sleep. Nature Rev, 10, 199-210.

Inutsuka A, Yamanaka A (2013). The physiological role of orexin/hypocretin neurons in the regulation of sleep/wakefulness and neuroendocrine functions. Front Endocrinol, 4, 18.

Inoue S (1989). Biology of Sleep Substances. CRC Press.

Jansky L, Hadded G, Kahlerova Z, et al (1984). Effect of external factors on hiberbernation of golden hamsters. J Com Physiol B, 154, 427-433.

Juji T, Satake M, Honda Y, et al (1984). HLA antigens in Japanese patients with narcolepsy; all the patients were DR2 positive. Tissue Antigens, 24, 316-319.

Kashiwagi M, Kanuka M, Tatsuzawa C, et al (2020). Widely distributed neurotensinergic neurons in the brainstem regulate NREM sleep in mice. Curr Biol, 30, 1002-1010.

Kimura M (2005). Minireview : Gender-specific sleep regulation. Sleep Biol Rhythm, 3, 75-79.

Kimura M, Muller-Preuss P, Lu A, et al (2010). Conditional corticotropin-releasing hormone overexpression in the mouse forebrain enhances rapid eye movement sleep. Mol Psychiatry, 15, 154-165

Kimura M, Zhang S-Q, Inoue S (1996). Pregnancy-associated sleep changes in the rat. Am J Physiol, 271, R1063-R1069.

Kondo N, Kondo J (1992). Identification of novel blood proteins specific for mammalian hibernation. J Biol Chemi, 5, 473-478

Kondo N, Sekijima T, Kondo J, et al (2006). Circannual control of hibernation by HP complex in the brain. Cell, 125, 161-172.

Krueger JM, Majde JA, Obal F Jr (2003). Sleep in host defense. Brain Behav. Immunity 17, S41-S47.

Krueger JM, Obal F Jr, Fang J, et al (2001). The role of cytokines in physiological sleep regulation. Ann NY Acad Sci, 933, 210-221.

Leproult R, Van Cauter E (2011). Effect of 1 week of sleep restriction on testosterone levels in young healthy men. JAMA, 305, 2173-2174.

Liu Z, Gao XB (2007). Adenosine inhibits activity of hypocretin/orexin neurons via A1 receptor in the lateral hypothalamus : a possible sleep-promoting effect. J Neurophysiol, 97, 837-848.

Magarinos AN, McEwen BS, Saboureau M, et al (2006). Rapid and reversible change in intrahippocampal connectivity during the course of hibernation in European hamsters. Proc Natl Acad Sci USA, 103, 18775-18780.

Meerlo P, Easton A, Bergmann BM, et al (2001). Restraint increases prolactin and REM sleep in C57BL/6 J mice but not in BALB/cJ mice. Am J Physiol, 281, R846-R854.

Miller JD, Cao VH, Heller HC (1994). Thermal effects on neuronal activity in suprachiasmatic nuclei of hibernators and nonhibernators. Am J Physiol, 266, R1259-R1266.

Mong JA, Baker FC, Mahoney MM, et al (2011). Sleep, rhythms, and the endocrine brain : influence of sex and gonadal hormones. J Neurosci, 31, 16107-16116.

Mullington J, Korth C, Hermann DM, et al (2000). Dose-dependent effects of endotoxin on human sleep. Am J Physiol, 278, R947-R955.

Murakami N, Kono R, Nakahara K, et al (2000). Induction of unseasonable hibernation and involvement of serotonin in entrance into and maintenance of its hibernation of chipmunks T. asiaticus. J Ve Med Sci, 62, 763-766.

Nishino S (2007). The hypothalamic peptidergic system, hypocretin/orexin and vigilance control. Neuropeptides, 41, 117-133.

Obal F Jr, Krueger JM (2004). GHRH and sleep. Sleep Med Rev, 8, 367-377.

Ontogenetic development of human sleep-dream cycle. Science, 152, 604-619.

Roky R, Obal F Jr, Valatx JL, et al (1995). Prolactin and rapid eye movement sleep regulation. Sleep, 18, 536-542.

Ruby NF, Dark J, Heller HC, et al (1996). Ablation of suprachiasmatic nucleus alters timing of hibernation in ground squirrels. Proc Natl Acad Sci USA, 93, 9864-9868.

Sakurai T, Amemiya A, Ishii M, et al (1998). Orexins and orexin receptors : a family of hypothalamic neuropeptides and G protein-coupled receptors that regulate feeding behavior. Cell, 92, 573-585.

Saper CB, Scammell TE, Lu J (2005). Hypothalamic regulation of sleep and circadian rhythms. Nature, 437, 1257-1263.

Sassin JF, Frantz AG, Weitzman ED, et al (1972). Human prolactin : 24-hour pattern with increased release during sleep. Science, 177, 1205-1207.

Scammell TE, Arrigoni E, Lipton JO (2017). Neural circuitry of wakefulness and sleep. Neuron 93, 747-765.

Steiger A (2002). Neuroendocrinology of Sleep Disorders. In : H D'haenen, et al, eds. Biological Psychiatry. pp1229-1246. John Wiley & Sons.

Takahashi Y, Kipnis DM, Daughaday WH (1968). Growth hormone secretion during sleep. J Clin Invest, 47, 2079-2090.

Tamura Y, Shintani M, Nakamura A, et al (2005). Phase-specific central regulatory systems of hibernation in Syrian hamsters. Brain Res, 1045, 88-96.

von der Ohe CG, Darian-Smith C, Garner CC, et al (2006). Ubiquitous and temperature-dependent neural plasticity in hibernators. J Neurosci, 26, 10590-10598.

von Economo C (1930). Sleep as a problem of localization. J Nerv Ment Dis, 22, 41-44.

Weber F, Chung S, Beier KT, et al (2015). Control of REM sleep by ventral medulla GABAergic neurons. Nature, 526, 435-438.

16章　ストレス応答と行動

Boler J, Enzmann F, Folkers K, et al (1969). The identity of chemical and hormonal properties of the thyrotropin releasing hormone and pyroglutamyl-histidyl-proline amide. Biochem Biophys Res Commun, 37, 705-710.

Borovikova LV, Ivanova S, Zhang M, et al (2000). Vagus nerve stimulation attenuates the systemic inflammatory response to endotoxin. Nature, 405, 458-462.

Burgus R, Butcher M, Amoss M, et al (1972). Primary structure of the ovine hypothalamic luteinizing hormone-releasing factor (LRF) (LH-hypothalamus-LRF-gas chromatography-mass spectrometry-decapeptide-Edman degradation). Proc Natl Acad Sci USA, 69, 278-282.

Burgus R, Dunn TF, Desiderio D, et al (1969). Structure moléculaire du facteur hypothalamique hypophysiotrope TRF d'origine ovine : mise en évidence par spectrométrie de masse de la séquence PCA-His-Pro-NH2. C R Acad Hebd Seances Acad Sci D, 269, 1870-1873.

Cannon WB (1935). Stresses and strains of homeostasis. Am J Med Sci, 189, 1-14.

Das G, Uchida K, Kageyama K, et al (2009). Glucocorticoid

dependency of surgical stress-induced FosB/ΔFosB expression in the paraventricular and supraoptic nuclei of the rat hypothalamus. J Neuroendocrinol, 21, 822-831.

Friedman M, Rosenman RH (1959). Association of specific overt behavior pattern with blood and cardiovascular findings : blood cholesterol level, blood clotting time, incidence of arcus senilis, and clinical coronary artery disease. J Am Med Assoc, 169, 1286-1296.

Greenberg JS (2004). Comprehensive stress management, 8th ed. McGraw-Hill, New York.(第6版(1999)の日本語訳：ジェロルド・S・グリーンバーグ著, 服部祥子, 山田冨美雄 監訳(2006). 包括的ストレスマネジメント. 医学書院.)

Hess WR (1956). Hypothalamus und Thalamus. Experimental-Dokumente. Thieme, Stuttgart.

Itoi K, Helmreich DL, Lopez-Figueroa MO, et al (1999). Differential regulation of corticotropin-releasing hormone and vasopressin gene transcription in the hypothalamus by norepinephrine. J Neurosci, 19, 5464-5472.

Itoi K, Jost N, Badoer E, et al (1991). Localization of the substance P-induced cardiovascular responses in the rat hypothalamus. Brain Res, 558, 123-126.

Itoi K, Talukder AH, Fuse T, et al (2014). Visualization of corticotropin-releasing factor neurons by fluorescent proteins in the mouse brain and characterization of labeled neurons in the paraventricular nucleus of the hypothalamus. Endocrinology, 155, 4054-4060.

Kobasa SC (1979). Stressful life events, personality, and health : an inquiry into hardiness. J Pers Soc Psychol, 37, 1-11.

Kono J, Konno K, Talukder AH, et al (2017). Distribution of corticotropin-releasing factor neurons in the mouse brain : a study using corticotropin-releasing factor-modified yellow fluorescent protein knock-in mouse. Brain Struct Funct, 222, 1705-1732.

Lemmer IL, Willemsen N, Hilal N, et al (2021). A guide to understanding endoplasmic reticulum stress in metabolic disorders. Mol Metab, 47, 101169.

Martindale JL, Holbrook NJ (2002). Cellular response to oxidative stress : signaling for suicide and survival. J Cell Physiol, 192, 1-15.

Matsuo H, Baba Y, Nair RM, et al (1971). Structure of the porcine LH- and FSH-releasing hormone. I. The proposed amino acid sequence. Biochem Biophys Res Commun, 43, 1334-1339.

Mouri T, Itoi K, Takahashi K, et al (1993). Colocalization of corticotropin-releasing factor and vasopressin in the paraventricular nucleus of the human hypothalamus. Neuroendocrinology, 57, 34-39.

Mukai Y, Nagayama A, Itoi K, et al (2020). Yamanaka A. Identification of substances which regulate activity of corticotropin-releasing factor-producing neurons in the paraventricular nucleus of the hypothalamus. Sci Rep, 10, 13639.

Nance DM, Sanders VM (2007). Autonomic innervation and regulation of the immune system (1987-2007). Brain Behav Immun, 21, 736-745.

Porsolt RD, Le Pichon M, Jalfre M (1977). Depression : a new animal model sensitive to antidepressant treatments. Nature, 266, 730-732.

Raisman G (1997). An urge to explain the incomprehensible : Geoffrey Harris and the discovery of the neural control of the pituitary gland. Annu Rev Neurosci, 20, 533-566.

Selye H (1936). A syndrome produced by diverse nocuous agents. Nature, 138, 32.

Selye H (1967). In vivo : The case for supramolecular biology, presented in six informal, illustrated lectures. Liveright Publishing Corporation, New York.(ハンス・セリエ 著, 細谷東一郎 訳(1997), 生命とストレス―超分子生物学のための事例. 工作社.)

Sies H, Berndt C, Jones DP (2017). Oxidative Stress. Annu Rev Biochem, 86, 715-748.

Swanson LW, Sawchenko PE, Rivier J, et al (1983). Organization of ovine corticotropin-releasing factor immunoreactive cells and fibers in the rat brain : an immunohistochemical study. Neuroendocrinology, 36, 165-186.

Uchida K, Kobayashi D, Das G, et al (2010). Participation of the prolactin-releasing peptide-containing neurones in caudal medulla in conveying haemorrhagic stress-induced signals to the paraventricular nucleus of the hypothalamus. J Neuroendocrinol, 22, 33-42.

Ulrich-Lai YM, Herman JP (2009). Neural regulation of endocrine and autonomic stress responses. Nat Rev Neurosci, 10, 397-409.

Vale W, Spiess J, Rivier C, et al (1981). Characterization of a 41-residue ovine hypothalamic peptide that stimulates secretion of corticotropin and beta-endorphin. Science, 213, 1394-1397.

Yamamoto M, Kensler TW, Motohashi H (2018). The KEAP1-NRF2 system : a thiol-based sensor-effector apparatus for maintaining redox homeostasis. Physiol Rev, 98, 1169-1203.

▼ 17章　高次神経機能とホルモン

Alescio-Lautier B, Rao H, Paban V, et al (1995). Inhibition of the vasopressin-enhancing effect on memory retrieval and relearning by a vasopressin V1 receptor antagonist in mice. Eur J Pharmacol, 294, 763-770.

Alescio-Lautier B, Soumireu-Mourat B (1998). Role of vasopressin in learning and memory in the hippocampus. Prog Brain Res, 119, 501-521.

Alexander GM, Swerdloff RS, Wang C, et al (1998). Androgen-behavior correlations in hypogonadal men and eugonadal men. II. Cognitive abilities. Horm Behav, 33, 85-94.

Arbel I, Kadar T, Silbermann M, et al (1994). The effects of long-term corticosterone administration on hippocampal morphology and cognitive performance of middle-aged rats. Brain Res, 657, 227-235.

Berry B, McMahan R, Gallagher M (1997). Spatial learning and memory at defined points of the estrous cycle : effects on performance of a hippocampal-dependent task. Behav Neurosci, 111, 267-274.

Bliss TV, Lomo T (1973). Long-lasting potentiation of synaptic transmission in the dentate area of the anaesthetized rabbit following stimulation of the perforant path. J Physiol, 232, 331-356.

Caldwell HK, Lee H, Macbeth AH, et al(2008). Vasopression : behavioral roles of an "original" neuropeptide. Pro Neurobiol, 84, 1-24.

Dachir S, Kadar T, Robinzon B, et al(1993). Cognitive deficits induced in young rats by long-term corticosterone administration. Behav Neural Biol, 60, 103-109.

de Quervain DJ, Roozendaal B, McGaugh JL(1998). Stress and glucocorticoids impair retrieval of long-term spatial memory. Nature, 394, 787-790.

de Wied D(1964). Influence of anterior pituitary on avoidance learning and escape behavior. Am J Physiol, 207, 255-259.

Dietrich A, Allen JD(1997). Vasopressin and memory. I. The vasopressin analogue AVP4-9 enhances working memory as well as reference memory in the radial arm maze. Behav Brain Res, 87, 195-200.

Feldman S, Conforti N(1980). Adrenocortical responses in dexamethasone-treated rats with septal, preoptic and combined hypothalamic lesions. Horm Res, 12, 289-295.

Gold PE, Van Buskirk R(1976). Enhancement and impairment of memory processes with post-trial injections of adrenocorticotrophic hormone. Behav Biol, 16, 387-400.

Hampson E(1990). Variations in sex-related cognitive abilities across the menstrual cycle. Brain Cogn, 14, 26-43.

Hines M(2004). Brain Gender. Oxford University Press, Oxford.

Iijima M, Arisaka O, Minamoto F, et al(2001). Sex differences in children's free drawings : a study on girls with congenital adrenal hyperplasia. Horm Behav, 40, 99-104.

Izquierdo I, Dias RD(1985). Influence on memory of post-training or pre-test injections of ACTH, vasopressin, epinephrine, and beta-endorphin, and their interaction with naloxone. Psychoneuroendocrinology, 10, 165-172.

Kinsley CH, Madonia L, Gifford GW, et al(1999). Motherhood improves learning and memory : neural activity in rats is enhanced by pregnancy and the demands of rearing offspring. Nature, 402, 137-138.

Landfield PW, Baskin RK, Pitler TA(1981). Brain aging correlates : retardation by hormonal-pharmacological treatments. Science, 214, 581-584.

Luine V, Richards ST, Wu VY, et al(1998). Estradiol enhances learning and memory in a spatial memory task and effects [sic] levels of monoaminergic neurotransmitters. Horm Behav, 34, 149-162.

Luine V, Spencer RL, McEwen BS(1993). Effects of chronic corticosterone ingestion on spatial memory performance and hippocampal serotonergic function. Brain Res, 616, 65-70.

McLay RN, Freeman SM, Zadina JE(1998). Chronic corticosterone impairs memory performance in the Barnes maze. Physiol Behav, 63, 933-937.

Orsini CA, Willis ML, Gilbert RJ, et al(2016). Sex differences in a rat model of risky decision making. Behav Neurosci, 130, 50-61.

Pavlides C, Watanabe Y, McEwen BS(1993). Effects of glucocorticoids on hippocampal long-term potentiation. Hippocampus, 3, 183-192.

Peak JN, Turner KM, Burne THJ(2015). The effect of developmental vitamin D deficiency in male and female Sprague-Dawley rats on decision-making using a rodent gambling task. Physiol Behav, 138, 319-324.

Pedersen CA, Caldwell JD, Walker C, et al(1994). Oxytocin activates the postpartum onset of rat maternal behavior in the ventral tegmental and medial preoptic areas. Behav Neurosci, 108, 1163-1171.

Phillips RG, LeDoux JE(1992). Differential contribution of amygdala and hippocampus to cued and contextual fear conditioning. Behav Neurosci, 106, 274-285.

Reavis R, Overman WH(2001). Adult sex differences on a decision-making task previously shown to depend on the orbital prefrontal cortex. Behav Neurosci, 115, 196-206.

Rissman EF, Heck AL, Leonard JE, et al(2002). Disruption of estrogen receptor β gene impairs spatial learning in female mice. Proc Natl Acad Sci USA, 99, 3996-4001.

Roozendaal B(2003). Systems mediating acute glucocorticoid effects on memory consolidation and retrieval. Prog Neuropsychopharmacol Biol Psychiatry, 27, 1213-1223.

Sapolsky RM, Krey LC, McEwen BS(1985). Prolonged glucocorticoid exposure reduces hippocampal neuron number : implications for aging. J Neurosci, 5, 1222-1227.

Shors TJ, Weiss C, Thompson RF(1992). Stress-induced facilitation of classical conditioning. Science, 257, 537-539.

Stackman RW, Blasberg ME, Langan CJ, et al(1997). Stability of spatial working memory across the estrous cycle of Long-Evans rats. Neurobiol Learn Mem, 67, 167-171.

Tomizawa K, Iga N, Lu Y, et al(2003). Oxytocin improves long lasting spatial memory during motherhood through MAP kinase cascade. Nature Neurosci, 6, 384-389.

van den Bos R, Jolles J, van der Knaap L, et al(2012). Male and female Wistar rats differ in decision-making performance in a rodent version of the Iowa Gambling Task. Behav Brain Res, 234, 375-379.

Williams CL, Barnett AM, Meck WH(1990). Organizational effects of early gonadal secretions on sexual differentiation in spatial memory. Behav Neurosci, 104, 84-97.

Welborn BL, Papademetris X, Reis DL, et al(2009). Variation in orbitofrontal cortex volume : relation to sex, emotion regulation and affect. Soc Cogn Affect Neurosci, 4, 328-339.

Woolley CS, Gould E, McEwen BS(1990). Exposure to excess glucocorticoids alters dendritic morphology of adult hippocampal pyramidal neurons. Brain Res, 531, 225-231.

Yamada K, McEwen BS, Oavlides C(2003). Site and time dependent effects of acute stress on hippocampal long-term potentiation in freely behaving rats. Exp Brain Res, 152, 52-59.

▼ 18章　行動の比較神経内分泌学
【18-1】

会田勝美, 小林牧人, 金子豊二(1991). 内分泌. In：板沢靖

男，羽入 功 編．魚類生理学．pp167-241．恒星社厚生閣．

佐藤行人，西田 睦（2009）．全ゲノム重複と魚類の進化．魚類学雑誌，56，89-109．

羽入 功（1991）．生殖周期．In：板沢靖男，羽入 功 編．魚類生理学．pp287-325．恒星社厚生閣．

Al-Massadi O, Dieguez C, Schneeberger M, et al（2021）. Multifaceted actions of melanin-concentrating hormone on mammalian energy homeostasis. Nat Rev Endocrinol, 17, 745-755.

Brenner S, Elgar G, Sandford R, et al（1993）. Characterization of the pufferfish (Fugu) genome as a compact model vertebrate genome. Nature, 366, 265-268.

Collins SA（1685）. Systeme of Anatomy. Thomas Newcomb.

De Groef B, Van der Geyten S, Darras VM, et al（2006）. Role of corticotropin-releasing hormone as a thyrotropin-releasing factor in non-mammalian vertebrates. Gen Comp Endocrinol, 146, 62-68.

Falcón J, Besseau L, Sauzet S, et al（2007）. Melatonin effects on the hypothalamo-pituitary axis in fish. Trends Endocrinol Metab, 18, 81-88.

Hermansen RA, Hvidsten TR, Sandve SR, et al（2016）. Extracting functional trends from whole genome duplication events using comparative genomics. Biol Proced Online, 18, 11.

Howe K, Clark MD, Torroja CF, et al（2013）. The zebrafish reference genome sequence and its relationship to the human genome. Nature, 496, 498-503.

Iigo M, Hara M, Ohtani-Kaneko R, et al（1997）. Photic and circadian regulations of melatonin rhythms in fishes. Biol Signals, 6, 225-232.

Iigo M, Kezuka H, Suzuki T, et al（1997）. Melatonin signal transduction in the goldfish, *Carassius auratus*. Neurosci Biobehav Rev, 18, 563-569.

Inoue J, Sato Y, Sinclair R, et al（2015）. Rapid genome reshaping by multiple-gene loss after whole-genome duplication in teleost fish suggested by mathematical modeling. Proc Natl Acad Sci USA, 112, 14918-14923.

Kaneko T（1996）. Cell biology of somatolactin. Int Rev Cytol, 169, 1-24.

Kasahara M, Naruse K, Sasaki S, et al（2007）. The medaka draft genome and insights into vertebrate genome evolution. Nature, 447, 714-719.

Kawauchi H, Kawazoe I, Tsubokawa M, et al（1983）. Characterization of melanin-concentrating hormone in chum salmon pituitaries. Nature, 305, 321-323.

Larsen DA, Swanson P, Dickey JT, et al（1998）. In vitro thyrotropin-releasing activity of corticotropin-releasing hormone-family peptides in coho salmon, *Oncorhynchus kisutch*. Gen Comp Endocrinol, 109, 276-285.

Marchant TA, Chang JP, Nahorniak CS, et al（1989）. Evidence that gonadotropin-releasing hormone also functions as a growth hormone-releasing factor in the goldfish. Endocrinology, 124, 2509-2518.

Nakajo M, Kanda S, Karigo T, et al（2018）. Evolutionarily conserved function of kisspeptin neuronal system is nonreproductive regulation as revealed by nonmammalian study. Endocrinology, 159, 163-183.

Nakane Y, Ikegami K, Iigo M, et al（2013）. The saccus vasculosus of fish is a sensor of seasonal changes in day length. Nat Commun, 4, 2108.

Nakao N, Ono H, Yamamura T, et al（2008）. Thyrotrophin in the pars tuberalis triggers photoperiodic response. Nature, 452, 317-322.

Nelson JS（2006）. Fishes of the World. p707. Wiley.

Rand-Weaver M, Noso T, Muramoto K, et al（1991）. Isolation and characterization of somatolactin, a new protein related to growth hormone and prolactin from Atlantic cod (*Gadus morhua*) pituitary glands. Biochemistry, 30, 1509-1515.

Suzuki K, Kawauchi H, Nagahama Y（1988a）. Isolation and characterization of two distinct gonadotropins from chum salmon pituitary glands. Gen Comp Endocrinol, 71, 292-301.

Suzuki K, Kawauchi H, Nagahama Y（1988b）. Isolation and characterization of subunits from two distinct salmon gonadotropins. Gen Comp Endocrinol, 71, 302-306.

Suzuki K, Kanamori A, Nagahama Y, et al（1988c）. Development of salmon GTH I and GTH II radioimmunoassays. Gen Comp Endocrinol, 71, 459-467.

Uenoyama Y, Inoue N, Maeda KI, et al（2018）. The roles of kisspeptin in the mechanism underlying reproductive functions in mammals. J Reprod Dev, 64, 469-476.

Vigh B, Vigh-Teichmann I（1998）. Actual problems of the cerebrospinal fluid-contacting neurons. Microsc Res Tech, 41, 57-83.

Yoshimura T, Yasuo S, Watanabe M, et al（2003）. Light-induced hormone conversion of T4 to T3 regulates photoperiodic response of gonads in birds. Nature, 426, 178-181.

Zohar Y, Muñoz-Cueto JA, Elizur A, et al（2010）. Neuroendocrinology of reproduction in teleost fish. Gen Comp Endocrinol, 165, 438-455.

【18-2】

松井正文（1996）．両生類の進化．p302．東大出版会．

Arnold SJ（1977）. The evolution of courtship behavior in New World salamanders with some comments on Old World salamandrids. In：The reproductive biology of amphibians. pp141-183. Springer.

Bhandari RK, Taniyama S, Kitahashi T, et al（2003）. Seasonal changes of responses to gonadotropin-releasing hormone analog in expression of growth hormone/prolactin/somatolactin genes in the pituitary of masu salmon. Gen Comp Endocrinol, 130, 55-63.

Brown DD, Cai L（2007）. Amphibian metamorphosis. Dev Biol, 306, 20-33.

Chadwick CS（1941）. Further observations on the water drive in Triturus viridescens. II Induction of the water drive with the lactogenic hormone. J Exp Zool, 86, 175-187.

Dawley EM（1998）. Olfaction. In：Heatwole H ed. Amphibian Biology. pp713-742. Surrey Beatty & Sons, Chipping Norton, New South Wales, Australia.

Dawley EM, Bass AH（1989）. Chemical access to the vomeronasal organs of a plethodontid salamander. J Morphol,

200, 163-174.

Denver RJ (1996). 12 - Neuroendocrine Control of Amphibian Metamorphosis. In : Metamorphosis. Gilbert LI, Tata JR, Atkinson BG, eds. pp433-464. Academic Press, San Diego.

Denver RJ (2013). Neuroendocrinology of amphibian metamorphosis. Curr. Top Dev Biol, 103, 195-227.

Duellman WE, Trueb L (1994). Biology of Amphibians. Johns Hopkins University Press.

Galton VA (1992). Thyroid hormone receptors and iodothyronine deiodinases in the developing Mexican axolotl, Ambystoma mexicanum. Gen Comp Endocrinol, 85, 62-70.

Goutte S, Mason MJ, Christensen-Dalsgaard J, et al (2017). Evidence of auditory insensitivity to vocalization frequencies in two frogs. Sci Rep, 7, 12121.

Halliday TR (1977). The courtship of European newts : an evolutionary perspective. In : The reproductive biology of amphibians. pp185-232. Springer.

Himstedt WS, Simon D (1995). Sensory basis of foraging behaviour in caecilians. Herp J, 5, 266-270.

Ishii S, Yoneyam, H, Inoue M, et al (1989). Changes in plasma and pituitary levels of prolactin in the toad, Bufo japonicus, throughout the year with special reference to the breeding migration. Gen Comp Endocrinol, 74, 365-372.

Iwata T, Nakada T, Toyoda F, et al (2013). Responsiveness of vomeronasal cells to a newt peptide pheromone, sodefrin as monitored by changes of intracellular calcium concentrations. Peptides, 45, 15-21.

Jorgensen CB (2000). Amphibian respiration and olfaction and their relationships : from Robert Townson (1794) to the present. Biol Rev Camb Philos Soc, 75, 297-345.

Kikuyama S, Kawamura K, Tanaka S, et al (1993). Aspects of Amphibian Metamorphosis : Hormonal Control. In : Jeon KW, Jarvik J, eds. Int Rev Cytol, Volume 145, Jeon KW, Jarvik J, eds. pp105-148. Academic Press.

Kikuyama S, Toyoda F, Ohmiya Y, et al (1995). Sodefrin : a female-attracting peptide pheromone in newt cloacal glands. Science, 267, 1643-1645.

Kimoto H, Haga S, Sato K, et al (2005). Sex-specific peptides from exocrine glands stimulate mouse vomeronasal sensory neurons. Nature, 437, 898.

Matthes E (1927). Das Geruchsvermögen von Triton beim Aufenthalt unter Wasser. Z Vgl Physiol, 1, 57-83.

Matthes E (1927). Der Einfluss des Mediumwechsels auf das Geruchsvermögen von Triton. Z Vgl Physiol, 5, 83-166.

Meier AH, David KB (1967). Diurnal variations of the fattening response to prolactin in the white-throated sparrow, Zonotrichia albicollis. Gen Comp Endocrinol, 8, 110-114.

Meier AH, Farner DS (1964). A possible endocrine basis for premigratory fattening in the white-crowned sparrow, Zonotrichia leucophrys gambelii (Nuttall). Gen Comp Endocrinol, 4, 584-595.

Nakada T, Hagino-Yamagishi K, Nakanishi K, et al (2014). Expression of G proteins in the olfactory receptor neurons of the newt Cynops pyrrhogaster : their unique projection into the olfactory bulbs. J Comp Neurol, 522, 3501-3519.

Nakada T, Ishizuka Y, Iwata T, et al (2007). Evidence for processing enzymes in the abdominal gland of the newt, Cynops pyrrhogaster, that generate sodefrin from its biosynthetic precursor. Zoolog Sci, 24, 521-524.

Nakada T, Toyoda F, Matsuda K, et al (2017). Imorin : a sexual attractiveness pheromone in female red-bellied newts (Cynops pyrrhogaster). Sci Rep, 7, 41334.

Norris DO, Dent JN (1989). 5 - Neuroendocrine aspects of amphibian metamorphosis. In : Schreibman MP, Scanes CG, eds. Development, Maturation, and Senescence of Neuroendocrine Systems. pp63-90. Academic Press.

Okada R, Ito Y, Kaneko M, et al (2005). Frog Corticotropin-Releasing Hormone (CRH) : Isolation, Molecular Cloning, and Biological Activity. Ann NY Acad Sci, 1040, 150-155.

Okada R, Yamamoto K, Hasunuma I, et al (2016). Arginine vasotocin is the major adrenocorticotropic hormone-releasing factor in the bullfrog Rana catesbeiana. Gen Comp Endocrinol, 237, 121-130.

Okada R, Yamamoto K, Koda A, et al (2004). Development of radioimmunoassay for bullfrog thyroid-stimulating hormone (TSH) : effects of hypothalamic releasing hormones on the release of TSH from the pituitary in vitro. Gen Comp Endocrinol, 135, 42-50.

Onuma T, Kitahashi T, Taniyama S, et al (2003). Changes in expression of genes encoding gonadotropin subunits and growth hormone/prolactin/somatolactin family hormones during final maturation and freshwater adaptation in prespawning chum salmon. Endocrine, 20, 23-33.

Pombal JP, Sazima I, Haddad C (1994). Breeding behavior of the pumpkin toadlet, Brachycephalus ephippium (Brachycephalidae). Journal of Herpetology, 28, 516-519.

Reiss JO, Eisthen HL (2008). Comparative anatomy and physiology of chemical senses in amphibians. Sensory evolution on the threshold : Adaptations in secondarily aquatic vertebrates. pp43-63. University of California Press.

Rollmann SM, Houck LD, Feldhoff RC (1999). Proteinaceous pheromone affecting female receptivity in a terrestrial salamander. Science, 285, 1907-1909.

Rosenkilde P, Ussing AP (1996). What mechanisms control neoteny and regulate induced metamorphosis in urodeles? Int J Dev Biol, 40, 665-673.

Sakamoto T, McCormick SD (2006). Prolactin and growth hormone in fish osmoregulation. Gen Comp Endocrinol, 147, 24-30.

Sasaki M (1924). On a Japanese salamander, in Lake Kuttarush, which propagates like the axolotl. Journal of the College of Agriculture. Hokkaido Imperial University, 15, 1-36.

Schmidt A, Wake MH (1990). Olfactory and vomeronasal systems of caecilians (Amphibia : Gymnophiona). J Morphol, 205, 255-268.

Schubert SN, Houck LD, Feldhoff PW, et al (2006). Effects of androgens on behavioral and vomeronasal responses to chemosensory cues in male terrestrial salamanders (Plethodon shermani). Horm Behav, 50, 469-476.

Seydel O (1895). Über die Nasenhöhle und das Jacobson'sche

Organ der Amphibien : eine vergleichend-anatomische Untersuchung,(Wilhelm Engelmann).
Speca DJ, Lin DM, Sorensen PW, et al(1999). Functional identification of a goldfish odorant receptor. Neuron, 23, 487-498.
Taurog A, Oliver C, Eskay RL, et al(1974). The role of TRH in the neoteny of the Mexican axolotl(Ambystoma mexicanum). Gen Comp Endocrinol, 24, 267-279.
Taylor D(2013). The reproductive biology of amphibians. Springer Science & Business Media.
Toyoda F, Kikuyama S(2000). Hormonal influence on the olfactory response to a female-attracting pheromone, sodefrin, in the newt, Cynops pyrrhogaster. Comp Biochem Physiol B Biochem Mol Biol, 126, 239-245.
Toyoda F, Tanaka S, Matsuda K, et al(1994). Hormonal control of response to and secretion of sex attractants in Japanese newts. Physiol Behav, 55, 569-576.
Toyoda F, Yamamoto K, Ito Y, et al(2003). Involvement of arginine vasotocin in reproductive events in the male newt Cynops pyrrhogaster. Horm Behav 44, 346-353.
Wabnitz PA, Bowie JH, Tyler MJ, et al(1999). Animal behaviour : aquatic sex pheromone from a male tree frog. Nature, 401, 444.
Wilburn DB, Doty KA, Chouinard AJ, et al(2017). Olfactory effects of a hypervariable multicomponent pheromone in the red-legged salamander, Plethodon shermani. PLoS One, 12, e0174370.
Zug GR, Vitt LJ, Caldwell JP(2001). Herpetology : an introductory biology of amphibians and reptiles. Elsevier.

【18-3】
関 慎太郎(2016). 野外観察のための爬虫類図鑑. 緑書房.
疋田 努(2002). 爬虫類の進化. 東京大学出版.
松井正文(2006). 脊椎動物の多様性と系統. 裳華房.
Aldrige RD(1975). Experimental control of spermatogenesis in the rattle snake Crotalus viridis. Copeia, 3, 493-496.
Crews D(1988). The problem with gender. Psychobiology, 16, 321-334.
Gracheva EO, Ingolia NT, Kelly YM, et al(2010). Molecular basis of infrared detection by snakes. Nature, 464, 1006-1011.
Gunhter K(2005). Incubation of reptile eggs. Krieger publishing company.
Harold F(1977). The urogenital system of the reptiles in Biology of the reptilia 6. In : Carl Gans C, Parsons TS eds. Biology of the Reptilia, Vol. 6. pp1-122. Academic Press.
Horner JR(1984). The nesting behavior of Dinosaurs. Sci Am, 250, 130-137.
Horner JR, Makela R(1979). Nest of juveniles provides evidence of family structure among dinosaurs. Nature, 282, 296-298.
Huchzermeyer FW(2003). Crocodiles : Biology, Husbandry and Diseases. Cab Intl.
Licht P, Gorman GC(1975). Altitudinal effects on the seasonal testis cycles of tropical Anolis lzards. Copeia, 3, 496-504.
Lind CM, Birky NK, Porth AM, et al(2017). Vasotocin receptor blockade disrupts maternal care of offspring in a viviparous snake, Sistrurus miliarius. Biol Open, 6, 283-289.
Mason RT, Fales HM, Jones TH, et al(1989). Sex pheromones in snakes. Science, 245, 290-293.
Nelson R, Kriegsfeld LJ(2016). An Introduction to Behavioral Endocrinology, 5th ed. Sinauer.
Norris DO, Carr JA(2013). Vertebrate Endocrinology, 5th ed. Academic Press.
Schuett GW, Harlow HJ, Rose JD, et al(1996). Levels of plasma corticosterone and testosterone in male copperheads (Agkistrodon contortrix)following staged fights. Horm Behav, 30, 60-68.
Vitt LJ, Caldwell JP(2014). Herpetology, 4th ed. Academic Press.

【18-4】
Acher R, Chauvet J, Chauvet MT(1970). Phylogeny of the neurohypophyseal hormones : the avian active peptides. Eur J Biochem, 17, 509-513.
Adkins-Regan E(1987). Sexual differentiation in birds. Trends Neurosci, 10, 517-522.
Adkins-Regan E, Garcia M(1986). Effect of flutamide(an antiandrogen)and diethylstilbestrol on the reproductive behavior of Japanese quail. Physiol Behav, 36, 419-425.
Ahmed S, Harvey S(2002). Ghrelin : a hypothalamic GH-releasing factor in domestic fowl(Gallus domesticus). J Endocrinol, 172, 117-125.
Aoki Y, Ono H, Yasuo S, et al(2007). Molecular evolution of prepro-thyrotropin-releasing hormone in the chicken (Gallus gallus)and its expression in the brain. Zool Sci, 24, 686-692.
Arai Y, Kameda Y(2004). Diurnal rhythms of common alpha-subunit mRNA expression in the pars tuberalis of hamsters and chickens. Cell Tissue Res, 317, 279-288.
Arámburo C, Luna M, Carranza M, et al(2000). Growth hormone size variants : changes in the pituitary during development of the chicken. Proc Soc Exp Biol Med, 223, 67-74.
Ball GF, Balthazart J(2017). Neuroendocrine Regulation of Reproductive Behavior in Birds. In : Pfaff DW, Joëls M, eds. Hormones, Brain, and Behavior, 3rd ed. Vol. 2. pp217-254. Elsevier.
Balthazart J, Charlie, TD, Cornil CA, et al(2011). Sex differences in brain aromatase activity : genomic and non-genomic controls. Front Endocrinol(Lausanne), 2, 34.
Balthazart J, Cornil CA, Charlier TD, et al(2009). Estradiol, a key endocrine signal in the sexual differentiation and activation of reproductive behavior in quail. J Exp Zool A Ecol Genet Physiol, 311, 323-345.
Balthazart J, Tlemçani O, Harada N(1996). Localization of testosterone-sensitive and sexually dimorphic aromatase-immunoreactive cells in the quail preoptic area. J Chem Neuroanat, 11, 147-171.
Bentley GE, Jensen JP, Kaur GJ, et al(2006). Rapid inhibition of female sexual behavior by gonadotropin-inhibitory hormone(GnIH). Horm Behav, 49, 550-555.
Castro MG, Estivariz FE, Iturriza FC(1986). The regulation of the corticomelanotropic cell activity in aves. II. Effect of various peptides on the release of ACTH from dispensed, perfused duck pituitary cells. Comp Biochem Physiol A,

83, 71-75.

Chen MF, Silver R (1975). Estrogen-progesterone regulation of nest building and incubation behavior in ovariectomized ring doves (Streptopelia risoria). J Comp Physiol Psychol, 88, 256-263.

Cheng MF (1979). Progress and prospect in ring dove research : a personal view. In : Rosenblatt JS, Hinde RA, Beer C, et al, eds. Advances in the Study of Behavior, Vol. 9. pp 97-129. Academic Press.

Chowdhury VS, Yamamoto K, Ubuka T, et al (2010). Melatonin stimulates the release of gonadotropin-inhibitory hormone by the avian hypothalamus. Endocrinology, 151, 271-280.

Davies DT, Massa R, James R (1980). Role of testosterone and of its metabolites in regulating gonadotrophin secretion in the Japanese quail. J Endocrinol, 84, 211-222.

Drent R (1975). Incubation. In : Farner DS, King JR, eds. Avian Biology, Vol. 5. pp333-420. Academic Press.

Dunn IC, Chen Y, Hook C, et al (1993). Characterization of the chicken preprogonadotrophin-releasing hormone-I gene. J Mol Endocrinol, 11, 19-29.

El Halawani ME, Burke WH, Dennison PT (1980). Effect of nest deprivation on serum prolactin level in resting female turkeys. Biol Reprod, 23, 118-123.

El Halawani ME, Silsby JL, Koike TI, et al (1992). Evidence of a role for the turkey posterior pituitary in prolactin release. Gen Comp Endocrinol, 87, 436-442.

El Halawani ME, Youngren OM, Rozenboim I, et al (1995). Serotonergic stimulation of prolactin secretion is inhibited by vasoactive intestinal peptide immunoneutralization in the turkey. Gen Comp Endocrinol, 99, 69-74.

Farner DS, Follett BK (1979). Reproductive periodicity in birds. In : Barrington EJW ed. Hormones and Evolution, Vol. 2. pp829-872. Academic Press.

Fehrer SC, Silsby JL, Behnke EJ, et al (1985). The influence of thyrotropin releasing hormone on in vivo prolactin release and in vitro prolactin, luteinizing hormone, and growth hormone release from dispersed pituitary cells of the young turkey (Meleagris gallopavo). Gen Comp Endocrinol, 59, 64-72.

Follett BK (1984). Birds. In : Lamming GE ed. Marshall's physiology of reproduction, 4th ed. Vol. 1. pp283-350. Churchill-Livingstone.

Follett BK, Mattocks PW, Farner DS (1974). Circadian function in the photoperiodic induction of gonadotropin secretion in the white-crowned sparrow. Proc Natl Acad Sci USA, 71, 1666-1669.

Follett BK, Robinson JE (1980). Photoperiod and gonadotrophin secretion in birds. In : Reiter RJ, Follett BK eds. Seasonal Reproduction in Higher Vertebrates. Progress in Reproductive Biology, Vol. 5. pp39-61. S. Karger Ag.

Follett BK, Sharp PJ (1969). Circadian rhythmicity in photoperiodically induced gonadotrophin release and gonadal growth in the quail. Nature, 223, 968-971.

Fraser HM, Sharp PJ (1978) Prevention of positive feedback in the hen (Gallus domesticus) by antibodies to luteinizing hormone releasing hormone. J Endocrinol, 76, 181-182.

Goldsmith AR (1982) Plasma concentrations of prolactin during incubation and parental feeding throughout repeated breeding cycles in canaries (Serinus canarius). J Endocrinol, 94, 51-59.

Goldsmith AR, Edwards C, Koprucu M, et al (1981). Concentrations of prolactin and luteinizing hormone in plasma of doves in relation to incubation and development of the crop gland. J Endocrinol, 90, 437-443.

Goldsmith AR, Williams DM (1980). Incubation in mallards (Anas platyrhynchos) : changes in plasma levels of prolactin and luteinizing hormone. J Endocrinol, 86, 371-379.

Goldstein DL (2006). Regulation of the avian kidney by arginine vasotocin. Gen Comp Endocrinol, 147, 78-84.

Goodson JL, Schrock SE, Klatt JD, et al (2009). Mesotocin and nonapeptide receptors promote estrildid flocking behavior. Science, 325, 862-866.

Goodson JL, Wilson LC, Schrock SE (2012). To flock or fight : neurochemical signatures of divergent life histories in sparrows. Proc Natl Acad Sci USA, 109 (Suppl 1), 10685-10692.

Govoroun MS, Pannetier M, Pailhoux E, et al (2004). Isolation of chicken homolog of the FOXL2 gene and comparison of its expression patterns with those of aromatase during ovarian development. Dev Dyn, 231, 859-870.

Gurney ME, Konishi M (1980). Hormone-induced sexual differentiation of brain and behavior in zebra finches. Science, 208, 1380-1383.

Harshman J (2006). Classification and phylogeny of birds. In : Jamieson GM ed. Reproductive biology and phylogeny, Vol. 6A. pp1-35. Science Publishers.

Harvey S, Scanes CG, Chadwick A, et al (1978). The effect of thyrotropin-releasing hormone (TRH) and somatostatin (GHRIH) on growth hormone and prolactin secretion in vitro and in vivo in the domestic fowl (Gallus domesticus). Neuroendocrinology, 26, 249-260.

Hasegawa Y, Miyamoto K, Nomura M, et al (1984). Isolation and amino acid compositions of four somatostatin-like substances in chicken hypothalamic extract. Endocrinology, 115, 433-435.

Hattori A, Ishii S, Wada M (1986). Effects of two kinds of chicken luteinizing hormone-releasing hormone (LH-RH), mammalian LH-RH and its analogs on the release of LH and FSH in Japanese quail and chicken. Gen Comp Endocrinol, 64, 446-455.

Herbute S, Pintat R, Ramade F, et al (1984). Effect of short exposure to cold on plasma thyroxine in Coturnix quail : role of the infundibular complex and its neural afferents. Gen Comp Endocrinol, 56, 1-8.

Huang YM, Shi ZD, Liu Z, et al (2008). Endocrine regulations of reproductive seasonality, follicular development and incubation in Magang geese. Anim Reprod Sci, 104, 344-358.

Hudson QJ, Smith CA, Sinclair AH (2005). Aromatase inhibition reduces expression of FOXL2 in the embryonic chicken ovary. Dev Dyn, 233, 1052-1055.

Jones RE (1971). The incubation patch of birds. Biological

Review, 46, 315-339.

Kaiya H, Van Der Geyten S, Kojima M, et al(2002). Chicken ghrelin : purification, cDNA cloning, and biological activity. Endocrinology, 143, 3454-3463.

Kang SW, Thayananuphat A, Rozenboim I, et al(2006). Expression of hypothalamic GnRH-I mRNA in the female turkey at different reproductive states and following photostimulation. Gen Comp Endocrinol, 146, 91-99.

Kameda Y, Miura M, Maruyama S(2002). Effect of pinealectomy on the photoperiod-dependent changes of the specific secretory cells and alpha-subunit mRNA level in the chicken pars tuberalis. Cell Tissue Res, 308, 121-130.

King JA, Millar RP(1982). Structure of chicken hypothalamic luteinizing hormone-releasing hormone. II. Isolation and characterization. J Biol Chem, 257, 10729-10732.

Klandorf H, Harvey S, Fraser HM(1985). Physiological control of thyrotrophin-releasing hormone in the domestic fowl. J Endocrinol, 105, 351-355.

Lambeth LS, Raymond CS, Roeszler KN, et al(2014). Overexpression of DMRT1 induces the male pathway in embryonic chicken gonads. Dev Biol, 389, 160-172.

Leopold AS, Erwin M, Oh J, et al(1976). Phytoestrogens : adverse effects on reproduction in California quail. Science, 191, 98-100.

Li D, Tsutsui K, Muneoka Y, et al(1996). An oviposition-inducing peptide : isolation, localization, and function of avian galanin in the quail oviduct. Endocrinology, 137, 1618-1626.

Loffler KA, Zarkower D, Koopman P(2003). Etiology of ovarian failure in blepharophimosis ptosis epicanthus inversus syndrome : FOXL2 is a conserved, early-acting gene in vertebrate ovarian development. Endocrinology, 144, 3237-3243.

Maney DL, Richardson RD, Wingfield JC(1997). Central administration of chicken gonadotropin-releasing hormone-II enhances courtship behavior in a female sparrow. Horm Behav, 32, 11-18.

Mantei KE, Ramakrishnan S, Sharp PJ, et al(2008). Courtship interactions stimulate rapid changes in GnRH synthesis in male ring doves. Horm Behav, 54, 669-675.

Martinez-Vargas MC(1974). The induction of nest-building in the ring dove(Streptopelia risoria) : hormonal and social factors. Behaviour, 50, 123-151.

McConn B, Wang G, Yi J, et al(2014). Gonadotropin-inhibitory hormone-stimulation of food intake is mediated by hypothalamic effects in chicks. Neuropeptides, 48, 327-334.

McNichols MJ, McNabb FMA(1988). Development of thyroid function and its pituitary control in embryonic and hatching precocial Japanese quail and altricial ring doves. Gen Comp Endocrinol, 69, 109-118.

Mills AD, Crawford LL, Domjan M, et al(1997). The behavior of the Japanese or domestic quail Coturnix japonica. Neurosci Biobehav Rev, 21, 261-281.

Miyamoto K, Hasegawa Y, Minegishi T, et al(1982). Isolation and characterization of chicken hypothalamic luteinizing hormone-releasing hormone. Biochem Biophys Res Commun, 107, 820-827.

Miyamoto K, Hasegawa Y, Nomura M, et al(1984). Identification of the second gonadotropin-releasing hormone in chicken hypothalamus : evidence that gonadotropin secretion is probably controlled by two distinct gonadotropin-releasing hormones in avian species. Proc Natl Acad Sci USA, 81, 3874-3878.

Nakao N, Ono H, Yamamura T, et al(2008). Thyrotrophin in the pars tuberalis triggers photoperiodic response. Nature, 452, 317-322.

Nilsson A(1975). Structure of the vasoactive intestinal octacosapeptide from chicken intestine. The amino acid sequence. FEBS Lett, 60, 322-326.

Nouwen EJ, Decuypere E, Kühn ER, et al(1984). Effect of dehydration, haemorrhage and oviposition on serum concentrations of vasotocin, mesotocin and prolactin in the chicken. J Endocrinol, 102, 345-351.

Osugi T, Ukena K, Bentley GE, et al(2004). Gonadotropin-inhibitory hormone in Gambel's white-crowned sparrow (Zonotrichia leucophrys gambelii) : cDNA identification, transcript localization and functional effects in laboratory and field experiments. J Endocrinol, 182, 33-42.

Perrins CM(1973). Some effects of temperature on breeding in the great tit and manx shearwater. J Reprod Fertil, 19 (Suppl), 163-173.

Proudman JA, Vandesande F, Berghman LR(1999). Immunohistochemical evidence that follicle-stimulating hormone and luteinizing hormone reside in separate cells in the chicken pituitary. Biol Reprod, 60, 1324-1328.

Riddle O, Bates RW, Lahr EL(1935). Prolactin induces broodiness in fowl. Am J Zool, 111, 352-368.

Rouillé Y, Chauvet MT, Chauvet J, et al(1986). Phylogeny of neurohypophyseal hormones in birds : microidentification of mesotocin and vasotocin in the ostrich(Struthio camelus). C. R. Seances Soc Biol Fil, 180, 35-42.

Rozenboim I, Silsby JL, Tabizbadeh C, et al(1993). Hypothalamic and posteriorpituitary content of vasoactive intestinal peptide, gonadotropin releasing hormone I and II in the turkey hen. Biol Reprod, 49, 622-627.

Sakamoto H, Ubuka T, Kohchi C, et al(2000). Existence of galanin in lumbosacral sympathetic ganglionic neurons that project to the quail uterine oviduct. Endocrinology, 141, 4402-4412.

Sasaki T, Shimada K, Saito N(1998). Changes of AVT levels in plasma, neurohypophysis and hypothalamus in relation to oviposition in the laying hen. Comp Biochem Physiol A Mol Integr Physiol, 121, 149-153.

Satake H, Hisada M, Kawada T, et al(2001). Characterization of a cDNA encoding a novel avian hypothalamic neuropeptide exerting an inhibitory effect on gonadotropin release. Biochem J, 354, 379-385.

Scanes CG(2015). Pituitary gland. In : Scanes CG ed. Sturkie's Avian Physiology, 6th ed. pp 497-533. Academic Press.

Schlinger BA, Callard GV(1990). Aromatization mediates aggressive behavior in quail. Gen Comp Endocrinol, 79, 39-53.

Sharp PJ, Chiasson RB, El Tounsy MM, et al(1979). Localization of cells producing thyroid-stimulating hormone in the pituitary gland of the domestic fowl. Cell Tissue Res, 198, 53-63.

Sharp PJ, Macnamee MC, Sterling RJ, et al (1988). Relationships between prolactin, LH and broody behaviour in bantam hens. J Endocrinol, 118, 279-286.

Sharp PJ, Sreekumar KP (2001). Photoperiodic control of prolactin secretion. In: Dawson A, Chaturvedi CM eds. Avian Endocrinology, pp245-255. Narosa.

Sharp PJ, Talbot RT, Main GM, et al (1990). Physiological roles of chicken LHRH-I and -II in the control of gonadotrophin release in the domestic chicken. J Endocrinol, 124, 291-299.

Sherwood NM, Wingfield JC, Ball GF, et al (1988). Identity of gonadotropin-releasing hormone in passerine birds: comparison of GnRH in song sparrow (Melospiza melodia) and starling (Sturnus vulgaris) with five vertebrate GnRHs. Gen Comp Endocrinol, 69, 341-351.

Shimada K, Neldon HL, Koike TI (1986). Arginine vasotocin (AVT) release in relation to uterine contractility in the hen. Gen Comp Endocrinol, 64, 362-367.

Sibley CG, Monroe BL Jr (1991). Distribution and Taxonomy of Birds of the World. Yale University Press.

Smith CA, Roeszler KN, Ohnesorg T, et al (2009). The avian Z-linked gene DMRT1 is required for male sex determination in the chicken. Nature, 461, 267-271.

Son YL, Ubuka T, Narihiro M, et al (2014). Molecular basis for the activation of gonadotropin-inhibitory hormone gene transcription by corticosterone. Endocrinology, 155, 1817-1826.

Spiess J, Rivier JE, Rodkey JA, et al (1979). Isolation and characterization of somatostatin from pigeon pancreas. Proc Natl Acad Sci USA, 76, 2974-2978.

Stevenson TJ, Lynch KS, Lamba P, et al (2009). Cloning of gonadotropin-releasing hormone I complementary DNAs in songbirds facilitates dissection of mechanisms mediating seasonal changes in reproduction. Endocrinology, 150, 1826-1833.

Talbot RT, Dunn IC, Wilson PW, et al (1995). Evidence for alternative splicing of the chicken vasoactive intestinal polypeptide gene transcript. J Mol Endocrinol, 15, 81-91.

Tanaka K, Goto K, Yoshioka T, et al (1984). Changes in the plasma concentration of immunoreactive arginine vasotocin during oviposition in the domestic fowl. Br Poult Sci, 25, 589-595.

Tobari Y, Iijima N, Tsunekawa K, et al (2010). Identification of gonadotropin-inhibitory hormone in the zebra finch (Taeniopygia guttata): peptide isolation, cDNA cloning and brain distribution. Peptides, 31, 816-826.

Tsutsui K, Saigoh E, Ukena K, et al (2000). A novel avian hypothalamic peptide inhibiting gonadotropin release. Biochem Biophys Res Commun, 275, 661-667.

Ubuka T, Bentley GE (2009). Identification, localization and regulation of passerine gonadotropin-releasing hormone-I messenger RNA. J Endocrinol, 201, 81-87.

Ubuka T, Bentley GE (2011). Neuroendocrine Control of Reproduction in Birds. In: Norris D, Lopez KH eds. Hormones and Reproduction of Vertebrates, Vol. 4. pp1-25. Elsevier.

Ubuka T, Bentley GE, Ukena K, et al (2005). Melatonin induces the expression of gonadotropin-inhibitory hormone in the avian brain. Proc Natl Acad Sci USA, 102, 3052-3057.

Ubuka T, Cadigan PA, Wang A, et al (2009). Identification of European starling GnRH-I precursor mRNA and its seasonal regulation. Gen Comp Endocrinol, 162, 301-306.

Ubuka T, Haraguchi S, Tobari Y, et al (2014). Hypothalamic inhibition of socio-sexual behaviour by increasing neuroestrogen synthesis. Nat Commun, 5, 3061.

Ubuka T, Kim S, Huang YC, et al (2008). Gonadotropin-inhibitory hormone neurons interact directly with gonadotropin-releasing hormone-I and -II neurons in European starling brain. Endocrinology, 149, 268-278.

Ubuka T, Mukai M, Wolfe J, et al (2012). RNA interference of gonadotropin-inhibitory hormone gene induces arousal in songbirds. PLoS ONE, 7, e30202.

Ubuka T, Parhar IS, Tsutsui K (2018). Gonadotropin-inhibitory hormone mediates behavioral stress responses. Gen Comp Endocrinol, 265, 202-206.

Ubuka T, Sakamoto H, Li D, et al (2001). Developmental changes in galanin in lumbosacral sympathetic ganglionic neurons innervating the avian uterine oviduct and galanin induction by sex steroids. J Endocrinol, 170, 357-368.

Ubuka T, Son YL, Tsutsui K (2016). Molecular, cellular, morphological, physiological and behavioral aspects of gonadotropin-inhibitory hormone. Gen Comp Endocrinol, 227, 27-50.

Ubuka T, Ukena K, Sharp PJ, et al (2006). Gonadotropin-inhibitory hormone inhibits gonadal development and maintenance by decreasing gonadotropin synthesis and release in male quail. Endocrinology, 147, 1187-1194.

Van Gils J, Absil P, Grauwels L, et al (1993). Distribution of luteinizing hormone-releasing hormones I and II (LHRH-I and -II) in the quail and chicken brain as demonstrated with antibodies directed against synthetic peptides. J Comp Neurol, 334, 304-323.

Vandenborne K, De Groef B, Geelissen SM, et al (2005). Corticosterone-induced negative feedback mechanisms within the hypothalamo-pituitary-adrenal axis of the chicken. J Endocrinol, 185, 383-391.

Vleck CM, Vleck D (2011). Hormones and Regulation of Parental Behavior in Birds. In: Norris D, Lopez KH eds. Hormones and Reproduction of Vertebrates, Vol. 4. pp181-203. Elsevier.

Viglietti-Panzica C, Panzica GC, Fiori MG, et al (1986). A sexually dimorphic nucleus in the quail preoptic area. Neurosci Lett, 64, 129-134.

Wang CY, Wang Y, Li J, et al (2006). Expression profiles of growth hormone-releasing hormone and growth hormone-releasing hormone receptor during chicken embryonic pituitary development. Poult Sci, 85, 569-576.

Wang JT, Xu SW (2008) Effects of cold stress on the messenger ribonucleic acid levels of corticotrophin-releasing hormone and thyrotropin-releasing hormone in hypothala-

mi of broilers. Poult Sci, 87, 973-978.
Wang Y, Li J, Wang CY, et al（2007）. Identification of the endogenous ligands for chicken growth hormone-releasing hormone（GHRH）receptor：evidence for a separate gene encoding GHRH in submammalian vertebrates. Endocrinology, 148, 2405-2416.
Wingfield JC, Farner DS（1980）. Control of seasonal reproduction in temperate-zone birds. In：Reiter RJ, Follett BK eds. Progress in Reproductive Biology, Vol. 5. pp62-101. Karger.
Wingfield JC, Farner DS（1993）. Endocrinology of reproduction in wild species. In：Farner DS, King JR, Parkes KC eds. Avian Biology, Vol. IX. pp163-327. Academic Press.
Wingfield JC, Jacobs JD, Tramontin AD, et al（1999）. Toward an ecological basis of hormone-behavior interactions. In：Wallen K, Schneider J eds. Reproduction in Context. pp85-128. M. I. T. Press.
Yamamura T, Yasuo S, Hirunagi K, et al（2006）. T3 implantation mimics photoperiodically reduced encasement of nerve terminals by glial processes in the median eminence of Japanese quail. Cell Tissue Res, 324, 175-179.
Yoshimura T, Yasuo S, Watanabe M, et al（2003）. Light-induced hormone conversion of T4 to T3 regulates photoperiodic response of gonads in birds. Nature, 426, 178-181.
You S, Silsby JL, Farris J, et al（1995）. Tissue-specific alternative splicing of turkey pre-provasoactive intestinal peptide messenger ribonucleic acid, its regulation, and correlation with prolactin secretion. Endocrinology, 136, 2602-2610.
Youngren OM, Pitts GR, Phillips RE, et al（1996）, Dopaminergic control of prolactin secretion in the turkey. Gen Comp Endocrinol, 104, 225-230.

▼ 19章　人間の性行動における生物学的基盤

阿部輝夫（2004）．セックスレスの精神医学．筑摩書房．
荒木乳根子（2020）．中高年のセクシュアリティ．高齢者のケアと行動科学，25, 2-24.
石川弘義，斎藤茂男，我妻洋（1984）．日本人の性．文藝春秋．
石濱淳美（2008）．シニア・セックス．彩図社．
一般社団法人日本家族計画協会家族計画研究センター（2020）．【ジェクス】ジャパン・セックスサーベイ 2020 調査報告書．
NHK「日本人の性」プロジェクト（2002）．データブック NHK 日本人の性行動・性意識．日本放送出版協会．
柿澤暁（2021）．依存症における性依存行動についての考察．人間学研究論集, 75-92.
北村邦夫（2014）．「【ジェクス】ジャパン・セックス・サーベイ」結果の概要．現代性教育研究ジャーナル, 39.
北村邦夫（2015）．性教育の新しい課題について考えるヒントを得る「第7回男女の生活と意識に関する調査」結果から．日本性教育協会．
北村邦夫（2017）．第8回 男女の生活と意識に関する調査報告書 2016年 日本人の性意識・性行動．一般社団法人日本家族計画協会．
礫川全次（2003）．男色の民俗学．批評社．
斉藤章佳（2017）．男が痴漢になる理由．イースト・プレス．
坂口菊恵（2012）．感覚と性行動．In：荒堀憲二，松浦堅長 編．性教育学．pp101-105．朝倉書店．
原田隆之（2019）．痴漢外来 性犯罪と闘う科学．筑摩書房．
原田隆之（2022）．〈現代社会の新しい依存症〉性依存 Q & A．日本医事新報社．(https://www.jmedj.co.jp/premium/sead/)
藤岡淳子（2006）．性暴力の理解と治療教育．誠信書房．
藤岡淳子（2016）．アディクションと加害者臨床 封印された感情と閉ざされた関係．金剛出版．
森木美恵（2008）．全国調査「仕事と家族」より女性の就労観と夫婦間の性交渉の頻度について．中央調査報, 5373-5381.
Abouroab AS, Ismail SR, Marzok HFA（2021）. Free serum testosterone versus total testosterone/estradiol ratio in low sexual desire in old men. Egypt J Hosp Med, 83, 1062-1067.
Ahn HS, Park CM, Lee SW（2002）. The clinical relevance of sex hormone levels and sexual activity in the ageing male. BJU Int, 89, 526-530.
Allen LS, Gorski RA（1992）. Sexual orientation and the size of the anterior commissure in the human brain. Proc Natl Acad Sci, 89, 7199-7202.
Allen LS, Hines M, Shryne JE, et al（1989）. Two sexually dimorphic cell groups in the human brain. J Neurosci, 9, 497-506.
Almasri J, Zaiem F, Rodriguez-Gutierrez R, et al（2018）. Genital reconstructive surgery in females with congenital adrenal hyperplasia：a systematic review and meta-analysis. J Clin Endocrinol Metab, 103, 4089-4096.
American Psychiatric Association（2013）. Diagnostic and Statistical Manual of Mental Disorders：DSM-5. Amer Psychiatric Pub Inc, Washington, D. C.（日本精神医学会 監修（2014）. DSM-5 精神疾患の診断・統計マニュアル．医学書院．）
Apóstolos RAC, Canguçu-Campinho AK, Lago R, et al（2018）. Gender identity and sexual function in 46, XX patients with congenital adrenal hyperplasia raised as males. Arch Sex Behav, 47, 2491-2496.
Arnocky S, Carré JM, Bird BM, et al（2018）. The facial width-to-height ratio predicts sex drive, sociosexuality, and intended infidelity. Arch Sex Behav, 47, 1375-1385.
Arslan RC, Schilling KM, Gerlach TM, et al（2021）. Using 26,000 diary entries to show ovulatory changes in sexual desire and behavior. J Pers Soc Psychol, 121, 410-431.
Assumpção AA, Garcia FD, Garcia HD, et al（2014）. Pharmacologic treatment of paraphilias. Psychiatr Clin, 37, 173-181.
Aucoin MW, Wassersug RJ（2006）. The sexuality and social performance of androgen-deprived（castrated）men throughout history：implications for modern day cancer patients. Soc Sci Med, 63, 3162-3173.
Avis NE, Colvin A, Karlamangla AS, et al（2017）. Change in sexual functioning over the menopause transition：results from the Study of Women's Health Across the Nation（SWAN）. Menopause NYN, 24, 379-390.
Bacon CG, Mittleman MA, Kawachi I, et al（2003）. Sexual function in men older than 50 years of age：results from the health professionals follow-up study. Ann Intern Med,

139, 161-168.

Bagatell CJ, Heiman JR, Rivier JE, et al (1994). Effects of endogenous testosterone and estradiol on sexual behavior in normal young men. J Clin Endocrinol Metab, 78, 711-716.

Bagemihl B (1999). Biological Exuberance : Animal Homosexuality and Natural Diversity. St. Martin's Press, New York.

Bailey JM, Dunne MP, Martin NG (2000). Genetic and environmental influences on sexual orientation and its correlates in an Australian twin sample. J Pers Soc Psychol, 78, 524-536.

Bailey JM, Zucker KJ (1995). Childhood sex-typed behavior and sexual orientation : a conceptual analysis and quantitative review. Dev Psychol, 31, 43-55.

Bailey NW, Zuk M (2009). Same-sex sexual behavior and evolution. Trends Ecol Evol, 24, 439-446.

Balthazart J (2020). Sexual partner preference in animals and humans. Neurosci Biobehav Rev, 115, 34-47.

Bancroft J, Graham CA (2011). The varied nature of women's sexuality : unresolved issues and a theoretical approach. Horm Behav, 59, 717-729.

Bancroft J, Vukadinovic Z (2004). Sexual addiction, sexual compulsivity, sexual impulsivity, or what? Toward a theoretical model. J Sex Res, 41, 225-234.

Banner A, Frumin I, Shamay-Tsoory SG (2018). Androstadienone, a chemosignal found in human sweat, increases individualistic behavior and decreases cooperative responses in men. Chem Senses, 43, 189-196.

Banner A, Gabay S, Shamay-Tsoory S (2019). Androstadienone, a putative chemosignal of dominance, increases gaze avoidance among men with high social anxiety. Psychoneuroendocrinology, 102, 9-15.

Basson R (2001a). Female Sexual Response: The Role of Drugs in the Management of Sexual Dysfunction. Obstetrics & Gynecology, 98, 350-353.

Basson R (2001b). Human sex-response cycles. J Sex Marital Ther, 27, 33-43.

Basson R (2008). Women's sexual function and dysfunction : current uncertainties, future directions. Int J Impot Res, 20, 466-478.

Beach FA (1975). Hormonal modification of sexually dimorphic behavior. Psychoneuroendocrinology, 1, 3-23.

Beach Jr. FA (1938). Sex reversals in the mating pattern of the rat. Pedagog Semin J Genet Psychol, 53, 329-334.

Bhatnagar KP, Smith TD (2001). The human vomeronasal organ. III. Postnatal development from infancy to the ninth decade. J Anat, 199, 289-302.

Blanchard R (2018). Fraternal birth order, family size, and male homosexuality : meta-analysis of studies spanning 25 years. Arch Sex Behav, 47, 1-15.

Blanchard R, Bogaert A (1996). Homosexuality in men and number of older brothers. Am J Psychiatry, 153, 27-31.

Blum K, Badgaiyan RD, Gold MS (2015). Hypersexuality addiction and withdrawal : phenomenology, neurogenetics and epigenetics. Cureus, 7, e290.

Boehm N, Gasser B (1993). Sensory receptor-like cells in the human foetal vomeronasal organ. Neuroreport, 4, 867-870.

Bogaert AF (2015). Asexuality : what it is and why it matters. J Sex Res, 52, 362-379.

Bogaert AF, Skorska MN, Wang C, et al (2018). Male homosexuality and maternal immune responsivity to the Y-linked protein NLGN4Y. Proc Natl Acad Sci, 115, 302-306.

Bozkurt A, Bozkurt OH, Sonmez I (2015). Birth order and sibling sex ratio in a population with high fertility : are Turkish male to female transsexuals different? Arch Sex Behav, 44, 1331-1337.

Burger HG, Dudley EC, Cui J, et al (2000). A prospective longitudinal study of serum testosterone, dehydroepiandrosterone sulfate, and sex hormone-binding globulin levels through the menopause transition, 85, 2832-2838.

Burke SM, Veltman DJ, Gerber J, et al (2012). Heterosexual men and women both show a hypothalamic response to the chemo-signal androstadienone. PLOS ONE, 7, e40993.

Butovskaya ML, Lazebny OE, Vasilyev VA, et al (2015). Androgen receptor gene polymorphism, aggression, and reproduction in Tanzanian foragers and pastoralists. PLOS ONE, 10, e0136208.

Byne W, Tobet S, Mattiace L, et al (2001). The interstitial nuclei of the human anterior hypothalamus : an investigation of variation with sex, sexual orientation, and HIV status. Horm Behav, 40, 86-92.

Cain VS, Johannes CB, Avis NE, et al (2003). Sexual functioning and practices in a multi-ethnic study of midlife women : baseline results from swan. J Sex Res, 40, 266-276.

Callens N, Van Kuyk M, van Kuppenveld JH, et al (2016). Recalled and current gender role behavior, gender identity and sexual orientation in adults with Disorders/Differences of Sex Development. Horm Behav, 86, 8-20.

Calvi E, Quassolo U, Massaia M, et al (2020). The scent of emotions : a systematic review of human intra- and interspecific chemical communication of emotions. Brain Behav, 10, e01585.

Carani C, Granata AR, Bancroft J, et al (1995). The effects of testosterone replacement on nocturnal penile tumescence and rigidity and erectile response to visual erotic stimuli in hypogonadal men. Psychoneuroendocrinology, 20, 743-753.

Carani C, Zini D, Baldini A, et al (1990). Effects of androgen treatment in impotent men with normal and low levels of free testosterone. Arch Sex Behav, 19, 223-234.

Carvalho J, Štulhofer A, Vieira AL, et al (2015). Hypersexuality and high sexual desire : exploring the structure of problematic sexuality. J Sex Med, 12, 1356-1367.

Castellini G, Rellini AH, Appignanesi C, et al (2018). Deviance or normalcy? The relationship among paraphilic thoughts and behaviors, hypersexuality, and psychopathology in a sample of university students. J Sex Med, 15, 1322-1335.

Centola GM, Blanchard A, Demick J, et al (2016). Decline in sperm count and motility in young adult men from 2003

to 2013: observations from a U. S. sperm bank. Andrology, 4, 270-276.
Chatzittofis A, Savard J, Arver S, et al (2017). Interpersonal violence, early life adversity, and suicidal behavior in hypersexual men. J Behav Addict, 6, 187-193.
Cherkasskaya E, Rosario M (2019). The relational and bodily experiences theory of sexual desire in women. Arch Sex Behav, 48, 1659-1681.
Chung KC, Springer I, Kogler L, et al (2016). The influence of androstadienone during psychosocial stress is modulated by gender, trait anxiety and subjective stress: an fMRI study. Psychoneuroendocrinology, 68, 126-139.
Chung WCJ, Vries GJD, Swaab DF (2002). Sexual differentiation of the bed nucleus of the stria terminalis in humans may extend into adulthood. J Neurosci, 22, 1027-1033.
Ciocca G, Solano C, D'Antuono L, et al (2018). Hypersexuality: the controversial mismatch of the psychiatric diagnosis.
Colapinto J, Nelson B (2000). As Nature Made Him: The Boy Who Was Raised as a Girl. HarperCollins Publishers, New York. (ジョン・コラピント 著，村井智之 訳 (2000). ブレンダと呼ばれた少年 ジョンズ・ホプキンス病院で何が起きたのか. 無名舎.)
Collaer ML, Reimers S, Manning JT (2007). Visuospatial performance on an internet line judgment task and potential hormonal markers: sex, sexual orientation, and 2D: 4D. Arch Sex Behav, 36, 177-192.
Comninos AN, Demetriou L, Wall MB, et al (2018). Modulations of human resting brain connectivity by kisspeptin enhance sexual and emotional functions. JCI Insight, 3, 121958.
Comninos AN, Dhillo WS (2018). Emerging roles of kisspeptin in sexual and emotional brain processing. Neuroendocrinology, 106, 195-202.
Conron KJ, Scott G, Stowell GS, et al (2012). Transgender health in Massachusetts: results from a household probability sample of adults. Am J Public Health, 102, 118-122.
Corona G, Isidori AM, Buvat J, et al (2014). Testosterone supplementation and sexual function: a meta-analysis study. J Sex Med, 11, 1577-1592.
Cunningham GR, Stephens-Shields AJ, Rosen RC, et al (2015). Association of sex hormones with sexual function, vitality, and physical function of symptomatic older men with low testosterone levels at baseline in the testosterone trials. J Clin Endocrinol Metab, 100, 1146-1155.
Daae E, Feragen KB, Waehre A, et al (2020). Sexual orientation in individuals with congenital adrenal hyperplasia: a systematic review. Front Behav Neurosci, 14, 38.
Damassa DA, Smith ER, Tennent B, et al (1977). The relationship between circulating testosterone levels and male sexual behavior in rats. Horm Behav, 8, 275-286.
Davidson JM, Kwan M, Greenleaf WJ (1982). 1 Hormonal replacement and sexuality in men. Clin Endocrinol Metab, Disease of Sex and Sexuality, 11, 599-623.
Davis SR, Goldstat R, Papalia MA, et al (2006). Effects of aromatase inhibition on sexual function and well-being in postmenopausal women treated with testosterone: a randomized, placebo-controlled trial. Menopause, 13, 37-45.
Davis SR, Worsley R (2014). Androgen treatment of postmenopausal women. J Steroid Biochem Mol Biol, 142, 107-114.
Davison SL, Davis SR (2011). Androgenic hormones and aging—The link with female sexual function. Horm Behav, 59, 745-753.
de Groot JHB, Semin GR, Smeets MAM (2017). On the communicative function of body odors: a theoretical integration and review. Perspect Psychol Sci, 12, 306-324.
de Mouzon J, Thonneau P, Spira A, et al (1996). Declining sperm count. Semen quality has declined among men born in France since 1950. BMJ, 313, 43-45.
de Vries ALC, Noens ILJ, Cohen-Kettenis PT, et al (2010). Autism spectrum disorders in gender dysphoric children and adolescents. J Autism Dev Disord, 40, 930-936.
Dessens AB, Slijper FME, Drop SLS (2005). Gender dysphoria and gender change in chromosomal females with congenital adrenal hyperplasia. Arch Sex Behav, 34, 389-397.
Diamond LM (2003). What does sexual orientation orient? A biobehavioral model distinguishing romantic love and sexual desire. Psychol Rev, 110, 173-192.
Diamond LM (2021). The new genetic evidence on same-gender sexuality: implications for sexual fluidity and multiple forms of sexual diversity. J Sex Res, 58, 818-837.
Diamond LM, Wallen K (2011). Sexual minority women's sexual motivation around the time of ovulation. Arch Sex Behav, 40, 237-246.
Diamond M (1993). Homosexuality and bisexuality in different populations. Arch Sex Behav, 22, 291-310.
Diamond M, Sigmundson K (1997). Sex reassignment at birth: long-term review and clinical implications. Arch Pediatr Adolesc Med, 151, 298-304.
Doan PL (2016). To count or not to count: queering measurement and the transgender community. Womens Stud Q, 44, 89-110.
Donnelly DA (1993). Sexually inactive marriages. J Sex Res, 30, 171-179.
Drummond K, Bradley S, Peterson-Badali M, et al (2008). A follow-up study of girls with gender identity disorder. Dev Psychol, 44, 34-45.
Durex Network (2005). The Challenges of Unprotected Sex. (http://www.durexnetwork.org/face-of-global-sex/)
Edelstein RS, van Anders SM, Chopik WJ, et al (2014). Dyadic associations between testosterone and relationship quality in couples. Horm Behav, 65, 401-407.
Ellason JW, Ross CA (1999). Childhood trauma and dissociation in male sex offenders. Sex Addict Compulsivity, 6, 105-110.
Erickson-Schroth L (2013). Update on the biology of transgender identity. J Gay Lesbian Ment Health, 17, 150-174.
Fogle RH, Stanczyk FZ, Zhang X, et al (2007). Ovarian androgen production in postmenopausal women. J Clin Endocrinol Metab, 92, 3040-3043.
Frey MCM, Weyers P, Pauli P, et al (2012). Androstadienone in motor reactions of men and women toward angry faces.

Percept Mot Skills, 114, 807-825.

Ganna A, Verweij KJH, Nivard MG, et al(2019). Large-scale GWAS reveals insights into the genetic architecture of same-sex sexual behavior. Science, 365, eaat7693.

Ganong K, Larson E(2011). Intimacy and belonging: the association between sexual activity and depression among older adults. Soc Ment Health, 1, 153-172.

Garcia-Falgueras A, Swaab DF(2008). A sex difference in the hypothalamic uncinate nucleus: relationship to gender identity. Brain, 131, 3132-3146.

Geoffroy-Siraudin C, Dieudonné Loundou A, Romain F, et al(2012). Decline of semen quality among 10 932 males consulting for couple infertility over a 20-year period in Marseille, France. Asian J Androl, 14, 584-590.

George R, Stokes MA(2018). Gender identity and sexual orientation in autism spectrum disorder. Autism, 22, 970-982.

Giugliano J(2006). Out of control sexual behavior: a qualitative investigation. Sex Addict Compulsivity, 13, 361-375.

Gola M, Lewczuk K, Potenza MN, et al(2020). What should be included in the criteria for compulsive sexual behavior disorder? J Behav Addict, 11, 160-165.

Gold SN, Seifer RE(2002). Dissociation and sexual addiction/compulsivity: a contextual approach to conceptualization and treatment. J Trauma Dissociation, 3, 59-82.

Goldstein I, Kim NN, Clayton AH, et al(2017). Hypoactive sexual desire disorder. Mayo Clin Proc, 92, 114-128.

Goy RW, Bercovitch FB, McBrair MC(1988). Behavioral masculinization is independent of genital masculinization in prenatally androgenized female rhesus macaques. Horm Behav, 22, 552-571.

Goymann W, Landys MM, Wingfield JC(2007). Distinguishing seasonal androgen responses from male-male androgen responsiveness-revisiting the Challenge Hypothesis. Horm Behav, 51, 463-476.

Graham CA(2010). The DSM diagnostic criteria for female sexual arousal disorder. Arch Sex Behav, 39, 240-255.

Gray PB, Chapman JF, Burnham TC, et al(2004). Human male pair bonding and testosterone. Hum Nat, 15, 119-131.

Gray PB, McHale TS, Carré JM(2017). A review of human male field studies of hormones and behavioral reproductive effort. Horm Behav, 91, 52-67.

Hamer DH(1999). Genetics and male sexual orientation. Science, 285, 803-803.

Hamer DH, Hu S, Magnuson VL, et al(1993). A linkage between DNA markers on the X chromosome and male sexual orientation. Science, 261, 321-327.

Harris A, Bewley S, Meads C(2020). Sex hormone levels in lesbian, bisexual, and heterosexual women: systematic review and exploratory meta-analysis. Arch Sex Behav, 49, 2405-2420.

Havlicek J, Murray AK, Saxton TK, et al(2010). Current issues in the study of androstenes in human chemosignaling. Vitam Horm, 83, 47-81.

Havlicek J, Roberts SC(2009). MHC-correlated mate choice in humans: a review. Psychoneuroendocrinology, 34, 497-512.

Hayes RD, Bennett CM, Fairley CK, et al(2006). What can prevalence studies tell us about female sexual difficulty and dysfunction? J Sex Med, 3, 589-595.

Heim N, Hursch CJ(1979). Castration for sex offenders: treatment or punishment? A review and critique of recent European literature. Arch Sex Behav, 8, 281-304.

Henningsson S, Hovey D, Vass K, et al(2017). A missense polymorphism in the putative pheromone receptor gene VN1R1 is associated with sociosexual behavior. Transl Psychiatry, 7, e1102.

Hines M(2006). Prenatal testosterone and gender-related behaviour. Eur J Endocrinol, 155, S115-S121.

Hines M, Pasterski V, Spencer D, et al(2016). Prenatal androgen exposure alters girls' responses to information indicating gender-appropriate behaviour. Philos Trans R Soc B Biol Sci, 371, 20150125.

Hiramori D, Kamano S(2020). Asking about sexual orientation and gender identity in social surveys in Japan: findings from the Osaka city residents' survey and related preparatory studies. 人口問題研究, 76, 443-466.

Holmboe SA, Priskorn L, Jørgensen N, et al(2017). Influence of marital status on testosterone levels—a ten year follow-up of 1113 men. Psychoneuroendocrinology, 80, 155-161.

Hornung J, Kogler L, Wolpert S, et al(2017). The human body odor compound androstadienone leads to anger-dependent effects in an emotional Stroop but not dot-probe task using human faces. PloS One, 12, e0175055.

Hoskin AW(2017). Male sex hormones and criminal behavior: the predictive power of a two-factor model of organizational androgen exposure. Personal Individ Differ, 108, 86-90.

Hu SH, Li H, Yu H, et al(2021). Discovery of new genetic loci for male sexual orientation in Han population. Cell Discov, 7, 1-14.

Hummel T, Schultz S, Witt M, et al(2011). Electrical responses to chemosensory stimulation recorded from the vomeronasal duct and the respiratory epithelium in humans. Int J Psychophysiol, 81, 116-120.

Hummer TA, McClintock MK(2009). Putative human pheromone androstadienone attunes the mind specifically to emotional information. Horm Behav, 55, 548-559.

Huoviala P, Rantala MJ(2013). A putative human pheromone, androstadienone, increases cooperation between men. PLOS ONE, 8, e62499.

Iemmola F, Ciani AC(2009). New evidence of genetic factors influencing sexual orientation in men: female fecundity increase in the maternal line. Arch Sex Behav, 38, 393-399.

James WH(1981). The honeymoon effect on marital coitus. J Sex Res, 17, 114-123.

Jones A, Hwang DJ, Duke CB, et al(2010). Nonsteroidal selective androgen receptor modulators enhance female sexual motivation. J Pharmacol Exp Ther, 334, 439-448.

Jones RE, Lopez KH(2006). Human Reproductive Biology: Third Edition. Academic Press, Burlington, MA.

Karama S, Lecours AR, Leroux JM, et al(2002). Areas of brain activation in males and females during viewing of erotic film excerpts. Hum Brain Mapp, 16, 1-13.

Katehakis A(2009). Affective neuroscience and the treatment of sexual addiction. Sex Addict Compulsivity, 16, 1-31.

Keller M, Douhard Q, Baum MJ, et al(2006). Destruction of the main olfactory epithelium reduces female sexual behavior and olfactory investigation in female mice. Chem Senses, 31, 315-323.

Kellett J(1988). Sexuality in the elderly. Baillieres Clin Obstet Gynaecol, 2, 371-384.

Kendler KS, Thornton LM, Gilman SE, et al(2000). Sexual orientation in a U. S. national sample of twin and nontwin sibling pairs. Am J Psychiatry, 157, 1843-1846.

Khorashad BS, Zucker KJ, Talaei A, et al(2020). Birth order and sibling sex ratio in androphilic males and gynephilic females diagnosed with gender dysphoria from Iran. J Sex Med, 17, 1195-1202.

Kingsberg SA, Woodard T(2015). Female sexual dysfunction：focus on low desire. Obstet Gynecol, 125, 477-486.

Kingston DA, Seto MC, Ahmed AG, et al(2012). The role of central and peripheral hormones in sexual and violent recidivism in sex offenders. J Am Acad Psychiatry Law, 40, 11.

Kinnunen LH, Moltz H, Metz J, et al(2004). Differential brain activation in exclusively homosexual and heterosexual men produced by the selective serotonin reuptake inhibitor, fluoxetine. Brain Res, 1024, 251-254.

Kinsey AC, Pomeroy WR, Martin CE(1948). Sexual Behavior in the Human Male. W. B. Saunders, Philadelphia.

Kinsey AC, Pomeroy WB, Martin CE, et al(1953). Sexual Behavior in the Human Female. W. B. Saunders, Philadelphia.

Kitzinger C, Wilkinson S(1995). Transitions from heterosexuality to lesbianism：the discursive production of lesbian identities. Dev Psychol, 31, 95-104.

Klusmann D(2002). Sexual motivation and the duration of partnership. Arch Sex Behav, 31, 275-287.

Kowalewska E, Lew-Starowicz M(2021). Compulsive Sexual Behavior Disorder—the evolution of a new diagnosis introduced to the ICD-11, current evidence and ongoing research challenges. Wiedza Med, 3, 17-23.

Krafft-Ebing R, Chaddock CG(1893). Psychopathia Sexualis：With Especial Reference to Contrary Sexual Instinct：A Medico-Legal Study. F. A. Davis.

Kraus SW, Voon V, Potenza MN(2016). Should compulsive sexual behavior be considered an addiction? Addiction, 111, 2097-2106.

Kromer J, Hummel T, Pietrowski D, et al(2016). Influence of HLA on human partnership and sexual satisfaction. Sci Rep, 6, 32550.

Kruijver FPM, Zhou J-N, Pool CW, et al(2000). Male-to-female transsexuals have female neuron numbers in a limbic nucleus. J Clin Endocrinol Metab, 85, 2034-2041.

Laan E, Janssen E(2007). How do men and women feel? Determinants of subjective experience of sexual arousal. In：Janssen E, ed. Psychophysiol Sex. pp278-290. Indiana University Press, Bloomington.

Lalumière ML, Blanchard R, Zucker KJ(2000). Sexual orientation and handedness in men and women：a meta-analysis. Psychol Bull, 126, 575-592.

Långström N, Rahman Q, Carlström E, et al(2010). Genetic and environmental effects on same-sex sexual behavior：a population study of twins in Sweden. Arch Sex Behav, 39, 75-80.

Lasco MS, Jordan TJ, Edgar MA, et al(2002). A lack of dimorphism of sex or sexual orientation in the human anterior commissure. Brain Res, 936, 95-98.

Lassen TH, Iwamoto T, Jensen TK, et al(2015). Trends in male reproductive health and decreasing fertility：possible influence of endocrine disrupters. In：Ogawa N, Shah IH eds. Low Fertil Reprod Health East Asia, International Studies in Population. pp117-135. Springer Netherlands, Dordrecht.

Laughlin GA, Barrett-Connor E, Kritz-Silverstein D, et al(2000). Hysterectomy, oophorectomy, and endogenous sex hormone levels in older women：the Rancho Bernardo Study1. J Clin Endocrinol Metab, 85, 645-651.

Laumann E, Nicolosi A, Glasser D, et al(2005). Sexual problems among women and men aged 40-80 y：prevalence and correlates identified in the global study of sexual attitudes and behaviors. Int J Impot Res, 17, 39-57.

Leiblum S(1983). Vaginal atrophy in the postmenopausal woman. The importance of sexual activity and hormones. JAMA, 249, 2195-2198.

LeVay S(1991). A difference in hypothalamic structure between heterosexual and homosexual men. Science, 253, 1034-1037.

LeVay S(1996). Queer Science：The Use and Abuse of Research into Homosexuality. The MIT Press, Cambridge, MA.(サイモン・ルベイ 著, 伏見憲明 監修(2002). クィア・サイエンス 同性愛をめぐる科学言説の変遷. 勁草書房.)

Levin RJ(2007). Sexual activity, health and well-being—the beneficial roles of coitus and masturbation. Sex Relatsh Ther, 22, 135-148.

Liberles SD, Buck LB(2006). A second class of chemosensory receptors in the olfactory epithelium. Nature, 442, 645-650.

Lösel F, Schmucker M(2005). The effectiveness of treatment for sexual offenders：a comprehensive meta-analysis. J Exp Criminol, 1, 117-146.

Lübke KT, Pause BM(2015). Always follow your nose：the functional significance of social chemosignals in human reproduction and survival. Horm Behav, 68, 134-144.

Mantel M, Ferdenzi C, Roy J-M, et al(2019). Individual differences as a key factor to uncover the neural underpinnings of hedonic and social functions of human olfaction：current findings from PET and fMRI studies and future considerations. Brain Topogr, 32, 977-986.

Marazziti D, Masala I, Baroni S, et al(2010). Male axillary extracts modify the affinity of the platelet serotonin transporter and impulsiveness in women. Physiol Behav, 100, 364-368.

Maseroli E, Santangelo A, Lara-Fontes B, et al (2020). The non-aromatizable androgen dihydrotestosterone (DHT) facilitates sexual behavior in ovariectomized female rats primed with estradiol. Psychoneuroendocrinology, 115, 104606.

Masters WH, Johnson VE (1966). Human Sexual Response. Little, Brown, Oxford.

Matsumoto AM (2002). Andropause : clinical implications of the decline in serum testosterone levels with aging in men. J Gerontol A Biol Sci Med Sci, 57, M76-M99.

Matteo S (1984). Increased sexual activity during the midcycle portion of the human menstrual cycle. Horm Behav, 18, 249-255.

Mazur A, Michalek J (1998). Marriage, divorce, and male testosterone. Soc Forces, 77, 315-330.

McClintock MK (1971). Menstrual synchrony and suppression. Nature, 229, 244-245.

Meredith M (2001). Human vomeronasal organ function : a critical review of best and worst cases. Chem Senses, 26, 433-445.

Meyer-Bahlburg HFL (1984). Psychoendocrine research on sexual orientation. Current status and future options. Prog Brain Res, 61, 375-398.

Meyer-Bahlburg HFL, Dolezal C, Baker SW, et al (2006). Gender development in women with congenital adrenal hyperplasia as a function of disorder severity. Arch Sex Behav, 35, 667-684.

Mishra P, Negi MPS, Srivastava M, et al (2018). Decline in seminal quality in Indian men over the last 37 years. Reprod Biol Endocrinol RBE, 16, 103.

Money J (1975). Ablatio penis : normal male infant sex-reassigned as a girl. Arch Sex Behav, 4, 65-71.

Money J, Ehrhardt A (1972). Man and Woman, Boy and Girl : Differentiation and Dimorphism of Gender Identity from Conception to Maturity. Johns Hopkins University Press, Baltimore, MD.

Monk JD, Giglio E, Kamath A, et al (2019). An alternative hypothesis for the evolution of same-sex sexual behaviour in animals. Nat Ecol Evol, 3, 1622-1631.

Moriki Y (2012). Mothering, co-sleeping, and sexless marriages : implications for the Japanese population structure. 社会科学ジャーナル, 74, 27-45.

Moriki Y, Hayashi K, Matsukura R (2015). Sexless marriages in Japan : prevalence and reasons. In : Ogawa N, Shah IH eds. Low Fertil Reprod Health East Asia, International Studies in Population, pp161-185. Springer Netherlands, Dordrecht.

Morley JE, Perry HM (2000). Androgen deficiency in aging men : role of testosterone replacement therapy. J Lab Clin Med, 135, 370-378.

Moskowitz DA, Alvarado Avila A, Kraus A, et al (2021). Top, bottom, and versatile orientations among adolescent sexual minority men. J Sex Res, 1-9.

Mostafa T, Khouly GE, Hassan A (2012). Pheromones in sex and reproduction : do they have a role in humans? J Adv Res, 3, 1-9.

Mueller A, Gooren LJ, Naton-Schötz S, et al (2008). Prevalence of polycystic ovary syndrome and hyperandrogenemia in female-to-male transsexuals. J Clin Endocrinol Metab, 93, 1408-1411.

Murray SH, Milhausen RR (2012). Sexual desire and relationship duration in young men and women. J Sex Marital Ther, 38, 28-40.

Mushayandebvu T, Castracane VD, Gimpel T, et al (1996). Evidence for diminished midcycle ovarian androgen production in older reproductive aged women. Fertil Steril, 65, 721-723.

Mustanski BS, Chivers ML, Bailey JM (2002). A Critical review of recent biological research on human sexual orientation. Annu Rev Sex Res, 13, 89-140.

Nanda S (1999). Gender Diversity : Crosscultural Variations. Waveland Pr Inc, Long Grove, IL.

Neill J (2009). The Origins and Role of Same-Sex Relations in Human Societies. McFarland, Jefferson, NC.

Nelson CMK, Bunge RG (1974). Semen analysis : evidence for changing parameters of male fertility potential. Fertil Steril, 25, 503-507.

Nicolosi A, Laumann EO, Glasser DB, et al (2004). Sexual behavior and sexual dysfunctions after age 40 : the global study of sexual attitudes and behaviors. Urology, 64, 991-997.

Ott MQ, Corliss HL, Wypij D, et al (2011). Stability and change in self-reported sexual orientation identity in young people : application of mobility metrics. Arch Sex Behav, 40, 519-532.

Pachano Pesantez GS, Clayton AH (2021). Treatment of hypoactive sexual desire disorder among women : general considerations and pharmacological options. Focus J Life Long Learn Psychiatry, 19, 39-45.

Palacios S, Mejía A, Neyro JL (2015). Treatment of the genitourinary syndrome of menopause. Climacteric, 18, 23-29.

Parish SJ, Simon JA, Davis SR, et al (2021). International Society for the Study of Women's Sexual Health clinical practice guideline for the use of systemic testosterone for hypoactive sexual desire disorder in women. J Womens Health, 30, 474-491.

Pfau D, Jordan CL, Breedlove SM (2021). The de-scent of sexuality : did loss of a pheromone signaling protein permit the evolution of same-sex sexual behavior in primates? Arch Sex Behav, 50, 2267-2276.

Poasa KH, Blanchard R, Zucker KJ (2004). Birth order in transgendered males from Polynesia : a quantitative study of Samoan fa'afāfine. J Sex Marital Ther, 30, 13-23.

Poeppl TB, Langguth B, Rupprecht R, et al (2016). A neural circuit encoding sexual preference in humans. Neurosci Biobehav Rev, 68, 530-536.

Preti G, Wysocki CJ, Barnhart KT, et al (2003). Male axillary extracts contain pheromones that affect pulsatile secretion of luteinizing hormone and mood in women recipients. Biology of Reproduction, 68, 2107-2113.

Qualls LR, Hartmann K, Paulson JF (2018). Broad autism phenotypic traits and the relationship to sexual orientation and sexual behavior. J Autism Dev Disord, 48, 3974-3983.

Rahman Q, Xu Y, Lippa RA, et al (2020). Prevalence of sexual orientation across 28 nations and its association with gender equality, economic development, and individualism. Arch Sex Behav, 49, 595-606.

Redick A（2005）. What happened at Hopkins：the creation of the intersex management protocols. Cardozo J Law Gend, 12, 289.

Reyes FI, Boroditsky RS, Winter JSD, et al（1974）. Studies on human sexual development. II. Fetal and maternal serum gonadotropin and sex steroid concentrations. J Clin Endocrinol Metab, 38, 612-617.

Riemersma J, Sytsma M（2013）. A new generation of sexual addiction. Sex Addict Compulsivity, 20, 306-322.

Roney JR（2019）. Evolutionary perspectives on hypoactive sexual desire disorder in women. Curr Sex Health Rep, 11, 243-250.

Roney JR, Simmons ZL（2016）. Within-cycle fluctuations in progesterone negatively predict changes in both in-pair and extra-pair desire among partnered women. Horm Behav, 81, 45-52.

Roselli CE（2020）. Programmed for preference：the biology of same-sex attraction in rams. Neurosci Biobehav Rev, 114, 12-15.

Roselli CE, Larkin K, Resko JA, et al（2004）. The volume of a sexually dimorphic nucleus in the ovine medial preoptic area/anterior hypothalamus varies with sexual partner preference. Endocrinology, 145, 478-483.

Roselli CE, Reddy RC, Kaufman KR（2011）. The development of male-oriented behavior in rams. Front Neuroendocrinol, 32, 164-169.

Rosen RC, Shifren JL, Monz BU, et al（2009）. ORIGINAL RESEARCH-EPIDEMIOLOGY：Correlates of sexually related personal distress in women with low sexual desire. J Sex Med, 6, 1549-1560.

Rosenthal SM（2014）. Approach to the patient：transgender youth：endocrine considerations. J Clin Endocrinol Metab, 99, 4379-4389.

Rudolph CES, Lundin A, Åhs JW, et al（2018）. Brief report：sexual orientation in individuals with autistic traits：population based study of 47,000 adults in Stockholm County. J Autism Dev Disord, 48, 619-624.

Sadr M, Khorashad BS, Talaei A, et al（2020）. 2D：4D Suggests a role of prenatal testosterone in gender dysphoria. Arch Sex Behav, 49, 421-432.

Sanders AR, Martin ER, Beecham GW, et al（2015）. Genome-wide scan demonstrates significant linkage for male sexual orientation. Psychol Med, 45, 1379-1388.

Santi D, Spaggiari G, Gilioli L, et al（2018）. Molecular basis of androgen action on human sexual desire. Mol Cell Endocrinol, 467, 31-41.

Santoro N, Worsley R, Miller KK, et al（2016）. Role of estrogens and estrogen-like compounds in female sexual function and dysfunction. J Sex Med, 13, 305-316.

Sasaki S, Ozaki K, Yamagata S, et al（2016）. Genetic and environmental influences on traits of gender identity disorder：a study of Japanese twins across developmental stages. Arch Sex Behav, 45, 1681-1695.

Schank JC（2006）. Do human menstrual-cycle pheromones exist? Hum Nat, 17, 448-470.

Schweizer K, Brunner F, Handford C, et al（2014）. Gender experience and satisfaction with gender allocation in adults with diverse intersex conditions（divergences of sex development, DSD）. Psychol Sex, 5, 56-82.

Sengupta P, Borges E, Dutta S, et al（2018）. Decline in sperm count in European men during the past 50 years. Hum Exp Toxicol, 37, 247-255.

Sengupta P, Nwagha U, Dutta S, et al（2017）. Evidence for decreasing sperm count in African population from 1965 to 2015. Afr Health Sci, 17, 418-427.

Shapiro R（2005）. EMDR Solutions：Pathways To Healing. W W Norton & Co Inc, New York.（ロビン・シャピロ 著，市井雅哉ほか 監訳（2015）. EMDRがもたらす治癒—適用の広がりと工夫. 二瓶社.）

Sherwood RJ, Mclachlan JC, Aiton JF, et al（1999）. The vomeronasal organ in the human embryo, studied by means of three-dimensional computer reconstruction. J Anat, 195, 413-418.

Shimoda R, Campbell A, Barton RA（2018）. Women's emotional and sexual attraction to men across the menstrual cycle. Behav Ecol, 29, 51-59.

Shirazi TN, Jones BC, Roney JR, et al（2019a）. Conception risk affects in-pair and extrapair desire similarly：a comment on Shimoda et al.（2018）. Behav Ecol, 30, e6-e7.

Shirazi TN, Self H, Dawood K, et al（2019b）. Hormonal predictors of women's sexual motivation. Evol Hum Behav, 40, 336-344.

Silva L, Antunes A（2017）. Vomeronasal receptors in vertebrates and the evolution of pheromone detection. Annu Rev Anim Biosci, 5, 353-370.

Singh D, Vidaurri M, Zambarano RJ, et al（1999）. Lesbian erotic role identification：behavioral, morphological, and hormonal correlates. J Pers Soc Psychol, 76, 1035-1049.

Singy P（2021）. Sexual identity at the limits of German liberalism：law and science in the work of Karl Heinrich Ulrichs（1825-1895）. J Hist Sex, 30, 390-410.

Sinha A, Ewies AAA（2013）. Non-hormonal topical treatment of vulvovaginal atrophy：an up-to-date overview. Climacteric, 16, 305-312.

Skakkebaek NE, Bancroft J, Davidson DW, et al（1981）. Androgen replacement with oral testosterone undecanoate in hypogonadal men：a double blind controlled study. Clin Endocrinol（Oxf）, 14, 49-61.

Slotnick B, Restrepo D, Schellinck H, et al（2010）. Accessory olfactory bulb function is modulated by input from the main olfactory epithelium. Eur J Neurosci, 31, 1108-1116.

Smeets MAM, Rosing EAE, Jacobs DM, et al（2020）. Chemical fingerprints of emotional body odor. Metabolites, 10, 84.

Sowers MFR, Zheng H, McConnell D, et al（2009）. Testosterone, sex hormone-binding globulin and free androgen index among adult women：chronological and ovarian aging. Hum Reprod, 24, 2276-2285.

Spark RF（2002）. Dehydroepiandrosterone：a springboard hormone for female sexuality. Fertil Steril, 77, 19-25.

Stern K, McClintock MK(1998). Regulation of ovulation by human pheromones. Nature, 392, 177-179.

Strassmann BI(1997). The biology of menstruation in *Homo Sapiens*: total lifetime menses, fecundity, and nonsynchrony in a natural-fertility population. Curr Anthropol, 38, 123-129.

Stuckey BGA(2008). Female sexual function and dysfunction in the reproductive years: the influence of endogenous and exogenous sex hormones. J Sex Med, 5, 2282-2290.

Suschinsky KD, Lalumière ML(2011). Prepared for anything?: an investigation of female genital arousal in response to rape cues. Psychol Sci, 22, 159-165.

Swaab DF(1999). Hypothalamic peptides in human brain diseases. Trends Endocrinol Metab, 10, 236-244.

Swaab DF(2008). Sexual orientation and its basis in brain structure and function. Proc Natl Acad Sci, 105, 10273-10274.

Swaab DF, Hofman MA(1990). An enlarged suprachiasmatic nucleus in homosexual men. Brain Res, 537, 141-148.

Swaab DF, Slob AK, Houtsmuller EJ, et al(1995). Increased number of vasopressin neurons in the suprachiasmatic nucleus(SCN)of 'bisexual' adult male rats following perinatal treatment with the aromatase blocker ATD. Dev Brain Res, 85, 273-279.

Swan SH, Elkin EP, Fenster L(1997). Have sperm densities declined? A reanalysis of global trend data. Environ Health Perspect, 105, 5.

Swift-Gallant A(2019). Individual differences in the biological basis of androphilia in mice and men. Horm Behav, 111, 23-30.

Swift-Gallant A, Coome L, Aitken M, et al(2019). Evidence for distinct biodevelopmental influences on male sexual orientation. Proc Natl Acad Sci, 116, 12787-12792.

Thibaut F(2011). Pharmacological treatment of sex offenders. Sexologies, 20, 166-168.

Titus-Ernstoff L, Perez K, Hatch EE, et al(2003). Psychosexual characteristics of men and women exposed prenatally to diethylstilbestrol. Epidemiology, 14, 155-160.

van Anders SM(2012). Testosterone and sexual desire in healthy women and men. Arch Sex Behav, 41, 1471-1484.

van Anders SM(2015). Beyond sexual orientation: integrating gender/sex and diverse sexualities via sexual configurations theory. Arch Sex Behav, 44, 1177-1213.

Vermeulen A(2000). Andropause. Maturitas, 34, 5-15.

Votinov M, Goerlich KS, Puiu AA, et al(2021). Brain structure changes associated with sexual orientation. Sci Rep, 11, 5078.

Wallien MSC, Cohen-Kettenis PT(2008). Psychosexual outcome of gender-dysphoric children. J Am Acad Child Adolesc Psychiatry, 47, 1413-1423.

Wallrabenstein I, Gerber J, Rasche S, et al(2015). The smelling of Hedione results in sex-differentiated human brain activity. NeuroImage, 113, 365-373.

Walton MT, Cantor JM, Bhullar N, et al(2017). Hypersexuality: a critical review and introduction to the"sexhavior cycle". Arch Sex Behav, 46, 2231-2251.

Wang Y, Wu H, Sun ZS(2019). The biological basis of sexual orientation: how hormonal, genetic, and environmental factors influence to whom we are sexually attracted. Front Neuroendocrinol, 55, 100798.

Weinberger LE, Sreenivasan S, Garrick T, et al(2005). The impact of surgical castration on sexual recidivism risk among sexually violent predatory offenders. J Am Acad Psychiatry Law, 33, 16-36.

Westheimer RK, Lopater S(2005). Human Sexuality: A Psychological Perspective, 2nd ed. Lippincott Williams & Wilkins, Baltimore, MD.

Whitfield CL(1998). Internal evidence and corroboration of traumatic memories of child sexual abuse with addictive disorders. Sex Addict Compulsivity, 5, 269-292.

Wilcox AJ, Baird DD, Dunson DB, et al(2004). On the frequency of intercourse around ovulation: evidence for biological influences. Hum Reprod, 19, 1539-1543.

Wingfield JC, Hegner RE, Dufty AM, et al(1990). The 'Challenge Hypothesis': theoretical implications for patterns of testosterone secretion, mating systems, and breeding strategies. Am Nat, 136, 829-846.

Winn RL, Newton N(1982). Sexuality in aging: a study of 106 cultures. Arch Sex Behav, 11, 283-298.

Witt M, Hummel T(2006). Vomeronasal versus olfactory epithelium: is there a cellular basis for human vomeronasal perception? Int Rev Cytol, 248, 209-259.

Wong JS, Gravel J(2018). Do sex offenders have higher levels of testosterone? Results from a meta-analysis. Sex Abuse, 30, 147-168.

World Health Organization(1992). The ICD-10 Classification of Mental and Behavioural Disorders: Clinical Descriptions and Diagnostic Guidelines. World Health Organization, Geneva.

World Health Organization(2020). International Classification of Diseases, 11th Revision. World Health Organization, Geneva.

Wylie K(2009). A global survey of sexual behaviours. J Fam Reprod Health, 3, 39-49.

Yang L, Comninos AN, Dhillo WS(2018). Intrinsic links among sex, emotion, and reproduction. Cell Mol Life Sci, 75, 2197-2210.

Yang Z, Schank JC(2006). Women do not synchronize their menstrual cycles. Hum Nat, 17, 433-447.

Zheng J, Islam RM, Skiba MA, et al(2020). Associations between androgens and sexual function in premenopausal women: a cross-sectional study. Lancet Diabetes Endocrinol, 8, 693-702.

Zhou J-N, Hofman MA, Gooren LJG, et al(1995). A sex difference in the human brain and its relation to transsexuality. Nature, 378, 68-70.

Zietsch BP, Sidari MJ, Abdellaoui A, et al(2021). Genomic evidence consistent with antagonistic pleiotropy may help explain the evolutionary maintenance of same-sex sexual behaviour in humans. Nat Hum Behav, 5, 1251-1258.

Ziomkiewicz A(2006). Menstrual synchrony: fact or artifact? Hum Nat, 17, 419-432.

Zumoff B, Strain G, Miller L, et al(1995). Twenty-four-hour

mean plasma testosterone concentration declines with age in normal premenopausal women. J Clin Endocrinol Metab, 80, 1429-1430.

和文索引

あ

アイオア・ギャンブリング課題(IGT) 258
愛着行動 148
アイモリン 266
アグーチ関連タンパク(AgRP) 194
アストロサイト 72
アセチルコリン 72, 121, 226
圧受容体 240
圧受容体反射 240
アデニル酸シクラーゼ 140
アデノシン 226
アデノ随伴ウイルス(AAV)ベクター 12
アドレナリン 26, 241, 252
アドレナリン作動性ニューロン 23
アポトーシス 54, 214, 242, 245
アミロイドβ 247
アメリカハタネズミ 137, 152
アリルアルキルアミン N-アセチルトランスフェラーゼ(AANAT) 202
アルギニンバソプレシン 27
アルコール依存症 248
アルツハイマー病 247
アルドステロン 243, 274
アロマターゼ 25, 44, 59, 120, 145, 214, 274
アンジオテンシンⅡ 240
アンチセンス 121
アンドロゲン 18, 41, 137, 232
アンドロゲン受容体(AR) 44, 99, 146
アンドロステンジオン 137

い

異化作用 241
意思決定 258
一次毛細血管叢 15
一過性受容体電位陽イオンチャネル2(TRPC2) 285
一酸化炭素 25
一酸化窒素 25
一夫一妻制 113, 132, 151
遺伝薬理学的手法 13
陰茎反射 97

インスリン 226
インスリン様増殖因子-1(IGF-1) 274
インターフェロンα(INFα) 226
インターフェロンγ 214
インターロイキン-1(IL-1) 226, 240
インターロイキン-6(IL-6) 240
イントラクライン 14
イントロミッション 93
インヒビン 18, 212
インフラディアンリズム 200

う

ヴァンデンバーグ効果 89
ウィッテン効果 89
歌行動 36
うつ病 243
ウリジン 226
ウルトラディアンリズム 200

え

鋭敏化 249
栄養飢餓 247
エストラジオール 113, 119, 145, 275
エストロゲン 59, 79, 99, 113, 119, 211, 232, 270
エストロゲン応答配列(ERE) 120
エストロゲン受容体 59, 99
エストロゲン受容体α(ERα) 113, 146
エスラジオール 266
エーテルストレス 239
エピジェネティクス 39, 70
炎症性サイトカイン 240
延髄 239
延髄尾側腹外側部(CVL) 240
延髄吻側腹外側部(RVL) 240
エンドトキシン 232
エントレインメント 199

お

黄体期 111, 213
黄体形成ホルモン(LH) 19, 26, 46, 87, 114, 210, 211, 229, 262
黄体刺激ホルモン(LTH) 26
オキシトシン 27, 74, 107, 109, 121, 138, 148, 154, 160, 193, 274
オキシトシン受容体 129
オートクライン 14
オートファジー 247
オートラジオグラフィー 9
オピオイド 121, 220
オープンフィールド 113
オープンフィールドテスト 61
オペラント(道具的)条件づけ(オペラント条件づけ学習) 127, 250
折りたたみ 246
オレキシン 16, 109, 194, 220, 225, 236
温度依存性性決定 32, 33, 38, 270
温度感受性性転換 34
温度係数 201
温度補償性 201

か

概月リズム 199
概日時計機構 201
概日リズム 147, 199, 230
外側手綱核 139
外側中隔 117
外側中隔野 104
概年リズム 199
海馬 105, 140, 177, 219, 255
海馬歯状回 73
化学感覚 81
鍵刺激 79
核内受容体 120
隔離飼育症候群 69
確率割引課題 258
下垂体 16, 271
下垂体アデニル酸シクラーゼ活性化ポリペプチド(PACAP) 274
下垂体後葉 16, 138
下垂体前葉 16, 137
下垂体摘出 131
ガストリン放出ペプチド(GRP) 106
カタラーゼ(CAT) 245
活性作用 146, 147, 257, 275
活性酸素(ROS) 245
活性酸素ストレス 245
カテコールアミン 26

カプサイシン受容体　187
ガラニン　195, 276
ガラニン様ペプチド（GALP）　195
カリフォルニアマウス　132
顆粒球・マクロファージーコロニー刺激因子（GM-CSF）　226
カルシトニン　17
カルシトニン受容体　139
加齢　290
眼窩前頭皮質　258
感作-脱感作法　259
監視行動　211
間腎腺　264
関節リウマチ　244
完全性周期　213
完全生殖周期　213
顔面フィードバック仮説　173
勧誘行動　211
完了行動　95, 114

き

記憶　250
疑核　240
気管支喘息　244
疑似交尾行動　270
偽射精行動　270
寄宿舎効果　90
稀少月経　244
きずな　151
きずな形成　128
キスペプチン　88, 122
キスペプチンニューロン　53
季節性排卵型　111
季節繁殖　214, 275
偽妊娠　124
基本情動　169
基本情動仮説　173
記銘　251
逆説睡眠（PS）　223
逆転写ポリメラーゼ連鎖反応（RT-PCR）　10
逆行性電位活動　119
逆行性トレーサー　139
キャノン-バード説　172
ギャンブル依存　258
求愛行動　265
球海綿体脊髄核（SNB）　53
嗅覚系　140
嗅覚受容体　84
嗅覚選好性　95

嗅受容体　81
嗅小体　265
嗅上皮　84, 146
急速眼球運動（REM）　223
休息状態　223
吸乳行動　129
嗅皮質　140
休眠　218
強化　250
狂犬病ウイルス　139
共修飾作用　132
強制水泳試験　61
強制遊泳ストレス　239
兄弟出生順位効果　282
恐怖　239
恐怖条件づけ　239, 250
魚類　261

く

グラーフ卵胞　19
クリューバー-ビューシー症候群　175
グルココルチコイド　17, 60, 226, 233, 237, 241, 244, 252, 253
グルココルチコイド受容体（GR）　242
グルタチオンペルオキシダーゼ（GPx）　245
グルタミン酸系　226
グルタミン酸作動性ニューロン　147
グルーミング　115, 128
グレリン　16, 24, 194, 274

け

形成作用　59, 146, 147, 257, 275
血管作動性腸管ペプチド（VIP）　226, 273
血管終板器官（OVLT）　240
月経周期　112
血漿浸透圧　187

こ

抗 GHRH　233
抗 IL-1　233
抗 TNF　233
行為依存　248
高架式十字迷路テスト　61
交感神経幹　23
交感神経系　22, 240
交感神経節後線維　23
交感神経節前線維　22
攻撃行動　78, 80, 82, 143, 148, 275

甲状腺　17
甲状腺刺激ホルモン（TSH）　26, 229, 243, 262, 264
甲状腺刺激ホルモン放出ホルモン（TRH）　16, 220, 237, 262, 264, 273
甲状腺ホルモン（TH）　264
恒常的発情　113
構成論説　174
拘束ストレス　239
酵素受容体　25
酵素免疫測定法（EIA）　6
行動神経内分泌学　4
行動睡眠　223
行動性体温調節　195
行動の発情　112
交尾　124
交尾行動　271
交尾排卵　211, 213
交尾ボール　270
抗ミュラー管ホルモン（AMH）　41
抗利尿ホルモン（ADH）　27, 187, 188
コカイン-アンフェタミン調節転写産物（CART）　193
仔殺し　141
固相酵素免疫検定法（ELISA）　6
孤束核（NTS）　240
子育て行動　128
骨芽細胞　242
固定　251
古典的（レスポンデント）条件づけ　249
ゴナドトロピン　122, 229
コリン作動性ニューロン　23
コルチコステロン　17, 238, 243, 252, 270, 274
コルチコトロピン　26
コルチコトロピン放出因子（CRF）　16, 26, 67, 129, 230, 238, 252, 264
コルチコトロピン放出ホルモン（CRH）　16, 26, 67, 129, 230, 238, 252, 262, 264, 273
コルチゾール　17
コルチゾール　238, 243, 252
コレシストキニン（CCK）　193
コンバットダンス　270

さ

最初期遺伝子　240
再生　252
サイトカイン　231
細胞性ストレス応答　245

和文索引

細胞内分泌　14
サイロキシン（T$_4$）　17
サイロトロピン　26
さえずり　80
サーカディアンリズム　199, 235
作業記憶　251, 258
サージジェネレーター　212
サージ分泌　19
サーペンチン受容体　20
酸化型グルタチオン（GSSG）　226
サンガクハタネズミ　152
産業医　248
サンショウウオ　263
参照記憶　251, 258
産卵　276

し

シェーピング　250
ジェームズ-ランゲ説　171
ジェンダー　248
ジェンダー・アイデンティティ　281
子宮内位置　59, 257
ジグザグ・ダンス　78
シクリッド　162
次元説　169
視交叉上核（SCN）　202, 211, 219, 258
自己投与実験モデル　183
自己免疫疾患　244
視索上核　27, 258
視索前野　84, 211, 219, 272
歯状回　255
視床下部　15, 237
視床下部-下垂体-性腺（HPG）軸　122
視床下部-下垂体-副腎（HPA）軸　60, 61, 220, 228, 237
視床下部-下垂体門脈系　15
視床下部室傍核（PVN）（PVH）　105, 150, 238, 273
視床下部前野　103
視床下部背内側核　210
視床下部腹内側核　84, 118
視床下部腹内側核腹外側部（VMHvl）　147
雌性行動　43, 111
室傍核　27, 105, 150, 258
地鳴き　80
ジヒドロテストステロン　132, 145
自閉スペクトラム症　157
社会性性決定　33
社会的隔離飼育ストレス　69

社会的順位　159
社会的認知　258
社会的弁別テスト　259
社会的優位性　119
射精　94
射精後間隔　94
ジャンガリアンハムスター　132
習慣行動　250
周期的覚醒　219
就巣性　273
絨毛性性腺刺激ホルモン　26
雌雄モザイク　37
主嗅覚系　84
主嗅球　84, 140, 146
出血ショックストレス　239
受動的回避学習　253, 257
授乳行動　128
腫瘍壊死因子-α（TNF-α）　214, 226, 240
受容行動　276
受容性　116
主要組織適合抗原複合体（MHC）　90
順位関係　159
馴化　249
乗駕行動　93
松果体　202, 263, 275
条件刺激（CS）　249
条件性場所選好（CPP）テスト　125, 149
条件反応（CR）　249
上行性ノルアドレナリン作動性神経系　239, 240
情動　168
情動行動　23
衝動制御障害　248
情動二要因説　174
生得的行動　79
小胞体　246
小胞体ストレス　246
職場環境　248
徐波　224
鋤鼻器　84, 85, 101, 146, 265, 297
鋤鼻器上皮細胞　122
鋤鼻系　84, 140
鋤鼻受容体　86, 265
鋤鼻神経系　102
鋤鼻ポンプ説　85
自律性体温調節　195
神経新生　73
神経性大食症（BN）　197
神経成長因子（NGF）　226

神経性無食欲症（AN）　197
神経組織型の一酸化窒素合成酵素（nNOS）　149
神経調節物質　27
神経伝達物質　25
神経内分泌学　237
神経ホルモン　14
心血管系防御反応　241
腎交感神経　189
心的外傷後ストレス障害（PTSD）　178, 240
心的回転　255
浸透圧受容器　186
心肺受容器　188
新皮質　224
心理的構成論説　173

す

睡眠　223
睡眠障害　230
睡眠物質　226
スキナー箱　250
巣作り行動　128
ステロイド　21, 24
ストレス　237, 273
ストレス耐性　247
スナネズミ　115
スーパーオキシドジスムターゼ（SOD）　245
スプリッティング　202
スラスト　93
刷り込み　77, 132

せ

制御核　274
性経験　100
性決定　274
性行動　211, 278
性差　234
精子形成異常　244
性嗜好　295
性自認　281
性周期　112, 210, 211
性腺　18
性腺刺激ホルモン　229
性腺刺激ホルモン放出ホルモン（GnRH）　16, 87, 121, 210, 237, 262
性腺刺激ホルモン放出ホルモン1（GnRH1）　273

性腺刺激ホルモン放出ホルモン2(GnRH2)　273
性腺刺激ホルモン放出抑制ホルモン(GnIH)　212, 273
性染色体　29
精巣　18
精巣性女性化症(Tfm)　256
精巣摘出手術　141
正中隆起(正中隆起部)　15, 238
成長ホルモン(GH)　26, 226, 243
成長ホルモン放出ホルモン(GHRH)　16, 226, 228, 243, 273
性的指向　279
性的選好性　126
性的相互作用　114
性的動機づけ　95, 126
性的二型　61
性的二型核　49, 281
性的不応期(性的不能期)　94, 124
性的飽和状態　94
性転換症　281
青斑核(LC)　241
性分化　41, 274
性別違和　281
性ホルモン　226
脊髄　224
セクシャルハラスメント　248
舌咽神経　240
セットポイント　219
ゼブラフィッシュ　162
セルトリ細胞　18
セロトニン　108, 118, 121, 148, 273
セロトニントランスポーター　65
線維芽細胞増殖因子(aFGF)　226
前視床下部間質核(INAH)　56, 281
線条体　126
前進性　115
先天性副腎過形成症(CAH)　256
前頭前皮質　258
前頭葉　140
前脳基底部　225
前腹側脳室周囲核(AVPV)　52, 118

そ

総排出腔(総排泄腔)　266, 269
総排出口腺　275
側坐核　126, 149, 153
側頭葉　140
ソデフリン　266
ソマティック・マーカー仮説　170, 180

ソマトスタチン(SST)　16, 57, 226, 233, 244, 273
ソマトラクチン　262

た

体温維持機構　219
体温調節　23
第三脳室　118
帯状皮質　140
代償療法　5
第二次性徴　69
大脳皮質　104
大脳辺縁系　175, 224
胎盤性ラクトゲン　129
タイプA行動パターン　247
タウタンパク質　247
ダーシン　89
脱感作　212
ダブルプロット法　200
単為生殖　35, 270
短期記憶　250

ち

遅延割引課題　258
中隔野　118
中隔野-対角帯　219
中途覚醒　219
中脳中心灰白質　117
中脳中心被蓋野　105
中脳背側縫線核　118
中葉　16
チューブテスト　161
超音波　80
超音波発声　133
長期記憶　250
長期増強(LTP)　181, 255
腸内細菌叢　74
鳥類　271
直性発生　263
直線的順位関係　159

つ

つがい　151
つがい形成　274
つつきの順位　159
ツメガエル類　263

て

ディスプレイ　78, 79
デキサメタゾン　61

テストステロン　18, 43, 59, 99, 145, 161, 211, 220, 266, 275
デヒドロエピアンドロステロン　136

と

道具的攻撃性　144
統合失調症　258
糖新生　241
同調　199
同調因子　199
動物実験モデル　239
動脈系受容器　187
冬眠　218
冬眠特異的タンパク(HP)　220
独裁的順位関係　159
時計遺伝子　207
取っ組み合い遊び　164
トーヌス　23
ドーパミン　16, 26, 108, 121, 149, 153, 273
トランスジェンダー　281
トランスセクシュアル　281
トリヨードサイロニン(T_3)　17

な

内臓神経求心路　240
内側視索前核(POM)　275
内側視索前野　103, 113
内側視索前野・視床下部前野複合体　103
内側前脳束　118
内側扁桃体(MeA)　147
内皮型の一酸化窒素合成酵素(eNOS)　149
内分泌攪乱物質　75
内分泌腺　14
内卵胞膜細胞　214
なぐさめ行動　155
ナトリウム利尿ペプチド　189
舐め噛み　128
ナルコレプシー　220, 236
ナロキソン　122
なわばり　81, 82, 265

に

ニコチン様受容体　23
二次的変態　264
二次毛細血管叢　15
二重鎖リボ核酸　232
ニホンザル　137

和文索引

乳汁射出　27
乳汁分泌ホルモン　244
ニューロステロイド　25, 275
ニューロテンシン　226
ニューロペプチドY(NPY)　192, 194, 241
尿崩症　27
認知評価説　173

ね
ネオテニー　264
ネガティブフィードバック　60

の
脳幹　116, 224
脳血液関門　138
脳室周囲器官　240
脳腸相関研究　73
脳定位固定装置　6
能動的回避学習　253, 257
脳波(EEG)　223
脳由来神経栄養因子(BDNF)　226
ノックアウト(KO)　11
ノルアドレナリン　26, 26, 108, 121, 226
ノンレム睡眠(non-REM sleep)　223
ノンレム睡眠　219

は
排卵　111
排卵周期　112
バセドウ病　244
バソトシン　264, 270
バソプレシン　27, 109, 132, 137, 148, 154, 188, 238, 264, 274
バソプレシン受容体　156
爬虫類　268
発癌　245
発情　112
発情周期　112
母親攻撃行動　149
パペッツ回路　175
パラクライン　14
パラフィリア　295
パルスジェネレーター　212
半陰茎　269
反射排尿　213
反射勃起　97
繁殖行動　270
反応的(衝動的)攻撃性　144

ひ
光遺伝学　13, 147
微小透析　7
ヒスタミン　225
非接触性勃起(NCE)　98
ピット器官　270
ヒト主要組織適合性抗原(HLA)　236
ヒポクレチン　194, 236
表情模倣　170

ふ
ファイバーフォトメトリー　13
不安　239
不安行動　113
フェレット　120
フェロモン　14, 82, 83, 112, 211, 270, 297
不完全性周期　213
不完全生殖周期　213
腹外側網様体(VLR)　241
副嗅球(副嗅球系)　84, 122, 141, 146, 267
副交感神経系　22
副交感神経節後線維　23
副交感神経節前線維　23
服従行動　143
副松果体　263
副腎　17
副腎髄質　17, 241
副腎髄質ホルモン　26
副腎皮質　17
副腎皮質過形成(CAH)　284
副腎皮質刺激ホルモン(ACTH)　26, 228, 237, 252, 264
副腎皮質刺激ホルモン-β-リポトロピン前駆体　228
腹側嗅上皮　265
腹側淡蒼球　156
腹側被蓋野　118, 149
父性行動　131
フットショックストレス　239
負のフィードバック機構　238
プライミング効果　17
フリージング反応　249
フリーランニングリズム　201
ブルース効果　91
プレイ・フェイス　163
プレグネノロン　136, 226
フレーザー・ダーリング効果　158
フレーメン　85

プレーリーハタネズミ　132, 152
プロオピオメラノコルチン(POMC)　27, 193, 228, 274
プロゲステロン　19, 211, 213, 226, 232, 270, 276
プロゲステロン受容体　120
プロスタグランジン　130, 276
プロスタグランジンD_2(PGD$_2$)　226
プロスタグランジン$F_{2\alpha}$(PGF$_{2\alpha}$)　214
ブロモクリプチン　137
プロラクチン(PRL)　16, 26, 121, 137, 226, 228, 244, 264, 266
プロラクチン放出ペプチド(PrRP)　226, 228, 241
分界条床核(BST)　84, 122, 178, 241, 258
分界条床核主核(BNSTp)　47
分界条床核中心核(BSTc)　281
吻側第三脳室周囲(RP3V)　122
分娩　27
文脈　249

へ
ペース配分行動　124
ヘテロ遺伝子型　138
ヘテロ核RNA(hnRNA)　239
ヘミペニス　269
変態　263
扁桃体　61, 118, 176
扁桃体外側基底核　255
扁桃体内側核　84, 102, 122, 258

ほ
防御作用　242
防御反応　237
芳香化　25
芳香化仮説　145
芳香化酵素　120
放射状迷路学習課題　251, 257
放射線免疫測定法(RIA)　6
報酬回路　130
報酬系　153
傍分泌性　27
抱卵　276
抱卵行動　273
抱卵斑　276
保持　252
母仔分離　62
母子分離ストレス　240
母性記憶　130

母性攻撃　128
母性行動　62
母性フェロモン　129
勃起機能　97
勃起不全　244
ボノボ　112
ホメオスタシス　21, 23, 186, 237
ポリメラーゼ連鎖反応（PCR）　10
ボリューム伝達　107
ホルモン補充療法（HRT）　17

ま
マイクロダイアリシス　7
マウント　93, 211
マーキング　81
膜受容体　120
マクロファージ　240
末梢時計　209
マーモセット　137

み
未経産動物　131
見せかけの怒り　172
ミネラロコルチコイド　17, 243
ミネラロコルチコイド受容体（MR）　243

む
無月経　244
無条件刺激（US）　249
無条件反応（UR）　249
ムスカリン様受容体　23
無排卵　244
ムラミルペプチド　232

め
迷走神経　232, 240
鳴囊　265
メソトシン（MT）　273

メラトニン　202, 204, 206, 226, 235, 262, 275
メラニン凝集ホルモン（MCH）　194, 262
メラノコルチン受容体　242
メラノサイト　27
メラノサイト刺激ホルモン（MSH）　26
メラノサイト刺激ホルモン放出ホルモン（MRH）　16
免疫組織化学（IHC）　8
免疫組織化学法　5
免疫反応　231

も
網膜　202, 275
網膜視床下部路　204, 206
目標指向行動　250
モノアミン仮説　183
モノアミン系　226
モリス型水迷路　254
モリス型水迷路課題　258
モルモット　136

や
薬物依存　183, 248, 258
薬理遺伝学（DREADD）　147
ヤコブソン器官　270

ゆ
誘引性　115
雄性行動　93
遊離基ガス　25
融和行動　160
輸送反応　134
ユビキチン化　246

よ
養育行動　269
幼形成熟　264

腰髄-視床ニューロン　107
欲求行動　95, 114

ら
ライディッヒ細胞　18
ライトニング　211
卵巣　18
卵巣摘出　113
卵胎生　269
卵胞顆粒膜細胞　214
卵胞期　111
卵胞刺激ホルモン（FSH）　19, 26, 211, 262

り
離乳　135
リボソーム　246
リポ多糖（LPS）　240
隆起葉　271, 275
両生類　263

れ
レニン　240
レニン-アンジオテンシン系　188, 243
レプチン　24, 193
連続発情　211

ろ
労働条件　248
漏斗部　238
ロードーシス　43, 119, 211
ロードーシス姿勢　116
ロードーシス商（LQ）　116

わ
ワタボウシタマリン　138

欧文索引

数字

2D：4D　284
2型鋤鼻受容体　265, 267
2型脱ヨード酵素（DIO2）　262
5α-ジヒドロテストステロン（DHT）　99
5α-リダクターゼ（還元酵素）　145
8の字ダンス　77
11β-HSD（hydroxysteroid dehydrogenase）　243
17β-エストラジオール（E$_2$）　99

ギリシャ文字

αERKO マウス　113
α-fetoprotein　45
α-MSH（melanocyte stimulating hormone）　193, 233
α-フェトプロテイン　45, 59
α-メラノサイト刺激ホルモン（α-MSH）　193
βERKO マウス　113
β-lipotropic hormone（β-LPH）　26
β-lipotropin　26
β-LPH（β-lipotropic hormone）　26, 27
βエンドルフィン　122, 238
β-リポトロピン　26
γ-aminobutyric acid（GABA）　240
γ-アミノ酪酸（GABA）　240
μオピオイド受容体　220

A

AANAT　202
AAV（adeno-associated virus）ベクター　12
accessory olfactory bulb　84
ACTH（adrenocorticotropic hormone）　26, 228, 237, 252, 264
adeno-associated virus（AAV）ベクター　12
ADH（antidiuretic hormone）　187, 188
adrenocorticotropic hormone（ACTH）　26, 228, 237, 252, 264
affiliative behavior　148
aFGF　226, 232
aggressive behavior　143
agonistic behavior　143
agouti-related protein（AgRP）　194
AgRP（agouti-related protein）　194
Alloparental care　131
Ambystoma mexicanum　263
amenorrhea　244
AMH（anti-Müllerian hormone）　41
Amhibia　263
amygdala　176
AN（anorexia nervosa）　197
androgen　41
androgen receptor（AR）　44
anorexia nervosa（AN）　197
anovulation　244
anteroventral periventricular nucleus（AVPV）　52, 118
antidiuretic hormone　27
antidiuretic hormone（ADH）　188
anti-Müllerian hormone（AMH）　41
apoptosis　54, 242
appetitive behavior　95, 114
AR（androgen receptor）　44
arginine vasopressin　27
aromatization　25
aromatization hypothesis　145
asrenocortictropic hormone（ACTH）　252
autocrine mediation　14
autonomic temperature regulation　195
autoradiography　9
AVPV（anteroventral periventricular nucleus）　52, 118

B

baroreceptor reflex　240
basal forebrain　225
basic emotion　169
BDNF　226
bed nucleus of the stria terminalis（BST）　241
behavioral addiction　248
behavioral sleep　223
behavioral temperature regulation　195
BN（bulimia nervosa）　197
BNSTp　47
brainstem　224
Bruce effect　91
BST（bed nucleus of the stria terminalis）　241
BSTc（central subdivision of the bed nucleus of the stria terminalis）　281
bulimia nervosa（BN）　197

C

CA1　255, 258
CA3　258
CAH（congenital adrenal hyperplasia）　256, 284
CALB-SDN（calbindin-sexually dimorphic nucleus）　50
cardiovascular defense reaction　241
CART（cocaine and amphetamine-regulated transcript）　193
CAT（catalase）　245
catalase（CAT）　245
caudal ventrolateral medulla（CVL）　240
CCK（cholecystokinin）　193
cellular stress response　245
central subdivision of the bed nucleus of the stria terminalis（BSTc）　281
chemical sense　81
cholecystokinin（CCK）　193
circadian rhythm　199
circalunar rhythm　199
circumventricular organs　240
cocaine and amphetamine-regulated transcript（CART）　193
conditioned place preference（CPP）　149
conditioned response（CR）　249
conditioned stimulus（CS）　249
congenital adrenal hyperplasia（CAH）　256, 284
consolation behaviors　155
consolidation　251
consummatory behavior　95, 114
context　249
corticosterone　238
corticotropin　26

corticotropin-releasing factor（CRF）　26, 230, 238
corticotropin-releasing hormone（CRH）　26, 230, 264, 273
cortisol　238
courtship call　265
CPP（conditioned place preference）　149
CPP テスト　125
CR（conditioned response）　249
CRF（corticotropin-releasing factor）　16, 26, 67, 129, 230, 238, 252, 264
CRH（corticotropin-releasing hormone）　16, 26, 67, 129, 230, 233, 238, 252, 262, 264, 273
CS（conditioned stimulus）　249
CVL（caudal ventrolateral medulla）　240

D

darcin　89
darting　115
decision making　258
defensive aggression　143
dehydroepiandrosterone（DHEA）　256
DHEA（dehydroepiandrosterone）　256
DHT　99
differences of sex development（DSD）　278
DIO2　262
dio2　275
direct metamorphosis　263
DM-domain gene on the Y chromosome（DMY）　31, 32
dmrt1　274
DMY（DM-domain gene on the Y chromosome）　31, 32
DNA 損傷　245
dormitory effect　90
down regulation　212
DREADD（DREADDs）　13, 147
Dreamless マウス　227
drug addiction　248
DSD（differences of sex development）　278

E

E_2　99
ear-wiggling　115
EEG（electroencephalogram）　223
EIA（enzyme immunoassay）　6
electroencephalogram（EEG）　223

ELISA（enzyme-linked immunosorbent assay）　6
encoding　251
encounter call　265
endocrine mediation　14
endoplasmic reticulum associated degradation（ERAD）　246
endothelial nitric oxide synthase（eNOS）　149
eNOS（endothelial nitric oxide synthase）　149
entrainment　199
enzyme immunoassay（EIA）　6
enzyme-linked immunosorbent assay（ELISA）　6
epigenetics　70
ERAD（endoplasmic reticulum associated degradation）　246
ERE（estrogen response element）　120
ER-phagy　247
ERα（estrogen receptor α）　113
ERα 遺伝子　113
ERα 含有ニューロン　118
ERβ 遺伝子　113
ESP1（exocrine gland-secreting peptide 1）　89, 122, 146
ESP22（exocrine gland-secreting peptide 22）　123
estrogen receptor α（ERα）　113
estrogen response element（ERE）　120
exocrine gland-secreting peptide 1（ESP1）　122

F

facial mimicry　170
fear conditioning　239
fear-induced aggression　143
fiberphotometry　13
folding　246
follicle-stimulating hormone（FSH）　26
follicular phase　111
fraternal birth order effect　282
free-running rhythm　201
FSH（follicle-stimulating hormone）　19, 26, 211, 262

G

GABA（γ-aminobutyric acid）　225, 240
GABA 作動性ニューロン　147
galanin　195

Galanin　138
galanin-like peptide（GALP）　195
GALP（galanin-like peptide）　195
gender identity　281
GH（growth hormone）　26, 27, 226, 243
ghrelin　194
GHRH（growth hormone releasing hormone）　16, 226, 228, 243, 273
GHRH アンタゴニスト　233
glossopharyngeal nerve　240
glucocorticoid receptor（GR）　242
glutathione peroxidase（GPx）　245
GM-CSF　226, 232
GnIH（gonadotropin-inhibitory hormone）　212, 273
GnRH（gonadotropin-releasing hormone）　16, 87, 121, 210, 237, 262
GnRH1（gonadotropin-releasing hormone 1）　273
GnRH2（gonadotropin-releasing hormone 2）　273
GnRH サージジェネレーター　211
GnRH パルスジェネレーター　211
gonadotropin-inhibitory hormone（GnIH）　273
gonadotropin-releasing hormone（GnRH）　87, 237
gonadotropin-releasing hormone 1（GnRH1）　273
gonadotropin-releasing hormone 2（GnRH2）　273
Go-No Go 視覚弁別課題　259
GPx（glutathione peroxidase）　245
GR（glucocorticoid receptor）　242
grooming　128
growth hormone（GH）　26, 243
growth hormone releasing hormone（GHRH）　228, 244, 273
GRP　106
GSSG　226
GT1-7 細胞　213
guarding　211
gynandromorph　37
Gαo　267
G タンパク質共役型受容体　20, 122

H

habituation　249
habituation-dishabituation　259
heteronuclear RNA（hnRNA）　239

hibernation 218
hibernation-specific protein(HP) 221
hippocampus 177
HLA 236
hnRNA(heteronuclear RNA) 239, 241
Homogeneous Set Test 144
hopping 115
HP(hibernation-specific protein) 221
HPA(hypothalamic–pituitary–adrenal)軸 60, 61, 220, 228, 237
HPG(hypothalamus–pituitary–gonad)軸 76, 122
HRT 17
HVc 274
hypophysis 16
hypothalamic-hypophyseal portal system 15
hypothalamic-pituitary-adrenal(HPA)軸 237
hypothalamus 237
hypothalamus-pituitary-gonad(HPG)軸 122

I

IFNα, β 232
IGF-1 233, 274
IGT(Iowa Gambling Task) 258
IHC(immunohistochemistry) 8
IL-1 226, 240
IL-1α, β 232
IL-1 可溶性受容体 233
IL-1 受容体 240
IL-1 受容体アンタゴニスト 233
IL-4 232, 233
IL-6 232, 240
IL-10 232, 233
IL-13 233
IMHV(intermediate medial part of hyperstriatum ventrale) 133
immediate early genes 240
immunohistochemistry(IHC) 8
imorin 266
impulse-control disorders 248
INAH(interstitial nucleus of the anterior hypothalamus) 56, 281
infradian rhythm 200
INFα 226
in situ ハイブリダイゼーション 5, 9
instrumental aggression 143
intermale aggression 143

intermediate medial part of hyperstriatum ventrale(IMHV) 133
intermediate lobe 16
interrenal gland 264
interstitial nucleus of the anterior hypothalamus(INAH) 56, 281
intracrine mediation 14
intromission 93
Iowa Gambling Task(IGT) 258
irritable aggression 143
isolation call 133
isolation-induced aggression 144
isolation stress 69
isolation syndrome 69

J

Jacobson's organ 270

K

kisspeptin 88, 122
knock-out(KO) 11
KO(knock-out) 11

L

LC(locus coeruleus) 241
leptin 193
Leydig cell 18
LH(luteinizing hormone) 19, 26, 46, 87, 114, 210, 211, 229, 262
LH サージ 276
licking 128
limbic system 224
lipopolysaccharide(LPS) 240
L-NAME 233
lobus anterior lobe 16
locus coeruleus(LC) 241
long term potentiation(LTP) 181, 255
lordosis quotient(LQ) 116
LPS(lipopolysaccharide) 240
LQ(lordosis quotient) 116
LTH(luteotropic hormone) 26
LTP(long term potentiation) 181, 255
lumbar spinothalamic 107
luteal phase 111
luteinizing hormone(LH) 26, 46, 87, 114, 229
luteotropic hormone(LTH) 26

M

main olfactory bulb 84

main olfactory system 84
major urine protein(MUP) 146
maternal aggression 128, 143
maternal memory 130
MCH(melanin-concentrating hormone) 194, 262
MeA(medial nucleus of amygdala) 147
medial preoptic area(mPOA) 103
medial nucleus of amygdala(MeA) 147
medial preoptic-anterior hypothalamus continuum 103
melanin-concentrating hormone(MCH) 194
melanocyte-stimulating hormone(MSH) 26
melanocyte stimulating hormone(α-MSH) 193
mesotocin(MT) 273
metamorphosis 263
MHC 90
microdialysis 7
mineralocorticoid receptors(MR) 243
mount 93
mPOA(medial preoptic area) 103
MR(mineralocorticoid receptors) 243
MRH 16
MSH(melanocyte-stimulating hormone) 26
MT(mesotocin) 273
MUP(major urine protein) 91, 146

N

Nalcn 遺伝子変異 227
NCE(noncontact erection) 98
negative feedback mechanism 238
neocortex 224
neo-phobia 132
neoteny 264
nesting 128
neuromodulator 25, 27
neuronal nitric oxide synthase(nNOS) 149
neuropeptide Y(NPY) 192, 194
NGF 226
nNOS(neuronal nitric oxide synthase) 149
noncontact erection(NCE) 98
non-genomic 148
non-REM sleep 223
NPY(neuropeptide Y) 192, 194, 241

NTS（nucleus of the solitary tract） 240
nucleus ambiguus　240
nucleus of the solitary tract（NTS）　240
nursing　128

O

offensive aggression　143
olfactory epithelium　84
olfactory receptor　84
oligomenorrhea　244
optogenetics　13, 147
orbitofrontal cortex　258
orexin　194
organizational effect　59
organum vascrosum laminae terminalis（OVLT）　240
oSDN（ovine sexual dimorphic nucleus）　281
ovine sexual dimorphic nucleus（oSDN）　281
OVLT（organum vascrosum laminae terminalis）　240
ovulation　111
oxytocin　27, 193

P

PACAP　274
pacing exit　124
paracrine mediation　14
paradoxical sleep（PS）　223
para sympathetic division　22
paraventricular nucleus of the hypothalamus（PVH）　238
parthenogenesis　35
PCR（polymerase chain reaction）　10
pelvic thrusting　93
penile reflex　97
periodic arousal　219
PGD_2　226
PGE_2　233
$PGF_{2\alpha}$　214
pheromone　82
pineal gland　202
pit organ　270
pituitary　16
play face　163
play fighting　164
polymerase chain reaction（PCR）　10
POM　275
POMC（pro-opiomelanocortin）　27,
　193, 228, 238, 274
postejaculatory interval　94
posterior lobe　16
post-traumatic stress disorder（PTSD）　178, 240
predatory aggression　143
prefrontal cortex　258
presenting　115
PRL　226
proactive/instrumental aggression　144
prolactin　26, 228, 244
prolactin releasing peptide（PrRP）　241
pro-opiomelanocortin（POMC）　193, 238
PrRP（prolactin releasing peptide）　226, 228, 241
PS（paradoxical sleep）　223
PTSD（post-traumatic stress disorder）　178, 240
PVH（paraventricular nucleus of the hypothalamus）　238

R

RA　274
rapid eye movement（REM）　223
reactive/impulsive aggression　144
reactive oxygen species（ROS）　245
reflexive erection　97
regulated IRE1-dependent decay（RIDD）　246
release call　265
REM（rapid eye movement）　223
replacement therapy　5
Resident-Intruder Test　144
resting state　223
retention　252
retina　202
retinohypothalamic tract　204
retrieval　252
retrieving　128
Reverse Transcription-PCR（RT-PCR）　10
RIA　6
RIDD（regulated IRE1-dependent decay）　246
RNA interference　12
RNA 干渉　12
ROS（reactive oxygen species）　245
rostral periventricular area of the third ventricle（RP3V）　122
rostral ventrolateral medulla（RVL）　240
RP3V（rostral periventricular area of the third ventricle）　122
RT-PCR（Reverse Transcription-PCR）　10
RVL（rostral ventrolateral medulla）　240

S

scent marking　81
SCN（suprachiasmatic nucleus）　202
SDN-POA（sexually dimorphic nucleus of the preoptic area）　49, 281
secondary metamorphosis　264
sensitization　249
Sertoli cell　18
sex chromosome　29
sex-determining region on the Y chromosome（*Sry*）　29
sex-hormone binding globulin（SHBG）　290
sexual exhaustion　94
sexually dimorphic nucleus of the preoptic area（SDN-POA）　281
sham rage　172
SHBG（sex-hormone binding globulin）　290
shock-induced aggression　144
Sik3 遺伝子変異　227
Sleepy マウス　227
slow wave　224
SNB（spinal nucleus of the bulbocavemosus）　53
social discrimination test　259
SOD（superoxide dismutase）　245
sodefrin　266
somatostatin　244
somatostatin（SST）　273
spinal cord　224
spinal nucleus of the bulbocavemosus（SNB）　53
SRIF　226
Sry（*sex-determining region on the Y chromosome*）　29
SST（somatostatin）　273
stereotaxic apparatus　6
stress　237
submissive behavior　143
suckling　129
superoxide dismutase（SOD）　245
suprachiasmatic nucleus（SCN）　202

sympathetic division　22

T

T₃(triiodothyronine)　17, 264
T₄(thyroxine)　17, 264
temperature compensation　201
temperature-sensitive sex reversal　34
territorial aggression　143
territorial call　265
testicular feminization(Tfm)　256
testosterone　43
Tfm(testicular feminization)　256
TGFβ　233
TH(thyroid hormone)　264
thyroid hormone(TH)　264
thyroid-stimulating hormone(TSH)　26, 229, 243, 264
thyrotropin　26
thyrotropin-releasing hormone(TRH)　237, 264, 273
thyroxine(T₄)　264
TNF-α(tumor necrosis factor-α)　214, 226, 240
TNF-α, β　232
TNF可溶性受容体　233
tonus　23
transient receptor potential cation channel 2(TRPC2)　285
transsexualism　281
TRH(thyrotropin-releasing hormone)　16, 220, 237, 262, 264, 273
triiodothyronine(T₃)　264
TRPC2(transient receptor potential cation channel 2)　285
*Trpc2*遺伝子　141
TRPV1　187
TSH(thyroid-stimulating hormone)　26, 229, 243, 262, 264
TSH　275
tumor necrosis factor-α(TNF-α)　240
Tリンパ球　240

U

ultradian rhythm　200
unconditioned response(UR)　249
unconditioned stimulus(US)　249
unfolded protein　246
unfolded protein response(UPR)　246
UPR(unfolded protein response)　246
UR(unconditioned response)　249
US(unconditioned stimulus)　249

V

V2Rp4　123
V2Rp5　122
vagal nerve　240
Vandenberg effect　89
vasoactive intestinal peptide(VIP)　273
ventrolateral part of ventromedial hypothalamus(VMHvl)　147
ventrolateral reticular formation(VLR)　241
VIP(vasoactive intestinal peptide)　226, 273
VLR(ventrolateral reticular formation)　241
VMHvl(ventrolateral part of ventromedial hypothalamus)　147
vomeronasal organ　84, 265, 297
vomeronasal receptor　86
vomeronasal system　84

W

Whitten effect　89

X

X chromosome inactivation　30
Xenopus laevis　263
X染色体不活性化　30

Z

zeitgeber　199

脳とホルモンの行動学
わかりやすい行動神経内分泌学　第2版

2023年3月16日　初版第1刷発行

編　者	近藤保彦　小川園子　菊水健史　山田一夫　富原一哉　塚原伸治
発行人	西村正徳
発行所	西村書店
	東京出版編集部
	〒102-0071 東京都千代田区富士見2-4-6
	Tel.03-3239-7671　Fax.03-3239-7622
	www.nishimurashoten.co.jp
印　刷	三報社印刷株式会社
製　本	株式会社難波製本

©2023 西村書店
本書の内容を無断で複写・複製・転載すると，著作権および出版権の侵害となることがありますので，ご注意下さい．

ISBN978-4-86706-043-8

西村書店 好評図書

◆**世界的に好評を博する神経科学テキストの大改訂版!!**

カラー版 ベアー　コノーズ　パラディーソ
神経科学 脳の探求 改訂版

[著] ベアー／コノーズ／パラディーソ
[監訳] 藤井　聡
[訳] 山崎良彦／後藤　薫／加藤宏司
●B5判・788頁　◆定価 **8,690** 円

▶ 神経科学の大枠や筋道を理解でき、多くの胸躍る新しい知見に出会える。
▶ 素晴らしくわかりやすい**フルカラーイラスト**を随所に配し、内容を効果的に説明。
▶ 最新の分子レベルの知識から高次脳機能までを網羅。
▶ ノーベル賞受賞者など、26人の世界トップクラスの科学者が、コラム「発見への道」を執筆。勤勉と忍耐、そして偶然と勘──発見するまでの息遣い、スリルを実感できる。

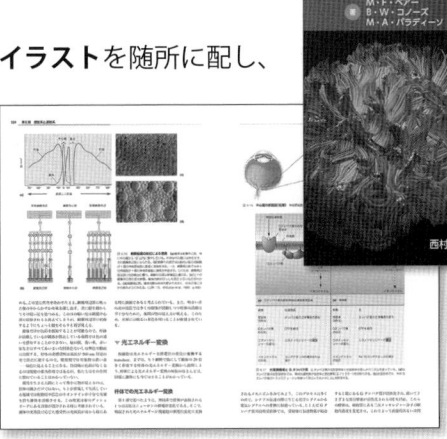

神経心理学への誘い 高次脳機能障害の評価
*『神経心理学評価ハンドブック』を大幅に改訂

[編] 田川皓一／池田　学
●B5判・上製・370頁　◆定価 **7,480** 円

脳血管障害や認知症、パーキンソン病、脳の外傷性疾患などの基礎疾患の解説と画像診断法の紹介、また意識障害や精神症候、注意障害、記憶障害、失語、失行、失認などの評価法について豊富な事例を用いて解説。

ブルーメンフェルト カラー 神経解剖学 臨床例と画像鑑別診断

[著] ブルーメンフェルト
[訳] 安原　治
●B5判・792頁　◆定価 **9,350** 円

神経系の構造と機能を、実際の臨床例と豊富な画像の提示により臨床と関連付けて理解できる。従来にない神経解剖・神経内科を網羅した画期的な教科書。大きなカラー解剖イラスト多数。

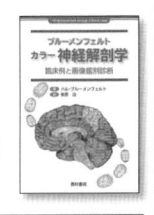

マスター脳卒中学
最前線医療の現場からリハビリテーションまで

[編集] 田川皓一／橋本洋一郎／稲富雄一郎
●B5判・608頁　◆定価 **9,680** 円

今後臨床に携わる人から、高次の理解を得たい人までのニーズに応える。

外傷性脳損傷ハンドブック
診断と治療・評価・後遺症の管理
■現場で役立つ臨床マニュアル■

[著] アルシニェガス 他　[総監訳] 松村　明
●A5判・428頁　◆定価 **9,680** 円

臨床現場で使える実践ガイド!!

※価格は税率10%の税込です

西村書店 好評図書

細胞、DNA、遺伝子の疑問にこたえるサイエンス・コミック!!

まんがでわかる みんなの遺伝子の謎

[作] フランドリ
[監修] 山内豊明　[訳] 山崎瑞花
●A5変型・188頁　◆定価 **2,090**円

ミクロの世界を駆けめぐる！
あれ『染色体』ってなんだっけ？
えっ『遺伝子』と『DNA』って同じじゃないの？
エヘン 僕にまかせてよ！
コハク　ピオ　アオイ
オールカラー 総ルビ付

好奇心旺盛な双子の姉妹・コハクとアオイが賢いヒヨコのピオと細胞の世界を大冒険！生物が親から子へと形質を受け継いでいく驚異のシステム〈遺伝〉をわかりやすく解説するユニークなサイエンス・コミック。

地球生命誕生の謎
カラー図解 アストロバイオロジー

[著] ガルゴー 他　[監訳] 薮田ひかる
●B5判・232頁　◆定価 **4,950**円

▶天文学、地球化学、惑星科学、地質学、生物学が融合した「生命の起源」に迫る一冊！
▶最新のサイエンスが凝縮した目から鱗のわかりやすいカラー図解
▶生命の起源に関する国内の専門家が翻訳
▶「アストロバイオロジー」の入門書として最適

※価格は税率10%の税込です